Charles Lewinsky

Het lot van de familie Meijer

Vertaald door Elly Schippers

2007
uitgeverij Signatuur / Utrecht

© 2006 Charles Lewinsky/ Nagel & Kimche im Carl Hanser Verlag München Wien
Oorspronkelijke titel: Melnitz
Vertaling: Elly Schippers
© 2007 uitgeverij Signatuur, Utrecht
Alle rechten voorbehouden.

Omslagontwerp: Wil Immink Design
Omslagfoto: afkomstig uit Zürich zurückgeblättert 1870-1914.
Werden und Wandel einer Stadt (VII),
© Verlag Neue Zürcher Zeitung, Zürich, 1979
Typografie: Pre Press B.V., Zeist
Druk- en bindwerk: Bercker, Kevelaer

ISBN 978 90 5672 360 6
NUR 302

swiss arts council
prohelvetia

Deze vertaling is tot stand gekomen met steun van
Pro Helvetia, Swiss Arts Council.

Op blz. 661-667 is een verklarende woordenlijst opgenomen.

Eerste druk, oktober 2007
Dertiende druk, mei 2010

FSC
Mix
Produktgroep uit goed beheerde
bossen, gecontroleerde bronnen
en gerecycled materiaal.

Cert no. SGS-COC-003091
www.fsc.org
© 1996 Forest Stewardship Council

Dit boek is gedrukt op papier dat het keurmerk van de Forest Stewardship Council (FSC) mag dragen. Bij dit papier is het zeker dat de productie niet tot bosvernietiging heeft geleid. Een flink deel van de grondstof is afkomstig uit bossen en plantages die worden beheerd volgens de regels van FSC. Van het andere deel van de grondstof is vastgesteld dat hiervoor geen houtkap in de laatste resten waardevol bos heeft plaatsgevonden. Daarom mag dit papier het FSC Mixed Sources label dragen. Voor dit boek is het FSC-gecertificeerde Schleipen papier gebruikt. Dit papier is 100% chloor- en zwavelvrij gebleekt en wordt geleverd door Cordier Spezialpapier GmbH, Schleipen, Duitsland.

Het lot van de familie Meijer

Voor mijn vrouw, zonder wie ik niet zou bestaan

Inhoud

1871

1

Altijd als hij gestorven was, kwam hij weer terug.

Op de laatste dag van de rouwweek, wanneer het verlies was opgegaan in het leven van alledag, wanneer je de pijn al moest zoeken zoals een muggenbeet die gisteren nog jeukte en vandaag nauwelijks meer te voelen is, wanneer iedereen een pijnlijke rug had van het zitten op de lage krukjes waarop de nabestaanden die zeven dagen volgens oud gebruik plaatsnemen, dan was hij er gewoon weer bij. Samen met de andere bezoekers kwam hij onopvallend de kamer binnen, op het oog in niets van hen verschillend. Alleen bracht hij geen eten mee, ook al was dat de gewoonte. In de keuken stonden rijen pannen en afgedekte schalen, een erewacht voor de overledene. Hij kwam met lege handen, pakte ook een stoel, zei geen woord wanneer hij door de rouwenden niet werd aangesproken, stond op wanneer zij baden, ging zitten wanneer zij gingen zitten. En als de anderen dan hun woorden van troost mompelden en afscheid namen, bleef hij gewoon zitten en was er weer, zoals hij er altijd geweest was. Zijn naar vochtig stof ruikende geur vermengde zich met de andere geuren van het sterfhuis: zweet, vetkaarsen, ongeduld. Hij hoorde er weer bij, rouwde mee, nam afscheid van zichzelf, zuchtte zijn vertrouwde, half gekreunde, half gesnurkte zucht, viel met hangend hoofd en open mond in slaap en was er weer.

Salomon Meijer stond op van zijn krukje, hees zijn lichaam omhoog als een zwaar gewicht, als een kwart koe of een baal meel, rekte zich uit zodat zijn schoudergewrichten kraakten en zei: 'Noe, laten we aan tafel gaan.' Hij was een grote, breedgebouwde man, al leek hij niet sterk omdat zijn hoofd te klein was voor zijn postuur, het hoofd van een geleerde op het lichaam van een boer. Hij had bakkebaarden die – veel te vroeg, vond Salomon – al een beetje grijs begonnen te worden. Daarnaast, omlijst door de baard, vormde een vlechtwerk van gesprongen adertjes twee rode vlekken, waardoor hij er altijd angesjikkert uitzag, hoewel hij alleen bij de plechtige kidoesj wijn dronk en verder hoogstens op heel hete dagen weleens een biertje. Al het andere benevelt het hoofd, en het hoofd is het belangrijkste lichaamsdeel van een veehandelaar.

Hij was helemaal in het zwart, niet ten teken van rouw maar omdat hij zich geen andere kleur kon voorstellen, en droeg een ouderwetse geklede jas van zwaar laken. Nu er geen bezoekers meer werden verwacht, maakte hij de knopen los en liet de jas zonder om te kijken achter zich vallen. Hij ging ervan uit dat zijn Golde hem wel zou opvangen en netjes over de leuning van een stoel zou leggen. Daar school niets tirannieks in, het was alleen de vanzelfsprekendheid van een duidelijke taakverdeling. Hij trok zijn zijden keppeltje recht, een overbodig gebaar omdat het in geen jaren was verschoven, want op de schedel van Salomon Meijer groeiden geen weerbarstige haren. Als jongeman was hij door zijn vrienden al de gallech genoemd, de priester, omdat de kale plek op zijn hoofd deed denken aan een tonsuur.

Op weg naar de keuken wreef hij in zijn handen, zoals hij altijd deed wanneer ze gingen eten, alsof hij zich al waste voordat hij bij het water was.

Golde, de vrouw van Salomon Meijer, moest haar armen boven haar hoofd houden om de jas uit te slaan. Ze was klein van postuur en vroeger ooit tenger geweest, zo tenger dat in het eerste jaar van hun huwelijk een grappige gewoonte was ontstaan die geen enkele buitenstaander begreep, als hij haar al opmerkte. Wanneer Salomon bij het begin van de sabbat tot lof van de vrouw des huizes het Bijbelvers 'Eisjes chajil mi jimtso' opzei, maakte hij na de eerste woorden een pauze en keek zoekend om zich heen, alsof hij niet 'Wie een degelijke vrouw vindt' had gezegd, maar 'Wie vindt de degelijke vrouw?' Vroeger, pas verliefd en pas getrouwd, had hij daar elke vrijdagavond een hele pantomime bij opgevoerd. Overdreven onhandig had hij naar zijn kleine, fijne vrouwtje gezocht en als hij haar dan eindelijk had gevonden, had hij haar aan zijn borst gedrukt en zelfs gekust. Nu was daar niets anders van over dan een pauze en een blik en als iemand hem naar de reden daarvan had gevraagd, had Salomon Meijer zelf diep moeten nadenken.

Golde was met de jaren dik geworden, ze repte zich wijdbeens door het leven, een gehaaste boer bij het zaaien. Ze droeg haar jurk met de zwartzijden linten als een kruik de kruikenzak en de rossige sjeitel zat op haar hoofd als een vogelnest, hoewel hij door de beste pruikenmaakster van Schwäbisch Hall was gemaakt. Ze had de gewoonte aangenomen haar onderlip diep in haar mond te trekken en erop te kauwen, waardoor het leek of ze geen tanden had. Soms had Salomon het gevoel dat op een gegeven moment – nee, niet op een gegeven moment, moest hij zichzelf dan verbeteren: dat na die langdurige, pijnlijke bevalling, na die nachten vol zinloos geschreeuw een jonge vrouw hem had verlaten en dat hij er een matrone voor in de plaats had gekregen. Maar dat kon Golde niet verweten worden en wie een degelijke vrouw vindt, zo staat er geschreven, heeft daarmee iets waardevollers verkregen dan de kostbaarste koralen. Hij zei het elke week, maakte een pauze en keek zoekend om zich heen.

De jas hing nu over de leuning van de leren stoel waarin Salomon graag uitrustte als hij een hele dag op pad was geweest, maar die hij vandaag aan de rebbe, rav Bodenheimer, had aangeboden. Nu moesten de stoelen weer op hun plaats gezet worden, er moest weer orde worden geschapen rond oom Melnitz, wiens kin op zijn borst hing als bij een dode.

'Noe? Ik heb honger!' riep Salomon vanuit de keuken.

Gewoonlijk, in elk geval wanneer de heer des huizes niet voor zaken onderweg was, at de familie Meijer in de voorkamer, door Mimi graag de salon genoemd, hoewel hij bij haar ouders gewoon en poosjet kamer heette. Vandaag was daar de grote tafel tegen de muur geschoven, zodat de sjabbeslamp midden in de kamer bungelde, ze hadden plaats moeten maken voor de bezoekers, veel plaats, want Salomon Meijer was een gerespecteerd man in Endingen: lid van het kerkbestuur en beheerder van de armenkas. Wie bij zijn simches een glaasje kersenbrandewijn 'op het leven' had gedronken, die kwam hem ook in een sjivve eer bewijzen, want je kon nooit weten wanneer je hem nog eens nodig had. Salomon stelde dat zonder verwijt vast.

Deze keer aten ze dus in de keuken, waar Chanele alles al had klaargezet. Ze was een arm familielid, dachten de mensen in de gemeenschap, al wisten zelfs de in de misjpochologie meest bedreven oude vrouwen niet te vertellen aan welke tak van de stamboom van de Meijers ze ontsproten kon zijn. Salomon had haar nu bijna twintig jaar geleden van een zakenreis uit de Elzas meegebracht, een krijsend, spartelend wurm, in doeken gewikkeld als een Straatsburgse stopgans. 'Waarom zou hij haar in huis genomen hebben als ze geen familie was?' vroegen de oude vrouwen en sommige, bij wie de tanden waren uitgevallen en die daarom van iedereen het slechtste dachten, wezen er met een veelzeggend knikje op dat Chanele precies dezelfde kin had als Salomon en dat je je wel kon voorstellen waarom hij toen zo vaak in de Elzas had moeten zijn.

In werkelijkheid zat het heel anders. De gojse dokter had Salomon uitgelegd dat Golde door de zoon die ze in stukken hadden moeten snijden om hem uit zijn moeder te halen, zo was verscheurd dat ze nog zo'n zware bevalling niet zou overleven; hij moest dankbaar zijn dat hij ten minste één kind had, al was het dan maar een meisje. 'Dank úw God,' had hij gezegd, alsof er meerdere goden waren, die hun bevoegdheden even duidelijk onder elkaar hadden verdeeld als de gemeentearts en de veearts.

Nu weet ieder praktisch denkend mens dat één kind veel meer werk met zich meebrengt dan twee en toen zich op een van zijn reizen de gelegenheid voordeed – een moeder was in het kraambed gestorven, waardoor haar man zijn verstand had verloren – greep Salomon zijn kans, een investering, even praktisch en onsentimenteel als wanneer je een kalf goedkoop op de kop tikt en het voert tot het als melkkoe zijn geld dubbel en dwars waard is.

Dus was Chanele geen dochter maar ook geen dienstmeisje, werd ze nu eens als het ene behandeld en dan weer als het andere, lag ze niemand na aan het hart en zat ze niemand in de weg. Ze droeg zelfgemaakte kleren of afdankertjes van Mimi en haar haar zat in een netje, zoals bij een getrouwde vrouw. Wie geen bruidsschat heeft, hoeft zich ook niet mooi te maken. Als ze lachte was ze best knap, alleen waren haar wenkbrauwen te breed, ze haalden een streep door haar gezicht zoals je een streep haalt door een verkeerde of voldane rekening.

Chanele had in de keuken opgediend. Ze had niet hoeven koken, want om de rouwenden dat werk te besparen brengen de mensen in een sjivve iets te eten mee. Toch brandde er in het fornuis een flink vuur van knappend sparrenhout, dat snel warmte gaf. 's Nachts vroor het nog steeds, hoewel ze over twee weken al de seider zouden vieren; Pesach viel vroeg in het jaar 1871.

'Noe?'

Als Salomon Meijer honger had, werd hij ongeduldig. Hij zat aan tafel en had zijn handen links en rechts op het blad gelegd, zoals de moheel zijn instrumenten klaarlegt voor de besnijdenis. Hij had al moutsie gemaakt, een stukje brood met zout bestrooid, er de zegen over uitgesproken en het in zijn mond gestopt. Maar daarna had hij niet opnieuw toegetast, want hij stelde er prijs op dat als hij al eens thuis was, ze met z'n allen aan tafel zaten. In z'n eentje eten kon hij de hele week. Hij trommelde met zijn rechterhand op het tafelblad, waarbij hij telkens op de maat zijn pols optilde, zoals muzikanten doen als ze de toehoorders hun vaardigheid willen tonen. Zijn vingers dansten, maar het was geen vrolijke dans, net als in de kroeg kon het makkelijk ontaarden in een knokpartij.

Eindelijk kwam Mimi binnen, met een theatraal trippelpasje dat duidelijk moest maken hoezeer ze zich haastte. Ze had zich geheel onnodig nog een keer verkleed en droeg nu een muisgrijze kamerjas, die een tikkeltje te lang was, zodat de zoom over de stenen vloer sleepte. 'Die mensen,' zei ze. 'Al die mensen! Is het niet *ennuyant*?'

Mimi hield van dure woorden, zoals ze hield van alles wat elegant was.

Ze pikte ze op in gojse boeken die ze stiekem leende van Anne-Kathrin, de dochter van de schoolmeester, en ze strooide ze als stofgoud in het dagelijks gesprek. Vanwege haar hang naar het voorname vond ze het ook niet prettig dat ze nog altijd Mimi werd genoemd, een kindernaam die ze allang – 'Echt, mamme, allang!' – ontgroeid was. Op haar vijftiende – je mocht haar er niet aan herinneren omdat het gevaar bestond dat ze in tranen uitbarstte – had ze een keer haar zinnen gezet op Mimolette, en Salomon, nooit afkerig van een grapje, had haar een paar dagen inderdaad zo genoemd, tot hij haar lachend bekende dat een Franse kaassoort zo heette. Sindsdien deed ze haar best om ten minste de naam Miriam erdoor te drukken. Zo heette ze ook echt, maar tegen de oude familiegewoonte om haar Mimi te noemen kon ze niets uitrichten.

Mimi had alles wat hoort bij een schoonheid: een gave blanke huid, volle lippen, grote bruine ogen, die altijd een beetje vochtig glansden, en lang, zacht golvend zwart haar. Maar om de een of andere reden – ze had al uren voor de spiegel gezeten en er geen verklaring voor gevonden – pasten die perfecte delen niet echt bij elkaar, zoals een soep ondanks voortreffelijke ingrediënten soms gewoon niet wil smaken. Ze liet niets van haar twijfel merken, integendeel, ze deed liever trots en zelfs uit de hoogte, zodat haar moeder al meer dan eens had gevraagd of ze zich soms voor de Bijbelse Ester hield en wachtte tot de boden, op zoek naar de mooiste maagden, naar Endingen kwamen om haar naar hun koning te voeren.

Nu zaten ze met z'n vieren om de tafel. Er waren grotere gezinnen in de gemeenschap, maar als Salomon Meijer de zijnen zo zag, was hij heel tevreden met wat God hem had geschonken, een praktische tevredenheid, die erop berustte – en wie weet zoiets beter dan een veehandelaar die overal komt? – dat hij het veel slechter had kunnen treffen.

Er stond, zoals na een sjivve altijd het geval is, veel te veel eten op tafel. Alleen al drie schalen met fijngehakte eieren, een halve karper in gelei, een bord met haring – miezerige, magere harinkjes, want al had hij voor zijn winkel een naambord laten schilderen dat breder was dan de hele zaak, rode Moisje was een krent. Het was de gewoonte om de meegebrachte spijzen gewoon neer te zetten, zonder naam en zonder bedankje, maar men kende het dessin van de borden, wist van wie welk servies was – hoe had het anders de volgende dag teruggegeven kunnen worden? De pot met zuurkool, dat was ook zonder het afgebroken oor wel duidelijk geweest, kwam van Feigele Dreifuss, die door iedereen alleen maar moeder Feigele werd genoemd omdat ze de oudste van het dorp was. Ze maakte elke herfst twee grote vaten zuurkool met jeneverbessen in, hoewel er in haar huishouden allang niemand meer was om het op te eten, en gaf het dan te pas en te onpas weg. Ze nam het mee voor kraamvrouwen om ze te sterken en voor nabestaanden om ze te troosten.

Op het buffet, in een krant gewikkeld en helemaal in de hoek geschoven als gestolen goed, lag een gevlochten brood, een prachtige, met maanzaad bestrooide berches, die ze morgen onopvallend aan de eenden en kippen zouden voeren. Christian Hauenstein, de dorpsbakker in wiens oven ze allemaal hun sjabbesbroden bakten en hun sjabbeskoegel opwarmden, had het gestuurd, natuurlijk zonder zelf langs te komen. Hij was een modern mens, een vrijzinnige, zoals hij graag benadrukte, die zijn joodse klanten wilde bewijzen dat hij hen waardeerde en geen vooroordelen tegen hen koesterde. Niemand had het ooit over zijn hart kunnen verkrijgen hem te vertellen dat ze zijn goedbedoelde broden niet mochten eten omdat ze niet koosjer waren.

Maar wie heeft er brood nodig als er kwarktaart op tafel staat? Zeker als het de legendarische kwarktaart van Sarah Pomeranz is. Naftali Pomeranz, aan zijn naam niet moeilijk als vreemdeling te herkennen, was dan wel een belangrijk man – slachter én synagogedienaar, sjochet én sjammes, hij leek in die functies zelfs een dynastie te willen stichten en zijn zoon Pinchas, die zijn opvolger moest worden, wist de halssnede al even onberispelijk uit te voeren als zijn vader –, maar voor de werkelijke reputatie van de familie zorgde toch Sarah met haar taart, een meesterwerk, vond iedereen, 'zoals Rothschild het niet beter voorgezet krijgt', en dat was het grootste compliment dat op culinair gebied in het dorp werd gegeven.

Salomon had een tweede stuk op zijn bord laten leggen en smulde, terwijl Golde, niet in de wieg gelegd om stil te zitten, er met naar binnen gezogen onderlip al driftig over nadacht wat ze in welke schaal moest overdoen om al het vreemde servies de volgende ochtend afgewassen en wel terug te kunnen brengen. Mimi zat met een stukje taart te knoeien. Ze verdeelde het met haar vork in steeds kleinere helften en trok daarbij het discreet weerzin uitdrukkende gezicht van een dokter die door zijn beroep wordt gedwongen tot een onaangename ingreep.

'Morgen moet ik om vier uur de deur uit,' zei Salomon. 'Pak alles wat er van de taart over is maar in als proviand.'

'Bíjna alles. Eén stuk moet er voor mij overblijven.' Chanele, die door haar onzekere positie in het huishouden heel goed had leren observeren, wist precies wanneer ze zich zulke kleine vrijpostigheden kon veroorloven. Nu had Salomon lekker gegeten, dus was hij mild gestemd.

'Goed dan, een deel van wat er over is.'

Mimi schoof haar verkruimelde taart opzij. 'Ik snap niet wat jullie eraan vinden. Hij smaakt *ordinaire*.' Ze sprak het woord met zo'n tuitmondje uit dat iedereen wist dat ze het op z'n Frans bedoelde.

Golde pakte het bord, bekeek het verwijtend – 'Verspilling!' betekende haar blik – en zette het bij het andere servies, dat Chanele straks zou afwassen. 'Waar ga je morgen heen?' vroeg ze aan haar man, niet uit echte belangstelling, maar omdat een eisjes chajil de juiste vragen stelt.

'Naar Degermoos. De jonge boer Stalder wil met me praten. Ik kan me wel voorstellen waarover. Zijn hooi raakt op. Hij wilde niet van me aannemen dat hij te veel koeien op stal zette, met dat slechte land van hem. Nu wil hij dat ik ze terugkoop. Maar daar begin ik niet aan. Niemand heeft koeien nodig als het gras nog niet groeit.'

'En daarom ga je naar hem toe? Om niet te kopen?'

'Déze keer niet. In Vogelsang is iemand z'n stal besmet. Die heeft te veel hooi. Dat zal ik tegen Stalder zeggen, dan kan hij een voorraad inslaan.'

'En wat levert jou dat op?'

'Vandaag niets. Morgen misschien ook niets. Maar overmorgen ...' Salomon krauwde in zijn bakkebaard, vanwege de taartkruimels en omdat hij tevreden was over zichzelf. 'Ooit zal hij een beheime te koop hebben, een dier dat ik kan gebruiken. Ik zal een bod doen en hij zal het aannemen omdat hij bij zichzelf denkt: die jood met de paraplu is een fatsoenlijk mens. En dán koop ik.'

Dat met die paraplu zat zo: altijd als Salomon Meijer langs de dorpen trok, had hij een grote zwarte paraplu bij zich, die vanboven samengebonden was zodat de stof bol stond als een tas. Hij gebruikte de paraplu als wandelstok. Bij elke stap zette hij hem stevig op de grond en liet op modderige wegen of in de sneeuw een duidelijk spoor achter: de afdrukken van twee zware, bespijkerde zolen en rechts daarvan een rij gaatjes, even regelmatig als een fatsoenlijke boerin ze maakt bij het bonen poten. Het bijzondere van de paraplu en dat waar de mensen over praatten, was dat Salomon hem nooit opzette, wat voor weer het ook was. Zelfs als het pijpenstelen regende, alsof de tijd was gekomen voor een nieuwe Noach en een nieuwe ark, trok Salomon alleen zijn hoed verder voorover, sloeg als het heel erg werd de panden van zijn lange jas over zijn hoofd en liep verder, leunend op de paraplu, de punt om de andere stap in de grond borend, zodat de regen zich achter hem in een reeks meertjes verzamelde. Dat was waar hij in de omtrek van Endingen om bekendstond en om werd uitgelachen en als hij net als rode Moisje een naambord had laten schilderen, dan had er, om kopers de weg te wijzen, niet VEEHANDEL SAL. MEIJER op moeten staan, maar DE JOOD MET DE PARAPLU.

Salomon boerde behaaglijk, zoals na de grote sjabbessoede, wanneer het bijna een mitswe is, een godgevallige daad, om veel te eten. Mimi vertrok haar gezicht en mompelde iets wat waarschijnlijk Frans was, in elk geval afkeurend. Salomon nam een snuifje uit zijn tabaksdoos, maakte met opgetrokken neus een grimas en niesde vervolgens luid en opgelucht. 'Nu mis ik nog maar één ding,' zei hij terwijl hij vol verwachting om zich heen keek. Omdat ze nog wel langer in de keuken zouden zitten was Chanele in de kamer de tweede petroleumlamp gaan halen; nu haalde ze uit haar ene schortzak een stenen kruikje, uit haar andere een tinnen beker en zette ze voor hem neer. 'Ze kan toveren als de heks van Endor,' zei Salomon tevreden en hij schonk in.

Toen was het gesprek in de keuken ingeslapen, zoals een kind midden onder het spelen opeens in slaap valt. Chanele waste in de grote, bruine, houten emmer het serviesgoed af; het rammelde alsof het van heel ver kwam. Golde zette de afgedroogde borden terug in het rek, voor elk bord liep ze die paar passen heen en weer, een dans zonder partner waarbij Salomon met gesloten ogen een deuntje neuriede, meer uit voldaanheid dan uit muzikaliteit. Mimi veegde verwijtend onzichtbare kruimels van haar kamerjas en vroeg zich af of ze niet toch een andere stof had moeten kiezen; ze had deze alleen genomen omdat de handelaar hem 'duifgrijs' had genoemd, een mooi, zacht, glanzend woord. Duifgrijs.

Bij het huis van de buren, dat eigenlijk hetzelfde huis was, niet gescheiden door een brandmuur, maar toch een ander huis omdat de wet dat wilde, bij de andere ingang van het huis dus, werd plotseling op de deur gebonsd, ongeduldig en hard, zoals je bij de vroedvrouw klopt als er iemand ter wereld komt of bij de chevre, het begrafenisgenootschap, als iemand de wereld verlaat. Het was geen tijdstip waarop de mensen in Endingen nog bezoek kregen, de joden niet en ook de gojem niet. In de andere helft van het huis, met eigen voordeur en eigen stoep, om te voldoen aan de wet die voorschreef dat christenen en joden niet in hetzelfde gebouw mochten wonen, leefde hun huisbaas, de kleermaker Oggenfuss, met zijn vrouw en drie kinderen, vredelievende mensen als je wist hoe je met ze moest omgaan. Ze leefden als goede buren, wat betekende dat ze elkaar welwillend negeerden. De dood van oom Melnitz en al die rouwenden die zeven dagen lang op bezoek waren gekomen hadden ze bij Oggenfuss bewust niet waargenomen, met de ingestudeerde blindheid van mensen die dichter op elkaar wonen dan hun eigenlijk lief is. En ook nu er iets ongewoons, voor Endingense begrippen bepaald sensationeels aan de gang was, keken ze elkaar bij Meijer in de keuken slechts vragend aan. Salomon haalde zijn schouders al op en zei: 'Noe!' – wat in dit geval zoveel betekende als: 'Laat ze de deuren maar inslaan als ze willen, dat gaat ons niks aan.'

Bij de buren waren voetstappen te horen, onrustig heen-en-weergeloop waaruit je, als je nieuwsgierig was geweest, had kunnen opmaken dat iemand die al naar bed was gegaan een kaars zocht, een fidibus om die in het haardvuur aan te steken, en een omslagdoek om het nachthemd mee te bedekken. Daarna sloeg het vensterluik tegen de muur, een geluid dat eigenlijk bij de vroege ochtend hoorde, en Oggenfuss, onvriendelijk als angstige mensen in ongewone situaties zijn, riep wat dat moest en wat dat voor manieren waren om iemand midden in de nacht zijn bed uit te jagen.

Een vreemde, hese stem, onderbroken door een lelijke hoest, antwoordde iets onverstaanbaars. Oggenfuss, van Aargaus dialect overgaand op Hoogduits, zei iets terug. De onbekende herhaalde zijn zin. Nu waren de woorden 'alstublieft' en 'bezoeken' te verstaan, maar met zo'n ongebruikelijk accent dat Mimi verheugd zei: 'Een Fransman!'

'Sst!' zei Golde. Ze stond met een lege schaal in haar hand in de open keukendeur, daar waar de gang als geluidstrechter werkte, zodat je ook als je niet nieuwsgierig was alles kon horen wat zich op straat afspeelde. Maar buiten was nu alleen nog de hoest van de nachtelijke bezoeker te horen, Oggenfuss zei nog iets en boven werd een vensterluik dichtgeslagen. Daarna klonk de stem van mevrouw Oggenfuss, haar woorden waren niet te verstaan, maar de toon was dwingend. Na een korte stilte kraakte in het huis ernaast de trap, zonder dat er afzonderlijke voetstappen te horen waren. Zo klinkt het als iemand pantoffels draagt. De voordeur werd opengedaan en Oggenfuss zei met de lijdende stem van iemand die gedwongen wordt tot een beleefdheid die hij niet voelt: 'En, wie bent u? Wat wilt u?'

De vreemde man was opgehouden met hoesten, maar zei nog niets. Bij Meijer in de keuken verroerde zich niemand meer. Als Salomon er later over vertelde, zei hij dat het was of Jozua de maan had laten stilstaan boven het dal van Ajalon. Chanele had een bord uit de teil gepakt; de theedoek was halverwege blijven hangen en het water drupte op de vloertegels. Mimi staarde naar een haarlok die ze om haar wijsvinger had gedraaid, en Golde stond gewoon stil, wat nog het vreemdst van alles was, want Golde was anders altijd in beweging.

Toen had de onbekende zijn stem terug en zei iets wat iedereen in de keuken verstond.

Hij zei een naam.

Salomon Meijer.

Chanele, wie zoiets anders nooit overkwam, liet het bord vallen.

Salomon sprong op, liep naar de voordeur en deed hem open, zodat er nu twee mannen op het drie treden boven de glinsterende, bevroren straat gelegen stoepje stonden, de een in nachthemd en slaapmuts, met een wollen deken om zijn schouders en een kaars in zijn hand, de ander zonder jas, maar verder correct gekleed. Ze stonden bijna naast elkaar, want de twee deuren van het huis waren maar een armlengte van elkaar verwijderd. Oggenfuss maakte een overdreven hoffelijk gebaar, waarbij de deken van zijn schouders gleed, en zei op een vormelijke toon, die een merkwaardig contrast vormde met zijn halfnaakte toestand: 'Deze man moet waarschijnlijk bij u zijn, Meijer.' Toen verdween hij in zijn helft van het huis en sloeg de deur achter zich dicht.

De man op straat begon te lachen, hoestte en kromp ineen van de pijn. In het schaarse licht dat uit het huis kwam, was hij maar vaag te zien: een slanke gestalte die een witte bontmuts leek te dragen.

'Salomon Meijer?' vroeg de vreemdeling. 'Ik ben Janki.'

Nu pas zag Salomon dat het geen bontmuts was maar een verband.

2

Het was een dik, vuilwit zwachtelverband, slordig om het hoofd gewikkeld, met een los uiteinde dat als een oosters ordelint over de schouder van de vreemdeling hing. Nebukadnezar uit de geïllustreerde Bijbelverhalen droeg op de prent waarop Daniël hem zijn droom uitlegt net zo'n tulband. Alleen was de tulband van de Perzische koning met diamanten versierd en niet met bloed. Ongeveer een wijsvinger boven het rechteroog was op het verband een lichtrode vlek te zien, maar als er al een verse wond onder zat, dan leek de vreemdeling geen pijn meer te hebben. Vanonder de rand van de witte stof kringelden een paar zwarte lokken. Een piraat, dacht Mimi, want in de boeken die ze stiekem leende, waren ook zeerovers voorgekomen.

Het gezicht van de vreemdeling was smal, zijn ogen waren groot en zijn wimpers bijzonder lang. Zijn huid was gebruind, zoals bij iemand die veel buiten werkt, wat Salomon verbaasde; de winter had zo lang geduurd dat zelfs de boeren bleek waren nu de lente maar niet wilde komen. In het donkere gezicht leken de tanden opvallend wit.

Ze hadden alle tijd om hem te bekijken en konden rustig zijn roodzwarte uniformjas bestuderen waarvan de distinctieven bij geen enkele hier bekende eenheid onder te brengen waren, ze konden zich verbazen over zijn geelzijden halsdoek die als bij een bohemien twee keer geknoopt was en uitdagend afstak tegen de ruwe stof van de jas, ze konden zijn smalle handen bekijken, de beweeglijke, rappe vingers, de niet bij een soldaat passende, keurig verzorgde nagels, en ze konden wat ze zagen proberen te verklaren als een duister Bijbelvers. Daarbij leek iedereen gebruik te maken van een ander commentaar: Salomon zag in de vreemdeling een sjnorrer voor wie je moest oppassen omdat hij iets van je wilde; Golde werd herinnerd aan haar zoon die, zo God het had gewild, nu even oud geweest zou zijn als deze onverwachte jonge gast; Mimi was teruggekomen van de piraat en had toch gekozen voor een ontdekker, een wereldreiziger die al van alles gezien had en nog veel meer zou zien. Chanele was bezig bij het fornuis en leek niet geïnteresseerd in de oplossing van dit aangewaaide raadsel; alleen stond de streep van haar wenkbrauwen hoger dan anders.

De bezoeker had niet gewacht tot hem een stoel werd aangeboden, maar hij had zelf zijn plaats aan tafel uitgekozen, met zijn rug zo dicht bij het fornuis dat Golde bang was dat hij zich zou branden. Nee, had hij geantwoord, als iemand het zo koud had gehad als hij, dan kon hij nooit meer iets te warm vinden.

En daarna had hij gegeten. En hoe!

Nog voor het water voor de thee was opgezet, pakte hij zonder iets te vragen de gojse berches, trok er met ongewassen handen en zonder zegen vuistgrote stukken af en werkte ze naar binnen. Ook toen Salomon hem uitlegde waarom het brood niet koosjer was, bleef hij schrokken, verslikte zich in zijn gulzigheid, hoestte en spuugde half gekauwde brokken op tafel. Mimi kreeg zelfs een spetter op haar duifgrijze kamerjas. Ze wreef hem met haar vinger weg en toen alle anderen naar de wonderlijke gast keken, stak ze haar vinger vlug in haar mond.

De fijngehakte eieren waren schoon op, de karper was verdwenen, evenals de haringen, en zelfs de pot met moeder Feigeles zuurkool, waar een kinderrijk gezin een week lang zijn buik mee had kunnen vullen, was voor meer dan de helft leeg. Na een tijdje keek Golde haar man vragend aan, hij knikte berustend en zei: 'Noe ja.' Golde ging naar het kamertje waar het raam achter de tralies altijd een eindje openstond, haalde het pakketje dat ze daar koel had gezet, legde het voor de vreemde man op tafel en sloeg de doek open. En hoewel hij al meer had gegeten dan een hele minjan van vromen na een vastendag, staarde hij even verrukt naar Sarahs kwarktaart als de kinderen van Israël naar het eerste manna in de woestijn.

Toen was ook de taart tot de laatste kruimel opgepeuzeld. De man had zijn bestek neergelegd en hield nu een dampend glas in zijn handen, zo stevig dat je merkte dat hij het nog steeds niet warm had. Chanele had de speciale mix klaargemaakt die ze in dit gezin techieës-hameisem-thee noemden omdat je met die drank, naar men zei, doden kon opwekken: in kamilleaftreksel opgeloste kandijsuiker met honing en kruidnagels en een flinke scheut sterkedrank uit Salomons persoonlijke fles. De vreemdeling nam grote slokken. Pas nadat hij ook een tweede glas had leeggedronken, begon hij te vertellen.

Hij sprak Jiddisj zoals ze allemaal Jiddisj spraken, niet de soepele, muzikale variant uit het oosten, maar de gezapige, boerse die gebruikelijk was in de Elzas, in het groothertogdom Baden en natuurlijk ook hier in Zwitserland. De melodie was wel een beetje anders – veel eleganter, dacht Mimi – maar ze hadden geen moeite elkaar te verstaan.

'Ik ben dus Janki,' zei de man, wiens hoestbui over leek te zijn. 'Jullie zullen wel van me gehoord hebben.'

'Zou kunnen.' Een veehandelaar zegt nooit te vroeg 'ja' en nooit te vroeg 'nee'. Salomon kende vele Janki's, maar geen speciale.

'Ik kom uit Parijs. Dat wil zeggen: eigenlijk kom ik uit Guebwiller.'

Salomon schoof zijn stoel achteruit, wat hij zonder het zelf te merken altijd deed als een zaak hem begon te interesseren. Parijs was ver weg, maar Guebwiller was een bekende grootheid.

'Is de zoon van je oom Josl niet met iemand uit Guebwiller getrouwd?' vroeg Golde. 'Hoe heette hij ook alweer?'

Tot haar verrassing was het de vreemde man die haar vraag beantwoordde. 'Sjmoeël,' zei hij. 'Mijn vader heette Sjmoeël.'

'Heette' had hij gezegd, niet 'heet', en dus prevelden ze allemaal hun zegen voor de Rechter der waarheid en begonnen ze vervolgens door elkaar te praten.

'U bent ...?'

'Hij is ...?'

'Wie was oom Josl?'

Een oom is volgens oud joods gebruik niet gewoon de broer van je vader of moeder, ook een heel ver familielid kan een oom zijn, de boom is belangrijk, niet de afzonderlijke tak. Salomon had die oom Josl niet echt gekend, hij meende zich alleen een kleine, lenige man te herinneren die op een chassene had gedanst tot de lippen van de trompettist pijn deden. Maar toen was Salomon vijftien of zestien geweest, een leeftijd waarop je je voor van alles en nog wat interesseert, alleen niet voor onbekende familieleden die op een bruiloft komen en dan weer verdwijnen.

'Wie was oom Josl?' vroeg Mimi nog een keer.

'Een zoon van oom Chajim, die jij ook niet kent,' probeerde Salomon uit te leggen. 'Zijn vader en mijn overgrootvader waren broers.' En na een poosje voegde hij eraan toe: 'Geloof ik. Maar ben ik soms moeder Feigele?' Wat wilde zeggen: 'Als je het precies wilt weten, moet je het aan iemand vragen die niets beters te doen heeft dan zich de hele dag bezig te houden met familiestambomen.'

'Misjpooche dus.' Mimi klonk bijzonder teleurgesteld.

'Maar heel verre misjpooche,' zei Janki terwijl hij tegen haar glimlachte.

Hij heeft mooie witte tanden, dacht ze.

'Mijn vader, Sjmoeël Meijer,' zei Janki, 'kwam eigenlijk uit Blotzheim ...'

'Precies!' zei Salomon.

'... en verhuisde toen naar Guebwiller omdat mijn moeder daar een kroeg had waar vooral de boeren graag kwamen. In Guebwiller is immers elke week markt. Eigenlijk was de kroeg natuurlijk van mijn grootvader, maar die wilde liever een geleerde zijn en toen zijn dochter trouwde droeg hij alles over aan het jonge paar. Ik heb hem in de gelagkamer altijd alleen maar aan zijn tafel bij het raam achter een grote foliant zien zitten. Onder het studeren zat hij te mompelen en als kleine jongen dacht ik dat hij kon toveren.'

Hij werd alweer schor en Chanele schonk vlug zijn glas vol.

'Maar hij kon helemaal niet toveren,' zei Janki nadat hij een slok had genomen. 'Bij de cholera-epidemie van 1866 schreef hij amuletten, die hij boven alle deuren hing. Alleen kon de ziekte zijn handschrift waarschijnlijk niet lezen.'

'Hij is gestorven,' zei Golde, en dat was geen vraag.

'Ze zijn allemaal gestorven.' Janki roerde met zijn vinger in zijn glas en staarde erin alsof er op de wereld niets interessanters bestond dan een draaikolkje van te lang gekookte kamillebloesems. 'Binnen drie dagen. Vader. Moeder. Grootvader. De oude man heeft zich het langst verzet. Hij lag met wijd opengesperde ogen op zijn bed. Zonder te knipperen. Hij dacht zeker dat de doodsengel je niets kan maken als je hem maar in zijn gezicht kijkt. Maar ten slotte knipperde hij toch.' Hij wachtte even en zei toen, nog steeds zonder van zijn glas op te kijken: 'Ik kan hun bedden nóg ruiken. Cholera ruikt niet naar rozen.' Hij schudde een druppel van zijn vinger zoals je bij de seider doet als je tien druppels van je feestwijn morst om je niet al te zeer te verheugen over de tien plagen van Egypte.

Ik zou een zoon van zijn leeftijd kunnen hebben, dacht Golde. En die zou al wees kunnen zijn. Geloofd zij de Rechter der waarheid.

'Je hebt geen broers en zussen?' vroeg ze. Het was de eerste keer dat iemand in dit huis 'jij' tegen hem zei en niet 'u', zoals tegen een onbekende gast.

'Het is niet makkelijk om enig kind te zijn,' antwoordde Janki en Mimi knikte zonder het te merken. 'Dat wil zeggen: het is ook niet moeilijk. Je bent alleen verantwoordelijk voor jezelf en dat is maar goed ook.'

Mimi bleef maar knikken.

'Iedereen verwachtte dat ik de kroeg zou overnemen. Ik was nog geen twintig en zou mijn leven lang borrels moeten inschenken, glazen afwassen, tafels schoonvegen en om de verhalen van de dronken boeren lachen. Dat wilde ik niet. Aan de andere kant: dat was wat mijn ouders me hadden nagelaten. Als het voor hen goed genoeg was geweest – wie was ik om iets anders te willen?'

'Je hebt een beslissing genomen?'

Janki schudde zijn hoofd. 'Ik hoefde niets te beslissen. Er kwam niemand meer in de kroeg. In het huis waren te veel mensen gestorven en voor de bijgelovige boeren was het daar niet meer mejoesjev. Ik heb er een redelijke prijs voor gekregen, niet veel, niet weinig, en daarmee ben ik naar Parijs gegaan.'

'Waarom naar Parijs?' vroeg Chanele, die tot nog toe had gezwegen en geluisterd.

'Ken je een betere stad?' vroeg hij op zijn beurt, terwijl hij zijn handen achter zijn hoofd vouwde en ver achteroverleunde. 'Kent iemand een betere stad?'

Dat was een vraag waar niemand in deze keuken een antwoord op wist.

'Ik wilde weg uit Guebwiller. Ik wilde iets worden wat me ervoor zou behoeden daar ooit naar terug te moeten. Iets bijzonders, iets zeldzaams.'

Ontdekkingsreiziger, dacht Mimi, zeerover.

'Ik wilde naar de plaats waar de meesters zijn. Zoals sommige mensen naar Litouwen of naar Polen gaan omdat daar een rabbijn doceert die ze willen navolgen. Alleen zocht ik geen rabbijn.'

'Maar?'

'Een kleermaker.'

Als Janki 'vilder' had gezegd of 'doodgraver', zou de teleurstelling rond de tafel niet groter geweest zijn. Een kleermaker was zo'n beetje het meest alledaagse wat ze kenden, kleermakers had je op elke hoek van de straat, kleermaker, dat was hun buurman Oggenfuss, een schriele, bijziende man die de hele dag op zijn tafel zat en zich door zijn vrouw liet commanderen. Een kleermaker? En daarvoor was hij naar Parijs gegaan?

Janki lachte toen hij hun verbouwereerde gezichten zag, hij lachte zo hard dat hij weer begon te hoesten en zijn gezicht vertrok. Hij hield het uiteinde van zijn hoofdverband als een zakdoek voor zijn mond en gebaarde met zijn andere hand dat hij nog wat thee wilde. Toen de aanval voorbij was, praatte hij met een heel zachte, behoedzame stem verder, zoals je een verzwikte voet slechts aarzelend op de grond zet.

'Neem me niet kwalijk. Dat komt van de kou. En van de honger. Maar ik leef tenminste nog. Dat wil zeggen: sinds ik hier ben leef ik zelfs heel goed. Wat wilde ik ook weer vertellen?'

'Kleermaker,' zei Mimi, die het woord met duim en wijsvinger beetpakte.

'Natuurlijk. Een kleermaker in Parijs, moeten jullie weten, dat is niet zomaar iemand die altijd naar hetzelfde patroon een broek in elkaar zet, of zich bij een jas afvraagt hoeveel stof hij voor zichzelf achterover kan drukken. Natuurlijk heb je die ook, en veel zelfs. Maar die ik bedoel, de echte, dat is heel iets anders. Dat is als ... als ...' Op zoek naar een toepasselijke vergelijking keek hij de keuken rond. 'Als een zonsopgang vergeleken met deze olielamp. Dat zijn beroemde kunstenaars, begrijpen jullie. Grote heren. Die maken geen buiging voor hun klanten. Die nemen zelf geen naald in de hand. Daar hebben ze hun mensen voor.'

'Een kleermaker is een kleermaker,' zei Salomon.

'In een dorp misschien, maar niet in een echte stad. Niet in Parijs. Niet' – hij liet zijn stem omhooggaan zoals je bij de minjan doet als na het noemen van de goddelijke naam iedereen moet antwoorden met een zegen – 'niet als je François Delormes heet.'

Niemand in dit huis had ooit van François Delormes gehoord.

'Ik heb voor hem gewerkt. Hij was de beste, een vorst onder de kleermakers. Iemand die zich kon veroorloven zelfs tegen de keizer nee te zeggen.'

'Noe,' zei Salomon, die altijd achterdochtig werd als iemand een zaak te zeer aanprees, 'het zal niet direct de keizer geweest zijn.'

'Het was zijn kamerdienaar. De persoonlijke kamerdienaar van Napoleon III. Hij kwam bij monsieur Delormes om een rokkostuum te bestellen. Voor de keizer. Een middernachtsblauw rokkostuum met zilveren borduursels. Zegt Delormes: "Nee." "Waarom niet?" vraagt de kamerdienaar. Waarop Delormes antwoordt: "Blauw staat hem niet." Is dat niet fantastisch?'

'Zo zal het wel niet gegaan zijn.'

'Ik was er zelf bij! Ik had de staal die de kamerdienaar had uitgekozen in mijn hand.'

'Middernachtsblauw,' zei Mimi zachtjes. Dat klonk nog chiquer dan 'duifgrijs'.

'U bent dus kleermaker?' Chanele, die de hele tijd was blijven staan, ging nu ook aan tafel zitten. 'Wat voor kleermaker?'

'Helemaal geen,' zei Janki. 'Ik had algauw door dat ik daar niet voor in de wieg gelegd was. Ik heb er misschien wel de handigheid voor, maar niet het geduld. Ik ben een ongeduldig mens. De hele dag een steek en nog een steek en nog een steek, en allemaal precies even lang – dat is niets voor mij. Nee, ik heb in het stoffenmagazijn gewerkt en was erbij als de klanten kwamen. Ik heb hun de stalen laten zien. De rollen stof. We hadden een assortiment … Alleen al shantoengzijde hadden we in meer dan dertig verschillende kleuren.'

Shantoengzijde, dacht Mimi, en ze wist dat ze in haar leven nooit meer een andere stof mooi zou vinden.

'Ik heb veel geleerd,' zei Janki. 'Over materiaal. Over mode. En vooral over de mensen die zich dat allebei kunnen permitteren. Zij begonnen mij ook te kennen. Ik begon iemand te worden. Iemand heeft me aangemoedigd voor mezelf te beginnen. Hij wilde me daar geld voor lenen.

Uiteindelijk heb ik een winkeltje gehuurd met een kleine woning. Maar toen heb ik een fout gemaakt.'

'Een fout?' vroeg Golde geschrokken.

'Ik ben teruggegaan naar Guebwiller om de paar meubels van me op te halen die ik had opgeslagen bij een koetsier. Ze waren blij dat ik kwam. Ze ontvingen me hartelijk, namen me in hun armen en lieten me helemaal niet meer los, de schoften!' De hele tijd had hij met gedempte stem gepraat, maar die laatste woorden schreeuwde hij zo hard en zo woedend dat Golde angstig naar de muur keek waarachter de familie Oggenfuss vast allang lag te slapen.

'"Wat fijn dat je er bent," zeiden ze.' Janki's stem was weer heel zacht geworden, maar er klonk iets in door wat Mimi met een aangename huivering deed denken: als hij iemand van kant zou moeten maken, dan zou hij hem vergiftigen.

'"We hebben op je gewacht," zeiden ze. "Je staat op de lijst." Ze hadden genoeg tijd gehad om hen te manipuleren. Er was immers niemand die voor me opgekomen zou zijn, die op het juiste moment de juiste man omgekocht zou hebben. Ik stond op de lijst en tegen de lijst viel niets uit te richten. Dus ben ik in plaats van in Parijs een winkel te openen met een stuk of twintig anderen naar Colmar gelopen en soldaat geworden. 20ste korps, 2de divisie, 4de bataljon van het Régiment du Haut-Rhin.'

Er zijn wijnen die je snel moet drinken als het vat aangestoken is, anders worden ze zuur. Zolang het spongat stevig dichtzit blijven ze jaren goed, maar als het eenmaal open is … Janki's verhaal stroomde uit zijn mond en net als bij niet goed geperste wijn dreef er van alles in rond wat je dorst of je nieuwsgierigheid kon vergallen.

Hij vertelde over de opleiding, 'duizend keer hetzelfde, alsof je een tep was, een idioot, of een tep gemaakt moest worden', over het marcheren, wat zijn chique stadse laarzen niet lang uitgehouden hadden, 'als je lappen om je voeten wikkelt, moet je ze van tevoren in urine drenken, dat is goed tegen de blaren', over de paarden van de officieren, die beter behandeld werden dan de jonge rekruten, 'omdat paarden namelijk trappen'. Hij vertelde hoe het voelt om opeengepropt te zitten met mensen met wie je niets gemeen hebt, hoe je ze moet ruiken en proeven en verdragen, hoe je naar hun moppen moet luisteren waarin je altijd zelf als karikatuur voorkomt, 'hun op één na populairste onderwerp was het eten en hun op twee na populairste de joden'.

Maar zelfs als hij over dingen vertelde die zo weerzinwekkend waren dat Mimi huiverde als iemand bij wie scherpe brandewijn de keel verbrandt, maar die weet dat de volgende slok beter zal smaken en de daaropvolgende nog beter, zelfs als hij gebeurtenissen beschreef waarbij Golde onwillekeurig haar hand uitstak alsof ze hem moest wegtrekken en in veiligheid brengen, ja, zelfs als hij zinspeelde op ervaringen die onvermijdelijk zijn als jongemannen zo dicht op elkaar leven – Chanele trok haar wenkbrauwen op en Salomon zei waarschuwend 'Noe!' –, zelfs dan had zijn relaas nog een ondertoon van verlangen, de herinnering aan tijden die weliswaar niet goed waren, maar toch altijd nog beter dan de tijden die erop volgden, en ze wisten allemaal wat er gevolgd was. Zelfs in Endingen, waar de golven van de wereldgeschiedenis slechts vermoeid tegen de oever sloegen, waren ze van de oorlog op de hoogte, hadden ze gehoord van de gevangenneming en afzetting van de keizer, van de grote veldslag op 1 september waarbij honderdduizend Fransen waren gesneuveld – en Janki was er misschien bij geweest, had de verschrikkingen van die dag meegemaakt en was slechts door een wonder, door een waar nes mien hasjomajim gered.

'Nee,' zei Janki en hij maakte een geluid waarvan je niet wist of het een lach, een hoest of een snik was, 'in Sedan ben ik niet geweest. Wij waren pas opgeroepen en hebben dat niet meer meegemaakt. Ze hebben ons nog wel de eed laten afleggen. Op de keizer. Of op het vaderland. Op wat dan ook. Ik weet het niet. Een stokoude kolonel heeft de eed voor ons uitgesproken. Zo iemand die een holle rug moet maken om van alle onderscheidingen niet voorover te vallen. Hij praatte met een heel hoge, schrille stem. Waar wij in het gelid stonden waren de woorden niet te verstaan. Ik heb dus iets gezworen zonder te weten wat.' Deze keer was het duidelijk een lach, maar geen aangename. Als dit een koehandel was, dacht Salomon, zou ik nu niet kopen.

'Ik weet niet wat ik in een veldslag gedaan zou hebben,' zei Janki. 'Waarschijnlijk zou ik geprobeerd hebben ervandoor te gaan.'

Nee, dacht Mimi, dat zou je niet.

'Maar zover kwam het niet. We moesten alleen de hele tijd marcheren. Ik ben er nooit achter gekomen of we van de Duitsers vandaan liepen of naar hen toe. Marcheren, marcheren en maar marcheren. Op een keer vijftien uur aan één stuk en op het eind waren we weer in hetzelfde dorp waar we begonnen waren. Zes uur heen en negen uur terug. Zonder eten. We marcheerden niet meer, we kropen. Maar een vijandelijke soldaat heb ik nooit gezien. Ze hadden geen tijd voor ons. Ze hadden het te druk met het winnen van de oorlog. Toen de oude kolonel met de vogelstem, de opperbalmeragges van de beëdiging, ons vertelde dat alles voorbij was, lagen we op apegapen en waren we zo moe dat we niet eens konden opstaan om te luisteren, terwijl hij zulke mooie patriottische woorden gebruikte. Als je hem mocht geloven was de capitulatie een triomf. Waarom ook niet? Wat heb je aan een oorlog als je achteraf geen held kunt zijn? Ook ik zal mijn kinderen ooit vertellen dat ik gevochten heb als een leeuw.'

Ze waren allemaal beleefd en stelden de vraag niet. Maar ook ontwijkende blikken kunnen prikken als naalden. Chanele wreef een droog bord nog droger, Golde zoog op haar onderlip en Salomon frunnikte aan een weerbarstige piek in zijn bakkebaard. Alleen Mimi begon met 'Hoe …?', maar ze hield meteen weer op en streek met haar hand over haar voorhoofd, precies over de plek waar op Janki's vuilwitte tulband de bloedvlek zat.

'Dat verband?' vroeg hij. 'O, het verband.' Hij strekte met een elegant uitnodigend gebaar zijn arm uit, zoals de jonge prins die in een van Mimi's romans een mooie keukenmeid ten dans vroeg. 'Zou u mij behulpzaam willen zijn, mademoiselle?' vroeg hij aan Chanele.

De knoop peuterde hij zelf los, maar zij verwijderde het verband, langzaam en zorgvuldig, zoals je voor het voorlezen de Heilige Schrift uit de doeken wikkelt. Het was zo stil in de keuken dat iedereen schrok toen de eerste munt op de grond viel.

Alleen Janki verroerde zich niet. 'Er wordt veel gestolen bij de brave kameraden,' zei hij. 'Dan moet je een goede schuilplaats bedenken voor je kapitaaltje.'

Hij is een zeerover, dacht Mimi.

Hij is een gannef, dacht Salomon.

Opnieuw rinkelde er iets op de tegels, toen was Chanele zover en pulkte ze de munten zodra ze zichtbaar werden uit het verband. Wat er ten slotte in een keurig rijtje op tafel lag, in zilver en twee keer zelfs in goud, was een geslagen prentenboek van de Franse geschiedenis: Lodewijk XV als dikke baby, Lodewijk XVI als dikke volwassene, de gevleugelde genius van de revolutie, Napoleon als Griekse buste, Lodewijk XVIII met vlcchtjcs, Louis-Philippe met lauweikraiis en Napoleon III met snor.

'Het bloed op het verband is echt,' zei Janki. 'Maar het is gelukkig niet van mij.'

En toen – hij leek nu net zo wakker als hij bij zijn aankomst uitgeput was geweest – vertelde hij dat ze na de wapenstilstand weer hadden moeten marcheren, marcheren, marcheren en maar marcheren, dat eerst niemand wist waarnaartoe omdat geen enkele meerdere hun iets had uitgelegd – 'Ze houden je dom, anders zou niemand soldaat blijven' –, dat zich toen langzaam het gerucht had verspreid dat hun generaal, die de oorlog niet had kunnen winnen, nu ten minste de nederlaag wilde winnen en dat het er niet meer om ging de Duitsers te verslaan, maar alleen niet in hun handen te vallen, dat ze ten slotte volkomen uitgeput de grens waren gepasseerd en met een belachelijk gevoel van trots op de besneeuwde weg voor de Zwitserse soldaten nog een keer in de pas waren gaan lopen – 'Het was in feite maar een armzalig zootje en toch waren we een heel leger' –, dat ze hun geweren in keurige piramides tegen elkaar hadden gezet, steeds acht aan acht, terwijl de officieren hun degens natuurlijk hadden mogen houden, dat de hoge heren correct en bijna vriendschappelijk met elkaar waren omgegaan, of ze nu interneerden of geïnterneerd werden – 'Als ze niet op elkaar schieten, zijn ze één grote misjpooche'. Hij vertelde met glinsterende ogen hoe de eerste soep had gesmaakt, dat die kokendheet uit de grote ketel was geschept, maar dat niemand met eten wilde wachten, nog geen minuut, dat ze hun mond hadden verbrand en toch gelukkig waren geweest, dat een Zwitserse soldaat – 'Hij droeg een uniform, maar hij praatte als een burger' –, zich had verontschuldigd, echt verontschuldigd dat hij niets beters te bieden had dan wat stro op de vloer van een schuur – 'Alsof we anders met een zijden slaapmuts op onder een donzen dekbed sliepen' –, dat ze in het kamp eindelijk tijd hadden om uit te rusten, dat ze hadden geslapen, alleen maar geslapen, een nacht en een dag en nog een nacht. Hij praatte steeds vlugger, zoals je op Grote Verzoendag bij het laatste gebed steeds vlugger praat omdat het vasten erop zit en het eten wacht. Hij legde uit dat het kamp helemaal geen kamp was geweest maar gewoon een dorp, een ingesneeuwd boerengat in de Jura waar de bewakers zich net zo verveelden als de bewaakten, dat ze met elkaar aan de praat waren geraakt en zijn Jiddisj daarbij van pas was gekomen, dat hij vriendschap had gesloten met een soldaat uit Muri die zijn gebrekkige Frans op hem wilde uitproberen, hij imiteerde de man, heen en weer wippend als een badchen die op een bruiloft de gasten vermaakt, deed voor hoe de man hem woord voor woord had nagezegd zonder gevoel voor de melodie – 'Een menuet op klompen' –, hij maakte hen aan het lachen, wat hem toch stoorde, want hij wilde zich niet laten onderbreken, net zomin als hij daarvoor bij het eten een onderbreking had geduld, hij dreunde zijn verhaal op als een gebed waarvan je elk gedeelte al duizend keer hebt herhaald: dat de soldaat drie louis d'ors van hem vroeg maar ten slotte toch genoegen nam met één, dat hij zelfs de weg voor hem opschreef, van de ene grote plaats naar de andere, dat het een koud kunstje was geweest om tussen de patrouilles door weg te wandelen omdat ze geen rekening hielden met vluchtpogingen of omdat het hun niet interesseerde – 'Eén meer of minder, wat maakte dat nou uit?' –, dat hij toen gemarcheerd had, gemarcheerd, gemarcheerd, gemarcheerd, eerst alleen 's nachts, maar algauw ook overdag, dat hij in hooibergen had geslapen en een keer in een hondenhok, dicht tegen de waakhond aan die het net zo koud had als hijzelf, dat hij vergeefs had gebedeld bij achterdochtige boeren die hem niet eens groetten, dat hij op de markt in Solothurn ook een keer had gestolen, een met amandelspijs gevulde bruine cake, het aller-, aller-, allerlekkerste wat hij ooit had geproefd, dat 'Endingen' al die eindeloze dagen een toverwoord voor hem was geweest waarmee hij zich moed had ingesproken, dat hij had gehuild van geluk toen iemand tegen hem zei dat hij nog maar tot het volgende dorp moest, dan was hij er, dat hij het gevoel had gehad dat de tranen op zijn gezicht bevroren, dat hij koud tot op het bot en uitgehongerd was aangekomen en dat een goj toen de deur had opengedaan en hem had uitgescholden, en dat hij nu hier was en hier wilde blijven, bij zijn familie, voor altijd.

Voor altijd? dacht Salomon.

Voor altijd, dacht Mimi.

3

De volgende ochtend had Janki hoge koorts.

Zijn verkoudheid, die door de opwinding van de vorige avond slechts tijdelijk was onderdrukt, was dubbel zo hevig teruggekomen, als het tenminste maar een verkoudheid was en niet, God beware, pleuritis of nog erger. Salomon was, zonder de gast nog een keer te zien, al vroeg in de ochtend naar Degermoos vertrokken en zodoende werd de verzorging van de zieke overgelaten aan de drie vrouwen.

Ze hadden in de zolderkamer een bed voor hem opgemaakt en daar lag hij nu, over zijn hele lichaam gloeiend heet en toch rillend van de kou. Zijn doffe ogen stonden wijd open, maar als je er met je hand langsging volgden de pupillen de beweging niet. Af en toe schokte een droge hoest Janki's lichaam, alsof een vreemdeling vanbinnen tegen zijn borst beukte. Zijn lippen trilden, als bij een te vroeg geboren kind dat wil huilen maar de kracht nog niet heeft, of als bij een oude man die alle hem door het leven toebedeelde tranen al heeft verbruikt.

De kamer was donker en bedompt. Hierboven, waar anders hoogstens eens een sjnorrer overnachtte, was geen echt raam, alleen een dakraam dat ze eventueel hadden kunnen openzetten om wat licht en lucht binnen te laten. Maar buiten was het steenkoud, het was een van die ijzige nawinterdagen waarop elke ademtocht je in de keel snijdt, en kou, zei Golde, had Janki – me nesjoeme! – al genoeg geleden. Het dakraam was dus dicht gebleven en om de zieke niet helemaal in het donker te laten liggen hadden ze kaarsen aan moeten steken, die telkens bijna uitgingen als er in het kleine vertrek een rok bewoog. De praktische Chanele stelde voor ze in glazen te zetten, maar daar protesteerde Mimi luidkeels tegen en toen Chanele naar een zinnige reden vroeg, veegde Mimi de tranen uit haar ogen en weigerde antwoord te geven. Die onuitsprekelijke reden – Golde voelde hetzelfde als haar dochter – was natuurlijk dat zulke kaarsen eruitgezien zouden hebben als jortsaitlichten die je op de sterfdag van een familielid ter nagedachtenis neerzet.

Tussen de kaarsen op het oude nachtkastje – er ontbrak een poot zodat ze er een blok hout onder hadden moeten leggen –, omlijst door de flakkerende pitten, lag Janki's gele halsdoek, waar Golde zijn geldstukken in had geknoopt, al die koningen, keizers en revolutionaire geesten. Ze vermeed het ernaar te kijken, want toen ze het zware hoopje in haar hand had gehouden, was haar iets door het hoofd geschoten waarvoor ze zich nog steeds schaamde. Genoeg voor een lewaje, had ze gedacht, genoeg geld voor een begrafenis.

In hun streven iets goeds voor Janki te doen verdrongen de drie vrouwen zich bij zijn bed, elleboog aan elleboog. Chanele depte met een vochtige doek de wittige korst die zich telkens weer op zijn lippen vormde, als bij een baby die zure melk opboert. Golde probeerde hem een slok lauwe thee te laten nemen, die echter over zijn kin in zijn hemdskraag liep. Het spoor van het vocht glinsterde even op zijn warme huid en was meteen weer verdwenen. Mimi had een kam gehaald, haar eigen kam, en streek al voor de derde keer zijn haar van zijn natte voorhoofd.

Toen begon Janki opeens te praten.

Het was meer mompelen, naar binnen gericht, niet naar buiten, hij prevelde iets in zichzelf, om het zich te herinneren of te vergeten. De woorden konden ze niet verstaan, hoewel het steeds dezelfde paar lettergrepen waren, steeds weer.

'Hij bidt,' zei Golde en ze verbood zichzelf eraan te denken welk gebed een ernstig zieke zou kunnen zeggen.

'Misschien heeft hij honger,' zei Chanele.

'Sst!' zei Mimi en ze boog zich zo diep over de zieke dat zijn lucht, akelig schoon en lichtelijk zurig als brooddeeg, haar zodanig omhulde dat ze er als het ware door werd omarmd. Haar oor was dicht bij zijn mond, maar ze voelde geen adem, ze hoorde alleen de woorden, die Frans maar onverstaanbaar waren en haar waanzinnig jaloers maakten. Het was een vreemd gesprek waar zij geen deel aan had. 'Het heeft niets te betekenen,' zei ze harder dan nodig. 'Ik kan er geen touw aan vastknopen. Hij is ziek en heeft rust nodig en trouwens: hij heeft er niets aan als wij elkaar hier voor de voeten lopen.' Bij die woorden liep ze de kamer uit, ze hoorden haar voetstappen op de trap en de twee andere vrouwen, die Mimi al hun hele leven kenden, hadden aan één blik genoeg om elkaar te bevestigen dat ze zich nu in haar kamer zou opsluiten en zich de komende uren niet meer zou laten zien.

'Ik ga even naar Pomeranz,' zei Golde na een poosje. Als de techieës-hameisem-thee niet hielp, gebruikte ze in de strijd tegen allerlei ziektes graag haar sterkste wapen: vleesbouillon die zo krachtig was dat je voor één kopje een heel pond vlees nodig had. Normaal zou ze Chanele naar sjocheet Pomeranz gestuurd hebben om het ribstuk te halen, maar een wandelingetje in de frisse lucht zou haar goeddoen, dacht ze, het zou haar hoofd, dat helemaal suf was van de bedompte lucht, weer helder maken. 'Zorg jij zolang voor hem,' zei ze tegen Chanele toen ze al in de deur stond.

Zowel van Goldes kloekachtige bezorgdheid als van Mimi's onhandige, al te grote ijver verlost, zette Chanele om te beginnen het dakraam open – zelfs met koorts, zei ze bij zichzelf, kun je onder een dik veren dekbed niet doodvriezen –, blies vervolgens de kaarsen uit, ging met een schotel azijnwater naast het bed zitten en verwisselde systematisch de koude kompressen die de koorts naar de voeten en vandaar uit het lichaam moesten trekken. In zijn gevecht met de vreemdeling in zijn borst woelde Janki één keer zo hevig dat hij het dekbed op de grond gooide. De huid van zijn benen was bleker dan die van zijn gezicht en zijn geslacht was lang en dun.

De Franse woorden die hij maar bleef herhalen, zonder dat hij zich dat later kon herinneren, waren twee regels uit een lied; over een trommelaar die een mars trommelt en over raven die in bomen zitten te wachten.

In een dorp heeft de nacht veel ogen en nog meer oren. Het nachtelijke bezoek had in de gemeenschap vast al de ronde gedaan en Golde wist dat iedereen die ze tegenkwam vragen zou stellen, sommige uitgesproken, de meeste, nog veel dwingender, zonder woorden. Ze liep dus niet rechtstreeks naar de Marktgasse, maar maakte een omweg via de Mühleweg, langs de Surb en het mikwe, het badhuis, waar ze om deze tijd nauwelijks een bekende zou aantreffen. Ook de kleine wei, waar de rivier een flauwe bocht maakte en je op de platte stenen de was zo goed schoon kon wrijven, zou met deze ijzige kou verlaten zijn.

Ze liep vlug, met haar korte, altijd een beetje waggelende pas – een eend die met een stok wordt opgejaagd, maar niet kan besluiten om te vliegen. De wind veegde ijskristallen van de bomen; ze prikten als fijne naalden in Goldes gezicht en de stekende pijn deed haar goed, omdat hij het kopen van een pond soepvlees verhief tot een missie vol offervaardigheid. Zodra de straten smaller werden en links en rechts de huizen met hun nieuwsgierige ramen op haar wachtten, trok ze de zwarte omslagdoek steviger om haar hoofd en ze slaagde er inderdaad in de winkel van Naftali Pomeranz te bereiken zonder ook maar één keer aangesproken te worden.

Naftali was er niet. Pinchas, de zoon op wie Pomeranz zo trots was, paste op de winkel, een slungelachtige jongen, even lang en mager als zijn vader, met een dunne baard en een groot gat in zijn gebit waarin hij met zijn tong speelde als hij verlegen was. Hij stond met een doek in zijn ene en een boek in zijn andere hand bij het raam. Waarschijnlijk was hij aan het poetsen geslagen en toen weer verdiept geraakt in zijn lectuur.

Toen Golde hem aansprak schrok hij geweldig, hij liet zijn boek vallen, kreeg het nog net te pakken, moest bukken om de doek op te rapen en zei ten slotte dat zijn vader naar sjoel was, naar de synagoge om alvast de Torarollen voor de dienst met Pesach gereed te maken, of ze later niet terug kon komen, lang zou het niet duren.

Geen wonder dat hij op zijn vijfentwintigste nog steeds niet getrouwd is, dacht Golde. Nee, zei ze streng, ze kon later niet terugkomen, ze had een zieke gast thuis die versterkende soep nodig had en wel zo vlug mogelijk.

'Ik zou vader graag, echt graag gaan halen,' zei Pinchas en hij begon bijna te stotteren, 'maar hij heeft me uitdrukkelijk opgedragen in de winkel ...'

'Opschieten!'

Sarah Pomeranz was binnengekomen, de vrouw die met haar kwarktaart de kok van Rothschild beschaamd maakte. Hoewel ze haar hele leven in de keuken doorbracht, was ze net zo mager als haar man en haar zoon. Het hoorde bijna bij haar doordeweekse dracht dat haar handen tot over de knokkels onder het meel zaten en ze moest ze eerst aan haar schort afvegen voor ze Golde behoorlijk kon begroeten. Ze deed de winkeldeur achter Pinchas op slot – 'Midden in de week koopt er toch niemand vlees' – en zei op haar besliste toon: 'Ik ga koffie voor ons zetten, en geen tegenspraak.' Golde, die van alle opwinding een beetje misselijk was, nam de uitnodiging graag aan, ook al wist ze dat hier evenveel nieuwsgierigheid als gastvrijheid in het spel was. Wie geheimen voor zich houdt, maakt geen vrienden.

Terwijl Sarah een handvol bonen in de koffiemolen liet glijden en, om te laten zien hoezeer ze Goldes bezoek op prijs stelde, er nog een halve hand bij deed, begon Golde te vertellen. 'Hij is even oud als mijn zoon,' zei ze, want soms, vooral bij gebeurtenissen die haar gemoed hevig in beroering brachten, zag ze het kind dat niet had mogen leven voor zich als volwassen man.

'Het is een vreemdeling, zeggen ze.'

'Ja, een Fransman.'

'En hoe komt hij bij jullie?'

'Hij is misjpooche van mijn man.'

'Ah, misjpooche,' herhaalde Sarah, alsof dat alles verklaarde en het verklaarde ook alles. 'En hoe heet hij?'

'Janki. Janki Meijer.'

Sarah zette de grote deegkom op de grond om plaats op tafel te maken en schoof een stoel voor Golde aan. 'Hij draagt een uniform, zeggen ze.'

'Hij is soldaat geweest.'

'Gewond?'

'Nee, er is hem – boroech Hasjem! – niets overkomen.'

'Maar hij heeft een verband. Zeggen ze.'

'Dat heeft hij alleen … alleen voor de zekerheid.' Er is niets dat je meer met iemand verbindt dan een gemeenschappelijk geheim, merkte Golde.

Terwijl haar gastvrouw de zwengel van de koffiemolen bediende, alleen met haar vingertoppen, alsof ze daardoor minder lawaai maakte, vertelde Golde wat ze over Janki wist. Ze moet daarbij – maar wanneer heb je ook zo'n avontuur te vertellen? – een beetje overdreven hebben, want toen de koffie opgegoten was, veel koffie, weinig water, zoals je dat doet bij geachte gasten, ging Sarah voor haar kopje zitten met de woorden: 'Als je bedenkt … Niet ouder dan mijn Pinchas en Sedan al overleefd!' Ze maakte het geluid waarmee de joden hun verbazing tot uitdrukking brengen: een langgerekt sssss, waarbij ze hun hoofd heen en weer bewegen zodat de klank harder en zachter lijkt te worden.

'Hij heeft geen schot gehoord,' probeerde Golde haar te corrigeren.

'Zelfs niet gehoord? In zo'n grote veldslag? Ja, God kan een mens op wonderbaarlijke wijze beschermen!' En omdat ze de sjammesplichten van haar man ook altijd als de hare beschouwde, voegde Sarah eraan toe: 'Hij zal tot de Tora opgeroepen worden en goumel bensjen.'

Golde sprak haar niet langer tegen. Er zijn nu eenmaal verhalen die sterker zijn dan de werkelijkheid. Bovendien deed het idee haar goed dat Janki, die ze in gedachten al háár Janki noemde, een held zou zijn, en zeg nou zelf: marcheren tot je voeten bloeden en een hondenhok delen met een waakhond – is dat minder heldhaftig dan vechten in een veldslag? Ze verheugde zich al op het moment dat hij genezen en wel bij de lezing van de Tora midden in de synagoge op het almemmor zou staan en goumel zou bensjen. Wie had meer reden dan hij om het dankgebed voor doorstane gevaren te zeggen? Vanaf de vrouwensjoel zou ze naar hem kijken en de andere vrouwen zouden zeggen: 'Zonder Goldes vleesbouillon had hij het, God beware, niet overleefd.'

Ze dronken hun koffie, zwart en met veel suiker, en Sarah kreeg een kleur van trots toen Golde haar vertelde hoe lekker de door God beschermde Janki haar kwarktaart had gevonden en dat er geen stukje was overgebleven, zelfs de kruimels had hij nog bijeengeveegd en uit zijn hand gelikt. 'Hij past in ons dorp,' zei Sarah uit diepe overtuiging en Golde hoorde zich tot haar eigen verrassing zeggen wat ze tot nog toe niet eens had gedacht: 'Ja, hij blijft hier. We nemen hem in huis. Hij heeft verder niemand meer.'

Toen kwam Naftali Pomeranz binnen, die alle nieuwtjes ook graag had gehoord maar naar de winkel werd gestuurd om het vlees af te snijden. Sarah stond erop – 'Dat is het minste wat we kunnen doen!' – dat Golde het pakje niet zelf naar huis droeg, maar dat Pinchas met haar meeliep. Iets voor een zieke doen was tenslotte een godgevallige daad, een mitswe, en bovendien zou het haar zoon een genoegen zijn, 'hè, Pinchas?'

Pinchas nam zulke grote passen dat Golde met haar korte beentjes bijna moest rennen om hem bij te houden. Uit pure beleefdheid probeerde ze één, twee keer met de jongeman te praten, ze prees hem omdat hij, naar men zei, als sjocheet een bekwaam opvolger van zijn vader beloofde te worden, maar ze kreeg geen zinnig woord uit hem. Pas toen ze voor de deur van het dubbele huis stonden en hij haar het pakje gaf, stootte hij plotseling uit: 'Abraham Singer komt zeker vaak bij jullie?' Zonder een antwoord af te wachten draaide hij zich om en rende weg.

Vreemd, dacht Golde. Wat kan het hem schelen of de koppelaar al bij Mimi langs is geweest?

Terwijl de vleesbouillon nog stond te koken – misschien deed alleen de door het hele huis trekkende geur al zijn werk – viel Janki in slaap. Zijn ademhaling, hoewel nog steeds zacht ritselend als papier, ging zo rustig en zijn voorhoofd was intussen zo afgekoeld dat Chanele zijn voeten afdroogde, ze toedekte en op haar tenen de kamer uit sloop.

Janki was nu helemaal alleen. Oom Melnitz zat op de lege stoel bij zijn bed tegen hem te praten.

'Je slaapt,' zei Melnitz. 'Je denkt dat je niets meer kan gebeuren omdat je nu bij ons bent. Maar dat is niet zo. Het is hier net als ergens anders. Het is overal hetzelfde.

Tien jaar geleden was het voor het laatst weer eens zover. Hier in Endingen, ja. We zouden er een paar rechten bij krijgen. Geen rechten als de christenen, maar toch bijna als mensen. In plaats daarvan gooiden ze onze ruiten in. Niet alleen de ruiten. Het kan gebeuren dat zo'n steen op een hoofd terechtkomt. Het was de kleine Pnina haar eigen schuld. Ze had vlugger weg moeten rennen. Of zich onzichtbaar moeten maken. Ze zouden veel meer van ons houden als we onzichtbaar waren, ja.

Er waren geen schuldigen omdat er niemand bij was geweest. Niemand die we kenden. Zo hadden ze het afgesproken. Er was ook afgesproken dat alles spontaan zou gebeuren. Vanuit het volk. In een opwelling.'

Oom Melnitz had zijn ogen gesloten, als iemand die een lang geleden geleerde les alleen maar opzegt om er zeker van te zijn dat hij hem niet is vergeten.

'En aan het begin van de eeuw hadden we hier in Endingen de kwetsenoorlog, ja. Een kleine oorlog. We leven in een klein land. Zwitserland was toen bezet door de Fransen. Door Napoleon. Maar het was niet tegen hem dat ze oorlog voerden. Hij zou voor hun stokken waarschijnlijk niet bang geweest zijn. Tegen ons hebben ze gevochten. Dat is eenvoudiger. Ze hebben ons allang bijgebracht dat we ons niet moeten verzetten.

Het werd de kwetsenoorlog genoemd omdat de rijpe kwetsen aan de bomen hingen. Ze wachten graag tot de oogst voorbij is. Ervoor hebben ze zoveel andere dingen te doen. Erna hebben ze een uitlaatklep nodig voor hun kracht.

Er was trouwens nog een andere naam voor: de lintjesoorlog. Omdat ze van de handelaren die ze in elkaar sloegen de gekleurde linten stalen. Ze namen ook andere dingen mee, maar de linten waren achteraf te zien. Op de jassen gespeld. Op de mouwen. Op de hoeden. Als een onderscheiding, ja. Om te laten zien dat ze hadden meegedaan. Trots. Achteraf hebben ze altijd maar twee mogelijkheden: trots zijn of zich schamen. Dan zijn ze liever trots.

Iemand uit het dorp, een lid van het kerkbestuur – hij heette Guggenheim, net als het café – heeft met ze proberen te praten. Dat had hij niet moeten doen. Wie praat is een mens en ze willen niet dat wij mensen zijn. Omdat je bij een mens geen mestvork in zijn gezicht steekt zodat een tand er door de ene wang in gaat en door de andere weer uit. Omdat je bij een mens niet lacht als hij dan probeert te praten en het niet kan omdat zijn tong ingescheurd is. Omdat je een mens niet met een dorsvlegel op zijn achterhoofd slaat, alleen maar om te maken dat hij ophoudt met schreeuwen.

Kwetsenoorlog, ja. Ze hebben het oorlog genoemd omdat dat woord helden van hen maakt. Ze zijn altijd helden als ze ons te lijf gaan.'

Janki's ogen waren dicht. Boven zijn borst ging de deken nog maar licht op en neer – een schip dat de haven is binnengelopen en zich de golven nog vaag herinnert. Zijn ene hand lag naast zijn hoofd, met de handpalm naar boven, alsof hij op een geschenk wachtte.

'Je denkt dat je nu veilig bent,' zei Melnitz. 'Maar veiligheid bestaat niet. Toen hij op de grond lag en zich niet meer verroerde, heeft iemand zijn laars op zijn hoofd gezet. Iemand op wie de meisjes gesteld waren omdat hij hen ook na een fles wijn niet tegen hun wil aanraakte. Iemand die wijsjes kon spelen op een kam waar hij een papier omheen had gevouwen. Iemand die nog gauw wat paardenbloemen plukte voor het konijn dat hij de nek moest omdraaien. Een aardige man.

Hij heeft zijn laars op zijn hoofd gezet en zijn gezicht in de modder geduwd omdat hij anders de mestvork er niet uit kreeg. Gereedschap is duur en de mestvork was niet van hem. Als hij alleen was geweest zou hij zich hebben verontschuldigd terwijl hij dat deed. Hij was een fatsoenlijk man, ja. Maar hij was niet alleen. Ze zijn nooit alleen.

Veiligheid bestaat niet,' zei Melnitz en hij vertelde nog een verhaal en nog een. Hij praatte zonder haast, als iemand die veel tijd moet vullen.

Zoals je het sjmone-esre zegt op de Hoge Feestdagen, met nog een tussenzin en nog een. 'Soms schreeuwen ze,' zei hij, 'en soms fluisteren ze. Soms zwijgen ze een hele tijd en dan denk je dat ze ons vergeten zijn. Maar ze vergeten ons niet. Geloof me, Janki. Ze vergeten ons niet.'

De geur van de vleesbouillon vulde het hele huis, zoals wierook, naar men zegt, een kerk vult.

4

'Paarden?'

Salomon had Janki liever niet meegenomen. Ten eerste horen mensen die net ziek zijn geweest binnen te blijven en ten tweede ... Het tweede had hij niet tegen Golde kunnen zeggen. Zijn vrouw had dit aangewaaide familielid even onvoorwaardelijk in haar hart gesloten als Mimi jaren geleden het poesje dat een boerenknecht had willen verdrinken en dat zij, met gevaren die bij elke herhaling van de geschiedenis groter werden, uit de Surb had gered. Net als toen zou ook nu geen enkel argument hebben gewerkt en de echte reden voor zijn weigering zou Golde al helemaal niet hebben geaccepteerd: Salomon vertrouwde Janki niet. Het was maar een gevoel, een gerommel in zijn buik, maar Salomon had al heel wat miskopen voorkomen omdat hij meer op zijn buik had vertrouwd dan op zijn hoofd. Leg dat maar eens uit aan een vrouw!

Hij had dus toegegeven, niet vanwege Janki's smekende ogen, ook al leken die in zijn ingevallen gezicht zo groot als bij een drachtige koe, maar om van het gezeur af te zijn. Hij had hem zelfs een jas geleend, zijn eigen oude jas die hij altijd aantrok als hij wist dat hij de hele dag in stallen zou doorbrengen. Hij had zich geërgerd – 'Wat dacht je dan, dat hij naar viooltjes zou ruiken?' – omdat Janki zijn neus optrok en de zware stof even minachtend tussen zijn vingers wreef als een graanhandelaar een loze aar. Ook laarzen had hij hem geleend, nee, geschonken; waarom zou je gulle gebaren uitstellen waar je toch niet onderuit komt? 'Het is toch mooi,' had Golde gezegd, 'dat hij zich zo voor je handel interesseert. Wie weet is dat ook iets voor hem.' En Salomon, overeenkomstig het gezegde dat slikken beter is dan stikken, had niet geantwoord: 'Een kleermaker als beheimesoucher? Moet hij de koeien soms een rijbroek aanmeten?'

Nu liepen ze dus naast elkaar. Salomons paraplu trok een spoor van gaatjes en Janki's laarzen, steeds een paar passen achter hem, stampten ze weer dicht. Het was de eerste warme dag van het jaar; de lente droop ontdooid van de bomen, waarin de vogels zich ijverig oefenden in het tjilpen, alsof hun snavels al die maanden dichtgevroren geweest waren. Salomon Meijer had totaal geen gevoel voor romantiek, hij kende het woord niet eens en toch had hij juist vandaag liever zwijgend door de ruisende morgen gelopen.

Maar Janki praatte. Hij kon hem, nog altijd verzwakt door de koorts, maar met moeite bijhouden en praatte. Hij bleef staan om op adem te komen, rende weer een paar passen, waardoor hij nog meer buiten adem raakte, en praatte. Salomon liep niet vlugger dan anders, maar ook niet langzamer. Hij was op weg naar de stal die hij van boer Matten had gehuurd en waar hij met meesterslager Gubser had afgesproken, en zoals altijd zou hij precies op tijd zijn. Janki wilde per se mee? Best. Als hij zijn schaarse krachten wilde verspillen met kletsen in plaats van ze te sparen voor het lopen, dan moest hij het zelf maar weten.

Op de avond van zijn aankomst had Janki gepraat als een kleine jongen die na zijn eerste dag op het cheider thuiskomt en alle angsten die hij bij de vreemde meester heeft uitgestaan van zich af moet praten. Nu had zijn hijgerige woordenstroom iets van een kwakzalver die op de markt zelfgebrouwen medicijnen aanprijst, goed tegen hoofdpijn, kiespijn en vrouwenkwalen, die gegarandeerd genezing belooft als de patiënt het brouwsel maar drie weken lang elke dag precies op hetzelfde tijdstip slikt – wel wetend dat hij zelf over drie weken ver weg op een andere markt zal staan en dat binnen een jaar of zelfs een halfjaar elke belofte vergeten is.

'Paarden? Wat moet ik met paarden? Ik handel in koeien.'

'Ja,' zei Janki, 'dat heb ik begrepen, maar je moet ook eens iets nieuws proberen.'

'Hoezo?'

'Om vooruit te komen. Monsieur Delormes ontwierp steeds weer nieuwe modellen. Brede revers. Smalle revers. Helemaal geen revers.'

'Helemaal geen bevalt me wel. Koeien dragen namelijk geen jassen.' Bij Golde had hij zijn grappen nog moeten inslikken. Maar het lag niet in Salomon Meijers aard zo'n kans te laten lopen.

'Het zou een goede tijd zijn voor paarden.'

'Weet je dat als soldaat of als kleermaker?'

'Ik weet het van de man uit Muri, met wie ik in het kamp Frans heb gesproken.'

'Een paardenhandelaar?'

'Een leraar.'

'Op een school voor paarden?'

Bij zijn boeren kon Salomon zich geen ironie veroorloven. Des te meer genoot hij nu van dit gepingpong. Hij zwaaide zelfs vergenoegd zijn paraplu een keer in het rond, zoals verliefde knechts 's zondags met hun wandelstok doen.

'Hij heeft me iets verteld,' zei Janki. 'Het was geheim, maar hij heeft het me verklapt omdat hij trots was dat hij alle woorden ervoor kende. Dat wil zeggen: bijna alle woorden.'

'Noe?'

Janki, schijnbaar alleen geïnteresseerd in het schoonhouden van zijn nieuwe oude laarzen, ontweek zorgvuldig een plas. Iemand anders zou niet eens gemerkt hebben dat hij daarmee alleen een laatste aarzeling wilde camoufleren alvorens een beslissing te nemen, maar wie veel koehandel heeft meegemaakt, leert zulke tekenen herkennen.

'Noe?' vroeg Salomon nog een keer.

Janki hoestte, hoewel er helemaal geen hoest meer in hem zat. Toen bleef hij staan. 'We zouden het samen kunnen doen.'

Ik had door moeten lopen, dacht Salomon later. Gewoon doorlopen en niet naar hem luisteren. Dan zouden veel dingen anders gegaan zijn.

Maar hij liep niet door. Hij bleef ook staan en vroeg: 'Wat samen?'

'Paarden,' zei Janki en er verscheen een glimlach op zijn gezicht die Salomon evenzeer tegenstond als hij Mimi aangestaan zou hebben. 'We verkopen paarden die we niet hebben.'

Wat Janki voorstelde toen ze daar tussen de druipende fruitbomen tegenover elkaar stonden, wat hij hem overijverig uitlegde terwijl ze langzamer dan eerst weer naast elkaar liepen, wat hij met kwakzalverachtige welbespraaktheid aanprees toen ze, veel te vlug op de plaats van bestemming aangekomen, nog een keer druk gebarend bleven staan, was het volgende: de Franse officieren – 'voor wie we ook de laarzen nog moesten poetsen, hoewel ze nauwelijks een voet op de grond zetten'–, al die *lieutenants*, *capitaines* en *colonels* waren niet naar het interneringskamp gemarcheerd, maar met pas ingevet hoofdstel trots de grens over gereden. Ze hadden hun paarden, die heel wat beter gevoed waren dan de moeizaam voortsjokkende infanteristen, tussen de rijen Zwitserse soldaten nog een keer de vrije teugel gegeven, zodat ze dansten en traverseerden, om te laten zien: 'Wij zijn hier niet als overwonnenen gekomen; wij hebben nog overtollige kracht, en als we het anders gewild hadden, dan hadden we het wel anders gedaan.'

Ze hadden toen – 'En wij teppen hebben dat gepikt, althans de eerste dag' – de geurende balen hooi die de oververmoeide soldaten al uit elkaar hadden getrokken om lekker te kunnen liggen, allemaal voor zichzelf gevorderd, stro voor de troepen, hooi voor de paarden; ze waren de eerste week met kaarsrechte rug en de teugels losjes tussen twee gehandschoende vingers zelfs nog naar buiten gereden, maar daarna was het hooi schaars geworden, om het over de haver maar niet te hebben, en ten slotte hadden de paarden daar alleen nog maar gestaan, voor zover mogelijk in stallen, maar ook gewoon onder de blote hemel, aangebonden in lange rijen; er was geprobeerd grote vuren aan te leggen om ze een beetje warm te houden, maar door de rook waren ze alleen maar onrustig en bijterig geworden.

'Er zaten een paar mooie dieren bij,' zei Janki, 'vooral de privépaarden van de officieren, maar de meeste waren natuurlijk van de tros, brouwers- en koetspaarden waarmee je geen springwedstrijd kunt winnen, maar wel een kanon uit de modder trekken. Honderden paarden. Slagersvoer.'

'Noe?' zei Salomon en in die ene lettergreep zat een hele droosje verpakt, een preek die de spreuk verklaarde: 'Gij zult een beheimesoucher die zich alleen voor koeien interesseert, niets over paarden vertellen.'

'Nu ga ik iets zeggen wat nog niemand weet,' zei Janki en hij greep Salomon bij zijn mouw, een vertrouwelijkheid die zelfs Golde zich niet permitteerde. 'Het moet zo lang mogelijk geheim blijven zodat er niemand mee aan de haal kan gaan. Die als soldaat verklede schoolmeester heeft het me verklapt. Ze hebben besloten alle Franse paarden te verkopen om daarmee een deel van de interneringskosten te betalen. Er komt een grote veiling in Saignelégier.'

'En?'

Janki staarde Salomon verbaasd en meewarig aan, zoals je iemand aankijkt die je een raadsel hebt opgegeven en die nog steeds naar de oplossing zoekt, hoewel die voor de hand ligt. '"En?" vraag je? Er zullen zo veel paarden op de markt zijn dat de prijzen in Zwitserland wel moeten kelderen. Ze zullen ons de beesten achternadragen en ons smeken ze te kopen.'

'We kopen niet.'

'Jawel. Maar eerst vérkopen we.'

En toen beschreef hij Salomon nog een keer zijn plan, het plan dat hij in het interneringskamp had uitgebroed, hij, Janki Meijer, helemaal alleen, de enige denkende mens tussen louter willoze, apathische afwachters, het plan dat hem op zijn lange voettocht door Zwitserland kracht had gegeven, waaraan hij zich in een stinkend hondenhok had gewarmd, waaraan hij zich als aan een touw uit zijn koorts had opgetrokken omdat er geen tijd te verliezen was, geen dag, omdat zich nu een gelegenheid voordeed die zich nooit meer zou voordoen.

Ze zouden aan een slager, het beste meteen aan slager Gubser, met wie Salomon had afgesproken, paardenvlees verkopen, bij contract, levering over een maand, honderd, tweehonderd, vijfhonderd kilo, wist Janki veel, zoveel Gubser maar wilde. Ze zouden hem een prijs aanbieden die zo gunstig was dat hij moest denken dat ze mesjoege geworden waren, een metsieë waar niemand weerstand aan kon bieden, zeker een gojse slager niet, want die, dat wist Janki nog uit de kroeg in Guebwiller, waren altijd bereid iemand te belazeren. Maar als het vlees dan volgens contract geleverd moest worden, zouden de prijzen voor paarden gezakt zijn tot een lager niveau dan ooit, de slager zou zich wel voor het hoofd kunnen slaan – 'Maar is dat ons probleem?' – en ze zouden een rejwech maken, genoeg om je als kleermaker te kunnen vestigen of als laken-handelaar of als wat je maar wilde. Janki was zo zeker van zijn zaak dat hij het waagde de veehandelaar, op wiens steun hij aangewezen was, op een komische manier te parodiëren.

'Noe?' vroeg Janki.

Salomon Meijer krauwde in zijn bakkebaard. Een goed teken, dacht Janki, die hem niet kende. Salomon keek peinzend naar de voet van de heuvel, waar nog geen tweehonderd meter verder de stal stond waar hij al werd verwacht; toen ramde hij zijn paraplu zo hard in de zachte bodem dat hij op eigen kracht leek te blijven staan als Mozes' staf voor de farao, leunde tegen een boom, zoals rav Bodenheimer soms tegen de boekenkast leunde als hij bij een leervoordracht iets begon uit te leggen, en zei: 'Kijk eens naar deze paraplu!'

'De paraplu?'

'Ik heb hem altijd bij me en zet hem nooit op. Waarom?'

Janki spreidde hulpeloos zijn armen uit. Hij had geen idee waar Salomon heen wilde.

'Het is een kenmerk. Iets wat opvalt. Iets wat mij onderscheidt van alle andere joden die in beheimes handelen. Zoals de pan waarin ik in het pension iets voor mezelf kook als ik daar moet overnachten zich onder-scheidt van alle andere pannen. Omdat ik hem van een merk voorzie. Drie letters, een kof, een sjien en een reesj, met krijt, vanbinnen op de bodem. Het woord "koosjer". Als de letters er de volgende keer nog staan, weet ik dat ik de pan mag gebruiken. Snap je?'

Janki snapte er niets van. Hoe waren ze van de paarden op een para-plu gekomen en van de paraplu op een pan?

Salomon liet zich niet opjagen. Hij voltooide zijn gedachtegang lang-zaam en zorgvuldig, zoals de rav dat deed wanneer hij twee zeer uiteen-lopende citaten bijeenbracht om een omstreden passage te verhelderen. 'Ik heb me aangewend die paraplu mee te nemen zodat de mensen weten wie ik ben. De jood met de paraplu. Zoals je bij paarden, als jij het per se over paarden wilt hebben, een merk in hun kont brandt. Hij is al twee keer gestolen omdat onder de boerenjongens het gerucht de ronde doet dat ik daar,' hij wees naar de buik van de paraplu waar de zwarte stof opbolde in de zachte lentewind, 'mijn geld bewaar. Laten ze hem maar stelen. Wat kost zo'n paraplu nou? Ik heb nog drie van zulke thuis.'

Als Salomon lachte, hield hij zijn lippen op elkaar en werden zijn wangen met de rode adertjes zo rond als twee halve appels.

'Ik ben de jood met de paraplu. En de mensen weten: die jood is eerlijk. Die jood bedriegt niet. Van die jood kunnen we op aan. Niet dat ik hun iets cadeau doe. Dan zouden ze zeggen: die jood is dom. Als ze een koe die ik moet kopen twee dagen ongemolken op stal laten staan zodat de uier er voller uitziet, dan lach ik ze uit. Maar andersom moet het net zo zijn. Als ze bij de jood met de paraplu een melkkoe uitkiezen en aan de hoornringen willen zien hoe vaak ze al gekalfd heeft, dan zijn de hoorns niet afgeschraapt. Een slachtkoe die bij mij wordt gekocht heeft geen dorst staan lijden voor de liksteen en zich dan van gulzigheid vol laten lopen met water om een paar kilo meer te wegen. Dat weten de mensen en daarom doen ze zaken met mij en niet met iemand anders. Daar leef ik van, dat is mijn parnose. En omdat dat zo is en omdat dat ook zo moet blijven ...'

'Maar dit is een unieke kans,' zei Janki smekend terwijl hij al wist dat hij verloren had.

'Omdat dat ook zo moet blijven,' vervolgde Salomon, 'zal ik aan slager Gubser geen paardenvlees bij contract verkopen waar hij alleen maar op kan verliezen. Zeker aan slager Gubser niet, omdat ik hem namelijk niet mag. Heb ik al die jaren een reputatie opgebouwd om die voor een paar goudstukken te grabbel te gooien?' Hij trok de punt van de paraplu klakkend uit de modderige bodem en liep de heuvel af naar de stal, waarbij hij de paraplu om de andere pas in de grond stak alsof hij een grens moest markeren.

Slager Gubser had iets van een dominee, zo'n zalvende toon waarmee hij zich bij de huisvrouwen die bij hem kochten geliefd maakte. Hij had de gewoonte om woorden die hij niet meende twee of drie keer te herhalen, waarbij hij zijn vlezige rode hand op zijn hart legde alsof hij voor de rechtbank een eed moest afleggen.

'Ah, het nieuwe familielid,' zei hij en hij maakte een halve buiging voor Janki. 'Ik heb al over hem gehoord. Welkom, welkom, welkom. Ook veehandelaar?'

'Ook zakenman,' antwoordde Janki en Salomon blies met opeengeklemde lippen zijn wangen op.

'Uit Frankrijk, heb ik gehoord. In de slag van Sedan gevochten. Dat moet verschrikkelijk geweest zijn. Verschrikkelijk.'

'Er zijn aangenamer verblijfplaatsen dan slagvelden,' zei Janki en Gubser lachte zo luid en hartelijk alsof hij nog nooit een scherper bon mot had gehoord.

'Briljant,' zei hij, 'briljant, briljant. Maar jullie joden kunnen nu eenmaal met woorden omgaan, dat is bekend. Daarom moet je ook zo

45

oppassen als je zaken met jullie doet. Maar meneer Meijer weet dat ik jullie niets verwijt. Iedereen is nu eenmaal zoals Onze-Lieve-Heer hem heeft geschapen. Een kalf is geen schaap en een zeug is geen geit.'

Salomon, met zijn handen steunend op de knop van zijn paraplu, leek de lege zwaluwnesten te tellen die aan het gebint van de stal hingen.

'Vandaag heb ik een koe nodig,' zei Gubser. 'Een goedkope koe met veel vlees op de ribben. Voor mijn part oud en taai. Worst heet worst omdat het worst zal wezen wat je erin stopt.' Hij lachte hard en lang en toen Janki niet meelachte, vroeg hij: 'Heeft hij dat niet verstaan, jullie Fransman?'

'Verstaat hij me niet of wil hij me niet verstaan?' vroeg Salomon een week later ook aan Golde. 'Ik vraag hoe hij zich zijn toekomst voorstelt en hij kijkt me alleen maar aan, haalt zijn schouders op en gaat wandelen.'

'Hij moet nog aansterken. Hij is ziek geweest en moet iets voor zijn gezondheid doen.' Goldes stem klonk dof, want haar hoofd zat in de grote kast in de kamer als in een hol. Hurkend viste ze uit de verste hoek al die dingen die je nooit weggooit en toch alleen maar met de grote schoonmaak voor Pesach in de hand neemt. Ze stak haar man een beschilderde porseleinen scherf toe, een stuk van het bord dat ze bijna vijfentwintig jaar geleden op de dag van hun verloving hadden gebroken en verdeeld, en ze glimlachten naar elkaar zoals je alleen na een lang huwelijksleven kunt glimlachen, een glimlach die voor een even groot deel bestaat uit tevreden herinnering als uit bijna net zo tevreden berusting.

'Ja, maar toch ...' zei Salomon. Hij hielp Golde overeind en probeerde er niet aan te denken hoeveel lichter van lichaam en ziel ze ooit was geweest. 'Hij rent maar wat rond, zonder dat ik weet waar hij heen gaat, en als ik met hem wil praten, luistert hij niet.'

'Hij is nog jong,' zei Golde. 'En hij is teleurgesteld, lijkt me. Wat was dat voor voorstel dat hij je heeft gedaan?'

'Geen zuivere koffie.' Zaken waren een mannenaangelegenheid. Salomon vroeg ook niet aan Golde waarom al die kopjes zonder oortjes en die beschadigde glazen één keer per jaar zo grondig schoongemaakt moesten worden om vervolgens weer twaalf maanden lang op de onderste plank te verstoffen. 'Dat was niets voor mij. Maar dat is nog geen reden om de hele dag moederziel alleen rond te lopen. De mensen praten er al over.'

Golde vulde haar schort met serviesgoed – een boerin die in de herfst peren opraapt. Ze beet op haar onderlip, vastbesloten om haar man, die altijd alles meende te weten en toch nergens iets van begreep, niets te verklappen van waar de mensen echt over praatten. Maar toen ze al half de kamer uit was, was het sterker dan zijzelf. Ze draaide zich nog een keer om en zei: 'Hij is niet altijd alleen.'

'Ik heet eigenlijk Miriam,' had Mimi gezegd. 'Ze noemen me Mimi omdat ze me behandelen als een kind. Maar ik ben geen kind meer.'

'Nee,' had Janki geantwoord, 'je bent geen kind meer.' En hij had haar aangekeken met een blik, 'met een blik,' had Mimi nog dezelfde dag tegen de dochter van de schoolmeester gezegd, 'dat je zou moeten blozen als hij geen familie was.'

De vriendschap tussen de twee jonge vrouwen dateerde uit hun kinderjaren. Ze hadden met elkaar in het ondiepe water gepoedeld toen ze nog te klein waren om te begrijpen dat ze weliswaar in hetzelfde dorp thuishoorden, maar in verschillende werelden. Ook in de episode met het geredde poesje had Anne-Kathrin een belangrijke rol gespeeld; ze had het net met de lange steel gehaald dat haar vader altijd meenam als hij ging vissen, in de nooit vervulde hoop ooit die grote, die echt heel grote snoek aan de haak te slaan. Intussen ontmoetten ze elkaar alleen nog in het geheim, niet omdat iemand hun contact had afgekeurd of zelfs verboden, maar omdat die heimelijkheid haar eigen bekoring bezat. Een slot op een dagboek maakt zelfs de geringste bekentenis waardevol.

'Hij heeft ogen ...' zei Mimi. 'Heel lange wimpers die zijn wangen strelen. En als hij ze dan opslaat ...' Ze rekte zich uit zoals destijds het poesje als je het achter zijn oren krauwde, en ook het geluid dat ze maakte deed denken aan miauwen.

'Je bent verliefd,' zei Anne-Kathrin jaloers.

Mimi sprak haar zo heftig tegen als een verdachte die schuldig is. 'En trouwens, hij is mijn neef.'

'Een verre.'

'Ja,' zei Mimi terwijl ze zich alweer uitrekte. 'Een hele verre.'

'Eigenlijk heet ik Miriam,' had ze tegen hem gezegd en hij had, niet in het Jiddisj maar voor één keer in het Frans, geantwoord: 'C'est dommage.'

Miriams, had hij haar uitgelegd, waren er evenveel als lovertjes op een baljurk, één meer of minder, wat maakte dat uit? Maar Mimi, ah, een Mimi had hij tot nu toe maar één keer ontmoet, dat wil zeggen: niet echt ontmoet, hij had alleen over haar gelezen, in een roman, maar toen al had hij gedacht: wat een bijzondere naam, wie die naam draagt moet een bijzonder mens zijn.

'En híj is verliefd op jóú!' Als Anne-Kathrin opgewonden was, sloeg haar stem over. Een duif vloog geschrokken op en de twee meisjes lachten om de domme vogel, zoals ze op dit moment waarschijnlijk bij het minste of geringste gelachen of gehuild zouden hebben.

Ze zaten in het ronde prieel dat Anne-Kathrins vader, die veel waarde hechtte aan het verblijf in de buitenlucht, achter in zijn tuin had laten bouwen. Om er te komen moest je heel de diepe tuin door, langs alle perken die in deze tijd van het jaar nog kaal en ongebruikt lagen te sluimeren. Alleen een paar uien had de schoolmeester al geplant; aardappelen kreeg hij van de gemeente, hoewel sommigen dat loon in natura ouderwets vonden en wilden afschaffen. De perken waren gescheiden door een rij rozenstruiken, en een grote vlier belemmerde de inkijk nog eens extra. Juist omdat het prieel er schijnbaar open bij lag, was het een ideale schuilplaats.

'Hij gaat het boek kopen. Hij gaat te voet naar Baden, heeft hij gezegd, alleen om het voor me te zoeken. Hoewel hij zulke tochten haat sinds hij als soldaat zoveel heeft moeten marcheren.'

Anne-Kathrin hield de punten van haar lange blonde vlechten voor haar neus, waarbij ze een beetje scheel keek. 'Als een ridder,' zei ze zachtjes, 'die eropuit trekt om een schat te zoeken.' Eigenlijk had ze 'de heilige graal' moeten zeggen, maar dat had haar tegenover Mimi niet gepast geleken.

'En hij gaat het me voorlezen. We moeten alleen nog een geschikte plek vinden. Bij ons staat op het moment het hele huis op zijn kop, maar zelfs als het niet gauw Pesach zou zijn … Je kent mijn ouders.'

Natuurlijk bood Anne-Kathrin haar vriendin het prieel aan voor het rendez-vous. Andermans avonturen waaraan je hebt meegewerkt, zijn bijna als die van jezelf.

5

'Mimi was *une fille charmante*,' las Janki voor, woord voor woord verta-
lend en soms, als de passende uitdrukking hem zo gauw niet te binnen
wilde schieten, ook gewoon in het Frans. 'Ze was negentien jaar' –
'tweeëntwintig' stond er in het boek, maar omdat zijn toehoorster
negentien was leek die kleine verandering hem op zijn plaats – 'klein,
fijn en zelfverzekerd. Haar gezicht was als een eerste schets voor het
portret van een aristocrate, maar haar gelaatstrekken, teer van omtrek
en schijnbaar zacht verlicht door het stralen van haar heldere blauwe
ogen ...'

Anne-Kathrin heeft blauwe ogen, dacht Mimi, maar ze is geen aristocrate. Beslist geen aristocrate.

'... maar haar gelaatstrekken,' herhaalde Janki, die in de bijzinnen van
de roman verstrikt was geraakt, 'hadden soms, als ze moe of slechtgehumeurd was, een uitdrukking van bijna wilde bruutheid.'

Bruutheid? dacht Mimi en pas aan Janki's reactie merkte ze dat ze het
hardop had gezegd.

'Ik heb het niet goed vertaald. Bij haar is dat iets positiefs. Het betekent "sterkte" of "kracht".'

Dat past beter, dacht Mimi.

'... een uitdrukking van bijna wilde kracht, waarin een fysionomist
waarschijnlijk de tekenen van diep egoïsme of grote gevoelloosheid zou
hebben herkend. – Het valt niet mee de juiste woorden te vinden,' voegde hij er vlug aan toe, 'in het Frans klinkt het lang niet zo plomp.'

'Doorgaan!' zei Mimi gebiedend en toen Janki zich gehoorzaam weer
over het boek boog, voelde ze bijna zoiets als wilde bruutheid.

'Haar gezicht was van een ongewone bekoorlijkheid, haar glimlach
jong en fris en haar blikken vol tederheid en koketterie. Het bloed van
haar jeugd stroomde warm en snel door haar aderen en gaf haar huid,
die zo blank was als cameliabloesems, een zachtroze teint.'

Cameliabloesems, dacht Mimi terwijl ze diep ademhaalde. In de lucht
van Endingen hing de stank van de voorjaarsgier die een boer over zijn

akker verspreidde. De bank in het prieel was getimmerd van onge-schaafde planken, de grond was nog bedekt met rotte herfstbladeren, maar Mimi lag languit op een bank in een zolderkamer en naast haar zat een begenadigd jong dichter gedichten voor te lezen die hij in lange nachten uitsluitend voor haar had geschreven.

'Haar handen waren zo zwak, zo klein, zo zacht op zijn lippen; die kin-derhanden waarin Rodolphe zijn weer tot leven gewekte hart had gelegd; die sneeuwwitte handen van mademoiselle Mimi, die met haar roze nagels spoedig zijn hart zou verscheuren.' Janki markeerde de pas-sage met zijn eigen nagel en sloeg het boek dicht.

'Doorlezen! Alsjeblieft!'

Janki schudde zijn hoofd, een gebaar dat Mimi meer vermoedde dan waarnam. Ze had haar ogen gesloten en de warme lentezon streelde haar oogleden.

'Het spijt me,' zei Janki. 'Dit is geen boek voor jonge meisjes.'

'Ik ben geen kind meer!' zei Mimi, niet fel en uitdagend zoals in de discussies met haar ouders, maar zachtjes en met een zweem van verba-zing.

'Het was alleen omdat de naam me deed denken ... Mimi.' Het was alsof nog nooit iemand haar zo had genoemd. 'Maar jij bent immers een Miriam.'

'Weet je dat zeker?' Het poesje rekte zich alweer uit. 'Als je diep adem-haalt,' had Anne-Kathrin haar aangeraden, 'dan kijken ze naar je bor-sten.' Mimi haalde diep adem. Het klonk alsof ze kreunde.

'Doet er iets pijn?' vroeg Janki.

'Alleen dat je me behandelt als een klein meisje.' Ze had over dat ant-woord geen moment hoeven nadenken en was heel trots op zichzelf. 'Hoe gaat het verhaal verder?'

'Ze verlaat hem.'

'O.'

'En dan komt ze bij hem terug. Maar het is te laat.'

'Omdat ze met een ander getrouwd is?'

Janki glimlachte. 'Trouwen ... Het boek heet *Scènes de la vie de bohème*.'

'Natuurlijk,' zei Mimi vlug, want ze begreep dat een boek met fantasie te maken heeft, terwijl een bruiloft, zeker in Endingen ... Sjadchen Abra-ham Singer was al meer dan eens langs geweest, maar ze had Golde telkens gevraagd hem weg te sturen. Wat moest ze met schoenmakers-zonen en Talmoedstudenten? Pinchas met het gat in zijn gebit, de zoon van sjocheet Pomeranz, zette ook elke keer grote ogen op als hij haar tegenkwam, zonder een woord te kunnen uitbrengen. Daarom had je boeken nodig, omdat daarin alles anders was. Omdat daarin de ware jakob plotseling voor de deur stond, je hoefde hem alleen maar binnen te laten. 'Natuurlijk,' herhaalde ze en ze voelde zich heel slecht. 'Waarom zou ze trouwen?'

'Ze laat zich met mannen in,' zei Janki terwijl hij haar vast aankeek, 'omdat ze haar cadeaus geven.'

'In het boek?'

'In het boek. Maar dat komt ook in het echt voor. Ik heb zulke meisjes gekend. De naaisters van monsieur Delormes … Je ouders zouden niet graag hebben dat ik je daarover vertelde.'

'Mijn ouders zijn niet hier,' zei Mimi.

'Nee,' antwoordde Janki, 'je ouders zijn niet hier.'

Salomon Meijer was weer eens op pad vanwege een koe. En Golde – wie kan opsommen wat een joodse huisvrouw een paar dagen voor Pesach allemaal te doen heeft? Ze moest mierikswortel voor de seiderschotel kopen en hem met aarde afdekken zodat hij vers en scherp bleef, ze moest voor de matses zorgen en ze wilde ook, alleen lekoved jontef natuurlijk, niet met dezelfde linten aan dezelfde jurk in de synagoge verschijnen als de vorige keer.

Chanele was alleen thuis toen slager Gubser voor de deur stond. Eerst hoorde ze zijn geklop niet eens. Ze was naar de zolder gegaan om de eerste kist met pesachservies alvast naar beneden te halen en in het voorbijgaan – als zij er niet naar omkeek, wie dan wel? – was haar te binnen geschoten dat het kleine kamertje weer eens schoongemaakt en gelucht moest worden. Dat was hard nodig. Als je je wang heel diep in het hoofdkussen drukte, kon je Janki's mannelijke uitwaseming al duidelijk ruiken: een mengeling van rook, zweet en een vleugje kaneel.

Het kamertje was keurig opgeruimd, alleen de gele halsdoek met de munten was nergens te bekennen. Hij zal er wel een veilig plekje voor gezocht hebben, dacht Chanele en heel even voelde ze zich gekwetst door zoveel wantrouwen. Het vreemde uniform hing kaarsrecht aan een hangertje, alsof het nog steeds in de houding moest staan. Hoewel Chanele het had geborsteld en een paar nachten buiten had gehangen, zat ook daar nog steeds een geur in, waarschijnlijk die van de oorlog: hooi, buskruit en tabak. Als je je ogen dichtdeed …

Beneden bonkte Gubser intussen steeds harder op de deur, met de zware stok die hij altijd bij zich had om koppig vee aan te drijven en die hij, als hij op straat een goede klant tegenkwam, presenteerde als een geweer.

Voor Chanele deed hij dat niet, hij maakte alleen een halve buiging, waarvan je niet wist of die beleefd of ironisch en beledigend was bedoeld, en hij vroeg: 'Is meneer Meijer niet thuis?'

'Ze zijn allemaal op pad.'

'Ik had het kunnen weten. Vlijtige mensen. Altijd vlijtig. Als mieren.'

'Kan ik iets doorgeven?'

'Dat zou aardig van u zijn, mooie juffrouw, heel aardig. Ik ben u beslist dank verschuldigd.' Gubser legde zijn hand op zijn borst, daar waar boven zijn hart iets bols zat, waarschijnlijk zijn portemonnee. 'Zeg hem dat hij een verstandig man is. Het is waar wat ze zeggen: als een christen verstandig is, is hij slim, als een jood verstandig is, is hij sluw. Zeg hem dat het gelukt is.'

'Moet ik ook zeggen wat er gelukt is?'

'Dat zal hij wel weten. Misschien wil hij niet dat iedereen het hoort. Discretie noem je dat. Discretie. Hij is een verstandig man. Zeg hem dat hij bij me langs moet komen. Dat ik iets voor hem heb.'

'Wat?'

Maar Gubser schudde alleen zijn hoofd, maakte opnieuw een halve buiging en liep alweer de straat op. Voor hij bij de Badweg de hoek omsloeg maakte hij een sprongetje als op de dansvloer.

Hij kwam langs de school waar hij Anne-Kathrin, het blondje met de dikke vlechten, over een borduurraam gebogen in de erker van de woning van de schoolmeester zag zitten. Het was een schilderachtig, echt Zwitsers tafereel en Gubser kon niet weten dat Anne-Kathrin het geduld noch de vaardige vingers voor zo'n priegelwerkje bezat en haar hele leven nog nooit een borduursel had afgemaakt. Ze had alleen een voorwendsel gezocht om onopvallend uit te kunnen kijken naar haar vader, die in marstempo en met zijn wandelstok over zijn schouder weer eens een van zijn gezonde uitstapjes in de vrije natuur maakte. Met Mimi was afgesproken dat als hij eerder terugkwam dan verwacht, Anne-Kathrin meteen naar haar op de tuin uitkijkende kamer zou rennen en daar bij het open raam de zware winterkleren zou uitkloppen die, nu het warmer werd, ingepakt en motvrij opgeborgen moesten worden. De mattenklopper – ze hadden het uitgeprobeerd – maakte zo veel lawaai dat het in het prieel goed te horen was.

Vlak achter het prieel was een heg waarin Anne-Kathrin als schoolmeisje een gat had ontdekt, dat ze om uiteenlopende redenen tot op de dag van vandaag steeds groter had gemaakt. Je kon je erdoorheen wurmen naar een smal pad dat naar de rivier liep en als je niet vergat de verraderlijke klitten van je rok te plukken, vermoedde niemand hoe je daar gekomen was.

Janki had verder gebladerd in het boek en vertaalde nu een passage waarin Rodolphe met zijn geestdriftige welbespraaktheid – 'afwisselend teder, meeslepend en melancholiek' – steeds meer indruk op zijn Mimi maakte. 'Ze voelde,' las Janki, 'hoe het ijs van de onverschilligheid, dat haar hart zo lang gevoelloos had gemaakt, door zijn liefde begon te smelten. Toen wierp ze zich aan zijn borst en zei met kussen wat ze met woorden niet kon zeggen.' Hij zweeg en Mimi, wier hoofd, ze wist niet hoe, op zijn schouder terecht was gekomen, maakte een ongeduldig miauwend geluid.

'*L'aurore* – wat is ook weer aurore?' vroeg Janki.

'Morgenrood,' antwoordde Mimi en ze moest het woord meteen nog een keer herhalen. 'Het morgenrood.'

'Het morgenrood verraste hen in een innige omhelzing, oog in oog, hand in hand, en hun vochtige, brandende lippen ...'

Het was, zei Mimi later tegen Anne-Kathrin, echt alleen maar een vlieg geweest, een voor de tijd van het jaar veel te vroege vlieg die op haar neus was gaan zitten en haar had opgeschrikt. Ze had die vlieg alleen maar weg willen hebben en afschudden en als haar lippen daarbij heel even Janki's mond hadden aangeraakt, er een fractie van een seconde langs waren gegleden, dan was dat geen opzet geweest, *certainement pas*, en hij had trouwens, anders dan een jongeman uit het dorp gedaan zou hebben, gereageerd als een heer, namelijk helemaal niet, hij had gedaan alsof hij niets had gemerkt, alsof er niets was gebeurd, en er wás ook niets gebeurd, zei Mimi tegen Anne-Kathrin, helemaal niets, ze hadden samen een boek gelezen, dat mocht toch zeker wel, ook al maakte haar moeder haar altijd verwijten vanwege haar liefde voor de literatuur; als het aan haar lag, zou je als jong meisje gewoon verzuren.

Anne-Kathrin gaf haar gelijk en liet zich het niet-gebeurde haarfijn vertellen, hoe Mimi 'Pardon!' had gezegd, heel rustig en koel, zoals wanneer je in het gedrang op de markt per ongeluk te dicht in iemands buurt bent gekomen, hoe Janki alleen maar had geknikt, maar hoe zijn ogen, die grote, sprekende ogen, Mimi hadden aangekeken – 'zoals wanneer iemand dorst heeft, begrijp je?' – en Anne-Kathrin begreep het heel goed en wilde het hele verhaal nog een keer horen, alleen maar om te kunnen beamen dat het geen kus was geweest, beslist geen kus.

Janki maakte de zin waaraan hij begonnen was, niet af. Hij liet het boek zelfs in het prieel liggen en Anne-Kathrin moest het later in haar kamer onder haar hoofdkussen verstoppen. Op weg naar huis liep hij naast Mimi als een vreemde, een neef naast een nicht die hij maar oppervlakkig kent. Golde had even de indruk dat ze ruzie hadden gemaakt, maar ze vergat die gedachte meteen weer omdat iets anders haar veel meer bezighield: slager Gubser wilde dringend met Salomon praten en Salomon had geen idee waar het om kon gaan.

Toen Salomon bij Gubser arriveerde, zat die al te eten. Zijn vrouw, een stug mens dat zich bij het afsnijden van worst en het wegen van vleeswaren werktuiglijk precieze bewegingen had aangewend, opende de deur naar de eetkamer, waar Gubser en drie blozende zoons zich over hun bord bogen. Alle vier keken ze maar even op, zoals ze in de kerk maar even van hun gezangboek opgekeken zouden hebben als zich na het begin van de dienst nog iemand tussen de rijen door had willen wringen. Gubser was als eerste klaar met eten, veegde met een stuk brood de jus van zijn bord en zei toen, nog steeds kauwend: 'Ah, meneer Meijer! Wat een aangename verrassing! Mag ik u iets aanbieden? Een plak ham misschien?'

'U wilde me spreken.'

'Wilde ik dat? Ik kan het me niet herinneren. Maar gaat u toch zitten, beste meneer Meijer! Weet u zeker dat u ons niet de eer wilt aandoen iets te gebruiken? Nee? Maar een slok wijn drinkt u toch wel. Erika, een glas voor onze gast!'

Ze speelden dat spelletje niet voor het eerst. Slager Gubser wist heel goed dat Salomon Meijer bij hem niets mocht eten en ook geen wijn mocht drinken en zijn steken onder water hadden niet meer te betekenen dan de complimenten die hij zijn klanten als soepbenen bij hun boodschappen schonk.

'Ik zal u niet lang ophouden,' zei Salomon. 'Ik ben alleen gelijk gekomen omdat me verteld werd dat de zaak dringend was.'

'Zaak?' herhaalde Gubser. Hij sprak het woord zo slepend en vragend uit alsof hij het voor het eerst hoorde. 'Wat zouden wij tweeën voor zaak …?'

'Chanele zegt …'

'Chanele?' Gubser imiteerde Salomons zangerige toon zo overtuigend dat zijn drie zoons boven hun bord giechelden. 'Ah, de jongedame die zo vriendelijk was toch nog de deur voor me open te doen. Heel knap, als ze niet zulke wenkbrauwen had.'

'Ze zegt dat u iets voor me hebt.'

'Dat moet ze verkeerd verstaan hebben. Jullie mensen moeten altijd al beter geweest zijn in praten dan in luisteren.' De oudste zoon van Gubser, die eigenlijk al volwassen was, lachte hard, wat zijn moeder zonder op te kijken beantwoordde met een welgemikte oorvijg.

'Neemt u me dan niet kwalijk dat ik u heb gestoord.' Salomon zette zijn hoed weer op die hij al die tijd in zijn hand had gehouden.

'Niet zo vlug, niet zo vlug, beste meneer Meijer!' Gubser veegde met de mouw van zijn jas over zijn mond en stond op. 'Laten we naar het kantoor gaan. De jongens hoeven niet alles te horen.'

De ruimte die Gubser kantoor noemde, was een klein vertrek met raampjes die nauwelijks licht doorlieten omdat ze vol hingen met in lood gevatte wapenruitjes. Op de tafel bescheen een petroleumlamp een chaos van rekeningen en brieven; op de verschillende stapels lagen slachtmessen en ander slagersgereedschap. Op een van de stapels stond een zware asbak van messing. Gubser – hij moest zich daarvoor tussen de tafel en een hoge lessenaar met veel laden door persen – nam plaats op een stoel met een hoge leuning en gedraaide poten, die beter in een oude burcht gepast zou hebben dan in een slagerswoning. Hij wees naar een bijbehorend krukje. 'Gaat u zitten!'

'Ik blijf liever staan als u er niets op tegen hebt.'

'Daar heb ik wel iets op tegen, beste meneer Meijer. Jullie moeten ook eens leren er je gemak van te nemen.'

Salomon ging zitten. Omdat er nergens plaats was om zijn hoed neer te leggen, hing hij hem over de knop van zijn paraplu.

'Wel ...' Gubser leunde achterover in zijn stoel en stak beide duimen achter de armsgaten van zijn vest. Een boer, dacht Salomon, die vee aan te bieden heeft als alle anderen moeten kopen. Een die zich verheugt op het marchanderen omdat hij er alleen maar bij kan winnen. Nu gaat hij vast een bokje opsteken.

'Neem er ook een!' zei Gubser terwijl hij hem het houten kistje toestak. 'Of is dat bij jullie ook verboden?'

'Het is toegestaan. Maar ik rook niet. Ik snuif.'

Het aansteken van de dikke sigaar was een omslachtige procedure. Gubser bladerde in een pakje brieven, koos er een uit, rolde hem stevig op, hield hem boven de lamp en draaide het bokje daarna paffend boven het brandende papier. 'Wel ...' zei hij nog een keer toen de operatie eindelijk tot zijn tevredenheid was voltooid, 'laten we eens kijken hoe het tot dit misverstand heeft kunnen komen.'

'U bent vanmiddag bij ons geweest ...'

'Natuurlijk, natuurlijk. Maar ondanks alle beleefdheid, waar jullie mensen terecht beroemd om zijn, had ik niet verwacht dat u me nog dezelfde dag een tegenbezoek zou brengen.'

'U hebt me laten weten ...'

'U?' De slager grijnsde als iemand die bij het moppen tappen aan de stamtafel de pointe nadert. 'Meneer Meijer!'

Salomon staarde hem niet-begrijpend aan.

'Of moet ik zeggen: monsieur Meijer? Wat is hij? Een zoon van uw broer of zus, een zoon van uw oom of tante? Bij jullie weet je dat nooit helemaal zeker.'

'Janki?' Een veehandelaar doet alleen goede zaken als je niet aan hem ziet wat hij denkt. Salomon was op dit moment een heel slechte veehandelaar.

Gubser lachte hard en zelfingenomen.

'Wat wilt u van Janki?'

De slager kneep zijn ogen half dicht, tuitte zijn lippen, produceerde een serie dikke rookkringen en keek hoe ze in het schemerdonker langzaam oplosten. Toen pas gaf hij antwoord. 'Ik weet niet of ik het u mag verklappen. U zou het ook niet leuk vinden als andere mensen van úw zaken op de hoogte waren.'

Salomon liet zijn verwarring niet voor de tweede keer blijken. Als iemand iets wil vertellen en nog aarzelt, krijg je hem vlugger aan het praten door te zwijgen dan door vragen te stellen.

'Maar aan de andere kant,' zei Gubser na een poosje, 'zijn jullie tenslotte familie. Of – hoe heet dat bij jullie? – misjpooche. Allemaal één grote misjpooche.'

Salomon bleef zwijgen.

'Die Janki is een goede vent. Heel jong nog, natuurlijk, maar niet dom. Beslist niet dom. Hij zal het ver schoppen. Hij heeft vooral een goede neus … Dat is geen toespeling, beste meneer Meijer, geen toespeling, in godsnaam. U weet dat ik nooit de spot zou drijven met lichamelijke eigenschappen van andere mensen. Nooit. Maar hij heeft een hele goede neus voor de juiste mensen. Een betere dan u, als ik dat zo recht op de man af mag zeggen.'

Salomon keek aandachtig naar een wapenruitje met links een halve rode lelie en rechts een geel veld.

'Hij is bij me gekomen met een voorstel. Een nogal verrassend voorstel, maar overtuigend. Ja, overtuigend. Het ging om paarden. Paardenvlees, om precies te zijn.'

Salomon camoufleerde zijn verbazing door te kuchen en waaierde overdreven geïrriteerd de sigarenrook weg.

'Hij heeft u …?'

'U wilde mij daar niet bij hebben, heeft hij me verteld. Ik weet niet waarom, terwijl we toch al zo lang en zo goed, nietwaar, beste meneer Meijer, zo goed samenwerken. U had me dat met die contracten gerust aan kunnen bieden.'

Salomon wist al twee dagen dat de veiling in Saignelégier had plaatsgevonden. Zoals Janki had voorspeld waren de prijzen gekelderd. Waarom was Gubser dan zo goedgehumeurd?

'Hoeveel,' vroeg Salomon en zijn poging om uitsluitend naïef beleefde interesse te tonen was niet erg succesvol, 'hoeveel hebt u van hem gekocht?'

De slager lachte zo hard dat het bokje uit zijn mond viel, op zijn bolstaande vest stuiterde en in een kleine vulkaan van as en gloed op een stapel papier terechtkwam. 'Gekocht?' hijgde hij. De woorden borrelden op uit het gelach als gasbellen uit een moeras. 'Ik heb toch niet gekocht!'

Nadat Janki in de stal kennisgemaakt had met Gubser, bleek hij hem nog dezelfde dag in zijn winkel opgezocht te hebben om hem hetzelfde voorstel te doen dat Salomon zo fel van de hand had gewezen: paardenvlees bij contract verkopen en het dan, na de te verwachten prijsval, veel goedkoper inslaan. Hij had hier nog geen contacten, had hij uitgelegd, daarom had hij een partner nodig die deze branche kende. Hij was bereid met eigen geld in het risico te delen en had zijn kapitaal ook meteen meegebracht – 'in een halsdoek geknoopt zoals een zigeuner'. Fifty-fifty had hij willen doen, maar Gubser – 'Dat *joden* heb ik van jullie geleerd' – had afgedongen tot zeventig-dertig; tenslotte had hij, de slager, ook al het werk moeten doen. 'En me de woede van mijn collega's op de hals gehaald.' Het was niet moeilijk geweest om afnemers te vinden, voor Gubser zelfs nog makkelijker dan het voor Salomon geweest zou zijn. Hij had beweerd dat hij zich met inkopen had vergist en nu het opeens zulk zacht weer was geworden kostte het voor het koelen benodigde ijs hem een vermogen. Hij had veel verkocht en elke koper op het hart gedrukt er met niemand over te praten. 'Dat zullen ze ook wel uit hun hoofd laten, nu ze op hun gezicht zijn gegaan. Tenslotte wil niemand voor gek staan.'

Zijn aandeel in de winst, tot op de cent of, zoals Gubser het noemde, christelijk-correct afgerekend, had hij vandaag bij Janki langs willen brengen en hij vond het jammer, vreselijk jammer, dat hij dat domme misverstand had veroorzaakt en Salomon zo had opgejaagd. 'Waarschijnlijk bent u niet eens aan eten toegekomen. Mag ik u niet toch iets aanbieden? Echt niet?'

Maar misschien, zei Gubser terwijl hij een nieuwe brief zocht om zijn uitgedoofde bokje weer mee aan te steken, misschien zou meneer Meijer zo vriendelijk willen zijn het geld voor zijn neef, of op welke manier die twee uiteindelijk familie van elkaar waren, mee te nemen, het lag hier in het kantoor klaar en een fatsoenlijk zakenman, meneer Meijer mocht dat gerust vreemd vinden, sliep niet goed zolang hij zijn schulden niet had betaald.

Gubser stond op en wrong zich langs de rand van de tafel. Hij trok de ene lade van de hoge lessenaar na de andere open en wapperde intussen met zijn andere hand verontschuldigend achter zijn rug, wat waarschijnlijk moest betekenen: 'U moet het iemand die met zo veel zaken tegelijk bezig is maar niet kwalijk nemen dat hij zich niet onmiddellijk elke kleinigheid kan herinneren.' Terwijl hij steeds dieper bukte, stak hij Salomon zijn achterwerk toe. Onder de rand van zijn vest werd een brede, rood-wit gestreepte bretel zichtbaar.

'Ah, hier heb ik het!' zei hij ten slotte op een toon die Salomon sterkte in zijn overtuiging dat al het gezoek een om onverklaarbare redenen voor hem opgevoerde poppenkast was. Gubser kwam kreunend overeind – ook het gekreun klonk niet overtuigend – en stak Salomon een in waspapier gewikkeld pakje toe, met beide handen, alsof het te zwaar was om het op een andere manier te dragen. Het pakje was stevig dichtgebonden en de knoop was verzegeld met een klomp lak die dik genoeg zou zijn geweest voor tien brieven.

'Hier!' zei hij. 'Een meevallertje voor uw neef. Wij hadden het ook samen kunnen doen, u en ik. We hadden hem er helemaal niet bij nodig gehad. U had ik misschien zelfs veertig procent gegeven in plaats van dertig. Maar u had niet genoeg vertrouwen in mij. Weinig mensenkennis, meneer Meijer. Heel weinig mensenkennis.'

Janki vertrok geen spier toen Salomon hem het pakje gaf. Hij ging naar zijn zolderkamer om de inhoud te controleren, kwam weer naar beneden alsof er niets aan de hand was en deed of hij de nieuwsgierige blikken van de anderen niet zag. Hij ging met hen aan tafel, at haring en aardappelen, dronk thee, gaf het brood door wanneer iemand erom vroeg en slechts een enkele keer – maar misschien verbeeldde Mimi zich dat – merkte hij niet meteen dat hem een vraag was gesteld en moest hij, om antwoord te kunnen geven, eerst tot de werkelijkheid terugkeren. Het zal aan het boek liggen waaruit hij me heeft voorgelezen, dacht Mimi.

Golde zat met haar bestek in haar handen – twee vreemde stukken gereedschap waar ze het nut niet van inzag –, zoog haar onderlip diep in haar mond en kauwde erop. Iets aan hem is anders, dacht ze. Zou ik bij een eigen zoon begrijpen wat het is?

Hij is toch een man en geen jongen, dacht Chanele terwijl ze zich de geur van het uniform herinnerde.

Ik had hem niet mee moeten nemen, dacht Salomon.

Janki schoof zijn bord opzij en glimlachte opeens. 'Is buurman Oggenfuss eigenlijk een goede kleermaker?' vroeg hij. 'Ik denk dat ik voor Pesach een nieuwe broek laat maken.'

6

Drie maanden later had Janki een winkel.

Niet in het landelijke Endingen waar de joden, net als in Lengnau, niet woonden omdat de lucht er zo gezond was maar omdat men hun al bijna honderd jaar geen andere woonplaatsen in Zwitserland had toegewezen, nee, Janki vestigde zijn zaak in Baden, dat weliswaar ook geen Parijs was, zelfs geen Colmar, maar in elk geval geen dorp. Baden was een stadje waar de mensen zich nog voor iets anders interesseerden dan voor de melkproductie van hun koeien en de opbrengst van hun akkers.

De winkel, die hij volgens iedereen die het hoorde veel te duur had gehuurd – 'Voor dat geld kan ik vijf stallen krijgen!' zei Salomon –, was niet erg ruim. Wat Janki 'precies goed voor een exclusieve clientèle' noemde, was in Salomons bewoordingen zo krap als de sjoel op Jom Kipoer, wanneer iedereen naar binnen dringt om met de goede God schoon schip te maken. Twee of drie klanten kon Janki misschien nog met goed fatsoen bedienen, voor een vierde werd het al krap en een vijfde, als die er ooit was, zou tegen de muur gedrukt moeten wachten tot er bij de toonbank plaats was. Natuurlijk zou Janki op een minder goede locatie meer oppervlakte voor zijn geld hebben gekregen, maar de Vordere Metzggasse, tussen de Weite en de Mittlere Gasse, was precies de plek die hij wilde. 'Wie indruk op de mensen wil maken,' zei hij, 'moet in de rue de Rivoli zitten en niet in een of andere faubourg', een mening die Mimi van harte onderschreef, hoewel ze de rue de Rivoli niet kende en ook niet wist wat een faubourg was. Salomon was niet te overtuigen en bleef erbij dat hij zelf geen hogere prijs voor een koe zou betalen 'alleen omdat die op verguld stro schijt'. Toch, al zou hij dat nooit toegeven, begon hij wel wat in Janki te zien. Er waren niet veel mensen die wisten wat ze wilden.

Een ander nadeel van Janki's nieuwe winkel was het feit dat de beide ruimtes jarenlang door een kruidenier als opslagplaats waren gebruikt, vooral voor zijn specerijen. Janki bestelde weliswaar een schilder en liet hem voor veel geld zelfs nog een tweede keer komen, maar het zware aroma van gember, kardemom en nootmuskaat liet zich niet verdrijven. Het verborg zich in de kieren en gaten waaruit het, vooral op hete dagen, onverwachts weer tevoorschijn kroop en het zette zich met name vast in de portières die Janki voor de rekken met stoffen liet aanbrengen om zijn waren door het openen van het gordijn theatraal te kunnen tonen. Veel inwoners van Baden herinnerden zich nog tientallen jaren later bij de geur van taaitaai en pepernoten hoe ze als kind aan de hand van hun moeder naar de Franse Meijer waren gegaan.

Na uitvoerig overleg met rode Moisje liet Janki door dezelfde schilder die de muren had geverfd ook een naambord maken: FRANS STOFFENHUIS JEAN MEIJER. Omdat hij op zijn smalle voorgevel maar weinig plaats had konden de letters niet zo groot worden als Janki had gewild en om dezelfde reden kon hij ook geen gevolg geven aan Moisjes advies om aan de rechterkant nog een beetje ruimte open te laten om daar later & ZN. toe te kunnen voegen. Maar van één ding wilde Janki in geen geval afzien: een met een kroontje versierd wapen, zoals in Parijs de hofleveranciers op hun naamborden hadden. Als embleem bestelde hij een rijksappel, maar het resultaat, door de schilder liefdeloos neergekladderd, had meer weg van een esreg, de citrusvrucht die nodig is bij de rituelen van het Loofhuttenfeest.

Hoewel de kruidenier de zijne graag tegen een schappelijke prijs aan hem had overgedaan, liet Janki een nieuwe toonbank timmeren, breed genoeg om er een baan stof op uit te kunnen rollen. Toen de toonbank bezorgd was sloot hij zich een hele dag op en studeerde een gebaar in dat hij bij monsieur Delormes zo had bewonderd. Die had namelijk de kunst verstaan de massieve stok waarop de stof was opgerold schijnbaar moeiteloos door de lucht te laten zoeven, zodat het weefsel een eigen, gewichtloos leven ging leiden en de klant met grootsteedse elegantie tegemoet zweefde. 'Je moet de jurk al voelen als je maar naar de stof kijkt,' had monsieur Delormes altijd gezegd.

De eerste stoffen liet Janki uit Parijs komen. Omdat de verbouwing van de winkel meer had gekost dan was begroot en hij als onbekend zakenman vooruit moest betalen, waren het er zo weinig dat de portières voor de rekken eerder dienden om de gaten te verbergen dan om het aanbod te tonen. De keuze had veel groter kunnen zijn als Janki er niet op had gestaan alleen uitgelezen materialen aan te bieden maar, legde Mimi haar hopeloos ouderwetse vader uit, 'wie de beste klanten wil hebben, moet ook de beste waar verkopen'. Bij de bestelling had Janki een brief ingesloten voor monsieur Delormes, in de hoop van die beroemde man een aanbevelingsbrief te krijgen die, afgedrukt in het *Badener Tagblatt*, zeker grote indruk op het publiek zou maken. Tot nog toe was er geen antwoord gekomen, zodat Janki zich moest beperken tot advertenties en aanplakbiljetten, die hij tekende met 'Jean Meijer, voormalig medewerker van de belangrijkste modehuizen in Parijs'.

Ondanks zijn nieuwe status als patroon van een eigen zaak woonde Janki nog steeds op zijn zolderkamer in Endingen. Golde zou niet anders hebben gewild en bij alle uitgaven die de winkel met zich meebracht, zou een eigen woning echt een onzinnige verspilling zijn geweest. Elke ochtend begon Janki nog voor zessen, zonder ontbijt en alleen met een stuk brood op zak, aan de zo'n kleine twee uur durende voettocht naar Baden; marcheren had hij geleerd en het ging je ook veel makkelijker af, legde hij uit, 'als je weet dat je op de plaats van bestemming geen veldslag wacht, maar hoogstens een schermutseling met een schilder of een meubelmaker'.

Op de dag van de opening, waarnaar hij met ongeduld had uitgekeken, wilde hij net zo vroeg vertrekken als altijd, maar hij werd opgehouden door Mimi, die anders om deze tijd met grote tegenzin haar warme bed uit kwam. Ook vandaag kon ze nog niet lang op zijn, want haar haar viel ongekamd over de schouders van de duifgrijze kamerjas. De wanordelijke omlijsting gaf haar gezicht iets zigeunerachtig wilds, wat haar heel goed stond, zoals ze voor de spiegel had vastgesteld. Niet zonder schroom stak ze Janki een cadeautje toe, een portemonnee van heel zacht, rood marokijn waar ze zelf de letters JM op had geborduurd. Een klein kroontje, zoals op de naamborden van de hofleveranciers, zweefde boven het monogram. Bij de overhandiging raakten hun handen elkaar en in de portemonnee – beefde Janki of was het toch Mimi? – bewoog een geldstuk. 'Het is maar een gelukspenning,' zei Mimi vlug, 'zodat je goede zaken doet en hij nooit leeg raakt.'

'Bedankt. Merci. Maar nu moet ik echt ...' De zin bleef gewoon staan, als een horloge dat je vergeten bent op te winden.

'Ja,' zei Mimi. 'Je moet.' Haar lippen waren opeens droog en ze moest er met haar tong langs strijken.

'Juist vandaag moet ik op tijd zijn,' zei Janki en hij verroerde zich nog steeds niet.

'Juist vandaag,' zei Mimi.

'De portemonnee is heel mooi.'

'Ja,' zei Mimi, 'dat is hij zeker.'

'Wat betekent JM?'

Mimi begreep hem niet. 'Janki Meijer, natuurlijk.'

'Jammer,' zei Janki.

Pas Anne-Kathrin, aan wie Mimi het gesprek nog dezelfde ochtend woord voor woord overbriefde, vond een verklaring voor die vreemde reactie, een verklaring die zo overtuigend was dat Mimi tranen plengde en meer dan eens vol zelfverwijt herhaalde dat ze een koe was, een stomme koe, en als Janki nu dacht dat ze gevoelloos was, een rund waarbij je een ring door de neus moest doen voor het merkte welke kant het op moest, als hij nu voor altijd op haar neerkeek als op een boerentrien, dan had ze dat enkel en alleen aan zichzelf te wijten. Niet dat ze iets van Janki wilde, certainement pas, ze moest er niet aan denken, maar dat ze er van tevoren niet bij stil had gestaan op hoeveel manieren je zo'n monogram kon lezen, dat zou ze zich nooit vergeven, al werd ze honderdtwintig.

JM: Janki en Mimi.

'Jammer,' zei Janki dus, zonder te vermoeden welke wervelstorm van waarlijk Talmoedische verklaringen die twee lettergrepen zouden veroorzaken. Dat Mimi hem niet meteen begreep, had vast ook te maken met het feit dat precies op dat moment Chanele erbij kwam, die eveneens een cadeautje had om de opening van Janki's winkel te vieren: een slordig in een doek gewikkeld pakje dat ze hem met een bijna verwijtend 'Hier, voor jou!' in de hand drukte, zoals je een kind, dat lang heeft gebedeld, op een gegeven moment schoorvoetend zijn zin geeft. Ze wachtte ook niet eens af of hij het gelijk zou uitpakken, maar verdween in de keuken, waar ze zo hard met de pannen en potten rommelde alsof die haar iets hadden gedaan.

Janki haalde zijn schouders op, stak het pakje in zijn jaszak en vertrok. Mimi stond nog lang in de deur, schijnbaar gefascineerd door een mus die in het straatstof zijn ochtendbad nam, maar hij draaide zich niet meer om.

'Waarom moest je je ermee bemoeien?'

'Waarmee?'

'Je weet heel goed wat ik bedoel.'

Tussen Mimi en Chanele was nooit echte vriendschap of zelfs een zusterlijk gevoel ontstaan, geheel in tegenstelling tot wat Salomon had gehoopt toen hij destijds volkomen onverwacht met een tweede baby was thuisgekomen. Als Chanele voor Mimi het bij de geboorte gestorven broertje had moeten vervangen, dan was dat plan mislukt. Mimi had zich van het begin af aan luidkeels, zich ziek en schor krijsend, tegen haar concurrente verzet; ze had haar proberen weg te pikken als een oude haan een jonge. Urenlang had ze zich huilend aan Golde vastgeklampt en later, toen ze ouder werd, waarschijnlijk zelfs uien in haar ogen gewreven om de tranen, waar ze recht op meende te hebben, voor iedereen zichtbaar te maken. Omdat Chanele – van nature of omdat er niets anders op zat – een stil, bescheiden kind bleek, dat zich eerder liet commanderen dan zelf te commanderen, was algauw als vanzelf duidelijk geweest wie van beiden de spreekwoordelijke hond was en wie de vlo.

In plaats van met Chanele te spelen, had Mimi zich liever aangesloten

bij Anne-Kathrin, met wie ze aan de oever van de Surb parels en diamanten kon rapen, terwijl Chanele met vroegrijpe zakelijkheid volhield
dat het maar kiezelstenen waren. Toen Mimi en Anne-Kathrin het poesje redden had Chanele het kletsnatte dier, dat Mimi stijf tegen zich aan-
drukte, onbewogen en met van pure concentratie heel kleine oogjes
bekeken en gezegd: 'Weten jullie wel dat het een kater is? We moeten
hem laten castreren.' Tot Goldes grote opluchting bleek ze dat woord
ergens opgevangen te hebben maar er geen concrete voorstelling aan te
koppelen.

Met de jaren waren de jonge vrouwen elkaar uit gewoonte gaan negeren, een wapenstilstand die aan weerskanten werd gekenmerkt door stilzwijgende minachting. Slechts een enkele keer, meestal uitgaand van
Mimi, kwam het nog tot een heftige woordenwisseling, die echter niet
als een zomers onweer de lucht zuiverde, maar rommelend wegtrok en
nog lang met donder en bliksem aan de horizon bleef staan.

'Wat wil je van Janki?'

'Wat moet ik van hem willen?'

'Je geeft hem cadeaus.'

'Waar staat in de Sjoelchen Orech dat dat niet mag?'

'Je wist dat ik een portemonnee voor hem borduurde! Wat heb jíj hem
gegeven?'

'Gaat dat iemand iets aan behalve hem?'

'Zal ik je eens wat vertellen?' Mimi werd zo vriendelijk dat Chanele het
stenen bord dat ze net in haar hand had, onwillekeurig als een schild
voor haar borst hield. 'Een man als Janki interesseert zich niet voor
meisjes met aan elkaar gegroeide wenkbrauwen.'

Chanele zette het bord harder op tafel dan nodig was. Ook het bestek
dat ze uit de lade pakte, rammelde harder dan anders. 'Wat interesseert
het mij wat hem interesseert?'

'Je hebt hem iets gegeven!'

'Maak je geen zorgen! Het is geen portemonnee van rood fluweel.'

'Marokijn. Het is marokijn!'

'Vier er sjabbes mee!' Voor de sabbat heb je nuttige dingen nodig:
brood, wijn, een stuk vlees voor in de soep. Alles wat daar ironisch mee
wordt vergeleken, heeft geen praktische waarde.

'Wat heb je hem gegeven?' In haar ongeduld hield Mimi Chaneles
handen vast. Chanele rukte zich los en ging door met het dekken van de
ontbijttafel.

'Een borstel.'

'Een borstel?'

'En een doek.'

'Wat is dat nou voor cadeau? Een doek?'

'Om zijn schoenen te poetsen. Tegen de tijd dat hij in Baden is, zien ze eruit alsof hij uit een varkensstal komt. Moet hij zijn klanten soms met vuile schoenen onder ogen komen?'

Of Mimi van opluchting begon te lachen of omdat ze Chaneles cadeau zo *pitoyabel* onromantisch vond, had ze naderhand zelf niet kunnen zeggen. Evenmin als Chanele duidelijk had kunnen verklaren waarom ze Mimi de vochtige doek, waarmee ze net de pan voor de ontbijteieren nog een keer had uitgeveegd, in het gezicht smeet. Mimi greep Chanele bij de keel. Chanele sloeg haar nagels in Mimi's ongekamde lokken.

Toen hij de kreten hoorde kwam Salomon Meijer, met de gebedsriemen nog op voorhoofd en arm, de kamer uit gerend. Hij bleef hulpeloos in de deur staan en omdat je, als je de tefilien hebt gelegd, geen andere gesprekken mag voeren dan met God, was alles wat hij zei: 'Noe! Noe! Noe!' Golde had haar haar net gekamd voordat ze het weer een hele dag onder de sjeitel liet verdwijnen, en met de dunne grijze slierten boven het witte nachthemd leek ze, een oud geworden meisje, nog kleiner dan anders. Ze joeg de twee jonge vrouwen uit elkaar als een herdershond twee veel grotere koeien, blafte hen ook flink af en wilde weten – 'en wel onmiddellijk!' – welke boze geest er in hen was gevaren, die hen op klaarlichte dag zo mesjoege had gemaakt.

In hun verlegenheid en omdat ze hun eigen gedrag zelf niet goed begrepen, zeiden Mimi en Chanele dat het maar onschuldig gekibbel van vriendinnen was, wat Golde weliswaar niet geloofde, maar omwille van de lieve vrede accepteerde. Bij het ontbijt babbelden de twee zelfs met elkaar, maar zo superbeleefd en nietszeggend als de Pruisische en de Franse onderhandelaars waarschijnlijk met elkaar hadden gebabbeld wanneer ze de capitulatiebesprekingen onderbraken voor een kleine maaltijd. Net als bij diplomaten werd ook in huize Meijer over het eigenlijke object met geen woord gerept.

Dat object koos vandaag niet de kortste weg via Ehrendingen, maar liep, door het bos omhooggaand, in een boog over het Nussbaumener Hörnli. Die weg was weliswaar langer, maar op het smalle pad liep je niet het risico door een verveelde marktkramer in een lastig gesprek verwikkeld te worden. Vandaag wilde Janki alleen zijn, hij wilde zich verheugen op zijn eerste dag als zakenman, hij wilde, wat hij zich maar zelden toestond, gewoon dromen. In gedachten repeteerde hij nog een keer alle gedienstige en toch niet onderdanige zinnen waarmee hij zijn klanten van het begin af aan voor zich zou innemen. De eerste klant, in het bezit van veel smaak en nog meer geld, kwam in zijn fantasie net de winkel binnen en werd, zoals monsieur Delormes altijd deed bij alle niet al te matroneachtige dames, begroet met '*Bonjour, mademoiselle*'. Op dat moment rukte een harde stem hem uit zijn mijmeringen. 'De morgenstond heeft goud in de mond!' schalde de stem.

Het was de schoolmeester, Anne-Kathrins vader, een weldoorvoede man met een kogelronde buik en een ruige baard, die als enige in het dorp bewoog omwille van de beweging en op dit vroege uur al een verkwikkende wandeling door het bos maakte. Met zijn ruitjesbroek en het aan zijn schouder bungelende jasje – de wandelstok die in het armsgat van het jasje was gestoken diende als tegenwicht – had je hem voor een Engelse zomergast kunnen aanzien als het onmiskenbaar Zwitserse accent die illusie niet onmiddellijk had verstoord.

'*Mon cher monsieur!*' zei de schoolmeester. 'U bent toch de Fransman die zijn intrek heeft genomen bij veehandelaar Meijer? Juist. Zoekt en gij zult vinden! Ik wist niet dat jullie Fransmannen' – hij zei echt 'Fransmannen', een woord dat Janki nog nooit had gehoord – 'ook iets hadden geleerd van onze Turnvater Jahn. De paden op, de lanen in! Ik loop deze weg elke dag, natuurlijk alleen met mooi weer. Als het regent ga ik met mijn knotsen bij het open raam staan. Elke dag! Ik wilde in het dorp een turnvereniging oprichten, maar ze staan hier niet open voor nieuwe ideeën. Het zij zo! De sterke vermag het meest als hij alleen staat.'

'Ik zal u niet ophouden,' zei Janki en hij drukte zich tegen een boom om de ander te laten passeren.

'Nee, nee! Laten we een eindje samen lopen! Wie van beweging in de vrije natuur houdt is mijn kameraad!'

'Ik ben niet zoals u voor mijn plezier onderweg ...' begon Janki, maar zijn tegenwerping werd door de volgende woordenstroom van de schoolmeester meteen weggespoeld.

'Plezier? Nou ja, dat misschien ook. Maar het is vooral een plicht. Het lichaam verzorgen als een heilige tempel. Opdat het u wel ga op aarde. Fris, vroom, vrolijk, vrij! Jullie Fransmannen waren waarschijnlijk niet fris en niet vroom genoeg, anders hadden de Pruisen jullie bij Sedan niet zomaar ... U hebt daar gevochten, zeggen ze.'

'Nee, ik ...'

'U moet erover vertellen! Geen tegenspraak! Ik overweeg een Maatschappij tot Nut van 't Algemeen op te richten, voor alle lagen en klassen. Niet alleen de longen hebben frisse lucht nodig, ook de hoofden. Mens sana in corpore sano! Ik zal u uitnodigen en dan moet u ons over de grote dag vertellen. Een slachting was het, geen slag. Maar u moet me verontschuldigen. Woorden thans genoeg gewisseld, laat mij nu eindelijk daden zien!' Met gebogen ellebogen kwam de schoolmeester weer in beweging en marcheerde hijgend de berg op.

Hoe Janki ook zijn best deed, het mooie droombeeld van de scharen tevreden klanten wilde niet terugkeren en dus knikte hij nogal ontstemd naar de schoolmeester toen die hem, nog voor Janki de top had bereikt,

in de door Turnvater Jahn aanbevolen zigzagbeweging alweer tegemoet-
kwam. 'Ik nodig u uit,' hijgde de schoolmeester. 'Zodra de maatschappij
is opgericht.'

Hoewel de andere zakenlui in Baden niet zo lang wachtten, opende
Janki zijn winkel naar Parijs gebruik pas precies om negen uur. Bij het
slaan van de kerkklok draaide hij de sleutel om, liet de deur openstaan,
zodat het zonlicht een uitnodigend tapijt over de houten vloer spreidde,
en ging achter de toonbank zitten. Omdat de winkelruimte een paar
treetjes lager lag dan de straat, zag je vanaf die plaats enkel voorbijgangers zonder hoofd door de omlijsting van de deur lopen: zwarte jassen
die statig over het plaveisel zweefden, uniformpijpen die stampend
voorbijmarcheerden, één keer een hele stoet rijglaarsjes onder allemaal
eendere donkerbruine manteltjes. De enigen die bleven staan waren de
honden. Ze snoven de nieuwe geur op, wilden waarschijnlijk ook hun
poot optillen om opnieuw hun territorium af te bakenen, maar werden
dan door onzichtbare handen aan hun lijn weggetrokken en verdwenen
uit het gezichtsveld.

De streep zonlicht op de vloer verplaatste zich langzaam van links
naar rechts; wie tijd had zich erop te concentreren kon zien hoe hij geleidelijk van vorm veranderde en met het rijzen van de zon steeds korter
werd, hoe er stofdeeltjes boven zweefden die, zonder gestoord te worden
door de tocht, een kalme, hoofse dans uitvoerden.

Je kon met beide handen op de toonbank steunen of maar met één, je
kon je andere hand in je zak steken of hem zoals Napoleon onder je jasje
duwen, je kon je ene onderarm op het pasgelakte hout plaatsen, wat een
vriendelijke en toch aristocratische indruk maakte, je kon je armen over
je borst kruisen of achter je rug je vingers ineenstrengelen en je onopvallend uitrekken, je kon op en neer lopen, door je knieën veren of op
één been balanceren, je kon de portières voor de rekken opendoen om
de rollen stof nog perfecter en verleidelijker te schikken, je kon een vuile
plek op de muur ontdekken en er met je mouw over wrijven, je kon je
laarzen nog een keer poetsen en je bij het gebruiken van de borstel verheugen over Chaneles vooruitziende blik, je kon de rode portemonnee,
het enige voorwerp in de lade onder de toonbank, van rechts naar links
en weer naar rechts schuiven, je kon kuchen en uitproberen of je eigen
stem door het lange zwijgen niet alle kracht had verloren en, net als de
geur van de kruidnagels en peperkorrels, in een donkere hoek was weggekropen, je kon hardop 'Waarom?' zeggen of schreeuwen of met je
vuist op de toonbank slaan, je kon doen wat je wilde, je was tenslotte je
eigen baas in je eigen zaak en er was niemand die je ergens mee had kunnen storen.

De klokslagen die de kwartieren of de hele uren aangaven, leken elkaar steeds sneller op te volgen, hoewel de tijd ertussen toch eindeloos duurde. Nu de zon pal boven het huis stond en zijn stralen niet meer door de open deur zond werd het in de winkel, die 's morgens zo licht en uitnodigend had geleken, steeds benauwder en drukkender. Het was al bijna middag en de enige bezoeker in het Franse Stoffenhuis van Jean Meijer was een kleine jongen geweest, wiens hoepel de treetjes af stuiterde, tegen de toonbank klapte en roerloos bleef liggen. De jongen verontschuldigde zich beleefd en rende op het schrille geluid van een vrouwenstem gauw weer naar buiten. Janki had hem het liefst tegengehouden omdat er dan ten minste één iemand – goede God, één iemand! – was die iets van hem wilde.

Even voor twaalven, toen Janki in gedachten al de franken en louis d'ors optelde die hij voor de droom van een eigen zaak te grabbel had gegooid, toen hij al argumenten bedacht voor oom Salomon, die zijn fiasco weliswaar niet zou toejuichen maar toch beweterig van commentaar zou voorzien, toen hij zich al afvroeg of kleermaker Oggenfuss misschien niet iemand kon gebruiken die verstand van stoffen had, toen hij dus – wie zichzelf bedriegt, bedriegt dubbel – al bijna bereid was zijn nederlaag toe te geven, gebeurde er iets onverwachts. Een man kwam de winkel binnen, liep de treetjes af als iemand die een pas gekocht huis voor het eerst betreedt, keek in alle rust onderzoekend rond, leek toen Janki pas te zien en zei met een glimlach, die meer het ontbloten van de tanden was: 'Jean Meijer – bent u dat?'

Bijna onmerkbaar boog Janki zijn hoofd, zoals monsieur Delormes dat gedaan had bij dubieuze klanten. 'Met wie heb ik het genoegen?'

'Of het een genoegen is, zal nog moeten blijken,' zei de man. 'Hoeveel klanten hebt u vandaag gehad?'

'Ik zou niet weten ...'

'Hoeveel het er waren, of wat mij dat aangaat? De eerste vraag kan ik beantwoorden: niet één.'

De man had niets bijzonders. Hij was een jaar of veertig, niet groot en niet klein, niet dik en niet dun. Hij droeg een grijs pak van zwaar Schots laken, het jasje op z'n Duits met een ceintuur op de rug. Op zijn revers zat een stoffen edelweiss.

'Wilt u iets kopen?' vroeg Janki.

De man bulderde van het lachen. 'U hebt humor,' zei hij. 'Galgenhumor. Wat, als ik zo naar u kijk, weleens een heel toepasselijk woord zou kunnen zijn.' Hij liep om de toonbank heen en deed, zonder toestemming te vragen, een van de portières opzij. Met twee vingers streek hij over een donkerbruine jacquardstof met ingeweven roodgele bloemen, rook aan zijn vingers, alsof daaruit de kwaliteit van de betaste stof op te maken was, en zei toen waarderend: 'Heel mooi. Goede kwaliteit. Echt jammer dat niemand zich ervoor zal interesseren. Tot aan de opheffings-uitverkoop.'

Janki voelde in zijn hals overduidelijk een ader kloppen en vroeg zich even af of dat de ader was die de sjocheet helemaal door moet snijden om te zorgen dat het geslachte dier niet onrein is. 'Ik ben niet van plan om mijn zaak op te heffen,' zei hij en voor het eerst had hij het gevoel dat zijn taal door de Jiddisje melodie iets minderwaardigs kreeg.

'Mooi gezegd.' De man ontblootte alweer zijn tanden. 'Maar we doen in het leven wel meer dingen die we niet van plan zijn. Hebt u vandaag het *Tagblatt* al gelezen?'

De vraag kwam zo onverwacht dat Janki niet wist wat hij moest antwoorden.

'Er staat een heel interessant artikel in,' zei de man. 'Pagina vier.' Hij haalde een opgevouwen krant uit zijn binnenzak en gaf hem aan Janki. 'Hier. Een kleine collegiale attentie. Met de complimenten van de plaatselijke winkeliers.'

In de deur bleef hij nog een keer staan, keek rond en snoof. 'Hm. Ik vraag me af: zijn dat nog de oude specerijen of is het al de nieuwe stank?'

7

Het artikel, 'van onze correspondent in Parijs', schilderde in meelevende bewoordingen de beklemmende toestanden in de Franse hoofdstad, die niet alleen de hongersnood tijdens het Pruisische beleg had moeten verduren, maar ook de wetteloosheid van de zogenaamde Commune en de gruwelen van de bloedige onderdrukking ervan. 'Lutetia,' zo schreef de correspondent in bloemrijke taal, 'lijkt op een door het lot zwaar beproefde maagd. Gisteren dartelde ze nog met blozende wangen lichtvoetig van het ene bal naar het andere en vandaag sleept ze zich met een ingevallen gezicht moeizaam door de straten, meer gebukt gaand onder de schaamte over haar eigen lichtzinnigheid dan onder het verlangen naar de verloren pracht.' Het artikel berichtte over Castor en Pollux, de twee olifanten uit de Jardin des Plantes, waarvan de slurven op het hoogtepunt van de hongersnood in de Engelse slagerij op de Boulevard Haussmann waren opgedoken 'om een paar rijke woekeraars in staat te stellen een laatste braspartij te houden, terwijl rondom huilende baby's vergeefs naar de dorre borsten van hun moeder tastten'. Met afschuw, maar ook met een zekere welwillendheid werd het bloedbad op het kerkhof Père Lachaise beschreven, waarmee de Franse troepen de opstand van de communards definitief hadden neergeslagen, 'hun bloed de bitter noodzakelijke mest om in plaats van de door verblinde fanatici opgeworpen barricades de tere plantjes van orde en recht weer te laten ontspruiten'.

Het uitvoerigst stond de correspondent stil bij de betreurenswaardige hygiënische toestanden in Parijs. Hij beschreef de sterke toename van ratten en ander ongedierte, die hij niet alleen verklaarde uit de teloorgang van de reinigingsdienst, maar ook uit het feit dat hun natuurlijke vijanden, honden en katten, in de potten en pannen van de noodlijdende hoofdstedelingen waren verdwenen, 'en zelfs in zeer gerenommeerde restaurants als Brébant en Tortoni onder fantastische namen op het menu hadden gestaan'. Omdat de wetenschap het erover eens was dat ratten met hun uitwerpselen verschrikkelijke epidemieën konden ver-

oorzaken – 'men denke slechts aan de cholera, die met haar vandalistische aanvallen ook ons vreedzame land steeds weer onder de voet heeft
gelopen' –, hadden de verantwoordelijke instanties tot strenge verorde-
ningen besloten om op de beide catastrofen van oorlog en volksopstand
niet nog een derde te laten volgen. Alle door rattenkeutels verontreinigde voorraden van waren en producten – de levensmiddelenvoorraden
waren na de hongerwinter uitgeput – moesten volgens een decreet van
de nieuwe regering worden ingeleverd en onder toezicht van de autoriteiten worden verbrand. Die draconische maatregel had weliswaar bij
veel handelaren en fabrikanten tot grote verliezen geleid en een enkeling
wellicht zelfs geruïneerd, maar was in het belang van de volksgezond-
heid toch algemeen geaccepteerd en opgevolgd.

Slechts, en deze passage was in de marge van de krant met rode inkt
gemarkeerd, slechts enkele meedogenloze zakenlui, voor wie de eigen
smerige winst meer telde dan het leven van hun medeburgers, hadden
ook deze keer weer middelen en kanalen gevonden om de wet te ont-
duiken. Deze mensen – de correspondent, die tot dusver in het diepst
van zijn hart in de natuurlijke gelijkheid van alle volkeren en naties had
geloofd, schreef het met tegenzin op – waren bijna zonder uitzondering
zonen van Abraham. Ze smokkelden verontreinigde waren, kledingstoffen bijvoorbeeld, naar het buitenland, waar ze slechts vluchtig gereinigd
door hun stamgenoten aan goedgelovige mensen werden versjacherd.
Welk een gruwelijk ontwaken wachtte deze onschuldige kopers, die niet
konden vermoeden dat in de waren die ze zo voordelig meenden te verkrijgen dood en pest loerden! De correspondent had tot zijn ontsteltе-
nis vernomen dat ook in het idyllische Baden, waar men zich zo ver van
oorlog en revolutie waande, een nieuwe zaak geopend zou worden waar
stoffen werden aangeboden uit geen andere stad dan Parijs. Zonder in
het onderhavige geval beschuldigingen te willen uiten die beslist – de
diepgewortelde menslievendheid van de correspondent deed hem dat
zelfs van ganser harte hopen – ongegrond konden zijn, beschouwde hij
het na afweging van alle voors en tegens toch als zijn plicht om in het
algemeen belang zijn waarschuwende stem te verheffen. 'Caveat emp-
tor!' besloot hij zijn artikel en voor mensen die het Latijn niet beheers-
ten voegde hij er de vertaling aan toe: 'De koper neme zich in acht!'

Janki verfrommelde de krant, maar bedacht zich en streek hem op de
toonbank zorgvuldig weer glad.

Pinchas Pomeranz mocht van zichzelf het *Badener Tagblatt* altijd pas
lezen als hij na het werk in de slagerij het voorgeschreven hoofdstuk uit
de Talmoed, zijn dagelijkse portie Gemore, had bestudeerd en begrepen.
Deze maandag was het al na achten toen hij eindelijk een bijzonder lastige passage in het traktaat *Baba Basra* had doorgeworsteld. Het betrof

een spitsvondige en nogal saaie uiteenzetting over de correcte afmetingen van omheiningen rond een put, maar halverwege was de wijze Rabba bar bar Chana totaal onverwacht fantastische verhalen gaan vertellen. Over een krokodil zo groot als een stad van zestig huizen en over een vis zo reusachtig dat de zeevaarders hem voor een eiland aanzagen.

Pinchas was door het bestudeerde hevig in beroering geraakt en pakte met een zekere opluchting de krant. Hoewel hij niet echt geïnteresseerd was in de berichten over de debatten in de Grote Raad of over de aanvoer van vee op de markt van Zurzach, genoot hij van de eenvoud en rechtlijnigheid van de onderwerpen. Hij had met moeite een steile berg beklommen en zette nu met genoegen een paar passen op vlak terrein. Meestal ontspande en kalmeerde die lectuur hem, maar deze maandag was alles anders. Halverwege sprong hij op en rende hij op pantoffels en met de krant nog in zijn hand de deur uit, 'als een mesjoegener', luidde het commentaar van zijn moeder, die net een stuk kersverse honingkoek naar zijn studeertafel had willen brengen.

Na een paar omwegen vond hij Mimi op de kleine helling boven de bocht, waar je op een omgevallen boomstam kon gaan zitten en zo comfortabel als op een tuinbank de weg vanuit Baden kon overzien. Niet dat Mimi bijzonder ongeduldig op Janki wachtte, certainement pas, maar er was een brief voor hem gekomen, een brief uit Parijs, en misschien stond er iets dringends in, iets wat geen uitstel kon lijden. Bovendien, en dat mocht toch zeker wel, had ze de behoefte gehad om even een luchtje te scheppen; het werd in huis altijd zo vreselijk benauwd nu de dagen weer warmer waren.

Pinchas kwam hinkend aanlopen. Hij was onderweg een pantoffel kwijtgeraakt en had met zijn bijna blote voet op een scherpe steen getrapt. Omdat hij niet gewend was te rennen, liet hij zwaar ademend zijn tanden zien, waardoor het gat in zijn gebit nog groter leek dan anders. 'Mimi,' bracht hij moeizaam uit, 'je moet … je moet beslist …'

Anne-Kathrin had het altijd al gezegd. Schuchtere mannen spaarden jarenlang hun kleine beetje moed op en wilden het gespaarde dan in één keer uitgeven. Mimi rechtte haar rug en hield haar hoofd een beetje schuin, een gebaar waarvan ze hoopte dat het haar onweerstaanbaar en ongenaakbaar tegelijk zou maken.

'Je moet beslist … met Janki praten,' hijgde Pinchas.

Mesjoege, dacht Mimi, niet vermoedend dat de moeder van Pinchas een kwartier eerder hetzelfde had gedacht. Denkt hij dat ik Janki ergens toestemming voor moet vragen? Staat daar op één pantoffel en met zijn krant voor mijn gezicht zwaaiend onzin uit te kramen.

'Hij mag in geen geval …'

'Wat?'

'Zijn winkel openen. Hier!' Pinchas zwaaide nog heftiger. 'Lees!'

Mimi begreep eerst totaal niet wat geslachte olifanten en vieze ratten met Janki's stoffenhandel te maken konden hebben. Pinchas moest het haar uitleggen, wat hij op een Talmoedische dreun met veel 'als ... dan' en afleidingen van het bijzondere uit het algemene deed. 'En daarom mag Janki zijn winkel niet openen!' besloot hij, weer op adem gekomen, zijn verhandeling.

'Hij heeft hem al geopend. Vandaag.'

'O,' zei Pinchas.

'Zijn waren zijn zuiver, dat weet ik heel zeker. Ze komen dan wel uit Parijs, maar hij heeft ze besteld bij de beste handelaar, hoewel er beslist goedkopere geweest zouden zijn en ...'

'Alle waren uit Parijs zijn zuiver,' zei Pinchas. 'Dat neem ik tenminste aan.'

'Maar hier staat ...'

'Als ik op een stuk papier schrijf "Miriam is lelijk" – is het dan waar?'

Natuurlijk niet, dacht Mimi.

'Ik kan ...' Pinchas haalde diep adem en zei toen heel vlug, als iemand die een allerlaatste kans niet wil laten lopen: 'Ik kan een zee van inkt gebruiken en het is nog steeds een leugen.'

Mimi snapte er helemaal niets meer van.

'Omdat je beeldschoon bent,' zei Pinchas. Anne-Kathrins theorie van de spaarzame schuchteren was zo verkeerd nog niet. 'Als een kudde geiten die neergolven van Gileads gebergte.'

'Wat voor geiten?'

'Je haar. En je tanden ... als schapen die allemaal tweelingen hebben. Trouwens, ik heb geïnformeerd. Het gat in mijn gebit kan weggemaakt worden. In Baden is een dokter, die zet er iets in, een stifttand heet dat, en dan zie je er niets meer van. Het is wel duur, maar mijn vader zou me het geld lenen als je ...'

'Als ik wat?'

'Als je ...' Maar Pinchas had zijn kapitaaltje uitgegeven en zijn stem werd weer zachter. 'Het mooist vind ik de tweelingjongen van gazellen die te midden van de leliën weiden.'

'Wat voor gazellen?'

'Neem me niet kwalijk,' fluisterde Pinchas blozend.

'Je wilde me uitleggen ...'

'Natuurlijk. Neem me niet kwalijk. Wat ze hier schrijven ...'

'Ga toch zitten! Je maakt me heel *nerveuze.*'

Pinchas ging helemaal op de punt van de boomstam zitten, waar hij niet het risico liep Mimi per ongeluk aan te raken. Maar haar geur kon hij opsnuiven, die geur van jeugd en zweet en iets wat hij niet kon benoemen. Zo moesten pomeransen ruiken, een vrucht die hij niet kende, maar in verband met zijn achternaam had opgezocht in de encyclopedie.

'Noe?' Als Mimi ongeduldig werd, leek ze meer op haar vader dan haar lief was.

'Dat artikel in de krant … Dat heeft iemand erin gezet om Janki schade te berokkenen. Om te zorgen dat er niemand bij hem koopt.'

'Maar als de ratten nu toch …'

'Uitgerekend in kledingstoffen zouden ze wegkruipen?' Zodra Pinchas logisch kon argumenteren, werd hij duidelijk zelfverzekerder. 'Die zo vast zijn opgerold dat ze zich erin zouden moeten vreten? Zodat je het aan de stof zou zien? Nee, nee, het hele verhaal is één grote leugen. Alleen: de mensen zullen het geloven.'

'Waarom?' Mimi's stem had iets smekends dat Pinchas raakte, alsof ze zijn hand had vastgepakt.

'Ze geloven graag slechte dingen van ons. En: het is een goed verhaal.'

'Vind jij dat goed?'

'Neem me niet kwalijk. Ik bedoel: goed bedacht. Hou je van hem?' Hij had dat niet willen zeggen. Het was eruit geglipt als een vogel waarvan je denkt dat hij allang tam is, uit een kooi.

'Van wie?'

'Van Janki.'

'Certainement pas!' zei Mimi met een pinnig gezicht. Hij is echt mesjoege, dacht ze.

'Want als dat zo was, zou ik hem proberen te helpen.'

'Jij?'

'Ja,' zei Pinchas en hij moest opeens heel diep bukken om te kijken of er gaten in zijn sokken zaten. 'Want dan zou ik namelijk ook jou helpen. En voor jou …'

'Noe?'

Pinchas wist precies hoe de zin verder had moeten gaan, maar zijn laatste restje moed was verbruikt en alles wat hij over zijn lippen kreeg was: 'Mijn moeder stopt niet graag sokken. Ze bakt liever taart.' Wat, zoals hij zich later een slapeloze nacht lang steeds weer verweet, Salomo in zijn Hooglied vast weggelaten zou hebben.

Na zo'n zin kun je alleen nog maar opstaan, weggaan en nooit meer terugkomen. Hij liet de krant op de grond liggen en keek niet één keer om toen hij, op één pantoffel voortsloffend, aan de eindeloos lange weg naar huis begon. Honingkoek had zijn moeder gebakken? Hij zou van zijn leven geen honingkoek meer eten.

Toen Janki eindelijk kwam, was het al bijna donker. Hij bewoog zoals hij het als soldaat waarschijnlijk vaak had gedaan: als een automaat, zonder eigen wil, alleen nog aangedreven door gewoonte. Hij hield zijn hoofd gebogen en liep rechtdoor. Slechts af en toe, als er midden op de weg een paardenbloem groeide, maakte hij een boog om hem met één trap een kopje kleiner te maken. Mimi riep hem en hij bleef staan, zoals een uitgeputte compagnie blijft staan en op het volgende commando wacht: als het komt, zullen ze het uitvoeren, zo niet, dan kunnen ze tot het einde der tijden ook zo blijven staan.

'Hoe was het?' vroeg Mimi, hoewel zijn gebogen nek het antwoord al gaf.

'Als er morgen helemaal geen klant komt, zullen het er twee keer zoveel zijn als vandaag.' Die zin had hij als dappere grap bedacht, maar onderweg van Baden naar Endingen was de humor gesmoord in het straatstof.

'Dat krantenartikel ...'

'Ja,' zei Janki, 'dat krantenartikel. De hele oorlog heb ik geen schot gehoord en nu word ik kapotgemaakt met drukinkt.'

'Wat ga je doen?'

Janki spreidde zijn armen uit, steeds verder, alsof hij wilde opstijgen en wegvliegen. 'Er zijn genoeg stallen op de wereld,' zei hij ten slotte. 'Daar is altijd wel plaats voor iemand die een mestvork vast kan houden.' Op een bevel dat alleen hijzelf had gehoord, kwam hij weer in beweging, links, rechts, links, rechts. Toen hij langs Mimi liep, hingen zijn schouders alsof ze omlaaggetrokken werden door een ransel.

Mimi rende hem achterna. 'Hier! Er is een brief voor je gekomen. Uit Parijs!'

Janki verbrak het zegel en vouwde het papier heel langzaam open, als een veroordeelde zonder hoop op inwilliging van zijn gratieverzoek. Hij las de brief, knikte, knikte nog een keer, en op zijn gezicht lag dezelfde uitdrukking die doden soms hebben als hun pezen zich samentrekken en ze daarom lijken te lachen.

'Dat kan er nog wel bij,' zei Janki. 'Monsieur Delormes is dood.'

Tijdens het beleg van Parijs had François Delormes zich doodgegeten. Hij kende veel diplomaten en officieren en voor zijn kleermaker heeft een man even weinig geheimen als voor zijn kamerdienaar. François Delormes had beter dan veel anderen geweten wat Parijs te wachten stond en hij had zich voorbereid. In de privékleedkamer, die voorbehouden was aan de beste klanten, had hij een rek neer laten zetten dat hij wekenlang had gevuld, met wijnflessen natuurlijk, champagne, die het hart sneller doet kloppen, en bourgogne, die het verwarmt, maar vooral met alle lekkernijen die er weldra niet meer zouden zijn: ganzenlever uit de Périgord, in gele blikken die glansden als puur goud, ovale terrines waarin fazanten en hazen onder beschermende vetlagen sluimerend op hun verrijzenis wachtten, manden met sinaasappels en citroenen, dichte rijen suikerbroden met blauwe buikbanden, als hofbeambten die voor een staatsbanket op de aankomst van de gasten wachten. Aan de kapstokken, waar in vreedzame tijden de hangertjes met de half voltooide kleren elkaar hadden verdrongen, hingen nu hele hammen en zijden spek, vette worsten uit de Ardennen en magere van de Belgische grens. Toen de stad door de belegeraars was ingesloten en het gebulder van de kanonnen steeds luider werd, ontsloeg François Delormes al zijn personeel, de coupeurs en de naaisters, de oude strijksters en de jonge meisjes die met hun smalle vingers de lovertjes voor de avondjurken aaneen hadden geregen. Hij sloot zich op in zijn atelier en terwijl Parijs honger leed, zat hij helemaal alleen in zijn stadspaleis aan de rue de Rivoli te eten. Toen hij werd gevonden stak in zijn keel nog de poot van een ingemaakte patrijs die hij in zijn gulzigheid met bot en al had willen verslinden.

Dat stond allemaal niet in de brief, alleen dat men betreurde de heer Jean Meijer te moeten meedelen dat maître François Delormes het beleg van zijn geboortestad niet had overleefd en dat monsieur Meijer daarom zijn nieuwe winkel, waarmee men hem veel geluk wenste, helaas zonder aanbevelingsbrief zou moeten beginnen. Getekend was de brief door een zekere Paul-Marc Lemercier, die Janki als droge boekhouder in herinnering had en van wie de zaak nu kennelijk was.

'Dat kan er nog wel bij,' zei Janki verbitterd. 'Dat kan er ook nog wel bij.'

De tijd voor het avondeten was allang voorbij, maar op tafel stond nog steeds een bord voor Janki klaar. Chanele had soep warm gehouden wat, als het uren duurt en de soep smakelijk moet blijven, veel moeite kost, maar toen Janki daar zat zonder zijn lepel zelfs maar aan te raken, drong ze niet aan en stelde ze ook geen vragen. Het was Mimi die ten slotte vertelde wat er was gebeurd, waarbij ze Pinchas niet eens noemde en heel verontwaardigd reageerde toen Salomon wilde weten sinds wanneer zij de krant las.

'Ik ben geen kind meer!' zei ze en ze dacht: jullie moesten eens weten!

'De mensen zullen het ook weer vergeten,' troostte Golde, maar ze geloofde die mooie woorden zelf niet.

Salomon krauwde in zijn bakkebaard, schudde zijn hoofd en zei peinzend: 'Als er over een boer eenmaal verteld wordt dat zijn stal besmet is …'

'Het gaat nu niet om boeren!' viel Chanele, die zich anders nooit in familiediscussies mengde, hem in de rede. 'Het gaat om Janki.'

'Om mij hoeven jullie je geen zorgen te maken. Ik zal mijn weg wel vinden. Dat wil zeggen: de een of andere weg zal ik vinden. Waarheen dan ook.' Toen hij daar zo terneergeslagen zat, vermoedde je achter Janki's smalle gezicht al de magere vogelkop die hij als oude man ooit zou hebben.

'Ze zullen het vergeten,' herhaalde Golde. 'Ik weet zeker dat ze het zullen vergeten.'

'Waarom?'

Oom Melnitz, aan wie ze door alle veranderingen en plannen van de afgelopen weken lang niet hadden gedacht, schoof zijn stoel dichter bij de tafel. Hij was, zoals altijd, helemaal in het zwart en hij genoot, zoals altijd, van zijn eigen pessimisme.

'Waarom zouden ze het vergeten? Ze vergeten nooit iets. Hoe onzinniger het is, hoe beter ze het zich herinneren. Zoals ze zich ook herinneren dat wij voor Pesach altijd kleine kinderen sjechten en hun bloed in de matses bakken. Het is nooit gebeurd, maar ze kunnen jullie vijfhonderd jaar later nog exact vertellen hoe we het hebben gedaan, ja. Hoe we de kleine jongen bij zijn ouders hebben weggelokt en hem cadeautjes hebben beloofd of chocola, lang voor er chocola was. Ze weten het heel precies.

Ze kunnen jullie het mes beschrijven waarmee we het hebben gedaan, zo nauwkeurig alsof ze het in hun hand hebben gehad. Ze weten waar we de snede hebben gemaakt, in de hals of boven het hart, ze weten hoe de kom eruitziet waarin we het bloed opvangen, elk jaar, overal, omdat matses niet koosjer zijn zonder christenbloed. Ze weten het allemaal. Ze kunnen jullie de naam van het kind noemen, heel precies. Hij staat op de heiligenkalender. Het is nooit gebeurd, maar ze herinneren het zich, ze hebben een graf dat ze bezoeken, een altaar, en op de jaarlijkse herdenkingsdagen slaan ze ter herinnering een paar joden de hersens in.

Vergeten? Ze vergeten niets. De waarheden misschien, maar niet de leugens. Wat de Babyloniërs en de Romeinen aan verhalen over ons hebben verzonnen, ze weten het allemaal nog en ze vertellen het verder en geloven erin. Soms zeggen ze: "Wij zijn moderne mensen en weten dat het niet waar is", maar daarom houden ze nog niet op het te geloven. Het blijft in hun hoofd hangen. De leugen heeft veel weerhaken, ja.

Soms hoor je de leugen een paar jaar niet, maar dan slaapt hij alleen en verzamelt hij nieuwe krachten. Tot er ergens een kind verdwijnt of iemand een verdwenen kind verzint. Dan is hij weer wakker. Dan hebben wij weer het mes in de hand, het lange, scherpe mes, dan gaan we weer in een kring staan met onze baarden en kromme neuzen, dan steken we weer toe en het kind schreeuwt weer, dat arme, onschuldige, blonde kind, en wij lachen weer zoals we daarbij altijd lachen, en het bloed vloeit weer in de kom en we bakken het weer in onze matses en alles is weer zoals vroeger. Ze vergeten het niet.

Ze kennen passages in de Talmoed die er niet staan en die ze toch allemaal hebben gelezen. Ze kennen onze geboden die er niet zijn, heel precies, ze kennen ze beter dan die van henzelf. Vergeten? Denken jullie echt dat ze ooit iets zullen vergeten?'

Janki's soep was allang koud geworden, maar ze zaten allemaal nog steeds rond de tafel, ze zaten kaarsrecht op hun stoel en keken elkaar niet aan. Alleen oom Melnitz had het zich gemakkelijk gemaakt, hij was breeduit gaan zitten en leunde achterover, als iemand die zich voorgenomen heeft lang te blijven. Hij praatte en praatte.

Niemand luisterde naar hem.

Allemaal probeerden ze niet naar hem te luisteren.

8

Janki ging toch weer naar Baden, zonder hoop, zoals je een verloren spel
uitspeelt, alleen om de punten te kunnen tellen die je zult moeten betalen. Tot ieders verrassing ging Chanele mee. Ze moest een boodschap
doen, zei ze, bovendien was ze al een eeuwigheid niet meer in Baden
geweest en had ze ook eens recht op een vrije dag. Salomon kon haar op
dat punt niet tegenspreken, want strikt genomen had Chanele nog nooit
een vrije dag gehad; ze werd beschouwd als lid van de familie en kreeg
daarom ook geen loon.

De twee liepen zwijgend naast elkaar, zo vlug dat ze steeds weer andere, tragere voetgangers inhaalden: een boerin met een mand vol kippen,
of een mandenmaker die zijn hele voorraad hoog opgetast op zijn rug
droeg. Zoals hem in dienst was ingepeperd, hield Janki onder het lopen
zijn ogen steeds strak naar voren gericht en toch had hij heel precies
kunnen beschrijven wat Chanele aanhad: een bruine jurk van een stof
die in Parijs *'paysanne'* werd genoemd en die monsieur Delormes alleen
maar had ingekocht om er af en toe een paar meter van aan een wasvrouw of naaister te kunnen geven. Het weefsel was te zwaar om echt
soepel te vallen, maar de kleermaker – als het niet Chanele zelf was
geweest – had de taille zo handig geaccentueerd dat de rok boven de
heupen klokvormig bolde en bij elke stap meedeinde. De ronde hals en
de manchetten waren afgezet met iets wat er op het eerste gezicht uitzag
als kant, maar wat toch slechts geplooid wit batist was, een materiaal dat
je eigenlijk gebruikt voor onderrokken en nachthemden, voor alles, zo
had Janki geleerd, wat direct in aanraking komt met de huid.

Chaneles onderrok, dat wist hij zeker, was beslist van een minder fijne
stof, en haar hemd ...

'Je had je de moeite kunnen besparen,' zei hij. 'Wat je nodig hebt, had
ik ook voor je mee kunnen brengen.'

'Dank je,' antwoordde Chanele. En toen, tien of twintig passen verder:
'Het is iets waar mannen geen verstand van hebben.'

Haar haar was zoals altijd tot een knotje gedraaid en in een netje gestopt. Voor onderweg had ze een hoofddoek omgedaan en af en toe, als ze het te warm kreeg of in gedachten was, greep ze in haar nek en tilde ze het haarnetje een eindje op, alsof ze het gewicht ervan wilde controleren. Datzelfde had Janki's vader altijd met zijn portemonnee gedaan als de laatste boer was vertrokken en hij zijn inkomsten wilde schatten.

Janki probeerde zich voor te stellen hoe lang Chaneles haar was, of het bij het kammen tot haar middel kwam of zelfs nog verder, en of ze 's nachts in bed ...

'Het zou weleens een warme dag kunnen worden,' zei hij.

'Als je de was moet strijken is het warmer,' zei ze.

Chanele liep in hetzelfde ritme als hij, links, rechts, links, rechts, in plaats van, zoals de meeste vrouwen gedaan zouden hebben, achter zijn lange soldatenpassen aan te trippelen. Ze moest stevige benen hebben, maar afgaand op haar slanke armen waren ze vast niet dik. Je kon je voorstellen dat Chanele ...

'Wat ga je nu doen?' vroeg ze.

Janki moest even nadenken voor hem weer te binnen schoot waarom hij op weg was naar Baden.

'Hij had net zo goed hier kunnen blijven om iets van mij te leren,' zei Salomon Meijer. Hij zat aan de tafel in de kamer en had een dik boek en een stapel papiertjes en aantekeningen klaargelegd. 'Dat van die bloedlijnen is een buitengewoon interessante zaak.'

Golde, die degelijke vrouw, vond Salomons grootse plan om de definitieve stamboom op te stellen van alle in het kanton gehouden Simmentaler koeien weliswaar een onpraktische beuzelarij, maar ze sprak haar man niet tegen. Omdat ze al lang getrouwd waren, reageerde Salomon toch op haar tegenwerping.

'Als ik hier eenmaal mee klaar ben ...'

Als, dacht Golde.

'... kunnen we nog voor een koe geboren is voorspellen of ze deugt. Niet alleen ik, maar ook iemand die geen sjoege heeft van beheimes. Janki bijvoorbeeld.'

'Hij heeft er nu eenmaal geen belangstelling voor.'

'Hij zal nog wel belangstelling krijgen. Zijn stoffenwinkel, dat mesjoegaas, kan hij wel vergeten. Maar hij heeft hersens en als hij zich met de veehandel bezig zou houden ...'

'Denk je dat Mimi echt bij hem in de smaak valt?' Golde had de woorden 'als' en 'dan' een heleboel keren overgeslagen, maar ze was niet verder gekomen dan waar Salomon ook al was.

'Als hij geen tep is ...' zei Salomon Meijer.

'Nee,' zei Golde, 'een tep is hij niet.'

Ze konden zo openlijk praten omdat Mimi weer eens uit wandelen was. 'Je wandelt veel de laatste tijd,' had Salomon gemopperd, maar hij had het toch beter gevonden om niet door te vragen. Hij zou ook geen antwoord hebben gekregen, tenminste geen eerlijk antwoord. Want Mimi's wandeling voerde haar niet de natuur in, maar het dorp, naar een deur die ze anders zo veel mogelijk meed, naar een zeer verbaasde Sarah Pomeranz.

Mimi had het verhaal dat ze wilde vertellen nauwkeurig voorbereid: dat haar vader had beweerd dat ze nog geen omelet kon bakken zonder hem aan te laten branden – zoiets had hij inderdaad eens gezegd – en dat ze zich daarom had voorgenomen hem als bewijs van haar kookkunst te verrassen met een zelfgebakken taart. 'Het moet een heel bijzondere taart zijn,' wilde ze zeggen, 'een taart als voor koning Salomo persoonlijk. Ik ken maar één iemand in Endingen die me het recept voor zo'n taart kan geven en daarom ...' Maar toen Sarah de deur opendeed, gehuld in een wolk van rozenwater en kokende olie, waren Mimi's zorgen om Janki sterker dan alle voornemens, en ze zei heel ongeduldig: 'Waar is Pinchas?'

'Waar zou hij zijn? In de winkel natuurlijk.'

Er is waarschijnlijk geen ongunstiger moment om de vrouw over wie je elke nacht droomt te ontmoeten dan wanneer je koeiendarmen aan het uitkoken bent. Je hebt handen die niet alleen vuil zijn maar ook afschuwelijk glibberig, je ziet eruit als een oud wijf omdat je een doek om je haar hebt gebonden zodat de lucht er niet in blijft hangen en, wat het ergste is, je kunt het werk niet onderbreken. Te lang voorgekookte darmen worden bros en zijn niet meer geschikt voor worst.

'Neem me niet kwalijk,' zei Pinchas, 'maar ...'

'Ga maar door!'

Gehoorzaam boog hij zich weer over de dampende kuip en roerde erin met een grote peddel vol gaatjes zoals die ook in de waskeuken wordt gebruikt. De damp had alle oppervlakken bedekt met een patroon van kleine druppeltjes.

'Kunnen we niet beter later ...?' vroeg Pinchas.

Maar Mimi voelde een missie en een missie kan niet wachten. Ook niet als er een zoetig-rotte stank in de lucht hangt en je net in de geel-groene smurrie hebt getrapt. 'Om te beginnen,' zei ze, precies zoals ze het onderweg voor zichzelf had geformuleerd, 'om te beginnen' – ze had eindelijk een enigszins schone plek gevonden waar ze kon gaan staan zonder iets aan te raken – 'om te beginnen moet één ding duidelijk zijn: met ons tweeën kan het niets worden. Nooit.'

'Maar ...' zei Pinchas.

'Jamais.' Mimi voelde zich net een figuur uit een roman.

'En als mijn vader me het geld leent voor de stifttand?'

'Daar heeft het niets mee te maken.'

'Ik ben gevallen omdat ik onder het lopen las en struikelde. Zo heb ik die tand uit mijn mond gestoten. Maar met een stifttand …'

'Hou toch op over die stifttand!' Het gesprek verliep niet zoals Mimi zich had voorgesteld.

'Ik weet dat het er lelijk uitziet.'

'Je bent niet lelijk.'

'Vind je dat echt, Miriam?'

Door de dampslierten was het niet duidelijk te zien, maar Mimi had de indruk dat Pinchas bloosde.

'Ik bedoel …' zei ze.

'Je hebt me daarnet heel gelukkig gemaakt.'

Hij leek gewoon niet te begrijpen wat ze wilde zeggen. Gelukkig schoot haar een zin uit een boek te binnen, die haar heel goed was bevallen en die precies bij de situatie paste. 'Onze harten zingen niet dezelfde melodie,' zei ze.

'Wat voor melodie?' vroeg Pinchas.

'Helemaal geen melodie. Vergeet die melodie!'

'Je hebt gezegd …'

'Ik wilde zeggen: jij en ik, wij zijn gewoon te verschillend.'

'Natuurlijk zijn we verschillend,' zei Pinchas en hij boog zich diep over zijn kuip. 'Ik ben een man en jij bent een vrouw. En daarom …'

'Hoor je eigenlijk wel wat ik zeg?' vroeg Mimi.

Maar Pinchas luisterde niet meer. Aan een verandering in de broeikuip had hij gezien dat het juiste moment was gekomen. Met moeite haalde hij de peddel eruit waar de wittige darm omheen gedraaid zat, legde hem over de rand van de kuip en toen – Mimi voelde iets bitters in haar keel opstijgen en kon het toch niet laten om te kijken –, toen pakte hij het vieze lillende spul met zijn blote handen beet, haalde het vuist over vuist uit het kookvocht en hing het in druipende slingers over een rek.

'Zo,' zei Pinchas ten slotte terwijl hij naar haar toe kwam, 'nu kunnen we praten.'

Mimi begon te kokhalzen.

In Baden kreeg Chanele de winkel te zien waar ze al zoveel over had gehoord en omdat Janki dat leek te verwachten zei ze een paar lovende woorden over de inrichting. Ze had het gevoel of ze op een begrafenis werd verzocht zich uit te spreken over de schrijnwerkerskunst van de doodkistenmaker. Al die tijd dat ze in de winkel was, liet zich geen klant zien en toen ze afscheid nam om haar boodschap te gaan doen, stond Janki verloren achter zijn nieuwe toonbank, een kleine jongen met wiens verjaardagscadeau de andere kinderen niet willen spelen.

Bij rode Moisje en ook bij de marskramers door wie Endingen af en toe werd overspoeld als door de mieren in het voorjaar, was Chanele als deskundige klant gevreesd. Ze wist hoe je de stevigheid van naaigaren met je tanden test en welke kleur de kieuwen van een karper moeten hebben als er beweerd wordt dat hij echt vers is. Golde liet haar zelfs de kip voor sjabbes kopen en Chanele hoefde maar naar zo'n vogel te kijken om op een half kopje nauwkeurig te kunnen voorspellen hoeveel vet hij zou geven. Hier in de stad was alles anders. De winkels waren vreemd, de handelaren onbekend, en Chanele wist niet eens precies in wat voor soort winkel ze haar boodschap moest doen. Ze bleef een hele tijd voor een etalage met allerlei gereedschap staan en liep toen toch weer door. Bij de winkel met huishoudelijke artikelen had ze de klink al in haar hand, maar de eigenaar, die door de ruit zo hoopvol naar haar glimlachte, stond haar niet aan. Ten slotte besloot ze bij een kapper binnen te gaan.

Toen de winkelbel rinkelde draaiden drie mannen tegelijk hun hoofd naar haar om: de kapper, zijn klant en een in het grijs geklede man die met het *Tagblatt* in zijn hand zat te wachten tot hij werd geholpen. Alleen de vrouw van de kapper, die op een hoge stoel achter de kassa troonde, leek haar niet op te merken. De drie mannen namen Chanele heel even op, zagen niets wat het aanzien waard was en hervatten hun gesprek, dat ze bij haar binnenkomst hadden onderbroken.

'Maak uw verhaal nou eens af, Bruppbacher,' zei de klant. Als hij praatte leek alleen de pasgeschoren helft van zijn gezicht te bewegen; de andere, die dik onder het zeepschuim zat, leek wel dood.

De kapper was gekleed als een kunstenaar, met een smalle, tot een vlinder geknoopte das. Op zijn bovenlip zat een spits toelopende, gepommadeerde snor, als een meesterstuk dat een handwerker trots in zijn etalage legt. 'Met plezier, meneer,' zei hij. 'De man wacht dus en wacht. Ten slotte klapt de waard het boek dicht en zegt: "Het spijt me. Er is alleen nog een heel klein kamertje vrij. En daar is niet genoeg plaats voor uw neus, vrees ik."'

De man met het schuim op zijn gezicht lachte.

De wachtende klant liet zijn krant zakken. 'Grof,' zei hij misprijzend. 'Met grappen los je geen problemen op.'

'Neemt u me niet kwalijk.' Chanele deed een stap de winkel in. 'Hebt u messen?'

'Nee,' antwoordde de kapper, 'ik scheer mijn klanten met een lepel.'

De man in de stoel lachte zo hard dat de schuimvlokken door de lucht vlogen.

'Ik bedoel,' zei Chanele, 'ik wilde zeggen: hebt u messen te koop?'

'Natuurlijk,' zei de kapper. 'Ik verkoop messen en tabak en zijden kousen. Welkom in het warenhuis van Baden!'

De zichtbare gelaatshelft van de klant liep paars aan. Hij had zich van plezier in het scheerschuim verslikt.

'Wees toch een beetje beleefder,' zei de man in het grijze pak verwijtend en hij wendde zich tot Chanele. 'Wat voor mes zoekt u?'

'Ik denk dat ik hier aan het verkeerde adres ben.' Chanele maakte aanstalten om te vertrekken, maar de man greep haar arm en liet haar niet los.

'Nee, nee, vertel! Wat voor mes hebt u nodig?'

Chanele keek verlegen naar de grond. Ze probeerde zich los te maken, maar de hand van de man was als een bankschroef. Toen fluisterde ze bijna geluidloos: 'Ik dacht dat een kapper ... Als je haar op je gezicht wilt verwijderen ...'

'Haar op je gezicht?' De vingers van de man streken bijna teder over de bloem op zijn revers. 'Daar kunnen we u helaas niet mee van dienst zijn. Als u er een nodig gehad had om uw keel door te snijden – dan hadden we u graag geholpen.' Hij zei het zo beleefd en zonder zijn stem te verheffen dat Chanele hem pas na een paar seconden begreep.

Ook de man in de scheerstoel begon toen pas te lachen.

De vrouw van de kapper, die het hele gesprek met een stalen gezicht had gevolgd, klom van haar hoge stoel en duwde Chanele naar de deur. 'Je kunt maar beter gaan. Merk je niet dat je hier niet welkom bent?' zei ze.

Mimi had nooit gedacht dat ze op een dag met Pinchas in Anne-Kathrins prieel zou zitten. Maar ze moest met hem praten, ze had frisse lucht nodig en in een dorp waren niet veel plekken waar je niet gezien werd. De twee zaten zo ver van elkaar als de zeshoek van de bank mogelijk maakte. Pinchas staarde naar de tuin, alsof niets hem meer interesseerde dan rozen- en vlierstruiken. Zonder het te merken stak hij telkens de punt van zijn tong door het gat in zijn gebit; het leek of er iets levends in zijn mond woonde.

'Gisteren heb je gezegd dat je zou proberen hem te helpen. Ons te helpen. Mij te helpen.'

'Voor jou zou ik alles doen.' Die zin had de hele nacht in Pinchas gewacht tot hij eindelijk werd uitgesproken en nu drong hij naar buiten als een gevangene uit zijn donkere cel.

'Ook al weet je ...?'

'Niet dezelfde melodie. Ik heb het begrepen.' Pinchas boog zijn hoofd. Hij zou een heel aantrekkelijk profiel gehad hebben als die dunne baard er niet geweest was. En het gat in zijn gebit natuurlijk.

'Janki en ik daarentegen ...' Ze voelde dat ze Pinchas daarmee pijn deed en het was niet prettig om dat te voelen. Wat had er ook weer in die Mimi-roman gestaan? Wilde bruutheid.

'Zie je eigenlijk een mogelijkheid om hem te helpen?' vroeg ze. 'Dat artikel ...'

'Ik heb erover nagedacht.'

'En je weet ...?' Haar stem klonk opeens vleiend, een kind dat iets wil hebben wat het eigenlijk niet heeft verdiend. Hij wist dat die stem een leugen was, maar hij liet zich graag voorliegen.

'Weet je wat ik gisteren uit de Gemore heb geleerd?' vroeg hij en hij voegde er vlug aan toe: 'Het heeft er iets mee te maken. Ik geloof dat het er iets mee te maken heeft.'

En zo kwam het dat Pinchas in het prieel van de gojse schoolmeester het verhaal vertelde van Rabba bar bar Chana, die beweerde tijdens een scheepsreis een vis gezien te hebben, helemaal bedekt met zand en gras en zo groot dat de zeelui hem voor een eiland aanzagen, uitstapten en op de vis een vuur aanstaken om er hun eten op klaar te maken. Mimi onderbrak hem niet voor hij ook nog had verteld dat de vis, toen hij voelde dat zijn rug steeds warmer werd, in het water begon te spartelen en dat de zeelui allemaal verdronken zouden zijn als hun schip niet vlakbij voor anker had gelegen. Toen pas vroeg ze: 'En wat wil je daarmee zeggen?'

'Nou ja,' zei Pinchas, 'het verhaal is natuurlijk niet waar. Net zomin als het verhaal in de krant. En toch hebben onze wijzen het destijds in Babylon opgeschreven en opgenomen in de Talmoed. De vraag is: waarom?' Pinchas verviel in de melodie van een Talmoedisch dispuut. 'Wat kan de reden zijn? Moeten we iets van dat verhaal leren? Moeten we geloven dat er vissen zijn die je voor eilanden kunt aanzien? Waarschijnlijk niet. De Amoraïeten, die de Talmoed hebben geschreven, waren praktische mensen. Ze hielden zich bezig met omheiningen van waterputten en dat soort dingen. Ze wisten dat het verhaal een sprookje was en toch hebben ze het bewaard voor latere generaties. Wat voor reden kunnen ze daarvoor gehad hebben?'

Noe? dacht Mimi.

'Zou het niet kunnen dat het verhaal hun gewoon beviel? Omdat het een goed verhaal was? Omdat je goede verhalen graag gelooft? Ook al weet je dat ze niet waar kunnen zijn? Wat denk je?'

'Ik begrijp je niet.'

'Volgens mij hebben ze een verhaal in de krant gezet om te zorgen dat niemand bij Janki koopt. Dus moeten wij een beter verhaal verzinnen om te zorgen dat ze van mening veranderen. Zij liegen? Prima! Dan liegen wij gewoon beter!'

Chanele had lang op de rand van de fontein gezeten en haar arm in het water gestoken. Het was alsof ze de aanraking van de man weg moest wassen, alsof zijn hand een vlek op haar mouw had achtergelaten die iedereen kon zien. Ze begreep zichzelf niet en kon niet verklaren waarom ze zich niet gewoon had losgerukt en hem had weggeduwd, waarom ze antwoord had gegeven, in bijzijn van die mannen antwoord had gegeven, waarom ze had gepraat over iets wat zelfs Golde niets aanging, waarom ze had toegelaten dat hij ...

'Eindelijk heb ik je gevonden,' zei een vreemde stem. Chanele draaide zich met een ruk om en stak haar armen omhoog, alsof ze een klap wilde afweren.

Het was de vrouw van de kapper, een grofgebouwde, nuchtere vrouw die je je achter een marktkraam had kunnen voorstellen als er niet een geur van talkpoeder en gezichtslotion om haar heen had gehangen. 'Ik heb je overal gezocht,' zei ze.

'Laat me met rust!' Chanele hoorde zichzelf met een vreemde stem praten, angstig en onzeker.

De vrouw ging naast haar op de rand van de fontein zitten. 'Pas op,' zei ze na een poosje, 'je maakt je jurk helemaal nat.'

Koppig stak Chanele haar arm nog dieper in het water.

'Het zijn mannen,' zei de vrouw. 'Mannen hebben vijanden nodig. Ik weet ook niet waarom. Het schijnt gewoon in ze te zitten.'

'Wat wilt u van me?'

'Als ze praten,' zei de vrouw, 'dan moet je ze laten praten. Daar is niets aan te doen. Maar zoals ze jou behandeld hebben, dat zint me niet. Waarom ben je uitgerekend in onze zaak gekomen?'

'Ik dacht dat een kapper ...'

'Er zijn zes kappers in Baden. Nog vijf andere kappers. Iedereen weet toch dat mijn man een hekel heeft aan de joden.'

'Ik wist dat niet,' zei Chanele en ze voelde zich schuldig. 'Ik wilde alleen ...'

'Ik heb gehoord wat je wilde.' Het klonk als een verwijt. 'Helemaal verkeerd. Zoiets doe je niet met een mes. Je moet het uittrekken. Haartje voor haartje. Het doet pijn, maar dat is uit te houden. Hier.' Ze stak Chanele een blikje toe.

Chanele sloeg haar armen over elkaar.

'Zoals je wilt,' zei de vrouw. 'Mij kan het niet schelen.' Ze liet het blikje in de fontein vallen en stond op. 'Maar zonder die wenkbrauwen zou je er echt veel leuker uitzien.'

Toen ze weer alleen was, keek Chanele lang naar het blikje, dat niet was gezonken maar op het water zacht dobberend rondjes draaide. Op het dekseltje staarden twee hoofden in het niets: een Engelse officier met een ruige snor en een donkere man met een tulband. Daarboven stond met krulletters: ORIGINELE INDIASE MAKASSAROLIE. Het blikje leek steeds opnieuw naar haar toe te willen komen, maar voor het de rand bereikte werd het door de waterstraal uit de fonteinpijp weer teruggedreven.

Ten slotte deed Chanele een greep in het water, haalde het blikje eruit en maakte het dekseltje open. Het blikje leek tot aan de rand gevuld met verfrommeld papier, van dat stevige, lichtbruine papier waarmee de hoofdsteunen van kappersstoelen worden overtrokken. Bij het openvouwen ritselde het.

Toen ze zag wat de vreemde vrouw voor haar had meegebracht, kreeg Chanele tranen in haar ogen.

Het was een pincet.

'Hij heeft in de slag van Sedan gevochten,' zei Pinchas.

'Hij zegt dat hij geen schot heeft gehoord.'

'Dat kan best, maar dat levert geen goed verhaal op. En hij is natuurlijk gewond geraakt. Een kogel heeft zijn arm doorboord.'

'God bewaar me!' riep Mimi geschrokken.

'Je hebt gelijk, Miriam,' zei Pinchas, 'zijn arm laten we ongemoeid.'

Mimi knikte opgelucht.

'Zijn arm heeft hij nodig bij zijn werk. In zijn been hebben ze hem geschoten.'

'Wat?'

'Je mag zelf weten in welk been.' Pinchas lachte. Hij was helemaal veranderd, praatte zonder remmingen, gebaarde en viel Mimi telkens in de rede.

'Die kleermaker uit Parijs bij wie hij was. Hoe heette die?'

'Delormes. Maar hij is dood.'

'Dood?' Pinchas knikte tevreden. 'Dat is mooi. Dan zal hij ons niet tegenspreken. En je vriendin hier ... hoe heet zij?'

'Anne-Kathrin. Moet die soms ook in het verhaal voorkomen?'

'Zij moet ons pen en papier lenen,' zei Pinchas. 'We gaan alles opschrijven.'

9

'Een interessante anekdote uit de Frans-Pruisische oorlog. Tijdens het beleg van Parijs – onze correspondent heeft daar in deze kolommen uitvoerig over bericht – begon ook een reeks gebeurtenissen, die geschikt is in het hart van ieder welmenend en gevoelig mens ontsteltenis en medeleven te wekken. Wij willen onze goedgunstige lezers het verslag daarvan, dat ons pas dezer dagen heeft bereikt, niet onthouden, temeer daar de aaneenschakeling van gebeurtenissen in haar uiterste consequentie ook onze mooie stad Baden raakt, daarmee de uitspraak van de Griekse filosoof Heraclitus bevestigend, volgens welke de oorlog de vader van alle dingen is.'

Pinchas, die elke dag het *Tagblatt* las, had gestaan op de ingewikkelde zinsconstructie. Het klassieke citaat werd geleverd door Anne-Kathrin, die dankzij haar vader beschikte over een grote voorraad daarvan.

'Voor onze lezeressen, vooral als zij ook regelmatig *Die Dame* of *Jardin des Modes*' (een bijdrage van Mimi) 'bestuderen, zal François Delormes geen onbekende zijn. Deze meester met de naald, zoals uitbundige bewonderaars hem ooit kenschetsten, weigerde ondanks de verzoeken van zijn talrijke vrienden en bewonderaars pertinent zijn geliefde geboortestad nog tijdig voor het uitbreken van de vijandelijkheden te verlaten. "Ubi patria, ibi bene," antwoordde hij, het cynische spreekwoord omkerend, op alle waarschuwingen.'

Als het aan Anne-Kathrin had gelegen, had monsieur Delormes ook nog 'Dulce et decorum est pro patria mori' gezegd. Maar dat hadden Mimi en Pinchas van de hand gewezen.

'De ijzeren wurggreep van het beleg sloot zich steeds dichter rond de Franse hoofdstad en weldra verzonk de lichtstad in een loden duisternis. Waar eertijds zo zorgeloos werd gezongen en gedanst, heerste nu de angstige stilte van een hospitaal. Waar de Erinyen heersen, zwijgen de muzen.'

Pinchas moest de anderen uitleggen wat Erinyen zijn en Mimi, die hem altijd maar voor een gewone Talmoedstudent had aangezien, was verrast over zijn kennis.

'Met de dag werden de levensmiddelen schaarser. Nog slechts honderd gram inferieur brood kreeg elke inwoner van Parijs dagelijks toegewezen en eenieder prees zich gelukkig als het hem lukte die geringe hoeveelheid voor zich en zijn dierbaren ook inderdaad te bemachtigen.

Voor François Delormes, die door de populariteit van zijn modieuze creaties allang een rijk man was geworden, zou het niet moeilijk geweest zijn aan de beperkingen van die hongerdagen te ontkomen en bij de woekerhandelaren, die zich zoals bekend in tijden van nood vermeerderen als bromvliegen op een kadaver, de meest exquise lekkernijen te kopen. Maar dat was wel het laatste waar deze dappere man aan dacht. De voorraden uit zijn kelder liet hij verdelen onder de armen en zelf nam hij genoegen met water en droog brood.'

In het vuur van zijn zojuist ontdekte journalistieke talent had Pinchas ook nog een passage bedacht waarin monsieur Delormes elke week een vastendag inlaste, maar die was als te joods weer geschrapt.

'Maar alsof dat nog niet genoeg was, verzamelde François Delormes op het hoogtepunt van het beleg zijn naaste medewerkers om zich ...'

'Medewerkers?' vroeg Anne-Kathrin. 'Heeft hij geen gezin?'

'Dat zou niet goed zijn voor het verhaal,' zei Pinchas.

'... en deelde hun iets mee wat hen diep in hun hart schokte. Ondanks zijn zeventig jaar ...'

'Zestig,' stelde Anne-Kathrin voor.

'Vijftig,' vond Mimi.

'Ondanks zijn rijpe leeftijd had hij zich vrijwillig aangemeld bij de nationale garde om in de voorste linie de vijanden tegemoet te treden die zijn geliefde geboortestad zulke ontberingen lieten lijden. Men trachtte hem van zijn besluit af te brengen, waarvan eenieder wist dat het in de gegeven omstandigheden een wisse dood betekende ...'

'Dulce et decorum ...' zei Anne-Kathrin.

'Sst!'

'... maar François Delormes liet zich door smeekbeden noch door tranen tot andere gedachten brengen. Met bewonderenswaardige rust en omzichtigheid regelde hij zijn zaken, wees een opvolger aan die het bedrijf zo goed mogelijk moest voortzetten en gaf deze opvolger, een zekere Paul-Marc Lemercier, ook meteen zijn eerste en tevens laatste opdracht. "De beste medewerker die ik de afgelopen jaren heb gehad," zei hij, "de enige die ik echt waardig geacht zou hebben later mijn mantel te dragen, vecht momenteel ergens in Frankrijk tegen de oppermachtige vijand. Ik weet niet eens of deze meesterleerling nog leeft of allang door een vijandelijke kogel is geveld. Maar hoe het ook zij: de beste stoffen, de fraaiste weefsels uit mijn atelier, vermaak ik aan niemand anders dan aan hem. Mocht hij niet meer leven, dan kunnen ze beter tot stof vergaan dan in het bezit komen van iemand die minder deskundig is. Daarom bepaal ik dat nog vandaag een kar met die kostbare lading naar zijn geboortestad ..."'

'Waar komt Janki vandaan?'

'Uit Guebwiller.'

'Dat kent niemand.'

'"... naar Colmar wordt gebracht om daar te wachten tot hij of zijn kist van het slagveld terugkeert."'

'Met het schild of op het schild!' zei Anne-Kathrin.

Toen dook er een probleem op dat hun bijna de das om had gedaan: hoe breng je een lading waardevolle stoffen een stad uit die door de vijand hermetisch is afgesloten? Maar Pinchas, geïnspireerd door Rabba bar bar Chana, bij wie een slang een krokodil zo groot als een hele stad had verzwolgen, vond ook hiervoor een oplossing.

'Die nacht beleefde Parijs een schouwspel dat in de annalen van de oorlogen en belegeringen wellicht zijn weerga niet heeft. Een onderhandelaar met een witte vlag verscheen op de voorste schans en overhandigde een Duitse officier een brief, geadresseerd aan diens opperbevelhebber. Niemand zal ooit te weten komen wat de koning der kleermakers aan de koning der Pruisen schreef, maar het is bekend dat François Delormes aan veel hoogheden leverde en dat in zijn atelier jarenlang een paspop stond met de exacte maten van de Pruisische monarch.

Hoe het ook zij, het is een door vele getuigen bevestigd feit dat nog diezelfde nacht een zwaarbeladen kar, bespannen met vier paarden, Parijs uit reed en door een haag van Hessische huzaren de weg naar Colmar insloeg.

In de vroege ochtend van de volgende dag werd François Delormes bij een drieste uitval van zeer nabij neergemaaid door een granaat. Al wat er van hem overbleef was de hand waarmee hij de naald had gehanteerd als geen ander.'

Anne-Kathrin veegde haar ogen af met het roze zijden lint dat haar vlecht bijeenhield en ook Mimi betrapte zich op een gevoel van ontroering.

'Maar met de machten van het lot is geen verbond te sluiten.' (Anne-Kathrin) 'De ontvanger van dit ongewone transport, de enige die François Delormes waardig had geacht hem op te volgen, had geen flauw idee van al die gebeurtenissen, want hij lag bewusteloos in een Duits veldlazaret, zijn smalle doch mannelijke gelaat' (Mimi) 'gloeiend van de koorts. De karmelietessen, die hem vol zelfopoffering verzorgden, hadden allang elke hoop op herstel opgegeven.

Hoe komt een Franse soldaat in een Duits lazaret, zal menig lezer zich terecht afvragen. Wel, ook hierover valt een hele reeks noodlottig met

elkaar verbonden gebeurtenissen te berichten, waarin menigeen, al is hij
de zakelijkheid van de moderne wetenschap nog zozeer verplicht, de
hand van de voorzienigheid zal vermoeden.

De erfgenaam van François Delormes was in de grote slag van Sedan
door een kogel in zijn been getroffen, maar sleepte desondanks, met een
inspanning die slechts bovenmenselijk genoemd kan worden, een andere soldaat, die hem zwaarder gewond leek dan hijzelf, uit de dodelijke
regen van kogels.'

'Prachtig,' zei Mimi.

'Het wordt nog mooier,' zei Pinchas, verheugd over haar compliment-
je.

'Die ander, wiens leven hij met zijn heldhaftige daad redde, was echter geen Franse maar een Pruisische soldaat. Zelden zag men zo fraai
bevestigd dat de stem der menselijkheid staten noch grenzen kent. En zo
kwam het dat beiden, redder en geredde, op dezelfde dag werden geope-
reerd en naast elkaar, bed aan bed, in hetzelfde lazaret lagen. De een
genas. De ander, wiens wond ontstak, balanceerde lang op de smalle
rand die deze wereld scheidt van een andere.'

'Media vita in morte sumus,' stelde Anne-Kathrin voor en Pinchas
schreef het op.

Vanaf dat punt werd de opgave steeds makkelijker. Pinchas, die zijn
fantasie, die nutteloze dromerijen zoals zijn moeder dat altijd verwijtend noemde, voor het eerst nuttig kon gebruiken, schreef steeds vlugger. In de volgende alinea sloeg Janki zijn grote droevige ogen al op,
weerde bescheiden de dankbetuigingen af van de Duitse soldaat wiens
leven hij had gered en keerde ten slotte naar zijn geboortestad Colmar –
'Nee, Miriam, echt niet Guebwiller!' – terug. Daar trof hij tot zijn onuitsprekelijke verrassing de stoffen aan …

'… stoffen die niet alleen een bijzondere waarde bezitten vanwege hun
herkomst uit het beroemde atelier van de zo tragisch omgekomen
François Delormes, maar misschien nog meer door het feit dat ze Parijs
nog vóór de door onze correspondent zo aanschouwelijk beschreven,
grote rattenplaag hebben verlaten en dus in hygiënisch opzicht volkomen ongevaarlijk zijn.'

'Ja!' zei Mimi terwijl ze haar vuist balde.

'Hun eigenaar, die na alle dramatische gebeurtenissen die hij reeds op
zo jonge leeftijd moest meemaken, nergens zozeer naar verlangt als naar
rust, besloot te emigreren naar het vreedzame land der Zwitsers en daar
zijn onverwachte schat aan een uitgelezen clientèle te koop aan te bieden. Omdat hij elke ophef wil vermijden heeft hij ons verzocht zijn
naam niet te noemen, een verzoek waaraan wij uiteraard willen voldoen.
We moeten daarom volstaan met onze geachte lezers te verraden dat

Jean M. zijn bescheiden zaak heeft gevestigd in een van de oudste en beslist mooiste steden van ons kanton en dat de winkel alle weekdagen geopend is van negen uur 's morgens tot zeven uur 's avonds.'

'Jullie zijn mesjoege!' zei Janki. 'Wat moet ik doen als iemand me vraagt of dat allemaal klopt?'

Mimi glimlachte samenzweerderig. 'Alles ontkennen, natuurlijk. Zeggen dat er geen woord van waar is. Of dat het over een heel andere Jean M. gaat. Pinchas denkt dat iedereen het verhaal gelooft als jij zegt dat het gelogen is.'

Het was niet eens moeilijk geweest om het verhaal in de krant te krijgen. Anne-Kathrin, die als dochter van een schoolmeester het mooiste handschrift had, schreef de tekst nog een keer over en een marktkramer, die toch naar Baden moest, gaf hem af op de redactie. De redacteur was een zonderling, die zich voor een ambteloos geleerde hield en aan de inhoud van zijn krant aanzienlijk minder aandacht besteedde dan aan de uit vele delen bestaande *Geschiedenis van het Graafschap Baden*, waaraan hij al jaren werkte. Hij nam het artikel vluchtig door en stuurde de bode er toen mee naar de zetterij.

'Meesterleerling!' zei Janki woedend. 'Ik was een sjlattensjammes! Ik werkte in het stoffenmagazijn!'

'Je wilt toch stoffen verkopen,' antwoordde Mimi en ze dacht: hij zou me dankbaar moeten zijn. Waar windt hij zich zo over op?

Klokslag negen uur stond in de Vordere Metzggasse de eerste vrouwelijke klant voor de winkeldeur. Toen die ondanks haar geklop dicht bleef, ging ze weer naar huis en zei tegen haar keukenmeid: 'Hij is vandaag niet gekomen. Waarschijnlijk doet zijn wond te veel pijn.'

'Sedan!' zei Janki. 'Van die veldslag weet ik niet meer dan er overal wordt verteld!'

'De andere mensen ook niet,' zei Mimi.

In een kapperszaak in Baden schrok een klant van iets wat hij net in de krant had gelezen en daarbij bewoog hij zijn hoofd zo onverwachts dat het scheermes diep in zijn wang sneed. 'Kijk toch uit, Bruppbacher!' riep hij woedend. De vrouw van de kapper liet zich van haar hoge stoel glijden en bracht aluin en een doek om het bloed van het grijze pak te deppen.

'En ik ga niet naar Baden!' zei Janki nu al voor de derde keer. 'Nooit meer.' Hij verstrengelde zijn vingers achter de rugleuning van zijn stoel alsof iemand hem eraf probeerde te trekken.

'Dan had die ander dus gelijk? Opheffingsuitverkoop?'

'Nee, natuurlijk niet!' zei Janki. 'Maar ...'

'Bezoek voor je.'

Nog voordat Chanele hem kon vragen binnen te komen, stond de schoolmeester al in de kamer; als een kurk uit de fles kwam hij de gang uit geschoten en begon meteen te praten. 'Mon cher monsieur! En, o ja, juffrouw Meijer. Proficiat. – Ik heb het vermoed! Is het niet zo? Gevoeld heb ik het. Zo gij 't niet voelt, zo zult gij nimmer slagen. Als iedereen zich nu aan u opdringt, denkt u er dan aan dat ík u als eerste heb uitgenodigd. Mijn Maatschappij tot Nut van 't Algemeen! U moet onze eerste gast zijn. Dat moet. Meteen na de oprichting. O, daar zullen we furore mee maken! Furore, zeg ik u. Daarom vandaag dus niets gespaard, geen vergezicht of kunstmachine.' Hij zwaaide met een wandelstok met een gebeeldhouwde knop alsof hij een orkest stond te dirigeren.

'Ik weet niet goed wat u ...'

De schoolmeester knikte alsof hij nooit meer wilde ophouden. 'Discretie, ik begrijp het. "Jean M." en geen letter meer. Ik heb een slot op mijn mond. Meili of Müller of – ik zeg dat alleen bij wijze van voorbeeld, puur theoretisch – of Meijer, dat is ook helemaal niet van belang. Een naam is klank en rook, verhullende hemelgloed. Maar toen ik vandaag het *Tagblatt* opensloeg, was me meteen duidelijk ... O, mijn voorvoelend gemoed!'

'Het artikel waar u waarschijnlijk op zinspeelt heeft niets met mij te maken!'

Pinchas had zich niet vergist: nu geloofde de schoolmeester het helemaal.

'Voorbeeldig, die bescheidenheid!' jubelde hij. 'Zo ken ik mijn pappenheimers. Maar één verzoek wil ik toch doen. Als u toevallig een stof in voorraad hebt die geschikt is voor een jong meisje ... Kent u mijn dochter? Natuurlijk niet. Hoe zou u ook? Ze gaat nauwelijks de deur uit. Thuis moet beginnen wat schitteren zal in het vaderland. Een stuk stof, zoals gezegd, voor een jurk. Niet te duur, uiteraard. Als schoolmeester verdien ik maar een karige boterham. Hoewel: non scholae sed vitae ... Maar ik zal u niet ophouden. Neemt u me niet kwalijk dat ik u heb gestoord, juffrouw Meijer.'

In de deur bleef hij staan, kwam weer terug en legde de wandelstok op tafel. 'Hier. Dat was ik bijna vergeten. Voor u. Na zo'n verwonding loop je vast makkelijker met een stok. De knop heeft de vorm van een leeuw. Een heldhaftig dier voor een held. Maar vergeet niet, jonge vriend: moed toont ook de mammeluk. Het betere deel van de dapperheid is voorzichtigheid. Het was me een genoegen, meneer Meijer. Het was me een waar genoegen.'

Janki's winkel werd niet meteen platgelopen, maar het kwam ook niet meer voor dat hij een halve dag of zelfs maar een halfuur op klanten moest wachten. Het waren de oude en de heel jonge vrouwen die het Franse Stoffenhuis het eerst ontdekten. Aanvankelijk bezochten ze de winkel uit nieuwsgierigheid; ze begonnen te fluisteren wanneer de elegante jonge Fransman een zware rol stof uit een rek pakte – met één hand! – en daarbij zijn hinken zo dapper onderdrukte. Janki had de wandelstok in het begin alleen met tegenzin en op aandrang van Mimi mee naar de winkel genomen, maar algauw betrapte hij zich erop dat hij hem pakte zonder erbij na te denken, dat hij zelfs iets miste als hij hem niet in zijn hand had. Bovendien: wat was daar zo erg aan? Als Salomon een paraplu had, waarom mocht Janki dan geen stok hebben?

Langzaam wende hij zich aan onder het lopen met één been – eerst niet steeds met hetzelfde been, maar ten slotte koos hij voor het rechter – een heel klein beetje te trekken en soms, vooral als hij lang achter de toonbank had gestaan, verbeeldde hij zich dat hij inderdaad een doffe pijn voelde.

Als zijn klanten hem vragen stelden, wat ze – een aangenaam neveneffect voor zijn omzet – altijd pas bij het derde of vierde bezoek gepast achtten, schudde hij alleen zijn hoofd en glimlachte weemoedig, wat je evengoed voor spijt over het lastig voortbestaan van een onzinnig verhaal kon houden als voor een pijnlijke herinnering. Onder de welgestelde dames uit de stad werd het gebruikelijk dat ze hun op conversatiemiddagen geleerde Frans op hem uitprobeerden en Jean Meijer verstond hen niet alleen, maar prees ook hun uitspraak.

De beperkte ruimte bleek steeds meer een voordeel. In het Franse Stoffenhuis had je niet het gevoel in een winkel te zijn, maar in een salon, je was er geen klant maar gast, en als Janki een enkele keer een klant moest wegsturen omdat er op het moment helaas, helaas, gewoon geen plaats meer was, dan maakte hij daarmee alle anderen trots.

Daar kwam bij dat Janki echt verstand had van stoffen en dat zijn waar, of je nu wel of niet in de mythologische herkomst geloofde, van goede kwaliteit was. Het duurde niet lang of hij kon voor het eerst in Parijs bijbestellen en algauw werden de portières voor de rekken alleen nog na sluitingstijd dichtgedaan; hij hoefde geen gaten meer te verbergen en door de groeiende toeloop van klanten had hij ook geen tijd meer voor overbodige uiterlijkheden.

De man in het grijze pak liet zich niet meer zien, maar Janki vermoedde zijn niet-aflatende belangstelling achter de overdreven aandacht die de marktpolitie bijna dagelijks aan hem en zijn winkel besteedde. Toen hij de controlerende beambten een keer een speciale korting voor aankopen door hun echtgenotes aanbood, iets wat in Parijs schering en inslag was geweest, dreigden ze hem zelfs bij de burgemeester aan te geven wegens poging tot omkoping.

'Ik zal een bediende moeten nemen,' zei hij op een avond in de keuken.

Tot Salomons grote ergernis was het ordelijke levensritme in huize Meijer steeds meer veranderd. Er werd met het eten gewacht tot Janki uit Baden terug was, en dat was soms laat, hoewel hij de laatste tijd steeds vaker werd herkend en door een kar of zelfs een koets werd meegenomen. Salomon kon nog zo verwijtend op het tafelblad trommelen, zijn ongeduldige 'Noe?' werd gewoon genegeerd. Op een keer vroeg Golde zelfs: 'Is het soms te veel gevraagd om een paar minuten op de jongen te wachten?' 'Op de jongen', zei ze, alsof die Janki niet gewoon een twijfelachtige sjnorrer was, een sjnorrer uit de familie, nou goed, maar toch een sjnorrer.

En als het hem dan behaagde eindelijk te komen, op laarzen die hij van Salomon had gekregen en met die bespottelijke wandelstok, dan verontschuldigde hij zich niet voor het feit dat hij de heer des huizes met een knorrende maag had laten wachten, maar liet zich door de drie vrouwen vertroetelen, liet ze om hem heen dansen als om het gouden kalf, voerde aan tafel het hoogste woord en vertelde over zijn almaar groeiende omzet en over de nieuwe, nog grotere bestelling die hij eerstdaags wilde doen. Wanneer hij ook eens naar Salomons zaken informeerde, dan klonk zijn vraag in diens oren verschrikkelijk neerbuigend, zoals wanneer iemand met twintig koeien op stal bij zijn buurman minzaam naar diens konijnen informeert. Nee, Salomon was niet gelukkig die eerste weken van Janki's succes. Hij voelde zich niet langer het middelpunt van de familie, vermoedde, als een ouder wordende landsheer die overal samenzweringen bespeurt, achter elke beleefdheid ironie en toch mocht hij zijn ergernis niet laten blijken omdat dat als jaloezie uitgelegd zou zijn. Maar wat Janki nu zei, dat ging te ver. Een bediende nemen! Wilde hij soms ook nog een koetsier in livrei en een kamerdienaar?

'Ik heb mijn zaak mijn hele leven alleen geleid en ben er wel bij gevaren,' zei Salomon. Hij stak zijn hand uit naar de schaal met koolsalade en stelde tevreden vast dat Golde, Mimi en Chanele tegelijk opsprongen om hem aan te reiken. 'Bedienden kosten meer dan ze opleveren.'

'Een stoffenhandel en een beheimeshandel zijn niet hetzelfde,' wierp Janki tegen.

'Inderdaad,' zei Salomon. 'Koeien moet je eten en drinken geven en melken. Ook op sjabbes. Ook op een jontef. Moet je dat met jouw rollen stof ook? Precies! Maar neem ik daarom een stalknecht? Nee. Je betaalt een boer een paar franken. Je werkt samen. Je vindt een weg. En jij wilt een bediende nemen voor dat winkeltje van je?'

'Ik zou me meer met mijn klanten bezig kunnen houden als ik iemand voor de kleine dingen had. Als iemand bijvoorbeeld de kas ...'

'De kas?' Salomon wond zich zo op dat hij zich bijna in de koolsalade verslikte. 'Waarom hang je niet meteen een bord op de deur met: GAN-NEF GEZOCHT! Of zet het in de krant. Misschien schrijft Pinchas Pomeranz een mooi artikel voor je. "Sinds zijn fraaie portemonnee van rood marokijn op het slagveld van Sedan door een kogel is doorboord ..."' – Salomon wist altijd meer dan Mimi lief was – '"... sindsdien kan Jean M. geen geld meer zien en daarom zoekt hij iemand die het van hem afpakt." Als ik iets in mijn leven heb geleerd, dan is het dit: iemand anders, of het nu een jood is of een goj, laat je niet aan de kas komen!' Gods stem uit het brandende braambos kon niet dreigender geklonken hebben.

'En als hij nu eens een familielid in dienst nam?' vroeg Golde.

'Wat voor familielid? Oom Eisik uit Lengnau, aan wie de mensen alleen werk geven omdat ze rachmones met hem hebben? Of wil jíj soms in Janki's winkel gaan staan? Of Mimi?'

Chanele schraapte haar keel. Ze was de laatste tijd veranderd en niemand kon precies zeggen waar dat aan lag.

'Ik zou graag eens iets anders doen,' zei Chanele.

10

Elke dag trok ze een paar haartjes uit, altijd maar heel weinig. Ze pakte ieder haartje afzonderlijk met de pincet, hield het vast zoals je de keel vasthoudt van een vijand die je eindelijk, eindelijk te pakken hebt gekregen, drukte de uiteinden van het piepkleine tangetje zo stijf als ze kon tegen elkaar, zo heftig dat haar hele arm trilde, en trok het haartje dan met een ruk uit. Ze genoot van de korte, stekende pijn die daar telkens mee gepaard ging, ze kon het haast niet afwachten en stelde het toch uit, zoals Salomon na een snuifje tabak het bevrijdende niezen altijd uitstelde. Soms liet ze een al vastgepakt haartje weer los, gaf het, zonder het doodvonnis op te heffen, uitstel van executie, zocht een ander haartje en een derde en streek met de pincet minutenlang kil liefkozend over de plek waar de neusrug overgaat in het voorhoofd. Op andere dagen was ze zo vervuld van ongeduld, van een woedend, pijnlijk ongeduld, dat ze in plaats van een haartje de huid te pakken had en hele vellen losrukte, de bloedende wond met een gaasje moest bedekken en tegen Golde moest zeggen dat ze kruimels had opgeveegd en zich bij het overeind komen aan de rand van de tafel had gestoten.

Dat gebeurde allemaal zonder licht, alleen op het gevoel van haar vingers, zoals een blinde, naar men zegt, als hij maar genoeg honger heeft, een handvol op een grindpad gestrooide graantjes vindt. Ze deed haar kamerdeur op slot, sloot midden op de dag de vensterluiken, hing er een laken voor als er te veel licht door de kieren drong en ging dan voor de kleine, met schelpen omlijste spiegel zitten die Salomon op haar twaalfde verjaardag van de markt in Zurzach voor haar had meegebracht. Op je twaalfde was je een vrouw en vrouwen, had hij destijds lachend gezegd, maken zich graag mooi. Wat kende hij haar slecht! Ze zat voor de spiegel, tastte naar de pincet die ze – als je maar genoeg honger hebt! – altijd in een handomdraai vond en liet de uiteinden een paar keer tegen elkaar tikken, zodat het klonk als de insecten die je in stille zomernachten op de bladeren hoort. Dan begon ze, altijd een beetje gespannen, met haar ritueel.

Ook achteraf keek ze niet in de spiegel, uit principe niet, ze zocht de verandering van haar uiterlijk alleen in de blikken van de anderen en was blij als die langer op haar bleven rusten dan gewoonlijk en naar een antwoord zochten zonder de vraag te weten. Ze werd niet ijdel, dat zou niet bij haar karakter hebben gepast, maar ze aarzelde 's morgens toch langer dan anders als ze moest kiezen tussen de weinige jurken die ze had. Eén keer, één enkele keer maar, was ze met pas gekamd, loshangend haar, dat ver over haar schouders viel, al bijna de hele trap afgelopen voor ze toch maar weer naar haar kamer terugrende en het in het netje stopte.

Bij het werk in Baden droeg ze altijd de bruine jurk met het batisten garneersel. Het was een soort onopvallend uniform dat ze elke dag in het kamertje achter de winkel aantrok. Ze veranderde daarmee niet alleen van uiterlijk maar ook van naam, want in bijzijn van de klanten stond Janki erop haar met mademoiselle Hanna aan te spreken. Mademoiselle Hanna nam de jassen en de parasols van de dames aan, bracht, als de keuze tussen twee stoffen wat langer duurde, een stoel uit het achterkamertje of liep met een schoothondje naar de dichtstbijzijnde hoek. En ze schonk thee, geen echte, donkerbruine, suikerzoete thee zoals ze thuis in Endingen dronken, maar een slap dun aftreksel, waarvoor ze heet water in de naast de winkel gelegen gaarkeuken moest halen, om het vervolgens in piepkleine kopjes te serveren. Wat in Parijs volkomen vanzelfsprekend was, betekende voor Baden een ongehoorde vernieu-wing en weldra gold het in de paar families die de betere kringen van het stadje vormden, als het toppunt van voornaamheid om voor een kopje thee bij de Franse Meijer aan te wippen, een kwartiertje te babbelen en je, meer voor de aardigheid dan omdat je echt iets nodig had, een paar stoffen te laten tonen. Natuurlijk kocht je dan toch; je kon de kostbare tijd van die brave man, die zoveel had meegemaakt, tenslotte niet zo-maar in beslag nemen.

Alleen de kas, waarvoor Janki eigenlijk een bediende had gezocht, behoorde niet tot het domein van mademoiselle Hanna. De financiën deed hij zelf en sinds Salomons vinnige woorden was hij er zelfs heel geheimzinnig over, hoewel Chanele, die bij alle verkopen aanwezig was, hem 's avonds op de frank af had kunnen zeggen wat hij die dag had ontvangen. Het was geen slechte omzet.

Chanele was altijd al zwijgzaam geweest, maar mademoiselle Hanna zei bijna helemaal niets. Ze antwoordde met 'ja' en 'nee', glimlachte beleefd als dat van haar werd verwacht en deed alles om zich even onzichtbaar als nuttig te maken. Ze zorgde, of het haar nu wel of niet was opgedragen, voor alle kleinigheden en had de dingen meestal al gedaan voor Janki ze had bedacht. Slechts één keer, toen hij, met zijn eeuwige argument dat het bij monsieur Delormes ook zo was gegaan, van haar verlangde dat ze de klanten met een reverence begroette, weigerde ze halsstarrig. Ze kregen er zelfs ruzie over en pas toen Chanele dreigde dan nog liever thuis de vloeren te schrobben, gaf Janki toe.

Maar in de allereerste plaats lúísterde mademoiselle Hanna. Reeds als kind, met haar zeer onduidelijke plaats in de familie Meijer, had Chanele zich aangewend via de gesprekken van anderen informatie te vergaren, uit intonaties conclusies te trekken en machtsverhoudingen te begrijpen, iets wat van levensbelang is voor iemand die geen vaste plaats in de wereld heeft gekregen. Ze leerde algauw dat het bij de elite van Baden niet anders toeging dan in de joodse gemeenschap van Endingen, dat er over kleine verschillen in rang – wie moest je voor het eten uitnodigen en door wie je láten uitnodigen? – net zo verbeten werd gesjacherd en gesteggeld als over de meest begeerde mitswes op de Hoge Feestdagen en dat hoofden onder hoeden met veren geen verstandiger gedachten produceren dan die onder hoofddoeken en sjeitels. Ze zag vooral, soms met bewondering en soms met schrik, hoe handig Jean Meijer zijn klanten wist te manipuleren en hun ijdelheid wist te strelen, hoe hij hen alleen met een schijnbaar berustend schouderophalen of een bedenkelijk hoofdschudden zover kreeg dat ze de duurdere crêpe de Chine kozen, hoewel de goedkopere voile hun veel beter gestaan zou hebben.

Nee, ze moest toegeven dat Janki niet echt een eerlijk mens was, en niet alleen vanwege de wandelstok en het gekunstelde hinken. Maar diezelfde eigenschap maakte hem ook weer sympathiek, want hij ging in al zijn rollen volledig op; hij loog dan wel, maar hij gelóófde zijn leugens ook. Hij speelde de zakenman als een toneelspeler en hij speelde hem goed.

Over zulke observaties praatte Chanele met niemand, al helemaal niet met Janki zelf. Afgezien van het puur zakelijke praatten die twee trouwens toch heel weinig met elkaar. In Endingen had Janki ook ongevraagd nog weleens iets verteld, over de kroeg in Guebwiller of over de wonderen van de stad Parijs. Nu liep hij onderweg naar Baden vaak een halfuur zonder een woord te zeggen naast Chanele voort en als ze werden meegenomen door een melkkar en zich op de bok tegen elkaar aan moesten drukken om naast de koetsier te kunnen zitten, leek hij die aanraking onaangenaam te vinden.

Mimi kreeg Janki bijna nooit meer te zien, tenminste niet onder vier ogen. Door de week ging hij vroeg de deur uit en kwam hij laat terug. Op sjabbes, wanneer ze eindelijk de nodige menoeche gehad zouden hebben voor een verstandig gesprek, bracht Salomon uit de synagoge haast altijd een gast mee, hij nam een of andere zakenrelatie of zelfs een volkomen vreemd iemand op sleeptouw, met wie hij dan onder het eten eindeloze discussies voerde over God en de wereld – meer over de wereld dan over God, zoals in het huis van een veehandelaar te verwachten was. Aan die tafelgesprekken tussen tsiebeles en boendel nam Janki telkens deel met een interesse waar Mimi niet echt in geloofde. Hij ging haar uit de weg, dat vond Anne-Kathrin ook. En dat terwijl hij de redding van zijn zaak en de duidelijke bloei ervan toch alleen aan haar initiatief te danken had. Als zij toen niet naar Pinchas was gegaan – en die gang was haar waarachtig niet makkelijk gevallen –, wie weet of er dan nog een Frans Stoffenhuis zou bestaan.

Op zondag, zonder synagoge, zonder gasten en zonder een veel te uitgebreide maaltijd waar je nog de hele middag slaperig van was, was het al niet beter. Met de smoes dat hij de boeken moest bijwerken, sloot Janki zich urenlang op in zijn zolderkamer, hoewel daar niet eens een tafel stond. 'Hij kan je niet recht in de ogen kijken,' zo verklaarde Anne-Kathrin zijn gedrag, 'en daar kan maar één reden voor zijn.'

Niet dat Mimi jaloers was op Chanele, certainement pas, maar wie was er de hele week met Janki samen? Wie was er begonnen haar wenkbrauwen te epileren, onhandig natuurlijk, zodat haar gezicht er in plaats van mooier alleen maar geplukt uitzag, met hier en daar wat lelijke bosjes haar, struiken die een bosbrand hadden overleefd? Eigenlijk moest je medelijden hebben met Chanele, vond Anne-Kathrin, want ze droomde een droom die alleen maar op een ontgoocheling kon uitdraaien, daar waren in veel romans voorbeelden van te vinden.

Maar Mimi voelde geen medelijden. Natuurlijk ook geen haat, zover zou ze zich nooit verlaagd hebben, maar toch een zekere irritatie, en als je dat op z'n Frans uitsprak, 'elle m'irrite', dan had dat woord precies de onaangenaam schurende klank die overeenkwam met haar gevoelens.

Zonder die irritatie had ze waarschijnlijk niet 'Waarom ook niet?' gezegd toen Abraham Singer weer eens voor de deur stond en was ze er niet als bij toeval in de keuken bij gaan zitten om te luisteren naar wat hij te zeggen had.

Abraham Singer was een handelaar zonder waren, tenminste zonder waren die je in een mand kon meedragen of bij de grens aan de douane kon laten zien. Zijn werkterrein omvatte de Elzas, Zuid-Duitsland en Zwitserland, maar het kwam ook weleens voor dat hij helemaal in Frankfurt en in een weliswaar zeer uitzonderlijk geval zelfs in Boedapest een overeenkomst sloot. Als iemand het aan hem vroeg – maar wie het moest vragen was geen potentiële klant – ontkende hij heftig werkzaam te zijn in de branche waarin hij het monopolie had en waarvan hij heel goed kon leven, niet als een koning, maar ook niet als een bedelaar. 'Huwelijksbemiddelaar?' zei hij altijd. 'Ik ben toch geen sjadchen! Alleen

een nieuwsgierig mens die zich graag overal mee bemoeit, moge het mij niet als zonde aangerekend worden.'

Het was een klein mannetje met korte beentjes en een vergroeide ruggengraat, die hem dwong constant te buigen. Daarom keek hij de mensen van onderaf aan, wat, beweerde hij, in het beroep dat hij helemaal niet had een groot voordeel was. 'Naar boven heeft iedereen leren liegen, maar naar onderen vergeet iedereen het.' En dan lachte hij zodat zijn ogen traanden en hij een geruite zakdoek, zo groot als een zeil, uit zijn zak moest halen om zijn gezicht af te vegen. Zijn gegiechel, dat hij soms minutenlang niet meer onder controle kreeg, was in joodse families zo bekend dat er tegen een moeder die haar dochter maar niet aan de man bracht, weleens werd gezegd: 'Hoog tijd dat Singer bij jullie komt lachen.'

Een dokter gaat niet naar een huis waar niemand ziek is en zo kwam ook Singer nooit onvoorbereid, maar toch deed hij altijd zijn best zijn bezoek volkomen toevallig te laten lijken. Hij zat in de keuken – 'Nee, de kamer zou veel te deftig voor me zijn, ik kom maar heel even langs, een minuutje maar' –, praatte over koetjes en kalfjes, vertelde roddels uit allerlei gemeenschappen, berichtte over ziektes en sterfgevallen, maar natuurlijk ook altijd over verlovingen en bruiloften, over een sjidoech die hier of daar tot stand was gekomen, 'met een bruidsschat, ik mag niet zeggen hoe hoog, maar ik wens hem alle joodse kinderen toe!' Hij informeerde naar het welzijn van de familie, was in de vertakkingen van de stambomen beter thuis dan moeder Feigele, dronk een glas thee en nog een, vertelde het verhaal van de domme koetsier die zijn paard laat stelen door een zigeuner, lachte, veegde zijn gezicht af, stond op om te vertrekken, ging weer zitten en vroeg dan heel terloops: 'En uw dochter, mevrouw Meijer? Al bijna twintig, als ik me niet vergis, en zo mooi als een bloem. Helemaal haar mamme, mijn tong mag uit mijn mond vallen als ik lieg.' Dat hij Mimi, die ook in de keuken zat, helemaal niet leek waar te nemen, hoorde bij het spel.

Golde, die de regels kende, verzekerde dat ze maar wat blij was dat Mimi nog helemaal niet aan trouwen dacht, daar dankte ze God elke dag voor. 'Ik zou niet weten hoe ik het zonder haar moest redden, ze is zo'n goede hulp en zo begaafd in alles wat met het huishouden te maken heeft.' Daarna hief ze een loflied aan op Mimi's kook- en naaikunst, een lied dat in menig opzicht verschilde van wat Mimi op dat punt altijd van haar te horen kreeg. Maar hoe luidt het spreekwoord? Wie op de markt niet schreeuwt, neemt de gans weer mee naar huis.

Abraham Singer zat als een pop op zijn stoel, met zijn voeten ver boven de grond, en beluisterde het geheel van onderaf. Hij beaamde dat Golde veel geluk had, ja, door de hemel gebensjt was met zo'n verstandige dochter, er waren veel te veel meisjes die niet wisten hoe gauw ze onder de choepe moesten komen, hij kon voorbeelden noemen, meer dan één, waar dat helemaal verkeerd was afgelopen.

Daarna dronk hij nog een glas thee, vertelde het verhaal van de drie marskramers die in de beek vallen, lachte, veegde zijn gezicht af, maakte aanstalten om te vertrekken, zei: 'Aan de andere kant ...' en ging weer zitten.

'Aan de andere kant,' zei hij, 'heb ik heel toevallig iets opgevangen, ik ben een nieuwsgierig mens, wat kan ik eraan doen, moge het mij niet aangerekend worden. Er moet een familie zijn, heel, heel bekovedike mensen, met een zoon, wat zal ik zeggen, enig kind, een parel van een jongen.'

'Wie?' vroeg Golde, maar Abraham Singer zou niet zoveel succes gehad hebben in zijn beroep als hij niet over twee bijzondere eigenschappen had beschikt: alles horen wat nuttig voor hem kon zijn, en alles negeren wat niet in zijn kraam te pas kwam.

'Hij moet ook heel schrander zijn, heb ik horen zeggen,' vervolgde hij, 'een echte talmied choochem. En bovendien een praktisch mens. Niet zoals veel van die Talmoedstudenten die hun broek nog niet dicht kunnen knopen zonder eerst in een seifer te kijken.'

Hij begon te lachen, maar tot grote opluchting van zijn toehoorsters had hij zich vlug weer in bedwang en praatte verder.

'Hij heeft ook een parnose, een heel goed beroep, dat ik alle joodse kinderen toewens. Hij zal ooit de zaak van zijn vader overnemen en steekt daar al flink de handen uit de mouwen, hoewel hij nog zo jong is.'

'Hoe oud?' vroeg Mimi, hoewel de traditie eigenlijk wilde dat ze al het praten aan haar moeder overliet.

'Ja,' zei Abraham Singer, 'je hoort van alles als je veel op pad bent. Maar ik wil u daar niet mee vervelen, nu uw dochter zo verstandig is nog helemaal niet aan trouwen te denken – wat kan het u schelen waar iemand een sjidoech zoekt?'

'Waar?' vroeg Golde. Ze was al een hele tijd bezorgd dat ze Mimi ooit aan iemand uit het buitenland moest uithuwelijken, dat haar enig kind bij vreemde mensen zou zijn, misschien wel zo ver weg dat ze niet eens een pasgeboren kleinzoon in haar arm ...

'Helemaal niet zo ver weg,' zei Abraham Singer en Golde haalde opgelucht adem.

'Waar?' vroeg Mimi.

Ook al is iemand geen sjadchen, maar alleen een nieuwsgierig mens die hier eens iets hoort en daar eens iets oppikt, hij moet toch ergens van leven, en wie zijn geheimen op straat uitroept, dat begreep Golde ook wel, die vindt veel kopers maar geen betalers. Ze stond al op om het kleine gehaakte tasje met haar huishoudgeld uit de kast te pakken, maar tot haar verrassing weerde Abraham Singer dat beslist af, hij zei zelfs: 'Mijn hand mag uit mijn graf groeien als ik iets van u aanneem!' En toen, terwijl Golde op haar onderlip kauwde en Mimi haar plotseling klamme handen onopvallend aan haar rok afveegde, bekende Singer, zo mogelijk nog dieper gebogen dan anders, een leugentje, 'moge het mij niet aangerekend worden'. Hij was hier vandaag niet toevallig gekomen, maar in opdracht en betaald. 'Wat zeggen onze wijzen? De vrouw is gemaakt uit de rib van de man en als je je rib mist, trek er dan op uit om hem te zoeken.' Er was hem gevraagd hier langs te gaan omdat die jongeman niet zomaar een bruid wilde, maar – de hemel mocht weten hoe hij haar kende – alleen een heel speciale die Miriam moest heten en Meijer en die zijn vrouw moest worden, omdat hij anders van zijn leven niet gelukkig kon worden.

'Hoe oud?' vroeg Mimi.

'Zesentwintig.'

'Waarvandaan?' vroeg Golde.

'Hier uit Endingen.'

'Wie?'

'Pinchas Pomeranz,' zei Singer.

Hoewel de herfst al ten einde liep, was het nog een warme dag geweest. Toen Chanele de emmer had leeggegoten en de schrobber had weggezet, trok ze de bruine jurk uit en bleef in hemd en onderrok even heel stil staan. Het achterkamertje, waarin alleen door een hoog in de muur aangebracht raampje vanaf de binnenplaats een beetje licht viel, was aangenaam koel. Het rook er naar specerijen waarvan ze de namen niet kende, naar vreemde landen die ze nooit zou bezoeken. Ze streek, zoals ze zich sinds kort had aangewend, met haar vingertoppen heel zacht over haar gezicht, van haar haar over haar voorhoofd tot aan haar neus, en het was alsof ze die aanraking niet alleen op haar huid voelde, maar in haar hele lichaam. Ze stak haar armen boven haar hoofd, haar vingers ineengestrengeld, en legde haar hoofd op haar arm, eerst aan de ene kant, toen aan de andere. De geur van haar lichaam vermengde zich met die van de specerijen, een vreemd land tussen andere vreemde landen. Ze bewoog haar heupen en stak haar armen nog verder omhoog, het was nog geen dans, maar in de verte voelde ze het ritme ervan, en ze dacht: mademoiselle Hanna …

'Pardon. Ik dacht dat je al klaar was.'

Ze had de deur niet open horen gaan. Daar stond Janki met één been aarzelend naar voren, een zwemmer die met de punt van zijn teen voelt hoe warm het water is. In elke hand had hij een stoel.

Chanele wendde zich af, met haar armen voor haar borst, maar Janki lachte alleen, een lach die ze op haar huid kon voelen zoals daarnet haar vingers, en hij zei: 'Bij monsieur Delormes was ik voor de klanten nooit meer dan een kapstok. Voor een kapstok hoef je je niet te verstoppen.'

Hij zette de stoelen neer, niet tegen de muur, waar ze hoorden, maar midden in het vertrek, en pakte Chanele bij haar schouder.

Ze rukte zich niet los. Ze liet zich omdraaien en naar de stoelen leiden, die tegenover elkaar stonden als twee mannen die na de dienst op het plein voor de synagoge nog blijven staan om een praatje te maken. Daar zaten ze dan, Janki in zijn gebloemde vest, dat hij door kleermaker Oggenfuss van het restje van een heel dure stof had laten maken, Chanele in haar onderrok, die weliswaar een soort jurk was, maar niet bestemd voor mannenblikken.

'Het komt goed uit,' zei Janki, alsof er helemaal niets bijzonders was aan de situatie. 'Ik wilde je al lang iets vragen.'

Maar toen leek hij zijn vraag te vergeten en keek hij Chanele alleen maar aan.

'Het staat je goed,' zei hij. 'Alleen hier ...' – hij stak zijn hand uit en raakte Chanele precies op de gevoelige plek boven haar neusrug aan – 'hier moet je het nog iets grondiger doen.'

Chanele gaf geen antwoord.

'Het is vreemd,' zei Janki na een korte stilte, 'ik ben hier pas aangekomen, dat wil zeggen: het is al meer dan een halfjaar geleden, maar het lijkt of het gisteren was. Er is zoveel gebeurd en zoveel veranderd en toch – begrijp je dat? – toch heb ik het gevoel ...'

Zijn stem zakte weg alsof hij verdwaald was.

Chanele keek langs Janki heen. In het rek tegen de muur waren de dozen heel slordig op elkaar gestapeld. Ze bevatten de knopen die Janki weliswaar niet verkocht, maar bij een fourniturenzaak had aangeschaft om zijn klanten voorbeelden te kunnen laten zien. Ik moet ze eindelijk eens rangschikken, dacht Chanele, naar materiaal misschien, er eindelijk eens systeem in aanbrengen.

'Ik zal een nieuw hemd voor je laten maken,' zei Janki. 'Van batist. Alles wat je direct op je huid draagt zou van batist moeten zijn.'

Mademoiselle Hanna, dacht Chanele.

'Ik heb het gevoel,' zei Janki, 'ik moet er steeds vaker aan denken ... Dat wil zeggen: denken is het eigenlijk niet. Het is meer ... een gevoel dus.'

Of naar kleur. Dat was beter. Als je ze naar kleur rangschikte, had je altijd meteen alle knopen bij elkaar die bij een stof pasten.

'Begrijp je dat?' zei Janki. 'Ik zou vast nog jaren de tijd hebben en toch ... Ik weet ook niet waarom, maar ik moet alles altijd vlug doen.'

Ik weet niet eens op welke dag hij jarig is, dacht Chanele.

'Het is mesjoege,' zei Janki, 'maar ik heb besloten om te gaan trouwen.'

Het rook naar kardemom, naar kruidnagels en naar een nieuw leven.

'Ja,' zei Janki terwijl hij opstond en zijn stoel tegen de muur schoof. Hij wilde ook de andere stoel wegzetten, maar Chanele bleef gewoon zitten. Ze greep zijn uitgestoken hand, pakte zijn beide handen, tilde haar hoofd met het nieuwe gezicht op en keek Janki voor het eerst in de ogen.

'Je wilde me iets vragen?'

'Natuurlijk,' zei Janki verlegen. 'Ik wilde je vragen ... Hoeveel denk je dat Mimi als bruidsschat krijgt?'

11

Salomon dong alleen af omdat hij dat als veehandelaar gewend was, zonder enig enthousiasme. Met deze toekomstige schoonzoon was het niet prettig onderhandelen. Janki was vormelijk, zelfs bijna plechtig op het gesprek verschenen. In een jontefdik nieuwe broek en een pas geborstelde uniformjas kwam hij uit zijn kamer en marcheerde zo stijf de trap af als een generaal bij de overgave van een veroverde vesting. Hij stak Salomon de hand toe als een vreemde, zette zijn wandelstok met de leeuwenknop behoedzaam tegen de tafel en zat toen met een rechte rug, zonder de leuning aan te raken, op zijn stoel.

Twintigduizend frank, zei hij, dat zou ideaal zijn. Weliswaar was de stoffenwinkel in de betere kringen gelukkig heel goed ontvangen, maar de eenvoudige mensen in het stadje leken door de exclusiviteit van de klanten afgeschrikt te worden, waarschijnlijk omdat ze bang waren in het Franse Stoffenhuis niets te vinden wat paste bij hun portemonnee. Nu was Zwitserland echter geen Frankrijk en Baden zeer zeker geen Parijs, chique mensen waren zeldzaam en daarom leek het hem, Janki, gepast om op dit speciale punt voor één keer niet het voorbeeld van monsieur Delormes te volgen, maar zijn aanbod ook af te stemmen op een breder, zelfs boers publiek. Dat vereiste evenwel de opening van een extra winkel; door een gelukkig toeval bestond de mogelijkheid om in het ideaal gelegen pand Het Rode Schild, dat eigendom was van de rijke familie Schnegg, de parterre te huren, verbonden met een optie op het hele gebouw. Hoewel hij dat zeker had overwogen wilde hij de zaak aan de Vordere Metzggasse niet opgeven, maar proberen beide winkels, elk gericht op een andere klantenkring, naast elkaar te drijven. Met het juiste personeel – ook dat was een kostenfactor waarmee hij rekening diende te houden – moest dat absoluut te doen zijn. Hij moest toch alles reorganiseren nu Chanele de dagelijkse gang naar Baden te vermoeiend vond worden en besloten had voortaan weer in Endingen te blijven. Naast huur, inrichting en personeel zouden vooral de kosten van een forse bestelling in Parijs aantikken, in zekere zin de uitzet voor de nieuwe winkel. Natuurlijk zou dat alles ook met zestienduizend, dat wil zeggen: heel krap gerekend zelfs met vijftienenhalfduizend frank te realiseren zijn, maar Mimi – het was de eerste keer dat haar naam viel in het kader van dit huwelijksaanzoek – had de wens geuit in Baden te gaan wonen en de inrichting van een enigszins passende woning kreeg je nu eenmaal niet voor niets. Al met al: twintigduizend.

Salomon bood tienduizend.

'Uw enige dochter!' zei Janki.

'Als ik er twee had,' zei Salomon, 'zouden ze het bedrag moeten delen.'

Janki gaf toe dat hij eventueel kon proberen het voor de nieuwe winkel noodzakelijke, vrij grote basisassortiment niet bij vooruitbetaling maar, als intussen niet meer geheel onbekende klant, tenminste voor een deel op krediet te krijgen, wat de behoefte aan contante middelen zou verkleinen, zodat hij beslist ook met, laten we zeggen zestienduizend ...

Salomon bood elfduizend.

'Ze zullen denken dat u gierig bent,' zei Janki.

'In mijn beroep,' zei Salomon, 'is zo'n reputatie alleen maar een voordeel.'

Hij zou natuurlijk, overwoog Janki, de inrichting van de woning zo eenvoudig mogelijk kunnen houden, al stuitte het hem tegen de borst Mimi te moeten teleurstellen op een punt dat zo belangrijk voor haar was. Aan de andere kant waren sommige van haar wensen wel erg extravagant, dat moest hij ondanks alle liefde toegeven, zoals bijvoorbeeld het waanidee dat de gordijnen in de salon van shantoengzijde moesten zijn, een materiaal dat daar absoluut niet geschikt voor was. Als hij op dat punt flink bezuinigde, kon hij eventueel ook met veertienduizend ...

Salomon bood twaalfduizend en Janki hapte toe.

Over menige koe waaraan twintig of, in het uiterste geval, dertig frank te verdienen was, had Salomon langer gemarchandeerd dan over de bruidsschat van zijn dochter, en de makkelijke overwinning stelde hem teleur. Hij zou Mimi een man toegewenst hebben die de realiteit bij zakelijke onderhandelingen nauwkeuriger wist in te schatten. Hij had voor de nedinje van zijn dochter van het begin af aan een bedrag van achttienduizend frank in zijn hoofd gehad, niet omdat achttien de getalswaarde van het veelbelovende chai is, maar gewoon omdat dat bedrag hem binnen de grenzen van zijn mogelijkheden redelijk leek. Alles wat een schoonzoon daarop liet afdingen, zo had hij zich voorgenomen, zonder er met Golde over te praten en lang voor Janki's onverwachte verschijning in Endingen, alles wat het verschil uitmaakte met achttienduizend, zou ten goede komen aan Chanele, voor wier welzijn hij zich, zonder veel emoties, beslist verantwoordelijk voelde. Dat het

zesduizend frank zou worden, genoeg om van Chanele een aantrekkelijke partij te maken, had hij echter niet verwacht.

De familie werd dus binnengeroepen. Golde kwam de keuken uit
gestevend, wilde Janki meteen omarmen, maar aarzelde omdat Mimi in
dat opzicht toch voorrang moest hebben, en stond uiteindelijk alleen
maar te trappelen en op haar onderlip te zuigen. Chanele volgde langzamer, terwijl ze haar handen aan haar schort afveegde. Haar 'Mazzel
tov!' klonk tot Salomons verbazing niet hartelijker dan een 'Goedendag'
voor een toevallige kennis.

Mimi was op haar kamer, leek het roepen niet gehoord te hebben en
moest gehaald worden. Toen ze in het kielzog van haar moeder eindelijk
verscheen, leek ze bijna beledigd vanwege de storing en toen ze haar verloofde voor de traditionele eerste kus haar wang toekeerde, deed ze niet
verlegen en ook niet overdreven blij. Pas toen Golde haar omkneld hield
in een omhelzing waar geen einde aan wilde komen, veroorloofde ze
zich over Goldes hoofd heen een triomfantelijke blik naar Chanele.

'Nu je een kalle bent, een bruid, zal ik me toch nog moeten aanwen-
nen je Miriam te noemen,' zei Salomon gniffelend.

Zijn dochter streek met een nieuw, uiterst volwassen gebaar de lokken
van haar voorhoofd. 'Ik hou het liever bij Mimi. Dat is minder gewoontjes dan Miriam. *N'est-ce pas*, Jean?'

Jean? dacht Salomon. Noe, ook goed: Jean.

De bruiloft werd vastgesteld op 17 december, een datum waarop de
boeren het te druk zouden hebben met de voorbereidingen voor Kerst-
mis en Nieuwjaar om een beroep te doen op de diensten van een veehandelaar. Janki, voor wie niets vlug genoeg kon gaan, had graag een
vroeger tijdstip gekozen, maar hoopte – eeuwig zou Het Rode Schild
niet leegstaan – Salomon over te kunnen halen hem een voorschot op de
bruidsschat te geven. Golde maakte in gedachten al lijstjes van de dingen die ze voor die tijd nog voor Mimi moest regelen – kleren, sjeitel, de
monogrammen die op het linnengoed van de uitzet geborduurd moesten worden! – en ze had van pure opwinding haar onderlip al helemaal
stukgebeten.

Alleen Mimi zelf leek zo koel en rustig alsof ze zich elke dag verloofde.
Inderdaad had ze zich deze gebeurtenis samen met Anne-Kathrin al zo
vaak en zo gedetailleerd voorgesteld dat de werkelijke gebeurtenis bijna
een teleurstelling was. Nu stond ze eindelijk naast Janki, de twee waren
wat je noemt een mooi paar, ze fluisterde hem zelfs iets in het oor, maar
echt gelukkig, dacht Salomon, zagen ze er geen van beiden uit. Als hij
dacht aan zijn eigen verloving destijds met Golde, met de jonge, graciele,
onweerstaanbare Golde … 'Noe!' zei hij hardop en dat betekende in dit
geval: 'Het zal wel loslopen, je mag niet te veel verwachten van het leven.'

'Eén ding moet duidelijk zijn,' fluisterde Mimi Janki in het oor. 'Je klanten helpen doe ik niet. Ik ben geen bediende.'

Sinds Chanele, zonder een zinnige reden op te geven, niet meer in zijn winkel wilde werken en zelfs het aanbod had afgeslagen om haar toch wel lage loon te verhogen, was het dagelijks leven moeilijk geworden voor Janki. Als hij in de stad iets moest regelen, en dat kwam vanwege de geplande uitbreiding steeds vaker voor, moest hij zijn winkel sluiten en dan had hij geen minuut rust. Midden in het gesprek met een timmerman of een glazenmaker – hij wilde grote etalages laten inbouwen, zoals ze die nu in Parijs hadden – stelde hij zich opeens een klant voor die precies op dat moment bij het zien van de dichte winkeldeur besloot haar stoffen voortaan ergens anders te kopen. Dan maakte hij altijd abrupt een eind aan de bespreking en snelde terug naar de Metzggasse, waar natuurlijk niemand voor de deur stond te wachten. Intussen had hij niets echt geregeld en was hij toch de halve dag kwijt.

Het was niet moeilijk geweest een meisje van buiten te vinden dat 's avonds na sluitingstijd de winkel schoonmaakte, maar omdat hij een vreemde niet met al die kostbare stoffen alleen durfde te laten, keek hij altijd ongeduldig toe terwijl ze aan het werk was. Hij stond in de weg en voelde tegelijkertijd een met de dag toenemende ergernis. Monsieur Delormes had zich met zulke kleinigheden nooit bezig hoeven houden.

Janki's zoektocht naar een bediende verliep moeilijker dan verwacht. Op de advertentie in het *Tagblatt* meldden zich alleen maar jonge snaken die hinderlijk naar patchoelie roken, of wat ze verder op hun zakdoek hadden gedaan om de geur van hun ongewassen nek te camoufleren, die hun haar met te veel pommade op hun schedel hadden geplakt en die kleren droegen van zo'n wanstaltige smakeloosheid dat je het een veeleisende clientèle onmogelijk kon aandoen. Van stoffen hadden ze totaal geen verstand, ze konden Frans mousseline niet van Engels tweed onderscheiden en toonden zo weinig interesse in de materie dat je merkte dat het hun koud liet of ze stoffen of sigaren, zijde of zeep verkochten. Eén sollicitant, een zekere Oskar Ziltener, was anders, hij was een beetje ouder, conservatief gekleed en stelde vragen die een verrassende kennis van zaken verrieden. Maar Janki meende hem in het voorbijgaan een keer in de textielwinkel van Schmucki & Zn. te hebben gezien en uit angst een concurrent informatie te verschaffen, nam hij hem niet aan.

Als hij laat op de avond eindelijk in Endingen terugkwam, was hij uitgeput en slechtgehumeurd. De voettocht die hij al die maanden moeiteloos tot een goed einde had gebracht, leek hem nu eindeloos lang, waarschijnlijk, zo probeerde hij de verandering voor zichzelf te verklaren, omdat het intussen herfst was en hij het grootste deel van de weg in het donker moest zoeken. In de keuken wachtte ook geen eten meer op hem en meer dan eens ging hij met een lege maag naar bed. Toen hij Chanele daarop aansprak, zei ze uiterst vriendelijk dat ze haar vriendin Mimi niet de gelegenheid wilde ontnemen haar verloofde zelf te verwennen.

Maar Mimi sliep dan meestal al of had zich in elk geval in haar kamer opgesloten. Ze beleefde vermoeiende dagen met naaisters, bij wie je erop moest toezien dat ze de patronen uit *Journal des Modes* goed overnamen, en met de pruikenmaakster, niet de hele goede uit Schwäbisch Hall – daar had Salomon geen geld voor willen geven –, maar met die uit Lengnau die, als je haar niet nauwlettend op de vingers keek, een sjeitel maakte waarmee je er zo oud uitzag als moeder Feigele.

Maar in de eerste plaats had Mimi sociale verplichtingen, voor zover je in een gemeente als Endingen tenminste van sociale kringen kon spreken. Het was gebruikelijk noch noodzakelijk om een verloving formeel bekend te maken; geen enkele officiële aankondiging zou het tempo van de geruchten hebben kunnen bijbenen. Als Mimi door het dorp liep, en de eerste dagen bleken er veel redenen te zijn voor zo'n wandeling, werd ze door iedereen aangesproken en gefeliciteerd. Naar een oud bijgeloof uit de tijd dat men nog in het boze oog geloofde werd de naam van haar aanstaande echtgenoot daarbij nooit genoemd; hem voor de bruiloft samen met de hare uitspreken zou ongeluk gebracht hebben. Men had het alleen over 'de aanstaande' of 'de gelukkige', en Mimi, die genoot van elke seconde dat ze in het middelpunt stond, werd er steeds bedrevener in als schuchtere jonge bruid haar hoofd verlegen af te wenden en zelfs te blozen.

Eindelijk, ze had niet kunnen zeggen of ze zich op het moment had verheugd of ertegen op had gezien, ontmoette ze ook Pinchas. Ze zag hem van verre aankomen, lang en mager, met een zwaar pak op zijn schouder. Bij elke stap zakte hij onder de last door zijn knieën. Toen hij dichterbij kwam bleek het pak een kwart rund te zijn dat in zaklinnen was gewikkeld. Het uiteinde stak eruit als de obscene wond van een soldaat bij wie net een been is afgezet.

Allebei bleven ze staan. Mimi fatsoeneerde de lokken in haar nek, een gebaar waarbij ze haar bovenlichaam achterover kon buigen om haar figuur goed uit te laten komen. Pinchas wankelde, alsof hij niet goed wist of hij naar Mimi toe moest gaan of weg moest lopen. Maar misschien kwam het alleen maar door het gewicht dat hij droeg. Van zijn gezicht viel af te lezen hoe hij de ene zin na de andere formuleerde, weer verwierp en inslikte om meteen de volgende te vormen, die ook niet deugde. In zijn wangen, onder de dunne baard, trilden spieren, alsof zijn kaken de woorden eerst moesten fijnmalen, en zijn adamsappel ging op en neer alsof hij het slikken niet bij kon houden.

Ten slotte was het Mimi die het gesprek begon. 'Hoe haal je het in je hoofd,' zei ze verwijtend, 'om Singer op mijn dak te sturen?'

'Ik wilde ...' Opnieuw slikte Pinchas. 'Ik wilde dat je weet ...'

'Ik weet het allang, Pinchas.' Ze glimlachte tegen hem en voelde zich net de andere Mimi, die uit het boek die met vreemde mannen ging zonder met ze te trouwen. 'Maar zoals gezegd ...'

'Onze harten zingen niet dezelfde melodie.'

Hij had de zin onthouden en zei hem op als een leerling die een les weliswaar niet heeft begrepen maar toch braaf vanbuiten heeft geleerd.

'Zo is het, Pinchas.' Jammer dat Anne-Kathrin haar nu niet kon zien, op en top grande dame, vriendelijk en tegelijk ongenaakbaar.

'Maar ...' Pinchas wankelde steeds sterker onder zijn last. 'Maar ... zingen kun je toch leren.'

'Het is te laat.' Die zin was al in veel romans voorgekomen en de onherroepelijkheid ervan had altijd grote indruk op Mimi gemaakt.

'Ik zou graag ...' zei Pinchas. Het runderbloed was op één plek door het linnen gedrongen en verspreidde zich langzaam. Mimi moest denken aan het verband dat Janki de allereerste avond had gedragen. 'Het is gelukkig niet mijn bloed,' had hij gezegd.

'Ik zou graag ...' herhaalde Pinchas. Zijn tong speelde in het gat in zijn gebit alsof hij een eigen leven had. 'Ik moet nog een keer met je praten. Kunnen we elkaar niet ontmoeten? In het prieel bij je vriendin? Alsjeblieft.'

'Dat is onmogelijk!' Maar toen zag Mimi dat de bloedvlek zich al tot op Pinchas' schouder had uitgebreid en om de een of andere reden ontroerde die aanblik haar zo dat ze hem iets toefluisterde wat ze helemaal niet had willen zeggen.

Pinchas zou zijn armen naar haar uitgestrekt hebben als hij het stuk rund niet had moeten vasthouden.

Pas in het weekend hadden Mimi en Janki tijd voor elkaar. Op sjabbesmorgen liepen ze naast elkaar naar de synagoge, Mimi met een hoog opgestoken kapsel; zolang je je eigen haar nog mocht laten zien, moest je er gebruik van maken. Ze kwamen als paar en toen ze het plein op liepen, tilden ze tegelijk hun hoofd op om op de dorpsklok te kijken, die in Endingen op de toren van de synagoge prijkte. Vanaf de vrouwensjoel kon Mimi later zien dat Janki bij een speciale passage werd opgeroepen om uit de Tora te lezen, als eerste na de kouhen en de leviet. Toen hij de zegen zong, boog een vrouw zich naar haar toe en zei: 'Hij heeft een prachtige stem.'

Vanaf haar plaats op de eerste rij, vlak naast Golde, kon ze door het traliewerk ook Pinchas en zijn vader zien, twee lange magere figuren die er in hun witte gebedsmantel nog dunner uitzagen dan door de week. Pinchas stond vaak alleen achter zijn lessenaar, want Naftali, de sjammes, was constant in de weer en dribbelde door de synagoge om hier iemand aan een mitswe te herinneren en daar met een heftig 'Sst!' een al te luid privégesprek te onderbreken. Toch keek Pinchas, die precies moest weten waar ze haar vaste plaats had, nooit omhoog, zoals veel mannen schijnbaar toevallig hun hals rekken voor ze de bladzijde van hun gebedenboek omslaan. Hij had het talles over zijn hoofd getrokken en sjokkelde geconcentreerd heen en weer, als iemand die de goede God om iets heel bijzonders moet vragen.

De weg naar huis legden Mimi en Janki niet gezamenlijk af. Het was de gewoonte dat de vrouwen de synagoge al voor het einde van de dienst verlieten, zodat de mannen als ze hongerig thuiskwamen niet op het eten, de traditionele sjabbessoede, hoefden te wachten.

Bij de soede zaten ze nu naast elkaar aan tafel. De plaats helemaal aan het eind, die de nieuwkomer Janki destijds vanzelf had gekregen, was overgenomen door Chanele. Ze leek dat prima te vinden. Daar zat ze dichter bij de deur en ze moest vaak en lang in de keuken zijn.

Golde, die altijd een haastige eetster was geweest, liet haar bord nu vaak onaangeroerd staan, zozeer was ze in gedachten bezig met de voorbereiding van alle details van het bruiloftsfeest. En dat niet alleen. Ze stelde ook al menu's samen voor besnijdenissen en maakte gastenlijsten voor bar mitswes. Daarbij moest ze toegeven – en ze schaamde zich er niet eens voor – dat ze zich nog meer voor Janki verheugde dan voor Mimi. Hij vulde een leemte in haar leven, een leemte die ze pas echt voelde nu die er bijna niet meer was.

Salomon had zijn vrouw in tijden niet meer zo dromerig en gelukkig gezien, en dat deed ook hemzelf goed. Hij was nog spraakzamer dan anders en vertelde de verhalen die hij altijd vertelde als hij in een goede bui was: van de boer die hij had wijsgemaakt dat in joodse stallen de koeien met Pesach gevoerd moesten worden met matses en die in alle ernst had gevraagd of dat niet slecht was voor de melk, en van de gojse veehandelaar die niet van hem wilde aannemen dat de koe waarover ze onderhandelden pas één keer gekalfd had en die hij ten slotte overtuigde met de zin: 'Mijn tooches mag blind worden als ik lieg!' – de ander kende dat woord niet en geloofde echt dat tooches een familielid was en niet gewoon het achterwerk.

Janki lachte lang en hard om al die verhalen, waardoor Salomon hem steeds sympathieker begon te vinden.

Dat de twee verloofden erg weinig met elkaar praatten, viel niemand op – behalve Chanele misschien. Maar die moest alweer opspringen om iets heel dringends in de keuken te gaan doen.

Salomon liet Janki – 'Nu je zelf een balebos wordt, moet je oefenen!' – het tafelgebed zeggen en hij probeerde zelfs de juiste toon te vinden als Janki bij de gemeenschappelijke gezangen een heel andere melodie aanhief dan ze in Endingen gewend waren. Naderhand rekte Salomon zich demonstratief uit en zei dat de ouwelui – 'Nietwaar, Golde?' – nu eerst maar eens wat moesten gaan liggen, het zware eten en zo, de jongelui, daar twijfelde hij niet aan, zouden zich – 'Nietwaar, Janki?' – ook wel zonder hen weten te amuseren. Toen Golde niet vlug genoeg met hem naar de trap liep, zette hij haar met een 'Noe!' aan tot spoed.

Chanele had, uit discretie of om andere redenen, de keukendeur dichtgedaan. Janki en Mimi waren alleen in de salon. Ze zaten nog steeds aan tafel, waarop nu geen servies meer stond, maar het witte tafellaken, een menukaart post festum, vormde in hiërogliefen van jusvlekken en kruimels een opsomming van alle heerlijkheden die Golde voor vandaag had klaargemaakt.

Mimi schoof haar stoel dichterbij zodat Janki zonder zich te verrekken zijn arm om haar middel had kunnen slaan. Hij leek het niet te merken, of misschien was hij, al paste dat niet goed bij hem, gewoon verlegen. Ze legde haar hoofd op zijn schouder en deed haar ogen dicht. Janki maakte een beweging die haar hoop gaf, maar hij was alleen makkelijker gaan zitten. Anne-Kathrin had gelijk: mannen waren net kleine jongens, altijd moest je ze de weg wijzen.

Zonder haar ogen te openen, alleen haar hoofd nog dieper in de kuil tussen zijn schouder en zijn hals vlijend, begon ze te praten, met haar lippen op zijn huid, zodat hij haar stem meer voelde dan hoorde. 'O, Rodolphe,' zei ze, 'Rodolphe, Rodolphe, Rodolphe.'

'Wat zeg je?' vroeg Janki.

Ze rekte zich uit en liet haar lokken over zijn wang glijden. 'Hou je een beetje van je Mimi?'

'Natuurlijk,' zei Janki. In zijn stem klonk iets door wat Mimi voor opwinding hield. Chanele, die Janki een paar weken nauwlettend had kunnen observeren, zou het omschreven hebben als ongeduld.

'Ik ook van jou,' zei Mimi terwijl ze haar lippen tuitte.

'Goed,' zei Janki, zoals je bij een zakelijke bespreking een niet al te belangrijk punt afhandelt. 'Ik moet je namelijk iets zeggen.'

Eindelijk! dacht Mimi. De kleren waren besteld en de sjeitel was zo goed als klaar. Nu was het tijd voor het andere, waar ze in de boeken van Anne-Kathrin altijd zo haastig naartoe bladerde.

'Het zit zo ...' zei Janki. 'Ik heb alles heel goed overwogen en er steeds weer over nagedacht.'

'Ja?' zei Mimi.

'Het gaat niet ...' zei Janki.

'Wat?'

'Het gaat absoluut niet als jij niet toch in de winkel meehelpt.'

12

Niet dat Chanele hen afluisterde. Mimi zou gezegd hebben: certainement pas. Maar ze moest nu eenmaal iets in de keuken doen, de keuken
was de plaats waar ze thuishoorde, waar ze nu altijd thuis zou horen,
haar leven lang; ze was verstandig en droomde niet van het onmogelijke. Ze was op de wereld gekomen om de vaat te doen, daar had ze zich
bij neergelegd, eens en voor altijd, de rest waren zinloze wensdromen,
chaloumes mit bakfisj. Ze stond niet voor haar plezier in de keuken,
beslist niet, en als die twee hun discussie niet zachter konden voeren,
dan was dat hun probleem. Mimi en Janki schreeuwden niet tegen
elkaar, dat kon je niet zeggen, maar als je je oren niet dichtstopte – en
waarom zou Chanele, was het haar schuld dat de muur tussen kamer en
keuken niet dikker was? –, als je niet doof was zoals de oude Sjmarje
Braunschweig, dan moest je wel horen hoe die twee elkaar afsnauwden.
Als dat de toon was waarop pas verliefde stellen met elkaar omgingen,
dan was Chanele blij, o ja, echt blij dat ze eens en voor altijd besloten
had dat ze niets meer met mannen te maken wilde hebben, je had ze
nodig als een brood met Pesach.

De twee – je hoefde niet aan de muur te luisteren om dat op te vangen
– kibbelden of Mimi na de bruiloft alleen maar huisvrouw of ook medewerkster in de winkel zou zijn. Janki probeerde het eerst met zijn
beproefde verkoopmethode en schilderde het aangename van zo'n
gemeenschappelijke bezigheid zo verleidelijk als hij zijn klanten een nog
niet eens genaaide jurk wist te beschrijven. Op haar beurt reageerde
Mimi op de kinderlijk smekende toon waarmee ze haar ouders, vooral
Salomon, van oudsher om haar vinger wist te winden, ze was helemaal
het hulpeloze kleine meisje dat maar niet kon begrijpen wat de boze
wereld van haar verlangde. Toen dat niet hielp, ging ze over op gekwetst
beledigd-zijn, een plotselinge verandering van toon die Chanele maar al
te goed kende. Ze had toch echt gedacht dat Jean uit liefde om haar hand
had gevraagd – ze zei nog steeds Jean tegen hem, maar ze sprak de naam
nu uit met een sarcastische ondertoon – en nu moest ze vaststellen dat

hij geen vrouw had gezocht, maar alleen een goedkoop dienstmeisje, een joods bisjge, maar daarvoor voelde ze zich te goed, veel te goed, en ze wilde er nooit meer iets over horen. Janki antwoordde met getallen, sprak over inkomsten en vaste kosten en liep intussen te ijsberen. Je hoefde niet aan de muur te luisteren om dat te merken; zijn voetstappen waren ook in de keuken duidelijk te horen, vast en regelmatig, zonder het doordeweekse hinken dat hij zich voor zijn klanten had aangewend. Straks begint ze te huilen, dacht Chanele en inderdaad hoorde ze Mimi al snotteren zoals ze als klein meisje had gedaan wanneer ze in het gevecht om een pop of het laatste stuk sabbattaart het onderspit dreigde te delven. Zijn eis deed haar pijn, jammerde Mimi, ze had van haar Rodolphe – Wat voor Rodolphe? dacht Chanele – echt iets beters verwacht, ze had gedacht dat hij niet zo'n krentenkakker was als al die anderen, de teleurstelling brak haar hart en hij kon toch niet willen dat zijn kleine Mimi ongelukkig werd, nietwaar, dat kon hij toch niet willen.

Dat was het punt waarop hij begon te sissen, waarop de woorden 'verwend klein meisje' en 'op je tooches doe je geen zaken' vielen, en Chanele in haar keuken was, waarschijnlijk in tegenstelling tot Janki, helemaal niet verbaasd toen Mimi abrupt ophield met huilen en terugsiste dat een vrouw geen artikel was dat je één keer kocht en waarmee je dan de rest van je leven kon doen wat je wilde, en dat mensen die met niets op hun rug, met helemaal niets, hier aangekomen waren, het land geen nieuwe wetten moesten opleggen.

Als je voorbestemd bent voor de keuken, als dat het is wat je door het leven is toebedeeld, dan moet je je werk ook grondig doen en dus stelde Chanele vast dat de al afgewassen borden nog niet schoon genoeg waren en begon ze nog een keer van voren af aan, puur uit plichtsbesef, niet om te zorgen dat iemand die bijvoorbeeld woedend de keuken binnen zou stormen, haar aan het werk zou vinden en niet eens op de gedachte kwam dat ze voor wat er in de kamer werd besproken ook maar de minste belangstelling kon hebben. Certainement pas, nietwaar Mimi?

Met het goede sjabbesservies moest zorgvuldig worden omgesprongen en dus keek ze niet eens op toen de deur dichtknalde. Dat kon alleen Mimi zijn, die altijd al graag op dramatische wijze een punt had gezet achter discussies waarin ze haar zin niet kon krijgen. Chanele merkte eerst ook helemaal niet dat Janki de keuken binnenkwam, een van de net afgewassen glazen pakte en zich van de kidoesjwijn inschonk die eigenlijk – maar je bent nu eenmaal discreet en wilt een pas verloofd stel niet storen – allang weer op het buffet in de kamer had moeten staan.

'Kan iemand een vrouw begrijpen?' vroeg Janki.

'Jij niet.' Chanele beet op haar lippen, want ze had helemaal niet willen antwoorden.

'Wat wil je daarmee zeggen?'

'Niets,' zei Chanele en ze wreef over een plek waarvan ze heel goed wist dat het een fout in het aardewerk was.

'Waarom begrijp ik niets van vrouwen?'

'Daarom.'

'En trouwens, hoe weet jij dat?'

'O, neem me niet kwalijk,' zei Chanele. 'Ik ben helemaal vergeten dat ik geen ogen heb. En geen oren. En een hart al helemaal niet.'

'Begin jij nu ook al?'

'Waarmee? Afwassen is geen eenvoudige zaak en vereist veel concentratie als je het goed wilt doen.'

'Mimi doet vandaag zo vreemd. Is het nou zo erg om bij mij in de winkel te werken? Zeg op!'

'Het hangt ervan af,' zei Chanele terwijl ze een bord zo aandachtig bestudeerde alsof het opeens een heel nieuw dessin had, 'het hangt ervan af waarmee je het vergelijkt. Stenen bikken is waarschijnlijk zwaarder.'

'Waarom ben jij gestopt?'

'Ik pas beter in de keuken. Een mens moet zijn plaats weten.'

'Je hebt gezegd dat de lange weg ...'

'Je zoekt het maar uit!'

Janki's rechterhand ging open en weer dicht. Om dat gebaar te kunnen interpreteren moest je hem zo lang en van zo dichtbij geobserveerd hebben als Chanele. Zijn vingers zochten de wandelstok met de leeuwenknop, die hij niet bij zich had omdat het sabbat was.

'Ik dacht dat jij altijd alles begreep,' zei Chanele. 'Zo'n verstandige man. Die zo veel heeft meegemaakt. Die zelfs in de slag van Sedan heeft gevochten.'

'Je weet heel goed ...'

'Ik weet helemaal niets. Ik ben dom. Net goed genoeg voor de keuken.'

'Je bent niet dom!'

'Wel waar!' zei Chanele uit volle overtuiging. 'Dommer dan ik kun je helemaal niet zijn.'

Janki dronk het glas met de dure kidoesjwijn in één teug leeg. 'Leg me alsjeblieft eens uit ...'

Het sjabbesservies hoorde in de kast in de kamer. Als je het had afgewassen en afgedroogd moest je het ook weer opruimen. Voor iemand die door het lot nu eenmaal voorbestemd is voor huishoudelijk werk, is zoiets belangrijker dan een praatje met een man die verloofd is met een ander.

Janki rende haar achterna. 'Wat doe je nou?'

'Mijn werk. Staat er soms ergens geschreven dat je je werk moet verwaarlozen als een hoge piet plotseling zin heeft in een praatje?'

'Ik ben geen hoge piet!'

'O, monsieur Jean, vanwaar opeens die bescheidenheid?'

Zij wilde alleen de borden op de op één na onderste plank zetten en hij wilde alleen dat ze eindelijk naar hem luisterde. Dat het leek of ze voor hem knielde en hij haar omhoogtrok, was maar toeval. Ook dat hij haar handen vast bleef houden toen ze al voor hem stond, had niets te betekenen.

'Chanele, wat is er aan de hand?'

'Niets,' wilde ze snibbig en heel gereserveerd zeggen. Haar stem moest kil en vast zijn, niet schor en vol tranen. En ze wilde zeker niet 'Ik haat je' zeggen. Niet op die toon.

'Ik begrijp niet ...' zei Janki.

'Dat is waar.' Chanele wist dat ze er spijt van zou krijgen, maar het deed haar goed, het deed haar o zo goed zich voor één keer niet te beheersen en niet verstandig te zijn. 'Jij begrijpt helemaal niets. Jij kijkt iemand aan en die denkt dan dat je hem aardig vindt, terwijl ... Jij ziet altijd alleen wat nuttig voor je kan zijn. Jij kneedt en bewerkt iemand tot hij is zoals je hem nodig hebt. Jij noemt iemand mademoiselle Hanna als je indruk wilt maken op je chique dames, en Chanele als je iemand nodig hebt die het eten voor je op tafel zet. Maar ze zijn niet allemaal zoals jij, dat ze maar een wandelstok in de hand hoeven nemen en al beginnen te hinken en helden zijn. Ze zijn niet allemaal zo, dat ze de ene dag soldaat zijn en de volgende in paarden handelen en zich steeds weer aanpassen en veranderen en met alle winden waaien. Er zijn mensen die denken dat je echt van ze houdt als je doet alsof het zo is.'

'Bedoel je Mimi?'

'Ja,' zei Chanele. 'Ik bedoel ook Mimi.'

'Ook?'

'Ja, dacht je soms dat ik mijn wenkbrauwen geëpileerd had om bij je klanten in de smaak te vallen?'

Pinchas Pomeranz had Janki kunnen uitleggen wat er op dat moment in hem omging. Soms zit je urenlang voor een bladzijde van de Gemore en kun je er geen touw aan vastknopen. Keer op keer heb je de tekst doorgenomen, je moeizaam door de commentaren van Rasji heen geworsteld en nog steeds is alles onbegrijpelijk, een onstuimige zee vol toevallig aangespoelde woorden waar alleen de namen van de wijze rabbijnen als eilandjes boven uitsteken. En dan, heel onverwachts, verschuift in je hoofd het begin van een zin, worden vragen en antwoorden opnieuw ingedeeld – want net als de mens heeft de Talmoed geen leestekens die het begrijpen van de tekst vergemakkelijken –, en alles is duidelijk en helder, zo eenvoudig dat je helemaal niet kunt verklaren waarom je het niet van het begin af aan zo hebt gezien. Zulke momenten zijn mooi, maar ook beangstigend, omdat ze je duidelijk maken hoe makkelijk je ziende blind kunt zijn.

'Ik had geen idee,' zei Janki.

'Nee,' zei Chanele, 'jij hebt geen idee.'

'Ik had nooit gedacht ...'

'Nee,' zei Chanele, 'jij hebt nooit gedacht.'

'Maar ik heb ook nooit iets gezegd waardoor je had kunnen denken ...'

'Nee,' zei Chanele, 'jij hebt nooit iets gezegd. En met denken, ook al zul je dat niet begrijpen, Janki Meijer, heeft het helemaal niets te maken.'

De borden stonden nog steeds op de grond. Maar al moest Chanele heel diep bukken om ze op hun plaats te zetten, niemand had nu nog op het idee kunnen komen dat ze voor Janki knielde.

Toen ze klaar was, wilde ze de kamer uit gaan, maar Janki versperde haar de weg. 'Het spijt me,' zei hij.

Chanele haalde heel langzaam haar schouders op en liet ze net zo langzaam weer zakken. Ze keek hem aan met een glimlach die, nu haar wenkbrauwen elkaar niet meer in het midden raakten, op haar gezicht leek te zweven. 'Vier er sjabbes mee,' zei ze.

Buiten werd de voordeur open- en weer dichtgedaan. 'Je kalle gaat weg,' zei Chanele. 'Je moet haar achternagaan. Anders krijg je er nog spijt van.'

Mimi had helemaal niet willen gaan, niet echt. Ze had dat alleen maar gezegd omdat ze een moment lang medelijden met Pinchas had gehad, omdat ze hem niet zomaar op straat wilde laten staan. Je legt een boek waar je eenmaal in begonnen bent, niet midden in een hoofdstuk weg. En als je er goed over nadacht was ze Pinchas zelfs iets schuldig, Janki was hem iets schuldig en zij was Janki's verloofde, dus had ze een verplichting. Ja, het was een echte verplichting. Als Pinchas dat artikel niet had geschreven, veel welbespraakter en fantasievoller dan ze van hem had verwacht, als hij niet het idee voor dat artikel had gehad, dan was Janki nu misschien het hulpje van kleermaker Oggenfuss en viel er aan trouwen niet te denken. Natuurlijk zou het niet naar Janki's zin zijn wat ze nu deed, maar hij hoefde het niet te weten te komen, en wat dan nog, hij moest van het begin af aan leren dat iemand als Mimi Meijer zich niet door hem liet commanderen, dat ze een eigen wil had en zelf kon denken, tenslotte was ze de dochter van de geachte Salomon Meijer en bracht ze een nedinje mee waar je je niet voor hoefde te schamen.

Er was verder niemand op straat in Endingen, tenminste niet in het joodse deel van het dorp. Om deze tijd sliepen de meeste mensen, gevloerd door de overdadige, zware sabbatmaaltijd. Pas later, als de mannen voor het mincha weer naar de synagoge gingen, zouden de vrouwen elkaar bezoeken om een beetje te roedeln, om de nieuwste geruchten en de nieuwste praatjes uit te wisselen. Nou, over Mimi zouden ze niets te roedeln hebben. Wat was er verkeerd aan als je een vriendin ontmoette, een gojse vriendin, akkoord, maar een vriendin is een vriendin. Wat was er zo erg aan als je een halfuurtje met haar in een prieel wilde zitten nu er zoveel te vertellen en te bespreken viel voor de bruiloft? Wie had er last van als je de weg langs de rivier nam en je – alleen omdat het korter was, waarom anders? – in je mooie jurk door een heg wurmde?

Pinchas zat er al. Hij sprong op toen hij Mimi zag komen, wilde haar tegemoet snellen en struikelde daarbij over het ene treetje dat naar het prieel leidde. Zijn zwarte sjabbeshoed rolde voor haar voeten en omdat ze allebei tegelijk bukten om hem op te rapen, waren hun hoofden even heel dicht bij elkaar.

'Hier,' zei Mimi en ze gaf hem de hoed aan.

'Dank je,' zei hij.

Mimi was bijna twee koppen kleiner dan Pinchas en als ze naar hem opkeek, leek hij boven het lage dak van het prieel uit te steken. 'Laten we gaan zitten,' zei ze.

'Ja,' zei Pinchas, 'laten we gaan zitten.'

De ingang van het prieel was beslist breed genoeg voor twee personen, maar Pinchas deed toch een stap achteruit; het was niet duidelijk of hij haar beleefd wilde laten voorgaan of bang was om haar aan te raken.

Van de nationale feestdag of van een of andere Italiaanse nacht waren onder het dak van het prieel nog touwen gespannen met bont bedrukte, al enigszins verschoten papieren vlaggetjes, er hingen ook een paar door het weer al flink gehavende lampions. Mimi moest denken aan de bont versierde loofhut waarin ze twee weken geleden nog had gezeten.

Pinchas wreef met zijn mouw over zijn hoed, hoewel die helemaal niet stoffig was. Tegelijk bewoog hij zijn tong heen en weer in het gat in zijn gebit, als een trompetter die in gedachten een moeilijk stuk nog een keer doorneemt voor hij zijn instrument aan zijn mond zet.

'Noe,' zei Mimi toen Pinchas geen aanstalten maakte om het gesprek te beginnen. 'Daar ben ik dan.'

'Ik had het niet verwacht,' zei Pinchas.

'Vertrouw je me niet?' Mimi gooide met gespeelde verbittering haar lokken van haar voorhoofd, een gebaar dat haar – ze had het voor de spiegel meer dan eens uitgeprobeerd – heel goed stond.

'Jawel,' zei Pinchas vlug, 'natuurlijk. Maar …' De tong in het gat in zijn gebit speelde nu prestissimo. 'Ik dacht dat je misschien niet wilde horen wat ik je … Ik bedoel: het hoort niet.'

'Wat hoort niet?'

'Dat ik je … Nu je met Janki …'

'Mag ik daarom met niemand meer praten?'

'Praten wel. Maar …' Als hij slikte bewoog zijn adamsappel minstens twee vingers breed op en neer. Anne-Kathrin, die zulke dingen wist of deed of ze ze wist, had een keer beweerd dat mannen met een opvallende adamsappel bijzonder teder waren. Grote onzin natuurlijk. Het was nogal makkelijk om iets te beweren wat je nooit kon uitproberen of bewijzen. Uitgerekend Pinchas.

'Je lacht me uit,' zei Pinchas.

'Helemaal niet.'

'Je glimlachte.'

'Bevalt het je niet?'

Het was als een spel. Pinchas gooide haar de ballen toe en zij ving ze op of sloeg ze terug, net zoals ze wilde. Er waren kleine jongens in het dorp, die konden hun tol op de straat laten dansen, rechtuit of in een cirkel, en daarvoor hoefden ze hem met de zweep nauwelijks aan te raken. Zo voelde Mimi zich nu ook.

'Bevalt het je niet?' herhaalde ze.

'Jawel. Alles aan jou bevalt me. Je bent …'

'Ja?'

'Ik heb het je al een keer proberen te zeggen. Je bent beeldschoon. Als een kudde …'

'Ossen, ik weet het.'

'Geiten.'

'Dat is al niet veel beter.'

'Rasji zegt daarover dat koning Salomo …'

'Wordt dit een leervoordracht?'

'Ik wilde alleen …'

'Ja?'

'Ik wilde het alleen een keer gezegd hebben.'

'Wat?'

Pinchas staarde naar de papieren vlaggetjes met de verschoten kantonnale wapens, alsof er niets fascinerenders bestond dan de beer van Bern of de steenbok van Graubünden. Daarbij mompelde hij iets, zo zachtjes dat Mimi de woorden niet kon verstaan.

'Noe?'

'Ik hou van je, Miriam,' zei Pinchas.

'Wat?'

'Ik wilde het een keer gezegd hebben. Eén keer maar. Ik heb van je gehouden. Echt. Jij zult met Janki trouwen en ik met een of andere vrouw die Abraham Singer voor me zal vinden, maar ik heb het toch een keer gezegd. Ik zou van je gehouden hebben.'

Er was een lach die je op zulke momenten diende te lachen, 'parelend' stond er in de boeken, en dat woord was bij Mimi altijd in de smaak gevallen. Maar nu die lach gepast geweest was, wilde hij haar niet lukken.

'Huil je?' vroeg Pinchas.

'Natuurlijk niet,' zei Mimi.

Een windvlaag deed de vlaggetjes ritselen, alsof ze elkaar iets belangrijks toe te fluisteren hadden.

'En nu?' vroeg Mimi.

'Het is bijna tijd voor het mincha,' zei Pinchas. 'Ik moet …' Maar hij maakte geen aanstalten om op te staan.

'Het spijt me,' zei Mimi.

'Echt?'

'Echt.'

En toen, omdat het de laatste keer was, omdat Pinchas er zo ongelukkig uitzag, omdat ze zoveel romans had gelezen, hierom en daarom en nergens om, omdat Janki zulke onmogelijke dingen van haar eiste, omdat het herfst was, omdat ze spoedig een getrouwde vrouw zou zijn, met een eigen woning en een sjeitel en een sleutelbos, omdat ze woedend was en verrast en ontroerd, om het even waarom, stak ze haar arm uit en trok Pinchas' hoofd naar zich toe en tuitte haar lippen en …

'Zo zit dat dus,' zei Janki.

Hij was haar achternagegaan omdat Chanele het wilde. Hij was zo in de war geweest dat hij alles gedaan zou hebben wat Chanele van hem verlangde, dat wil zeggen: bijna alles; je moet wel je verstand blijven gebruiken en de praktische belangen niet uit het oog verliezen. Hij had Mimi de mantel uit willen vegen, misschien juist met het voorbeeld van Chanele, die begreep dat sommige dingen mogelijk waren en sommige nu eenmaal niet. Hij had zich met Mimi willen verzoenen, ze waren tenslotte verloofd, en hij had monsieur Delormes vaak genoeg horen zeggen: 'Zoals een zakenrelatie begint, blijft ze meestal ook.'

Hij was haar niet achternageslopen, had zich niet verstopt. Dat was ook niet nodig geweest, want Mimi draaide zich niet één keer om, ze liep met snelle, koppige passen door de smalle straatjes. Eerst had hij gedacht dat ze gewoon alleen wilde zijn, zoals hijzelf op de dag dat hij zijn winkel had geopend – nog geen halfjaar was er sindsdien verstreken en het leek zo lang geleden. Hij had gedacht dat ze alleen de stilte zocht, zoals hij toen de weg over het Nussbaumener Hörnli had genomen om alles nog een keer grondig na te gaan, en het leek hem een goed teken dat ze nog eens over de zaak wilde denken. Maar al snel was duidelijk geworden dat ze een bepaald doel had. Ze rende niet ergens vandaan, maar ergens naartoe.

Naar iemand toe.

Hij had niet gehoord wat die twee met elkaar bespraken. Ze praatten te zachtjes en hij stond ook te ver weg. De opening in de heg was vlak achter het prieel en vanwege de planken die de rugleuning van de zeshoekige bank vormden, had je geen volledige inkijk. Maar de kus had hij gezien, die was overduidelijk geweest, hij had de verraste uitdrukking op Pinchas' gezicht gezien en daarna de gelukkige, en ook hoe zijn zwarte hoed achteroverkiepte en Mimi hem helemaal niet meer losliet.

'Zo zit dat dus,' had hij gezegd, en nu, achteraf, had hij het idee dat hij dat beter had kunnen formuleren.

Mimi huilde; misschien huilde ze. Ze had haar handen voor haar gezicht geslagen en zat ineengedoken op de punt van de bank, een kind dat een pak slaag verwacht. Pinchas was meteen opgesprongen en voor Mimi gaan staan, maar ze had hem opzij geduwd en nu stond hij verloren midden in het prieel, precies op de plek waar het tafeltje had gestaan waaraan ze toen hun artikel hadden geschreven. Hij stond daar, met zijn tong in het gat in zijn gebit, en zag eruit alsof hij zo een redevoering ging houden. Maar hij zei alleen: 'Het is míjn schuld, Janki, helemaal alleen mijn schuld', en Mimi liet heel even haar handen zakken, zei: 'Hou je mond, Pinchas!' en zocht weer dekking.

En toen kwam de schoolmeester tussen de rozen- en de vlierstruiken tevoorschijn, in hemdsmouwen en met een grote groene schort; hij straalde over heel zijn bezwete gezicht en zei: 'Ah, monsieur Meijer! Waarde jonge vriend! Ik had niet verwacht u in mijn antichambre aan te treffen. *Emilia Galotti*. En juffrouw Meijer! En de heer … Ja ja, hoe later op de avond, hoe schoner volk. Welkom in mijn *tusculum*! Al vrees ik dat u hier niet op mij wacht, maar op mijn dochter. Ik zal haar meteen halen. Een seconde, dan is ze er. Ik ijl, ik ijl, zie hoe ik ijl; zo vliegt uit de boog der Tartaren pijl.'

13

Het was een kleine gebeurtenis, op zich eigenlijk zonder enige betekenis, die Janki's besluit onherroepelijk maakte.

Op die sabbatmiddag was hij na een bijzonder pijnlijke ontmoeting met Anne-Kathrin samen met Mimi naar huis gegaan. Toen ze binnenkwamen had Salomon veelbetekenend naar Golde geknikt en opvallend-toevallig het lied van bruid en bruidegom, 'Chosen, kalle mazzel tov', zitten fluiten. Dat chosen en kalle nauwelijks een woord met elkaar wisselden, schreef Salomon toe aan een natuurlijke verlegenheid, je kon je wel voorstellen dat die twee tijdens hun gemeenschappelijke wandeling niet alleen hadden gebabbeld en over het weer gepraat. Vanaf dat moment deden Mimi en Janki zo opvallend beleefd tegen elkaar, met 'Nog een beetje koffie?' en 'Vind je het erg als ik het raam openzet?', dat Golde tegen Salomon fluisterde dat er niets mooiers bestond dan pril geluk en dat ze urenlang naar die twee kon kijken.

Een postpaard draaft ook zonder koetsier naar de volgende halte en zodoende was Janki 's maandags weer in Baden; hij opende op tijd de winkel en bediende beleefd glimlachend zijn klanten. Zoals afgesproken ging hij om twee uur zelfs een woning bezichtigen, schuin tegenover Het Rode Schild, waar je vanuit de salon direct op de nieuwe etalages zou uitkijken. De eigenaar van het huis, een zekere meneer Bäschli, was een oude man in een ouderwetse geklede jas die de gewoonte had constant in zijn handen te wrijven, niet met draaiende bewegingen zoals bij het inzepen, maar met gestrekte vingers, alsof het winter was en hij het maar niet warm kon krijgen. Op de benedenverdieping van hetzelfde huis had hij een winkel in huishoudelijke artikelen, zoals hij dat noemde, het was meer een rariteitenkabinet met rekken vol vazen en schilderijen, maar ook oude botertonnen en kapotte spinnewielen. Na het bezichtigen van de woning – 'Denkt u er rustig over na, neemt u er de tijd voor, het heeft geen haast' – stond hij erop dat Janki nog een kijkje in de winkel nam; wie een nieuw gezin stichtte had van alles nodig en bij hem had al menigeen geheel onverwachts iets gevonden waar hij, zonder het te weten, al de hele tijd naar had gezocht.

Janki wilde weliswaar terug naar de Vordere Metzggasse waar, al was de vroege middag meestal een heel rustige tijd, misschien al een klant wachtte, maar uit beleefdheid deed hij Bäschli het plezier. De oude man bood hem eerst een paar geelkoperen kandelaars in de vorm van Ionische zuilen aan, met in de cannelures nog de was van al lang gedoofde kaarsen. 'Een joods huishouden heeft kandelaars nodig,' zei Bäschli met de trots van een geleerde die een obscuur brok boekenkennis eindelijk een keer in het dagelijks leven kan toepassen. Ook het allengs donkerder en daardoor bijna onherkenbaar geworden schilderij van een man met een baard – 'Het zou een rabbijn kunnen zijn!' – had niet Janki's interesse. Hij wilde al afscheid nemen, maar Bäschli verzekerde hem handenwrijvend dat hij nog iets heel speciaals had, iets wat hij niet aan elke klant liet zien, het was afkomstig van een heel voorname familie en Janki moest het beslist bekijken. Uit een rustiek beschilderde kast – 'Ook te koop, maar ik denk niet dat het iets voor u is' – haalde hij een merkwaardig zilveren apparaat waar een kristallen fles in zat. 'Een Tantalus,' zei Bäschli trots. 'Ik weet niet of u zich ooit hebt beziggehouden met Griekse sagen. Tantalus was de man die dorst moest lijden terwijl hij in het water stond.' Hij bewoog de ingesloten fles voor het raam heen en weer. De fles was bijna helemaal gevuld met een goudkleurig glinsterende vloeistof, die in het zonlicht begon te stralen. 'Vermoedelijk een zeer edel vocht,' zei Bäschli. 'Veel te edel om er zomaar iemand aan te laten komen. Vandaar de sluiting, hier vanboven, ziet u? Dan kan het dienstmeisje nog zo'n dorst hebben, hier wordt niet uit gedronken. Alleen wie de sleutel heeft kan de fles eruit halen.' Hij zette de Tantalus voor Janki neer en wreef nog harder in zijn handen. 'Daar wringt de schoen. De sleutel zit er niet bij. Maar het ziet er ook zo heel decoratief uit, op een buffet of in een vitrine. Ik verkoop hem u voor een schappelijke prijs. Een heel schappelijke prijs, want eerlijk gezegd lijkt het me verschrikkelijk om je leven lang naar iets te moeten kijken wat je toch nooit krijgt.'

Dat was het moment waarop Janki zijn besluit nam. Misschien bestond er een logisch verband tussen de Tantalus, die hij zonder af te dingen van Bäschli kocht, en wat er verder gebeurde, maar daar dacht Janki niet over na. Hij was iemand die alleen echt leefde als hij gehaast was en hij kon zich niet herinneren ooit zo'n haast gehad te hebben.

Hij opende zijn winkel niet eens meer, maar ging er alleen even heen om de Tantalus midden op de toonbank te zetten, hij liet zelfs geen berichtje achter voor de boerentrien, die dus voor de dichte deur zou staan en vergeefs op haar toezichthouder bij het schoonmaken zou wachten. 'Ik betaal haar de dag wel,' nam hij zich voor. Dat maakte nu ook niet meer uit.

Onderweg had hij last van zijn wandelstok. Je kon er niet goed mee doorstappen als je geen tijd had om te hinken. Hoewel hij sneller liep dan anders, zag hij langs de weg allemaal dingen die hem tot dusver nooit waren opgevallen. Een oude grenspaal tussen twee gemeenten, waarvan nog slechts het met mos begroeide uiteinde uit de grond stak; je kon je voorstellen dat hier, als een asperge, een zuil groeide. Een tuinhek waar op elke spijl een zwaluw zat, waardig geklede rekwestranten in de wachtkamer van een ambtenaar. Een brede, imposante notenboom die hem aan zijn grootvader herinnerde, hoe die aan zijn tafel bij het raam achter zijn folianten had gezeten en altijd alles had geweten.

Slordige wolken dreven met hem mee en schenen net zoveel haast te hebben als hijzelf. Tussen de wolken probeerde de zwak geworden herfstzon met uiterste krachtsinspanning de wereld nog een keer te warmen – een oude man die veel te laat merkt wat hij in het leven heeft gemist. In de lucht hing de geur van verbrand hout; de schoorstenen leken al te oefenen voor de winter, die niet lang meer op zich zou laten wachten.

De weg was nog nooit zo kort geweest. Zonder het te merken moest hij haast gerend hebben, want toen hij de daken van het dorp voor zich zag was hij buiten adem. Hij probeerde zich te beheersen, een houding te vinden die overeenkwam met zijn besluit, hij gebruikte zijn wandelstok weer en hinkte zelfs een beetje. Toen hij voor het huis met de twee deuren aankwam, was hij weer helemaal Jean Meijer, een zakelijke zakenman die besluiten wist te nemen en zo nodig fouten corrigeerde.

De voordeur was op slot en niemand reageerde op zijn geklop.

Salomon was waarschijnlijk voor zaken op pad, Golde zou ergens, bij de Picards of de Wylers, koffiedrinken en vol voorpret klagen over de beslommeringen van de ophanden zijnde bruiloft, en Mimi zat bij Anne-Kathrin of had in het nieuwste nummer van *Journal des Modes* een afbeelding ontdekt die ze hoognodig aan de naaister moest laten zien. Maar Chanele, Chanele moest toch thuis zijn!

Janki bonkte net zo lang op de deur tot mevrouw Oggenfuss misprijzend haar hoofd uit een raam aan haar kant van het huis stak. Toen ze Janki herkende glimlachte ze beleefd, want sinds hij niet alleen klant maar ook lakenkoopman was geworden, had ze veel respect voor hem. 'Niemand thuis,' riep ze. 'Kan ik iets voor u doen?'

Nee, mevrouw Oggenfuss kon niets voor hem doen.

Hij vond Chanele bij rode Moisje. Door het deurraam kon hij haar naast het vat met de augurken zien staan. De augurken werden per stuk en niet per gewicht verkocht en Chanele controleerde met een streng gezicht of Moisje geen al te kleine exemplaren voor haar uit de ton viste.

Ze droeg de bruine jurk die zo lang in de achterkamer van het stoffenhuis aan zijn hangertje had gehangen. Het witte batisten garneersel was alleen aan de manchetten te zien, want het was al koeler en Chanele had een donkerblauwe doek met franje om haar hals geslagen. Die twee kleuren passen niet bij elkaar, dacht Janki en hij merkte zonder verbazing dat dat de gedachte was van een eigenaar en niet van een waarnemer.

Hij liep voor de winkel heen en weer, bleef zo nu en dan staan en legde zijn hoofd in zijn nek, alsof hij het wel erg lange naambord woord voor woord in zijn geheugen wilde prenten. KRUIDENIERS- EN SPECERIJENHANDEL MOSES BOLLAG prijkte erop en daarnaast, op een bewust vrijgehouden plek, maar in andere letters: & ZN.

Chanele stond nu bij de toonbank en leek over iets te onderhandelen. Rode Moisje, bekend om zijn krenterigheid, schudde zijn hoofd en gebruikte, zuinig als hij was, dezelfde beweging om in zijn haar te krabben. Het was niet meer zo rood als het in zijn jeugd waarschijnlijk was geweest.

In het smalle straatje was niet veel te zien, maar Janki bestudeerde elk portiek, elk vooruitspringend stukje muur, elke bloempot op een vensterbank. Wat deed Chanele toch zo lang? Hij had bij zijn klanten gezien dat je nu ook horloges voor vrouwen had. Misschien moest hij … 'Alles op zijn tijd, Janki,' onderbrak hij zichzelf. 'Alles op zijn tijd.'

Rode Moisje, je kon het zelfs door het vuile raam duidelijk aan zijn hangende schouders zien, had moeten toegeven. Hij gooide een handvol – wat waren dat? kurken? – in Chaneles boodschappenmand en wendde zich kribbig van haar af. Chanele hing haar mand aan haar arm. Janki liep vlug drie passen van de deur weg. En toen stonden ze tegenover elkaar.

'Waar heb je kurken voor nodig?' vroeg Janki. Het was absoluut niet wat hij had willen zeggen, maar het ontglipte hem gewoon.

'Om het bestek mee in te wrijven tegen de roest,' zei Chanele.

'Dat wist ik niet,' zei Janki.

'Jij weet zoveel niet.'

Ze leek niet verrast hem te zien, in elk geval stelde ze geen vragen. Ze ging op weg naar huis en stond toe dat hij naast haar liep.

'Zal ik je mand dragen?' vroeg Janki.

'Dat zou ik nooit vragen van een oorlogsinvalide.'

'Ik moet met je praten,' zei Janki.

'Als het moet, dan moet het maar.'

'Kunnen we niet ergens …?'

'Jij wilt praten, ik niet.'

Chanele hield haar pas geen moment in. En dus moest hij rennend over zijn belangrijke besluit vertellen, over de fout die hij nu pas had ingezien – 'Maar het is nog niet te laat om hem te herstellen!' –, hij moest midden op straat uiteenzetten dat het uiteindelijk niet aankwam op de bruidsschat maar op het feit dat iemand van aanpakken wist, hij moest over een nog niet helemaal opgedroogde regenplas springen terwijl hij haar uitlegde dat Mimi van iemand anders hield – 'Ze heeft hem gekust! Ik heb het zelf gezien!' – en dat het daarom waarschijnlijk beter was om, nu er nog niets officieel was, de consequenties te trekken en ...

Hij had zijn zin nog niet af toen ze bij de voordeur aankwamen en Chanele voor het eerst bleef staan.

'Wat wil je me vertellen?' vroeg ze alsof hij niet de hele tijd op haar had in gepraat.

'Wil je met me trouwen?'

Chaneles enige reactie was dat ze de zware mand van haar ene arm aan haar andere hing. 'Certainement pas, monsieur Jean,' zei ze en ze verdween in het huis.

Als Janki echt in Sedan had gevochten, in het kanongebulder en de kogelregen, dan had hij daar niet zoveel moed voor nodig gehad als voor zijn gesprek met Salomon. Het was de angst voor Salomons reactie, natuurlijk, maar hij had die moed vooral nodig vanwege zichzelf. Hij had van het ene schip op het andere over willen stappen, nog in de veilige haven, en nu was er geen tweede schip meer en moest hij toch uitstappen, dat was hem wel duidelijk geworden, hij moest in het water springen en zwemmen en wist niet eens waar de oever was.

Salomon, de veehandelaar, vertrok geen spier, nam een snuifje, niesde, trommelde met zijn vingers op de tafel en probeerde iets op Janki's gezicht te lezen.

'We waren twaalfduizend frank overeengekomen,' zei hij.

'Het gaat niet om geld.'

Salomon ging door met trommelen. Volgens hem ging het altijd om geld.

'Is er een andere reden?' vroeg hij.

Janki knikte.

'Noe?'

'Ik wil er niet over praten.'

'Mimi!' Op de vele veemarkten had Salomon geleerd moeiteloos zijn stem te verheffen. Zijn kolossale lichaam bewoog niet, zijn ogen bleven op Janki gericht en zijn vingers gingen door met trommelen zonder uit de maat te raken. Maar in de andere helft van het huis keek mevrouw Oggenfuss haar man aan en zei: 'Daar heb je de poppen aan het dansen.'

Mimi permitteerde zich niet het getreuzel waarmee ze anders haar eigen gewichtigheid graag een beetje opblies, maar verscheen prompt in de kamer.

'Je chosen wil de choepe afzeggen. Weet je waarom?'

'Ik weet waarom,' zei Mimi.

Je weet het niet, dacht Janki.

'Ben je van plan het me te vertellen?'

Mimi schudde haar hoofd.

Salomon streek met zijn vingers over zijn bakkebaarden, hij leek er iets te zoeken wat hij kwijt was en dringend terug moest vinden. Mimi en Janki stonden erbij zonder elkaar aan te kijken.

'Noe,' zei Salomon ten slotte. En dat betekende: 'Nu zijn we van de wal in de sloot geraakt, maar er is tenminste niemand gestorven.'

'Ik ga een woning in Baden zoeken,' zei Janki. 'Dat lijkt me beter.'

'Ja,' zei Salomon. 'Dat lijkt me beter.'

'Het spijt me,' zei Janki.

Niemand pakte de hand die hij uitstak en dus liep hij zonder een woord te zeggen naar de deur.

'Je bent je stok vergeten,' zei Salomon. 'En je hinken.'

Nu pas begon Mimi te huilen.

Abraham Singer giechelde.

Hij zat in de keuken van Sarah Pomeranz, had drie plakken van haar beroemde marmercake gegeten – 'De beste die ik ooit in mijn mond heb gehad, mijn tanden mogen uitvallen als ik lieg!' –, had verslag gedaan van een geboorte in Neu-Breisach en van een begrafenis in Straatsburg, had zijn verhalen verteld, van de koetsier die zijn paard laat stelen en van de drie marskramers die in de beek vallen, was toen na alle gebruikelijke omwegen eindelijk op de eigenlijke reden van zijn bezoek gekomen en precies op dat moment volkomen ongegrond gaan lachen. Hij giechelde nu al minuten zo hulpeloos dat zijn kleine lichaam ervan schudde, en hoestte kruimels van de marmercake in zijn geruite zakdoek.

Singers lachbuien waren zo bekend dat er zelfs grappen over werden gemaakt, zoals die waarin hij werd vergeleken met de beroemde Frankfurtse cantor Lachmann. 'Wat is het verschil tussen Lachmann en Singer? Lachmann zingt en Singer lacht.' Maar zoals hij er nu bij zat en van onbedwingbaar plezier met zijn korte beentjes spartelde, hadden Sarah en Naftali hem nog nooit gezien. Terwijl hij toch iets belangrijks van hen leek te willen; hij had erop gestaan, niet rechtstreeks natuurlijk, dat was niet zijn manier van doen, maar toch met niet mis te verstane toespelingen, dat Naftali uit de slagerij werd gehaald om er ook bij te zijn. En nu Naftali er was, lachte hij alleen maar.

Eindelijk kalmeerde Singer, nog slechts af en toe stegen er korte gilletjes in hem op, luchtbellen uit een vergaan schip, hij veegde met zijn reusachtige zakdoek over zijn voorhoofd, zodat de cakekruimels eraan bleven hangen, en zei ten slotte met een heel zwak stemmetje: 'Neem me niet kwalijk. Zait mir moichel. Maar het verhaal is ... Jullie zullen ook lachen. Of huilen. Het is hetzelfde lied, alleen met een andere melodie.'

'Welk verhaal?' Sarah Pomeranz was een beleefde en gastvrije vrouw, maar als ze eenmaal ongeduldig werd, was het niet raadzaam haar te laten wachten.

Abraham Singer knikte van onderaf en zei: 'Jullie zullen je nog wel herinneren' – alsof ze het zich niet zouden herinneren! – 'dat jullie me gestuurd hebben, niet direct gestuurd, laat ik niet liegen, maar jullie hebben me ook niet verboden erover te praten, dat jullie me over een sjidoech verteld hebben die jullie misschien zou interesseren ...'

'Er is niets van terechtgekomen,' zei Sarah, 'en u hebt het honorarium gehouden.'

'Honorarium!' Singer richtte zich in heel zijn bescheiden lengte op. 'Ben ik soms een sjadchen? Een geschenk hebben jullie me gegeven, waarvoor jullie in de andere wereld beloond zullen worden, en ik heb misschien hier of daar over de zaak verteld, zoals dat gaat als je veel reist.'

'Ik was er vanaf het begin op tegen! Wie ogen in zijn hoofd heeft, kan zien dat Miriam en Pinchas niet bij elkaar passen.'

Sarah keek haar man verbaasd aan. Hij had in huize Pomeranz doorgaans niet veel te zeggen. 'Hoezo?' vroeg ze. 'Is onze Pinchas soms niet goed genoeg voor haar? Alleen omdat ze zich uitdost als sjiepe malke? Of is een beheimesoucher beter dan een sjocheet?'

Abraham Singer giechelde alweer. Hij moest zelfs in zijn zakdoek bijten om zich te beheersen.

'Vergeet die sjidoech. Ik heb een betere voor jullie. Een veel betere.' En opnieuw lachte hij.

'Dat zal wel!' De schampere toon ging Sarah Pomeranz niet goed af. Een moeder aan wie je een bruid aanbiedt voor haar zoon, heeft grote moeite om te doen of ze niet geïnteresseerd is.

'Een goede familie,' zei Singer. 'En een nedinje – ik wens hem alle joodse kinderen toe. Twaalfduizend frank.'

Als Naftali een dochter had gehad, had hij haar nog niet de helft mee kunnen geven. 'En de ouders sturen u naar ons?'

Om de een of andere reden leek Abraham Singer die vraag onweerstaanbaar grappig te vinden. 'Nee,' giechelde hij. 'De ouders sturen me niet. De ouders hebben geen idee.'

'Wie dan? De profeet Elia?'

'De kalle! De kalle spreekt me aan op straat, biedt me geld aan – ben ik soms een sjadchen? – en zegt tegen me, zus en zo. "Ga naar de familie Pomeranz en deel hun mee …" – ben ik soms een omroeper met een trommel? – "deel hun mee …" zegt ze en ik denk nog: waarom praat ze zo deftig? "Deel hun mee!"'

'Wie?' vroeg Sarah.

'Ik ben een beleefd mens,' zei Singer, 'moge het mij niet als hoogmoed aangerekend worden. Als men mij dat vraagt, waarom zou ik dan nee zeggen? Dus …' Zijn handen waren, in tegenstelling tot de rest van zijn lichaam, normaal van grootte en leken daarom reusachtig. Hij sloeg er als een omroeper een roffel mee op het tafelblad en was waarschijnlijk het liefst op de stoel geklauterd om zijn rol nog perfecter te kunnen spelen.

'Luister, luister!' kraaide hij. 'Ik deel jullie mee!'

'Hij is dronken,' zei Sarah.

'Het is maar goed dat ik kan zwijgen,' zei Singer. 'Je zou zo'n verhaal het liefst aan iedereen vertellen.'

'Vertel het één keer!' Sarah Pomeranz wrong haar handen van ongeduld.

'Nou dan. Een sjidoech voor jullie Pinchas. Een heel goede sjidoech. Op twee voorwaarden.'

'Voorwaarden?'

'Ten eerste,' zei Singer en hij sloeg de volgende roffel, 'ten eerste moet hij een stifttand krijgen.'

'Wat heeft zijn tand …?'

'Ik deel mee. En ten tweede …' – roffel – 'ten tweede moet hij uit Endingen wegtrekken.'

'Die vrouw moet mesjoege zijn.'

'Nee,' zei Singer, die niet meer lachte, 'mesjoege is ze niet. Zoals jullie weten komen er elk jaar meer joden in Zürich wonen en ze hebben geen eigen slagerij. Een sjochet zou daar niet alleen een parnose kunnen vinden, maar zelfs … Hij zou personeel moeten nemen.'

'Zürich?' Sarah herhaalde de naam zo klaaglijk alsof de stad in Amerika lag, onbereikbaar aan het andere eind van de wereld.

'Je neemt in Baden de trein,' zei Naftali. 'Binnen drie kwartier ben je er.'

'Hij is te jong voor een eigen slagerij.'

'Wat moet ik hem nog leren?'

'Veel te onzelfstandig!'

'Hij sjecht een koe al beter dan ik.'

'Een dromer is het.'

'Willen jullie me niet iets vragen?' onderbrak Singer de discussie.

'Wat?'

'Wie de kalle is?'

'Ja,' zei Naftali, 'natuurlijk. Wie …?'

'Laat maar!' zei Sarah en ze stond op. 'Hij kan zwijgen, hij zal het ons niet verklappen. Bovendien is me net te binnen geschoten …' Ze gaf haar man een tik, zoals de meester op het cheider doet als een leerling het eenvoudigste antwoord niet weet. 'Mij is te binnen geschoten dat ik dringend een bezoek moet afleggen. Bij Golde Meijer. Ik kan me zo voorstellen dat we een hoop met elkaar te bespreken hebben.'

14

Wie de naaister plotseling heel andere monogrammen op het linnengoed van zijn uitzet laat borduren, kan net zo goed meteen de trommelaar bestellen om zijn nieuwtjes in het dorp uit te bazuinen. In
Endingen, waar men het droge brood van alledag altijd graag kruidde
met de sensaties van andere mensen, was men op de hoogte. Maar men
deed Mimi een plezier en speelde het spelletje mee als ze met een pare-
lende lach haar lokken schudde en zei dat ze het nog steeds niet kon
begrijpen, nu hadden de mensen toch echt gedacht dat zij en Janki –
hoewel ze neef en nicht waren, ja, hij was als een broer voor haar,
terwijl Pinchas, nou ja, nu de chassene vastgesteld was kon ze het wel
toegeven, als klein meisje was ze al gek op hem geweest. En het mesjoegene was, zei Mimi terwijl ze nog parelender lachte, dat zij zelf van het
hele misverstand al die tijd niets had gemerkt, overal hadden ze haar
gefeliciteerd met haar aanstaande, met de gelukkige, en ze had geen
idee gehad – geen idee! – dat iemand daar Janki mee kon bedoelen, uitgerekend Janki, die vast nog lang niet aan trouwen dacht, aangezien
zijn winkel het enige was wat hem interesseerde. Maar dat kwam nu
eenmaal door die ouderwetse gewoonten, ze had haar vader gesmeekt,
gewoonweg gesmeekt, de verloving toch alsjeblieft zo bekend te maken
als tegenwoordig onder beschaafde mensen gebruikelijk was, met
gedrukte kaarten, maar daar had hij niets van willen weten en zo was
dus het idiote misverstand ontstaan dat uitgerekend zij en Janki – ze
moesten het haar maar niet kwalijk nemen als ze er hard om moest
lachen.

De mensen waren beleefd en zeiden 'Me nesjoeme!' en 'Hoe bestaat
het?' en Mimi liep altijd met het hoofd in de nek door het dorp. Thuis
was ze net zo onuitstaanbaar als toen ze op haar vijftiende te horen had
gekregen dat Mimolette de naam was van een kaas. Ze had zich belachelijk gemaakt en omdat ze wist dat het haar eigen schuld was, kon ze
het de anderen niet vergeven. Urenlang sloot ze zich op in haar kamer
en als Pinchas, zoals te doen gebruikelijk, op bezoek kwam liet ze hem

weten dat hij, als ze eenmaal getrouwd waren, nog genoeg gelegenheid had om haar de oren van het hoofd te kletsen.

Pinchas zat dan, vaak tot laat op de avond, met Salomon in de kamer, waar ze met elkaar bespraken wat er allemaal nodig was om een koosjere slagerij in Zürich te openen, want dat plan, dat Mimi eigenlijk alleen had bedacht om aan Endingen en de blikken van de mensen te ontkomen, vond iedereen beslist het overwegen waard. Salomon kon het goed met zijn zo abrupt verruilde schoonzoon vinden, hij leerde hem zelfs snuiven, een gewoonte waar Janki zich altijd fel tegen had verzet, en hij kon hartelijk lachen als Pinchas, in zijn streven het al te goed te doen, een overgrote hoeveelheid Alpenbrise opsnoof en dan zo hard moest niezen dat het keppeltje van zijn hoofd viel. Toen hij zich ook nog voor het stamboek van de Simmentaler koeien begon te interesseren en zelfs een heel zinnig voorstel deed om de ingewikkelde lijsten overzichtelijker te maken, had hij Salomon voorgoed voor zich ingenomen.

'Er staat een goed hoofd op zijn schouders,' zei hij 's nachts in bed tegen Golde, 'al zou je dat op het eerste gezicht niet zeggen. Maar als hij eenmaal die stifttand heeft, zal hij ook niet meer overkomen als sjiepe ziebele. Je zou gerust wat aardiger tegen hem kunnen zijn.'

Golde gaf geen antwoord. Toen Salomon allang lag te snurken, staarde ze nog steeds naar de oneindigheid van het donkere plafond en kauwde op haar onderlip. Pinchas, ze kon het nu eenmaal niet helpen, was voor haar een ondergeschoven kind, een indringer die haar Janki had verdreven, háár Janki, jawel, een mens kan zijn gevoelens nu eenmaal niet veranderen. Als dan sjiepe ziebele, de laagste kaart in het spel, de slag had gewonnen, goed, op een gegeven moment zou ze er wel aan wennen, zoals ze in het leven aan veel dingen gewend was geraakt, maar zich verheugen, nee, dat kon niemand van haar verlangen, dat niet. Tijdens het inslapen probeerde ze haar humeur te verbeteren door zich alle feestelijkheden van de ophanden zijnde bruiloft voor te stellen, maar ze zag alleen lege tafels, een choepe zonder gasten en een muzikant die niet één toon aan zijn viool wist te ontlokken.

Ook Chanele was naar bed gegaan, in haar hemd dat niet van batist was. Naast haar lag oom Melnitz, hij rook naar vochtig stof en koude aarde, vlijde zich dicht tegen haar rug, zoals een naaktslak zich tegen een groen blad vlijt, en praatte met zijn toonloze oudemannenstem op haar in.

'Braaf,' zei oom Melnitz, 'heel braaf. Je hebt dus besloten een martelares te worden. Wat goed. Wat verheugend. Je dient geprezen, ja. Wij joden houden van martelaars. We moeten wel van ze houden. We hebben er zoveel. Er zullen liederen voor je gezongen worden. "Wilde die man niet hebben, liet zich levend begraven." Ei, ei, ei. Je kunt trots op jezelf zijn. Iedereen zal trots op je zijn. Ze zullen je verhaal aan jonge meisjes vertellen als ze verliefd worden op de verkeerde. Het verhaal van Chanele uit Endingen, die Janki niet nam omdat zij de grote liefde wilde en hij alleen de kleine voor haar had. Een slechte deal, die hij je heeft aangeboden, Chanele. Je hebt gelijk dat je hebt geweigerd.'

Hij sloeg zijn magere koude armen om haar heen en drukte haar tegen zich aan. 'Je hebt juist gehandeld,' fluisterde hij in haar rug. 'Je hebt geen compromissen gesloten. Je eer is gered, dat is het enige waar het op aankomt. Een martelares, zoals wij ze graag zien. Zoals de vrouwen van Massada, die zelfmoord pleegden voordat de vesting viel. Zoals de vrouwen van Worms, die van de daken sprongen toen de kruisvaarders de stad onder de voet liepen. Zoals de vrouwen van Lublin, die zich in hun brandende huizen verschansten om niet in handen van de kozakken te vallen. Je bent een heldin, Chanele. Een van hen. Nee, je bent een nog grotere martelares, want jij moet met je heldhaftigheid verder leven. Een oude vrijster zul je worden, je zult toekijken hoe andere vrouwen kinderen krijgen, je zult nog steeds borden afwassen en pannen schuren en bij jezelf zeggen: "Ik heb hem niet genomen omdat hij het paradijs niet aan mijn voeten legde en met minder wilde ik geen genoegen nemen." Braaf, Chanele. Heel braaf. Als je de hemel niet kunt krijgen, hoef je ook de aarde niet te hebben.'

Zijn handen, stoffig perkament, gleden onder haar nachthemd, dat niet van batist was, en zijn stem ging door met fluisteren. 'Wij hebben aanleg voor het martelaarschap, wij joden. Wij dragen het in ons als een ziekte. En weet je waarom, Chanele? Weet je waarom? Omdat we te laf zijn om geen helden te zijn. Omdat we niet de moed hebben om vuil water te drinken en liever omkomen van dorst. We zijn nu eenmaal uitverkoren en wie uitverkoren is mag niet minder willen dan alles. Je begrijpt me toch, Chanele? Je bent toch trots op je berusting? Is het geen mooi gevoel om zo te lijden?'

Hij kroop in haar, schurkte zijn uitgedroogde lichaam tegen haar jonge lijf, bevingerde haar borsten en haar nutteloze buik en bleef maar doorpraten. 'Ik ben trots op je, Chanele. Ze zijn allemaal trots op je. Ze zouden trots op je zijn als ze wisten wat je gedaan hebt. Niemand zal zeggen: "Het was dom dat ze hem heeft laten gaan." Helemaal niemand. Echt niet. Bewonderen zullen ze je. Bewonderen. Er zullen kinderen naar je genoemd worden. Andermans kinderen, want eigen kinderen zul je niet krijgen. Ben je trots op jezelf, Chanele? Ben je trots? Ja?'

Toen ze wakker werd, voelde ze zijn muffe handen nog, rukte het nachthemd, dat niet van batist was, van haar lijf en bleef zich maar wassen.

Janki had leren pakken, in het stoffenmagazijn van monsieur Delormes en in het leger. Hij had een mand aangeschaft, een grote mand met stoffen draagbanden die je als een ransel op je rug kon hangen, hij had hem niet van Golde geleend, maar op de markt in Baden gekocht en meegebracht. Niemand stelde een vraag toen hij ermee aankwam; de mensen kijken de andere kant op als er een doodkist naar binnen wordt gedragen. Toen hij vertelde dat hij een woning had gehuurd, niet de grote bij Bäschli, maar een garçonnière met twee kleine kamertjes, knikten ze en veranderden gauw van onderwerp. Alleen Golde zei: 'Dan moet je beslist …' maar de zin bleef in de lucht hangen als een papieren vlieger die in een boom verstrikt raakt.

Janki vouwde zijn uniformbroek op, elke vouw waar hij hoorde. Ook de roodzwarte jas met de distinctieven die ze er zelf op hadden moeten naaien; de enige keer dat hij in het leger iets beter had gekund dan zijn kameraden. Het oude verband had Chanele gewassen en weer netjes opgerold, hij deed het erbij, een herinnering aan tijden waarover hij pas graag zou vertellen als de werkelijkheid ervan vergeten was. De gele halsdoek die niet meer bij hem paste; alleen jongens met puisten, die hij niet in dienst nam, bonden zoiets om hun hals, een zakenman met een eigen winkel niet. Overhemden had hij meer dan hij nodig had. Drie vesten met zakken, groot genoeg voor een zilveren horloge – ooit zou hij er zo een kopen als monsieur Delormes had gehad, met een breloque aan de zware ketting. Zijn scheerspullen. Als eerste zou hij een kom voor de zeep moeten aanschaffen. En handdoeken natuurlijk. Beddengoed. Hij had er nog helemaal niet bij stilgestaan dat je beddengoed nodig had en bij Bäschli alleen een ledikant met een matras gekocht, en die had in zijn handen gewreven en gezegd: 'Maar één bed? Dat is niet veel voor een nieuw huishouden.' Ook serviesgoed zou hij nodig hebben, maar dat was niet dringend, eerst moest hij …

'Laat mij dat doen.' Chanele was binnengekomen zonder te kloppen, als in een kamer waar niemand woont. Ze keek met een keurende blik naar de kledingstukken die hij netjes op een rij op het bed had gelegd, pakte de uniformjas, sloeg hem uit en vouwde hem met zorg anders op; in haar concentratie zag ze eruit als iemand die zich over een zieke boog.

'Ik red het wel alleen,' zei Janki.

'Natuurlijk,' zei Chanele. 'Wie zou dat durven betwijfelen?'

'Je weet dat ik vanwege jou verhuis,' zei Janki.

'Niet vanwege Mimi? Tenslotte was je met haar verloofd.'

'Omdat ik niet had begrepen …'

'O,' zei Chanele terwijl ze druk met een overhemd in de weer was. 'En nu heb je het wel begrepen?'

'Maar jij wilt niet,' zei Janki.

Chanele maakte een merkwaardig onaffe beweging met haar hoofd; het was niet duidelijk of het knikken of schudden was. 'Nee,' zei ze ten slotte, 'ik wil niet. Maar ...'

'Maar?'

'Staat er in de Sjoelchen Orech dat je altijd moet doen wat je wilt?'

Janki greep haar handen, die net een overhemd opvouwden. Nu hing het aan de mouwen tussen hen in, een kind dat zich in het gesprek van zijn ouders mengt.

'Wil dat zeggen ...?'

Chanele keek hem lang aan, twee sceptische ogen onder wenkbrauwen die elkaar niet meer in het midden raakten. Toen maakte ze haar handen los, draaide zich om en streek op het bed het overhemd glad, telkens weer, ook toen het allang niet meer nodig was.

'Je had me best een tweede keer kunnen vragen,' zei ze.

'Had je dan ja gezegd?'

'Weet je,' zei Chanele en ze vouwde het overhemd dat ze al had opgevouwen, weer open. 'Ik heb geen nedinje. Ik heb geen familie. Ik heb geen plaats waar ik echt thuishoor. Kan ik me dan permitteren een aangeboden betrekking zomaar te weigeren?'

'Ik heb je geen betrekking aangeboden,' zei Janki heel verontwaardigd.

'Ik had de indruk.'

'Alleen omdat ik heb gezegd dat ik iemand nodig heb die van aanpakken weet?'

'Ik heb niets tegen werken.'

'Wat verwacht je van me? Dat ik je mijn liefde verklaar?'

'Niet meer.'

'Wat moet ik dan ...?'

'Helemaal niets.'

Janki ging op het bed zitten, midden op het net opgevouwen overhemd, en sloeg met zijn vlakke hand tegen zijn voorhoofd. 'Ik begrijp je niet.'

'Ik weet het.' Chanele knikte meer dan eens. 'Je bent dom.' Ze ging naast hem zitten, trok haar schouders op alsof ze een te strakke jurk aan moest doen, en zei toen heel zacht. 'Maar ook daar valt mee te leven.' En ze legde haar hand op de zijne.

'Mag ik je kussen?' vroeg Janki na een lange minuut.

'Nee,' zei Chanele. 'Later misschien. We zullen wel zien.'

Toen Janki bekendmaakte dat hij met Chanele ging trouwen, zei Salomon alleen: 'Noe!' en dat betekende in dit geval: 'In dit huis kijk ik nergens meer van op.'

Golde vergat bijna de twee te omhelzen, want terwijl Janki, minder welbespraakt dan ze anders van hem gewend waren, nog bezig was met zijn omslachtige verklaring, besefte ze dat ze nu een dubbele chassene moest voorbereiden, een taak die in de annalen van Endingen zijn weerga niet had.

Mimi reageerde tegen alle verwachting vriendelijk, haast opgelucht op het nieuws. 'Nu weet ik eindelijk,' zei ze later tegen Anne-Kathrin, 'dat het niet aan mij ligt dat Janki ... Zonder het te weten heb ik al die jaren een adder ...'

'... aan je boezem gekoesterd!' vulde Anne-Kathrin aan, die dezelfde boeken had gelezen.

De beide chassenes zouden op dezelfde dag plaatsvinden, dat leek Salomon wel zo praktisch. Toen de bruiloft werd voorbereid, stond Mimi erop dat Janki en Chanele – 'Iets anders komt absoluut niet in aanmerking!' – vóór haar onder de choepe gingen en alleen Anne-Kathrin vertrouwde ze toe waarom: 'Alle mensen zullen op mij en Pinchas blijven wachten en die twee staan dan na de inzegening buiten en niemand zal hen komen feliciteren!'

Janki had zich er al op ingesteld dat hij van de tweede winkel in Het Rode Schild moest afzien en was aangenaam verrast toen hij hoorde dat Chanele toch een nedinje had – en wat voor een! Chanele huilde zelfs toen Salomon het haar vertelde, wat de veehandelaar, die zoiets niet van haar kende, erg onaangenaam vond. Om de zaak niet nog ingewikkelder te maken, verklapte hij hun niet dat het bedrag alleen zo hoog was omdat Janki de eerste keer slecht had onderhandeld.

Voor een tweede uitzet kon in die korte tijd niet meer gezorgd worden, maar ze wisten zich te behelpen. 'Wat ons betreft,' zei Golde, 'hoeven ze in Baden niet op hun blote tooches te liggen.' De garçonnière werd opgezegd nog voordat Janki erin was getrokken; ze huurden de woning boven Bäschli's winkel in huishoudelijke artikelen en Janki schreef naar Guebwiller vanwege de meubels die nog altijd bij de koetsier waren opgeslagen. Toen ze werden bezorgd, bleken ze armoediger te zijn dan hij ze in herinnering had, maar voorlopig – zesduizend frank is nu eenmaal geen twaalfduizend – zouden ze het ermee moeten doen. Chanele naaide gordijnen en ten slotte hadden ze een woning waarmee ze weliswaar geen indruk konden maken op deftige gasten, maar waarin beslist te leven viel.

Chanele had heel duidelijk gemaakt dat ze een kamer wilde en geen salon, en daar stond nu op de oude tafel uit Guebwiller de Tantalus. Als de gordijnen – niet van shantoengzijde, maar ook bepaald niet van jute – open waren en de zon onder de juiste hoek naar binnen scheen, glansde de gele vloeistof als goud.

'Op een dag zal bij ons alles zo voornaam zijn,' zei Janki.

'Vier er sjabbes mee,' zei Chanele.

Op 17 december, twee dagen na Chanoeka, was in de synagoge van Endingen de choepe opgesteld.

Het was een koude dag, de koudste van het jaar. Wie erbij wilde zijn – en wie had het dubbele evenement willen missen? – moest op weg naar sjoel tegen een dichte sneeuwjacht optornen. De muzikanten die de bruiden thuis zouden ophalen, waren weliswaar op tijd verschenen, maar uit bezorgdheid voor zijn instrument weigerde de violist op straat te spelen, en de trompettist en de paukenist produceerden niet meer dan een somber ritme, waarop je in je dikke jas alleen maar kon sjokken in plaats van zwierig en trots voort te stappen

Mimi en Chanele liepen naast elkaar en als er iemand langs de straat naar hen had staan kijken – maar er stond niemand, het was veel te koud –, dan had hij wel moeten denken dat ze de beste vriendinnen waren. Ze hadden elkaar de afgelopen weken uiterst beleefd behandeld en maar één keer, toen ze op de dag vóór de bruiloft voor het rituele reinigings-bad naar het mikwe gingen en elkaar daar als het ware op neutraal ter-rein zagen, was tussen hen ter sprake gekomen wat hen werkelijk bezighield. Maar bij dat gesprek was niemand aanwezig geweest, behal-ve moeder Feigele, die zich graag in het mikwe nuttig maakte omdat daar altijd flink gestookt werd, en moeder Feigele was doof.

Mimi zette in haar dure nieuwe laarsjes voorzichtig de ene voet voor de andere en dacht intussen aan de historische roman die Anne-Kathrin haar had geleend, het verhaal van de koninginnen Elizabeth en Maria Stuart. Zij hadden ook zo naast elkaar gelopen en minzaam naar het volk geknikt, alleen was de een zonder het te weten op weg naar het schavot. Ik ben blij dat ik Pinchas krijg en niet die louche Janki, dacht Mimi en ze maakte zich wijs dat ze iets van medelijden voor Chanele voelde.

Tijdens de eerste inzegening moest ze in een zijvertrek wachten, naast een kist met stukgelezen heilige boeken, die lagen te wachten tot ze bij de eerstvolgende lewaje samen met de dode begraven zouden worden. Er was haar een stoel gebracht, maar die zag er stoffig uit en dus bleef ze liever staan en bibberde in haar witte jurk.

De geluiden uit de hal van de synagoge waren slechts als een ver gemompel te horen, zonder dat je de stemmen of zelfs afzonderlijke woorden had kunnen onderscheiden, en toch volgde Mimi het verloop van het ritueel tot in de details.

Eerst werd de bruid onder de choepe geleid. Omdat Chanele geen familie had in het dorp, hadden twee vrouwen uit de gemeenschap die ereplicht op zich genomen, Choelde Moos, die zich bij mitswes altijd graag op de voorgrond drong, en de vrouw van rode Moisje. De gebe-den en gezangen waren niet uit elkaar te houden, maar Mimi had ze toch mee kunnen zeggen en zingen. Het was trouwens maar een soort repetitie voordat ze, met dezelfde woorden en dezelfde melodieën, voor haar zouden weerklinken.

Nu leidden Salomon Meijer en Naftali Pomeranz Janki naar zijn kalle. Hij zette vast een heel vroom gezicht, steunde zwaar op zijn wandelstok en trok met zijn rechterbeen, de huichelaar.

Er werd gezongen en gebeden en toen ebde het vage geruis weg en hoorde Mimi – ze hoorde het niet echt en toch hoorde ze het – dat rav Bodenheimer de chosen de trouwbelofte voorzei en dat die elk woord afzonderlijk herhaalde. 'Hierdoor,' zei Janki. 'Ben jij mij geheiligd,' zei Janki. 'Door deze ring,' zei Janki. 'Volgens de wet,' zei Janki. 'Van Mozes en Israël.'

Het was net zo koud geweest, zo ijskoud als in deze kale ruimte, toen hij destijds in zijn uniform voor het huis had gestaan, een zeerover of een ontdekkingsreiziger, met zijn valse verband en zijn valse ogen. Ze gunde hem Chanele, en hóé, daarom glimlachte ze majestueus naar de dode gebedenboeken en maakte ze een minachtend gebaar met haar hand, net als Elizabeth in het boek toen ze zei: 'Sla haar het hoofd af, maar doe het met eerbied, want ze is een koningin zoals ik.'

En toen – het plotselinge lawaai verraste haar, want ze had helemaal niet meer aan de andere bruiloft gedacht, waarom zou ze ook? –, toen schreeuwden de mensen in de synagoge door elkaar. 'Mazzel tov!' riepen ze en dat betekende dat Janki het glas kapot had getrapt dat ter herinnering aan de verwoeste tempel bij elke bruiloft kapot wordt getrapt, dat de ceremonie was afgelopen of bijna afgelopen, dat Janki en Chanele een paar waren, een paar voor het leven, volgens de wet van Mozes en Israël.

Het was echt heel koud.

'Heb je gehuild?' vroeg Golde toen ze Mimi kwam halen.

'Waarom zou ik huilen?' vroeg Mimi.

Tussen Golde en Sarah Pomeranz liet ze zich naar de baldakijn leiden. We moeten er belachelijk uitzien, dacht ze nog, Sarah zo lang en mager en mijn moeder zo klein.

De mensen glimlachten naar haar en ze hield haar hoofd heel recht, als een koningin.

Toen ze onder de choepe stapte, kraakte er iets onder haar schoen. Het was een splinter van het glas dat Janki had gebroken.

1893

15

Oom Salomon liet nooit van tevoren weten wanneer hij naar Baden kwam. Janki had vaak genoeg aangeboden hem een koetsier te sturen: als hij maar op tijd op de hoogte was, kon hij makkelijk een wagen regelen, tenslotte leverde hij tot ver in het kanton. Maar Salomon wilde zich niet vastleggen. 'Ik ben mijn leven lang mijn eigen gang gegaan,' zei hij op zijn bekende stugge manier, 'en nu zou ik opeens een week van tevoren moeten weten wanneer ik waar ben?'

De waarheid was dat Salomon na Goldes dood een beetje zonderling was geworden. Zelfs Chanele moest dat toegeven. Soms sloot hij zich dagenlang in huis op, niemand wist of hij iets at, en als je langskwam om te kijken hoe het met hem ging weigerde hij open te doen, terwijl het toch een heel eind was van Baden naar Endingen, zelfs met de wagen deed je er algauw een halve dag over, die je dan in de zaak kwijt was. En hij? Hij liet je op straat staan, je moest kloppen en roepen en als hij zich dan eindelijk verwaardigde om de deur open te doen, zei hij dat hij niet gestoord wenste te worden omdat hij moest werken, hij was belangrijke ontdekkingen op het spoor en mocht zijn berekeningen in geen geval onderbreken. Het was niet meer de lijst van de Simmentaler koeien die hem intensief bezighield; de beheimeshandel had hij helemaal opgegeven. Salomons nieuwe passie – 'Het is meer een ziekte,' zei Janki – was de gematria, een kabbalistische methode om met de getalswaarde van Hebreeuwse letters ingewikkelde berekeningen uit te voeren om uit verschillen en overeenkomsten verborgen verbanden af te leiden. Salomon bleef ook hierbij op-en-top veehandelaar. Het jongleren met getallen had hij in duizend koehandels geoefend en als het hem lukte met veel rekenkundige trucs een nieuwe betekenis aan een woord te ontfutselen, kon hij zich daarover verheugen als over een voordelig gekochte koe.

'Mijn eigen naam,' zei hij bijvoorbeeld op docerende toon, 'Salomon, Sjlomo, heeft een getalswaarde van driehonderdvijfenzeventig. Golde had een getalswaarde van achtenveertig. Als je achtenveertig van driehonderdvijfenzeventig aftrekt – wat krijg je dan? Driehonderdzevenen-

twintig. En welk woord in de Tora heeft een getalswaarde van driehon-
derdzevenentwintig? Hoarbojim, de avondschemering. Wat wil dat zeggen? Sinds de goede God mijn Golde van mij heeft weggenomen, heeft
de avond zijn intrede in mijn leven gedaan. Mij rest niets anders dan te
wachten op de nacht, op de dood.' Als hij zulke dingen zei, was hij niet
verdrietig, maar glimlachte hij heel opgewekt, alsof de verklaring en het
gelijk krijgen hem voldoende troost boden.

Golde was heel onverwacht gestorven, in het harnas zogezegd. Ze was
in Zürich geweest, bij Mimi, die – me nesjoeme! – moeilijke tijden had
doorgemaakt en wie alles boven het hoofd groeide. Twee dagen lang had
ze die boerentrien van een dienstmeid de stuipen op het lijf gejaagd, was
weer in de trein gestapt om op tijd thuis te zijn voor de voorbereidingen
voor sjabbes en toen gewoon blijven zitten, ze was in Baden niet uitge-
stapt, in Turgi niet en niet in Brugg, en toen de man die daar de wagons
schoonmaakte haar met zijn vinger aantikte om haar wakker te maken,
was ze gewoon omgekieperd, 'als een zak meel', zei de man. Toen de chevre het lijk kwam halen, lag het in het bagagedepot. De rechterhand, die
al niet meer makkelijk open te krijgen was, hield nog altijd een tas vast.
Daar zat een groot stuk rookvlees in, de specialiteit van Pinchas' slagerij
in Zürich.

Op de begraafplaats halverwege Endingen en Lengnau was Salomon
nog heel kalm geweest en ook bij de sjivve was er behalve het normale
verdriet van een weduwnaar niets aan hem te merken. Maar toen Janki
hem op de laatste dag van de rouwweek heel rustig en omzichtig vroeg
of hij zijn huishouden in Endingen niet wilde opgeven en bij hen in
Baden wilde intrekken – er was genoeg plaats in de grote woning, ze
hadden een naaikamer die nooit werd gebruikt – was Salomon gaan
schreeuwen, heel onverwacht en tegen zijn gewoonte in. Ze moesten
hem met rust laten, had hij geroepen, hij wilde bij Golde blijven en verder had hij niets en niemand nodig.

Nu zat hij dagenlang over zijn berekeningen gebogen en de enigen van
wie hij bezoek kreeg waren de sjnorrers, die om het dubbele huis in
Endingen zwermden als bijen om een bijzonder welig bloeiende struik.
Van Białystok tot Mir had het adres de ronde gedaan als een plek waar
je niet eerst omstandig jeremiades over zieke ouders en hongerige kinderen hoefde af te draaien, maar waar het volstond een uurtje of twee
over je baard strijkend en knikkend het kabbalistische gefantaseer van
de heer des huizes aan te horen om dan rijkelijk bedacht en onthaald
verder te trekken. Janki klaagde telkens opnieuw over die zinloze geldverspilling, al benadrukte hij dat het hem niet persoonlijk aanging, want
zijn vrouw Chanele was dan wel in Salomons huis opgegroeid, maar
hoefde na diens dood nergens op te rekenen.

Soms gebeurde het ook dat Salomon al in de ochtendschemering zijn paraplu pakte en urenlang over de oude wegen liep, naar Zurzach bijvoorbeeld, op dagen dat er helemaal geen markt was, of naar de boerendorpen waar hij vroeger handel had gedreven. Daar ging hij – tot Janki's ergernis en Chaneles bezorgdheid werd het al overal rondverteld – zonder enige uitleg verschillende stallen binnen, verliet ze eveneens zonder een woord te zeggen, maakte de meiden aan het schrikken en liet zich door de knechten uitlachen. Ook 's nachts bleef hij weg en als je hem daarover aansprak, was hij ineens weer de oude superieure en humoristische Salomon.

'Natuurlijk kom ik het liefst onaangekondigd bij jullie,' zei hij op een keer, 'en het allerliefst 's middags als ik er zeker van kan zijn dat Janki in zijn stoffenhuis is en Chanele in de andere winkel. Dan kan ik in de keuken gaan zitten, de dikke Christine zet koffie voor me, er is altijd wel een stuk brood of cake en ik kan in alle rust met mijn vriend Arthur praten.'

Arthur, het nakomertje, hield van zijn oom Salomon omdat die hem als een volwassene behandelde. 'Je bent bijna bar mitswe,' had Salomon hem uitgelegd, 'dertien jaar oud, en dertien, dat is de getalswaarde van het woord echod. Wat betekent echod? Echod mi joudea? Noe? Heb je niet opgelet op het cheider?'

'Echod betekent één.'

'Precies! En wat heeft dertien met één te maken? Heel eenvoudig: als je dertien bent, ben je niet meer gewoon een deel van je familie, maar een mens op zich. Een individu. Een man. En dan zou ik niet serieus met je praten?'

Als je altijd de jongste bent geweest, altijd degene die het minst begrijpt, dan is er niets waardevollers dan iemand die je het gevoel geeft dat je op gelijke voet met hem staat. Niet dat Arthur jaloers was op zijn oudere broer en zus, dat lag niet in zijn aard. Hij had een lage dunk van zichzelf en wist dat hij nooit zo elegant zou glimlachen als Sjmoeël of zo van binnenuit zou stralen als Hinda. Hij was niet eens een lief ventje, wat toch de natuurlijke rol voor een benjamin geweest zou zijn. Arthur was een houterig kind, hij zat niet lekker in zijn vel en verzonk steeds weer in gedachten die te ingewikkeld waren voor zijn onrijpe verstand. Vroegwijs werd hij vaak genoemd, maar dat klopte niet. Arthur was laatwijs en dat kan heel pijnlijk zijn.

Sjmoeël daarentegen, of eigenlijk François ... Alleen al het feit dat zijn broer twee verschillende namen had maakte diepe indruk op Arthur. Hij had ook graag een tweede persoonlijkheid gehad om in te kunnen kruipen en 's nachts, als de bladeren van de plataan onheilspellende schaduwen op de muur van zijn kamer wierpen, bedacht hij voor zichzelf soms een Siegfried of Hector, een breedgeschouderde, blonde jongen die nooit bang was, die harder kon rennen dan alle anderen en een bal kon gooien zonder dat zijn medeleerlingen 'Meidengooi! Meidengooi!' schreeuwden.

Dat hun oudste zoon twee namen had kwam omdat Janki en Chanele in de eerste week van zijn leven, de acht dagen tot aan de bries, zoals zo vaak van mening verschilden. Janki pleitte voor François, naar zijn vereerde maître Delormes, terwijl Chanele, die haar eigen ouders nooit had gekend, erop stond dat het kind naar Janki's overleden vader werd genoemd, Sjmoeël dus, want alleen als iemand hun naam draagt leven de doden voort. En trouwens, wie had er ooit gehoord dat een joodse jongen naar een gojse kleermaker heette?

Ze werden het er niet over eens hoe de jongen genoemd moest worden, maar ze maakten er ook geen ruzie over, zoals ze toch zelden ruziemaakten, ze dreven gewoon, ieder voor zich, hun zin door, alsof ze twee verschillende eerstgeboren zoons hadden, Janki een François en Chanele een Sjmoeël.

Sjmoeël-François of François-Sjmoeël leerde al vroeg voor de een dit en voor de ander dat te zijn en daar voor zichzelf zo veel mogelijk profijt van te trekken. Toen hij, vrij laat, begon te praten, praatte hij over zichzelf in de naamloze derde persoon, zei 'Hij heeft honger' of 'Hij wil niet slapen' en laveerde zo trefzeker tussen zijn ouders, alsof zijn kind-zijn maar een rol was en de verwarde krullenkop niet meer dan een toneelpruik. Toen zijn haar zoals gebruikelijk op zijn derde verjaardag voor het eerst werd geknipt, had Chanele het gevoel dat er een volkomen vreemde tevoorschijn kwam, iemand die ze niet kende en voor wie ze een merkwaardige angst bespeurde.

Intussen was François al eenentwintig, rookte in een pijpje van net echt barnsteen Russische sigaretten en had een snor die hij elke dag insmeerde met was. Zijn haar temde hij met behulp van een pommade die hij in kleurige blikjes bij de kapper kocht. Op het dekseltje stond een Indiase maharadja naast een Engelse officier en als de blikjes leeg waren, kreeg Arthur ze om er de dingen in te bewaren die hij verzamelde: postzegels natuurlijk, dat doet elke schooljongen, maar ook de afbeeldingen van vreemde volkeren die in sommige pakjes sigaretten zaten, en toverplaatjes die leken te veranderen als je er langer naar keek.

Ook Hinda steunde Arthur in zijn verzamelwoede. Zij was het van wie hij zijn meest waardevolle stuk had gekregen: een *ticket d'entree* met de afbeelding van een Griekse god die geïnteresseerd maar gelaten naar een muze luistert. Janki had het voor haar, natuurlijk voor haar, als souvenir meegebracht van een van zijn inkoopreizen naar Parijs. Het was zijn entreekaartje voor de wereldtentoonstelling, waar hij levende wilden en alle vierhonderddrieënnegentig uitvindingen van Thomas Edison had gezien. Arthur wilde voor zijn bar mitswe niets liever dan een microscoop, want ook hij zou graag een uitvinder willen zijn en hij was zijn zus dankbaar dat ze hem niet uitlachte als hij dat vertelde.

Vrijwel zonder haar pijn te doen was Hinda destijds uit Chanele gefloept. Zoiets bestond eigenlijk niet, zei de vroedvrouw, maar ze had er een eed op durven doen dat het kind, nog maar half geboren, al met open ogen naar het licht had geglimlacht, en glimlachen deden baby's anders nooit zo vroeg. Bij de holekraasj, de naamgeving van meisjes, liet Hinda zich in haar mandje optillen en ronddragen zonder ook maar één keer te huilen. Salomon vertelde vaak dat Golde daarom van ontroering tijdens de hele soede haar ogen had moeten drogen en steeds weer had herhaald: 'Net een prinsesje!' Naast haar had Mimi met haar vingertoppen rondjes op haar slapen getekend, want het geluk van andere moeders bezorgde haar altijd migraine.

Later, toen Hinda groter werd, was ze nergens bang voor, zelfs niet voor spinnen. Als haar vader trek had in een speciale fles wijn, ging ze alleen naar de kelder, met niet meer dan een kaars, en de spoken die op de muren dansten zag ze niet eens. Arthur had daarom grote bewondering voor haar. En zelfs Janki, die holle frasen anders voor bijzonder goede klanten bewaarde, gaf toe dat Hinda een zonnetje was.

Voor Arthur had Janki niet veel tijd; de zaak vrat hem op. Toen Arthur die uitspraak voor het eerst hoorde – hij was toen nog een heel kleine jongen – was hij bang geworden en had hij zich huilend aan zijn vader vastgeklampt, waarop Janki hem van zich afschudde en tegen Chanele zei: 'Je verwent hem.'

'Soms,' zei Arthur tegen oom Salomon, en het was iets wat hij nog nooit iemand had toevertrouwd, 'soms zou ik liever een meisje zijn.'

'Interessant,' zei Salomon. Hij had een stuk cake in zijn koffie gebrokkeld en roerde het mengsel langzaam en geconcentreerd om. Bij elke draai stootte het lepeltje melodieus rinkinkend tegen de binnenkant van het kopje. Op de achtergrond speelde Christine, de keukenmeid, op een hakbord vol uien de begeleidende bas. 'Heel interessant. Een meisje. Waarom?'

'Ik weet dat het dom is.'

'Niets wat je denkt is dom. Alleen niet denken is dom.' Sinds Salomon zich met gematria bezighield, had hij zich aangewend in aforismen te spreken.

'Maar het kan toch niet.'

'En?' Salomon maakte een wegwerpgebaar, zo heftig dat zijn koffielepeltje over het tafelblad schoot. 'Wat heeft kunnen ermee te maken? Ik droom elke dag dat Golde weer leeft.' Het lepeltje had een spoor van koffie achtergelaten en Salomon tekende er met zijn vinger een kronkellijn in. 'Waarom wil je een meisje zijn? Noe?'

'Ik weet het niet. Het is ... Ik denk dat je het dan makkelijker hebt.'
'Christine!'
De begeleidende bas stopte abrupt. 'Ja, meneer Meijer?'
'Hebben vrouwen het makkelijker dan mannen?'
Als Christine lachte, en ze had een bulderende, mannelijke lach, hield
ze altijd een hand voor haar mond, met het gebaar van een bokser die
naar een uitgeslagen tand zoekt. Christine was sterk. De spiegelkarper
die ze op sjabbes moest doden, sloeg ze niet met de vleeshamer op zijn
kop, maar ze stak haar brede duim in zijn bek en brak hem in één keer
de nek.
'U maakt zeker een grapje, meneer Meijer,' bracht ze met moeite uit.
'Wij vrouwen doen immers al het werk.'
'Dat zou een argument tegen je stelling kunnen zijn,' zei oom Salomon. Arthur voelde zich gevleid dat hij zulke volwassen woorden
gebruikte.
'Maar meisjes hoeven geen bar mitswe te doen!'
Op de bar mitswe, de dag dat je midden in je kindertijd volwassen
wordt, moet je tijdens de dienst de sidre voordragen, het Torahoofdstuk
van de week, je moet de tekst woord voor woord en noot voor noot uit
je hoofd leren en voor de hele gemeente zingen, wat een kwelling is voor
iemand die het al besterft van verlegenheid als hij op school voor de klas
moet komen om voor straf 'Het gesluierde beeld te Saïs' op te zeggen,
met bevende stem, van het eerste tot en met het laatste couplet. En als
die stem dan ook nog zijn eigen gang gaat, als hij plotseling zonder
waarschuwing begint te piepen of te brommen ...
'We hebben allemaal de baard in de keel gehad,' zei oom Salomon. 'En
toch hebben we onze bar mitswe overleefd.'
'Dat wel,' zei Arthur, 'maar Sjmoeël ...' Sjmoeël, wiens grote dag hij
zich nog goed kon herinneren – er was een hele tafel vol taart geweest
en een slok wijn, heel zoete, warme wijn –, Sjmoeël had in de synagoge gekwinkeleerd als een vogeltje en Janki was heel trots op hem
geweest, maar Sjmoeël was nu eenmaal Sjmoeël en Arthur was Arthur,
en bij hem, dat wist hij zeker, zou de grote ramp zich voltrekken waarover op het cheider met de Choemasj voor de mond werd gefluisterd:
zijn stem zou definitief breken, precies op die dag, in die minuut, geen
woord zou hij kunnen uitbrengen, zelfs geen verkeerd woord, hij zou
alleen maar staan krassen en iedereen zou hem hoofdschuddend aan-
staren. Alleen cantor Würzburger, bij wie hij al maanden tweemaal per
week zijn hoofdstuk instudeerde, zou knikken en met zijn hoge stem
zeggen: 'Ik heb altijd wel geweten dat die jongen me te schande zou
maken.'
En dan was er ook nog de toespraak, de droosje die je bij het grote

feestmaal moest houden, de leervoordracht die de toehoorders beter kenden dan degene die hem hield, want op het repertoire van cantor Würzburger, die ook dat deel van het ritueel onderwees, stonden maar drie toespraken, die hij er bij de bar-mitswejongens om de beurt instampte. Arthur had die van de geboden gekregen die alleen op een bepaalde tijd ten uitvoer gebracht kunnen worden en waarvan vrouwen daarom vrijgesteld zijn, en hij wist zeker – het kon gewoon niet anders! – dat hij daarbij de draad kwijt zou raken of zou blijven steken, dat hij gewoon niet zou weten hoe het verder ging, zodat Chanele haar hoofd moest buigen, heel langzaam, zoals ze deed als ze echt kwaad was. En Janki zou ...

'Het tijdens de droosje in zijn broek doen, dat ben je nog vergeten,' zei oom Salomon. 'Dat zou nog erger zijn en het zal ook niet gebeuren. Als bar mitswe doen echt zo moeilijk was als jij denkt, dan was het joodse volk allang uitgestorven.'

'Maar ...' zei Arthur.

'Je praat te veel,' zei oom Salomon. 'Als iemand vroeger bij het aanbieden van een koe zoveel woorden had gebruikt, zou ik haar nooit gekocht hebben.' Aandachtig en grondig likte hij zijn lepeltje af en vroeg toen met een veel zachtere stem: 'Vertel me liever wat je werkelijk wilt zeggen. Waarom zou je een meisje willen zijn?'

Arthur bloosde. Dat overkwam hem vaak, hij kreeg het zomaar ineens heet en kon er niets tegen doen. Hij wierp een angstige blik op Christine, maar die was achter een wolk van damp verdwenen en roerde met de concentratie van een alchemist in haar soeppan.

'Mijn hoofd is zo lelijk,' fluisterde Arthur en hij voelde de tranen in zijn ogen komen. 'Als ik lang haar had, zou je het niet zo goed kunnen zien.'

Oom Salomon lachte hem niet uit. Hij zei ook niet 'Je bent helemaal niet lelijk, *mon joujou*', zoals tante Mimi gedaan zou hebben. Hij zei niets, legde alleen zijn grote zware veehandelaarshanden op Arthurs hoofd en tastte heel langzaam en aandachtig de contouren af, streek met zijn ene hand over het achterhoofd en met zijn andere over de neus, kneep in de wangen en tikte met zijn nagel keurend tegen de tanden. Zijn vingers met de ruwe toppen roken geruststellend naar snuiftabak. Ten slotte veegde hij zijn handen af aan zijn jas, een gebaar dat hij zich in de vele stallen had aangewend. Arthur wachtte op zijn oordeel, als een ernstig zieke die na een grondig onderzoek op de diagnose van de specialist wacht.

'Noe,' zei oom Salomon.

Arthur boog zijn hoofd. Maar twee sterke vingers grepen zijn kin en dwongen hem op te kijken. Oom Salomon blies met opeengeklemde lippen zijn wangen op. Waar de witte bakkebaarden ze niet bedekten, zagen de vele gesprongen adertjes eruit als gekleurde muisjes op een taart.

'Er is maar één oplossing voor jouw probleem,' zei oom Salomon. 'Je zult je baard moeten laten staan.'

Arthur staarde hem aan.

'Niet meteen, natuurlijk. Het leven heeft zo zijn regels. Eerst komen de puistjes en dan komt de baard. Zal ik je een geheim verklappen?' Hij plukte aan zijn eigen baard tot de geelwitte plukken alle kanten op stonden. 'Ik vond mezelf als jongen ook niet mooi. Bij mij lag het aan mijn haar, dat veel te vroeg uitviel. De gallech noemden ze me. Maar of het nu om het haar gaat of om het hoofd – niemand vindt zichzelf mooi. Behalve de dommeriken. Die vinden zich zelfs heel mooi.' Hij wreef in zijn handen alsof hij ze zonder water waste. 'Laat nu je ouders maar thuiskomen. Ik heb honger.'

'Maar je zegt niets tegen ze, hè?'

'Waarover?'

'Over wat ik je verteld heb.'

'Weet je,' zei oom Salomon en hij had heel veel rimpeltjes om zijn ogen, 'soms ben ik zo in gedachten verzonken dat ik helemaal niet hoor wat er tegen me gezegd wordt. Ik heb al die tijd iets uit zitten rekenen. Het verschil tussen jongens en meisjes. Interesseert je dat?' Hij nam het lepeltje in zijn hand als een aanwijsstok en begon te doceren. 'Zoon betekent ben en heeft een getalswaarde van tweeënvijftig. Dochter betekent bat – vierhonderdtwee. Een verschil van driehonderdvijftig. Wil dat zeggen dat dochters zoveel meer waard zijn dan zoons?'

'Misschien,' zei Arthur zachtjes.

'Mis. Driehonderdvijftig is namelijk de getalswaarde van het woord pera. En wat betekent pera?'

'Ik weet het niet.'

'Pera betekent lang haar. Zoals iemand het laat groeien die een gelofte heeft afgelegd.' Salomon stak zijn vlakke hand naar Arthur uit en liet hem toeslaan zoals bij de koop van een koe. 'Een meisje, leert ons de gematria, is dus niets anders dan een jongen die zich heeft voorgenomen zijn haar niet meer te knippen. Maar als je tweeënvijftig en vierhonderdtwee bij elkaar optelt …'

'Wat vertel je die jongen nou voor mases?' Een mase is gewoon een verhaal, maar zoals Janki het woord uitsprak betekende het eerder: een dom, overbodig verhaal, een verhaal waarmee kostbare tijd wordt verspild, tijd die een kleine jongen beter kan gebruiken om zijn huiswerk te maken of zijn bar-mitswetoespraak in te studeren, zodat hij je niet te schande maakt.

Janki was niet helemaal binnengekomen. Hij bleef in de deur van de keuken staan met het gezicht van een zondagswandelaar wiens pad hem aan de rand van een moeras heeft gevoerd en die niet wil dat zijn schoenen vuil worden. Zijn lichtgrijze jas had de wijde snit waar de kunstenaars in Parijs tegenwoordig zo van hielden. Zijn hoed hield hij in zijn hand, samen met de wandelstok met de leeuwenknop.

'Waarom laat je niet weten dat je komt? Dan kan ik je tenminste een wagen sturen. Wat voor indruk moet dat maken als jij over de weg stiefelt als een ... als een ...'

'Als een beheimesoucher, bedoel je? Nou, er zijn erger dingen.' Salomon hees zich uit zijn stoel en bukte zich om de paraplu op te rapen, die de hele tijd als een trouwe hond aan zijn voeten had gelegen. Zijn lichaam leek kleiner dan vroeger, logger en minder sterk. Door de dood van Golde was de man door elkaar geschud en ineengezakt.

'En waarom zit je in de keuken en niet in de salon?'

'Vanwege Christine natuurlijk,' zei Salomon terwijl hij naar Arthur knipoogde, als mannen onder elkaar. 'Mooie vrouwen heb ik nog nooit kunnen weerstaan.'

De dikke keukenmeid lachte beschaamd haar gorgelende bokserslach.

'Je moet haar niet van haar werk houden. Uitgerekend vandaag, nu we gasten krijgen.'

'Zal ik maar weer gaan?' zei Salomon. 'Zo ver is het niet naar Endingen.'

'Je weet dat ik dat nooit goed zou vinden.'

Arthur, die een goed ontwikkeld gevoel had voor onuitgesproken dingen, keek angstig van zijn vader naar oom Salomon en weer terug.

'Je blijft natuurlijk,' zei Janki. 'Hoewel juist vandaag ...'

'Belangrijk bezoek?'

'Een paar zakenrelaties. Niets bijzonders. Alleen voor een eenvoudig hapje.'

'Waarvoor ik al drie dagen in de keuken sta,' bromde Christine in haar soeppan.

'"Gast" is trouwens een interessant woord,' zei Salomon. 'In het Hebreeuws heeft het een getalswaarde van tweehonderdvijftien, evenveel als ...'

'Alsjeblieft niet nu.' Janki had grote moeite om beleefd te blijven glimlachen. 'Ik moet nog een hoop voorbereiden. En jij moet ...'

'Wat?'

'Je wilt toch niet zo bij ons aan tafel gaan?'

Salomon pakte de panden van zijn ouderwetse jas en draaide met trippelpasjes een keer in het rond. 'Mooier word ik niet meer,' zei hij.

'Ik laat een nieuw overhemd voor je uit de winkel halen.' Janki was nu toch de keuken binnengekomen. 'Wat verschaft ons eigenlijk de eer van je bezoek?'

'Dat was ik bijna vergeten,' zei Salomon. 'Ik heb een brief meege-bracht. Voor Chanele.'

16

In de loop van de dag was ze een keer of tien naar huis gelopen om Christine een laatste aanwijzing voor het eten te geven en vervolgens een allerlaatste; om Louisli, het nog onervaren jonge dienstmeisje te beletten de kostbare zilveren messen met schuurpoeder glimmend te poetsen, zoals bij Mimi in Zürich een keer was gebeurd; om de twee ingehuurde bedienden die bij alle grote diners in Baden hielpen het goede damasten tafellaken te geven en hun de sleutel van de kast met het porseleinen servies toe te vertrouwen; om dit te controleren en dat te corrigeren, want de officiële ontvangsten die Janki twee keer per jaar voor zijn gojse zakenrelaties organiseerde, waren veldslagen die je alleen met succes kon doorstaan als je elke eventualiteit en elke mogelijke tegenslag van tevoren had overwogen en er de juiste strategie voor had bedacht. Tijdens de veldslag zelf, als de gasten eenmaal gearriveerd waren, moest je je troepen vanaf de commandoheuvel aan het hoofd van de tafel met een vingerknip en een hoofdknikje kunnen dirigeren en voor de rest hoorde je te glimlachen zonder het te menen, te babbelen zonder iets te zeggen en steeds weer te benadrukken dat je echt geen moeite had gedaan, veel meer dan een eenvoudig hapje was het tenslotte niet wat je aanbood.

Als het aan Chanele had gelegen, waren die avonden eens en voor altijd van de kalender geschrapt, niet omdat ze haar te veel last bezorgden, maar omdat ze ze zinloos vond, dat nageaapte ritueel van kringen waar je toch nooit helemaal bij zou horen. Het was een vermomming, een maskerade waar zelfs haar keuken niet aan ontkwam, want Chaneles huishouden was natuurlijk koosjer en gezien het verbod om vleesproducten met melkproducten te vermengen, had je een hoop fantasie nodig om voor de bij zulke gelegenheden gebruikelijke botersauzen een adequate vervanging te vinden.

Minstens tien keer was ze naar huis gelopen – gelukkig woonde ze pal tegenover de winkel en hoefde ze alleen het pleintje tussen de Weite en de Mittlere Gasse over te steken – en tien keer was ze naar de zaak teruggerend. Naar háár zaak, al stond boven de deur in gouden letters Janki's naam, PROPRIÉTAIRE JEAN MEIJER, en al zei Ziltener, de boekhouder, bij elke beslissing die zij nam altijd: 'Ik zal het aan de baas voorleggen.' Maar Ziltener was ook in andere dingen angstvallig correct en secuur; er werd spottend verteld dat hij zelfs zijn stipte 'Goedemorgen' aflas van de papieren manchetten waarmee hij zijn mouwen beschermde. Voor alle andere medewerkers leed het geen twijfel wie het in het Moderne Warenhuis voor het zeggen had: madame Meijer en niemand anders.

Madame Meijer bleef 's avonds graag als laatste in de winkel achter. Ze had die ongestoorde momenten nodig, juist vandaag had ze dat nodig. Chanele hield ervan in de verlaten winkel ongestoord tussen de rekken met keurige stapels blouses en de etagères vol linten en fournituren door te lopen, hier een dameshoed op zijn houten standaard exact in de goede hoek te zetten en daar een vergeten meetlint op de correcte plaats achter de toonbank terug te leggen. Ze genoot van die heimelijke minuten, de enige op de dag die helemaal van haar waren, als een jong meisje dat achter de vergrendelde deur voor de honderdste keer de kist met haar uitzet opent, de lakens telt en met haar hand over de batisten hemden strijkt. Ze had zelfs bepaald, althans door Ziltener aan de baas laten voorleggen, dat de gaslampen altijd pas twee uur na sluitingstijd werden gedoofd, vanwege de reclame, zo had ze haar voorstel gemotiveerd, om de klanten duidelijk te maken dat men hier tot laat op de avond voor hen in de weer was. Janki was iemand met een gebruiksaanwijzing.

Natuurlijk was iedereen in de zaak op de hoogte van die kleine privé-gewoonte van de bazin en wie 's avonds moest doorwerken omdat bijvoorbeeld een voor de volgende dag besteld gordijn dringend moest worden afgemaakt of een te laat gearriveerde levering uitgepakt, die bleef in het atelier of het magazijn, hield de deur dicht en zou het niet gewaagd hebben madame Meijer tijdens haar rondgang te storen.

Madame Meijer ...

Chanele had die nieuwe rol niet meteen op de dag van haar trouwen aangenomen. Als iemand onder de wapenen wordt geroepen, kun je hem wel onmiddellijk in uniform steken, maar onder het uniform blijft hij toch nog een tijdje burger. Het innerlijke gevoel loopt achter de uiterlijke omstandigheden aan en het is al voorgekomen dat die twee elkaar nooit inhaalden. In de eerste tijd van haar huwelijk had Chanele zich gedragen alsof ze alleen maar van betrekking was veranderd, van de ene familie Meijer naar de andere. Ze deed haar huishouden geruisloos en zonder opzien te baren en ook helemaal in het begin, toen er aan dienstbodes nog niet te denken viel, bleef er bij haar geen pan ongeschuurd en geen ovendeur vol roest. Chanele kookte en bakte en als ze dan bij haar man aan tafel kwam – toen nog de oude tafel die Janki uit

Guebwiller had laten komen, niet de lange, nieuwe waaraan ze vandaag zijn gasten zou onthalen –, als ze eindelijk ging zitten, dan was het aan het ondereind van de tafel. Janki wende zich algauw het zwijgende commanderen aan dat hij bij Salomon in Endingen had gezien; als hij een schotel aangereikt wilde hebben, stak hij zonder een woord te zeggen zijn hand uit en als hij binnenkwam, liet hij zijn jas gewoon vallen. Maar wat bij de oude Meijers een zwijgend samenspel was geweest, meer een in elkaar grijpen dan een bevelen en gehoorzamen, dat veroorzaakte bij het jonge paar een wanklank, als een wiel dat scheef op de naaf zit. Toch leek Chanele zich nooit aan Janki's bazige gedrag te storen, in elk geval verzette ze zich er niet tegen.

In die tijd werkte ze ook weer mee in het Franse Stoffenhuis; het was of ze nooit weg was geweest. Ze glimlachte beleefd en zette thee, hielp de klanten bij het binnenkomen uit hun jas en overhandigde hun voor ze vertrokken hun hoedenspeld, droeg de bruine jurk met het batisten garneersel en protesteerde niet als haar man haar in bijzijn van de klanten mademoiselle Hanna bleef noemen. Hij gebruikte die naam trouwens ook als ze alleen waren, hij fluisterde hem in bed in haar lichaam, en hoewel ze zijn liefkozingen over het algemeen slechts plichtmatig beantwoordde, zoals ze voor een meubelmaker de werkplaats zou hebben geveegd of voor een voerman de paarden geroskamd, bespeurde ze op zulke momenten toch zoiets als de herinnering aan een gevoel, aan de klank van een gedachte die bij het ontwaken nog natrilt, al ben je de droom waar hij bij hoort alweer vergeten.

Al met al was de jonge Chanele, door het bewustzijn van haar afhankelijkheid nog strenger geschoold dan door het voorbeeld van Golde, een echtgenote op wie niets aan te merken viel. Bij het 'Eisjes chajil mi jimtso' had Janki naar haar kunnen glimlachen, zoals Salomon altijd naar Golde had geglimlacht, maar hij dreunde de oude teksten – en zelfs dat alleen in de eerste jaren – op zonder ze te menen. Slechts op één punt weigerde Chanele vanaf het begin haar man te gehoorzamen. Hoe hij ook op haar in praatte, of hij het nu probeerde met gevlei of schermde met de representatieve plichten die ze nu aan zijn zijde te vervullen had: haar wenkbrauwen epileerde ze nooit meer. De donkere streep bleef op haar gezicht en hoe meer ze madame Meijer werd, hoe minder men zich haar zonder die streep kon voorstellen.

Chaneles verandering – als je voor dat langzame proces al een startpunt wilde aangeven – begon met de opening van het Moderne Warenhuis in het pand Het Rode Schild, of eigenlijk al met een gesprek dat ze kort voor de opening met Golde had. De oude mevrouw Meijer – zo noemde ze zichzelf en ze was trots op die schoonmoedertitel – was niet naar Baden gekomen vanwege Janki en Chanele, maar om er de trein naar Mimi in Zürich te nemen. Toch had ze de tijd gevonden om zich door Chanele in de nog niet ingerichte winkel te laten rondleiden. Voor een grote, net opgehangen spiegel was ze blijven staan, had haar onderlip diep in haar mond gezogen en zichzelf en Chanele peinzend bekeken.

'Je hebt andere kleren nodig,' zei Golde ten slotte.

'Hoe bedoelt u?'

'Je kleedt je als een bediende, terwijl je de eigenares bent.'

'Ik?'

'De winkel wordt met jouw nedinje ingericht.'

'Daarom ben ik nog niet de bazin,' zei Chanele, en Golde lachte.

'Natuurlijk niet. Alles moet gaan zoals de man het zich in het hoofd heeft gezet. Maar wie is dat hoofd?' Ze wenkte Chanele met gekromde wijsvinger, alsof ze haar een geheim in het oor wilde fluisteren, maar ze keek haar alleen aan en spreidde toen haar armen uit, zoals je de onweerlegbare conclusie van een lang argument onderstreept. 'Noe?' zei ze en de imitatie was zo perfect dat Chanele in de lach schoot.

'Bij ons is altijd alles gegaan zoals Salomon het zich in het hoofd had gezet,' zei Golde. 'Bij jullie zal dat niet anders zijn en daarom heb je andere kleren nodig.'

Dat was het begin geweest. Zonder de nieuwe winkel was Chanele waarschijnlijk nooit madame Meijer geworden.

Janki, die zich ook in zakelijke aangelegenheden als een kunstenaar beschouwde, had maar vaag vermoed welke ontwikkelingsmogelijkheden een breder publiek met zich mee zou brengen, hij fantaseerde over getallen en die getallen stonden hem wel aan, maar het was Chanele die het dagelijks leven en de behoeften van de potentiële klanten van de nieuwe winkel uit eigen ervaring kende. Vaak genoeg had ze geleden onder de noodzaak lang te moeten knokken voor een paar cent korting of een handvol gratis kurken, en daarom zette ze als eerste door – later kon niemand zich nog iets anders voorstellen, maar in de jaren zeventig betekende het een opzienbarende vernieuwing – dat alle artikelen zonder uitzondering voor een schriftelijk vastgelegde prijs werden verkocht, dat er in de nieuwe winkel dus van het begin af aan niet werd onderhandeld, niet gejood, zoals iedereen dat noemde. 'Tegenover elke klant die blij is met een koopje, staan er drie die zich afgezet voelen,' zei ze tegen Janki. 'Bovendien: we kunnen niet elke afzonderlijke bediende van geval tot geval een prijs laten bepalen.' Het argument waarmee ze hem het meest overtuigde was echter van geheel andere aard: 'Ik heb gehoord dat ze dat in de chique winkels in Londen tegenwoordig ook zo doen.'

Verder, ook dat was toen een opzienbarende vernieuwing, was het warenhuis het eerste etablissement in de stad waar niet alleen verkopers maar ook verkoopsters werkten. Weliswaar waren vrouwelijke bedienden ook vroeger niets bijzonders, maar ze hadden als naaister of strijkster altijd alleen in de achterste vertrekken gezeten. Nu stonden jonge vrouwen in levenden lijve achter de toonbank, allemaal in hetzelfde uniform, dat Chanele voor hen had ontworpen: een zwarte jurk met een smal wit kraagje en daarbij een lichtgrijze schort. Als ze naar haar werk ging – en meer en meer beschouwde ze alleen wat ze buitenshuis deed als echt werk – was Chanele net zo gekleed, alleen zonder schort natuurlijk. Haar jurk had in plaats van het kraagje een wit inzetstuk, niet meer van batist maar van de beste Brusselse kant met daarop, als een soort officiersinsigne, een broche met een camee – een huwelijksgeschenk van Golde.

Dat Chanele graag vrouwen in dienst nam, had niets met emancipatie te maken, een woord dat ze misschien in Zürich kenden, maar in Baden beslist niet. Vrouwen waren goedkoper, dat was de ene praktische reden, en de andere: er zijn nu eenmaal een hoop dingen die vrouwen nooit bij mannen zouden kopen. Wat ze vroeger alleen bij een vertrouwde ventster hadden aangeschaft, was nu opeens met dezelfde discretie, maar in een veel ruimere keuze in Het Rode Schild te krijgen, en het Moderne Warenhuis zette al in het eerste boekjaar flinke partijen geborduurde damesonderbroeken en vooral korsetten om, die in de eenvoudigste uitvoering al voor één frank te koop waren. Janki was blij met de grote omzet van zulke alledaagse artikelen als kinderschorten of gebreide, gestreepte dameskousen, maar dat waren toch geen dingen die hem echt interesseerden. Hij zou het zelfs erg pijnlijk gevonden hebben om door de winkel te lopen en door een klant naar een sousbras of naar tailleband gevraagd te worden.

Zo kwam het dat het Franse Stoffenhuis en het Moderne Warenhuis allengs twee totaal verschillende winkels werden, de zijne en de hare, elk met een geheel eigen karakter. In de Vordere Metzggasse was alles Frans en elegant; monsieur Jean Meijer hield hof tussen uitgelezen stoffen, zag het verkopen als een gunst en nam het geld van zijn klanten als een vanzelfsprekend verschuldigd tribuut in ontvangst. Soms, en dat waren vaak de lucratiefste middagen, deed hij de gordijnen voor de rekken niet eens open, keuvelde alleen een uurtje of twee met de dames uit de stad en gaf, als ze erg aandrongen, de een of andere belevenis uit de slag van Sedan ten beste.

In Het Rode Schild daarentegen kwam men naar vaderlands gebruik snel ter zake. Men praatte niet over heldendaden maar over indienne of mousseline, verkocht de stoffen vlot per meter of, voor de oudere dames, ook per el en behandelde vrouwen uit de stad en van een dorp met dezelfde geroutineerde beleefdheid. Chanele, nee: madame Meijer had de wind eronder en wee de bediende die het gewaagd zou hebben snibbig te doen tegen een klant van het platteland, alleen omdat die niet meer dan een hoes voor de bank of een stuk Russisch boordsel wenste te kopen. 'Ik moet ze weer eens allemaal bij elkaar roepen,' noteerde madame Meijer in gedachten, 'om ze eraan te herinneren dat kleine aankopen voor ons even belangrijk zijn als grote.'

Chanele beëindigde haar rondgang en keerde terug naar haar kantoor, een bescheiden vertrek, kleiner dan dat van boekhouder Ziltener. Het was spartaans ingericht, als de kapiteinshut op een oorlogsschip, alles wat er stond was een dossierkast en een plompe, met eeuwenoude inktvlekken bezaaide lessenaar, het laatste meubelstuk dat destijds uit Guebwiller was gekomen. Ook hier had ze een klein ritueel: elke avond voor ze naar huis ging verschoof ze als laatste de kleine kartonnen fiches op haar kalender naar de volgende dag. Terwijl ze van 9 mei 1893 de 10de maakte en van de dinsdag een woensdag sloeg de kerkklok een kwartier. Chanele dacht: ik moet opschieten, Janki zal al helemaal mesjoege zijn van het wachten. Geïnspireerd door dezelfde klokslag bedacht madame Meijer tegelijk: communiekransen, met stoffen bloemen en borduursels, dat zou het beslist goed gedaan hebben in deze tijd van het jaar.

'Neemt u me niet kwalijk.' Het geklop was zo zacht geweest dat Chanele het niet eens had gehoord. In de deur stond een vrouw in het strenge uniform van het warenhuis.

Mathilde Lutz, oorspronkelijk Mathilde Vogelsang, was meer dan twintig jaar geleden de allereerste verkoopster geweest die Chanele in dienst had genomen. Nu, met voortijdig grijs geworden haar en een strak knotje, maakte ze een strenge en stuurse indruk, zeker als ze haar knijpbril opzette, die met een zwartfluwelen lint aan haar jurk was bevestigd. Destijds – was het echt al meer dan twintig jaar geleden? – was ze een opgewekt en vooral knap jong meisje geweest, met een guitig schoonheidsvlekje op haar wang, en menig mannelijke klant was onder het voorwendsel iets voor zijn vrouw te moeten kopen, alleen vanwege haar naar de winkel gekomen. Ze had de zaak dan ook spoedig verlaten om te trouwen, maar na de vroege dood van haar man was ze teruggekeerd, niet meer achter de toonbank, daar stonden nu jongere vrouwen, maar als een soort gouvernante die voor discipline en goede manieren bij het vrouwelijk personeel moest zorgen.

Madame Meijer en mevrouw Lutz waren geen vriendinnen – een generaal heeft onder zijn officieren kameraden, geen vrienden. Maar ze waren ongeveer even oud, hadden de opkomst van het warenhuis samen meegemaakt en zonder het ooit uitgesproken te hebben deelden ze de overtuiging dat de onplezierige kanten van het leven er met klagen niet beter op worden.

'Neemt u me niet kwalijk,' herhaalde Mathilde Lutz. 'Ik weet dat u om deze tijd liever alleen bent, maar ...'

'Wat is er?'

Mathilde Lutz was anders bepaald niet schuchter, integendeel. Als ze in de voorraadkelder een jong stelletje verraste bij het zoenen of in een nog neteliger situatie, was ze niet om woorden verlegen; haar scherpe tong was bij het personeel bijzonder gevreesd. Maar nu ging ze onzeker en bijna angstig van het ene been op het andere staan, zoals anders alleen de jonge verkoopsters deden die door haar op een kleine diefstal waren betrapt en onder bedreiging met onmiddellijk ontslag het consigne hadden gekregen bij madame Meijer persoonlijk een bekentenis af te gaan leggen.

'Ik wilde ... Het is ...'

'Noe?' Zonder het te merken leek madame Meijer soms heel veel op de oude Salomon.

'We kennen elkaar nu al zo lang en daarom dacht ik dat het beter was als ik zelf ...'

'Wat?'

'Vroeg of laat komt u er toch achter.'

Chanele ging zitten, heel voorzichtig, alsof ze de stoel niet vertrouwde. De inktsporen op de lessenaar zagen er in het gaslicht uit als dood ongedierte.

'Mathilde,' zei ze en mevrouw Lutz, die door haar bazin al twintig jaar niet meer met haar voornaam was aangesproken, hield verlegen haar hoofd opzij. Het leek of ze gestreeld wilde worden. Het schoonheidsvlekje op haar wang – Chanele had het nog nooit zo duidelijk gezien – was met de jaren uitgegroeid tot een wrat. 'Mathilde, waar kom ik achter?'

'Mannen ...' In haar verlegenheid had Mathilde Lutz het fluwelen lint van haar knijpbril heel stijf om haar vinger gedraaid, alsof er een bloeding afgebonden moest worden. 'Zij kunnen het niet helpen. Onze-Lieve-Heer heeft hen nu eenmaal zo gemaakt. En Marie-Theres is echt heel knap. Die van de blouse-afdeling, u weet wel.'

'Ik ken mijn personeel,' zei Chanele, maar ze matigde de barse toon onmiddellijk. 'Marie-Theres Furrer bedoel je, hè? Wat is er met haar?'

Het was nauwelijks te geloven, maar de strenge mevrouw Lutz bloosde.

'Zwanger?' vroeg Chanele.

'Zwanger,' fluisterde Mathilde Lutz en het woord kwam rechtstreeks uit Sodom en Gomorra.

Chanele – op dat moment was ze heel duidelijk Chanele en niet madame Meijer – lachte opgelucht. ' Er zijn al groter wonderen voorgekomen op deze wereld.'

Mathilde Lutz lachte niet mee. 'Het is nog veel erger,' zei ze.

'Een tweeling?' Chanele moest nog steeds lachen.

'De vader ... Ik heb met Marie-Theres Furrer gesproken en ze heeft me verteld dat de vader ...'

'Ja?'

'Het spijt me zo dat uitgerekend ík u ...'

'Janki,' zei Chanele heel zachtjes en tot haar schrik merkte ze dat ze absoluut niet verrast was. Haar man had al een hele tijd geen mademoiselle Hanna meer tegen haar gezegd en dat hij op zijn inkoopreizen niet altijd alleen sliep had ze als onvermijdelijk aangenomen, iets wat ze niet hoefde te weten en wat daarom ook geen pijn hoefde te doen. Maar dat hij hier in Baden, in zijn eigen zaak ... 'Is het Janki?' vroeg ze harder.

Mathilde Lutz keek haar niet-begrijpend aan. Zij had altijd alleen monsieur Jean Meijer gekend en die naam zei haar niets.

'Is het mijn man?'

Mathilde Lutz schudde haar hoofd. 'Nee, madame Meijer, natuurlijk niet. Monsieur Meijer zou nooit ...'

Chanele wachtte op een gevoel van opluchting, maar het kwam niet. 'Wie dan?'

Het fluwelen lint knapte. Met een zacht gerinkel viel de knijpbril in stukken. Mathilde Lutz knielde neer om de scherven op te rapen en fluisterde tegen de vloerplanken: 'De jongeheer François.'

'Sjmoeël?' zei Chanele.

17

'Sjmoeël!' zou ze zeggen. 'François!' zou ze zeggen. 'Heb je er dan helemaal niet aan gedacht wat dat voor het bedrijf …?'

Nee, dat was verkeerd. Dan zou hij haar alleen maar aankijken, minachtend en vermoeid tegelijk, met opgetrokken wenkbrauwen, met die
beleefde glimlach waarachter hij zich zo goed wist te verschuilen, die
glimlach die ze niet begreep en die haar bang maakte, hoewel hij haar
eigen zoon was, de glimlach van een man die al veel heeft meegemaakt,
en hij was pas …

Oud genoeg om bij een dom meisje een kind te maken.

Ze zou Marie-Theres Furrer moeten ontslaan.

Nee. Dat zou de zaak nog erger maken. Ze moest haar helpen, haar
misschien geld …

'Joden regelen altijd alles met geld,' zouden de mensen zeggen. En als
ze haar geen geld aanbood: 'Joden zijn gierig.'

'Sjmoeël,' zou ze zeggen. 'We zullen de zaak op de een of andere
manier uit de wereld helpen. Maar we zullen niet toestaan …'

We?

Janki zou trots zijn op zijn zoon. Hij zou het niet toegeven, natuurlijk
niet, hij zou hem berispen en hem verwijten maken, maar hij zou zijn
trots niet kunnen verbergen. 'Mijn zoon! Hij heeft mijn haar en mijn
gezicht en hij is onweerstaanbaar.'

'François,' zou ze zeggen. 'Je moet me eens en voor altijd beloven …'

Nee. Beloften gingen Sjmoeël te makkelijk af.

Ze zou hem haar mening zeggen, een moesarpreek afsteken dat horen
en zien hem verging, ze zou …

Het kwam er de hele avond niet van.

Om te beginnen wachtte Janki haar op, al in de gang, ze had de voordeur nog niet opengedaan of hij stormde op haar af, zo opgewonden
alsof de gasten, die natuurlijk nog helemaal niet gearriveerd waren, al
uren uitgehongerd en met hun voeten schuifelend in de salon zaten. Hij
was zo van streek dat Chanele heel even dacht dat er in huis een onge-

luk was gebeurd. Maar de lichte geur van verschroeid haar was niet afkomstig van een brand, maar van de krultang waarmee Janki zijn lokken had gefriseerd. In zijn lange overhemd kwam hij de linnenkamer uit gerend, met blote benen, want uit zijn kleermakerstijd had hij de gewoonte overgehouden voor belangrijke gelegenheden zijn broek zelf te persen, omdat niemand anders aan zijn eisen kon voldoen. Hij had nog geen broek aan, maar al wel zijn das omgedaan, een zwarte zijden doek, gestrikt tot een wapperende lavallière.

'Het is een ramp,' zei Janki helemaal buiten adem. 'Je bent veel te laat en Salomon is onaangekondigd uit Endingen gekomen. Ik heb hem natuurlijk voor het eten uitgenodigd, dat wil zeggen: er zat niets anders op. Maar dat betekent dat we nu …'

'De tafel is lang genoeg.' Chanele zocht Sjmoeël, maar hij was nergens te bekennen. 'Een couvert meer of minder …'

'Dat we …' Janki vervolgde zijn zin op een fluistertoon. '… dat we met z'n dertienen aan tafel zullen zitten.'

'Staat er ergens geschreven dat dat verboden is?'

'Dertien! Begrijp je dat dan niet? Dat is een ongeluksgetal.'

'Voor joden niet,' zei Chanele.

'Maar alle gasten zijn gojem.'

'Dan nodig je je treife vrienden maar niet uit.' Chanele had nu andere zorgen.

'Hoor je eigenlijk wel wat ik zeg?' Janki hief dramatisch zijn handen ten hemel. Het leek of hij zich de haren uit het hoofd wilde trekken. 'Dertien! Dat betekent …'

'Dat heb ik Arthur net uitgelegd.' Uit een van de vele kamers kwam nu ook Salomon de gang in. 'De gematria van dertien …'

'Hou op met die gematria van je!' schreeuwde Janki.

Salomon maakte een sussend gebaar dat al bij menige overijverige waakhond zijn deugdelijkheid had bewezen. 'Noe!' zei hij en dat betekende in dit geval: 'Maak je niet druk!'

'Fijn dat u ons bezoekt, oom,' zei Chanele. Ze was Salomon altijd met u blijven aanspreken. 'Hebt u alles wat u nodig hebt?'

'Het overhemd zit te krap. Zelfs bij een kalf zou je het touw niet zo vast om zijn hals binden.'

'Het is je maat,' zei Janki. 'Ik heb daar oog voor.'

'Maar ik niet de hals.'

'Waar is Sjmoeël?' vroeg Chanele.

'François is op zijn kamer, neem ik aan. Hij zal wel toilet aan het maken zijn.' Bij die herinnering greep Janki naar zijn lavallière en trok de kunstige strik met een wanhopig gebaar weer helemaal los. 'Dertien gasten!' jammerde hij met een stem die net zo klaaglijk was als die van de cantor op Jom Kipoer.

'Laat Arthur mee-eten. Dan zijn het er veertien.'

'Dertienenhalf,' zei Salomon lachend.

Janki keek hem kwaad aan. 'Arthur weet zich in gezelschap nog niet te gedragen.'

'Het zal best gaan. Hij doet binnenkort bar mitswe.'

'Waarom is Hinda uitgerekend vandaag bij Mimi in Zürich?'

Op dat moment verscheen Louisli in de gang, al met het witte kapje op en de gesteven schort voor die ze bij het bedienen moest dragen. Ze zag de heer des huizes met blote benen voor zich staan, slaakte een gilletje, sloeg haar hand voor haar mond en vluchtte de keuken in.

Nee, Chanele had echt geen gelegenheid om met Sjmoeël te praten.

Toen hij hoorde wat er van hem werd verwacht, probeerde Arthur zich te verstoppen. Als er belangrijke gasten kwamen had hij tot nu toe altijd bij Christine in de keuken mogen eten, waar niet op elke gelaatsuitdrukking en elke beweging werd gelet. Alleen als de familie onder elkaar bleef had hij die duizenden vermaningen moeten aanhoren: je rug rechthouden, je lepel met twee vingers vastpakken, je mond afvegen voor je uit een glas drinkt. Een officieel diner leek hem even vol te zitten met hindernissen als het pak met de vele belletjes waarin Oliver Twist moest leren stelen. Toen hij het boek had gelezen was Fagin elke nacht in zijn droom verschenen, en Fagin had het gezicht van Janki gehad, het strenge gezicht dat papa trok als hij iets op Arthur aan te merken had. Hij was ervan overtuigd, en in zulke dingen kende zijn fantasie geen grenzen, dat hij zich zou blameren, tegen zijn soepbord zou stoten of een glas breken, dat ze hem verwijtend zouden aankijken, al die vreemde mensen, en dan zouden knikken zoals cantor Würzburger wanneer Arthur bij het oefenen verstrikt raakte in zijn droosje. 'We hadden niet anders verwacht,' zouden ze zeggen.

Chanele moest haar zoon overhalen, hem een pen met een extra brede punt voor zijn verzameling beloven, want Arthur verzamelde ook pennen, die hij volgens wisselende systemen rangschikte, een natuuronderzoeker die in een hoop verschillende schelpen of slakken naar verborgen overeenkomsten zoekt. Toen ze hem zijn goede broek wilde aandoen, die met Pesach nog gewoon had gepast, bleek die te klein zijn, de omslagen zaten belachelijk genoeg halverwege zijn kuiten. Er zat dus niets anders op dan het al klaarliggende maar natuurlijk nog niet gedragen bar-mitswepak uit de kast te halen, waardoor Arthurs angst nog groter werd. Hij wist zeker dat elke vlek op dat pak een ramp zou betekenen, die hij de rest van zijn leven niet meer ongedaan kon maken.

Daarna moest ook Louisli nog gekalmeerd worden, die van de opwinding in huis stond te trillen op haar benen. De eetkamer moest geïnspecteerd en er moesten aanwijzingen gegeven worden voor de veranderde tafelschikking. De grote tafel was imposant en representatief en voorzien van een modern mechanisme waarmee je hem twee keer zo lang kon maken, 'met één hand', zoals Janki graag vol trots benadrukte. Het tafelblad – tropisch hout! – was onder het witte damasten tafellaken niet te zien, maar de walnotenolie waarmee het regelmatig werd ingewreven was heel vaag te ruiken. Toen Arthur nog kleiner was, had Chanele hem er een keer op betrapt dat hij het blad aflikte. 'Het is een experiment,' had hij gezegd.

De tafel stond zo weelderig en protserig te pronken als het deze avond hoorde. Het servies van sarguemine – groot genoeg voor twintig personen – paradeerde in een dubbele colonne, het zilveren bestek glansde en de kristallen glazen, waarvan Arthur zo bang was dat ze zouden breken, wachtten op het aansteken van de kaarsen om als debutantes in glitterjurken dan pas hun volle schoonheid tentoon te spreiden. Op het buffet stonden de wijnflessen op een rij, een erewacht voor de zilveren Tantalus, waarvan de sleutel nog altijd ontbrak.

In de keuken had Christine alles onder controle. Ze zei het met de gespannen lach van een bokser die vlak voor het winnen van de wedstrijd geen blijk van zwakte wil geven. Op tafel stonden de afgedekte schotels en schalen te wachten om als zwaar geschut in de strijd geworpen te worden. Slechts één plekje stond niet vol, het was net groot genoeg om de twee ingehuurde bedienden in staat te stellen voor volgeladen borden voor voorproever te spelen. Ze hadden hun kale rokjassen over de stoelleuningen gehangen, hun mouwen opgestroopt en toen madame Meijer binnenkwam, tilden ze alleen even hun achterwerk op en begroetten haar met volle mond.

En nog altijd kon Chanele niet met Sjmoeël praten. Ze was al op weg naar zijn kamer toen Janki haar tegemoet kwam en wanhopig riep: 'Je bent nog niet eens gekleed.'

Dus verkleedde ze zich en smukte ze zich op zoals ze de tafel in de eetkamer had opgesmukt. Arthur mocht haar jurk dichtknopen; dat voorrecht was een van Chaneles beloftes geweest, want Arthur deed niets liever dan in de anders verboden slaapkamer van zijn ouders staan, als Marco Polo in een exotisch paleis, en zorgvuldig al die kleine haakjes in de oogjes peuteren. Omdat hij bijziend was, raakte zijn hoofd bijna de rug van zijn moeder, zo kon hij heel dicht bij haar zijn en haar speciale geur van properheid, talkpoeder en betrouwbaarheid opsnuiven voordat hij werd weggestuurd om Louisli nog een keer zijn haar te laten kammen.

De overige voorbereidingen gingen bij Chanele, die ijdelheid altijd al tijdverspilling had gevonden, razendsnel: de sieraden hing ze om zoals je een sleutelbos aan de haak hangt en wat het haar betrof – wel, het is een voordeel als je volgens de joodse traditie een sjeitel draagt: je kunt het pasklare nieuwe kapsel opzetten als een hoed.

Toen ze in de salon kwam stond de hele familie al klaar. Janki zag er in de volle pracht van zijn avondkostuum echt voornaam uit. De lavallière boven het vest van zilverbrokaat had hij met artistieke nonchalance gestrikt, waarvoor vast een tiental pogingen nodig waren geweest. Sjmoeël, die ze nu de hele avond François moest noemen, droeg een fluwelen colbertje dat zijn smalle heupen accentueerde. De pas met was ingesmeerde punten van zijn snor staken als mesjes in de lucht en hij zag er op een vervelende manier zo elegant uit dat je kon begrijpen wat jonge verkoopsters onweerstaanbaar aan hem vonden. Arthur stond met een doodongelukkig gezicht naast zijn broer te wachten. Oom Salomon had geruststellend zijn hand op zijn schouder gelegd.

'Sjmoeël,' zei Chanele, 'ik moet met je praten.'

'Wees maar niet bang, mama. Ik zal echt doen alsof ik van de avond geniet.'

'Mevrouw Lutz was vandaag bij me, Mathilde Lutz, en ze heeft me verteld …'

Maar toen werden de eerste gasten al binnengeleid en Chanele moest zwijgen en haar mademoiselle-Hanna-glimlach opzetten.

Zoals altijd waren boekhouder Ziltener en zijn vrouw de eersten. De in letters en cijfers gelovende Ziltener had ondanks alle discrete hints nooit kunnen begrijpen dat de etiquette van hem verlangde bij ontvangsten pas tien minuten na de aangegeven tijd te verschijnen, 'om de vrouw des huizes de gelegenheid te geven de laatste voorbereidingen te treffen', zoals dat in de etiquetteboeken heette. In zijn versleten donkere pak en de stijve boord voelde hij zich duidelijk niet op zijn gemak en toen hij zich als een dubbelklappende duimstok over de hand van zijn bazin boog, kon ze zien hoe zorgvuldig hij zijn dunne haar over de kale plek had gekamd. Een zoetige geur van huishoudzeep en mottenballen steeg op uit zijn nek.

Onervaren als hij was in de omgang met kinderen wilde hij Arthur over zijn hoofd aaien, maar op het laatste moment schrok hij voor de aanraking terug. Zijn uitgestoken hand bleef in de lucht hangen alsof hij de jongen wilde zegenen.

Zijn vrouw, groter en knokiger dan hij, kwam uit een boerendorp in Luzern en droeg de hele avond geen woord bij aan de conversatie. Ziltener had haar waarschijnlijk verboden iets anders te zeggen dan 'Goedenavond' en 'Dank u voor de uitnodiging'. Het tweetal was ook alleen bij wijze van gunst uitgenodigd en toen een van de ingehuurde bedienden de volgende gasten binnenleidde, liet Janki hen halverwege de begroeting staan.

Directeur Strähle, eigenaar van de Verenahof, had de vriendelijke, vlotte omgangsvormen van een hotelhouder die gewend is tegen elke gast precies te zeggen wat hij wil horen. Zijn stem, vol demonstratieve hartelijkheid, stroomde uit zijn lijf alsof hij met olie was aangeroerd en leek voor veel grotere vertrekken gemaakt dan de salon van de familie Meijer. Op zijn plastron, dat naar voren welfde als de boeg van een schip, glansden zilveren knopen met het wapen dat hij speciaal voor zijn hotel had laten ontwerpen.

Mevrouw Strähle was een Duitse en in Baden ging het gerucht dat ze, toen ze tijdens een badkuur verliefd werd op de aantrekkelijke directeur van haar hotel, vanwege haar nieuwe relatie een uiterst gunstige verloving had uitgemaakt. Volgens een ander gerucht bezat ze voor elke dag van het seizoen een andere jurk, allemaal betaald uit de bedrijfskas van de Verenahof. Vandaag droeg ze een model van lindegroene tafzijde dat van achteren in een soort sleep bij elke stap bol ging staan.

Directeur Strähle kuste Chanele de hand, babbelde met François, maakte gekheid met Arthur en bleef maar herhalen dat hij zo aangenaam verrast was ook de zeer geachte heer Meijer senior hier aan te treffen. Hij had – ook dat hoorde bij het ritueel van zulke ontvangsten – een enorme fles champagne meegebracht, de speciale Cuvée van de Verenahof, bij zijn gasten zeer in trek, zoals hij meer dan eens benadrukte. Het leven, voegde hij eraan toe, was tenslotte te kort, hahaha, om altijd alleen maar water te drinken.

'Ik wist helemaal niet dat je water ook kon drinken.' Meneer Rauhut, redacteur bij het *Badener Tagblatt,* maakte graag grapjes over zijn eigen voorliefde voor een goed glas wijn en probeerde zo te verdoezelen dat hij inderdaad meestal dronken of op z'n minst aangeschoten was. Hij was alleen binnengekomen en Chanele was al bang dat hij zonder zijn vrouw was en dat de tafelschikking opnieuw gewijzigd moest worden. Maar mevrouw Rauhut was er toch, een ziekelijke, verwijtend kuchende dame met een blauwige teint. Als haar man, wat hij na een paar glazen onherroepelijk placht te doen, een gezelschap met Schubert-liederen verblijdde – hij had een krachtige, zij het niet erg toonvaste stem – moest zijn vrouw hem op de piano begeleiden en je vroeg je telkens af of ze wel genoeg kracht zou hebben om de toetsen in te drukken.

De redacteur trok de hoteldirecteur in een hoek en begon fluisterend op hem in te praten. Chanele hield scherp in de gaten of het tweetal soms steelse blikken op Sjmoeël wierp, maar ze leken het over iets anders te hebben. Het gesprek verstomde ook meteen weer toen het echtpaar Schnegg werd aangekondigd. De Schneggs waren, als zoiets in het democratische Zwitserland al bestond, bijna een soort aristocraten, zonder titel weliswaar, maar omgeven door de minstens zo voorname aura van oud geld. Laurenz Schnegg was de grootste grondeigenaar van de stad; ook het pand Het Rode Schild, waarin het Moderne Warenhuis de parterre huurde, was van hem. Hij en zijn vrouw waren bewust ouderwets gekleed, als om te bewijzen dat ze het niet nodig hadden zich aan allerlei modes of trends aan te passen. Bij de begroeting reikte hij Chanele zo minzaam de hand alsof hij verwachtte dat ze de rol der geslachten zou omkeren en de zijne zou kussen; zijn vrouw keek met samengeknepen lippen en een spitse kin langs de gastvrouw heen en liet alle aanwezigen merken dat het eigenlijk beneden haar waardigheid was om in een dergelijk gezelschap te verkeren. De oude Salomon negeerde ze straal.

Als laatste, vol verontschuldigingen en verklaringen, verscheen parlementslid Bugmann. Rauhut kwispelstaartte onmiddellijk om hem heen, als een trouwe hond om zijn baas, want het parlementslid had naast zijn vele andere functies ook zitting in de directie van het *Tagblatt*. Hij was zo lang opgehouden door een commissievergadering en daarna nog door een geval op zijn advocatenkantoor, een heel vervelende geschiedenis: een jongeman, die van de armenzorg leefde en voor wie hij als lid van de voogdijraad verantwoordelijk was, had zich plotseling in het hoofd gezet te willen trouwen, zonder dat hij een cent bezat, en toen hij, Bugmann, zijn toestemming weigerde, vanuit zijn verantwoordelijkheid wel móést weigeren, had de jongeman een scène gemaakt, ongelooflijk, en daarbij woorden gebruikt die je in aanwezigheid van dames echt niet kon herhalen – kortom, het had allemaal veel tijd gekost. Het speet hem erg, echt heel erg, in zo'n aangenaam gezelschap te laat te komen, maar hij was ervan overtuigd dat monsieur Meijer, als even drukbezet man van de wereld, er begrip voor zou hebben dat een dag soms eigenlijk vijfentwintig uur moest hebben of zelfs meer. 'Je moet ook niet iedere functie aannemen die je wordt aangeboden,' zei zijn vrouw altijd. Bugmann haalde dan zijn schouders op. Het was een discussie die ze elke dag voerden.

Het parlementslid was een blozende man van het apoplectische type. Bij zijn geklede jas droeg hij een plastron van zilvergrijs, met metaalkleurige draden doorweven materiaal. Matige kwaliteit, dacht Janki, terwijl hij zijn gast verzekerde hoe vereerd hij zich voelde dat zo'n veelgevraagd man in zijn overvolle agenda nog een gaatje had gevonden om zijn uitnodiging voor een eenvoudig hapje aan te nemen.

Dat was het trefwoord voor Louisli, die na een discreet knikje van Chanele met een verlegen stem meedeelde dat het eten was opgediend.

De maaltijd verliep zonder incidenten. Arthur liet zijn bestek niet vallen en stootte ook geen glas omver en omdat hij van pure angst iets verkeerd te doen maar heel kleine porties at, werd hij vanwege die beschaafde terughoudendheid alom geprezen. Salomon ontdekte bij parlementslid Bugmann, wiens kiezers grotendeels afkomstig waren van het platteland, een gemeenschappelijke belangstelling voor de veeteelt. François was charmant, onderhield zich met mevrouw Strähle over sieraden en met mevrouw Rauhut over muziek en ontlokte zelfs mevrouw Schnegg één of twee keer bijna een glimlach. Janki boog zich ver over de tafel en besprak met meneer Schnegg iets zakelijks. Ziltener zweeg onderdanig. De ingehuurde bedienden kweten zich van hun taak. Rauhut dronk.

Ook het eten was goed gelukt. Christine had zichzelf met de zalmmayonaise al overtroffen, bij de kippensoep met balletjes zwoer directeur Strähle dat hij absoluut zijn kok langs moest sturen om zich het recept te laten geven, en het kalfsvlees was met zo veel ganzenvet bereid dat niemand de botersaus miste. Er werd voortreffelijke wijn bij gedronken, bij de vis een gewürztraminer uit de Elzas en daarna een zware bourgogne die Janki speciaal bij wijnhandel Lévy in Metz had besteld.

'Eén vraag heb ik,' zei de redacteur, elk woord articulerend met de zorgvuldigheid van een dronkaard. 'Eén vraag maar, meneer Meijer. Wat is er nou koosjer aan deze wijn?'

'Ik mag toch hopen dat hij u uitstekend smaakt,' antwoordde Janki ontwijkend en hij gaf een van de bedienden een teken om Rauhuts glas nog eens vol te schenken.

Maar de redacteur liet zich niet afleiden. 'Nee,' hield hij vol, 'nu wil ik het weten ook. Zo'n druif wordt toch niet gesjecht, tenminste niet bij ons …'

'Hahaha, gesjecht, die is goed!' Als hoteldirecteur had Strähle zich aangewend hartelijk te lachen om elke grap die binnen gehoorsafstand werd gemaakt.

'… en als hij niet gesjecht is, wat kan er dan koosjer aan zijn? Of niet koosjer?'

'Onze wetten zijn soms erg ingewikkeld.'

'Welke wetten zijn dat niet?' Parlementslid Bugmann knikte wijs. 'Afgelopen week had ik op mijn kantoor nog een geval …'

'Moment!' viel de redacteur hem in de rede. Zijn vrouw kuchte angstig. 'Ik ben nog niet klaar! Wij van de pers, van de derde macht zeg maar, willen antwoord op onze vragen. Wat is er koosjer aan deze wijn?'

Er zijn dingen, die kun je niet makkelijk uitleggen zonder onbeleefd te worden. Wijn is koosjer als hij geproduceerd is door een jood en treife als dat niet het geval is. Maar hoe breng je dat een dronken goj aan zijn verstand zonder hem te beledigen.

Het was Salomon die de situatie redde, uitgerekend met zijn gematria. Terwijl Janki hem uitdrukkelijk had gevraagd vandaag niemand met zijn chochmes lastig te vallen.

'Kijk, meneer Rauhut,' zei hij. 'Dat zal ik u uitleggen. De wijn, het Hebreeuwse woord voor de wijn natuurlijk, heeft een getalswaarde van vijfenzeventig.'

'Getalswaarde?'

'Volgens onze traditie komt elke letter overeen met een getal. Dus: de wijn heeft een waarde van vijfenzeventig. En weet u welk woord precies dezelfde waarde heeft? Ganavcha, je dief.'

Rauhut keek hem niet-begrijpend aan.

'En wat leren we daarvan? Dat de wijn je dief is. En wat steelt hij? Je verstand en je manieren.'

'Hahaha,' lachte Strähle. 'Die is goed. Die moet ik onthouden.'

Toen zelfs Schnegg goedkeurend knikte, begonnen ook de anderen te lachen. Niemand houdt van dronken gasten die de beleefde vrijblijvendheid van tafelgesprekken verstoren.

Rauhut moest zo diep over het probleem van getalswaarden en dieven nadenken dat hij zijn oorspronkelijke vraag helemaal vergat. Hij dronk zijn glas in één teug leeg en stak het de bediende toe om zich te laten bijschenken. 'Maar goed is hij, die koosjere wijn van u,' zei hij veel te hard. Zijn vrouw kuchte.

Afgezien van dit kleine incident verliep het diner zo perfect als Janki had gewenst. Dat Chanele weinig zei en steeds weer bezorgd naar haar oudste zoon keek, viel niemand op.

De avond zou waarschijnlijk ook perfect geëindigd zijn. De dames trokken zich terug in de salon, Arthur zei iedereen goedenacht en verdween opgelucht in zijn kamer, de bedienden ruimden de tafel af en inden hun fooien. Daarna vulden de heren hun cognacglazen en staken, na het ritueel van uitvoerig besnuffelen en tussen de vingers draaien, de sigaren aan die Janki ronddeelde. Alleen François rookte een Russische sigaret in zijn pijpje van net echt barnsteen en Salomon speelde met de tabaksdoos in zijn zak, want Janki had hem verboden te snuiven omdat dat boers was.

Maar toen kwam het gesprek – het was waarschijnlijk onvermijdelijk – op de politiek.

18

'Wat mij interesseert,' zei parlementslid Bugmann terwijl hij behaaglijk zuchtend de twee onderste knopen van zijn vest losmaakte, 'wat mij zelfs heel erg interesseert, monsieur Meijer: hoe denkt u in puncto puncti eigenlijk over het volksinitiatief waarover we deze zomer waarschijnlijk allemaal gaan stemmen?'

'Een volkomen overbodige hervorming.' Schnegg vertrok zijn gezicht alsof iemand azijn in zijn cognac had gedaan. 'Volksinitiatief! Het woord alleen al! Wetten maken door bij het gepeupel handtekeningen te verzamelen voor een of ander idee! Waar hebben we eigenlijk een regering voor?'

'Dat is de voo... de voorui... de vooruitgang.' Redacteur Rauhut had drie aanlopen nodig voor hij de door de medeklinkers opgeworpen hindernissen had genomen, wat hem er echter niet van weerhield meteen aan een volgende woordenberg te beginnen. 'De uitbreiding van het democratisch volks... recht.'

'Gepeupel,' herhaalde Schnegg. Directeur Strähle wreef intensief over een niet aanwezige vlek op zijn plastron. Het behoorde tot zijn principes zich nooit in politieke discussies te mengen.

'Ik bedoel ook niet het volksinitiatief op zich. Dat instrument van de wilsvorming is nu eenmaal ingevoerd en wij zullen er nolens volens mee moeten leven.' Als zijn vrouw erbij was geweest, had ze op z'n laatst na deze zinnen geweten dat ook Bugmann behoorlijk veel had gedronken. Bij hem manifesteerde zich dat altijd doordat de paar woorden Latijn uit zijn studententijd boven kwamen drijven. 'Ik bedoel de concrete casus waarover de kiezers in augustus moeten beslissen. Artikel 25bis.'

Salomon Meijer boog naar voren en legde zijn handen plat op het tafelblad, alsof hij van plan was op te staan. Met zijn vingers begon hij heel zachtjes te trommelen, een muzikant die nog niet goed weet welke toonsoort bij een bepaalde gelegenheid past.

'25bis,' herhaalde Bugmann overdreven gebarend, alsof hij de paragraaf met de gloeiende punt van zijn sigaar in de lucht wilde schrijven.

'Een aanvulling op de grondwet waarvoor onze gastheer, die ons hier vanavond zo voortreffelijk heeft onthaald, zich wellicht bijzonder interesseert. Alstublieft, monsieur Meijer, zegt u eens wat u daarvan vindt!'

Janki vond het verzoek zeer onaangenaam. Hij organiseerde deze 'gojse avonden' juist om zichzelf door de vanzelfsprekendheid van het maatschappelijk verkeer te bewijzen dat hij hier in de stad als gelijke onder gelijken werd geaccepteerd, dat zulke belangrijke mensen als Schnegg of Bugmann in hem gewoon de succesvolle zakenman zagen, een van de hunnen, of in elk geval niet meer primair de jood. Daarvoor was hij bereid de goedmoedige opschepperijen van directeur Strähle aan te horen, redacteur Rauhut dure cognac als water te laten drinken en over elk gewenst onderwerp te praten. Bijna elk onderwerp. Waarom moest Bugmann over dat onzalige volksinitiatief beginnen, dat onder het mom van dierenbescherming een antisemitisch artikel aan de federale grondwet wilde toevoegen en het sjechten van dieren volgens de joodse rite wilde verbieden?

'Mij past op dit punt geen mening,' antwoordde Janki ontwijkend. 'Ik ben tenslotte nog altijd gast in dit mooie land. Als Frans staatsburger ...'

'Quousque tandem?' viel Bugmann hem in de rede. 'Hoe lang wilt u nog wachten ook volgens uw pas bij ons te horen? Ik heb het u al zo vaak gezegd, monsieur Meijer: mensen als u, mensen die onze economie bevorderen, zijn in het burgerregister zeer welkom. Ik persoonlijk zou te allen tijde ...'

'Burgerregister,' zei Rauhut, waarbij hij alle lettergrepen tot één enkele samentrok, 'dat woord bestaat niet eens.' Hij knikte een paar keer voldaan, alsof hij een groot probleem had opgelost.

'Wij zijn graag Fransen, meneer Bugmann.' François glimlachte zo beleefd dat zijn tegenspraak een compliment leek. 'In Frankrijk is *égalité* niet zomaar een woord. Zojuist is een zekere kapitein Dreyfus in de generale staf benoemd. Diezelfde familie Dreyfus heb je ook in Endingen. Denkt u dat een van hen net zo carrière zou kunnen maken?'

'In principe wel.'

'In principe misschien, meneer Bugmann,' zei François bijzonder vriendelijk glimlachend. 'Maar niet in Aargau.'

'Nog wat cognac?' kwam Janki er gauw tussen. Maar alleen Rauhut stak hem zijn glas toe.

'Of u nu Zwitser bent of Fransman,' drong Bugmann aan, 'u moet toch een mening hebben. U als jood ...'

Een oude stem begon te giechelen. Oom Melnitz zat plotseling ook aan tafel, vlak naast Janki. Met zijn knokige vingers, waarvan de huid als een te wijde handschoen heel loszat, had hij een sigaar gepakt die hij naar zijn rimpelige mond bracht. 'Vooruit, Janki!' zei hij en bij elk woord kwam er rook tussen zijn tanden door, alsof er diep in hem een vuur smeulde. 'Vooruit! Zeg wat je ervan vindt. Jij als jood. Ja. Of had je gedacht dat die belachelijke das je tot goj honoris causa maakte?'

'Wel,' probeerde Janki zich eruit te draaien, 'je kunt het probleem natuurlijk van twee kanten bekijken. Enerzijds ...'

'Enerzijds ...' bauwde Melnitz hem na.

'Enerzijds begrijp ik natuurlijk de wens een dier zo min mogelijk pijn te doen. Maar anderzijds ...'

'Anderzijds ...' zei Melnitz.

'... verlangen onze religieuze wetten ...'

'Ik heb ook getekend,' zei Ziltener opeens. Hij had de hele avond vrijwel zwijgend op zijn stoel gezeten, had alleen op directe vragen heel kort geantwoord en daarom kwam zijn onverwachte inmenging nu zeer luidruchtig over. 'U mag me ontslaan als u wilt, maar ik heb recht op mijn overtuiging.' Hij hield het cognacglas tussen zijn handen zoals een boer op koude dagen een warme koffiekop. Wat hij wilde zeggen leek hij gezegd te hebben, maar na een poosje voegde hij er toch nog aan toe: 'Mijn vrouw houdt ook van dieren.' Het was de eerste keer in zijn leven dat Ziltener een mening van zijn vrouw het vermelden waard had gevonden.

Als een huisdier plotseling was gaan praten, had de algehele verrassing niet groter kunnen zijn. Redacteur Rauhut hief met zo'n zwierig gebaar van waardering zijn glas dat de al te royaal ingeschonken vloeistof over de rand gutste en hij zijn vingers moest aflikken. Parlementslid Bugmann mompelde iets van 'Parturiunt montes' en directeur Strähle, die zijn schoollatijn allang was vergeten, produceerde voor het geval er sprake van een grap was geweest een korte bulderende lach. Laurenz Schnegg haalde een monocle uit zijn zak, hield hem voor zijn rechteroog en bekeek de boekhouder met zo veel weerzin en verbazing als een badgast een akelig object dat door de zee op het strand is gespoeld. François keek naar het plafond en draaide met demonstratieve desinteresse aan de punten van zijn snor.

Melnitz lachte tot hij zich verslikte in de rook van zijn sigaar.

'Waarom zou ik u ontslaan, beste meneer Ziltener?' vroeg Janki. 'Ik zou niet weten hoe ik mijn bedrijven zonder u moest leiden.' Hij hield van de formulering 'mijn bedrijven', die prachtige meervoudsvorm van het zakelijk succes.

'Doe wat u wilt.' Zoals veel mensen die niet gewend zijn tegen te spreken, nam Ziltener een overdreven agressieve houding aan. Met zijn kin tussen zijn schouders deed hij denken aan een getergd schoothondje.

'Woef!' zei Rauhut. 'Woef! Woef! Woef!'

'Uw cognac is werkelijk voortreffelijk,' probeerde directeur Strähle het gespreksschip naar minder onstuimig vaarwater te loodsen. 'U moet me beslist verklappen waar u die …'

'Dierenmishandeling blijft dierenmishandeling en wij christenen hebben de plicht …' De moed zonk Ziltener even plotseling in de schoenen als hij opgekomen was. In zijn opwinding was hij half opgesprongen en stapte nu met zijn achterwerk een eindje omhoog van het ene been op het andere, een schuldbewuste hond die met de staart tussen de benen om vergeving smeekt.

'Gaat u toch zitten,' zei parlementslid Bugmann en Schnegg siste: 'Gepeupel.' Ziltener boog zijn hoofd als een gezakte leerling.

Er ontstond een pijnlijke pauze, die directeur Strähle vergeefs probeerde op te vullen door fijntjes te lachen.

Ten slotte trok parlementslid Bugmann zijn plastron recht en schraapte zijn keel. 'Een zaak sine ira et studio kunnen bespreken,' zei hij, 'pro en contra rustig tegen elkaar afwegen, dat is het ware kenmerk van de democratie.'

'Kenmerk,' herhaalde Rauhut. 'Democratie.' Hij glimlachte trots toen de woorden over zijn lippen kwamen zonder dat hij erover struikelde.

'En de mening van onze charmante gastheer weegt in dit geval bijzonder zwaar. Sua res agitur. Dus als u zo vriendelijk zou willen zijn, waarde monsieur Meijer … Het woord is aan u.'

'Leg het hun uit, Janki,' giechelde oom Melnitz en met elke lettergreep blies hij een volmaakt kringetje rook de lucht in. 'Dat moet je toch kunnen. Jij als goj honoris causa.'

'Nou ja.' Janki speelde nerveus met de knop van zijn wandelstok. 'Er zijn bepaalde tradities …'

'Bepaalde tradities …' echode Melnitz mekkerend.

'… die misschien volgens de maatstaven van ons verlichte tijdperk …'

'Hihihi,' zei Melnitz.

'… en vanuit het oogpunt van een moderne humaniteit …'

'Hèhèhè.'

'Dat wil zeggen: je moet natuurlijk ook bedenken …'

'Hèhèhèhèhè.'

'Als het sjechten verboden wordt,' zei François weer met die glimlach waar zijn eigen moeder bang voor was, 'dan zult u bij onze volgende soiree genoegen moeten nemen met wortels.'

'Wat echt jammer zou zijn,' nam directeur Strähle de gelegenheid te baat om vlug een compliment op de tafel te strooien, als zout op een rode wijnvlek. 'Juist het kalfsvlees …'

Rauhut knikte. 'En de bourgogne,' zei hij. 'Met de gesjechte druiven.'

'Er is één punt,' hield parlementslid Bugmann vol, 'waarop vox populi me het overwegen waard lijkt. De voorstanders van het initiatief …'

'Gepeupel,' zei Schnegg.

'De voorstanders van het initiatief schermen met hun liefde voor het gekwelde schepsel ...'

'Mijn vrouw ook ...'

'... en dat is een argument waar je niet helemaal ...'

Salomon had de hele tijd op de tafel getrommeld en sloeg nu zo'n harde roffel dat iedereen naar hem keek. 'Ik zal u dat graag uitleggen, meneer Bugmann.'

'Kom alsjeblieft niet weer met die gematria van je!'

'Gematri ... wat?' vroeg Rauhut.

Salomon steunde met zijn vlakke handen op tafel. 'Ik ben, zoals u weet, veehandelaar en heb geleerd een koe niet te kopen, alleen omdat ze me met mooie woorden wordt aangeboden. Als ik u was, meneer Bugmann, zou ik het in de politiek ook zo doen.'

Janki zag met schrik dat Bugmanns gezicht paars aangelopen was, maar misschien lag dat alleen aan zijn apoplectische aard.

'Dat van het gekwelde schepsel, geachte meneer Bugmann, zit zo: niemand houdt zoveel van dieren als een slager die niets te slachten heeft.'

'Dat snap ik niet,' zei Schnegg.

'Zo nu en dan komt het voor dat een dier, hoewel het voldoet aan alle voorschriften van de gezondheidspolitie, na het sjechten ritueel onrein blijkt te zijn en daarom door joden niet gegeten mag worden. Dus moet het verkocht worden aan een christelijke slager. Vandaar het volksinitiatief.'

'Aha!' zei directeur Strähle en hij probeerde een gezicht te trekken alsof hij er iets van begrepen had.

'Omdat het dier al geslacht is, moet de verkoop vlug plaatsvinden. Dus voor een zeer lage prijs. De slager die de koop sluit is natuurlijk blij, alle anderen zijn jaloers. Ze zijn bang dat hun gelukkiger concurrent de prijzen zal drukken. En vanuit die angst ontdekken ze plotseling hun liefde voor dieren en willen ze het sjechten helemaal verbieden. Zo simpel is dat.'

'Wilt u soms beweren dat de zorg om het welzijn van het gekwelde schepsel enkel een voorwendsel ...?'

'Pure huichelarij,' zei Salomon. 'Dat zou u als politicus toch moeten weten, meneer Bugmann.'

'Omein!' zei oom Melnitz.

Bugmann stond op. Het was niet zomaar een zich verheffen, maar een demonstratie. 'Ik ga naar huis,' zei hij.

Directeur Strähle volgde onmiddellijk zijn voorbeeld. 'Het was een bijzonder aangename avond. Echt heel erg aangenaam.'

'Ik dank u nederig voor de bewezen gastvrijheid,' zei Ziltener.

Op weg naar buiten bleef Schnegg voor Salomon staan en bekeek hem door zijn monocle. 'U zou een man naar mijn hart zijn,' zei hij. 'Echt jammer dat u …' Hij maakte zijn zin niet af, maar Janki meende oom Melnitz te horen lachen.

Ten slotte stond ook redacteur Rauhut wankelend op. 'Ik ga nu een paar Schubert-liederen zingen,' zei hij. Maar er was geen publiek meer.

Toen alle gasten in hun jas waren geholpen – 'mag ik zo vrij zijn, mevrouw Strähle, het was ons een eer, mevrouw Schnegg' –, toen de laatste complimenten in ontvangst waren genomen als fiches die je na een speelavond weer in het doosje stopt om ze bij de volgende gelegenheid opnieuw uit te delen, toen ook de uitgeputte Christine als dank het cadeautje had gekregen waar ze volgens de traditie recht op had – een paar fijne geborduurde handschoenen, die ze gevraagd had maar nooit aan zou trekken –, keerde Chanele op zoek naar Sjmoeël terug naar de eetkamer. Ze had nog steeds niet met haar zoon kunnen praten.

Janki zat helemaal alleen aan de lange tafel. Nee, hij zat niet, hij was als een veldheer na een verloren slag op de gestoffeerde stoel in elkaar gezakt. De zwarte zijden doek hing als een rouwfloers uit zijn boord. Zijn mond had hij getuit, als om te fluiten of te zingen, zijn linkerhand lag plat op zijn buik en met zijn rechter klopte hij er ongeduldig en woedend op, zoals je op een deur bonkt die allang voor je opengedaan had moeten worden. Chanele, die deze pantomime maar al te goed kende, schonk uit een karaf water in een glas, pakte uit de la van het buffet het doosje met natron dat dr. Bolliger had voorgeschreven en zette alles voor Janki neer. Hij gooide te veel van het witte poeder in het glas en keek Chanele verwijtend aan toen het mengsel schuimend over de rand liep. Nadat hij had gedronken, boerde hij zonder zijn hand voor zijn mond te houden. Dat maakte nu ook niet meer uit.

'Het was een ramp,' zei hij.

'Hoewel we niet met z'n dertienen aan tafel zaten?'

'Een maatschappelijke ramp.'

'Er is nog iets wat je moet weten,' begon Chanele.

Maar Janki luisterde niet. 'Een ramp,' zei hij steeds weer. Het klonk als zo'n gebed met veel herhalingen dat op sommige feestdagen wordt gepreveld tot de woorden al hun betekenis hebben verloren. 'Een onherstelbare ramp.'

'Mathilde Lutz heeft me vandaag verteld …'

Als Napoleon III na de nederlaag bij Sedan was gevraagd welk overhemd hij de volgende dag wenste aan te trekken, dan had hij zijn vis-à-vis niet verachtelijker kunnen aankijken. 'Dat interesseert me niet,' zei Janki en hij benadrukte elke lettergreep afzonderlijk. 'Begrijp je? Ik wil het niet weten! Die kleine probleempjes van jou uit de winkel vind ik op dit moment net zo onbelangrijk als … als … als …' Op zoek naar een toepasselijke vergelijking bleef zijn oog op een asbak rusten. Hij gooide het mengsel van grijze as en natgesabbelde sigarenpeuken op het goede damasten tafellaken, waar het een vuil hoopje vormde zoals de straatvegers 's morgens vroeg opvegen. 'Kijk!' zei hij. 'Zo onbelangrijk vind ik dat op dit moment.'

'Het gaat niet om de winkel,' zei Chanele.

'Het kan me niet schelen waar het om gaat.' Het dramatische gebaar – of het maagpoeder – leek hem nieuwe kracht gegeven te hebben en de apathische wanhoop die hij daarnet nog aan de dag had gelegd, sloeg om in een woedende woordenstroom. 'Jij bent er niet bij geweest! Jij weet niet wat er gebeurd is! Terwijl jij vredig met de dames zat te babbelen, over handwerken of keukenrecepten of weet ik waarover, terwijl jij een leuke avond had …'

'Nebbech!' zei Chanele.

'… terwijl jij van het leven genoot, zijn ze allemaal over me heen gevallen. Zelfs Ziltener! En het was geen toeval, geloof me, zoiets gebeurt niet vanzelf. Ze moeten het afgesproken hebben! Heb je gezien hoe Rauhut, die zuipschuit, die sjaskener, met Bugmann stond te fluisteren? Dat heb je natuurlijk niet gezien. Zoiets valt jou niet op. Ze komen bij me, eten mijn eten, drinken mijn wijn en dan …'

'Wat is er gebeurd?'

Janki's woede was even snel uitgeblust als hij was opgelaaid. 'Het heeft geen zin,' zei hij terwijl hij met zijn hand op zijn buik drukte, alsof hij niet werd gekweld door het zuur, maar door een dodelijke wond. 'Je kunt doen wat je wilt, je hoort er niet bij.'

'Wat een belachelijk gezelschap.' François kwam de kamer binnen, met de opvallend soepele elegantie van een balletdanser die zich ook na het vallen van het doek nog van pose naar pose beweegt.

'Sjmoeël, ik moet onmiddellijk met je …'

'Moment,' zei François terwijl hij zoekend om zich heen keek. 'Van zo veel plichtplegingen krijg je een droge mond.'

'Nu meteen!'

'Ik sta zo tot je beschikking.'

En weg was hij.

'Het is allemaal de schuld van Salomon,' klaagde Janki. 'Als hij zich er niet mee had bemoeid! Waarom moest hij trouwens vandaag …?'

'Dat moet je aan hem vragen!'

Salomon was binnengekomen. Het nieuwe overhemd had hij zo ver losgeknoopt dat de schouwdraden van zijn arbe kanfes over zijn broek hingen. 'Jammer dat het woord "stropdas" niet in de Bijbel staat,' zei hij. 'Ik weet zeker dat het dezelfde getalswaarde zou hebben als "gojemnaches". Gojemnaches zijn alle dingen die niet-joden om onverklaarbare redenen amusant vinden.

'Het is jouw schuld,' zei Janki.

'Ik weet weliswaar niet wat,' antwoordde Salomon, 'maar als ik jou er een plezier mee doe, wil ik er met genoegen de schuld van zijn.'

'Waarom moest je hem zo aanvallen? Uitgerekend parlementslid Bugmann.'

'Hij stelde een vraag en die heb ik beantwoord. Had ik dan onbeleefd moeten zijn?'

'Je had helemaal niet híér moeten zijn.'

'Geloof me,' zei Salomon Meijer vredelievend glimlachend, 'als ik had geweten wie je had uitgenodigd, dan was ik in Endingen gebleven. Dan zijn mijn sjnorrers me dierbaarder.'

'Je hebt ze huichelaars genoemd!'

Salomon spreidde zijn armen uit. 'Noe,' zei hij. En dat betekende in dit geval: 'Ben ik zo oud geworden om niet de waarheid te mogen zeggen?'

'Wat wilde je trouwens bij ons?'

'Chanele deze brief brengen.' Salomon haalde een verscheidene keren opgevouwen, groezelig vel papier uit zijn broekzak. 'Ik loop hier al bijna twee maanden mee rond.'

Het zal een anonieme brief zijn, was Chaneles eerste gedachte, over de zwangere verkoopster.

Maar het was iets heel anders.

'Sinds Golde – moge ze in vrede rusten – er niet meer is,' zei Salomon, 'heb ik elke dag het gevoel orde te moeten scheppen. Orde in mijn leven. Hebben jullie er weleens bij stilgestaan dat het woord "widoei", zondebelijdenis, exact de dubbele getalswaarde heeft van het woord "liefde"? Dat betekent: alleen als we onze fouten toegeven ...'

'Hou op met die gematria van je!' schreeuwde Janki.

Salomon legde de brief op tafel en pakte Chaneles handen. 'Ik ben je je leven lang iets schuldig gebleven,' zei hij.

'U bent altijd goed voor me geweest.'

'Misschien zul je van mening veranderen,' zei Salomon. 'Hier ...' Hij schoof de brief naar haar toe. Het papier ritselde toen ze het openvouwde.

Het was heel stil in de kamer.

Tot Sjmoeël binnenkwam. Hij had de enorme, door Strähle meegebrachte champagnefles ontkurkt en dronk zonder glas. 'Ik weet,' zei hij en hij was helemaal niet elegant meer, 'ik weet dat dit spul niet koosjer is. Maar ik heb dat nu nodig.' Wijdbeens ging hij voor Chanele staan. 'En wat wilde je me zeggen?'

'Niets,' antwoordde Chanele. 'Dat is nu niet belangrijk meer.'

19

Mimi verwende Hinda graag.

Het meisje was dan wel niet haar echte nichtje, strikt genomen hoorde ze niet eens bij de familie, maar tegen wie moest je anders 'ma fillette' zeggen als je zelf geen kinderen had?

Als het zo had mogen zijn, was het destijds een jongen geweest. 'Het was een jongen', hadden ze tegen haar gezegd, 'het was', en met die ene zin was levende toekomst veranderd in dood verleden. Golde probeerde haar te troosten door over haar eigen ongeluk te vertellen, maar Mimi luisterde niet. In die dagen haatte ze haar moeder, die van alle eigenschappen die ze op haar had kunnen overdragen, uitgerekend die ene aan haar had doorgegeven: het onvermogen om een zoon te baren. 'Het heeft niets te betekenen,' zeiden de artsen bemoedigend knikkend. 'De volgende keer kan alles goed gaan.' Mimi geloofde hen niet. Ze wilden haar alleen maar troosten, ze wilden het sombere beeld van haar leven mooier maken, maar zij was niet zo'n zwakkeling tegen wie je moest liegen, *pas elle*, zij kon de feiten onder ogen zien en als het zo moest, dan moest het maar.

En ze had gelijk gekregen.

Pinchas, die een dromer was, een bekwaam sjocheet maar een dromer, vertelde haar verhalen over vrouwen die pas na tien of twintig jaar huwelijk moeder waren geworden. Ze liet hem praten en dacht: klets jij maar! Ze vroeg niet eens of hij zijn chochmes uit de Talmoed had of uit een van de vele kranten die hij elke dag las. Hij hield ervan om te argumenteren, alleen veranderde dat niets aan de feiten. Het was zoals het was.

Ze had haar leven erop ingesteld. De kinderloosheid vulde haar dagen evenzeer als het moederschap dat gedaan zou hebben. Ze bracht haar verdriet groot, liet het opgroeien en zich ontwikkelen, wende steeds meer aan de eisen die het stelde, worstelde er soms ook mee als met een kind dat je met zijn constante aandachtvragerij dreigt te verstikken, drukte het dan weer aan haar hart en had niet zonder gekund, nog geen minuut. Als andere vrouwen over hun kinderen vertelden of ze zelfs meebrachten als ze op visite kwamen – ze deden het niet vaak –, dan tekenden Mimi's vingertoppen rondjes op haar slapen en beweerde ze dat ze migraine had.

De kinderloosheid gaf haar leven inhoud en haarzelf een rol. Ze was niet zoals de anderen, ze moest iets verdragen, wat ze dapper deed, en haar ongeluk, al zou ze iedereen tegengesproken hebben die dat had durven zeggen, maakte haar gelukkig. Ze was – ze ging naar de nieuwe stadsschouwburg en kende de vaktermen – een karakterspeelster geworden, niet meer de jeune ingénue die niemand zich na de voorstelling herinnert. Ze had haar onderwerp gevonden en leefde het in steeds nieuwe variaties.

Als Hinda op bezoek was, en het was maar goed dat ze vaak kwam, want haar tante was een eenzame, verdrietige vrouw die gezelschap en afleiding nodig had, dan vierde Mimi al haar vermeende moederlijkheid bot, ze was beste vriendin en discrete vertrouwelinge. Ze had Hinda ook graag goede raad gegeven op het gebied van de liefde en was telkens weer teleurgesteld dat haar nichtje daar nog helemaal geen belangstelling voor leek te hebben. Dat moet aan Chanele liggen, dacht Mimi vaak. Zo'n kouwe kikker – waar moet de dochter het ook vandaan hebben?

Mimi's grootste droom was een sjidoech voor Hinda vinden, niet zomaar een, maar de perfecte sjidoech, een welgestelde, ontwikkelde, heel bijzondere echtgenoot. Chanele zou haar moeten bedanken en zij zou zeggen: '*Mais de rien, ma chère.* Jullie wonen in Baden zo ver van de betere kringen – daarom moest iemand zich er wel om bekommeren.' Janki zou hen naast elkaar zien staan, zijn Chanele, kleurloos als het hoofd van een meisjespensionaat, en Mimi, een dame van de wereld die wist hoe ze zich moest gedragen en kleden. Ze zou naar hem glimlachen, als een zuster glimlachen, en zeggen: 'Ik hoop dat je gelukkig bent geworden.' Ze wist ook al precies welke hoed ze op die chassene zou dragen, niets opvallends, certainement pas, een kinderloze vrouw, wier leven vol verdriet is, doft zich niet op, maar ze had bij haar hoedenmaakster veren van zwarte zwanen gezien, zachte, treurige veren.

Ik ben een zwarte zwaan, dacht Mimi.

Tijdens een theevisite had ze Hinda naast Siegfried Kahn gezet, die rechten studeerde en gezien de belangrijke rol die zijn familie in de zijde-import speelde spoedig een succesvol advocaat zou zijn. Bovendien was hij, op een ziekelijke zus na, enig kind en zou hij ooit alles erven. Maar Hinda had na de ontmoeting alleen maar gelachen en Mimi voorgedaan hoe meneer de student zijn hoofd in de hoge staande boord als een uil heen en weer draaide, 'alsof hij helemaal geen hals had'. Met

Mendel Weisz uit de matsebakkersdynastie had Mimi evenmin succes gehad. Hinda had zijn omslachtige complimenten over zich heen laten gaan en toen gezegd: 'Met Pesach kan een matsefabriek heel nuttig zijn, maar wat moet ik de rest van het jaar met hem?'

Chanele had haar dochter echt niet goed op het leven voorbereid.

Vandaag stonden er geen jongemannen op het programma, maar je kon nooit weten wie je in de stad tegenkwam. Hinda's kleren waren weliswaar van goede kwaliteit, tenslotte was ze de dochter van de grootste stoffenhandelaar van Baden, maar toch allemaal *très simples*, beter geschikt voor een boerengat dan voor de grote stad. Gelukkig had Mimi smaak en met een leuke cape en een parasol valt een hoop te doen.

Zelf droeg ze een heel eenvoudige deux-pièces van donkerblauw zijdesatijn, de jupon recht, met een brede geplisseerde volant en een opgenaaide satijnen band, en ook het lange jasje was heel simpel, alleen aan de rand met een kleine ruche afgezet en met een uiterst onopvallend driehoekig inzetstuk van atlas. Het haar werd dit jaar zeer strak gedragen, met een niemendalletje van een hoedje. Alleen haar parasol was een tikkeltje extravagant.

'Waar gaan we heen?' vroeg Hinda.

'Straks gaan we in de Palmengarten chocolademelk drinken. Maar eerst ... Je zult wel zien.'

De woning lag aan de Sankt-Anna-Gasse, direct boven de slagerij. Mimi woonde daar niet echt naar haar zin. Een winkel aan huis was volgens haar *très ordinaire*, maar het was natuurlijk wel praktisch. Sinds Pinchas een compagnon had genomen, de jonge Elias Guttermann, een heel degelijke en gelukkig ook zelfstandige sjocheet, kon hij af en toe een uurtje of twee uit de zaak weg en hij hoefde dan alleen een trap op en zat al achter zijn bureau. De laatste jaren schreef hij steeds vaker kleine artikelen, die onder de afkorting -PP- in een paar Duitse kranten en nu zelfs in de pas opgerichte Zürichse *Tages-Anzeiger* waren verschenen. Een brodeloze kunst, natuurlijk, maar de slagerij liep goed en Mimi – ze benadrukte het vaak – bemoeide zich er niet mee.

Ze liepen niet richting Löwenstraße waar, op een paar passen van de slagerij, de synagoge was, maar gingen eerst naar de Bahnhofstraße en toen door een van de kleine steegjes omhoog naar de oude binnenstad. Mimi wilde nog steeds niet vertellen wat ze van plan was, maar om de een of andere reden was ze heel opgewonden. 'Je hoeft niet bang te zijn, Hinda,' zei ze plotseling, 'er kan helemaal niets gebeuren.'

Hinda lachte. Het was moeilijk voor te stellen dat je in gezelschap van tante Mimi iets ernstigs zou overkomen, laat staan iets angstaanjagends.

Ze kwamen bij een huis in de Wohllebgasse, een gebouw dat zo smal was dat het leek of zijn buren slechts met tegenzin een beetje waren opgeschoven om plaats te maken. Op de begane grond had een stoffeerder zijn werkplaats. Een stel versleten stoelen met uitpuilende vulling stond in een halve cirkel op straat, als in afwachting van niet graag geziene gasten.

Om in het huis te komen moest je eerst de werkplaats binnengaan en die door een ruwe houten zijdeur meteen weer verlaten. De bijtende lucht van kokende lijm maakte in het smalle, donkere trappenhuis plaats voor de penetrante lucht van koolsoep, een armeluislucht, die Mimi bij andere gelegenheden *dégoûtant* of *affreux* genoemd zou hebben. Nu nam ze alleen haar rok op en liep voor Hinda uit de krakende trap op, langs een deur waarachter het gekrijs van een baby en een scheldende vrouwenstem elkaar afwisselden, en een tweede deur waarachter een hond woedend kefte en zich met een doffe smak steeds weer tegen het hout aan wierp.

Op de bovenste verdieping, waar de muren al schuin werden, bleef Mimi voor een deur staan waaraan een leeuwenkop van messing was bevestigd. Hij was waarschijnlijk bedoeld als deurklopper, maar in zijn muil ontbrak de bijbehorende ring.

'Wat …?' wilde Hinda vragen.

Mimi legde een vinger op Hinda's lippen. 'Doe je handschoenen maar vast uit,' fluisterde ze.

Ook zonder te kloppen werd hun komst opgemerkt. Een magere vrouw, misschien een jaar of vijftig, misschien veel ouder, zette de deur op een kier. Ze droeg een lichtgrijze rok en een hooggesloten blouse in dezelfde kleur, die bij de hals was dichtgespeld met een zilveren broche. Een doek van gesteven, eveneens grijze stof bedekte haar haren. Haar ogen had ze samengeknepen, alsof ze zelfs het duistere licht in het trappenhuis nog te fel vond. Zonder een welkomstwoord knikte ze naar Mimi, even zakelijk als je een laken op een waslijst afvinkt. Toen richtte ze haar wantrouwige blik op Hinda.

'Wie is dat?' vroeg ze toonloos.

'Mijn nichtje,' antwoordde Mimi. 'Madame Rosa weet ervan.'

'Daar heeft ze me niets van gezegd.' De magere vrouw leek hen eerst niet door te willen laten, maar deed toen toch een stap opzij. 'U bent te laat,' siste ze verwijtend.

Ook in de smalle gang hing de lucht van koolsoep, vermengd met een penetrante zoetige geur die Hinda niet kon thuisbrengen. In grote borden, doodgewone soepborden die langs de muren op de grond stonden, walmden kaarsen waarvan de pitten een dikke, zwarte rook verspreidden.

Hinda moest hoesten. De in het grijs geklede vrouw, die voor haar uit liep, draaide zich om en wierp haar een verwijtende blik toe. Toen opende ze de deur van een kamer, waar de ramen op klaarlichte dag met zware fluwelen gordijnen waren afgedekt.

Vijf of zes mensen, zo precies kon Hinda dat in het halfdonker niet meteen zien, zaten om een ronde tafel. Het vertrek was heel klein, nog kleiner dan de dienstbodenkamers op zolder in Baden. Om te zorgen dat Mimi op een vrije plaats kon gaan zitten, moesten vier mensen opstaan en zich in een hoek van de kamer en in de vensternis drukken. Daarbij ging het zware gordijn heel even opzij; fel zonlicht drong als een bliksemschicht naar binnen en bescheen, aan een muur zonder behang, een niet ingelijst olieverfschilderij dat een met nevel bedekt ravijn voorstelde.

Hinda, die ondanks haar verwarring altijd in was voor een avontuur, wilde Mimi volgen, maar iemand hield haar vast. De magere vrouw had haar parasol gegrepen en leek hem niet meer los te willen laten. Pas toen ze zag dat de vrouw ook Mimi's parasol over haar arm had hangen, begreep Hinda dat ze hem van haar wilde aannemen. Ze wrong zich langs de rand van de tafel naar haar plaats en ook de anderen gingen met veel geschuif van stoelen weer zitten. Dat gebeurde allemaal zonder dat er een woord werd gezegd.

Hinda schrok toen ze iets aan haar benen voelde, maar het was alleen het verschoten donkerbruine tafelkleed dat tot op de grond hing. Links van haar zat Mimi, rechts een astmatische, zwaar ademende vrouw die ongezond naar zweet rook. Allebei hadden ze hun handen met gespreide vingers op het tafelkleed gelegd. Hinda keek om zich heen en stelde vast dat alle andere aanwezigen dezelfde houding hadden aangenomen. Hun pinken raakten elkaar en samen vormden ze een soort keten. Hinda sloot zich bij hen aan, zoals kennelijk van haar werd verwacht. De vinger van de vreemde vrouw was koud en vochtig.

Bijna een minuut lang gebeurde er niets. Toen zei de magere vrouw, die als enige was blijven staan: 'Wij sluiten de ogen.' Hoewel ze nog steeds fluisterde, deed de klank van haar stem Hinda denken aan een strenge gouvernante.

Gehoorzaam sloeg ze haar ogen neer, maar niet helemaal. Als de kouhanem in de gebedsruimte voor de gemeente gingen staan om de priesterzegen uit te spreken was het ook verboden om te kijken; onder de jongere kinderen deed zelfs het verhaal de ronde dat je van een steelse blik blind kon worden. Arthur, angstig als hij was, had zich altijd aan het verbod gehouden, maar Hinda had één keer de verleiding niet kunnen weerstaan. Er was haar niets ergs overkomen, maar ze had ook niets opwindends gezien. Alleen koopman Mosbacher met zijn zoon en de oude meneer Katz, alle drie met uitgestrekte armen en het talles over hun hoofd.

Wat ze nu vanonder haar neergeslagen wimpers rond de tafel zag, was nog veel minder opwindend.

Op één uitzondering na waren het allemaal vrouwen die hier bijeengekomen waren. De enige man zat vlak naast Mimi, een heer op leeftijd met een klein wit baardje die je je als geleerde voor kon stellen, of als een kruidenier die in zijn vrije uren graag eens een boek ter hand neemt. De vrouw naast hem droeg een bril met heel kleine glazen, die in de vetkwabben van haar ronde gezicht wegzakten als rozijnen in vers deeg. Haar ogen had ze zo stijf toegeknepen dat ze op een griende baby leek. Dan kwam er een vrij jonge dame met een verwaand gezicht; je kreeg de indruk dat ze haar ogen alleen had gesloten om het onwaardige gezelschap waarin ze tegen haar zin was beland, niet te hoeven zien.

Daarnaast, schuin tegenover Hinda, zat een kleine gemoedelijke vrouw die een beetje leek op de echtgenote van bakker Pfister op de Kirchplatz, bij wie je niet alleen de beste Spaanse broodjes kon krijgen, maar ook altijd de nieuwste roddels hoorde. Ze droeg als enige van de dames geen hoed, maar had haar haar verstopt onder een kleurige tulband, waarop van voren een geëmailleerd medaillon prijkte. Dat was waarschijnlijk madame Rosa.

De volgende was een vrouw helemaal in het zwart, met aan haar hoed een halflange weduwensluier die haar ogen bedekte, en naast haar zat de zwetende vrouw met de zware ademhaling. Om haar beter te kunnen bekijken had Hinda zich onbeleefd naar haar toe moeten draaien.

'Is er een goede geest die tot ons wil spreken?' vroeg de vrouw met de tulband. Ze zei het in het platte dialect van de voorstad en zo gewoon als je informeert of de post er al is. Hinda, met haar talent om overal het belachelijke van in te zien, had grote moeite om niet in de lach te schieten.

'Ik vraag nog een keer: is er een goede geest die tot ons wil spreken?'

Hinda kon ook later niet verklaren wat er toen gebeurde. De tafel onder hun handen leek te bewegen, hij leek omhoog te komen en weer te zakken, als iemand die zich in zijn slaap omdraait en meteen weer tot rust komt. Toen de tafelpoot de grond weer raakte was er een duidelijk geklop te horen.

'Wij begroeten je,' zei madame Rosa en alle aanwezigen herhaalden: 'Wij begroeten je.'

'Hoe is je naam?' vroeg madame Rosa.

Net als in sjoel, wanneer het moment ervoor aangebroken is, begonnen de mensen rond de tafel allemaal tegelijk te prevelen. Hinda dacht even dat het een gebed was, maar toen verstond ze de wonderlijke klanken.

A. B. CDEFG.

Ze zeiden in koor met gedempte stem het alfabet op.

HIJKLM.

Als kleine kinderen op school.

NOPQR.

Geklop.

'R,' zei madame Rosa.

Het spreekkoor begon van voren af aan.

ABCDEFG.

Deze keer kwam het geklop na de O.

En daarna na de D.

En weer na de O.

R. O. D. O. L. P. II. E.

'Rodolphe,' zei madame Rosa. Een bijzonder krachtig geklop bevestigde de naam.

Naast Hinda begon tante Mimi te snotteren.

'Hij is het,' bracht ze huilend uit. 'Ik zou hem Rodolphe genoemd hebben, als hij … als hij …'

Ze werd onderbroken door een ongeduldig geklop. Onder Hinda's handen bokte de tafel als een koppig paard.

'Wil je ons iets zeggen?' vroeg madame Rosa.

Geklop.

En het geprevel begon van voren af aan. ABCDE.

M. spelde de tafel deze keer. M. A. M. A.

'Hij praat met me,' snikte Mimi.

Het rook nog steeds naar koolsoep.

Toen ze naderhand in de Palmengarten zaten, bezwoer Mimi dat ze er natuurlijk niet in geloofde, niet echt, er zat vast een hoop hocus pocus bij en ze vond zichzelf een beetje *ridicule*, maar aan de andere kant … Hoe had de tafel, of een persoon als er bedrog in het spel was, hoe hadden ze de naam Rodolphe kunnen kennen, niet gewoon Rudolf zoals ze hier schreven en zeiden, maar Rodolphe, op z'n Frans, zo'n ongewone naam, hoe had iemand die moeten weten? En zelfs als – ze zag wel dat Hinda alweer lachte, ze hoefde het helemaal niet te verbergen en misschien had ze gelijk – zelfs als het allemaal maar komedie was geweest, in scène gezet voor lichtgelovigen, het had haar toch goedgedaan, heel goed, Hinda had geen idee. Wie nog nooit echt verdriet had gehad, zei Mimi, wie geen echte sores had, die kon dat niet begrijpen, maar als je zoveel had doorgemaakt als zij, dan klampte je je vast aan elke strohalm. En wat de stem had gezegd – voor haar was het een stem, ook al hoorden ze natuurlijk alleen de klopsignalen, die madame Rosa dan moest duiden –, wat de stem had gezegd was heel echt geweest, heel duidelijk alleen voor haar bestemd: dat het goed met hem ging, dat hij gelukkig was en dat hij van haar hield. Ach, Hinda besefte niet wat dat betekende voor een moeder die haar kind nooit in haar armen had mogen houden of het op vrijdagavond bensjen. Rodolphe had ze hem willen noemen, naar een boek dat iemand haar ooit had voorgelezen, het was al zo lang geleden dat ze soms dacht dat ze ook dat maar had gedroomd.

Daarop schonk Mimi chocolademelk in, als een echte dame, met gehandschoende vingers, en ze bestelde twee tompoezen, want van innerlijke spanningen kreeg ze altijd trek.

Toen de sessie voorbij was geweest – 'Het gaat hier om een natuurwetenschappelijk experiment, daarom spreken we van een sessie', had Hinda te horen gekregen van de heer op leeftijd, die zijn hele leven in het onderwijs werkzaam geweest bleek te zijn, als leraar natuur- en scheikunde op een middelbare school voor meisjes –, toen de magere vrouw de gordijnen had opengetrokken en het kamertje in al zijn kleinburgerlijke armzaligheid had onthuld, hadden ze nog wat staan praten, erg ongemakkelijk, want zelfs nadat de stoelen naar buiten waren gedragen stonden ze nog steeds met hun rug tegen de schuine muur. Alle belangstelling ging uit naar Hinda, de nieuwe adepte, zoals ze genoemd werd door de zwaar ademende vrouw, die zich voorstelde als Hermine Mettler, echtgenote van opperrechter Mettler. Zelf, vertrouwde ze Hinda toe, was ze ernstig ziek en door de artsen allang opgegeven, maar in het contact met het hiernamaals vond ze steeds weer nieuwe kracht en haar zielenleider had haar zelfs beloofd dat ze maar één keer een echt ectoplastisch fenomeen hoefde te beleven om weer helemaal gezond te worden.

De vrouw met de kleine bril en haar verwaande buurvrouw waren moeder en dochter en kwamen op elke sessie, omdat madame Rosa bij hen heel bijzondere mediamieke krachten had ontdekt, die in de kring van handen nodig waren om het contact met de andere wereld tot stand te brengen. De gesluierde vrouw nam niet deel aan het gesprek, ze bette alleen met een zwart kanten doekje haar ogen en zei een paar keer midden in een stilte: 'Ja, ja.'

Madame Rosa was als enige blijven zitten. Ze zag er, om een uitdrukking uit Mimi's vocabulaire te gebruiken, ondanks haar exotische kostuum très ordinaire uit, als een wasvrouw na een lange dag in de hete damp of als Christine na de laatste gang van een groot diner. Het emaillen medaillon op haar tulband stelde trouwens een open oog voor. Ze was, zoals Mimi onderweg naar de Alpenquai uitlegde, een ver familielid van de stoffeerder, die tevens huiseigenaar was. Pas heel laat en slechts bij toeval had ze haar bijzondere capaciteiten ontdekt en ze nam voor het leiden van de sessies uit principe geen geld aan; je stopte alleen de magere grijze vrouw iets toe voor de onkosten, geheel vrijwillig, je kon geven zoveel als je wilde.

Toen ze afscheid namen, had madame Rosa een naar koolsoep ruikende hand op Hinda's wang gelegd, haar aangekeken en hoofdschuddend gezegd: 'Vandaag is een bijzondere dag voor je, mijn kind.'

Ze waren de trap afgelopen – de baby was gestopt met krijsen en de hond blafte alleen nog heel hees – en toen ze door de deur van de werkplaats naar buiten stapten en weer frisse lucht inademden, had Hinda zo hard moeten lachen dat ze zich in een van de kapotte stoelen had laten vallen en met haar benen had zitten trappelen.

Onderweg door de stad was ze steeds weer in de lach geschoten en ten slotte had ze ook Mimi aangestoken. De twee giechelden als schoolmeisjes die een geheim delen en ze moesten zelfs – 'Maar dat mag je thuis niet vertellen, dat is nict chic!' – het pas geopende openbare damestoilet aan de Bürkliplatz opzoeken, want Mimi had tranen in haar ogen gekregen van het lachen en zonder haar gezicht opnieuw gepoederd te hebben kon ze zich niet in het deftige gezelschap van de Palmengarten vertonen.

20

De Palmengarten in het concertgebouw was in Zürich de meest elegante plek om een kop chocolademelk te drinken. Nou ja, de lounge van hotel Baur en Ville bij de Paradeplatz was misschien nog een tikkeltje exclusiever, maar daar kwam een heel ander publiek, overwegend buitenlandse reizigers, en Mimi had nooit ingezien waarom je je goede toiletten moest tonen aan mensen die je niet eens kende. In de Palmengarten zag je altijd vertrouwde gezichten, vooral 's middags als op het podium het orkest speelde, 'onder leiding van kapelmeester Fleur-Vallée', zoals in de annonces stond. De heer Fleur-Vallée was een goede klant van de slagerij en heette Blumental.

De vier reusachtige palmen waar het koffiehuis zijn naam aan dankte, stonden in bakken met metalen beslag, die om de drie maanden door het hele personeel met vereende krachten en veel duw- en trekwerk gedraaid moesten worden, zodat ze niet eenzijdig naar het licht toe groeiden. Mimi wist dat van Fleur-Vallée, die zich erover had beklaagd dat er van hem, de fijnzinnige kunstenaar, werd verwacht dat hij bij dat karwei ook de handen uit de mouwen stak.

Voor iemand die er nog nooit geweest was leek de Palmengarten misschien een gelijkmatige zee van kleine ronde tafeltjes, hier en daar voor grotere gezelschappen bijeengespoeld tot toevallige eilandengroepjes. Maar zoals je bij de keuze van je woonwijk niet zomaar op goed geluk ergens heen trok, maar de nabijheid van je eigen soort zocht – kleine ambachtslieden in de oude binnenstad, arbeiders in het pas ingelijfde Wiedikon, joden rond de synagoge in de Löwenstraße –, zo diende ook hier een duidelijke sociale indeling in acht genomen te worden, die weliswaar nergens was vastgelegd, maar de stamgasten toch bekend was.

De meest gewilde plaatsen waren die aan de lichte zuidkant – 'maar niet aan het raam,' had Mimi Hinda uitgelegd, 'dat is goedkoop. Het moet niet lijken of je het nodig hebt jezelf in een etalage te kijk te zetten.' Je zocht een plaats in de tweede rij, niet ver van het brede gangpad; tenslotte wilde je kunnen zien wie er kwam en ging. In de Palmengarten had je een wijk van oudere echtparen, een district van krantenlezers enzovoort. Vlak voor het podium met het orkest zaten bij voorkeur studenten in gala en jongedames die hun nabijheid zochten. Gasten van buiten de stad moesten genoegen nemen met een plaats in het niemandsland ergens daartussen.

Vandaag waren er veel ongewone gasten in de Palmengarten, luidruchtige, deels avontuurlijke figuren, 'geen echt voorname lieden', zoals Mimi met een blik op de rafelige kragen en lang niet geborstelde hoeden vaststelde. Rond hun tafeltjes, waarop stapels brochures lagen, stonden de stoelen zo dicht bij elkaar dat de dienbladen torsende obers er maar met moeite doorheen konden komen. Sommige mannen waren niet eens gaan zitten, maar versperden met een glas of een fles in hun hand de gangpaden en allemaal waren ze, gebarend en op elkaar in pratend, in eindeloze discussies verwikkeld.

'Dat zijn de socialisten,' zei Fleur-Vallée. Na de door hemzelf gemaakte arrangementen van populaire volksdeuntjes en de afsluitende *Tsjerkssische Taptoe* was hij naar het tafeltje van mevrouw Pomeranz en haar gast gekomen en had beiden begroet met een handkus, wat meteen weer op Hinda's lachspieren werkte. Als je hem op het podium zag dirigeren, deed de kapelmeester denken aan een figuur uit een speeldoos, alles was piepklein, gelijkmatig en heel chic uitgedost. Van dichtbij was hij gewoon een klein mannetje met een grote neus, niet Levantijns gebogen, zoals men dat graag van de joden zegt, maar door een ziekte opgezwollen en paars verkleurd, een schoonheidsfoutje dat de heer Fleur-Vallée met veel poeder trachtte te camoufleren. De revers van het rokkostuum dat hij als dienstkleding droeg waren dan ook altijd wit bestoven.

'De socialisten,' herhaalde hij en hij trok er een gezicht bij alsof een trompettist midden in zijn gevoeligste pianissimo-passage toeterde. 'Ze houden hier in het concertgebouw hun wereldcongres. Al drie dagen. Mensen zonder enig gevoel voor muziek. Zelfs bij *Åses dood* praten ze gewoon door en dat is nu toch echt bijna als Kol Nidrei.'

Als ter bevestiging zwol de discussie aan de bijeengeschoven tafeltjes op dat moment aan tot een dissonant crescendo. 'Straks gaan ze nog vechten,' zei Fleur-Vallée. 'Dat zou niet de eerste keer zijn.'

'Waar komen die mensen vandaan?' vroeg Mimi.

'Uit Duitsland,' zei Fleur-Vallée en bij elk land dat hij opsomde tekende hij met samengedrukte wijs- en middelvinger een boog in de lucht, alsof hij een landkaart stond te dirigeren. 'Uit Oostenrijk-Hongarije. Uit Frankrijk. Uit Engeland. Uit Italië. Uit Rusland. Uit Polen. En uit Amerika, vermoed ik.'

'U schijnt die socialisten goed te kennen,' zei Mimi, dreigend met haar vinger zwaaiend, een plagerig gebaar dat ze had afgekeken van de soubrette van de schouwburg.

'Ik heb dat muzikaal vastgesteld,' zei de kleine kapelmeester en hij ging op zijn tenen staan alsof hij van trots over zijn eigen slimheid groeide. 'Door middel van een vingeroefening die nog stamt uit de tijd dat ik in Bad Kissingen eerste violist van het kuurorkest was. Een potpourri van volksliederen, in de stijl van Rossini, heel licht en scherzando, maar met zeer gedurfde overgangen. 'Speelt u een beetje piano?' vroeg hij zonder overgang aan Hinda.

'Helaas niet.'

'U kunt zich gelukkig prijzen, geloof me. Zeer gelukkig! Houden zo! Het is beter om helemaal geen instrument te bespelen dan het dilettantisch te doen. Hoe vaak heb ik op partijtjes niet zogenaamde muziekliefhebbers moeten begeleiden. Liefhebbers, goede god!' Met theatrale vertwijfeling sloeg hij zijn hand voor zijn gezicht. Het leek of hij zijn opgezwollen neus wilde verbergen. 'Maar wat wilde ik ook weer …? De volksliederen, natuurlijk. Luister.' Nog steeds naast het tafeltje staand boog hij zich als een gedienstige ober bij het opnemen van een bestelling naar de twee vrouwen toe en begon zachtjes het Oostenrijkse volkslied te zingen. "God behoede, God bescherme onze keizer en ons land, machtig door de steun van het geloof leidt hij ons met wijze hand! *Allons enfants de la patrie, le jour de gloire est arrivé.*" Een gedurfde overgang, nietwaar?'

'En wat heeft dat met de socialisten te maken?' vroeg Hinda.

'Een spelletje waar we in Bad Kissingen de tijd mee verdreven. Artistiek gezien is zo'n kuurorkest namelijk geen echte uitdaging. Voor we de potpourri speelden gokten we altijd op de verschillende landen. We bekeken de mensen in het publiek en probeerden te raden waar ze vandaan kwamen.'

'En dan …?'

'Het is namelijk zo dat de mensen klappen als het volkslied van hun land wordt gespeeld. Ik weet niet waarom; ze doen het gewoon. Ten minste op dat punt schijnen de heren socialisten net zulke patriotten te zijn als alle anderen.'

Omdat ze op dat moment allemaal hun hoofd omdraaiden – volkomen zinloos, want als mensen niet net met vlaggen zwaaien, zie je niet aan ze dat het patriotten zijn –, omdat ze dus exact op dat moment naar de tafeltjes van de congresgangers keken, zagen ze precies wat daar gebeurde en wat de volgende dag onder de kop REL IN DE PALMENGARTEN zelfs de krant zou halen.

De woorden van de discussie konden ze niet verstaan, ze hadden geen idee waar het om ging, maar een van de deelnemers moest iets gezegd hebben wat zijn toehoorders zo kwaad maakte dat ze niet meer met argumenten, maar alleen nog met zwaaiende bierglazen wisten te reageren. Het resultaat was dat midden in de archipel van bijeengeschoven tafeltjes een vulkaan tot uitbarsting leek te komen. Een vloed van stoelen, serviesgoed, fladderende pamfletten en afgeslagen hoeden golfde alle kanten op, met daarin, als door de storm aangespoelde vissen, spartelende mannen die zelfs in hun val nog op elkaar insloegen.

Het ging allemaal zo vlug dat Mimi en Hinda niet eens de tijd hadden om echt te schrikken. Ze hadden de plotselinge opwinding nog helemaal niet goed kunnen verklaren toen een jongeman, die van iemand anders een duw kreeg, met zijn rug tegen hun tafeltje klapte en het omvergooide. De kopjes met de chocolademelk en de schoteltjes met de tompoezen vlogen door de lucht alsof ze met een katapult waren weggeschoten. De man zelf belandde al struikelend half bij Hinda op schoot en bracht haar ook bijna ten val.

Hinda hoorde Mimi naast zich schreeuwen, een langgerekte, hoge toon, zoals wanneer je op de sjofar een tekio blaast, alleen was het niet Mimi die schreeuwde, maar Fleur-Vallée.

De vreemde man gleed van haar knieën heel langzaam op de grond. Blindelings om zich heen grijpend probeerde hij zich ergens aan vast te houden, kreeg de mouw van Hinda's jurk te pakken, trok zich eraan op en scheurde daarbij de naad open, met een geluid dat voor Mimi, wie de schrik intussen om het hart was geslagen, klonk als een kanonschot.

De man krabbelde overeind, lachte Hinda met zijn grote witte tanden toe, alsof de hele zaak maar een onschuldig, amusant incident was geweest, zei iets onverstaanbaars in een vreemde taal en stortte zich weer in het gewoel. Hinda probeerde hem met haar ogen te volgen, maar de in beroering gebrachte mensenstromen hadden hem alweer verzwolgen.

Het geheel duurde maar een paar minuten. Even snel als de gemoederen verhit waren geraakt, bekoelden ze weer. Men klopte het stof van elkaars pak, verloren hoeden werden opgeraapt, uitgedeukt en weer opgezet, omgegooide plantenbakken werden overeind gezet. Op tafelbladen – de poten hadden waarschijnlijk dienstgedaan als knuppels – werden gewonden naar buiten gedragen. Toen eindelijk twee agenten in uniform zo haastig als hun ambtelijke waardigheid dat toeliet de Palmengarten betraden, waren de eerst zo verdeelde congresgangers al heel vreedzaam bezig de obers te helpen met opruimen.

Fleur-Vallée had heel wat meer tijd nodig om te kalmeren. Hij was nu eenmaal een gevoelig kunstenaar – mevrouw Pomeranz zou dat kunnen bevestigen – en tegen dit soort opwinding was hij niet bestand. Maar meer nog dan de angst om zijn eigen welbevinden was het de bezorgdheid om Hinda geweest die hem uit zijn gewone doen had gebracht, en hij hoopte maar dat de juffrouw geen schade had geleden en van de onaangename belevenis alweer een beetje was bekomen.

Hij moest zijn bezorgde vraag twee keer stellen voor Hinda hem hoorde. In gedachten verzonken observeerde ze twee afgevaardigden die de op het strijdtoneel verspreid liggende pamfletten opraapten. Geen van beiden was de man met wie ze zo onzacht in aanraking was gekomen. Misschien was hij een van de gewonden geweest.

'Doe in elk geval je cape om!' zei tante Mimi. 'Wat moeten de mensen wel niet denken als ze je in een gescheurde jurk zien? Je lijkt wel een zigeunerin.'

Ze wilde eigenlijk meteen naar huis, maar de waard van de Palmengarten, die van tafeltje naar tafeltje snelde om zich bij zijn stamgasten persoonlijk voor de overlast te verontschuldigen, stond erop dat ze eerst nog een kop chocolademelk namen, met tompoezen, op kosten van de zaak uiteraard.

'Nou ja,' zei Mimi, 'zo'n hartversterking zal ons misschien goeddoen na al die opwinding.'

'Zoals je wilt,' zei Hinda, die helemaal niet had geluisterd.

Fleur-Vallée zag nog steeds erg bleek en Mimi drong erop aan dat hij bij hen kwam zitten en ook een kop chocolademelk nam, op kosten van de zaak.

Ook de socialisten zaten alweer aan hun tafeltjes te discussiëren alsof er niets was gebeurd. Mimi zag het met burgerlijk misprijzen aan.

'Zulke lieden zouden ze niet eens het land binnen moeten laten,' zei ze. 'Hij had al je botten kunnen breken, Hinda.'

'Wat zeg je?'

'Hij had je invalide kunnen maken.'

'Hij deed het niet met opzet. En er is ook niets gebeurd.'

'Hij heeft je jurk gescheurd. Noem jij dat niets? Nou goed, als je het mij vraagt is het niet echt jammer, het is niet bepaald het nieuwste model, maar toch … Waar moet dat heen?'

'Hij heeft zich in elk geval verontschuldigd,' zei Fleur-Vallée.

'Hebt u dan verstaan wat hij zei?'

'U niet, mevrouw Pomeranz?'

'Spreek ik soms Russisch of Pools of wat het ook was?'

'Het was geen Russisch,' zei de kapelmeester, terwijl hij met een betweterig gebaar zo hard over zijn neus wreef dat het poeder alle kanten op stoof. 'Het was ook geen Pools.'

'Wat dan wel?'

'Jiddisj,' zei Fleur-Vallée.

'Zait mir moichel' had de man gezegd, 'neemt u me niet kwalijk'. Hij had niet het Jiddisj gesproken dat hier gebruikelijk was, maar de Oost-Europese variant, die de joden van de Baltische landen tot Bessarabië als lingua franca gebruikten. Onder de afgevaardigden van het socialisten-congres waren een heleboel joden uit verschillende landen, legde Fleur-Vallée uit, wat ook geen wonder was, tenslotte was Karl Marx, die het allemaal, zeg maar, bedacht had, ook geen goj geweest.

'Met de dochter van Karl Marx,' etaleerde Mimi later bij het avondeten haar pas verworven kennis, 'heeft Blumental zelfs persoonlijk kennisge-maakt. Ze is als tolk op het congres. En August Bebel, de oppersocialist, heeft een schoonzoon in Zürich. Een arts. En jij, Pinchas, wist jij eigen-lijk dat hier zo'n congres werd gehouden?'

'Nou ja,' zei Pinchas, 'ik vermoedde al zoiets. Vanwege de vele artike-len die al weken in alle kranten staan.'

'Als huisvrouw heb je geen tijd om de halve dag kranten te zitten lezen,' verdedigde Mimi zich.

'Natuurlijk niet, liefste,' zei Pinchas en er was geen greintje ironie in zijn stem. Hij hield van zijn vrouw zoals ze was en gunde haar haar oppervlakkigheid en haar kleine ijdelheden, zonder ze echter over het hoofd te zien. Dat ze te veel geld uitgaf aan kleren, nam hij haar niet kwalijk. Na meer dan twintig jaar beschouwde Pinchas het nog altijd als zijn grootste geluk dat Mimi destijds met hem en niet met Janki was getrouwd; als hij eraan dacht, moest hij soms midden op de dag een paar seconden ophouden met werken om zich stilletjes te ver-heugen.

Pinchas was sinds de tijd in Endingen erg veranderd, niet alleen omdat hij toen die stifttand had gekregen. Hij was letterlijk en figuurlijk gegroeid, zijn slungelachtige figuur was voller geworden en zijn bewe-gingen minder onrustig. Alleen zijn baard was nog altijd dun, maar dat viel niet meer zo op sinds hij één keer in de maand in model werd geknipt. Bij het eten droeg hij een zacht bruin huisjasje met zakken waarin – hoe vaak had Mimi hem dat al niet verweten, maar de man luisterde niet! – hij altijd veel te veel rommel meesleepte. Zijn hoofd bedekte hij met een klein zwart zijden keppeltje.

'Dan hebben jullie vandaag een echt avontuur beleefd,' zei hij. Mimi kromp ineen van schrik omdat ze aan madame Rosa dacht, maar haar man had zijn hoofd zo geconcentreerd over een plak vlees gebogen dat hij er niets van merkte.

'In elk geval zal ik thuis in Baden iets te vertellen hebben,' lachte Hinda.

'Maar overdrijf niet te erg!' Voor Mimi was het onvoorstelbaar dat iemand een belevenis zonder opsmuk verder kon vertellen. 'Anders ver-bieden ze je nog bij me op bezoek te komen.'

'Ik geloof niet dat Hinda zich veel laat verbieden,' zei Pinchas.

'Het zag er echt heel gevaarlijk uit. Stel je voor: onze kleine Hinda, en die reusachtige man …'

'Zo groot was hij helemaal niet,' zei Hinda.

' … stort zich op haar als bij een overval, met verwarde haren en zwarte ogen …'

'Groene ogen,' zei Hinda.

'Hoe weet je dat zo precies?'

'Dat weet ik gewoon,' zei Hinda.

'Misschien moest ik ook maar eens naar dat congres gaan,' overwoog Pinchas. 'Met een paar mensen praten en er een artikel over schrijven.'

'Ben je sjocheet of journalist?'

'Allebei.'

'Mag ik mee?' vroeg Hinda.

'Naar het congres?'

'Misschien is het heel interessant.'

'Certainement pas!' zei Mimi. 'Daar komt niets van in! Ik zou het mezelf nooit vergeven als jou …'

In de gang ging de bel van de voordeur. Niet twee keer, wat volgens plaatselijke minhag een klant had betekend die pas na sluitingstijd had bedacht wat hij per se nog van de slager nodig had, maar één keer.

'Om deze tijd?' zei Mimi.

'Misschien wil Guttermann nog iets weten, of het is iemand van de gemeente.' Pinchas, die zich – al praatte je als Brugman – veel te makkelijk op zijn verantwoordelijkheid liet aanspreken, was in verschillende commissies gekozen en het zou niet de eerste keer zijn dat iemand onaangekondigd langskwam om op een zeer ongelegen tijdstip een probleem met hem te bespreken.

Ze hoorden het dienstmeisje de trap afstommelen om de voordeur open te doen. In huize Pomeranz wisselden de dienstbodes elkaar snel af. Mimi had geen gelukkige hand in de omgang met haar personeel; ze behandelde de jonge meisjes de ene dag als heel goede vriendinnen en was de volgende dag onnodig streng voor ze. De 'specialiteit van de maand', zoals Pinchas de uitverkorene van het moment noemde, heette Regula en was niet van de slimsten.

'Mevrouw Pomeranz,' zei ze toen ze zonder kloppen – terwijl Mimi haar dat al duizend keer op het hart had gedrukt! – de eetkamer binnenkwam. 'Er is een man aan de deur.'

'Welke man?'

'Ik ken hem niet,' zei Regula, alsof de zaak daarmee afgedaan was.

'Vraag dan alsjeblieft zijn naam.'

'Zoals u wilt, mevrouw Pomeranz.' Pinchas hoefde maar één blik op zijn vrouw te werpen om te weten dat ook Regula niet lang bij haar in dienst zou blijven.

'Het is zo moeilijk om goed personeel te vinden,' zei Mimi. 'Daar heb je geen idee van, Hinda.'

'Ik heb het gevraagd,' zei Regula toen ze de kamer weer binnenkwam.

'En?'

'Ik kan de naam niet onthouden,' zei Regula. 'Het is iets buitenlands.'

'Vraag de meneer dan om zijn visitekaartje.'

'Misschien is het beter als ik gewoon …' zei Pinchas en hij wilde al opstaan. Maar Mimi hield hem tegen.

'Hoe moet ze het nou leren als wij altijd alles voor haar doen?'

'Hij zegt dat hij geen visitekaartje heeft,' kwam Regula even later zeggen.

'Geef hem dan een vel papier om zijn naam op te schrijven.' In de sociale romans die Mimi nog altijd graag las, waren zulke dingen nooit zo ingewikkeld.

Na weer een kort intermezzo – Regula vroeg in alle ernst waar ze papier kon vinden, terwijl ze toch elke dag stof afnam in de werkkamer! – lag eindelijk het geïmproviseerde visitekaartje voor Pinchas op tafel. 'Zo moeilijk is de naam nou ook weer niet,' zei hij.

'Maar wel buitenlands,' hield Regula vol. 'Dat weet ik zeker.'

'Zalman Kamionker,' las Pinchas. 'Weet jij wie dat is?'

'Een sjnorrer waarschijnlijk. Regula, ziet hij eruit als een sjnorrer?'

Regula wist niet wat een sjnorrer was.

'We kunnen dit spelletje de hele avond blijven spelen,' zei Pinchas terwijl hij opstond. 'Maar misschien gaat het toch eenvoudiger. Regula, breng meneer binnen.'

'Ik geloof niet dat het een meneer is,' zei Regula. 'Hij ziet er meer uit als een man.' En ze ging naar buiten om de meneer of de man te halen.

'Kamionker,' herhaalde Pinchas peinzend. 'Waar kan ik die naam al eens gehoord hebben?'

'In Galicië.'

Het was beslist geen meneer die de kamer binnen was gekomen. Hij had niet eens een hoed in zijn hand, alleen een vettige leren pet.

'Dat is hem!' zei Mimi terwijl ze beschuldigend haar hand uitstak. 'De man uit de Palmengarten.'

'Ja,' zei Hinda, 'dat is hem.'

21

'De muzikant heeft me uw adres gegeven,' legde Zalman Kamionker uit en hij was helemaal niet verlegen. Hij sprak Duits met een eigenaardig Zwabisch accent, vermengd met een paar woorden Jiddisj. 'De klezmer, u weet wel, die bij uw tafeltje stond. Hij wilde er eerst niet mee op de proppen komen, maar ik heb hem door elkaar gerammeld. Niet echt gerammeld, wees maar niet bang, ik heb alleen gezegd dat ik hem door elkaar zál rammelen. Ik ben een vredelievend mens.'

'Die indruk had ik vanmiddag anders niet,' zei Mimi streng.

'Er zijn momenten dat je met woorden niet verder komt. Niets aan te doen.'

Hij droeg zware schoenen en een verstelde broek, maar hij stond heel vanzelfsprekend in de kamer, wijdbeens als een zeeman, stevig op zijn benen en voorbereid op elke storm. Hij had zijn pet weer opgezet en zijn handen in zijn broekzakken begraven, niet uit verlegenheid, maar als een handwerker die zijn gereedschap pas uitpakt als hij het nodig heeft. Het leek hem niet te storen dat iedereen hem aanstaarde, hij keek gewoon met vriendelijke belangstelling terug, van Hinda naar Mimi, van Mimi naar Pinchas en weer naar Hinda, en zei toen: 'Mooi hebt u het hier.' Het was een constatering, geen compliment.

'U bent dus …?' begon Pinchas.

'Ik beken schuld,' zei Zalman Kamionker, maar hij zag er helemaal niet schuldbewust uit. 'Ik ben niet met vechten begonnen, maar ik ben ook niet weggelopen. Zulke dingen gebeuren. Niets aan te doen. Zo gaat dat in de politiek.'

'Ik geloof niet dat ik die manier van politieke discussies voeren juist vind,' zei Pinchas.

'Ik ook niet. Ik ben, zoals gezegd, een vredelievend mens. Daarom ben ik ook gekomen om me nog een keer te verontschuldigen. Bij mevrouw Pomeranz en bij haar dochter.'

'Ze is mijn dochter niet.'

'Natuurlijk niet,' zei Zalman Kamionker en hij haalde een hand uit zijn zak om zich ermee voor het hoofd te slaan. 'Waar heb ik mijn seichel? U bent veel te jong om al zo'n grote dochter te hebben.'

'*Il fait des compliments*,' zei Mimi, maar ze voelde zich toch gevleid.

'Dat is ons nichtje,' legde Pinchas uit, hoewel dat strikt genomen ook niet klopte. 'Juffrouw Hinda Meijer uit Baden.'

'Juffrouw Hinda,' zei Zalman Kamionker. Hij legde met een ouderwets gebaar een hand op zijn hart en maakte een buiging. 'Aanvaardt u mijn verontschuldiging?'

'Maar er is toch niets gebeurd,' zei Hinda afwijzend en ze voelde haar gezicht opeens heel warm worden. Ik ga toch niet blozen, dacht ze. Ik ben toch Arthur niet.

Kamionker leek niets gemerkt te hebben. Hij wendde zich met hetzelfde vormelijke gebaar tot Mimi – hij had de gewoonte altijd al zijn aandacht aan één persoon te schenken, alsof die op dat moment de enige op de wereld was – en vroeg: 'En u, mevrouw Pomeranz? Zait mir moichel?'

'U hebt haar jurk gescheurd,' zei tante Mimi en ze probeerde streng te kijken.

'Een echt goede naad kan het niet geweest zijn.' De jongeman lachte zijn grote tanden bloot. 'Maar het doet er niet toe. Geeft u de jurk maar mee, dan maak ik een dubbele platte naad. Die zal niet scheuren, al gaat er een olifant aan hangen.'

'Bent u kleermaker?' vroeg Mimi verrast.

'Wat anders?' zei Zalman Kamionker. 'Straatveger soms?'

Hij was niet echt goed opgevoed, dat was Mimi algauw duidelijk. Als je op een onmogelijke tijd bij vreemden binnenvalt die net aan het eten zijn en als de vrouw des huizes dan uit pure beleefdheid vraagt of je soms honger hebt, dan hoor je dat te ontkennen, al knort je maag nog zo erg. Je zegt in geen geval 'Ja', schuift je pet in je nek en gaat zomaar aan tafel zitten. En als je dat toch doet, dan wacht je beleefd tot je iets aangeboden wordt, je graait niet gewoon in het broodmandje en grijpt naar het beleg nog voor de vrouw des huizes tijd heeft gehad om het dienstmeisje te roepen en een vierde couvert te laten brengen.

Maar aan de andere kant, als een jongeman honger heeft … Hij prees ook alles, het beleg en het brood en zelfs de thee die hij op z'n Russisch door een stuk suiker opslurpte. Hij wist zelf dat hij gulzig at en verontschuldigde zich. 'De mensen van mijn vakbond hebben het geld voor de reis bij elkaar gelegd. Voor de slaapzaal in de Eintracht was het net genoeg. Maar voor het eten … Ik ben de dorsende os die men toch gemuilband heeft.' Daarna zei hij een poosje helemaal niets, hoewel zwijgen, dat was iedereen wel duidelijk geworden, absoluut niet in zijn aard lag.

Hij ziet er niet uit als een kleermaker, dacht Pinchas. Oggenfuss, die in Endingen naast de familie Meijer woonde, dat was een echte kleermaker, smal en zo mager als een lat. Deze Kamionker is daar veel te stevig voor gebouwd, zijn pak zit zo strak om zijn spieren dat ik me hem als metselaar of verhuizer voor zou kunnen stellen als dat niet zulke gojse beroepen waren. En ook zijn overhemd is dat van een arbeider, van die dikke, niet helemaal witte stof – hoe heet het ook weer? – die boerenknechts dragen. Maar ik kan me vergissen. Misschien hebben ze daar in het oosten waar hij vandaan komt wel heel andere gewoonten.

Hij heeft niet echt groene ogen, dacht Hinda. Niet bij dit licht. Hoe kwam ik erbij? Bruine ogen heeft hij. Bruin met lichte vlekjes. Of toch groen? Ik zou ze van dichtbij moeten bekijken. Op zijn voorhoofd zit een klein litteken. Misschien vecht hij vaak, deze vredelievende man. Nee, daarvoor heeft hij een te vriendelijk gezicht. Een lief gezicht. Ik zou me voor kunnen stellen … Toen vermande ze zich, rechtte haar rug en was vastbesloten zich helemaal niets voor te stellen.

Mimi zag Hinda kijken en wegkijken en opnieuw kijken, en ze moest denken aan een andere jongeman die ook een keer gewoon voor een deur had gestaan en ook gewoon aan een tafel was gaan zitten, die ook honger had gehad en ook goed kon praten, die je zelfs uit romans voorlas en uiteindelijk waren het alleen maar loze woorden geweest. Nee, ze mocht deze Zalman Kamionker toch niet. Die pakte gewoon een mes en sneed brood af! 'Ik ben blij dat het u goed smaakt,' zei ze bits.

Pinchas hoorde de ondertoon en lachte in zichzelf.

'Het rookvlees,' zei Zalman Kamionker, hij had de laatste hap nog niet eens doorgeslikt, 'het rookvlees is uitstekend. Bij ons krijg je zoiets niet meer. Als de mensen van het schip komen, knippen ze als eerste hun peies af en als tweede vergeten ze hoe je fatsoenlijk eet. Maar zo is dat nu eenmaal in Amerika.'

'Amerika?' vroeg Pinchas verbaasd. 'U zei toch …'

'Ik ben een Amerikaan uit Kolomea, die Duits spreekt als een Zwaab. Een ratjetoe zoals dat past bij een jood. Een Galicische yankee met een Oostenrijkse pas. Het is nog maar twee jaar geleden dat ik naar New York ben gegaan. Sommigen zeggen dat ik nog een groentje ben.'

'Hoezo groen?'

Hij heeft tóch groene ogen, dacht Hinda.

'Een groentje is iemand die pas in Amerika is aangekomen. Die nog niet goed op de hoogte is. Die denkt dat in de Goldene Mediene het geld voor het oprapen ligt en dat je alleen maar hoeft te bukken. Maar bukken is het stomste wat je kunt doen. Je moet je verweren. Vandaar de vakbond. Vandaar het congres.'

'Dat congres interesseert me,' zei Pinchas. 'Daar moet u beslist meer over vertellen. Hoe bent u daar gekomen?' En Zalman Kamionker, die intussen verzadigd en voldaan was, was er de man niet naar om zich zoiets tweemaal te laten vragen.

Dus vertelde hij over Kolomea, dat stadje in het Oostenrijks-Hongaarse kroonland Galicië, waar de helft van de inwoners joods was, waar ze zelfs een joodse burgemeester hadden gehad – ze hadden op straat gedanst toen dr. Trachtenberg werd gekozen –, waar zich voor de rest de nationaliteiten vermengden als in een grote pot, de Oostenrijkers en de Oekraïners, de Hoezoelen en de zigeuners, zelfs Tartaren had je er en in Mariahilf de Zwaben, van wie hij Duits had geleerd. Hij schilderde het mengelmoesje van kerken en synagogen waar de verschillende godsdiensten over het algemeen vreedzaam naast elkaar bestonden – 'Nou ja, soms moest je vechten, niets aan te doen' –, waar zelfs na de pogrom in Kiev, dat toch helemaal niet zo ver weg lag, geen echte spanningen waren geweest, waar het alleen moeilijk was om een parnose te vinden, behalve in de tallesweverij van Simon Heller, waar hij dan ook had gewerkt, alleen niet lang – maar, zei hij, dat hoorde er allemaal bij als je wilde begrijpen waarom hij nu deelnam aan dat congres.

Die Simon Heller was namelijk weliswaar een jood, een hele vrome zelfs, met een plaats vlak bij de oostmuur van de synagoge, maar ook een kapitalist en daarom betaalde hij lonen die geen lonen waren, maar een aanfluiting. Uiteindelijk waren ze wel gedwongen een vakbond op te richten – 'geen echte vakbond, we wisten niet eens wat dat was' – en omdat niemand anders het wilde doen, hadden ze hem, de jonge Zalman Kamionker, als hun woordvoerder aangewezen. Hij had eerst proberen te onderhandelen, heel vredelievend, maar de oude Heller had hem zijn kantoor uit laten zetten, tot drie keer toe, zodoende hadden ze ten slotte een staking uitgeroepen, de beroemde staking van Kolomea, daar zouden ze ook hier wel van gehoord hebben.

Nee, daar hadden ze hier nog nooit van gehoord.

'Zo zie je maar weer,' zei Zalman Kamionker en hij lachte opnieuw zijn grote tanden bloot, 'je denkt dat je de wereld aan het wankelen brengt, maar de wereld is niet zo makkelijk aan het wankelen te brengen.' Je kon merken dat hij gewend was voor publiek te spreken. Hij had de rust die je alleen hebt als je weet: niemand zal me in de rede vallen.

Ze wonnen de staking inderdaad – 'Om de waarheid te zeggen hadden we daar geen van allen op gerekend' – en de oude Heller moest elke wever en elke kleermaker tandenknarsend een paar kreuzer per werkdag meer betalen, maar ze waren toch geen echte vakbond, geen *union*, zoals dat in Amerika heette, iedereen dacht alleen aan zichzelf, aan zijn eigen hachje, en toen niet veel later de stakingsleiders werden ontslagen en nergens anders werk konden vinden, was er niemand die het voor hen opnam. Hoe dan ook – 'Wie een slecht geweten heeft, geeft tsedoke' –, er kwam genoeg geld bijeen voor een overtocht naar New York en op een gegeven moment was hij als een groentje in Castle Gardens aan land gegaan en had werk gezocht en gevonden – 'Je moet nemen wat je krijgen kunt, niets aan te doen.'

Hij had dus – 'Beggars can't be choosers' – jassen leren naaien, met de hand en met de machine, hij had er zelfs aanleg voor gehad, maar rijk was hij er niet van geworden, daarvoor was hij gewoon te laat gekomen. 'De jassenfabrieken zijn allemaal van Duitse joden die al twintig jaar in het land wonen; de Russen en de Galiciërs mogen alleen aan de machines zitten.'

Hij was een goed verteller en toen het buiten al donker werd en Regula binnengeroepen moest worden om de gaslampen in de kamer aan te steken, zaten ze nog steeds naar hem te luisteren. Hij vertelde over de twee seizoenen die de jassenbranche kent: twee maanden winter in de zomer en één maand zomer in de winter. Hij lachte om hun verbaasde gezichten. 'In de zomer naai je de jassen voor het winterseizoen, twee maanden werk, dan zijn de orders uitgevoerd en heeft de fabrikant geen coupeurs en geen naaiers en geen *finishers* meer nodig. Als het warm is worden er minder jassen verkocht, dus is er in de winter maar half zoveel werk, en in die drie maanden, hoogstens twee in de zomer en één in de winter, moet je genoeg verdienen om een heel jaar rond te komen. 'Maar ik verveel u met mijn verhalen.'

'U verveelt ons helemaal niet,' zei Pinchas.

Helemaal niet, dacht Hinda.

Ze hadden dus ook in New York een vakbond opgericht, maar deze keer een echte, de *Jewish Cloak Workers Union*, en omdat alle naaiers erbij aangesloten waren, of ze wilden of niet – '*Scabs* hadden geen gemakkelijke aan ons!' –, omdat ze allemaal één lijn trokken, hadden ze niet eens hoeven staken, maar alleen maar met staken gedreigd – 'wat me ook liever was, ik ben een vredelievend mens'. Vanwege zijn ervaringen in Kolomea werd hij in het comité gekozen en toen het Internationale Socialistische Arbeiderscongres in Zürich werd georganiseerd, hadden de joodse jassennaaiers hem afgevaardigd. Ze waren trots op hun overwinning en wilden meepraten. 'Ik was niet happig om te gaan,' zei Zalman Kamionker, 'maar er was niets aan te doen.'

Pinchas knikte. Zo verging het hem in de gemeente ook telkens weer.

Het congres zelf, zei Kamionker en hij raakte steeds meer op dreef, de hele bijeenkomst was tot nog toe één grote teleurstelling. Alleen al de zaal waar ze elkaar ontmoetten was veel te voornaam. Plechtig als een kerk. Er stond zelfs een orgel op de galerij – 'Wat moeten we met een orgel? Zijn we soms gekomen om te bidden?' – En aan de muur hing weliswaar in zestien verschillende talen – 'Zelfs in het Jiddisj!' – de spreuk van de proletariërs aller landen die zich moeten verenigen, 'maar ze willen zich helemaal niet verenigen, ze willen alleen gelijk krijgen, ieder voor zich, als in een klein sjtetl waar je drie verschillende synagogen hebt die allemaal een andere minhag hebben en allemaal broiges op elkaar zijn. Zelfs als Chmielnicki persoonlijk met zijn kozakken aan zou komen rijden, zouden ze nog ruzie blijven maken in plaats van zich eindelijk aaneen te sluiten en zich te weren.'

Vooral de Duitse afgevaardigden, vertelde Kamionker vol minachting, hadden niets anders dan beginseldiscussies en moties van orde in hun hoofd. Een hele dag – en dat was maar een van de vele voorbeelden – een godganse dag hadden ze zitten bakkeleien over de toelating van afgevaardigden, wie ze erbij wilden hebben en wie niet, en ten slotte hadden natuurlijk alleen de brave, keurige meederheidssocialisten mogen blijven en de onafhankelijken, die allemaal een beetje mesjoege waren, dat wel, maar die tenminste iets wilden doen – 'Het hoeven niet meteen overal barricades te zijn' –, die hadden ze naar huis gestuurd, en de anarchisten natuurlijk ook. Maar ze hadden zich niet laten sturen en zo was het tot de eerste vechtpartij van het congres gekomen, die niet de laatste was geweest. 'Uit de grote zaal konden ze ze verbannen, maar de Palmengarten is een openbare gelegenheid en daar zitten ze nu elke dag.'

Intussen liep op het congres alles gesmeerd, maar het was soep zonder peper, ze hielden hun goed geformuleerde toespraken en applaudisseerden voor elkaar, ze hadden de voorzitter – 'Typisch!' – zelfs de grote koeienbel afgepakt die hij in het begin had gehad en waarmee je ook weleens een tumult kon overstemmen. In plaats daarvan hadden ze hem een klein fijn belletje gegeven dat zo zachtjes tingelde dat niemand het hoorde, en zo was het hele congres! Nu hadden alleen nog degenen het voor het zeggen die het toch altijd al met elkaar eens waren en die elkaar bewonderden; als Friedrich Engels langssliep – ja, die was er ook –, dan scheelde het niet veel of ze vielen allemaal op hun knieën en sloegen een kruis, zoals de gojem als ze Josl Pendrik aan zijn kruis door de straten dragen. Uitgerekend Engels, die fabrikant was en geen arbeider! Dat waren helemaal geen socialisten, als je het hem vroeg, dat was verklede bourgeoisie die het in New York nog geen seizoen zou volhouden, twaalf of veertien uur aan de naaimachine en dan een matras die je bij toerbeurt met twee anderen moest delen! August Bebel had zelfs een villa aan het Meer van Zürich – hoefde hij nog meer te zeggen? Met gasverwarming!

Dit congres zou niets opleveren, zei Zalman Kamionker, helemaal niets, behalve een hoop resoluties en besluiten. Allemaal papier. 'U bent toch sjocheet, meneer Pomeranz? Als u in het slachthuis voor een koe gaat staan en zegt: "Lieve koe, wij hebben democratisch besloten dat jij ons je vlees voor de sjabbeskotelet moet geven" – hebt u dan te eten? Geen moer hebt u dan! U moet het mes nemen en de koe slachten, op een andere manier gaat het niet. Ik ben een vredelievend mens, maar dat gepraat maakt me razend!'

Als hij zich opwindt heeft hij iets van een held, dacht Hinda, hoewel ze zich nog nooit afgevraagd had hoe een held eruit hoorde te zien.

'Het liefst zou ik het congres laten voor wat het is. Maar dat zou niet netjes zijn. Ze hebben me voor veel geld gestuurd, dus zit ik elke dag op mijn plaats. Ik luister naar de toespraken die het ene oor in en het andere uit gaan. Als iemand geld heeft, laat ik me in de Palmengarten op een biertje trakteren …'

'… en daar gaat u dan op de vuist?' Het was geen verwijt, alleen iets wat Pinchas interesseerde.

'Niets aan te doen. Vandaag bijvoorbeeld …'

Maar hij kwam er niet meer toe om te vertellen wat er vandaag gebeurd was, want de Neuenburgse pendule die vlak naast het mizrachbord aan de muur hing, sloeg al halftien. Zalman Kamionker wierp een blik op het mooie exemplaar, niet geschrokken vanwege het late uur, maar heel zakelijk, alsof hij de klok wilde kopen. Of stelen, dacht Hinda. Toen stopte hij nog gauw een plak rookvlees in zijn mond – hij was echt niet goed opgevoed –, veegde zijn snor af, gewoon met de rug van zijn hand, hoewel er toch een servet naast zijn bord lag, en zei terwijl hij opstond dat de Eintracht helaas maar tot tien uur open was; wie later de slaapzaal in wilde, moest voor het opendoen vijf rappen sleutelgeld betalen. Hij bedankte voor het eten, niet overdreven, maar met een zekere vormelijkheid, als een gast op staatsiebezoek die de conventies in acht weet te nemen, al heeft hij van rechtswege aanspraak op de meest royale gastvrijheid, en zei toen tegen Pinchas: 'Als het congres u echt interesseert, wil ik u met alle plezier rondleiden. Overmorgen begint de vergadering pas om twee uur. 's Morgens komen de commissies bijeen om te besluiten wat wij 's middags moeten besluiten. De meeste afgevaardigden zullen er al tegen twaalven zijn. We kunnen elkaar in de Palmengarten ontmoeten, als u wilt, dan zal ik u bij een paar mensen introduceren.'

'Dat zou heel vriendelijk van u zijn.'

'Ik weet zelfs al welke afgevaardigde ik zeker aan u moet voorstellen. Met hem zult u, als sjocheet, een hoop te bespreken hebben. Dr. Stern uit Stuttgart.'

'Ook een jood?'

Kamionker spreidde zijn armen uit en bewoog zijn bovenlichaam heen en weer alsof hij op een smalle plank zijn evenwicht probeerde te bewaren. 'Vraagt u het hemzelf maar,' zei hij. 'Hij zal zo uitgebreid antwoorden dat u een uur lang niet meer aan het woord komt. Hij hoort zichzelf graag praten.'

Hij wendde zich tot de beide vrouwen en stak hun de hand toe. 'En, juffrouw Hinda Meijer, zait mir moichel?'

'Als er u veel aan gelegen is.'

'Er is mij zeer veel aan gelegen.'

'Nou goed, voor mijn part.'

'Prima, dan is die zaak afgedaan.' Hij pakte Hinda's hand en drukte hem lang en stevig. En toen, voor hij hem weer losliet, zei hij heel onverwachts: 'Jischadesj!', de gelukwens met een nieuwe jurk of een nieuwe woning, die hier volkomen misplaatst was.

'En u, mevrouw Pomeranz?'

'*Alors, je vous pardonne.*'

Kamionker lachte tegen Mimi – eigenlijk een onbeschaamde lach – en zei: 'Praat u geen Frans met mij. Anders praat ik Engels met u, en dat verstaat ú dan weer niet.'

Mimi zwaaide eerst dreigend met haar vinger, maar toen zei ze toch: 'Ik vergeef u.' Ze reikte hem haar hand op een manier dat hij niets anders kon doen dan buigen en er zijn snor op drukken.

Míjn hand heeft hij niet gekust, dacht Hinda.

'Het dienstmeisje is al vrij,' dacht Mimi hardop, 'en de voordeur zal wel op slot zijn. Pinchas, zou jij …?'

'Natuurlijk. Met genoegen.'

'Doe geen moeite, oom Pinchas,' zei Hinda vlug – en als iemand daar meer achter zocht dan vanzelfsprekende hulpvaardigheid, dan was dat niet haar probleem.

In de open voordeur bleef Zalman Kamionker gewoon staan en keek haar vol verwachting aan.

Hij bleef gewoon staan.

'Is er nog iets?' moest Hinda ten slotte vragen.

'Ik wacht op de jurk. Zodat ik de mouw weer aan kan naaien.'

'Geen sprake van.'

'Ik kan heel goed naaien.'

'Dat zal wel.'

'De beste dubbele naad van New York.'

'Nee, heb ik gezegd.'

'Ik ben een vredelievend mens en ga geen ruzie met u maken. Maar als u me de jurk nu meegeeft, kan ik hem morgen terug komen brengen.'

'Nee!'

'Zoals u wilt,' zei Zalman Kamionker. 'Ik kom morgen toch langs.' Hij lachte zijn grote witte tanden bloot en liep met zijn handen in zijn zakken de nacht in.

22

Links en rechts groeiden populieren, hoogmoedige, in zichzelf gekeerde bomen die geen schaduw gaven. Het was een dag zonder wolken en hoewel het pas mei was, gloeide de zon alsof hij een gat in de hemel wilde branden.

Chanele was veel te warm gekleed. Terwijl ze geheel tegen haar gewoonte lang had nagedacht wat ze deze dag zou aantrekken. Ze had voor haar eigen kleerkast gestaan als voor die van een onbekende en had geprobeerd zichzelf met vreemde ogen te zien, nee, niet met vreemde maar met andere ogen, met ogen die misschien dezelfde kleur hadden als de hare, wie weet, mogelijk was het.

Mogelijk was het.

Toen Hinda's amandelen destijds geknipt moesten worden, had ze als troost een knipplaat gekregen: het kartonnen figuurtje van een engelachtig blond meisje in een wit hemdje, omgeven door een krans van verschillende kleren. De kleuren waren een beetje verschoten, want de plaat had lang in de etalage van de papierwinkel gelegen, maar dat maakte de kleren alleen maar deftiger. Je kon ze uitknippen en vouwen en aan het papieren meisje vastmaken, dat er dan telkens anders uitzag en iets anders van plan was, de ene keer ging ze naar de stad om boodschappen te doen, de andere keer naar een bal of naar haar eigen bruiloft.

Chanele had zich voor haar kleerkast gevoeld als dat kartonnen figuurtje. Een stuk speelgoed.

Ten slotte had ze voor een grijs reiskostuum gekozen, een praktische jurk voor elk weer, die ze zonder hulp kon aantrekken en waarop ook kleine roetvlekjes van de locomotief niet zouden opvallen. De jurk had rechts en links grote, bruin omboorde zakken, die echter alleen voor de sier waren aangebracht en waar je niets in kon steken. Ze had geen koffer meegenomen, alleen een kleine tas met het hoogstnodige. 'Je reist als een bediende,' had Janki gezegd. 'Zal ik niet toch meegaan?'

'Nee, hier moet ik alleen doorheen,' had ze geantwoord en misschien was dat verkeerd geweest.

Links en rechts stonden de populieren als schildwachten.

In het kleine hotel waarvan Janki het adres voor haar had opgeschreven, was ze eerst niet erg vriendelijk ontvangen. Hotelhouders zijn gewend de belangrijkheid van een gast af te meten aan zijn hoeveelheid bagage. Maar toen had ze haar naam genoemd en de portier, een goedkope volksuitgave van directeur Strähle, had haar met 'Bienvenue, madame Meijer' en 'Quel honneur, madame Meijer' persoonlijk naar haar kamer gebracht. Janki scheen hier een gewaardeerde gast te zijn, hoewel hij toch helemaal niet zo vaak voor zaken naar Straatsburg ging.

Maar wat wist zij van Janki's zaken?

In de kamer rook het naar verwelkte bloemen, als op een gojse lewaje. Een slapeloze nacht lang hing de jurk voor haar ogen aan het hangertje, een vreemd lichaam waar ze de volgende ochtend alleen maar in hoefde te schieten om iemand anders te worden.

Ze wist alleen niet wie.

De stof was veel te zwaar. Alles was veel te zwaar. Haar hemd plakte aan haar lichaam zoals vroeger het natte laken waar Golde haar in wikkelde als ze koorts had, zo strak dat ze haar armen niet kon bewegen, dat ze bang werd en zich wilde bevrijden, om zich heen wilde slaan en alles kapotscheuren. Tot Golde er een spelletje van maakte waarbij het erom ging wie het dapperst was. Mimi, ook al was ze helemaal gezond, werd eveneens ingepakt, en dan lagen de twee meisjes naast elkaar en Chanele hield het elke keer langer vol dan Mimi, elke keer, en daar was ze zo trots op dat ze haar angst en zelfs haar ziekte vergat.

In het hotel hadden ze gezegd dat ze beslist een wagen moest nemen omdat het te ver was om te lopen, maar ze had zich alleen de weg laten uitleggen, door de stad heen en dan de stad uit. Ze had niet anders meegenomen dan haar tas, een eenvoudige linnen buidel waarmee Mimi zich nooit onder de mensen zou hebben begeven.

De huizen hadden hier erkers die zich nieuwsgierig naar de straat toe bogen. Bij een marktkraampje kocht Chanele een appel, maar ze gooide hem na de eerste hap in de goot. Voor de dom bleef ze lang staan, zonder dat ze hem achteraf had kunnen beschrijven.

Toen ze aan de rand van de stad kwam, waar de huizen kleiner werden en de moestuinen groter, bleef ze ook staan op plekken waar helemaal niets te zien was. Ze wilde tijd winnen, ze wilde de ontmoeting uitstellen, waar ze toch zo ongeduldig naar uitkeek.

Als kind, natuurlijk, als kind had ze ervan gedroomd, ze had zich in al die sprookjes verplaatst, ze was degene geweest die verdwenen was en werd gevonden, ze had haar voet in het glazen muiltje gestoken en het had haar gepast, haar en niemand anders, ze had honderd jaar achter een doornhaag geslapen tot de prins kwam en in haar de prinses herkende.

Als kind kun je dingen die je niet weet gewoon dromen.

Maar nu was ze eenenveertig.

Ongemerkt was Chanele haar passen beginnen te tellen – zesennegentig, zevenennegentig, achtennegentig – en toen ze zich ervan bewust werd, kon ze de stem in haar hoofd niet meer tot zwijgen brengen.

Negenennegentig, honderd.

In het leger – dat wist ze van Janki – telde je zo om ondraaglijk lange marsen draaglijk te maken. 'Nog duizend passen hou ik het vol. Nog honderd.'

Toen ze destijds naast Janki van Endingen naar Baden was gelopen en van Baden weer terug naar Endingen, had de weg haar nooit zo lang geleken.

De laan was niet gemaakt voor mensen die te voet kwamen. Het was een weg voor koetsen en paarden, voor nobele mensen en weidse gebaren, een weg uit het verleden.

Het verleden.

Eén keer had ze Golde ernaar gevraagd, één enkele keer maar, en Golde had haar onderlip in haar mond gezogen, haar over haar hoofd geaaid en gezegd: 'Het was de goede God.'

Als je geen antwoord weet, is het altijd de goede God.

Misschien moest ze bidden.

Maar een gebed, alleen maar omdat je bang bent, is eigenlijk hetzelfde als passen tellen om een zware gang draaglijker te maken.

Sjema. Jisroël. Adounoi. Elouhenoe.

Honderdvierendertig. Honderdvijfendertig. Honderdzesendertig.

Als Salomon nu bij haar was, zou hij bij elk getal een betekenis bedenken.

Wat is de getalswaarde van angst?

De laan tussen de bomen die geen schaduw gaven, liep heel langzaam omhoog naar een top waarachter de rij populieren in de grond leek te zakken, van de eerste alleen de stam, van de volgende ook de hoogmoedige takken.

Vanaf de top kon je de inrichting zien.

Er was niet veel over van de vroegere elegantie van het slot. Voor de oude façade van witte steen stond een plomp gebouw van gele en rode baksteen: de pas rijk geworden compagnon van een gevestigde firma. De rode bakstenen waren gerangschikt in de vorm van gevelramen en torentjes, zodat ook het nieuwe gebouw, ondanks alle moderne doelmatigheid, iets kasteelachtigs had, alsof het zich vrolijk maakte over zijn buurman en diens ouderwetse gedrag.

De meeste ramen waren voorzien van tralies.

Het grote stoppelige gazon, dat er verlaten bij lag, vertoonde ziekelijk kale, kennelijk verdorde plekken, hoewel er dit jaar nog niet veel echt warme dagen waren geweest. De omheiningen van lang niet meer onderhouden, bemoste en overwoekerde bloemperken tekenden verdwenen vormen op de grond, verzonken graven op een lang geleden buiten gebruik gesteld kerkhof.

Er was nergens iemand te bekennen. Alleen een oude magere man, die met gelijkvormige, geconcentreerde bewegingen bladeren harkte. Toen Chanele dichterbij kwam, zag ze dat er helemaal geen bladeren lagen.

'Pardon …'

De man sloeg geen acht op haar.

'Kunt u me vertellen …?'

Hij bleef over de grond schrapen.

'Ik zoek …'

Steeds op dezelfde plek.

Misschien was de oude tuinman hardhorend. Chanele raakte zijn schouder aan en hij begon te schreeuwen. Het was het ademloze, angstige geschreeuw van een klein kind. Zo had Arthur vroeger vaak geschreeuwd als hij wakker geschrokken was uit een boze droom.

Chanele probeerde de oude man te kalmeren op de manier die bij haar jongste zoon altijd had gewerkt. Ze sloeg haar arm om hem heen en herhaalde steeds weer: 'Het is goed. Het is goed. Ik ben er.'

De man begon alleen maar harder te schreeuwen. Op twee bruinige stompjes na had hij geen enkele tand meer in zijn opengesperde mond.

'Onze Néné houdt er niet van als je hem aanraakt.'

De vrouw in het uniform van gesteven lichtgrijs linnen moest het gebeuren vanuit een raam gadegeslagen hebben. Met duim en wijsvinger verwijderde ze Chaneles hand van de schouder van de schreeuwende man. Toen raapte ze de hark op die hij had laten vallen en gaf hem terug. 'Daar liggen nog veel meer bladeren, Néné. Werk maar lekker door!'

En inderdaad: de man kalmeerde. Hij snakte nog een paar keer naar adem, verzamelde lucht voor een allerlaatste schreeuw en leek toen zijn paniek ineens te vergeten. Hij begon weer te harken. Zorgvuldig en regelmatig en steeds op dezelfde plek.

'Ik ben hoofdzuster Viktoria,' zei de vrouw in uniform. Ze liet de r bij het spreken rollen zoals de mensen uit de Baltische landen dat doen. Haar gezicht was vriendelijk, maar het was een professionele vriendelijkheid die ze met haar uniform aan- en uittrok.

'Mijn naam is Meijer. Ik ben uit Baden gekomen …'

'Ik weet het,' zei de hoofdzuster en haar toon liet geen twijfel over bestaan dat ze hier alles wist. 'We hadden u al eerder verwacht.'

'Ik ben vanaf het hotel komen lopen.'

Maar dat was niet wat de hoofdzuster bedoelde. 'We hebben de brief al weken geleden geschreven.'

'Ik heb hem net gekregen.'

'Het was veel werk om de gegevens uit te zoeken. Heel veel werk.'

'Ik ben u dankbaar.'

'Terecht, mevrouw Meijer. Zeer terecht. De dossiers uit de Franse tijd zijn uiterst wanordelijk. Werk maar lekker door, Néné!' Ze draaide zich om, deed een paar stappen in de richting van het bakstenen gebouw en bleef toen nog een keer staan. 'Kom,' zei ze en haar vriendelijkheid was al minder overtuigend. 'Ik heb nog meer te doen.'

Na de lange voettocht was de gang waar Chanele zat te wachten aangenaam koel. Het licht kwam uit een rij smalle openingen die heel hoog waren aangebracht. Het drong in duidelijk afgebakende banen de ruimte binnen, net als wanneer je op de vrouwengalerij van de synagoge in Endingen de gekleurde ramen openzette.

Alleen waren de ramen in de synagoge niet voorzien van tralies.

En de muren waren niet pas gewit en kaal als in een gevangenis.

De bank die hoofdzuster Viktoria haar had aangewezen, stond vlak tegen de muur. Om haar jurk niet vuil te maken moest ze haar rug kaarsrecht houden. Ze probeerde de bank te verschuiven, maar de poten waren aan de vloer vastgeschroefd. Dus stond ze weer op en liep met haar pijnlijke voeten heen en weer.

Zestien. Zeventien. Achttien.

Aan een van de muren was een vitrinekast bevestigd, net als de trofeeënkast vol lauwerkransen die Chanele uit café Guggenheim kende. De haakjes achter het glazen deurtje waren leeg. Ze probeerde de kast open te maken, maar hij was op slot. Van een emaillen plaatje waren de letters afgekrabd, er was alleen nog een pijl te zien, die nu in het niets wees. Op elk van de vele deuren prijkte op ooghoogte een lichte, verbleekte vlek waar ooit een bordje had gezeten. Chanele moest denken aan een verhaal uit Janki's soldatentijd. Met zijn compagnie had hij eens een hele dag wegwijzers uit de grond moeten trekken en verbranden om de oprukkende Duitse troepen de oriëntatie te bemoeilijken.

Tweeënvijftig. Drieënvijftig. Vierenvijftig.

Ergens ver weg begon iemand te praten. Chanele had niet eens kunnen zeggen of het Duits was of Frans, of een taal die helemaal niet bestond, maar ze hoorde heel goed dat de stem iemand probeerde te overtuigen, op iemand in praatte die niet wilde luisteren, steeds nieuwe argumenten naar voren bracht, redenen opsomde, bewijzen aanvoerde en, toen de ander bleef zwijgen, begon te smeken, te bedelen, te kermen en ten slotte te huilen, te jammeren. En toen verstomde.

Weer was het stil, zo stil dat ze kon horen hoe een verdwaalde kever op zoek naar een uitweg steeds weer tegen een raam botste.

Ze had geen horloge, maar het moest al middag zijn.

Ze had de indruk gehad dat de gang helemaal aan het eind gewoon ophield, maar er moest nog een zijgang zijn. Daar kwam op dat moment een man uit, die zoekend om zich heen keek en met logge haast op haar afstevende, een beer die op zijn achterpoten loopt. Nog voor hij bij haar was begon hij al te praten.

'Het spijt me, het spijt me echt. Het is niet mijn gewoonte om gasten zo lang ... Niet dat we hier veel gasten mogen begroeten. Veel te weinig. De meeste van onze patiënten zijn ... Uit het oog, uit het hart. Spijtig, maar je mag de mensen ook weer geen verwijten maken. Soms is het moeilijk als iemand ... Ik ben dr. Hellstiedl. Goedemiddag, aangenaam. En u bent ...? Wat dom van me. Hoofdzuster Viktoria heeft me immers ... Mevrouw Meijer, natuurlijk. Interessante schrijfwijze. Ik ken de naam met e-i, a-i, e-y, maar zo heb ik hem nog nooit ... Uit Baden, is het niet? Baden in Zwitserland? Prima. Komt u eerst maar eens mee naar mijn kantoor, zodat ik u ...'

Hij had een van de vele deuren opengedaan en was in een kamer verdwenen nog voordat Chanele de gelegenheid had gehad ook maar iets te zeggen. Toen stak hij zijn hoofd nog een keer om de hoek van de deur, als het duveltje uit het doosje waarmee Hinda altijd zo graag had gespeeld en waardoor Arthur zich telkens weer aan het schrikken liet maken, en hij maakte de zin af: '... kan voorbereiden.'

Chanele merkte algauw dat dr. Hellstiedls rusteloosheid niets te maken had met ongeduld. Hij werd alleen voortdurend afgeleid door zijn eigen gedachten, vond elk nieuw idee het overwegen waard en viel zichzelf daarom in de rede. Met hem praten was een beetje als wanneer je het gesprek van een geanimeerd tafelgezelschap volgde, een tafelgezelschap dat trouwens heel wat zinniger dingen wist te zeggen dan dat op Janki's gojse avond.

Toen ze het kantoor binnenging, stond hij bij een open dossierkast in een kaartenbak te bladeren. Overal waar plek was, lagen papieren en boeken en daartussen bevonden zich voorwerpen waarvan de functie in dit vertrek alleen met heel veel fantasie te verklaren was: een sparappel, een soepterrine, breinaalden met het begin van een kous.

'Meijer,' mompelde dr. Hellstiedl. 'Meijer, Meijer, Meijer. Dat ga ik meteen ... Een ogenblikje. Het ordeningssysteem van mijn Franse collega's ... Hoewel ik niet geloof dat elk volk zijn typische eigenschappen ... Het zijn waarschijnlijk meer de uiterlijke omstandigheden die de indruk wekken dat ... Meijer, Meijer, Meijer. Gaat u toch zitten!'

Chanele bleef staan, want ook de stoel die voor het bureau klaarstond voor bezoekers, lag vol met paperassen.

'Bovendien heeft mijn voorganger – een zeer bekwaam vakman, daar heb ik nooit aan getwijfeld – bij de overname van de kliniek alles wat Frans was zo zorgvuldig verwijderd dat nu … Zelfs de bordjes op de deuren. Een overdreven grondigheid, die je bij een patiënt … We zouden werkelijk eens moeten overwegen of patriottisme niet als een ziekte … Hoewel ze vermoedelijk ongeneeslijk zou zijn. Meijer. Meijer. Meijer. Waar is nou toch …?'

Ten slotte zaten ze tegenover elkaar en dr. Hellstiedl had het zoeken naar de systeemkaart opgegeven.

'Een interessant geval. Een zeer interessant geval. Al zijn in feite natuurlijk alle gevallen … We zijn geneigd alleen de bijzonder spectaculaire … Wist u dat ze in Londen vroeger met de hele familie naar de geesteszieken gingen als naar het theater? Gewoon spektakel. Bedlam heette de inrichting. Bethlehem. Laat de kindekens tot mij komen. Een buitengewoon interessant geval, onze Ahasverus.'

'Ahasverus?'

'Eigenlijk zou ik niet moeten toestaan dat de patiënten bijnamen krijgen. Ik berisp de verplegers erom en doe het dan zelf. Zo is de mens. Maar zulke bijnamen zijn vaak ook heel treffend. Inzichten komen niet altijd tot uitdrukking in verstandige woorden. Misschien is het verkeerd dat we onze kinderen meteen bij de geboorte namen geven. Je zou moeten kunnen wachten tot je ze beter kent.'

François, dacht Chanele. Sjmoeël.

'Ahasverus.' Dr. Hellstiedl ploegde zich door de chaos op zijn bureau. 'Die naam had hij al toen ik deze inrichting van mijn voorganger … Het was waarschijnlijk geen verpleger die hem heeft bedacht. Die zijn eerder geneigd heel eenvoudige … We hebben een bewoner die ze "Vos" noemen. Een vrouw heet "Koningin". Maar "Ahasverus" … De Wandelende Jood. Een intellectuele toespeling. Hij leeft en zou dood willen zijn.'

'Dood?'

'Natuurlijk. Wat dom van me. U weet helemaal niet … Wel: Ahasverus. Neemt u me niet kwalijk als ik die naam ook verder … Hoewel natuurlijk … U heet Meijer, is het niet?'

'Hanna Meijer.'

'Met e-i-j, natuurlijk. Een ongewone schrijfwijze. Dan zou ik toch …' Plotseling sloeg hij tegen zijn slaap, zo onhandig dat hij zijn bril van zijn neus sloeg en hem eerst weer tussen de papieren moest zoeken, en hij zei: 'Wat dom van me! U bent immers bij pleegouders … nietwaar? En u hebt hun naam aangenomen? Waarom zoek ik dan onder …? Voor Ahasverus zal er wel geen kaart zijn. En de echte naam wil me op dit moment niet …'

'Weet u zeker dat hij het is?'

'We vermoeden het. Volgens de jaartallen zou het kunnen. Maar uit die tijd hebben we geen exacte gegevens meer. Toen waren de Franse collega's hier nog en mijn voorganger … Een uitstekend vakman, maar helaas ook erg rigoureus. Nou ja, daar is nu niets meer aan te doen.' Dr. Hellstiedl ging weer achter zijn bureau zitten. 'Om uw vraag te beantwoorden: we vermoeden dat hij het is. En natuurlijk hopen we dat de ontmoeting met u … Ik ben geen voorstander van de shocktherapie, beslist niet, maar als zo'n shock van zuiver geestelijke aard is … Ik zou u dus willen vragen eerst niets te zeggen. Gewoon te zwijgen. Gaat u bij hem zitten en laat hem … Misschien zijn er uiterlijkheden die bij hem … Zulke gevallen zijn soms regelrecht bevroren in een ervaring, waardoor ze nog vers in het geheugen liggen. Alsof de tijd is blijven stilstaan, als u begrijpt wat ik bedoel. We weten heel weinig over zulke mechanismen. Je zou … We doen het zo: ik breng u naar de afdeling – allemaal mannen bij wie we geen vooruitgang meer verwachten – en laat u dan helemaal alleen naar binnen gaan. U hoeft zich geen zorgen te maken. Er zijn daar geen agressieve of gevaarlijke patiënten.'

'Ik moet alleen …?' vroeg Chanele en haar mond was droog. 'Hoe herken ik hem dan?'

'Waarschijnlijk ligt hij op de grond. Dat doet hij vaak. Soms blijft hij uren roerloos liggen. Vroeger probeerden ze aan die dwangsituatie een eind te maken en werd hij met geweld op een stoel gezet en zelfs vastgebonden. Mijn voorganger … Ik heb opdracht gegeven hem met rust te laten. Hij doet niemand kwaad en misschien …' Met een berustend gebaar wees hij naar een uitpuilende kast. 'We hebben zo veel boeken en we weten zo weinig.'

'Ligt hij op de grond?' Niets was zoals Chanele het zich had voorgesteld.

'Soms uren aan één stuk. Tussendoor gedraagt hij zich dan weer onopvallend en verstopt hij zich in een hoek en slaat de anderen gade. U herkent hem aan zijn witte doktersjas. Zo'n modern geval. Die heb ik hem geschonken. Ik had hem me een keer aan laten smeren omdat in Berlijn tegenwoordig veel collega's … Maar ik zal daar niet meer aan wennen. En hij is gelukkiger als hij iets wits draagt. Hij zegt dat dat moet.'

'Waarom?'

Dr. Hellstiedl spreidde zijn armen uit, een gebaar dat Chanele aan Salomon deed denken. 'Vraagt u het hemzelf maar!' zei hij. 'Hij is bijna altijd aanspreekbaar. Als hij op de been is, praat hij zelfs met de andere bewoners. Dan vertelt hij dat hij binnenkort vader wordt.'

'Vader?'

Dr. Hellstiedl knikte en haalde tegelijk zijn schouders op. 'Voor het geval het een jongen wordt heeft hij me uitgenodigd. Voor het feest dat de joden bij de besnijdenis vieren. Maar als het zo is als we vermoeden, nietwaar, mevrouw Meijer …? Als het zo is, zal er geen besnijdenis plaatsvinden. Omdat u geen jongen bent.' Dr. Hellstiedl stond op. 'Laten we het niet langer uitstellen,' zei hij. 'Kom, mevrouw Meijer, ik breng u nu naar uw vader.'

23

Ze liepen – zesendertig, zevenendertig, achtendertig – door een gang waar in de muur rode bakstenen niet aanwezige ramen omlijstten, sloegen – vierenzeventig, vijfenzeventig, zesenzeventig – een tweede gang in die zo op de eerste leek dat Chanele bijna verwachtte zichzelf daar wachtend aan te treffen, verlieten het gebouw door een achterdeur en staken een verlaten binnenplaats over, volgden – honderdeenentwintig, honderdtweeëntwintig, honderddrieëntwintig – een smal pad van kiezelstenen die onder hun schoenen knerpten, betraden vervolgens door een zij-ingang, die dr. Hellstiedl eerst met een buitensporig grote sleutel open moest maken, het oude kasteel, kwamen – honderddrieënzeventig, honderdvierenzeventig, honderdvijfenzeventig – door twee vertrekken waar afgedankte britsen torenhoog waren opgestapeld, bereikten een hal, het vroeger zo fraaie trappenhuis van het kasteel, klommen een gebogen trap op en nog een – tweehonderdzesentwintig, tweehonderdzevenentwintig, tweehonderdachtentwintig –, dr. Hellstiedl ontgrendelde een traliehek, wees naar een open deur en vroeg aan Chanele: 'Durft u het aan?'

Tweehonderdzevenenveertig.

Tweehonderdzevenenveertig is de gematria van moire.

Moire betekent angst.

'Mevrouw Meijer?'

Als je niet praat kan je stem het ook niet begeven. Chanele knikte en ging naar binnen.

De zaal was hoog en licht. Voor de ramen hingen gordijnen van vuile tule, die de felle zonnestralen nauwelijks temperden. Op de lichte stof tekenden zich als donkere strepen de gekruiste spijlen van het traliewerk af. Uit het plafond stak een ijzeren haak waaraan vroeger waarschijnlijk een kroonluchter had gehangen, en op de muren waren nog de resten van stucornamenten in de vorm van gevlochten kransen te zien. De vloer was bedekt met grof geschaafde planken, die krakend bewogen als iemand eroverheen liep. In de lucht hing de geur van zweet en oude kleren.

Het waren ongeveer vijftien of twintig mannen. De meesten zaten aan een lange tafel met banken, de anderen stonden apart of in kleine groepjes ergens in het vertrek. Eén man had een bezemsteel als geweer over zijn schouder gelegd en marcheerde in militaire paradepas van de ene muur naar de andere, waar hij telkens een stramme draai maakte. Zonder de onrust van die beweging zou de sfeer niet veel anders geweest zijn dan in de mannensjoel voor aanvang van de gebeden.

Geen van de mannen lag op de grond en Chanele kon ook niemand in een witte jas ontdekken.

De patiënten waren niet eender gekleed. Een paar droegen een heel correct pak, alsof ze waren uitgenodigd voor een officiële bijeenkomst, anderen, zoals arme familieleden, alleen een boerenbroek en een grof hemd. Bij sommigen vertoonde de kleding bizarre trekken, bijvoorbeeld bij de marcherende man, die als een onderscheiding een stel lepels op zijn jasje had bevestigd. Iemand anders droeg een versleten rokjas over zijn blote borst.

Chanele was in de deur blijven staan. Een paar mannen aan de tafel hadden hun hoofd naar haar omgedraaid, maar ze lieten hun blik zo wezenloos over haar heen glijden dat ze het verwarrende gevoel had onzichtbaar te zijn. Pas na een tijdje werd er notitie van haar genomen. Twee mannen, allebei even lang en mager, alsof ze broers waren, kwamen op haar af, bleven vlak voor haar staan en bekeken haar zo argeloos nieuwsgierig, zo kinderlijk schaamteloos dat Chanele wel tegen ze moest glimlachen.

'Goedemiddag,' zei ze, en toen er geen reactie kwam diepte ze een van de weinige van Mimi opgevangen Franse woorden op uit haar geheugen: 'Bonjour.'

De twee mannen keken haar verbaasd aan, alsof ze een kunstje voor hen had gedaan dat rijp was voor het circus. Een derde man, het was de vreemde figuur in rok, kwam met trippelpasjes aanrennen en probeerde de beide anderen opzij te duwen. Ze verzetten zich niet, maar kwamen, als door een magneet aangetrokken, telkens weer dichterbij.

'U bent een vrouw,' zei de man in rok.

'Dat klopt,' zei Chanele.

'Dacht ik het niet,' zei de man, voldaan als een wetenschapper wiens experiment een omstreden theorie heeft bevestigd. Hij wendde zich tot de twee nieuwsgierigen en zei op de toon van een museumconservator die bezoekers de schatten van zijn verzameling toont: 'Ze is een vrouw.'

De twee stonden met grote ogen te kijken. Bij een van hen liep een sliertje speeksel uit zijn mond.

'U hoort hier niet,' zei de man in rok. 'De vrouwen zitten aan de andere kant.'

'Ik ben hier op bezoek.'

Verwijtend zijn hoofd schuddend duwde de man de twee anderen weer een paar passen terug en legde hun uit: 'Ze is hier op bezoek.'

'Ik zoek …' begon Chanele, maar de man met het blote bovenlichaam stak met een majestueus gebaar zijn hand omhoog. Onder de oksel van de rokjas, waar de naad was losgegaan, gaapte een groot gat.

'Ik weet wie u zoekt,' zei de man. 'Natuurlijk weet ik dat. Er komen vaak mensen die mij zoeken. Maar ik ben hier incognito.' In een overduidelijke pantomime spiedde hij eerst rond en gaf Chanele toen een knipoog.

'U bent niet degene die ik zoek.'

De man knikte instemmend, alsof ze de spijker op de kop had geslagen, gaf haar nog een knipoog en zei tegen de twee opdringerige toeschouwers: 'Ik ben niet degene die ze zoekt.' En met een triomfantelijk giecheltje voegde hij eraan toe: 'Ze heeft me niet herkend.'

Intussen was er een vierde man bij hen komen staan. Hij was armoedig gekleed, in een veel te grote broek, die hij met een touwtje bij elkaar had gebonden, en een jasje waar niet één knoop meer aan zat. Voor Chanele opzij kon gaan, had hij haar bij haar bovenarmen gepakt, haar naar zich toe getrokken en een kus op haar voorhoofd gedrukt. Hij rook naar oude aardappelen.

'Ik heb je gezegend,' zei de man. 'Nu kan je niets meer gebeuren.' Hij veegde zijn handen lang en grondig af aan zijn broekspijpen en liep weer weg.

De twee nieuwsgierigen kwamen dichterbij en de man in rok duwde hen achteruit. 'U bent een vrouw,' zei hij tegen Chanele. 'Dacht ik het niet.'

Links en rechts van elk raam waren zware, nachtblauwe gordijnen bijeengeschoven. Van achter een van die gordijnen kwam nu een man tevoorschijn die zich daar had verstopt.

Een man in een doktersjas, die ooit wit was geweest.

Hij was oud, minstens zo oud als Salomon. Chanele kon niets vertrouwds in hem ontdekken. Zijn gezicht had diepe groeven, zoals je die krijgt van de honger of van veel tranen, en zijn wangen zaten vol stoppels. De dunne haarslierten waren bedekt met een keppeltje van wit linnen, zoals de mannen op Hoge Feestdagen tijdens de dienst dragen. Hij liep op blote voeten. Onder de zoom van de jas kon je zijn dunne kuiten zien.

De man stond nu vlak voor het raam en het felle licht tekende de contouren van zijn magere oudemannenlichaam af.

Hij was lelijk.

En hij was een volslagen vreemde voor Chanele.

Toch, zonder na te denken en alsof haar benen een eigen wil hadden, liep ze naar hem toe. Ze duwde de twee nieuwsgierigen gewoon opzij. De man in rok zag ze niet eens meer.

Ze liep naar hem toe.

Hij zag haar aankomen en op zijn gezicht, dat doorleefde, oude gezicht, wisselden de emoties elkaar zo snel af als het licht wanneer de wind wolkenflarden langs de zon jaagt. Verrassing. Verbazing. Ongeloof. En liefde.

Hij strekte zijn hand naar haar uit, niet als een grijsaard die houvast zoekt, maar als een jongeman die anderen tot steun kan zijn, hij strekte zijn hand naar haar uit, die vol bruinige vlekken zat, strekte hem zo naar haar uit dat ze niets anders kon doen dan hem de hare reiken, hij pakte hem vast, met zijn huid als papier, als de bladzijden van een oud boek dat uit elkaar valt als je erin leest, nam haar vingers tussen de zijne, wreef er met duim en wijsvinger over, ging na of er echt iets was, of er echt iemand was, opende zijn mond, bewoog zijn lippen, eerst toonloos, zoals je een gebed of een toverspreuk uitspreekt, slikte met een droge mond en zei met een stem vol tederheid en angst, zei met een oude jonge stem: 'Sarah, schat, waarom ben je niet in bed? Je moet toch liggen.'

En toen, geschrokken van zijn eigen woorden, liet hij Chanele los. Hij deinsde achteruit alsof hij zich aan haar had gebrand, legde zijn handen naast elkaar, met de handpalmen naar boven en de vingers gekromd alsof hij water uit een bron schepte, bracht ze heel langzaam naar zijn gezicht en bedekte zijn ogen.

Ze had niet eens gezien welke kleur ze hadden.

Een eindeloze minuut lang stond hij doodstil. Toen begon hij zijn bovenlichaam naar voren en naar achteren te bewegen, eerst bijna onmerkbaar en daarna steeds krachtiger en sneller, hij schommelde, sjokkelde en begon te neuriën, een gebed zonder woorden dat bij geen enkele dienst en geen enkele feestdag hoorde, samengesteld uit flarden van melodieën, uit alle nigoenem en uit geen enkele, hij bewoog zijn hoofd heen en weer, alsof iemand anders het had vastgepakt en het dwong te bewegen, drukte de ballen van zijn handen in zijn oogkassen, wilde nooit meer iets zien nadat hij Chanele had gezien en werd toen, na een minuut, na een uur, weer rustiger, hield op met neuriën en sjokkeln, liet langzaam zijn handen zakken, spreidde zijn vingers voor zijn ogen, zoals kleine kinderen bij hun lievelingsspelletje doen om de wereld te laten verdwijnen en weer te laten verschijnen, en vroeg heel zachtjes, met een bijna onhoorbare stem vol ongeloof en hoop: 'Sarah?'

'Ik ben Sarah niet.' Chanele wist niet of ze het had gezegd of alleen maar gedacht.

In elk geval had hij het gehoord. Hij strekte zijn arm naar haar uit, een dorre tak in een witte mouw, bewoog zijn hand heen en weer zoals je damp wegwuift of misschien een spook, bracht hem heel langzaam naar haar voorhoofd – de aanraking, toen ze eindelijk kwam, zo zacht als wanneer je op een donkere trap tegen een spinnenweb aanloopt –, streek over haar voorhoofd en over haar slaap, wreef langs haar wenkbrauwen, die rechte streep dwars over de neuswortel, wreef heen en weer, Chanele had zichzelf daar nog nooit zo teder gestreeld, en er gleed een glimlach over zijn gezicht, een verliefde, betoverde, jonge glimlach die als een bont beschilderd masker op zijn rimpelige gezicht lag. 'Jij bent Sarah,' zei hij. 'Niemand heeft zulke mooie wenkbrauwen als jij.'

Eenenveertig jaar was Chanele en nu pas wist ze hoe haar moeder had geheten.

Zijn hand lag nu op haar wang, waar hij zijn plaats had gevonden als een vlinder op zijn laatste vlucht. Ze bewoog haar hoofd heel langzaam op en neer. Het kon knikken zijn, het kon instemming betekenen met wat er met haar gebeurde, maar misschien was het ook alleen maar het verlangen om door die hand gestreeld te worden.

'Gaat het goed met je?' vroeg hij en hij gaf zelf het antwoord. 'Het gaat goed met je, schat. De zon schijnt, terwijl het januari is.'

Ze was in januari geboren.

De geur die van hem uitging was niet aangenaam. Het was een geur van ziekte, van verval. Een verwoeste geur.

Achter haar rug marcheerde de man met de bezemsteel heen en weer, heen en weer.

'Je tijd zal spoedig komen,' zei de oude man. Zijn ogen waren op haar gericht, maar ze had het gevoel dat hij het tegen heel iemand anders had. 'Alles zal zijn zoals het moet,' zei hij. 'Alles zal goed gaan. Als het een jongen is, noemen we hem Nathan. Naar je vader.'

Nathan. Nog een naam die bij haar hoorde. Ze had ook ooit een grootvader gehad.

'En als het een meisje wordt ... Beslis jij dat maar, Sarah, mijn schat. Hoe moet het heten als het een meisje wordt?'

'Chanele,' zei ze.

En hij herhaalde: 'Chanele.'

De soldaat marcheerde heen en weer. Telkens als hij op de vloerplank trapte waar ook Chanele op stond, werd ze een eindje opgetild, want de planken lagen los. Ze waren met de jaren kromgetrokken en eronder zat een heel andere vloer, een veel mooiere waarschijnlijk, maar die had al tijden niemand meer gezien.

'Een grote simche zal het worden,' zei de oude man. 'Een simche waar de mensen nog lang over zullen praten. Eten en drinken en zingen. We nodigen iedereen uit en iedereen zal komen. Ook dr. Hellstiedl. Hij is een goj, maar een goed mens. We nodigen hem uit, hè, Sarah?'

'Ja,' zei Chanele, 'we nodigen hem uit.'

'Je zult nog zwak zijn.' Zijn hand lag op haar wang alsof hij sliep. 'Je bent zwak de eerste dagen, daar moet je niet van schrikken. Ik zal het kind voor je dragen. Ik zal het vasthouden. Ik zal het niet laten vallen. Er zal hem niets overkomen. Niemand zal iets overkomen. Ik weet het zeker.'

'Nee,' zei Chanele, 'niemand zal iets overkomen.'

Ze zal sterven, jouw Sarah, van wie je zoveel hebt gehouden, en jij zult daardoor je verstand verliezen. Er zal een vreemde man komen, een beheimesoucher die Salomon heet, en hij zal je dochter meenemen en opvoeden. Na vele jaren zal hij brieven schrijven en naar je zoeken, en jij zult je dochter weer ontmoeten en je zult het niet weten.

Niemand zal iets overkomen.

Plotseling en zonder enige aanleiding van buitenaf begon de oude man te schreeuwen. Al die tijd was zijn stem niet zo luid geweest. Hij trok zijn hand van Chaneles wang en staarde met wijd opengesperde ogen naar zijn vingers. Toen verstopte hij zijn hand achter zijn rug. 'Het heeft niets te betekenen,' zei hij en hij herhaalde nog twee keer: 'Niets te betekenen. Niets te betekenen.'

Chanele had nog nooit zoiets treurigs gezien als de geruststellende glimlach die hij probeerde op te zetten.

Met zijn blik nog steeds op Chanele gericht – maar wie had kunnen zeggen wie hij werkelijk voor zich zag? – liep hij achteruit, met kleine trippelpasjes liep hij van haar naar het raam en stak zijn hand in de plooien van het zware gordijn.

'Je hoeft niet bang te zijn,' zei hij en hij begon steeds vlugger te praten, als iemand die uit alle macht rent om hulp te halen en toch weet dat hij geen hulp zal vinden. 'Het bloed heeft niets te betekenen. Echt niets te betekenen. Het hoort erbij. Het is heel natuurlijk. De dokter zal komen en alles weer in orde maken.'

Zijn stem brokkelde steeds meer af. De groeven in zijn gezicht wachtten op water als uitgedroogde rivierlopen.

'De dokter zal komen. Hij wordt al gehaald. Hij zal komen en zeggen: "Jullie hoeven niet bang te zijn." Hij is een goede dokter. Hij heet dr. Hellstiedl. Hij is de hoogste. Hij kan alles beslissen. Alles. Iedereen moet hem gehoorzamen. Hij zegt "Er zij licht" en er is licht. Hij kan het beslissen. Hij zal beslissen dat jij niet dood bent. Dat jij niet dood bent. Dat jij niet dood bent.'

Zijn lichaam was in het gordijn verdwenen. Alleen zijn gezicht was nog te zien, dat steeds ouder werd en steeds vreemder.

'Hij zal het beslissen,' herhaalde hij. 'Als ik het hem vraag, zal hij het beslissen. Je hoeft niet bang te zijn. Hij is een goede dokter. Een goed mens. Hij heeft me dit doodshemd geschonken. Hij is een goj, maar hij heeft me een sargenes geschonken. Zijn eigen sargenes. Ik heb het harder nodig dan hij, heeft hij gezegd. Omdat ik al gestorven ben.'

Hij huilde, als regen liet hij de tranen over zijn gezicht lopen. Ze zou er alles voor gegeven hebben om hem te kunnen troosten.

'Je zult niet sterven, Sarah. Dr. Hellstiedl zal je beter maken. Je zult niet dood zijn. Alleen ik. Alleen ik. Ik heb mijn leven voor dat van jou gegeven. Omdat het zo beslist was.'

Hij was nu helemaal in het gordijn weggekropen. Van de eindeloze, lichaamloze echo van zijn stem waren alleen nog flarden te verstaan.

'Niet sterven ... Niets te betekenen ... alles beslissen.'

Een vreemde hand tikte Chanele op de schouder. De twee nieuwsgierigen stonden achter haar, hand in hand, als twee kinderen die elkaar proberen te bemoedigen. De man in de rokjas was bij hen.

'Hij is dood,' legde hij vriendelijk uit. 'Als ze dood zijn moeten ze witte hemden aan. Dat is zo bij de joden.'

Chanele had hem willen wegduwen, maar haar lichaam had niet de kracht om te bewegen.

'Dadelijk gaat hij zingen,' zei de man in rok. 'Zingen moeten ze ook als ze dood zijn.'

En inderdaad: achter het gordijn begon Chaneles vader met een heel hoge, heel ijle stem te zingen.

'Dacht ik het niet,' zei de man in rok en hij gaf Chanele een knipoog. 'Ik weet alles over ze, maar ze kennen mij niet. Ik ben hier incognito.'

'Jisgadal,' zong de oude man. 'Jisgadal wejiskadasj sjemei rabo.' Het was het Kaddisj, het gebed dat men zegt ter herinnering aan een overledene, zoons voor hun vaders en vaders voor hun zoons.

Hij zong het voor zichzelf.

Hij zong heel het lange gebed en op de plekken waar de gemeente moet invallen, sprak Chanele in stilte het amen.

De zware stof bewoog. Het hoofd van de man die ze hier Ahasverus noemden en die haar vader was, werd zichtbaar, echter niet van boven waar hij in het gordijn was verdwenen, maar van onderen, op de grond. Hij moest zijn neergeknield en toen zijn gaan liggen, en nu schoof hij op zijn rug het vertrek in, zette zich af van de muur en bleef roerloos op de ruwe planken liggen, met zijn armen langs zijn lichaam en zijn doffe ogen wijd open.

'Ze leggen ze op de grond als ze gestorven zijn,' legde de man in de versleten rok uit. 'Ze wassen ze en leggen ze neer, en dan stoppen ze ze in de kist.'

Chanele hurkte neer bij haar vader, bij deze vreemde man. Ze had graag willen bidden, maar geen van de vele zegenspreuken die de joden voor alle mogelijke gelegenheden en gebeurtenissen paraat hebben, paste hier. Ten slotte mompelde ze wat gezegd wordt bij een overlijdensbericht: 'Geprezen zij de Rechter der waarheid.' De oude man verroerde zich niet, maar ze had het gevoel dat hij er vrede mee had.

Ze deed haar ogen dicht en was zo waarschijnlijk nog lang naast de roerloze man blijven zitten als er niet plotseling een geur van vochtige aardappelen was geweest, een klapzoen op haar voorhoofd en een stem die zei: 'Nu kan je niets meer gebeuren.'

Toen stond dr. Hellstiedl naast haar. Misschien was hij toevallig precies op dat moment gekomen, maar vermoedelijk had hij het geheel vanaf de een of andere plek geobserveerd. Ze moesten observatiespiegels hebben, hierboven waar niet eens een verpleger oppaste.

De dokter nam haar arm en bracht haar zwijgend naar buiten. Pas toen hij het traliehek open en weer dicht had gedaan, zei hij: 'Ik heb de oude systeemkaart toch nog gevonden. Hij heet Menachem Bär.'

Menachem.

Menachem en Sarah Bär.

En hun dochter Chanele.

Toen ze over de binnenplaats liepen, die intussen in de schaduw van het bakstenen gebouw lag, vroeg hij: 'En, is het uw vader?' Ze gaf geen antwoord en hij drong niet aan.

Ze liepen door de lange gang waar geen namen op de deuren stonden, door de gang met de ramen die geen ramen waren, door de andere gang waar de pijl op het emaillen plaatje nog steeds in het niets wees. De wanorde in zijn kantoor had iets geruststellends, als een uitnodigend, omgewoeld, warm bed. Dr. Hellstiedl haalde de theemuts van een pot en schonk een glas thee in. Hij deed het onhandig, met de pot in zijn ene en de theemuts in zijn andere hand. Chanele sloeg hem gade zoals je vanuit je huis een gebeurtenis op straat volgt die niets met jou te maken heeft. Toen hij haar het glas aanreikte, moest ze eerst nadenken voor ze zijn gebaar begreep.

Hij ging tegenover haar zitten en zweeg. Zwijgen was inspannend voor hem, iets wat hem duidelijk zwaar viel. Meer dan eens begon hij aan een zin, maar sprak hem dan toch niet uit.

De thee was heet en Chanele was er dankbaar voor. De zon scheen nog steeds, al stond hij nu lager, maar Chanele beefde over haar hele lichaam, een kou die ze niet kende. Oude mensen klaagden soms dat ze het gewoon niet meer warm kregen. Voor het eerst begreep Chanele wat ze daarmee bedoelden.

'Ik heb een rijtuig laten komen,' zei dr. Hellstiedl ten slotte.

Ze knikte, blij dat zij zelf niets hoefde te besluiten of te beslissen.

'Als u wilt, kan ik u van zijn toestand op de hoogte houden. Mocht er een verandering ... Het kan wel of niet gebeuren. We weten zo weinig en geven die onwetendheid dan Latijnse en Griekse namen.'

Hij schonk thee bij en vroeg toen opnieuw: 'Zal ik u ...?'

'Nee,' zei Chanele. Het was het eerste woord dat ze sinds de ontmoeting met haar vader had gezegd.

Het rijtuig bracht haar terug naar de stad. In de laan wierpen de populieren nu lange schaduwen.

Op het plein voor de dom werd feestgevierd, met gelukkige mensen en vrolijke muziek. Chanele dacht aan de grote simche waar Menachem Bär zich zo op had verheugd en ze droeg elk lachend gezicht dat ze door het raampje van het rijtuig kon ontdekken aan hem op.

De portier in het hotel ontving haar met opdringerige nieuwsgierigheid. Hoe haar dag was geweest, wilde hij weten, of ze de weg had kunnen vinden en hoe de zeer geachte madame Meijer Straatsburg beviel. Ze bracht hem met een fooi tot zwijgen.

's Nachts sliep ze diep en droomloos.

De volgende ochtend nam ze de trein naar Basel en reisde vandaar verder naar Baden. Ze ging van het station rechtstreeks naar de winkel en werkte zoals elke dag.

Toen ze 's avonds thuiskwam en Janki haar vragen stelde, antwoordde ze: 'Ze hebben zich vergist. Het was een volkomen vreemde man. Hij heeft niets met mij te maken.'

24

Pinchas moest alweer naar zijn boord grijpen om lucht te krijgen en dat had niets te maken met het feit dat de zon al voor de tweede dag achtereen zo heet brandde. Die man aan wie Zalman Kamionker hem had voorgesteld, dr. Stern uit Stuttgart, de congresafgevaardigde van de meerderheidssocialisten uit Württemberg, bracht hem helemaal in de war. Toch zag hij er heel onschuldig uit. Op het oog was hij een onopvallende man van middelbare leeftijd, niet erg groot, met een gezellig rond burgerbuikje waarop zijn horlogeketting telkens als hij lachte een klein huppeldansje uitvoerde. En hij lachte veel, op een onaangename manier. Hij zei de afschuwelijkste dingen, besloot ze schuddebuikend met 'Hohoho' en veegde dan met de rug van zijn hand over zijn snor. 'God,' zei hij bijvoorbeeld, 'God bestaat natuurlijk niet. Ik kan het weten, ik ben rabbijn.' En hij liet zijn buikje huppelen en keek Pinchas zo hoopvol aan als alleen iemand kan die voor elke tegenwerping al een tegenargument klaar heeft.

Hij was inderdaad ooit rabbijn geweest, in Buttenhausen, een kleine gemeente in de Zwabische Alpen. 'Ik heb het beroep grondig geleerd,' zei hij en hij lachte alweer, als om de allerbeste mop. 'Ik hou niet van half werk. Nog altijd kan ik een blik op de ingewanden van een kip werpen en u feilloos vertellen of ze wel of niet koosjer is. Ik geef toe dat het een kunst zonder enige zin is, maar ik weet nog steeds hoe het moet. Zoals anderen de kunst verstaan op hun handen te balanceren of over een touw te lopen.'

Het zou Pinchas niet verbaasd hebben als zijn gesprekspartner ter plekke zo'n kunstje voor hem had uitgevoerd. Dr. Sterns manier van doen had veel weg van een omroeper zoals je die soms ziet bij rondreizende rariteitenkabinetten, alleen waren de attracties in zijn tent geen kalveren met zes poten of vrouwen met een vissenstaart, maar schatkamers vol geheimzinnig glinsterende stellingen en spiegelpaleizen vol glimmend gepoetste paradoxen. 'Ieder echt gelovig mens is een bewijs voor het feit dat er geen God bestaat,' zei hij bijvoorbeeld en hij wipte daarbij verend op de ballen van zijn voeten, alsof hij op het punt stond een overslag te maken en 'Hopla!' te roepen.

Hij sprak graag, bijna dwangmatig graag over hoe hij van zijn geloof was afgevallen, 'zich ervan had bevrijd', zoals hij het noemde, en je kon aan hem merken dat hij er waarschijnlijk ook al vaak op grote bijeenkomsten over had gesproken. Hij hoefde nooit naar woorden te zoeken en zijn kant-en-klare zinnen klonken altijd alsof ze van papier werden voorgelezen. Rabbijn was hij allang niet meer, hij was nu voorzitter van de Duitse vrijdenkersvereniging en als hij het over die vereniging en haar doelstellingen had, kon hij zo'n zalvend gezicht trekken alsof hij nog altijd een toga droeg. Hij liep met zijn ongeloof te koop als met een onderscheiding en was er trots op als op een na een lange studie verkregen doctorstitel. Zijn atheïsme had iets van een kruistocht. De goddeloosheid was zijn religie en die verdedigde hij met het vuur en het enthousiasme van een neofiet. Als hij zei: 'God is niets anders dan een uitvinding van de mens', dan straalde hij als Mozes in het aanschijn van de Sjechina op de berg Sinaï.

De beide mannen hadden elkaar tegen de middag in de Palmengarten ontmoet en Kamionker had hen aan elkaar voorgesteld. Hij deed dat met een ondoorgrondelijke glimlach, waarvan Pinchas de betekenis nu pas begreep. In de Palmengarten was het lawaaiig en benauwd en dus besloten ze te profiteren van het mooie weer en wat in het park aan het meer te gaan wandelen. Pinchas had een hele lijst met vragen over het socialistencongres voorbereid – de *Israelit* in Frankfurt zou vast geïnteresseerd zijn in een artikel daarover – maar hij kreeg geen kans ze te stellen. Dr. Stern had nauwelijks gehoord dat het eigenlijke beroep van zijn nieuwe kennis sjocheet was, of hij wilde alleen nog over religie praten, liever gezegd over de niet-religie, die zijn diepgevoeld credo was. 'De mens moet weten en niet geloven,' zei hij met gelovige emfase en daarbij spreidde hij zijn armen uit en heette de hele wereld met een broederkus welkom in de pas opgerichte bond van goddelozen.

Hij moest ooit een goede kanselredenaar geweest zijn, ook al had Buttenhausen, zoals hij vertelde, maar een heel kleine synagoge waar vaak slechts met moeite een minjan bij elkaar te krijgen was. 'Maar wat moest ik? Rabbinaten waren schaars en als pas afgestudeerd theoloog kon ik niet kieskeurig zijn. Een interessant woord trouwens, "theoloog". Als je teruggaat tot de Griekse stam, betekent het eigenlijk niet meer dan een mens die over God praat – en praten kun je zoals bekend ook over dingen die niet bestaan. Over eenhoorns, over draken of over de goede God.'

'Maar onze wereld moet toch …'

Dr. Stern onderbrak Pinchas met een breed gebaar. 'Waarde vriend,' zei hij en het klonk als 'waarde gemeente', 'waarde vriend, u wilt toch niet met een van die godsbewijzen aankomen. Welk wilde u net uit uw hoed toveren? Het kosmologische? Het ontologische? Het teleologische? Allemaal allang weerlegd. Lees Kant! Lees Schopenhauer! "De viervoudige wortel van de stelling van de toereikende grond." De wereld heeft geen eerste beweger nodig. Hij draagt zijn wetten in zich! We moeten ze alleen erkennen. Voilà!' Hij maakte een sprongetje, als een artiest die na een gewaagde oversteek over het hoge koord weer vaste grond onder de voeten heeft en applaus verwacht.

'En wie heeft die wetten geschapen?'

'Niemand.' Dr. Stern, die zonder zijn titel net zomin denkbaar was als zonder broek, depte met een zijden zakdoek zijn voorhoofd. Pinchas had de indruk dat hij dat elegante gebaar voor de spiegel had ingestudeerd. 'Als vandaag de zon schijnt, zit er niemand de kachel te stoken. De natuurwetten behoeven geen almachtige schepper die de bal aan het rollen brengt. Het universum is zoals het is. Ons lot is wat wij ervan maken. De wereld – om het onder de eenvoudigste noemer te brengen – is zoals wij hem vormen. Alleen omdat we voor die verantwoordelijkheid terugschrikken, verzinnen we straffende goden en bedenken we in hun naam wetten, aan de consequenties waarvan we vervolgens niet schuldig zijn.'

'Maar de Tora ...'

Dr. Stern ving ook die tegenwerping in de lucht op als een jongleur wiens hand altijd al daar is waar de volgende bal nog heen moet vliegen. 'De Tora is literatuur,' zei hij. 'Heel mooie literatuur zelfs. Zoals trouwens veel van onze geschriften. Zelf heb ik bij uitgeverij Reclam een klein boekje gepubliceerd: *Lichtstralen uit de Talmoed*, een verzameling citaten die ook pedagogisch zeer waardevol zijn. Ik moest ze alleen zorgvuldig uitzoeken tussen al die onbenullige legenden – ik denk bijvoorbeeld aan de gefantaseerde verhalen van iemand als Rabba bar bar Chana – en de overspannen spitsvondigheden van de wetsinterpretaties. De morele louterheid van onze geleerden vormt een merkwaardig contrast met de logische dwaling van de Talmoedische rituelen. Je zou bijna kunnen zeggen: daar waar de joden het zonder God redden, kunnen ze voor andere volkeren beslist een voorbeeld zijn.' En enthousiast over zijn eigen eloquentie liet hij zijn horlogeketting op zijn buikje huppelen, lachte diep uit zijn keel en streek met de rug van zijn hand over zijn snor.

Pinchas, die twee keer per week deelnam aan de sjioer van de talmoed-Toravereniging, had het gevoel duizend argumenten te weten tegen zulke godslasterlijke praat, maar niet één wilde er hem te binnen schieten. Als hij deze discussie had kunnen voeren in de vertrouwde avondlijke studiezaal, beschermd door het bolwerk van een boekenkast vol oude folianten ... Maar hier, in het heldere licht van de boulevard, onder het frisse groen van de bomen, hier, waar een kindermeisje in een gesteven blauw-witte blouse met een stuurs gezicht twee in het roze uitgedoste meisjes aan de hand hield, waar een oude dame uit een vettige papieren zak koekkruimels in het water strooide waarom de zwanen en eenden met strijdlustige meeuwen vochten, hier, waar een onderwijzer zijn hele schoolklas rond zich had verzameld om de jongens de dankzij de föhn vandaag bijzonder goed zichtbare toppen van het alpenpanorama aan te wijzen – hier voelde hij zich hulpeloos. Over de nuances van een woord, de finesses van een wetsinterpretatie debatteren, dat was hij gewend. Maar dat iemand het hele gedachtebouwsel, waar zoveel generaties geleerden en hun leerlingen op hadden gezwoegd, gewoon af wilde breken – dat maakte hem sprakeloos. Zwijgend liep hij naast dr. Stern, die in zijn overmoedige zelfverzekerdheid steeds weer een danspasje inlaste.

Hun weg voerde langs de geïmproviseerde aardrijkskundeles, waar de onderwijzer net zei: 'Waar nog steeds een beetje nevel hangt, dat zijn de grote Mythen en de kleine Mythen ...' Dr. Stern lachte fijntjes, als een rijk man die ook nog eens de loterij wint. 'Ziet u, waarde vriend,' zei hij terwijl hij met de rug van zijn hand over zijn snor streek, 'deze dappere pedagoog heeft zojuist mijn hele argument in een notendop samengevat. Wij mensen bedenken mythen, grote en kleine, we beweren dat ze zo vast staan als bergen en bedekken onze eigen twijfel met een nevel van tradities en rituelen.'

'Niets geloven is nogal gemakkelijk.' Pinchas voelde een ongekende woede in zich opkomen.

'Integendeel, waarde vriend.' Dr. Stern had ook die zin al verwacht, zoals een geoefende danser aan het eind van een ingewikkelde figuur zonder te kijken de hand van zijn partner pakt. 'Niets geloven is moeilijk! Gemakkelijk is het om de duizend keer voorgekauwde gedachtebrij van vroegere generaties zomaar te slikken. Gemakkelijk is het om gedwee je knie te buigen, een kruis te slaan, tefilien te leggen, rond middernacht over een brandende houtstapel te springen of wat voor vreemde rituelen onze voorvaderen in naam van hun zelfverzonnen godheden nog meer hebben bedacht. Gemakkelijk is het om allerlei heilige geschriften aan te nemen als door God gegeven, de premissen van een religie kritiekloos te accepteren en je eigen verstand alleen nog te gebruiken om er steeds nieuwe conclusies uit te trekken. Juist wij joden zijn er ware meesters in ons in de fijnste vertakkingen van vermeend goddelijke wetten in te vreten als houtwormen in een al lang dode boom. Nachtenlang bestuderen we middeleeuwse commentaren, alleen maar om debatten te begrijpen die vijftienhonderd jaar geleden zijn gevoerd, we discussiëren verhit over de rituelen van offerdiensten in een tempel die tweeduizend jaar geleden is verwoest. We verspillen onze intelligentie omdat we niet de moed hebben ouderwetse sprookjes in twijfel te trekken. Sprookjes, jazeker! Maar: wie niet wil denken, moet maar geloven.' Die laatste zin beviel hem zo goed dat hij ter plekke een klein dansje uitvoerde. Vanonder hun parasol sloegen twee oudere dames hem misprijzend gade.

'Weet u wat me opvalt?' zei Pinchas en hij voelde de strijdlustige voorpret die ontstaat als je over een afdoend argument denkt te beschikken. 'Weet u wat me bij u zelfs heel erg opvalt? U zegt nog altijd "wij". "Wij joden." Ondanks alle protesten rekent u zich er dus nog steeds toe.'

'Laten we zeggen: ik sluit mezelf niet buiten. Echter alleen zolang het begrip een volks- en geen geloofsgemeenschap aanduidt. Maar verder ... Ik kan u in dit verband een grappig verhaal vertellen.' Hij wees naar een van de houten banken die de schoonheidscommissie langs de boulevard had laten plaatsen. 'De zon zal me goeddoen, na die lange uren in de congreszaal.' Met zijn zakdoek waaierde hij zorgvuldig een spoor van stuifmeel van de groengelakte latten, maakte het zich, met zijn armen op de rugleuning, in het midden van de zitting gemakkelijk en tikte, toen Pinchas nog steeds aarzelde, uitnodigend op de smalle vrije plaats naast zich. 'Komt u toch bij me zitten, waarde vriend! Ik beloof dat u zich goed zult amuseren.'

Pinchas ging zitten. Er zat niets anders op. Het was hem wel duidelijk dat zijn gesprekspartner iemand was die zich door niets liet weerhouden een verhaal af te maken als hij eenmaal begonnen was.

'Het is nu alweer ...' begon dr. Stern en hij trok het geforceerd peinzende gezicht waarmee praatzieke mensen vaak herhaalde verhalen een schijn van spontane authenticiteit proberen te geven, '... inderdaad al meer dan tien jaar geleden. Wat gaat de tijd toch snel! Mij was toen definitief duidelijk geworden dat ik het niet langer met mijn geweten kon verenigen om mijn schaapjes ... Een mooi woord, vindt u ook niet?' onderbrak hij zichzelf en ook die onderbreking leek in zijn manuscript te staan. 'Schaapjes. Het omschrijft zo goed de onderdanige kritiekloosheid waarmee zelfs buitengewoon intelligente mensen devoot in de kudde van hun geloofsgenoten meesjokken, altijd omringd door de keffende honden van hellestraffen en eeuwige verdoemenis. Zoals gezegd, mij was duidelijk geworden dat ik mezelf ontrouw werd als ik mijn gemeente wetten bleef uitleggen waar ik zelf niet meer in geloofde – hoewel de uitleg op zich altijd correct was. Volkomen zinloos, net als de hele religieuze rimram, maar correct. Als je nagaat: een God die zich er in alle ernst om bekreunt of van een esreg de pitem is afgebroken, zo'n pietluttige hemelse kruidenier kan toch alleen maar een verzinsel van de mensen zijn! Alleen wij mensen zijn dom genoeg om een wereldbeeld van louter bijzaken aan elkaar te lijmen.'

'En uw wereldbeeld, meneer Stern?'

De vrijdenker hoorde de geïrriteerde ondertoon en leek zich daarover te verheugen als een goochelaar die de aandacht van zijn toeschouwer precies heeft gekregen waar hij hem wil hebben. 'Ik richt me op de hoofdzaak en vlei me daarmee een grotere prestatie geleverd te hebben dan al die regelzuchtige Talmoedgrootheden. Met één uitzondering. Zegt de naam Elisja ben Aboeja u iets?'

Pinchas knikte. 'Acher,' zei hij. 'De andere.'

'Heel goed.' Dr. Stern knikte neerbuigend als een schoolmeester. 'Uitstekend. Zo wordt hij in de geschriften altijd alleen maar genoemd. "De andere". En waarom? Omdat men hem zelfs zijn naam niet meer gunde nadat hij, de grote schriftgeleerde, tot de enig mogelijke conclusie was gekomen: dat er namelijk geen God bestaat. Weet u soms ook nog hoe hij van zijn geloof is afgevallen?'

Pinchas had het betreffende hoofdstuk uit de Talmoed nog niet zo lang geleden bestudeerd. Het ging om een jongen die van zijn vader opdracht had gekregen om een nest uit te halen maar, zoals er geschreven staat, de moedervogel van tevoren weg te jagen: 'De moeder zult gij in elk geval laten wegvliegen, maar de jongen moogt gij meenemen, opdat het u wel ga en gij lang leeft' – dezelfde beloning die de Tora belooft voor het naleven van het gebod uw vader en uw moeder te eren. Ondanks de dubbele belofte viel de jongen uit de boom en brak zijn nek. Dat moet het moment geweest zijn dat Elisja ben Aboeja afvallig werd.

'Dat kunt u niet als argument aanvoeren,' zei Pinchas. 'Als men bedenkt wat Rasji over de passage "opdat gij lang leeft" zegt ...'

'Ik ben onder de indruk.' Dr. Stern applaudisseerde ironisch en Pinchas had hem wel een draai om zijn oren willen geven. 'De passage uit Kidoesjien kent u dus. Maar mij bevalt de verklaring die de Talmoed in het traktaat Chagiga geeft – 14b, mocht u het willen naslaan – veel beter.'

'Die passage ken ik ook,' zei Pinchas, maar dr. Stern had zijn ogen gesloten, als om beter te kunnen nadenken, en reciteerde bijna zingend, zoals men dat bij een leervoordracht doet: 'Ben Azai, ben Soma, Elisja ben Aboeja en rabbi Akiva mediteerden zo lang over de heerlijkheid Gods tot ze een blik in de hogere sferen konden werpen. Ben Azai stierf. Ben Soma verloor zijn verstand. Elisja ben Aboeja viel van zijn geloof af. En alleen rabbi Akiva ...'

'Ik zie geen reden om je daar vrolijk over te maken.' Pinchas had het veel harder gezegd dan hij eigenlijk wilde. Een jonge vrouw, die net met haar kinderwagen langs de bank kwam, versnelde geschrokken haar pas.

'Ik maak me niet vrolijk,' zei dr. Stern. 'Integendeel. Ik heb me met die Acher altijd zeer verwant gevoeld. Misschien heeft hij inderdaad een blik in de hemel geworpen en vastgesteld dat hij leeg was.'

'Ik moet gaan. Ik kan de slagerij niet zo lang alleen laten.' Pinchas wilde opstaan, maar dr. Stern belette het hem. Hij hield hem tegen als een circusomroeper een besluiteloze boer.

'Wacht toch, waarde vriend. Ik heb u mijn verhaal nog niet verteld.'

'Ik weet niet of ik het wel wil horen.'

'Natuurlijk wilt u het horen. U bent een nieuwsgierig mens. Zou u anders hiernaartoe gekomen zijn, alleen om mij vragen te stellen?'

'Niet dit soort vragen!'

'Omdat de antwoorden uw wereldbeeld aan het wankelen kunnen brengen?'

'Nee!'

Maar Pinchas maakte geen aanstalten meer om op te staan en dr. Stern lachte zo hard dat zijn horlogeketting huppelde. Vervolgens veegde hij zijn snor af en zei: 'Wacht maar af! – Zoals gezegd was mij dus definitief duidelijk geworden dat ik mijn ambt niet kon blijven uitoefenen. Omdat ik – in tegenstelling tot de meeste mensen, zoals ik steeds weer moet constateren – niet bang ben om uit mijn inzichten de consequenties te trekken, besloot ik er een punt achter te zetten. Ik schreef dus aan het koninklijk opperrabbinaat van Württemberg en kondigde mijn superieuren aan dat ik uit het jodendom zou uittreden.'

'Wat een onzin!' Pinchas praatte alweer te hard en moest zich echt dwingen de volgende zinnen op een gematigder toon te zeggen. Tot zijn ergernis klonk het nu alsof hij zijn buurman op de bank een intiem geheim wilde toevertrouwen. 'Uit het jodendom kun je niet uittreden! We zijn toch geen vereniging!'

'Dat heeft het opperrabbinaat ook geantwoord. Samen met enkele zeer uitgebreide vermaningen. Maar ik ben een consequent mens en wie het spelletje niet meer mee wil spelen, hoeft zich ook niet meer aan de spelregels te houden. Dus heb ik op de eerstvolgende Jom Kipoer met een zak broodjes met ham postgevat voor de hoofdsynagoge in Stuttgart en toen alle notabelen met hun zwarte hoge hoeden naar buiten kwamen …'

'U moest zich schamen!' Pinchas was opgesprongen en trok zich er nu niets meer van aan dat de wandelaars hem aanstaarden. 'U moest zich doodschamen.'

Dr. Stern lachte de man die daar zo woedend voor hem stond met provocerende vriendelijkheid toe. 'Jammer dat u niet katholiek bent. Zo'n "Apage Satanus" klinkt toch veel beter.'

'Schamen moest u zich!'

'Dat hebt u al gezegd, waarde vriend. Maar misschien moest u zich eens afvragen of u daar zelf niet veel meer reden voor hebt. Een man met uw beroep.'

'Wat heeft mijn beroep …?'

'U bent toch sjocheet? Dus bent u een professionele, officieel erkende dierenbeul.'

'Ik ben geen …'

'U moet niet zo hard schreeuwen. De twee agenten die daar aan komen lopen, kijken al heel argwanend.'

'Er zat voor Pinchas niets anders op dan weer te gaan zitten.

'Hoe kunt u beweren dat een sjocheet …'

Maar dr. Stern had opeens geen zin meer in de discussie. Hij haalde zijn horloge uit zijn vestzak en liet het openspringen. 'Zo laat al? Ik verwaarloos mijn plichten als afgevaardigde. Weet u wat, waarde vriend? Leest u mijn brochure. *Dierenmishandeling en dierenleven in de joodse literatuur.* In elke boekhandel verkrijgbaar, met als supplement een rabbijns-theologisch rapport over het sjechten. Wat daarin gezegd wordt, zal u waarschijnlijk interesseren. Naar men mij verteld heeft, zal die kleine publicatie in het hier ophanden zijnde referendum een grote rol spelen. Het ga u verder goed, waarde vriend, het ga u goed.'

25

Op het moment dat Pinchas met Jakob Stern discussieerde of, zoals hij het later min of meer ironisch noemde, met de duivel twistte, kreeg zijn vrouw onverwachts bezoek.

Mimi voelde zich die dag niet lekker. Het lag waarschijnlijk aan het erg drukkende weer dat ze al bij het opstaan duizelig was en nog een uur met een in citroenwater gedrenkte doek op haar voorhoofd in bed moest blijven liggen. Regula, die hosklos, wilde botweg de gordijnen opendoen, terwijl bij een gevoelig mens in zo'n toestand elke lichtstraal als een mes door het hoofd gaat. Later moest Mimi zelfs overgeven en het liep al tegen elven toen ze eindelijk de kracht vond om haar kamer uit te komen. In een peignoir van zalmkleurige, met matte zijde gevoerde crêpe georgette, die de bleekheid van haar gezicht nog eens onderstreepte, sloop ze als een spook door het huis. Nergens beweging. Zelfs het ontbijtservies stond nog op de eettafel. Als je er als huisvrouw niet constant achterheen zat – Pinchas had geen idee! – lieten de dienstbodes het meteen afweten.

Ze trof Regula, mevrouw Küttel, de werkster, en Hinda ten slotte aan in de keuken, waar de drie op een tijdstip dat ze allang het middageten hadden moeten klaarmaken, aan de koffie met broodbrokjes zaten en het, voor zover Mimi dat uit een bij haar verschijning midden in een woord afgebroken zin kon opmaken, over Regula's stokpaardje hadden, namelijk over de vraag of de koetsier van de paardentram, op wie ze al weken een oogje had, misschien serieuze bedoelingen had. Mimi moest duidelijke taal spreken, hoewel dat in haar toestand niet meeviel, en ze moest ook Hinda een standje geven, die soms de erg ordinaire neiging had om gemene zaak te maken met het personeel. Hinda lachte maar wat en zei in alle ernst dat ze Regula's liefdesgeschiedenis interessanter vond dan iedere roman, in elk geval was ze nog nooit een roman tegengekomen waarin een aanbidder zijn aanbedene op haar billen sloeg en waarderend zei: 'Jij zit beter in je vlees dan mijn paarden.'

Later – ze had nog steeds niet de fut gehad om zich aan te kleden –

bekeek Mimi met Hinda de inhoud van haar klerenkast. De Hachnosas-Kallo-vereniging, die onbemiddelde bruiden hielp bij hun uitzet, zamelde die dag afgedankte kleren in en als vrouw van de gemeentesjocheet – 'Je hebt geen idee hoe de mensen dan op je letten!' – voelde Mimi zich verplicht om ook een bijdrage te leveren. Maar het was eigenlijk alleen een voorwendsel om de schatten van haar kleerkast weer eens te kunnen etaleren.

Ze had net een deux-pièces van grijsbruine gekeperde zijde met een kastanjebruin rozenmotiefje uit de kast gepakt, een deux-pièces die haar altijd heel goed had gestaan, maar waarvan de rok echt niet meer kon omdat die nog steeds een soort cul de Paris had en dat was nu definitief uit de mode, ze was net bezig Hinda te overtuigen dat met haar jeugdige figuur het strakke jasje met het kleine kraagje en het jacquardgarneersel aan de omslagen haar eigenlijk heel goed moest staan, met een andere rok natuurlijk, de oude zou ze aan de onbemiddelde bruiden schenken, ze was net door al die bedrijvigheid aan het vergeten hoe slecht het eigenlijk met haar ging, toen er aan de deur werd gebeld. 'Ik ben er niet!' riep Mimi en, lijdend onder haar eigen stem, begon ze met haar vingertoppen automatisch kleine rondjes op haar slapen te tekenen.

'Mevrouw Pomeranz is er niet,' hoorden ze Regula even later zeggen. En, na een voor hen onhoorbare tegenwerping van de bezoeker, voegde het dienstmeisje eraan toe: 'Echt niet! Ze heeft het net zelf gezegd.'

Hinda beet in haar hand om niet in lachen uit te barsten. Mimi verdraaide met een martelaarsgezicht haar ogen.

Regula's steeds onzekerder en daarom schriller geuite protest maakte duidelijk dat de ongenode gast zich niet zomaar liet afwimpelen en ten slotte klopte het dienstmeisje op de deur van de kamer en zei: 'Het spijt me, mevrouw Pomeranz, maar er is een dame die per se …'

'Ik ben het!' klonk een stem vanuit de gang. 'Mama!' riep Hinda en ze rukte de deur open.

Regula zag de omhelzing tussen moeder en dochter met misprijzen aan. 'Ik heb gezegd dat u er niet bent,' legde ze Mimi verwijtend uit. 'Maar ze is toch binnengekomen.'

'Het is al goed.'

'Ik kan het in elk geval niet helpen,' bromde Regula zo beledigd als iemand bij wie door een opzettelijk verkeerd recept een taart is mislukt, en ze verdween weer naar de keuken om met mevrouw Küttel de mogelijke bedoelingen van de koetsier van de paardentram verder te analyseren.

Chanele moest rechtstreeks van het station gekomen zijn; je kon de rook van de locomotief nog ruiken. Ze droeg echter geen reiskostuum, zoals dat volgens de etiquetteregels had gehoord, maar haar 'uniform' waarin ze gewoonlijk naar de zaak ging, en daarbij een hoed die het vorige seizoen al niet meer en vogue was.

'Je hebt niet eens handschoenen aan!' zei Mimi verwijtend.

'En jij geen jurk.'

'Je hebt geen idee hoe beroerd ik me voel.'

'Kom je me soms al halen?' vroeg Hinda, die dat kennelijk geen prettig vooruitzicht vond.

'Daar hebben we het straks nog wel over. Nu moet ik iets met Mimi bespreken. Onder vier ogen.' Chanele zei het op een toon die haar dochter nog nooit van haar had gehoord: niet echt streng, dat zou het verkeerde woord zijn, maar toch zo dat ze het niet in haar hoofd haalde haar tegen te spreken.

Hinda maakte gehoorzaam een lichte kniebuiging. 'Ik ga zolang naar de keuken.'

'Zeg tegen Regula dat ze eindelijk de ontbijtspullen moet opruimen!' riep Mimi haar na. 'En dat ze het middageten ...' Ze legde haar hand op haar voorhoofd en zuchtte. 'Hoewel ik zelf geen hap ... Ik moet er niet aan denken.'

'Ben je ziek?'

'Ach!' zei Mimi en het dappere wegwerpgebaar zou zelfs de salondame van de schouwburg niet beter gelukt zijn. Ze wilde haar gast meenemen naar de eetkamer – 'Hoewel alles daar nog op tafel staat; ik weet ook niet waarom ik altijd van die vreselijke dienstbodes heb!' –, maar Chanele schudde haar hoofd.

'Laten we maar liever naar jouw kamer gaan. Dat lijkt me ... hoe zal ik het zeggen? Dat lijkt me beter.'

Ze konden er niet eens allebei zitten; het bed en de twee stoelen lagen vol kleren. Volkomen automatisch, zoals ze dat ook in de winkel gedaan zou hebben, begon Chanele de spullen op te ruimen, terwijl Mimi op de Turkse poef voor haar kaptafel zat en haar slapen met eau de cologne bette. Een poosje hoorde je alleen de ritselende stoffen en de tegen elkaar tikkende hangertjes.

'Mimi,' zei Chanele eindelijk en ze bestudeerde het moiré-effect op een jontefjurk zo grondig alsof ze al die jaren op haar werk nooit zoiets had gezien, 'Mimi ... vond je het eigenlijk erg vervelend dat wij je nooit Miriam wilden noemen?'

'Hoe kom je daar nu bij?'

'Er was een tijd dat je dat erg belangrijk vond. Ik begreep dat toen niet, maar nu ... Het was je echte naam, je had er recht op en wij zeiden – uit gewoonte of uit gemakzucht – altijd alleen maar Mimi tegen je.'

'Ik heet toch Mimi.'

'Natuurlijk, nu.' Chanele hield de jurk omhoog om hem uit te slaan. Het leek of ze met een levensgrote pop danste, terwijl de zacht ritselende stof als een gordijn tussen de beide vrouwen hing. 'Maar heb je je nooit afgevraagd of je misschien een ander mens geworden zou zijn als je je eigen naam had gehad?'

'Ik begrijp niet wat je bedoelt.' Mimi zei het zo klaaglijk als een kind dat niet naar school wil. 'Ik heb hoofdpijn.'

Chanele hing de jurk in de kast en zei, meer in de zwarte, naar oude belevenissen ruikende opening dan tegen Mimi: 'Ik begrijp het zelf niet.'

Eén stoel had ze al leeggemaakt en die droeg ze nu naar de kaptafel en ze ging zo dicht tegenover Mimi zitten dat hun knieën elkaar bijna raakten. Janki – het was al lang geleden – had ooit zo tegenover Chanele gezeten. Ze had hem niet durven aankijken, maar zijn adem had ze gevoeld. Bijna naakt was ze geweest, zo heerlijk naakt. En toen had hij aan haar gevraagd ...

Wat had ze verwacht? Als je jezelf iets wijsmaakt, is het je eigen schuld.

Ze pakte Mimi's rechterhand, boog zich eroverheen, snoof de geur van slaapkamer en eau de cologne op en kuste toen onverwachts haar vingertoppen.

'Wat moet dat?' vroeg Mimi terwijl ze haar hand terugtrok.

'Ik weet het niet. Het is alleen ... Wij zijn geen zussen, jij en ik. Ook vriendinnen zijn we nooit geweest. Nee, spreek me niet tegen. Er was geen vriendschap tussen ons, ook niet toen we nog samen in één bed sliepen. Ze hebben ons bij elkaar gestopt zoals ik net de jurken in de kast heb gestopt, fluweel naast duchesse en zwart naast olijfgroen, net naar het uitkwam. We hebben elkaar niet uitgekozen. We hebben het met elkaar kunnen vinden, op de een of andere manier, jij met mij en ik met jou. En als we samen lachten – je lacht ook met toevallige kennissen. Maar onze geheimen vertelden we aan anderen, jij aan Anne-Kathrin en ik aan mijn hoofdkussen. Het ging toch goed, hè, Mimi? Het ging heel goed.'

'Ik weet niet wat je wilt.' Soms had Mimi nog dezelfde zeurderige stem waarmee ze als klein meisje alles wat naar kritiek zweemde al bij voorbaat met gejammer beantwoordde.

'Het ging goed tot Janki kwam. Weet je nog? Het verband met het bloed dat niet van hem was? Natuurlijk weet je dat nog. We hebben toen allebei alles verkeerd gedaan, ik ook. En daardoor zijn we nooit vriendinnen geworden. Nu heb ik daar spijt van. Omdat we na al die tijd toch bij elkaar horen. Vind je ook niet, Miriam?'

Mimi had haar gevoelens nog nooit goed kunnen verbergen. Ook nu kon Chanele op haar gezicht lezen wat er in haar omging: verbazing, de eerste tekenen van een ruzie, van een verzoening en daarna een listig niets-willen-laten-merken. Als kinderen hadden ze vaak 'Steen, papier, schaar' gespeeld en zo had Mimi er ook altijd uitgezien als ze zich beslist niet wilde laten bedotten. 'Ben je naar Zürich gekomen om me dat te vertellen?' vroeg ze.

'Nee, niet daarom. Je hoeft ook helemaal geen antwoord te geven. Dat komt nog wel. Ik ben hier omdat ik je hulp nodig heb.'

'Waarvoor?'

Chanele pakte twee gekleurde flacons van de kaptafel en liet ze tegen elkaar klinken als wijnglazen. 'Je moet een sjidoech vinden,' zei ze.

Mimi was een beetje teleurgesteld dat Chanele op haar geheime plan vooruit was gelopen voordat ze het had kunnen uitvoeren en daarom kwam ze met een tegenargument. 'Hinda interesseert zoiets toch nog helemaal niet.'

'Een sjidoech voor François.'

Mimi was zo verbluft dat haar mond openviel.

'Sjmoeël?'

'Hij heet François. Of ik dat nu leuk vind of niet.'

'Maar hij is nog veel te jong om te trouwen!'

'Geloof me,' zei Chanele, 'hij is oud genoeg.'

'Die jongen is eenentwintig.'

'Hij hoeft ook niet meteen te trouwen. Maar wel gauw. Zo gauw mogelijk.'

'Hoe komt Janki op zo'n mesjoege idee?'

'Janki weet er niets van.'

'En jij wilt …?'

'Als jij me helpt.'

Mimi keek Chanele verbaasd aan, dacht na – steen? papier? schaar? – en stak toen op haar beurt haar hand uit. 'Je moet me alles vertellen,' zei ze.

Het deed Chanele goed om erover te kunnen praten. Over François' glimlach waarbij zijn ogen niet meelachten, die valse beleefde glimlach waarmee hij haar altijd al bang had gemaakt, al toen hij nog een klein jongetje was, omdat zijn gezicht toen al als een boek in een vreemde taal was geweest. Hoe hij op z'n vijfde of z'n zesde een ander jongetje, het petekind van een keukenmeid, ertoe had gebracht zijn hand op de gloeiende klep van de kachel te leggen en, toen dat jongetje begon te huilen en te gillen, heel koeltjes had gezegd: 'Ik wilde alleen kijken of ik hem zover kon krijgen.' Hoe hij op school altijd goede rapporten had gehad zonder er echt iets voor te doen, omdat hij altijd wel iemand vond die het huiswerk voor hem maakte of hem liet overschrijven. Hoe er op sjabbes, als werken verboden was, vaak drie of vier medeleerlingen voor de deur op hem stonden te wachten en er bijna om vochten zijn schooltas te mogen dragen. Toen een van zijn onderwijzers een keer met zijn vrouw in het warenhuis kwam en Chanele zich aan hem voorstelde, had de man bijna juichend verteld wat een begaafde, ja, hij schroomde niet het zo te formuleren: wat een begenadigde zoon ze had, en toen ze François hierover aansprak had hij zijn bekende glimlach geglimlacht en gezegd: 'Bij hem is het makkelijk; hij heeft podagra en je hoeft op de dagen dat hij heel erg hinkt alleen maar aan hem te vragen hoe het met hem gaat.' Toen hij later in de winkel begon mee te helpen, liever bij Janki in het stoffenhuis dan bij Chanele in het warenhuis, maakte hij er een spelletje van om onverkoopbare partijen, artikelen van het afgelopen jaar of met kleine foutjes, aan de man te brengen en hij was er telkens trots op als hij iemand iets had aangesmeerd, die hem daarvoor nog dankbaar was ook. Chanele beschreef ook de typische manier van praten van François, die ze 'giftig' noemde omdat hij glimlachend en met een buiging vanuit de heup de meest provocerende dingen ogenschijnlijk heel beleefd wist te zeggen, en ze vertelde dat hij zich boven andere mensen verheven voelde en die mensen verachtte.

Voor één keer was Mimi een goede toehoorster. Ze knikte of schudde verbaasd haar hoofd, zei 'Vraiment?' of 'Mon Dieu!' en al die tijd liet ze Chaneles hand niet los.

Maar toen Chanele over de avond van het gojse diner begon, toen ze vertelde dat Mathilde Lutz op de deur van haar kantoor had geklopt en haar had verteld dat een jonge verkoopster zwanger was en van wie, vergat Mimi van opwinding Frans te praten, ze riep 'Me nesjoeme!' en 'Sjema beni!' en streelde Chaneles hand, zoals je tijdens een ziekenbezoek doet als je de patiënt meer hoop wilt geven dan je eigenlijk hebt.

In veertig jaar waren de twee vrouwen niet zo intiem geweest.

'Wat ga je nu voor het meisje doen?' vroeg Mimi ten slotte. 'Zoiets kan een schandaal veroorzaken, zeker in een stadje als Baden.'

'Ik weet het,' zei Chanele, die voor een schandaal helemaal niet zo bang leek te zijn. 'Maar ik heb al iets ondernomen.'

Soms, dacht Mimi, soms heeft Chanele een glimlach die helemaal niet zoveel anders is dan die van haar zoon. Alleen zou ze het niet leuk vinden als ze dat wist. Ze had opeens de neiging Chanele in haar armen te nemen en haar heel, heel vast tegen zich aan te drukken. Maar dat deed ze natuurlijk niet, ze vroeg alleen: 'En Sjmoeël ...?'

'Hij heet François.'

'Denk je dat hij van haar houdt?'

Chanele schudde haar hoofd. 'Hij wilde alleen kijken of hij haar zover kon krijgen.'

'En nu wil je hem gauw uithuwelijken?'

'Ik denk dat dat het beste is. Het zal hem in het gareel houden. Het is geen goede oplossing, maar iets beters weet ik ook niet.'

Mimi streelde de vingers van haar vriendin. Vriendin? Ja: vriendin. De handen die zo lang in Goldes keuken hadden gewerkt, waren er in de jaren dat Chanele madame Meijer was niet zachter op geworden.

'Ik zal je ook iets verklappen,' zei Mimi, die van pure moed plotseling vuurrode vlekken op haar wangen had. 'Het mooiste voor mij, het allermooiste zou geweest zijn zelf kinderen te hebben. Maar als ik er geen kan krijgen, als het niet zo mag zijn, dan is het op één na mooiste voor andere mensen een sjidoech te maken. Ik denk weleens: ik ben Gods poging een schoonmoeder rechtstreeks te scheppen.' Ze zei het met een lach, maar ze meende het.

Op de kaptafel lag tussen allerlei modieuze prullaria ook een zakagenda. De velletjes waren nog steeds leeg, hoewel hij van 1887 was. Mimi had hem niet gekocht omdat ze hem nodig had, maar omdat hij gebonden was in van dat mooie rode marokijnleer, hetzelfde leer als de portemonnee die ze Janki jaren geleden bij de opening van zijn eigen zaak ... Wat deed het er ook toe. Er hoorde een klein zilveren potlood bij en dat nam ze nu ter hand, ze sloeg de agenda open en zei als een ober die op een bestelling wacht: 'Zegt u het maar, madame Meijer! Ik luister!' Zoals ze daar met een schuin hoofd vol verwachting zat te kijken, zag ze eruit als een lief meisje, en die aanblik maakte Chanele op een niet onaangename manier een beetje triest, zoals versjes in een oud poëziealbum.

'Wat mag het zijn?' vroeg Mimi en ze bevochtigde de punt van het potlood met haar tong, zoals ze de beambte aan een postloket een keer had zien doen. 'Jong? Knap? Rijk?'

Chanele ging niet in op de schertsende toon en beantwoordde de vragen heel serieus. 'Rijk zal wel moeten. Ja, dat denk ik wel. In elk geval in goeden doen. Anders zal Janki niet akkoord gaan. Jong? Dat is niet zo belangrijk. Voor mijn part mag ze gerust ouder zijn dan François. Hij hoeft niet verliefd op haar te worden, hij moet alleen met haar trouwen.'

Mimi kon haar oren niet geloven. Voor haar, die opgegroeid was met romans, had Chanele zojuist iets ongehoords gezegd. 'Niet verliefd worden?'

'Ik geloof niet dat François dat kan. Daarom zou het ook niet goed zijn als het meisje knap was.'

'Je maakt een geintje.'

'Ik probeer alleen de dingen te zien zoals ze zijn.'

'En jij ziet een lelijke kalle voor je zoon?'

'Ik zie François. Zoals hij is. En ik weet: als hij getrouwd is, zal hij zijn vrouw bedriegen.'

'Chanele!' Ooit had Mimi een acteur in een toneelstuk iets even vreselijks horen zeggen. Maar niet op zo'n rustige, vanzelfsprekende toon.

'Het heeft geen zin om jezelf iets wijs te maken,' zei Chanele. 'Als je de werkelijkheid niet accepteert, word je op een gegeven moment gek. Geloof me, ik weet waar ik het over heb. François zal altijd alles willen hebben, vooral de dingen waar hij geen recht op heeft. En hij zal ze krijgen ook. Dat zal een goede zakenman van hem maken en een slechte echtgenoot.'

'En daarom …?'

'Ik heb er lang over nagedacht. Een knappe jonge vrouw, die haar hele leven gewend is aan complimentjes en voor wie de aanbidders altijd in de rij hebben gestaan – zo'n vrouw zou eronderdoor gaan bij een man als François. Eerst zou ze de schuld bij hem zoeken en dan bij zichzelf, en daarna zou ze de rest van haar leven ongelukkig zijn.'

'Je bent mesjoege!'

'Vind je?' Chanele nam Mimi de zakagenda uit de hand en legde hem weer op zijn plaats. Toen pas praatte ze verder, zo zachtjes en toonloos dat Mimi naar voren moest buigen om haar te verstaan. 'Als Janki toen met jou getrouwd was – zou jij ertegen kunnen om behandeld te worden zoals hij mij behandelt?'

'Is hij slecht voor je?'

'Nee,' zei Chanele. 'Ben je slecht voor je bureau? Voor je sigarettenetui? Hij interesseert zich niet genoeg voor me om slecht voor me te zijn. Het is voldoende voor hem dat ik er ben en de dingen doe die gedaan moeten worden.'

'Dat komt vast ook …' – '… door jou' had Mimi willen zeggen, maar de Chanele die daar tegenover haar zat, was niet meer dezelfde Chanele die ze haar leven lang had gekend. En zijzelf – zo leek het haar op dit moment in haar slaapkamer – was ook niet meer dezelfde Mimi. 'Dat komt vast ook door zijn werk,' zei ze daarom. 'Zo'n man heeft duizend dingen aan zijn hoofd.'

'Natuurlijk,' zei Chanele zonder het te menen. 'Maar waar het om gaat is toch: ik heb nooit veel van het leven verwacht en daarom kan ik ermee omgaan dat ik ook niet veel heb gekregen. Jij daarentegen …'

'Ik daarentegen heb geen kinderen. Ik ben bijna een oude vrouw en word met het jaar overbodiger.'

'Je bent niet overbodig,' zei Chanele. 'Ik bijvoorbeeld, ik heb je hard nodig.'

Mimi wreef over haar slapen en daarna ook over haar ogen. Ze had nog steeds hoofdpijn, maar dat had er niets mee te maken.

26

Mimi was nodig en vergat daardoor al haar klachten.

Chaneles plan was weliswaar mesjoege, zei ze, en als zij, Mimi, zoiets had bedacht, zou er weer gezegd zijn dat ze fantaseerde, maar soms had ze het gevoel dat ze nu eenmaal in een mesjoege wereld leefde en dan was het gekke misschien het enige verstandige. Chanele had er ook heel goed aan gedaan met haar wens gelijk naar haar toe te komen, niet alleen omdat ze vriendinnen waren – 'Dat zijn we toch, hè, Chanele?' –, maar vooral omdat zij hier in Zürich elke, maar dan ook elke joodse familie kende, dat was het voordeel maar ook de vloek als je de enige koosjere slagerij van de stad bezat. Ze kon elk huwbaar meisje in de gemeenschap opnoemen, ze kon een lijst maken als het moest, nu meteen, in de agenda met de rode kaft. Ook kon ze haar te allen tijde aan de families voorstellen, heel discreet en schijnbaar toevallig. Het was alleen jammer dat Chanele niet een paar dagen eerder met haar plan was gekomen, want vandaag, uitgerekend vandaag, was daarvoor een gunstige dag geweest, verrassend gunstig zelfs, persoonlijk geloofde ze wel in zulke vingerwijzingen van het lot, en ooit, op een rustig tijdstip, zou ze Chanele – met Pinchas kon je over zulke dingen niet praten – iets moeten toevertrouwen, over ene madame Rosa en bepaalde boodschappen die ze daar ontving, maar daar was dit niet het geschikte moment voor. Ze verdwaalde soms in haar gedachten als een kind in een kamer vol verleidelijk speelgoed. Chanele moest twee keer vragen wat er aan deze dag zo bijzonder was en ze begreep Mimi's antwoord niet meteen. De klereninzameling van de Hachnosas-Kallo-vereniging, legde Mimi uit, terwijl ze zich aan de bedstijl vastklampte zodat Chanele de veters van haar korset aan kon trekken – 'Veel vaster, ik hou het wel uit!' –, die klereninzameling waar zij, Mimi, toch heen moest, ze was al veel te laat, dat was de ideale gelegenheid geweest om een eerste overzicht te krijgen, daar had ze bijna alle vrouwen kunnen ontmoeten van wie de dochters in aanmerking kwamen, en sjidoechem, wat de mannen zich ook verbeeldden, werden nog altijd door de vrouwen gemaakt. Als ze daarover praatte, was Mimi helemaal in haar element en de boerse rode vlekken op haar wangen werden zo fel dat ze ze met fond de teint eerst weer moest bedekken; ze wilde er tenslotte niet uitzien als een koeienhoedster.

Ze kon toch gewoon meegaan, zei Chanele, maar daar wilde Mimi eerst niet van horen. Chanele droeg voor zo'n gelegenheid absoluut niet de juiste kleren en bij het sjadchenen was de eerste indruk vaak doorslaggevend. Ze waren in Zürich weliswaar op de hoogte van Janki's goedlopende zaken, maar Chanele zelf kenden de meesten alleen maar van horen zeggen, en als ze verscheen in een jurk die … Ze wilde niets lelijks zeggen, ze begreep best dat je met drie kinderen en een winkel geen tijd had om je intensief met je garderobe bezig te houden, hoewel elegantie nog nooit iemand kwaad had gedaan.

Chanele wuifde dat bezwaar weg en Mimi liet zich uiteindelijk niet ongaarne overhalen. Wel eiste ze nadrukkelijk dat Chanele zich verkleedde, jurken waren er genoeg en er was er vast wel één bij die paste. Chanele verzette zich tegen een verkleedpartij, het was tenslotte geen Poeriem en in de Sjoelchen Orech stond nergens dat je je als toekomstige schoonmoeder moest optuigen als een meiboom. Maar intussen had Mimi uit de hoop die nog steeds op het bed lag al een middagjapon van crèmekleurig satijn voor haar gehaald, samen met een onderrok van gesteven taft met geplisseerde volants, en alleen het feit dat die rok in de taille duidelijk veel te wijd was, maakte dat ze haar voornemen weer liet varen. Als meisje had Chanele Mimi's oude kleren af kunnen dragen zonder ook maar een naad te veranderen, maar de laatste jaren had mevrouw Pomeranz ondanks de beste korsetten iets van een matrone gekregen. In elk geval liet ze zich de kans niet ontnemen Chanele nog gauw de hoed te laten zien die ze haar bij de jurk geleend zou hebben, een grootsteeds model dat zij zelf nog niet één keer had gedragen, met een heel lichte struisveer die bevallig over je schouder hing.

'Maar er is één ding waar ik op sta,' zei ze terwijl ze de hoed weer zorgvuldig in zijn doos stopte, 'als je per se zo mee wilt, dan moet je zo veel mogelijk je mond houden en mag je in geen geval te beleefd zijn.' Ze legde de verbaasde Chanele uit dat ze tenslotte een vrouw uit een rijke firma was en zich ook zo diende te gedragen. 'Als ze denken dat je je te goed voor hen voelt, zullen ze allemaal met je te maken willen hebben.'

Voor zichzelf koos Mimi een onopvallende bleekblauwe jurk uit, die alleen lichtelijk was opgesmukt met een paar sierknopen van gesneden paarlemoer. Zij stond vandaag op het tweede plan, zei ze, Chanele was degene die indruk moest maken, dat was in zulke situaties belangrijk. Als je haar zo hoorde doceren, kon je denken dat ze Abraham Singer was opgevolgd en dat hele horden jonge paren hun geluk uitsluitend aan haar bemiddeling te danken hadden.

Ze trok nog twee andere jurken uit de hoop, de kastanjebruine met de cul de Paris en een donkerblauwe met al enigszins afgesleten fluwelen knopen, die wilde ze voor de goede zaak opofferen. Regula moest hen met de jurken volgen, ze zouden ze beslist niet gewoon op hun arm nemen, ook al was de synagoge vlakbij, certainement pas, in dit geval duldde ze geen tegenspraak, een dergelijk optreden zou een volkomen verkeerde indruk maken.

Hinda was graag meegegaan, uit pure nieuwsgierigheid en hoewel ze geen idee had wat Chanele en tante Mimi van plan waren. Mimi weigerde categorisch. Wat had Golde, die zoveel joodse spreekwoorden kende, ook weer zo graag gezegd? 'Wie zijn haan wil verkopen, neemt niet ook nog een gans mee naar de markt.'

Onderweg hield Mimi haar hoofd hoog opgeheven, alsof het dienstmeisje met het grote, in een strijkdeken gewikkelde pak puur toevallig achter haar liep. Ze dwong zelfs een voerman een ruk aan de teugels te geven omdat ze, zonder op of om te kijken, pal voor zijn wagen de straat overstak. Hij riep haar nog scheldwoorden na toen ze allang de Löwenstraße was ingeslagen.

Vanwege het warme weer stonden de deuren van de synagoge open. De schelle sopraan van mevrouw Goldschmidt, de soliste van het synagogekoor, vermengde zich met het geluid van de wagens en voorbijgangers. Ze oefende voor Sjavoeot; de beide vrouwen herkenden – aan de tekst, niet aan de vreemde melodie – de gezangen die bij het uitnemen van de Tora horen. Bij het 'Raoemamoe' vergiste ze zich twee keer achter elkaar.

'Dat is de reden waarom Pinchas er serieus over denkt de gemeente te verlaten,' zei Mimi.

'Omdat ze zo slecht zingt?'

'Vanwege al die vernieuwingen de laatste tijd. Vrouwen in het koor en een harmonium. Ze praten over een gemeente van afgescheidenen zoals ze die in Frankfurt hebben.'

Ze gingen het synagogegebouw binnen door de zij-ingang in de Nüschelerstraße. De kleine zaal werd gebruikt voor alle mogelijke doeleinden; je kon er de gemeente na een bar mitswe de traditionele kidoesj aanbieden of de jaarvergadering van een van de talrijke maatschappelijke en liefdadige organisaties houden, waarbij die twee functies op een aangename manier met elkaar verenigd konden worden. Vandaag waren de tafels bijeengeschoven tot twee lange, haaks op elkaar gezette rijen, waar vrijwilligsters de geschonken kledingstukken sorteerden. De meesten van hen waren wat Mimi met Franse discretie 'ne plus vraiment jeunes' placht te noemen, waarbij ze genereus over het hoofd zag dat de door haar zo getypeerden niet ouder waren dan zijzelf. Er is een fase in het leven van burgerdames waarin de kinderen hen niet meer vierentwintig uur per dag in beslag nemen, waarin de goed geoliede machine van het huishouden als het ware vanzelf schoon wasgoed en geregelde maaltijden produceert en ze genoeg tijd en energie overhouden om zich bezig te houden met cultuur, bijgeloof of filantropie. En roddelpraat natuurlijk. De geoefende ogen van de liefdadige dames lazen van elk kledingstuk uitvoerige informatie af over de geefster, haar gulheid en haar smaak, en omdat hun scherpe commentaren in de regel afwezigen betroffen, had de Hachnosas-Kallo-vereniging nooit moeite om voldoende vrijwilligsters te krijgen.

De hoogstgeplaatste van de aanwezige dames was Zippora Meisels, de weduwe van een vroegere burgemeester, die iedereen met de hand voor de mond 'de jonge ouwe' noemde, omdat ze er ondanks haar gevorderde leeftijd niet van af te brengen was een titiaanrode sjeitel te dragen. De jeugdige haarkleur en de kunstig gedraaide lokken staken op een belachelijke manier af bij de scherpe contouren van haar verweerde gezicht. Hoewel ze in deze vereniging bij wijze van uitzondering geen officiële functie bekleedde, had ze zich verzekerd van de beste plaats, ze zat precies op de plek waar de twee rijen tafels in een rechte hoek samenkwamen en waar je niet alleen alle gesprekken kon volgen, maar ook de deur van de zaal in de gaten kon houden. Vandaar dat zij de eerste was die Mimi en Chanele opmerkte. Toen ze achter het tweetal ook nog Regula met haar pak kleren binnen zag komen, trok ze – 'Wat zijn we deftig vandaag!' – ironisch haar wenkbrauwen op, wat haar gezicht iets clownesks gaf: ze had haar wenkbrauwen zelf getekend en daarbij de lijn van de dun geworden haartjes niet goed getroffen.

Malka Grünfeld, met wie ze net had zitten praten, volgde haar blik, verontschuldigde zich en liep de twee nieuwkomers met uitgestoken armen tegemoet. Mevrouw Grünfeld was de voorzitster van de vereniging, een rang die ze niet zozeer aan haar pop">ulariteit te danken had als wel aan een forse gift van haar man, die door speculaties met spoorwegaandelen in korte tijd rijk was geworden. Malka, van wie Mimi maar al te goed wist dat ze jarenlang alleen de goedkoopste stukken voor het sjabbesvlees had gekocht, gedroeg zich nu bij voorkeur aristocratisch en als ze een manifestatie met haar aanwezigheid vereerde, trok ze altijd een hele schare hielenlikkers als een sleep achter zich aan.

'Mijn beste!' zei ze op de zangerige toon die ze zich als rijke vrouw had aangewend. 'Wat fijn dat u de weg naar ons toch nog hebt gevonden.'

'U bent te laat,' betekende dat, en: 'Ik ben niet gewend dat men mij laat wachten.'

'Ik ben opgehouden, *pardonnez-moi*.' Mimi wist dat Malka geen Frans sprak en ze wees haar graag discreet op die tekortkoming. 'Ik heb onverwachts welkom bezoek uit Baden gekregen. Mag ik voorstellen? Mevrouw Grünfeld, madame Meijer.'

'Het was al lang mijn wens u te leren kennen.' Malka Grünfeld had zich die zin samen met de parelketting en de hoog dichtgeknoopte handschoenen eigen gemaakt en vond dat hij met zijn minzame neerbuigendheid goed bij haar paste.

'Madame Meijer, dat weet u vast wel, beste Malka,' zei Mimi terwijl ze telkens een glimlach als een leesteken tussen de woorden schoof, 'is de echtgenote van Janki Meijer, die in Baden het Franse Stoffenhuis en het Moderne Warenhuis heeft.'

Malka Grünfeld glimlachte net zo geforceerd terug. 'Ik heb gehoord dat je daar heel aardige spullen kunt krijgen.'

'Heel aardig voor een gat als Baden,' betekende dat.

'En in welke branche is uw man werkzaam?' vroeg Chanele. Ze had alleen een beleefde conversatie willen voeren, maar Malka Grünfeld wierp het hoofd in de nek en was beledigd. Ze was gewend dat men wist wie ze was.

Je moest Mimi al heel goed kennen om te merken dat ze tevreden glimlachte.

'Kan ik weer gaan?' vroeg Regula, die haar pak bij een van de tafels had afgegeven.

'Doe dat, kind.' Als ze wilde, kon Mimi zich minstens zo aristocratisch gedragen als de snobistische voorzitster van een vereniging. 'En schiet een beetje op met zilver poetsen. – Is het niet *énervant*?' vervolgde ze tegen Malka. 'Voor je de laatste stukken hebt gepoetst, zijn de eerste alweer dof.'

'Ook wij hebben zilveren bestek,' betekende dat. 'En al langer dan jullie.'

Toen moesten de andere dames begroet worden en elke keer dat ze Chanele voorstelde, noemde Mimi het stoffenhuis en het warenhuis. In de Hachnosas-Kallo-vereniging kwamen de welgestelden bijeen om elkaar door demonstratieve liefdadigheid te bewijzen dat ze echt welgesteld waren. Chanele wist in zo'n gezelschap weinig te zeggen en maakte daardoor precies de afstandelijke indruk die Mimi gewenst had.

'Dat is Delphine Kahn,' zei Mimi en ze nam Chanele mee naar een streng kijkende dame, die haar opgedrukte boezem als een harnas voor zich uit droeg. 'Van Kahn & Co. zul je wel gehoord hebben. De grootste zijde-importeurs van het land. De Kahns hebben een heel charmante zoon, Siegfried heet hij, een zeer veelbelovend aankomend jurist. Ik geloof dat je dochter Hinda al eens bij toeval kennis met hem heeft gemaakt.'

Als Hinda erbij was geweest, had ze de gelijkenis tussen moeder en zoon meteen gezien. Ook mevrouw Kahn had de gewoonte haar hoofd zonder hals als een uil heen en weer te draaien. Een bril met ronde glazen versterkte die indruk nog.

'Aangenaam kennis met u te maken, madame Meijer.' Met een etiquetteboek voor zich had ze de zin niet nauwkeuriger kunnen uitspreken.

'Mevrouw Kahn heeft ook een alleraardigste dochter,' zei Mimi en ze stootte Chanele op een allesbehalve damesachtige manier met haar knie aan. 'Echt jammer dat ze er vandaag niet is.'

'Ze is er wel,' zei de uil. 'Mijn Mina is zo'n goed kind. Die laat zich er niet van afbrengen bij elke liefdadige manifestatie van de partij te zijn. Ik zeg altijd tegen haar: "Op jouw leeftijd hoef je je met zulke dingen toch nog niet bezig te houden!" – maar ik praat tegen een muur. Daarginds is ze – ziet u hoe hard ze werkt?'

De dochter van de grootste zijde-importeur was tussen de andere vrijwilligers makkelijk te herkennen. Een mager meisje, jonger dan de anderen, stond aan een van de tafels kleren op te vouwen. In haar concentratie had ze haar hoofd zo ver voorovergebogen dat haar lange zwarte haar als een weduwensluier voor haar gezicht hing. Chanele kon alleen zien dat ze net als haar moeder een bril droeg. Haar bewegingen verrieden de aarzelende behoedzaamheid die voortkomt uit bijziendheid of uit gebrek aan zelfvertrouwen. Ze leek niet echt iets opvallends te hebben, maar toen ze een stapel opgevouwen kleren naar de wasmanden bracht, moest ze haar stijve rechterbeen bij elke stap in een halve cirkel naar voren zwaaien en van de weeromstuit slingerde haar bovenlichaam heen en weer alsof ze dronken was.

'Kinderverlamming,' zei mevrouw Kahn. 'Het arme kind loopt met een beugel.'

Toen alle kleren gesorteerd en alle commentaren gegeven waren – bij Mimi's giften was men het erover eens dat ze zowel van goede smaak als van een hang naar spilzieke lichtzinnigheid getuigden –, werd er likeur en taart geserveerd, een royale, met applaus begroete gift van de geachte voorzitster. De schikking aan de twee lange tafels leek ongedwongen tot stand te komen, maar volgde strenge regels ten aanzien van rang en anciënniteit, waarbij Zippora Meisels en Malka Grünfeld natuurlijk in het midden zetelden. Chanele, wier sobere kledij men geheel naar Mimi's zin had uitgelegd als de gril van een rijke vrouw die het niet nodig heeft om zich op te dirken, kreeg de ereplaats naast de voorzitster en trok de tegenstribbelende Mina Kahn op de stoel naast zich.

'Ik kan misschien beter …' begon het meisje, maar ze was niet gewend om tegen te spreken.

Van dichtbij had Mina een buitengewoon interessant gezicht dat, net als de toverplaatjes die Arthur zo enthousiast verzamelde, van blik tot blik een heel ander verhaal leek te vertellen. Het ene moment was Mina een timide meisje dat nauwelijks op durfde te kijken en het volgende moment een volwassen vrouw die al veel te veel had moeten verduren.

Misschien komt het door haar ziekte, dacht Chanele. Lijden kan een mens oud maken. Of kinderachtig.

Ze praatten over ditjes en datjes en speelden elkaar de obligate nieuwtjes toe zoals je aan tafel het zout of het broodmandje doorgeeft. Alleen iets wat Mina zei maakte dat Chanele de oren spitste. 'Hebt u ook weleens het gevoel,' vroeg ze een keer onverwachts, 'dat de mensen alleen maar praten om niet te hoeven luisteren?'

Het algemene gebabbel meanderde als een rivier zonder verval door de meest uiteenlopende onderwerpen en kwam ten slotte uit bij het referendum dat in de zomer gehouden zou worden.

'Wat gaat Pinchas doen,' werd er aan Mimi gevraagd, 'als het sjechten in Zwitserland verboden wordt?'

'Het is zeker dat het initiatief het niet haalt. Sjechten is immers een van de meest pijnloze slachtmethoden die er bestaan. Als je dat de mensen maar op een verstandige manier uitlegt ...'

'Verstandig?' Zippora Meisels schudde somber haar hoofd met de vuurrode pruik. 'Het zou de eerste keer zijn dat je met verstand iets tegen risjes kunt uitrichten.'

Je zag een hele rij pruiken bedenkelijk knikken. Risjes, de verzamelnaam voor alle vormen van jodenhaat, is altijd een overtuigend argument.

'De zakenrelaties van mijn man,' zei Malka Grünfeld met de trots van een vrouw voor wie het telkens weer een aangename verrassing is dat haar man überhaupt zakenrelaties heeft, 'verzekeren hem allemaal dat ze bij het referendum tegen zullen stemmen.'

'Initiatief,' corrigeerde een stem. 'Het is een initiatief.'

'Hoe je het ook noemt,' zei Malka majestueus, 'het wordt in elk geval afgewezen.'

'Als de mensen zich er in het openbaar over uit zouden moeten spreken, misschien wel.' Mina had tot nu toe alleen iets gezegd als haar iets werd gevraagd en de verraste reacties gaven duidelijk aan dat het in deze kring niet werd gewaardeerd als onervaren jonge meisjes hun mond opendeden. Toch praatte Mina door, hoewel ze vermeed iemand aan te kijken. 'Maar zo'n stemming is niet openbaar. Ze hoeven alleen maar "Ja" of "Nee" op een briefje te schrijven en niemand ziet wat ze in de bus gooien.'

'De zakenrelaties van mijn man ...' begon Malka Grünfeld weer.

'Je moet de dingen nemen zoals ze zijn,' zei Mina, die waarachtig de voorzitster van de Hachnosas-Kallo-vereniging had onderbroken. 'Het haalt niets uit als je jezelf iets wijsmaakt.'

'Precies!' zei Chanele zo hard dat iedereen naar haar keek. Toen verontschuldigde ze zich bij de dames omdat ze absoluut de trein naar Baden nog moest halen.

Toen Pinchas eindelijk thuiskwam van zijn gesprek met dr. Stern, was Chanele alweer vertrokken en had ze Hinda meegenomen.

'Ze is met me mee geweest naar de klereninzameling,' vertelde Mimi, die dingen die ze voor zich wilde houden graag verborg achter uitgebreid ter sprake gebrachte bijzaken, 'hoewel ze daar eigenlijk niet voor gekleed was. En naderhand had ze opeens heel veel haast, je weet hoe ze is. Hinda had helemaal geen zin om mee te gaan. Ze hebben er zelfs ruzie over gemaakt. Hoewel het in het weekend jaarmarkt is in Baden, wilde het meisje beslist met sjabbes nog in Zürich blijven, het leek wel of er niets belangrijkers voor haar op de wereld bestond. Ze zei dat het altijd zo gezellig was bij ons. Maar weet je wat ik denk? Je raadt het nooit! Weet je wat ik denk?'

'Liefste,' zei Pinchas, 'als ik elke bladzijde van de Gemore zo makkelijk kon verklaren als jouw gezicht, dan was ik de grootste talmied choochem ter wereld.'

'Nou, wat denk ik dan?'

'Jij denkt: Zalman Kamionker.' Hij sloeg zijn arm om zijn vrouw en trok haar tegen zich aan. 'Kijk niet zo sip. De opgave was niet moeilijk. De jongeman heeft vandaag zo belangstellend naar Hinda geïnformeerd ...'

Maar van het andere verhaal weet je niets, troostte Mimi zich en ze voelde de pas ontdekte vriendschap met Chanele als een kostbare warmte.

Ook Pinchas had iets te vertellen, het dwaze verhaal van een rabbijn die atheïst was geworden en nu met Talmoedische citaten de waardeloosheid van de Talmoed probeerde aan te tonen. Op weg naar huis had hij zich heilig voorgenomen om bij het vertellen alleen het grappige van het verhaal te benadrukken en niet te laten merken hoezeer de discussie hem had aangegrepen. Maar hij kwam er voorlopig niet aan toe, want op dat moment bracht Regula een brief die 's middags was gekomen. Ze droeg hem niet op een dienblad, zoals Mimi haar dat al weken probeerde bij te brengen, maar had hem als een snee brood op een gewoon bord gelegd.

'Oh, les servants!' zuchtte Mimi en Regula stiefelde beledigd de kamer uit. Je hoeft geen vreemde talen te kennen om te merken dat er minachtend over je wordt gepraat.

De brief was op een ouderwetse manier met groene inkt geadresseerd.

In kunstige krulletters stond er: 'Hoogwelgeboren Pinchas Pomeranz.'
Pinchas scheurde de envelop open – met zijn nagel, hoewel Mimi hem
een briefopener met een ivoren heft cadeau had gedaan! –, liet zijn oog
over de tekst glijden en fronste verbaasd zijn voorhoofd.

'Weet je van wie die brief is?' vroeg hij, Mimi's intonatie imiterend. 'Je
raadt het nooit.'

'Van wie?'

'Hij komt uit Endingen.'

'Van wie?'

'Van de vader van je vriendin Anne-Kathrin!'

'De schoolmeester?'

'Hij ondertekent als voorzitter van de Maatschappij tot Nut van
't Algemeen. Daar had hij het toch altijd over. Heeft hij die dan echt
opgericht?'

'Wat wil hij van je?'

'Hij organiseert een openbare bijeenkomst: "Argumenten pro en contra sjechtverbod". In de zaal van Guggenheim. Hij wil mij als spreker.'

'Ga je?'

Pinchas vouwde de brief zorgvuldig op en stak hem in zijn zak.

'Kan ik me permitteren niet te gaan?'

27

Het was geen spijbelen, zei Arthur bij zichzelf, niet echt. Naar school, daar moest je heen, dat stond zelfs in de wet. Als je twee minuten te laat kwam, kreeg je al een tik met het liniaal op je hand, en soms ook als je alleen maar een gezicht trok dat een leraar niet aanstond. Op school had hij nooit zomaar durven wegblijven. Zelfs na de waterpokken, toen hij een door Janki Meijer persoonlijk ondertekend briefje in zijn tas had, zelfs toen was hij er met knikkende knieën heen gegaan en had zelfs met witte zinkzalf speciaal nog vlekken op zijn gezicht getekend, alleen maar om te zorgen dat ze echt geloofden dat hij ziek was geweest.

Maar de bar-mitsweles, maakte hij zichzelf wijs, dat was iets heel anders. Die was vrijwillig, wat je alleen al zag aan het feit dat hij niet in een schoollokaal werd gegeven, maar bij cantor Würzburger thuis, in zijn kamer waar het altijd rook naar de salmiakdropjes waar de cantor op sabbelde voor zijn stem. Bovendien werd Würzburger voor het erin stampen van het Torahoofdstuk en de droosje met een vast bedrag betaald; aan het begin van de maand moest Arthur altijd de envelop voor hem meebrengen. Dan kon hij het toch alleen maar best vinden als hij voor hetzelfde geld een les minder hoefde te geven.

Arthur was ook niet zomaar weggebleven, maar had een plan uitgebroed dat hem, als alles goed ging, voor een uur of twee in zekere zin onzichtbaar zou maken. Meteen na het middageten, op een tijdstip dat de cantor altijd een dutje deed om zijn stembanden te ontspannen, was hij bij mevrouw Würzburger langsgegaan en had haar hevig hoestend verteld dat hij helaas een beetje koorts had, en schor was hij ook. Zijn stem had heel zacht en zwak geklonken, deels van het liegen, deels van angst. Hij had gevraagd of ze vond dat hij na school toch naar de les moest komen. Ze had het hem ten strengste verboden, want net als Arthur kende mevrouw Würzburger de panische angst van haar man voor alles wat met schorheid te maken had. Het was dus allemaal gelopen zoals hij had verwacht.

Arthur had er heel goed over nagedacht. Zelfs als mevrouw Würzburger bij mama zou informeren, op sjabbes in sjoel misschien, of het weer beter ging met haar jongste zoon, zou dat geen argwaan wekken. Arthur sukkelde wel vaker en Chanele zou alleen maar denken dat hij tijdens de les weer eens hoofdpijn had gehad.

Hij had met dit soort dingen geen ervaring. Sjmoeël zou niet zoveel scrupules gehad hebben, voor hem was spijbelen in zijn schooljaren iets volkomen vanzelfsprekends geweest en hij had altijd wel een medeleerling gevonden die voor hem loog. En Hinda was nu eenmaal nergens bang voor. Toen zij zo oud was als Arthur nu, bedacht ze zelfs streken om te laten zien hoe dapper ze was; op een keer ging ze naar een winkel waar joden onvriendelijk werden behandeld en vroeg om een ons 'klafthee', alleen om daarna gierend weg te lopen. Natuurlijk kon de winkelierster niet weten dat 'klafte' zo ongeveer het ergste woord is dat je in het Jiddisj tegen een vrouw kunt zeggen, maar Arthur zou het toch nooit gedurfd hebben. Hij leed onder de angstigheid die met een overspannen fantasie gepaard gaat: het viel hem te makkelijk om te bedenken wat er allemaal mis kon gaan.

Maar vandaag móést hij gewoon spijbelen. Op de Gstühl – dat was vanmorgen in de grote pauze al het voornaamste onderwerp van gesprek geweest – was het panopticum gearriveerd, een eerste voorbode van de voorjaarsmarkt in het weekend, en hij wist: als hij er vandaag niet meteen naartoe ging was zijn kans verkeken. Op de najaarsmarkt was dezelfde tent ook in Baden geweest en twee van zijn klasgenoten hadden hem bezocht en er wonderbaarlijke dingen over verteld, maar toen had het gerucht zich in de stad verspreid dat er voorwerpen werden getoond die een gevaar vormden voor de openbare zeden, en alle leerlingen van de onderbouw van het gymnasium was verboden erheen te gaan. Sommigen waren toch naar binnen geslopen, maar Arthur had niet de moed gehad zo'n nadrukkelijk verbod te overtreden, hij had alleen hulpeloos verlangend een hele tijd voor de bonte tent naar de woorden van de aanprijzer staan luisteren: 'Dertig rappen entree! Kinderen half geld!' Zes maanden had zijn fantasie de tijd gehad om zich de gemiste heerlijkheden in steeds schitterender kleuren voor te stellen en intussen waren de beelden in zijn hoofd volkomen onweerstaanbaar geworden. 's Morgens vroeg had hij al drie munten van vijf rappen uit zijn spaarpot gepeuterd; Sjmoeël had hem een keer laten zien hoe je dat deed met een mes en een breinaald. De hele dag was hij nerveus en ongeduldig, van pure angst dat er ook dit jaar weer een verbod zou komen, maar tot nog toe was er geen uitgevaardigd en het oude, daar kon hij zich in elk geval achter verschuilen, hoefde immers niet meer geldig te zijn. Er was dus zoiets als een maas in de wet waar hij absoluut vandaag nog door moest kruipen, want morgen was het vrijdag, dan moest hij na school meteen naar huis om zich klaar te maken voor de eredienst, op sjabbes kon het helemaal niet, en in deze tijd van het jaar was het zo laat donker dat ze hem na havdole ook niet meer zouden laten gaan. En tot zondag ... Niet alleen leek het hem ondraaglijk lang eer het zover was, zijn angst de grote gebeurtenis voor de tweede keer te missen was voor één keer sterker dan alle voorzichtigheid.

De Gstühlplatz, waar 's zomers de ezels stonden te wachten zodat de kuurgasten naar de Baldegg konden rijden om daar gezonde melk zo van de koe te drinken, was nog bijna helemaal leeg. Alleen een paar bijzonder vroege marktkramers hadden zich al verzekerd van de beste plaatsen en markeerden met hun karren de toekomstige hoofdstraten van een stad van kraampjes en stalletjes, even avontuurlijk en vergankelijk als de nederzettingen van de goudzoekers in Californië waarover Arthur had gelezen.

Het panopticum, waarnaast twee aan een paal vastgebonden, grofgebouwde paarden mismoedig in hun omgehangen voerzak snuffelden, stond als het ware nog in zijn onderjurk, net als mama voordat iemand behendig de vele kleine haakjes in de oogjes peuterde. De voorkant van de kermistent was nog kaal, een afstotend, vlekkerig stuk canvas, zonder de bont beschilderde reclameborden die Arthur in de herfst vol verlangen had bestudeerd. Er was een Romeinse gladiator op te zien geweest die een aanstormende leeuw de weg versperde, terwijl achter hem een in het wit geklede vrouw met gevouwen handen in het zand knielde; een man met een tulband op had een stoet donkere slaven in zware halsboeien met de zweep voortgedreven; een martelaar, bloedend uit talloze wonden, had mild en verzoenlijk vanonder zijn stralenkrans geglimlacht; een ridder had met een draak gevochten en een hert had een vlammend kruis in zijn gewei gedragen. Al die wonderbaarlijke afbeeldingen lagen waarschijnlijk nog opgeslagen in een van de twee reusachtige wagens waarin je naar Arthurs idee een hele wereld had kunnen vervoeren. Ze waren niet, zoals normale verhuiswagens, gewoon geschilderd met waterbestendige donkergroene verf, maar verfraaid met een meer dan levensgroot portret van de aanprijzer, die Arthur zich nog zo goed herinnerde: een imposante man in een met veel koorden en onderscheidingen versierd admiraalsuniform, met een majestueuze krulsnor, waarbij die van Sjmoeël even kinderlijk en onbenullig afstak als een hobbelpaard bij een strijdros. De geschilderde aanprijzer wees met een aanwijsstok naar een bord met het opschrift: STAUDINGERS PANOPTICUM, WED. JOHANN STAUDINGER ZAL. Daaronder had iemand, met andere verf en in letters die op de krappe overgebleven plaats dicht op elkaar stonden, ingevoegd: EIGENAAR: MARIAN ZEHNTENHAUS.

Op het lage podium naast de ingang stond de tafel met de kassa al klaar. In de herfst had er een geborduurd groen fluwelen kleedje met gouden kwasten op gelegen; de vrouw die het geld van de bezoekers in ontvangst nam en in een zwaar ijzeren kistje liet verdwijnen, was gehuld in een sluier in dezelfde kleur en op haar voorhoofd hing een rij gouden munten. Nu was de tafel zonder enige betovering, net zo gewoon en alledaags als de paktafel in het warenhuis, en dat maakte Arthur bijzonder verdrietig.

Hij was heel dicht bij de tafel gaan staan, maar er zat echt niemand die zijn vijftien rappen wilde hebben. Hij tikte zelfs met een van zijn kostbare munten op het hout vol krassen, zoals papa op zondagse uitstapjes deed om de ober te roepen, maar er bewoog niets. Het enige geluid was het ruisen en klapperen van de canvasbanen. Na al die rustige en zonnige dagen was er het afgelopen uur een harde wind opgestoken, die donkere wolken langs de hemel joeg.

'Wat doe je hier, snotaap?' riep een stem.

Uit een van de vrachtwagens klauterde een grote, sterke man met een wijde, in de laarzen gestoken broek, met bretels die zo breed als een arbeiderkanfes over zijn hemd met opgestroopte mouwen spanden, en vooral met een voor zijn gelaat gegespt apparaat dat op het eerste gezicht van metaal leek, alsof de man in het ijzeren masker uit de Bastille had weten te ontsnappen en op onverklaarbare wijze de weg naar Baden had gevonden. Maar het was slechts een leren snorband. Die zat zo strak dat de man zijn mond niet goed kon bewegen; als hij praatte klonk het alsof hij geen tanden had.

'Wat kom je hier doen?' vroeg de man nog een keer terwijl hij dreigend dichterbij kwam.

Arthur stak hem zijn open hand met de drie munten toe. 'Ik wil in het panopticum,' zei hij en omdat hij het gevoel had te moeten motiveren waarom hij maar vijftien rappen gaf, voegde hij er volkomen overbodig aan toe: 'Ik ben een kind.'

Twee wantrouwige ogen keken hem zo scherp aan dat Arthurs spieren zich al spanden om weg te rennen. Toen krabde de man lang en zorgvuldig onder zijn open hemd, spuugde op de grond en liep weer naar de wagen. 'Kom morgen maar terug. We zijn nog niet open.'

'Morgen kan ik niet.' Er bestaat een soort wanhoop die bijna aanvoelt als moed, en die wanhoop was het die Arthur achter de man aan deed lopen. 'Alstublieft,' zei hij en hij merkte dat de tranen even onweerstaanbaar bij hem opkwamen als de onweerswolken aan de hemel. 'Is het niet mogelijk dat ik toch …? Ik wil ook de prijs voor volwassenen betalen. Ik kan u nog eens vijftien rappen brengen, maar zondag pas.'

De man dacht even na en stak toen zijn hand uit. Hij pakte echter niet het geld, maar legde zijn vingers om Arthurs bovenarm en kneep er keurend in. 'Ben je sterk?' vroeg hij. 'Mijn vrouw heeft te veel gezopen en is vandaag niets waard. Als je nog even helpt sjouwen, mag je straks alles gratis bekijken.'

Het was het opwindendste wat Arthur in zijn hele leven was overkomen.

De grote wagen was al bijna helemaal leeggehaald. Als je erin klom – de laadvloer was hoog en Arthur moest op zijn buik op de rand gaan liggen om eerst zijn benen en dan zijn voeten op te trekken – zat je in een soort hol; je voetstappen weerklonken op de planken en het rook muf, zoals Arthur zich dat bij vleermuizen voorstelde. De wagen was leeg op het achterste gedeelte na, waar nog een paar in grof zaklinnen gewikkelde figuren stonden, deels vastgemaakt met banden die op vuile witte ceintuurs leken. De beschermende verpakking verhulde hun vormen; je kon niet zien of het mannen of vrouwen voorstelden, of het koninginnen, moordenaars of indianen waren. Arthur moest denken aan het gedicht van het gesluierde beeld te Saïs, dat hij voor school uit zijn hoofd had moeten leren: 'Een jongeling, wiens hete dorst naar kennis hem naar Saïs in Egypte dreef ...'

Zijn taak was de banden losmaken en de figuren tot aan de rand van de wagen schuiven, waar meneer Zehntenhaus – want het was de eigenaar van al deze kostbaarheden in hoogsteigen persoon die hem had aangesteld – ze op zijn schouder legde en naar de kermistent zeulde. Arthur was eerst bang iets kapot te maken, een vinger of zelfs een hoofd af te breken, maar de figuren waren steviger en ook veel zwaarder dan hij had gedacht; bij de grotere moest hij zich geweldig inspannen om ze in beweging te krijgen. 'Alleen de buitenste laag is van was, vanbinnen is het gips,' legde Zehntenhaus uit, die tussen twee gangen, als hij met de lege zakken terugkwam, maar al te graag een praatpauze inlaste om weer op adem te komen. Dan trok hij telkens de snorband van zijn gezicht, veegde het zweet eronder af en liet de band met een vochtige klets weer terugspringen. 'Eigenlijk heb ik een hekel aan snorren,' zei hij, 'maar van een kermisomroeper wordt dat nu eenmaal verwacht.'

Eindelijk was de wagen helemaal leeg. Slechts één figuur, kleiner en breder dan de andere, was achtergebleven. 'De Heilige Maagd is gebroken,' zei Zehntenhaus. 'Ik heb nog steeds niemand gevonden die haar kan maken.'

Hij hielp Arthur uit de wagen en nam hem mee naar de achterkant van de kermistent, waar een hoek van het linnen omhoog was geslagen en aan een spijker was bevestigd. 'Dan ga ik nu maar eens naar mijn vrouw kijken,' zei hij, terwijl hij Arthur door de opening duwde en de geïmproviseerde deur achter hem liet dichtvallen.

Arthur voelde zich als in het paradijs. Niet alleen was hij in het verboden panopticum, hij was er zelfs de enige bezoeker, vóór alle anderen, en al die fabelachtige schatten waren vandaag alleen van hem. Hij had op dit moment niet eens willen ruilen met Janki, die op de wereldtentoonstelling in Parijs was geweest, waar hij alle uitvindingen van Edison had gezien. Buiten was de lucht donker geworden. Er kwam niet veel licht meer door de driehoekige raampjes waar het linnen opzij was geklapt. Arthur genoot van het geheimzinnige halfduister, waarin je kon griezelen zonder echt bang te zijn.

De schatten van het panopticum waren nog opwindender dan in zijn dromen. Je had de 'Spaanse inquisitie' (een halfnaakte man die door een gebochelde beulsknecht op de pijnbank uit elkaar werd getrokken), de 'Middeleeuwse schandpaal' (twee oude vrouwen die met hals en polsen in een soort juk waren vastgeklemd, de 'Heksenfoltering in de middeleeuwen', de 'Indiase weduwenverbranding', 'Maria Stuarts laatste gang' en de 'Oosterse harem'. Bij elk tentoongesteld stuk stond een bordje met uitleg en Arthur bestudeerde ze zo zorgvuldig alsof hij er op school een repetitie over moest maken.

Hij bezocht ook het medische kabinet, waar een bordje bij de ingang hing dat je twee kanten op kon draaien, NU ALLEEN VOOR HEREN of NU ALLEEN VOOR DAMES. Hij twijfelde er niet aan dat dit kabinet de afgelopen herfst de reden was geweest dat de schoolleiding het verbod had uitgevaardigd. Hij bekeek nieuwsgierig en schuldbewust de 'Siamese tweeling', de 'Osmaanse eunuchen' en sloeg ook de pedagogische tentoonstellingsstukken niet over die waarschuwden voor de 'Schadelijke gevolgen van zelfbevlekking' (een man met zweren over zijn hele lichaam, zijn handen wanhopig voor het gezicht geslagen) en de 'Gevolgen van het dragen van een korset' (een vrouw met ontbloot bovenlichaam, wier taille slechts de omvang van een servetring had).

Toen pas kwam de moderne afdeling met 'Gorilla rooft farmersdochter', 'Moltke en Mac-Mahon in de slag van Sedan', 'Afrika-reiziger Casati in gevangenschap bij de Bantoenegers', de 'Drievoudige bloedige daad van Chigaco' en ...

Arthur zat zo vol beelden en indrukken dat hij eerst helemaal niet begreep wat hij zag.

Een in het zwart geklede man met een grote hoed en lange slaaplokken had een klein meisje in haar nek gepakt, zoals je een kat vasthoudt voor je hem verdrinkt, en sneed met een lang mes haar keel door. Een tweede man, die er net zo uitzag, ving in een zilveren schaal het bloed op.

Op het kartonnen bordje onder het glas stond: DE RITUELE MOORD VAN TISZA-ESZLAR.

Buiten weerlichtte het. In het plotseling veranderde licht leek de man met het mes naar Arthur te knipogen.

Het was midden op de dag zo donker geworden dat het bordje met de uitleg slechts met moeite te ontcijferen was.

'Op eerste paasdag van het jaar 1882,' stond er, 'treurde in het Hongaarse Tisza-Eszlar een wanhopig echtpaar om de spoorloze verdwijning van hun dochter. Elke zoekactie naar de veertienjarige Eszter Solymosi, een bijzonder opgewekt en lieftallig meisje, bleef zonder succes. Ook op de oever van de Tisza, die in die omgeving gevaarlijke stromingen heeft, spoelde geen lijk aan. Het geval zou waarschijnlijk altijd een tragisch raadsel gebleven zijn als de vijfjarige Samuel Scharf, de zoon van de joodse synagogedienaar, niet door de stem van zijn geweten tot een angstaanjagende bekentenis gedreven was. Zijn vader, zo verklaarde hij, had samen met zijn oudste broer Moritz het onschuldige meisje opgewacht, haar naar de synagoge gesleept en haar daar met het mes dat hij anders gebruikte voor het doden van slachtvee de keel doorgesneden. Zoals bekend wordt het bloed van christelijke maagden door de joden in een eeuwenoud ritueel gebruikt voor het bereiden van hun paschabroden. Het lijk van het op zo'n vreselijke manier om het leven gekomen meisje werd nooit gevonden, zodat het hevig omstreden proces eindigde met vrijspraak van de synagogedienaar, een vonnis dat in Hongarije grote verontwaardiging wekte.'

Arthur kokhalsde en kreeg een zurige, bittere smaak in zijn mond. Hij hoorde een donderslag die alleen voor hem bestemd was. Het was zijn schuld. Hij wist dat hij niet naar het panopticum mocht en was toch gegaan. Hij had het verboden beeld willen ontsluieren en werd daar nu voor gestraft. 'Bezinningloos en bleek, zo vonden hem de andere dag de priesters bij het voetstuk van Isis.' Er bestonden geheimen – hij had het altijd wel geweten –, dingen die zich in de schaduw afspeelden, die je alleen vanuit je ooghoek meende te zien en waar je je in geen geval naar mocht omdraaien. Als je het toch deed ... 'Voor eeuwig was zijn levensvreugd verloren, hem sleepte een diepe smart naar 't vroege graf.' Telkens als hij die passage had moeten opzeggen, had hij het gevoel gehad dat het over hemzelf ging.

Weer flikkerde het buiten. Arthur kneep zijn ogen stijf dicht en wachtte op de donder als op een vonnis.

De man met de schaal bloed had opeens lege handen en was ook geen wassen beeld meer maar oom Melnitz, die Arthur zo goed kende, hoewel papa altijd zei dat hij allang dood en begraven was.

'Zo is dat,' zei oom Melnitz. 'Je zult er nooit helemaal zeker van zijn of het verhaal niet toch waar is, ja. Het is natuurlijk gelogen, je weet dat het gelogen is, maar als dezelfde leugen steeds weer wordt verteld en steeds weer wordt geloofd ... Je zult er nooit helemaal zeker van zijn.

Je kent oom Pinchas, die ook sjocheet is en een lang mes heeft. Je weet dat hij koeien de keel doorsnijdt, met één lange snee en zonder te haperen. Koeien en kalveren en schapen en soms een kip. Maar toch geen kinderen. Toch geen kleine meisjes. Oom Pinchas niet. Dat weet je. Dat meen je te weten. Maar je kunt er niet zeker van zijn.

Je hebt op zijn knie gezeten en hij heeft je verhalen verteld. Over een vis zo groot als een eiland, zo groot dat er een schip aanlegde en de zeelui op zijn rug een vuurtje stookten. Je vond het verhaal mooi omdat je wist dat het niet waar kon zijn, dat de grote vis maar verzonnen was en jou daarom niets kon doen. Dat wist je, maar je was er niet zeker van.'

Oom Melnitz had nu het lange mes in zijn hand.

'Zoals bekend,' zei hij, 'wordt het bloed van christelijke maagden door de joden gebruikt voor het bereiden van hun paschabroden. Zoals bekend.'

Zonder te haperen haalde hij het mes langs zijn eigen keel en er kwam geen bloed uit.

'Je hebt het beeld ontsluierd,' zei oom Melnitz, 'en je zult het nooit aan iemand kunnen vertellen. "Wat hij aldaar gezien en ervaren, heeft zijn tong nooit bekend." Je zult er niet over kunnen praten en er niet tegen kunnen vechten. Omdat je er niet zeker van bent. Je zult op school naar de bibliotheek gaan, je zult je leraar om de grote atlas vragen, je zult het land Hongarije opzoeken en de stad Tisza-Eszlar aan de Tisza, je zult ze vinden en je zult er niet zeker van zijn.'

Het was donker geworden achter de canvaswanden, maar toch kon Arthur oom Melnitz duidelijk zien.

'Je zult de angst niet meer kwijtraken,' zei de oude man, die lange slaaplokken had, 'de angst dat er misschien iets binnen in je zit wat je nooit hebt gevoeld en wat toch bij je hoort. Tot het plotseling naar buiten komt, van de ene dag op de andere, en sterker is dan jij. Ooit. Het zou toch kunnen, ja. Als iedereen het vertelt, zou het toch kunnen. Hoewel het niet waar is. Of wel waar is. Hoe kun je dat nu weten? Hoe kan iemand dat nu weten?'

Buiten barstte de donder los, als het vallen van rotsgesteente of als een lawine, de canvasbanen bolden naar binnen, hagelstenen kletterden neer als projectielen, zoals in Janki's verhalen bij Sedan de kogels gekletterd hadden, iets scherps trof Arthur in zijn nek, een ijspegel of een mes, een lang mes waarmee je koeien de hals kon doorsnijden, en niet alleen koeien.

Zoals bekend.

Hij kon de uitgang niet vinden, hij kon de plek niet vinden waar je het linnen gewoon op kon tillen, stootte in het donker met zijn gezicht tegen een figuur die een beulsknecht kon zijn of een moordenaar of een sjocheet uit Tisza-Eszlar, stootte tegen een hand die hem probeerde te grijpen en vast te houden, wilde vluchten en kon het niet, kroop op handen en voeten over zand en vertrapt gras, huilend en bibberend, kwam op een gegeven moment hoe dan ook buiten, lag met zijn gezicht in de modder, het onweer roffelde op zijn rug en hij was daar dankbaar voor, het was als een reiniging, hij stelde zich voor dat zijn jas werd verscheurd en zijn broek, dat zijn huid werd verscheurd, dat hij uit duizend wonden bloedde zoals de martelaar op het reclamebord, dat hij daarbij mild en dapper glimlachte, maar dan zonder stralenkrans, want zoiets kenden de joden niet, dat hij ondraaglijke pijn verdroeg en daarmee alles weer goedmaakte, het spijbelen en het liegen en de nieuwsgierigheid, dat hij weer onschuldig was of herboren of veranderd in een meisje, dat hij misschien wel dood was en dat ze hem vonden en zeiden: 'Hij was een goede jongen, zo'n goede jongen.'

Het hield even plotseling op met hagelen als het was begonnen. Arthur tilde zijn hoofd op. De zwarte wolken aan de hemel stoven weg alsof ze een slecht geweten hadden. Het was helemaal geen nacht, maar nog steeds klaarlichte dag.

Hij trok zijn benen op en rechtte zijn bovenlichaam. De hagelstenen onder zijn knieën waren zo hard als kiezelstenen. Waar de wind ze tegen het linnen van het panopticum had geblazen, hoopten ze zich op tot witte kussens.

Hij stond op en merkte dat hij zijn pet kwijt was. Die lag nu ergens in de kermistent en hij zou van zijn leven niet de moed hebben om hem te gaan zoeken.

De twee paarden hadden hun voorbenen gespreid en hun hoofd ertussen gestoken. Ze wilden zich waarschijnlijk niet meer tegen het onweer beschermen, maar alleen op de bodem van hun lege voerzak een laatste restje haver opsnuffelen.

Arthur had honger.

In een van de beide vrachtwagens brandde achter een raam een lamp, net als in een huis. Hij herinnerde zich dat het laat was, dat hij allang thuis had moeten zijn en dat, doorweekt en vuil als hij was, niemand zou geloven dat hij van de bar-mitsweles bij cantor Würzburger kwam.

Maar dat was niet waar hij het meest bang voor was.

28

Voor Arthur eindelijk thuis was, had hij een smoes bedacht. Hij was van de bar-mitsweles gekomen – ja, dat zou hij zeggen –, toen er plotseling een troep vreemde jongens uit een inrijpoort op hem was afgestormd. Ze hadden hem afgetuigd en in de modder gegooid. Natuurlijk zou er gevraagd worden of hij de gezichten had herkend en hij zou antwoorden dat ze in elk geval niet van zijn school waren. Het verhaal zou geloofd worden, hoopte hij, want zoiets was inderdaad al eens gebeurd, alleen waren er toen geen klappen gevallen. Enkel 'Vuile jood, vuile jood!' hadden ze geroepen en 'Jodenjochie, haal dit keppie of geef ons zeven reppie!' Ze hadden zijn pet afgepakt en hem van de een naar de ander gegooid, terwijl hij er hulpeloos en buiten adem achteraanrende. Hij had het verhaal toen alleen aan mama verteld; Janki wond zich altijd meteen zo op en hijzelf had zich vreemd genoeg schuldig gevoeld, alsof hij het getreiter verdiend had met iets wat bij hem hoorde. Deze keer, zo had hij bedacht, waren ze met zijn pet weggerend, hadden hem op een stok gestoken en als een vlag heen en weer gezwaaid. Ze hadden ook iets anders geroepen terwijl ze hem afranselden, niet 'Jodenjochie!' maar 'Tisza-Eszlar!', 'of zoiets', zou hij zeggen, hij had het niet goed verstaan. Het was ook allemaal zo vlug gegaan. Hij had zich verzet zo goed hij kon … nee, van pure angst had hij helemaal geen verzet geboden; dat zou de zaak pas echt overtuigend maken, bedacht hij.

Maar toen hij het huis binnensloop was er niemand om hem vragen te stellen. Alleen de dikke Christine hoorde hem komen en trok hem uit de gang de keuken in, waar het fornuis ook 's zomers altijd heet was. Daar moest hij op de bank gaan zitten; ze kwam naast hem zitten en wreef hem met een doek zo lang af tot hij niet meer beefde. De doek rook naar vers brood.

De keukenmeid, die anders behoorlijk nieuwsgierig was, wilde helemaal niet weten waarom hij, vuil en doorweekt, nu pas aan kwam zetten. Ze vroeg niet waar zijn pet was gebleven. Ze liet alleen haar handen het werk doen, zoals ze deeg zouden hebben uitgerold of een taai stuk vlees mals geklopt, en intussen was ze met haar gedachten ergens anders. Volkomen onverwachts liet ze hem los, liep naar de deur en zette hem op een kier. Even bleef ze staan, toen sloeg ze de deur woedend weer dicht, zonder dat Arthur kon zien tegen wie haar woede gericht was. Ze haalde een zakdoek uit haar schort, die hetzelfde rood-witte motiefje had als de theedoeken voor het vleesservies, en snoof er proestend in. Arthur moest aan de twee paarden bij de kermistent denken en hoe ze hun hoofd in de voerzakken hadden gestoken.

Daarna draaide Christine zich naar hem om, met een gezicht alsof ze hem nu pas in haar keuken ontdekte en daar helemaal niet blij mee was. 'Heb je honger?' vroeg ze.

'Nee,' zei Arthur gauw, hoewel dat niet klopte. Kleine jongens die afgetuigd zijn, zo had hij bedacht, hebben een hele tijd geen trek meer.

Vervolgens zaten ze samen te zwijgen. Christine leek naar iets te luisteren, tilde telkens haar hoofd op en liet het meteen weer zakken, alsof ze zich had betrapt op iets wat verboden was. In de keuken rook het naar soep, naar verbrand hout en naar geheimen.

Toen ging heel langzaam, alsof de tijd was vastgeroest en zich slechts met tegenzin weer in beweging liet brengen, de deurklink omlaag. Ook Christine stond voor Arthurs gevoel maar met moeite op, ze moest haar bovenlichaam ver naar voren buigen en haar brede handen op haar dijen leggen om omhoog te komen.

In de deuropening stond Louisli, het jonge dienstmeisje. Vreemd genoeg had ze een klein ingelijst olieverfschilderijtje in haar handen, dat *Rabbijn in de soeka* heette en eigenlijk aan de muur in de gang hoorde te hangen.

Louisli was nog echt een meisje en geen vrouw. Als ze bij het ontbijt de koffie binnenbracht, waren haar ogen soms helemaal betraand omdat ze 's nachts weer heimwee had gehad naar haar dorp. Nu waren haar ogen wijd opengesperd. Alsof ze een spook had gezien, dacht Arthur.

Alsof ook zij een spook had gezien.

'Wat is er?' vroeg Christine.

'Ik haat hem,' zei Louisli.

'Maken ze echt ruzie om jou?'

'Nee,' zei Louisli.

En toen gebeurde er iets wat Arthur tot nog toe alleen bij heel kleine kinderen had gezien: haar gezicht trok zich samen, het verkreukelde letterlijk. Ze kneep haar ogen dicht en vertrok haar mond, alsof ze iets vreselijk zuurs had gegeten, en toen begon ze te janken, heel plotseling en hard, even plotseling als het vandaag was gaan hagelen. Ze stond nog steeds in de deur en huilde, ze snikte met haar hele lichaam, de leeuw uit het panopticum zat in haar en verscheurde haar.

Christine liep naar haar toe, sloeg een zware arm om haar heen en trok haar de keuken in. Arthur deed de deur dicht. Hij had het gevoel dat dat moest.

'Zo, zo,' zei Christine troostend, steeds weer: 'Zo, zo.' Een jood zou 'Noe, noe' zeggen, dacht Arthur bij zichzelf en alleen al dat verschil in troostwoorden vormde een onoverkomelijke barrière tussen hem en de rest van de wereld.

De twee vrouwen zaten nu naast elkaar op de bank voor het fornuis, daar waar Arthur eerst had gezeten, en Louisli hield nog steeds het schilderijtje in haar arm, alsof ze een pasgeboren baby wiegde.

'Zo, zo.' Christine herhaalde de woorden regelmatig en zonder enig ongeduld, zoals ze een halfuur lang steeds in hetzelfde ritme in een saus kon roeren tot die precies goed van dikte was. Heel langzaam werd Louisli's gezicht weer glad; ze snotterde en veegde haar neus af aan haar mouw. Arthur kon het akelig glanzende spoor op de zwarte stof duidelijk zien.

'Het is mijn eigen schuld,' zei Louisli. 'Ik had het kunnen weten.' Haar lichaam schokte weer, maar nu minder hevig, alsof de leeuw al verzadigd was en alleen uit gewoonte nog een keer had gebeten.

'Wat had je kunnen weten?' vroeg Christine. Haar stem was heel zacht.

'Dat hij tegen me loog.' En toen, elk woord net zo voorzichtig plaatsend als je het goede porselein op tafel zet: 'Hij zei dat ik voor hem de enige was.'

Christine lachte, een korte snuivende bokserslach, als na een al te doorzichtige schijnbeweging waardoor je je niet uit je dekking laat lokken.

'En hij zei ook dat hij van me hield.'

'Dat zeggen ze altijd. Vertel mij wat. Mannen kunnen je veel pijn doen.' Arthur, onzichtbaar weggedrukt in het hoekje bij de deur, staarde naar de keukenmeid. Zoiets had hij haar nog nooit horen zeggen, niet Christine, die een karper alleen met haar duim de nek kon breken om vervolgens doodkalm met bebloede handen de darmen uit zijn buik te trekken, niet de dikke Christine, die volgens mama een juweel was, al was het maar omdat geen enkele vrijer haar ooit van haar plichten zou afleiden. 'O ja,' zei ze nu, met een gezicht als tante Mimi wanneer ze migraine had, 'leer mij de mannen kennen.'

Ondanks al het opwindende dat hij had meegemaakt en het nieuwe dat hij naderhand nog te horen kreeg, was dit het moment dat Arthur zich later het best herinnerde, 'het exacte moment,' zei hij vijftig jaar later nog, 'dat ik ophield een kind te zijn. Mij werd namelijk voor het eerst duidelijk, exact in die seconde, dat alle mensen die ik kende er niet alleen voor mij waren, maar dat ze een eigen leven hadden, een leven waar ik niets van wist en dat mij ook helemaal niets aanging.'

'Leer mij de mannen kennen,' zei Christine. 'Ze zijn allemaal hetzelfde.'

'Hij klopte op de deur, de jongeheer François, ik heb gedaan of ik sliep, maar hij wist van geen ophouden. Ik heb mijn hoofd onder het kussen gestopt, maar dat helpt niet.' Louisli zei het met een benepen, huilerig stemmetje, maar Arthur met zijn fijne gehoor had toch de indruk dat ze van het verhaal genoot, net als de martelaar op het reclamebord voor het panopticum gelukkig was geweest met zijn wonden. Toen ze zei: 'Ik heb hem alleen binnengelaten om te zorgen dat hij niet iedereen wakker maakte', glimlachte ze zelfs.

'Ik was wakker.' Christine had net als Louisli een kamer onder de hanenbalken.

'Hij zei dat hij van me hield. Dat hij niet kon slapen omdat hij steeds aan me moest denken. Dat ik de enige was in zijn leven.'

'Ha,' zei Christine, die zich door zo'n trucje niet had laten misleiden.

'En toen ... en toen ...' Louisli begon weer te huilen, maar de leeuw was verdwenen.

'Er is immers niets gebeurd,' zei Christine, en hoewel Arthur zich niet kon voorstellen wat er tussen Sjmoeël en Louisli voorgevallen kon zijn, was hem duidelijk dat dat een leugen was. Er was wel iets gebeurd.

'Heb je gebloed deze maand?' vroeg Christine. En toen Louisli onder tranen knikte: 'Dan is toch alles goed.'

Arthur, totaal in de war, moest alweer aan de martelaar met de vele wonden denken.

Al die tijd had Christine troostend en zorgzaam tegen Louisli gepraat, maar nu veranderde ze plotseling van toon, zoals je ook niet in de saus blijft roeren als die dik begint te worden, en ze zei heel zakelijk: 'En vertel nu eens wat daar aan de hand is.'

Je kunt er niets aan doen als je gewoon vergeten wordt en dan dingen hoort die niet voor jou bestemd zijn. Christine had hem zelf mee naar de keuken genomen en niemand had tegen hem gezegd dat het gesprek van de twee vrouwen hem niets aanging. Als hij had gekucht of op een andere manier de aandacht had getrokken, had hij hen alleen maar gestoord op een moment dat ze beslist niet gestoord wilden worden. Dus bleef Arthur gewoon in zijn hoekje staan luisteren.

Papa, zo hoorde hij, was woedend thuisgekomen, kwader dan iemand zich kon herinneren, hij had om Chanele geroepen en later om François en had zich toen samen met hen in de eetkamer opgesloten, hij had de deur zo hard dichtgesmakt dat in de gang een schilderij van de muur was gevallen, het schilderij met die man met baard in die rare hut. Het is een soeka, dacht Arthur, een rabbijn in een soeka, en bijna had hij het hardop gezegd. Dat schilderij – Christine zette het nu voorzichtig tegen een stoel –, dat toch niet zomaar op de grond kon blijven liggen, zou dan Louisli's uitvlucht geweest zijn als iemand haar betrapt had terwijl ze aan de deur stond te luisteren. Christine, die als eerste was gaan kijken wat er aan de hand was, had namelijk gehoord dat Janki iets van vrouwenaffaires schreeuwde, van een schande die over zijn huis was gebracht, en toen ze dat in de keuken kwam vertellen, was Louisli heel bleek geworden. Ze was toen zelf de gang in geslopen, hoewel haar benen trilden van opwinding. Eerst had ze niets verstaan, niet alleen omdat Janki's stem van woede telkens oversloeg, maar ook omdat hij was overgegaan op een taal die ze niet kende, het klonk als gewoon Duits en toch ook weer niet, en alleen uit de antwoorden die François had gegeven, was haar duidelijk geworden dat het niet over haar ging. Ze was vreselijk bang geweest om smadelijk naar huis gestuurd te worden, haar familie zou haar dat nooit, nooit vergeven hebben en in het dorp zou ze voortaan alleen nog maar de slet geweest zijn, maar toen ze merkte dat het helemaal niet over haar ging was het eigenlijk nog erger om te weten dat François een ander had, en misschien nog velen, in het warenhuis zelfs een verkoopster die een kind van hem verwachtte.

Het was, nog voor zijn bar mitswe, echt de dag dat Arthur volwassen werd.

Louisli stond nog lang voor de deur van de eetkamer, steeds met het schilderij in haar handen, maar veel meer ving ze niet op. Ze moest wegrennen omdat ze voetstappen hoorde, Hinda waarschijnlijk. Hinda's kamer lag weliswaar helemaal aan het eind van de gang, maar zoveel lawaai moest zelfs daar te horen zijn. Het zou ook niets uitgehaald hebben als ze nog langer had geluisterd, want wat ze hoorde was steeds dezelfde riedel: Janki schold en dreigde, François kwam met smoezen en begreep al die opwinding niet en Chanele zei alleen tussendoor iets, heel rustig en steeds maar een paar woorden, waarop Janki weer begon te schreeuwen.

Christine, die de mannen kende, was een beetje verbaasd, want Janki kennende, zei ze, had ze niet gedacht dat hij zich over zoiets zo zou opwinden.

Louisli snotterde in haar mouw en zei dat het niet zomaar iets was, háár hart had het in elk geval gebroken en ze zou er haar leven lang niet meer overheen komen.

Christine zei 'Ha!' en glimlachte haar boksersglimlach.

Maar in de keuken wisten ze niet alles en zelfs Janki en François, die toch de voornaamste betrokkenen waren, wisten maar een deel.

Het volgende was namelijk gebeurd: 's middags, op een tijdstip dat Janki in het Franse Stoffenhuis net twee bijzonder goede klanten hielp, mevrouw Wiederkehr – 'van de rijke familie Wiederkehr' – en mevrouw Strähle van de Verenahof, kwam redacteur Rauhut plotseling de winkel binnen. Hij was daar nog nooit geweest en wilde Janki spreken, nu meteen, de zaak kon geen uitstel lijden. 'Onder vier ogen alstublieft; u wilt vast niet dat iedereen hoort wat ik met u te bespreken heb.' Janki legde hem uit dat hij nu echt geen tijd had, hij zei het heel beleefd en maakte zelfs een grapje: de klant was bij hem koning en wie niet in ongenade wilde vallen, kon zijn monarch beter niet zomaar laten staan. Maar Rauhut hield voet bij stuk, hij werd zelfs brutaal – 'Als hij bij wijze van uitzondering een keer nuchter is, is die vent nog onuitstaanbaarder!' – en zei ten slotte dat het hem niets uitmaakte, voor zijn part konden ze er ook over praten waar iedereen bij stond, uiteindelijk zou het toch in het *Tagblatt* komen. En toen vroeg hij, in bijzijn van mevrouw Wiederkehr en mevrouw Strähle – die het natuurlijk aan haar man zou vertellen en dan kon je het net zo goed meteen in de krant zetten –, toen vroeg hij gewoon op de man af: 'Is het waar, meneer Meijer, dat de verkoopster Marie-Theres Furrer uit het Moderne Warenhuis een kind van u verwacht?'

Janki had die naam nog nooit gehoord – 'Je weet dat ik niet alle vrouwen ken die bij jou werken!' –, maar Rauhut wilde hem niet geloven, hij had uit goede bron, uit zeer goede bron, dat Janki aan de scharrel was geweest, om het maar eens zo te noemen. En dat het meisje zwanger was, zo was hem verteld, dat kon je intussen met het blote oog zien. Als redacteur diende hij de openbaarheid en die had er recht op zonder aanzien des persoons geïnformeerd en gewaarschuwd te worden als er in de stad dingen gebeurden die niet te verenigen waren met de publieke moraal.

Janki protesteerde, ontkende, smeekte zelfs. Hij herinnerde zich maar al te goed het krantenartikel dat hem destijds, op de dag van de opening van het stoffenhuis, bijna de das om had gedaan. Maar Rauhut hield stug vol en beriep zich steeds weer op zijn bron, die hij niet kon noemen, maar die betrouwbaar was, absoluut betrouwbaar. En dat allemaal in bijzijn van de lange oren van mevrouw Wiederkehr en mevrouw Strähle, aan wie je gewoon kon zien dat ze zich er al op verheugden het verhaal overal rond te bazuinen, niet als onbewezen beschuldiging natuurlijk, maar als vaststaand feit.

Ten slotte, en zelfs dat was – me nesjoeme! – niet eenvoudig geweest, verklaarde Rauhut zich bereid met zijn artikel nog een paar dagen te wachten, maar als hij dan geen tegenbewijs had, een duidelijk, ondubbelzinnig tegenbewijs, dan kon hij er niet onderuit ... Hij zei letterlijk

'Dan kan ik er niet onderuit', en wie zo gezwollen praat, meende Janki, heeft altijd kwaad in de zin. En trouwens: hoe moet je in vredesnaam bewijzen dat iets niet gebeurd is?

Chanele hoorde het allemaal heel rustig aan, zo rustig dat Janki echt wild werd, en toen zei ze één enkele zin.

En Janki sprong op en schreeuwde om François.

Die kwam glimlachend binnen en toen Janki met een smak de deur dichtsloeg, versterkte hij zijn beleefde glimlach zelfs nog, zoals je het elastiekje van een masker steviger vastbindt. Omdat Janki dat wilde ging hij zitten, maar op het puntje van zijn stoel, als het ware alleen om Janki een plezier te doen.

Janki legde de wandelstok met de leeuwenknop dwars voor zich op tafel en steunde er met beide handen op. 'Als je een goj was ...' begon hij. Terwijl hij op François moest wachten, had hij waarschijnlijk een spitse opmerking bedacht, maar zijn woede was sterker en hij begon met overslaande stem te schreeuwen. 'Maar je bent geen goj! Je bent een jood en een jood hoort zich fatsoenlijk te gedragen!'

'Zo?' zei François, terwijl hij in zijn zak naar het etui met de Russische sigaretten zocht.

'Er wordt nu niet gerookt!'

Schouderophalen. 'Als je er last van hebt, papa ...'

Chanele merkte zonder veel verbazing dat er bij haar iets was veranderd. De glimlach van François, die haar vroeger door zijn vreemdheid zo bang had gemaakt, was niet meer bedreigend sinds hij haar ergens aan deed denken. De man in het krankzinnigengesticht, die met de rokjas over zijn naakte borst, had net zo geglimlacht toen hij zei: 'Ik ben hier incognito.'

'Waarom moest je ook iets met die nafke beginnen?' schreeuwde Janki.

'Met Louisli?' François vroeg het zo luchtig en minachtend alsof hij wilde zeggen: 'Waar wind je je zo over op? Dat is niet meer dan een koffievlek op een tafellaken.'

'Met haar ook? Dat moet afgelopen zijn! Is dat duidelijk? Dat moet onmiddellijk afgelopen zijn! Nee, ik heb het over die ... over die ... Chanele, hoe heet ze?'

'Marie-Theres Furrer.'

'O die. Ze zou bij jou ook in de smaak vallen.' François knikte naar zijn vader, alsof hij wilde zeggen: 'Als je wilde, zouden we samen een leuk geheimpje kunnen hebben.'

'Ik ken haar niet eens!' brulde Janki. 'En in de hele stad wordt verteld dat ik een kind bij haar heb gemaakt. Lach niet! Hou onmiddellijk op met lachen! Het komt in de krant! En alleen omdat jij ... omdat jij ...'

'Krijgt ze een kind?'

'Ja,' zei Chanele.

'Nou goed, dat zal een centje kosten. Maar tenslotte zijn we niet arm.'
Janki sloeg zo hard met zijn wandelstok op tafel dat de knop los-
schoot. De leeuwenkop buitelde tot voor de voeten van François en
maakte zich met uitgestoken tong vrolijk over hem.

'Dat gaat ons de kop kosten!' schreeuwde Janki. 'Als ze onze winkels
boycotten kunnen we wel inpakken. Je hebt geen idee wat zo'n krantenartikel kan aanrichten. Jij bent niets en weet niets en hebt niets meegemaakt! Het enige wat jij kunt is je broek laten zakken en stommiteiten
begaan!'

Janki's woede, ook al koelde hij hem op François, was veel meer
gericht tegen Rauhut, tegen alle Rauhuts, tegen de hele stad, tegen een
wereld waarin je je nog zoveel moeite kon getroosten, waarin je je kon
uitsloven om alles goed te doen, en dan volstond één gerucht, één onver-
diende verdachtmaking om alles kapot te maken wat je in twintig jaar
had opgebouwd. François was nog geen echte man, die kon zich nog een
misstap veroorloven; op zijn leeftijd werden zulke dingen gewoon van je
verwacht. 'Jong bloed,' zou er half afkeurend, half waarderend gezegd
zijn, de vrouwen zouden hem schuins aangekeken hebben en verhalen
bedacht hebben waarin zij zelf de hoofdrol speelden, de mannen zouden
een beetje jaloers geweest zijn en dan, als bekend geworden was dat ze
zich tegenover het meisje fatsoenlijk hadden gedragen, met een passend
bedrag, zou de zaak uit de wereld zijn geweest, eens en voor altijd vergeven en vergeten. Maar nu dachten de mensen dat híj het meisje had
proberen te versieren, een meisje dat vijfentwintig jaar jonger was dan
hij, een bediende nog wel, wat het extra verfoeilijk maakte. Maar vooral
zou het nu openbaar worden, niet iets wat je even bij cognac en sigaren
vertelde nadat de dames zich hadden teruggetrokken. Nu zou het consequenties hebben. Janki was François niet. Hij was geen jong broekje
meer, hij hoorde bij de betere kringen, of tenminste bijna – hij zou er
allang helemaal bij gehoord hebben als hij 's zondags naar de kerk ging
en niet op sjabbes naar de synagoge –, en in de betere kringen waren de
regels strenger. Zijn klanten, de hoogmoedige koninginnen van het stadje wie hij al twintig jaar het hof maakte, zouden wegblijven en als ze niet
wegbleven, zouden ze hun boerenneuzen optrekken en hem aankijken
als ... als ... als een verkoper, een doodgewone kleermaker, iemand die
moet kruipen, die je gebruikt als je hem nodig hebt en verder niets. Nu
zou hij er nooit bij horen.

Dat was de reden waarom Janki zo hard schreeuwde.

Toen Hinda binnenkwam en wilde weten wat er aan de hand was, was
hij helemaal buiten adem. Hij had François duizendmaal verwenst en

hem duizend dingen verboden – hij mocht behalve voor zijn werk de deur niet meer uit, ze zouden weleens zien wie het hier nog altijd voor het zeggen had –, maar het echte probleem had hij niet opgelost: hoe help je een gerucht uit de wereld?

'Geen nood, Hinda, mijn zonnetje,' probeerde hij te liegen. 'We hebben het over een zakelijk probleem. Een onaangename geschiedenis, maar daar hoef jij je het hoofd niet over te breken. Hoe was het in Zürich?'

Maar Janki's aderen waren gezwollen en hij was zo rood aangelopen als het apoplectische parlementslid Bugmann. François had zijn blik gefixeerd op een punt waar niets te zien was en de glimlach was op zijn gezicht vastgevroren. Chanele zat met een rechte rug op haar stoel en leek op iets te wachten.

'Over Zürich vertel ik jullie later wel,' zei Hinda vlug. 'Eerst ga ik zorgen dat het avondeten op tafel komt.'

Toen ze de kamer uit was, pakte Janki de afgebroken leeuwenknop en probeerde hem zonder veel hoop weer aan de stok te bevestigen. 'Denk je dat het nog te lijmen valt?' vroeg hij met een trieste stem.

'Als je mij mijn gang laat gaan,' zei Chanele, 'maak ik alles weer in orde.'

29

'Drieduizend frank?'

Ziltener kneep zijn handen achter zijn rug samen, in een poging niet eens bij vergissing Chaneles lessenaar aan te raken. Haar kantoortje was zo klein dat elk gesprek achter gesloten deuren ongewild een intiem karakter kreeg, een soort vertrouwelijkheid die de zakelijk ingestelde boekhouder totaal niet zinde.

'Drieduizend frank? Daar heeft de baas niets van gezegd.'

'Omdat hij er niets van weet.'

'Dan kan ik ook niet ...'

'Zeker wel, meneer Ziltener,' zei Chanele en ze merkte tot haar eigen verrassing hoezeer ze zich op dit moment had verheugd. 'Dat kunt u wel. U hebt tot dat bedrag procuratie.'

'Maar ...'

'Mijn man heeft u die procuratie gegeven in de veronderstelling dat u in staat bent zaken tot die orde van grootte zelfstandig af te handelen, zonder voor elke kleinigheid instructies aan hem te moeten vragen.'

'Drieduizend frank ... dat is geen kleinigheid.' Ziltener stotterde nog niet, maar het scheelde niet veel.

'Als u dat niet aankunt,' vervolgde Chanele en ze schaamde zich een beetje dat ze zo van de situatie genoot, 'dan zullen mijn man en ik er alle begrip voor hebben als u er de voorkeur aan geeft ons bedrijf te verlaten en een andere, minder veeleisende betrekking te zoeken.'

'U wilt ...' – nu begon het verdacht veel op gestotter te lijken – '... u wilt me ontslaan?'

'Natuurlijk niet, meneer Ziltener. In geen geval. Wie zou zo'n betrouwbare, discrete medewerker willen missen?' Chanele wachtte tot Zilteners schouders zich opgelucht ontspanden en voegde er toen als het ware terloops aan toe: 'Behalve natuurlijk als u zich niet in staat acht mijn instructies op te volgen.'

Ziltener bewoog geluidloos zijn lippen, als een leerling die een rekensom nog eens en nog eens doorneemt om vooral geen verkeerde uitkomst te krijgen. 'Ik zou ... ik zou ...'

'Ja, beste meneer Ziltener?'

'Ik zou het geld natuurlijk alvast van de bank kunnen halen en dan achteraf door de baas laten bevestigen ...'

'Dat zou geen goede oplossing zijn.'

De leerling had de rekensom zo zorgvuldig nagerekend en nu werd hij door de leraar toch niet geprezen.

'Geen goede ...?'

'Ik wil dat mijn man van dat bedrag niets te weten komt.'

'Dat gaat niet!' In zijn opwinding had de boekhouder steeds weer naar zijn hoofd gegrepen; zijn dunne haar, dat hij zo angstvallig precies over de kale plek had gekamd, stond nu alle kanten op.

'Jammer. Maar zoals u wilt. Hartelijk dank, meneer Ziltener. Dat was alles.'

Ziltener ging niet weg, natuurlijk niet. Hij bleef voor de lessenaar staan en friemelde met onrustige handen aan zijn papieren manchetten. Het nerveuze geritsel was heel even het enige geluid.

'Als de baas erachter komt, ontslaat hij me,' zei hij ten slotte en hij had van pure angst heel grote ogen.

'Als hij erachter komt, ontsla ík u.' Chanele had voor dit gesprek de glimlach van François geleend, onverbiddelijk beleefd en op een beleefde manier onverbiddelijk.

Je kon gewoon zien dat Ziltener met het probleem worstelde. Zijn kaken maalden; hij had heel wat te kauwen aan de kluif die ze hem te slikken had gegeven.

Ten slotte boog hij zijn hoofd en gaf toe. 'Maar het is toch allemaal wel in orde?' vroeg hij.

'Natuurlijk, beste meneer Ziltener,' zei Chanele vriendelijk. 'Het is allemaal in orde.'

In de tijd die de boekhouder nodig had om naar de bank te gaan, zat Chanele tegen haar gewoonte werkloos achter haar lessenaar. Iemand die onaangekondigd binnengekomen zou zijn – wat natuurlijk niemand zich permitteerde –, zou zich afgevraagd hebben waarom madame Meijer zo dromerig glimlachte.

Madame Meijer, ja. Nu had ze zich die naam definitief eigen gemaakt.

Het eerste gedeelte van haar plan was precies zo gelopen als ze had bedacht. François gewoon verwijten maken, hem zeggen dat het zo niet langer kon, dat hij zijn leven moest veranderen, zou geen enkele zin gehad hebben. Van Janki viel ook geen steun te verwachten. Ze wist zeker dat hij de hele zaak niet serieus genomen zou hebben, hij zou François' vrijage als een slippertje door de vingers gezien hebben, zoals hij van zijn lieveling altijd alles door de vingers zag, hij zou misschien zelfs nog trots op hem geweest zijn. Voor mannen waren zulke affaires een spel en iedereen wilde graag aan de kant van de overwinnaar staan.

Maar nu Janki zelf verdacht werd ...

En nu hij ervan overtuigd was dat het de schuld was van François ...

Het was niet makkelijk geweest Mathilde Lutz over te halen om mee te doen. Ze had de rol die Chanele haar had toebedacht eerst niet willen spelen, maar natuurlijk had ze ten slotte toegegeven. Het was niet moeilijk om mensen te manipuleren, je moest alleen de moeite nemen om erachter te komen hoe ze in elkaar zaten.

En je mocht geen medelijden met ze hebben.

Mathilde was die avond dus naar Die Krone gegaan. Het had ook Der Goldene Adler of Das Edelweiß kunnen zijn, want vroeg of laat op de avond dook redacteur Rauhut in elk café van de stad op. Ze was alleen aan een tafeltje gaan zitten, zo ver mogelijk van het rumoer van de vaste gasten vandaan. Ze had een hoed met een dichte zwarte sluier opgezet, een oude hoed die ze nog altijd bewaarde van de begrafenis van haar man, hoewel dat ook alweer jaren geleden was. De sluier was Mathildes eigen idee geweest. Het was niet gebruikelijk dat fatsoenlijke vrouwen alleen naar de kroeg gingen en wie een gerucht in omloop moet brengen, wil niet het slachtoffer worden van een ander gerucht.

Tegen halfnegen kwam Rauhut binnen. Hij ging aan zijn stamtafel zitten, waar hij begroet werd met hallo, en kreeg zijn halve liter rode wijn zonder die te hoeven bestellen. Alsof een zojuist onderbroken gesprek gewoon werd vervolgd, was hij meteen gewikkeld in een heftige discussie, waarin hij alle anderen in elk geval door de geluidssterkte van zijn argumenten overtrof. Hij leek zich duurzaam aan de tafel geïnstalleerd te hebben en mevrouw Lutz moest ten slotte de ober, die al met de volgende halve liter onderweg was, vragen de redacteur zo onopvallend mogelijk mee te delen dat er iemand zat die interessante informatie voor hem had.

Toen hij bij haar kwam zitten maakte ze hem eerst complimenten, precies zoals Chanele haar had opgedragen. Ze beweerde dat ze in het *Tagblatt* geen van zijn met -FR- (zijn voornaam was Ferdinand) ondertekende artikelen oversloeg en al vaak had gedacht hoe goed het was dat ten minste één iemand in deze stad de moed had om de dingen in de krant te zetten zoals ze werkelijk waren. Rauhut nam het compliment in ontvangst alsof het de gewoonste zaak van de wereld was.

'Als u hem daarna het verhaal vertelt,' had Chanele Mathilde verder opgedragen, 'doet u dat haperend, als iemand die weliswaar heeft besloten een geheim te verklappen, maar meteen al gewetenswroeging heeft.' Om die indruk te wekken had Mathilde niet hoeven doen alsof. Je verraadt je koning niet zonder hartkloppingen en monsieur Meijer met zijn elegante manieren en zijn verwonding uit de Frans-Duitse Oorlog had voor haar nog altijd iets majestueus.

Doen alsof zou ook niets hebben uitgehaald. In Die Krone was het zo lawaaiig en redacteur Rauhut was al zo aangeschoten dat ze hem het sensationele nieuwtje bijna in het oor moest schreeuwen: 'Een verkoopster, ja, een jong meisje, en de vader is ... – Nee, niet de vader van het meisje, de vader van het kind! – ... de vader is ...'

Toen hij haar eindelijk had verstaan, lag er een vette grijns op zijn gezicht, 'een echte vette grijns', zei Mathilde de volgende dag tegen Chanele, en het liefst had ze alles herroepen.

Ja, tot nog toe had het plan gefunctioneerd. Het gerucht was in omloop gebracht en had zijn werk gedaan. Nu ging het erom het weer uit de wereld te helpen.

Ziltener kwam met het geld en Chanele nam de envelop aan alsof hij niet meer had meegebracht dan een paar handschoenen die ze ergens had laten liggen. De kwitantie, die hij ernaast legde, liet ze ongetekend op de lessenaar liggen en Ziltener durfde haar er niet aan te herinneren.

Even overwoog ze nog een keer naar huis te gaan en een andere jurk aan te trekken, maar dat had op een vermomming geleken, en vermommen – dat had ze zich vast voorgenomen – wilde Chanele zich nooit meer. Ze hield dus haar zwarte winkeluniform aan, trok er alleen een jas overheen en stak haar hoed vast aan haar sjeitel. Dat was het minste wat ze kon doen; tenslotte ging ze een officieel bezoek afleggen.

's Morgens had ze al een bode gestuurd: als het parlementslid tegen drieën op zijn kantoor was, zou ze graag iets met hem bespreken. Het antwoord luidde dat hij uiteraard te allen tijde ter beschikking stond van de gewaardeerde monsieur Meijer. In haar brief had niets over Janki gestaan, maar Bugmann had – zoals Chanele had verwacht – volkomen vanzelfsprekend aangenomen dat voor zakelijke aangelegenheden natuurlijk de man bij hem zou verschijnen.

Onderweg naar de Weite Gasse kwam ze de vrouw van cantor Würzburger tegen, die informeerde naar de gezondheidstoestand van Arthur, 'de arme jongen zag er donderdag echt slecht uit'.

Ik moet meer tijd voor Arthur nemen, dacht Chanele, die iets van 'alles is in orde' mompelde en zich verontschuldigde omdat ze haast had.

'Wilt u nog iets gaan kopen?'

'Ja,' zei Chanele, 'zo zou je het kunnen noemen.'

Wie het advocatenkantoor van parlemenstlid Bugmann binnenkwam, stond eerst voor een houten barrière, die van elke bezoeker een smekeling maakte. Daarachter zat een magere kantoorjongen in een verdraaide, karakterloze houding op een hoge kruk voor zijn lessenaar. Zijn pennenhouder had hij achter zijn oor geklemd, wat te oordelen naar de inktvlekken op zijn gezicht waarschijnlijk zijn vaste gewoonte was.

'Wilt u de heer Bugmann zeggen dat ik er ben.'

De jongen keek haar over zijn schouder aan, zichtbaar boos om dat onbehoorlijke verzoek. 'De heer Bugmann heeft nu geen tijd,' zei hij met nasale stem en hij klapte zijn bovenlichaam weer dubbel boven het opengeslagen koopmansboek.

De oude Chanele zou de vlerk geduldig hebben uitgelegd dat zijn baas haar verwachtte of, als het wachten haar te lang had geduurd, zou ze zelfs heftig tegen hem uitgevallen zijn, zoals ze dat soms tegen haar bedienden moest doen. De nieuwe madame Meijer opende gewoon het hekje in de barrière en liep naar de deur met het metalen bordje KAN-TOOR.

In zijn opwinding was de slungelachtige jongen bijna van zijn kruk gevallen. Hij was zo iemand die graag gezag uitoefent, maar dat niet weet te verdedigen als het in twijfel wordt getrokken. 'Dat gaat niet,' zei hij en hij klonk nu net als Ziltener. Hij rende met opmerkelijk elegante passen naar Chanele toe en versperde haar met wijd uitgespreide, wapperende armen de weg. 'De heer Bugmann heeft uitdrukkelijk gezegd ...'

'Wat heb ik gezegd?' Het parlementslid had het lawaai in de wachtkamer gehoord en stond nu in de deur.

'Deze jongeman wilde mij juist bij u aandienen. Trouwens, een flinke bediende hebt u.'

Bugmann keek van de een naar de ander en gaf zijn medewerker toen een tik. De jongen, die een dergelijke behandeling waarschijnlijk gewend was, beantwoordde de tuchtiging met een soort buiging en slofte terug naar zijn kruk.

'Een neefje van een partijgenoot,' zei het parlemenstlid verontschuldigend terwijl hij Chanele uit haar jas hielp. 'Men heeft mij dringend verzocht ... U weet hoe dat gaat. Soms moet je wel.'

Bugmanns kantoor, met het grote, op de Weite Gasse uitkijkende erkerraam, was ingericht als een woonkamer, met zware portières en landschapsschilderijen aan de muur. Natuurlijk stond er ook een bureau, maar de ereplaats, daar waar het licht het beste was, werd ingenomen door twee fauteuils en een driezitsbank, allemaal met roodfluwelen bekleding en witte gehaakte antimakassars, een noviteit die uit Engeland was overgewaaid. Kleine tafeltjes, minstens een stuk of zes, stonden vol met foto's en andere herinneringen. Een zware boekenkast nam bijna een hele muur in beslag. De leren ruggen achter de glazen deurtjes onderstreepten het dubbele karakter van het vertrek: naast wetboeken en de dikke delen van een algemene encyclopedie stonden er ook alle werken van Goethe, Schiller, Hebbel en Pestalozzi.

Bugmann verzocht Chanele plaats te nemen op de bank – 'Daar schijnt de zon niet pal in uw gezicht!' –, stopte ook nog een kussen in haar rug en sloofde zich uit op een manier die duidelijk maakte dat hij niet goed raad wist met de situatie. Hij pakte een dienblad met flessen en glazen van het buffet en wilde haar een glaasje advocaat opdringen. Chanele bedankte, waarop hij zich uitgebreid verontschuldigde dat hij niets anders aan te bieden had, met cognac en zeker met een echte borrel kon hij bij een dame tenslotte niet aankomen. 'Uiteraard had ik thee laten zetten als ik geweten had dat u ... Ik had op uw man gerekend. Hij is toch niet ziek?'

'Maakt u zich geen zorgen, het gaat uitstekend met hem. Ik weet zeker dat u de hartelijke groeten van hem zou moeten hebben als hij wist dat ik hier was.'

Het parlementslid probeerde zijn verbazing te verbergen, waardoor ze alleen maar duidelijker zichtbaar werd.

'Mijn man heeft mij verzocht een netelige kwestie voor hem te regelen en wil bij de details liever niet betrokken worden. U weet hoe dat gaat. Soms moet je wel.'

Het was helemaal niet haar bedoeling geweest om Bugmanns eigen formulering te gebruiken, maar de woorden hadden gewoon nog in de lucht gehangen. Maar hij knikte alsof ze iets buitengewoon belangrijks had gezegd, ging tegenover haar in een fauteuil zitten, steunde met zijn kin in zijn hand en trok met zijn wijsvinger zijn ene ooglid een beetje naar beneden.

'Ik luister.'

'Naast uw vele andere verplichtingen bent u toch ook lid van de voogdijraad, is het niet, meneer Bugmann?'

'Ik ben weesvader, ja.'

'En toen u ons laatst de eer bewees onze gast te zijn, vertelde u dat u in die hoedanigheid soms een strengheid aan de dag moet leggen die eigenlijk indruist tegen uw notoir menslievende karakter.'

Bugmann wimpelde haar plompe vleierij niet af en blies trots zijn rode wangen op. Als een vis die een aas heeft ingeslikt, dacht Chanele.

'Ik meen me te herinneren,' vervolgde ze, 'dat u het in dat verband ook gehad hebt over een jongeman met wiens wens om te trouwen u niet kon instemmen, omdat hij niet beschikte over de nodige middelen om een eigen gezin te stichten.'

'Dat komt vaak voor,' zei Bugmann en hij trok een plechtig gezicht alsof hij een groot publiek ging toespreken. 'Triest voor de betrokkenen, natuurlijk, maar ik moet mijn verantwoordelijkheid nemen.'

'Dat is vast niet altijd gemakkelijk.' Chanele was bijna in de lach geschoten, zo eenvoudig ging het allemaal. 'Nu heb ik zitten denken dat het niet verkeerd zou zijn – ook in het belang van een zekere populariteit, waar je het als politicus nu eenmaal van moet hebben – als u in een enkel geval een huwelijk toch mogelijk zou maken.'

Bugmann probeerde heel nonchalant te lijken, maar hij had zijn bovenlichaam nieuwsgierig naar voren gebogen. Salomon had zijn pleegdochter geleerd zulke tekenen te herkennen.

'Zoiets zou op het publiek ongetwijfeld een zeer positieve indruk maken,' zei Chanele haar geprepareerde tekst op. 'Een weesvader die voor zijn pupillen de ontbrekende uitzet uit eigen zak betaalt …'

'Uit eigen …' Bugmanns stem kreeg iets amechtigs.

'Nou ja, mijn man en ik hechten juist bij goede werken veel waarde aan discretie. Je wilt je tenslotte niet zelf prijzen. Daarom zouden we als voorwaarde stellen dat de door ons in het leven geroepen stichting anoniem blijft of, nog beter, in dit verband onvermeld blijft.'

'Stichting?' Het gezicht van parlementslid Bugmann was nog roder aangelopen dan het van nature al was.

'We hadden gedacht aan een bedrag van drieduizend frank. Om te beginnen. Waarbij u natuurlijk helemaal alleen zou kunnen beslissen welk bedrag per geval wordt uitbetaald.'

'En aan wie,' zei Bugmann vlug.

'En aan wie. Uiteraard. Bij een man als u zal generlei controle nodig zijn.'

Bugmann ademde lang uit. Het was een zucht van verlichting.

'Hoewel ik zo vrij ben,' zei Chanele, 'ten aanzien van de keuze van de ontvanger een klein verzoek te doen. Het gaat om een verkoopster uit het Moderne Warenhuis. Een heel fatsoenlijk meisje in feite, dat helaas – hoe zal ik het zeggen? – een keer van het rechte pad is afgeweken. Met bepaalde … bepaalde gevolgen, als u begrijpt wat ik bedoel.'

'Uiteraard,' zei Bugmann en hij meende al veel meer te begrijpen dan Chanele had verteld.

'Ze is een van mijn beste krachten en een man die om haar hand zou vragen, zou van zijn aanzoek geen spijt hebben. Zeker niet als ze over een passende uitzet beschikte.'

'Die u haar niet persoonlijk ter beschikking wilt stellen.' Je kon niet zeggen dat Bugmann grijnsde, maar zelfgenoegzaam was zijn gelaatsuitdrukking beslist te noemen. 'U wilt liever dat een neutrale stichting …'

'Zoals ik al zei: wij hechten veel waarde aan discretie. We hebben er geen enkel bezwaar tegen als u in het openbaar zelf als de nobele weldoener optreedt.'

Parlementslid Bugmann schonk een groot glas cognac in en dronk het in één teug leeg. Toen stond hij op, liep naar zijn bureau en maakte de inktpot open.

'De naam van de jongedame?'

'Marie-Theres Furrer.'

Bugmann schreef en wapperde met het vel om de inkt te drogen.

'Een en ander moet snel afgehandeld worden, neem ik aan?'

'Zo snel mogelijk.'

'En het geld ...?'

'Heb ik meegebracht.'

Bugmann sloeg het vel zorgvuldig dubbel, vouwde het nog twee keer doormidden en stopte het toen helemaal onder in zijn portefeuille. Chanele opende haar handtas en haalde er de verzegelde envelop uit die Ziltener haar had gegeven.

Toen de transactie gesloten was en ze weer op het rode fluweel tegenover elkaar zaten, zei Chanele, alsof haar nog iets te binnen was geschoten: 'O ja, meneer Bugmann, nog een kleinigheidje ...'

'Wat?' Bugmann had nu elke beleefdheid laten varen, een boer die een voor hem wel erg gunstig uitgepakte veehandel niet helemaal vertrouwde, maar bereid is de opgestreken winst met hand en tand te verdedigen.

'U maakt toch ook deel uit van de directie van het *Tagblatt*, is het niet?'

'Hoezo?'

'Redacteur Rauhut, u weet wel, die op ons dineetje zo onaangenaam dronken was, schijnt geloof te hechten aan bepaalde onzinnige geruchten. Naar ik heel toevallig heb vernomen, brengt hij uitgerekend mijn man in verband met het ongelukkige meisje over wie ik u daarnet heb verteld.'

'Met die Marie-Theres Furrer?'

'Volkomen ongegrond natuurlijk. Maar zo'n verhaal zou voor het arme kind onaangename gevolgen kunnen hebben. Zeker als ze binnenkort gaat trouwen.'

'En nog onaangenamer gevolgen voor monsieur Meijer.' Bugmann was nu volkomen ontspannen. Hij had de angel ontdekt. De weerhaak zat in iemand anders.

'Maar het artikel zal natuurlijk nooit verschijnen.' Chanele zette nog een keer de glimlach van François op. 'Nietwaar, meneer Bugmann?'

'U kunt op me rekenen,' zei Bugmann.

'Ik wist dat ik op u kon rekenen,' zei Chanele.

Alles wat er te zeggen viel was gezegd, maar ze bleven nog een paar minuten babbelen, strooiden onschuldige gemeenplaatsen over hun geheim zoals je zand over je sporen veegt als je niet herinnerd wilt worden aan waar je geweest bent.

'Ik verheug me er nu al op,' zei parlementslid Bugmann toen hij haar in haar jas hielp, 'binnenkort in uw gezellige huis weer eens van zo'n kostelijke maaltijd te mogen genieten.'

'Het spijt me,' zei Chanele terwijl ze door de deur liep die hij voor haar openhield. 'Mijn man en ik hebben besloten de traditie van onze soirees niet voort te zetten.'

De jongen in de wachtkamer hing nog steeds als een scheef vraagteken op zijn kruk. Chanele bleef even bij hem staan en zei vriendelijk: 'A propos – er zit inkt op uw gezicht.'

30

'Er zal geen artikel verschijnen,' was alles wat ze zei en Janki stelde geen vragen.

Ze zaten rond de enorme eetkamertafel – tropisch hout! – alsof ze zonder te weten hoe zoiets gaat voor een onzichtbare toeschouwer een tableau vivant met de titel *Familie bij het avondeten* moesten uitbeelden. Janki had zijn wandelstok tegen de tafel gezet en greep telkens naar de weer vastgelijmde leeuwenkop. Hij zat op zijn vaste plaats, niemand had stiekem de tafel verschoven of de stoelen verwisseld, en toch, zonder dat hij zijn onaangename gevoel zelf had kunnen verklaren, was het niet meer echt het hoofd van de tafel.

François had demonstratief te verstaan gegeven dat hij geen honger had en was alleen na een machtswoord van zijn vader toch aan tafel gekomen. Zijn bord had hij lusteloos opzijgeschoven en in plaats daarvan had hij de Tantalus met de gelige vloeistof voor zich gezet, die anders altijd op het buffet stond. Met een van de ivoren tandenstokers die alleen bij grote diners op tafel kwamen – een uit speksteen gesneden schildknaap hield er een stuk of tien gereed, als speren voor de veldslag – zat hij, alsof er niets belangrijkers op de wereld bestond, in het piepkleine zilveren slotje te peuteren waarvan al sinds jaar en dag de sleutel ontbrak. 'Als ik hier al word vastgehouden,' zei elk van zijn bewegingen, 'dan zal ik me tenminste nuttig maken en eindelijk dat ding open proberen te krijgen.'

Hinda, die anders elke slechte stemming vrolijk wegbabbelde, had zich voor één keer door de algemene verslagenheid laten aansteken en roerde met een strak gezicht in haar soep, alsof de dokter haar die tegen haar zin had voorgeschreven.

Dat Arthur geen woord zei en geen enkele keer van zijn bord opkeek, viel niet erg op. Dat waren ze van hem gewend. Hij was vaak zo met zijn eigen gedachten bezig dat je een vraag drie keer moest stellen voor hij hem eindelijk hoorde. Als Janki in een goede bui was, becommentarieerde hij dat weleens lachend met: 'Onze kleine filosoof!'

Op andere dagen tikte hij met zijn lepel tegen zijn glas en als iedereen dan naar hem keek, zei hij met bijtende vriendelijkheid: 'Zou misschien ook meneer de professor ons de eer kunnen bewijzen even op te letten …?'

Louisli had tranen in haar ogen toen ze de soepterrine op tafel zette. In haar geval hoefde je tenminste niet naar een verklaring te zoeken.

Na een lange stilte schraapte Chanele ten slotte haar keel. 'Janki, ik vind dat je Ziltener een kleine salarisverhoging zou moeten geven. Hij heeft het de laatste tijd niet makkelijk gehad.'

Janki sprak haar niet tegen, wat hij op een andere dag automatisch gedaan zou hebben, hij zei alleen: 'Als jij dat vindt …' en greep weer keurend naar de knop van zijn wandelstok.

En toen kwam er bezoek. Op een tijdstip dat in Baden niemand een bezoek aflegde.

Louisli kondigde het aan met een stem alsof het om een sterfgeval ging. 'Er is iemand die meneer en mevrouw wil spreken. Ene meneer Kamionker.'

In de boeken die Arthur elke vrije minuut verslond, werd af en toe gezegd dat iemand naar lucht hapte. Hij had altijd gedacht dat dat maar een uitdrukking was, zoals 'hij kreeg koude voeten' of 'zijn haren stonden rechtovereind'. Maar toen Hinda de naam van de bezoeker hoorde, deed ze dat echt: ze hapte naar lucht.

Al in Zürich, bij Mimi en Pinchas, was Zalman Kamionker uit de toon gevallen. In Janki's eetkamer, die niet was ingericht om je prettig te voelen maar om indruk te maken, was hij met zijn zware schoenen en zijn verstelde broek net zo misplaatst als meneer Bischoff, de gojse huisbewaarder die op Jom Kipoer, als alle mannen hun witte sargenes droegen, in zijn kale donkere pak door de synagoge sloop om de ramen open of dicht te doen. Alleen trok meneer Bischoff altijd zijn hals in, alsof hij zich door een ineengedoken houding onzichtbaar wilde maken, terwijl Zalman Kamionker wijdbeens en zelfverzekerd op het mooie tapijt stond, alsof hij hier de heer des huizes was en de anderen de indringers. Zijn vettige leren pet had hij een beetje naar achteren geschoven, als een ambachtsman die dadelijk aan een lastige klus gaat beginnen.

'Ik ben gekomen,' zei hij met zijn vreemde accent, half Zwabisch, half Jiddisj, 'ik ben gekomen omdat juffrouw Hinda al uit Zürich vertrokken was.'

Hinda staarde naar haar lepel, alsof er niets interessanters bestond dan een kruimel aardappel en een vezeltje vlees.

'Trouwens, met mevrouw Pomeranz gaat het niet zo goed. Vanmiddag zag ze zo wit als een doek. Maar u hoeft zich geen zorgen te maken, heeft ze gezegd.'

Wat is dat voor vreemde man, dacht Chanele, die een boodschap van Mimi overbrengt.

'Ik moet juffrouw Hinda iets vertellen, als u het goedvindt,' vervolgde Kamionker.

'Als u het goedvindt' zei hij, maar zijn hele houding maakte duidelijk dat hij dat wat hij te zeggen had toch gezegd zou hebben, of het nu wel of niet gelegen kwam.

Janki rechtte zijn rug, zoals ook monsieur Delormes bij ongewenste storingen had gedaan. Dit was nog altijd zíjn eetkamer en hij had deze vreemde man niet uitgenodigd. 'Wat het ook is – kan het niet tot morgen wachten?'

De vraag was heel duidelijk retorisch bedoeld, maar Zalman Kamionker scheen geen oor te hebben voor onuitgesproken dingen. Hij dacht even na, met het ernstige gezicht van iemand die een belangrijke beslissing moet nemen, en schudde toen zijn hoofd. 'Nee,' zei hij, 'het kan niet tot morgen wachten.'

En zonder dat iemand hem daartoe had uitgenodigd, pakte hij een stoel en ging bij hen aan tafel zitten.

Dat is niet iemand die veel drukte maakt, dacht Chanele.

'Wilt u soms ook nog een bord hebben?' vroeg Janki sarcastisch.

'Dat is heel vriendelijk van u.' De ongenode bezoeker schudde zijn hoofd. 'Straks misschien.' Hij legde allebei zijn handen op het tafellaken zoals je een stuk gereedschap klaarlegt dat je later nog nodig hebt. Zijn nagels waren niet erg schoon.

Hinda zat nog steeds met haar lepel in haar hand. Een grijs straaltje aardappelsoep liep ongemerkt terug in haar bord.

'Alors?' zei Janki ongeduldig. Monsieur Delormes had ook altijd op die toon 'Alors?' gezegd.

Kamionker knikte dankbaar, alsof hem zojuist op een openbare vergadering het woord was gegeven. 'Het zit dus zo,' zei hij, 'ik was in Zürich op dat congres, dat intussen afgelopen is.'

Nu pas bracht Chanele hem in verband met de man over wie Mimi haar had verteld. 'U bent de man uit Amerika,' zei ze.

'De yankee uit Kolomea, ja.'

'En alleen om afscheid te nemen van mijn dochter bent u helemaal naar Baden gekomen?'

Arthur keek vanuit zijn ooghoek naar Hinda. Ze had haar tanden stevig in haar onderlip gezet, zoals hij dat vroeger bij tante Golde had gezien. Dat moet toch pijn doen, dacht Arthur.

'Het zit dus zo,' herhaalde Kamionker, 'ik was de afgelopen dagen op dat congres en heb daar een man uit Witebsk leren kennen. Een schoenmaker, maar nebbech zo schriel als een kleermaker. Zijn broer is naar

New York geëmigreerd en twee van zijn ooms ook.'

'Zou u zo vriendelijk willen zijn ons uit te leggen waarom ons dat zou moeten interesseren?' onderbrak François hem met zijn onbeleefdste beleefde stem.

Kamionker nam hem kalm en nieuwsgierig op, zoals een toerist een ongewoon plaatselijk bouwwerk bekijkt. 'U zal dat helemaal niet interesseren,' zei hij. 'Maar uw zus misschien, is het niet, juffrouw Hinda?'

'Ik zou niet weten waarom,' zei Hinda.

Arthur was verrast. Hij had een fijn gehoor en er was iets in haar stem wat hij niet kende.

'Dat zal ik u graag uitleggen,' zei Zalman Kamionker.

Hinda wierp haar hoofd in haar nek; het was niet duidelijk of ze dat deed omdat ze geen uitleg wenste of om haar mooie haar beter uit te laten komen.

'Die schoenmaker,' vervolgde Kamionker, 'Jochanan heet hij trouwens, net als rabbi Jochanan uit de Talmoed, die ook schoenmaker was – die schoenmaker heeft dus zijn hele misjpooche in Amerika. En zelf zit hij in Witebsk, waar een socialist net zo geliefd is als een vlo in een huwelijksbed. Wat een schoenmaker verdient, weten we: minder dan niets, en daar moet hij ook nog sjabbes van vieren. Voor hij genoeg gespaard heeft om zelf naar Amerika te gaan, zal hij een baard hebben tot op de grond. Hoewel hij helemaal geen baard heeft. Hij heeft hem afgeknipt toen hij voor het eerst Karl Marx las. Dezelfde dag nog, heeft hij me verteld.'

Kamionker vertelde heel bedaard, als een man die gewend is voor publiek te spreken en er niet op rekent onderbroken te worden.

'Tien dagen lang heeft hij tegen me gejammerd hoe erg hij zijn broer mist, elke dag van dat overbodige congres. Op een gegeven moment was dat gekrechts van hem niet meer uit te houden.' De Meijers waren Zwitserse joden en dat woord was bij hen niet gebruikelijk, maar ze begrepen het toch. 'Wat moest ik doen?' vroeg Kamionker. 'Op de een of andere manier moest ik hem zien te kalmeren.' Hij spreidde zijn armen uit alsof hij iemand wilde omhelzen. 'Dus heb ik hem mijn ticket gegeven.'

Hinda, die nooit bloosde, voelde haar hoofd gloeien.

De joodse jassennaaiers van New York hadden, ieder naar vermogen, geld gegeven om Zalman Kamionker naar het grote congres in Zwitserland af te vaardigen. Een overtocht – op het goedkoopste tussendek natuurlijk, maar een overtocht is een overtocht en die krijg je niet cadeau – en een treinkaartje. Vierde klas, dat spreekt vanzelf, maar het kostte toch geld. En wat deed hij ermee? Hij gaf alles aan een man die hij net had leren kennen. Aan een schoenmaker uit Witebsk.

'Hij is al onderweg,' zei Kamionker. 'Zürich–Parijs. Parijs–Le Havre. Le Havre–New York. Hoewel ze daar waarachtig genoeg schoenmakers hebben. Ja, juffrouw Hinda, zo zit dat.'

Hinda keek hem niet aan, ze deed haar uiterste best hem te negeren, zoals je alleen doet bij iemand die je meer interesseert dan ieder ander, en dus was het Chanele die aan hem vroeg: 'En u?'

'Ik blijf in Zwitserland,' zei Kamionker. 'Een kleermaker heeft het goed. Die kan overal verhongeren.'

'Voor mijn part verhongert u,' zei François ijzig. 'Als u het maar niet hier doet.'

Kamionker glimlachte zo vriendelijk tegen hem alsof hij een compliment had gekregen. Hij had in New York op veel vergaderingen al veel toespraken gehouden en wist hoe hij met *hecklers* moest omgaan.

'Een interessante snor hebt u,' zei hij. 'Ik wist niet dat Poeriem in Zwitserland zo laat wordt gevierd.' Poeriem is het feest van de belachelijke vermommingen.

Als Chanele niet zo hard had gelachen, was François vast een briljante nastoot te binnen geschoten.

Kamionker keerde hem minachtend de rug toe, zoals je doet met een uitgeschakelde tegenstander die je niet meer in de gaten hoeft te houden, en wendde zich toen tot Janki. 'En omdat ik nu dus hier blijf,' zei hij, 'moet ik iets met u bespreken, meneer Meijer.'

Hij zoekt een baantje, dacht Janki. Hij is kleermaker en ik heb een kledingzaak. Maar zo'n luis in de pels, daar bedank ik voor.

'Het spijt me …' begon hij. Maar Kamionker viel hem in de rede.

'Misschien vindt u het prettiger als we ons in een andere kamer terugtrekken?'

'Ik peins er niet over,' zei Janki en hij tastte naar zijn wandelstok als naar een wapen.

'Ook goed.' Kamionker sloeg zijn handen zo hard ineen dat Arthur in elkaar kromp en liet zijn vingers knakken.

Hij heeft sterke handen, dacht Hinda en ze wachtte met ingehouden adem op wat hij zou gaan zeggen.

'Hebt u in uw bedrijf een vakbond?' zei Zalman Kamionker.

Een vakbond? Was hij daarom gekomen?

'Waarom wilt u dat weten?' vroeg Janki.

'Nou ja,' zei Kamionker, 'bepaalde dingen zouden dan makkelijker uit te leggen zijn.'

'Mijn personeel heeft geen vakbond nodig.'

'Misschien niet,' zei Kamionker, 'misschien ook wel. Daar kun je over twisten. Maar een andere keer. We zullen nog genoeg gelegenheid hebben.'

Vast niet, dacht Janki.

'Het zit zo,' zei Kamionker. 'Als u al met vakbondslieden had onderhandeld, dan zou u weten dat er altijd twee soorten eisen zijn: eisen waarover te praten valt en eisen die onbespreekbaar zijn. *Absolutely non-negotiable*. Is dat duidelijk?'

Die vent is mesjoege, dacht Janki. Gewoon mesjoege.

'In ons geval, meneer Meijer, valt er over alles te praten.' Kamionker hield zijn open handen voor zich zoals in Arthurs indianenboeken de opperhoofden wanneer ze wilden laten zien dat ze de strijdbijl niet hadden opgegraven. 'Ik ga nog verder: u kunt bepalen hoe u het hebben wilt, en zo wordt het gedaan. Ik ben een vredelievend mens. Maar één ding is onbespreekbaar.'

Waar heeft hij het over? dacht Hinda.

'Absoluut onbespreekbaar,' zei Zalman Kamionker.

'Waar hebt u het over?' vroeg Janki.

'Over juffrouw Hinda natuurlijk. Ik ga met haar trouwen.'

Had hij 'trouwen' gezegd?

'Over de rest valt te praten,' zei Kamionker.

In de keuken was de dikke Christine al de hele avond bezig de huilende Louisli te troosten. De opwindende gebeurtenis in de eetkamer ontging hun volledig. Terwijl er deze keer aan de deur echt iets te luisteren was geweest.

Janki zei nee, natuurlijk zei hij nee. Daar kwam zo'n wildvreemde kerel, een man die niets was en niets had, en die wilde gewoon … 'Komt niets van in,' zei Janki en omdat die twijfelachtige Kamionker hem niet leek te horen, herhaalde hij nog twee keer: 'Niets van in. Absoluut niets van in.' Hij had, vervolgde Janki, al van alles over Galicische zeden gehoord, dat die nog onbeschaafder waren dan ergens anders, in het oosten waren zulke voddenrapersgebruiken misschien schering en inslag, daar wilde hij niet over oordelen. Dat wil zeggen: zijn oordeel stond vast, volkomen vast, en daarom was iedere verdere discussie overbodig. Ze waren hier namelijk niet op de Balkan en al helemaal niet in Amerika, en daarom stond het volstrekt niet ter discussie, niet ter discussie, punt, uit, afgelopen. Overigens was het nu waarschijnlijk het beste dat de heer Kamionker afscheid nam, en wel stante pede.

De heer Kamionker glimlachte heel vredelievend, zoals hij waarschijnlijk vroeger Simon Heller van de tallesweverij in Kolomea in diens kantoor heel vredelievend had toegelachen, en hij zei dat de heer Meijer zeker niet goed naar hem had geluisterd, hij had toch heel duidelijk gezegd dat dat punt onbespreekbaar was.

Janki hief zijn stok op en wilde ermee op de tafel slaan, maar hij liet hem meteen weer zakken, niet uit angst, natuurlijk niet, hij had tenslotte in de oorlog gevochten, maar de knop met de leeuwenkop was net weer gelijmd en in de draaierij hadden ze hem gewaarschuwd dat het mooie exemplaar waarschijnlijk niet nog een keer gerepareerd kon worden.

In plaats daarvan sprong François op. De punten van zijn snor stonden rechtovereind. Hij pakte Kamionker bij zijn kraag, greep met zijn vuist de dikke stof van de jas en wilde de recalcitrante gast eruit gooien, maar die bleef gewoon zitten, alsof er niet iemand aan hem stond te rukken en te trekken. Pas toen François hem ook nog met zijn andere hand pakte en omhoog wilde trekken, zoals onhandige mensen met een zwaar stuk bagage proberen, knipte Kamionker hem weg, er was geen toepasselijker woord voor, hij knipte hem gewoon met zijn vinger weg, waarbij hij een gezicht trok als bij een overmoedig vechtpartijtje onder vrienden.

Precies zo had hij in de Palmengarten zijn grote witte tanden bloot gelachen toen hij over Hinda struikelde en pardoes in haar schoot viel.

'Politie!' stootte François buiten adem uit. 'We moeten de politie laten komen.'

'Politie? Narrisjkeit!' zei Zalman Kamionker. Ook dat was een woord dat ze in Zwitserland niet kenden en toch begrepen. Hij pakte een kristallen karaf van de tafel en woog hem in zijn hand, alsof hij naging of die deugde als projectiel. François zocht dekking achter zijn stoel.

Arthur constateerde trots en een beetje ongelovig dat hij absoluut niet bang was, hoewel daar toch alle reden voor was geweest.

Kamionker bekeek de karaf peinzend en zette hem weer op het tafellaken. 'U bent rijk,' zei hij tegen Janki. 'Nou ja, ik heb het niet uitgezocht, maar ik kan er ook niets aan veranderen. Als het dus vanwege de bruidsschat is – die hebben we niet nodig. Ik heb in mijn leven altijd alles met mijn eigen handen voor elkaar gekregen.

'Het gaat niet om de bruidsschat!' zei Janki heel hard en hij zette zijn hand in zijn zij, zoals monsieur Delormes dat ook altijd had gedaan.

'Zoals u wilt. Ik heb tenslotte gezegd dat ik me op al die punten graag naar u schik.'

Het was de tweede keer in twee dagen dat Janki begon te schreeuwen. Louisli zou vandaag nog meer te luisteren gehad hebben dan gisteren, maar ze had het te druk met haar hart uit te storten bij de dikke keukenmeid. Een vol hart kun je uitstorten zo lang je wilt – het wil maar niet leger worden.

Ook Janki kon schreeuwen wat hij wilde, zijn verontwaardiging werd niet minder. Integendeel, ze nam zulke proporties aan dat hij ten slotte alleen nog kon hijgen, zoals wanneer een opgeblazen maag je de adem afsnijdt. Alleen was er voor dit geval geen natronpoeder dat hem verlichting had kunnen geven.

Op een gegeven moment viel hij stil. De eruptie was voorbij. Zalman Kamionker had rustig afgewacht, een vuurwerkmaker die precies weet wanneer Bengaals vuur uitgebrand is. Toen wendde hij zich tot Chanele. 'En wat vindt u, mevrouw Meijer?'

Chanele bekeek hem lang, van de vettige leren pet tot aan de boerse schoenen, van het ongekamde haar tot aan de nagels met de rouwranden. Ze trok haar wenkbrauwen zo hoog op dat de zwarte streep midden op haar voorhoofd leek te staan en stelde toen de vraag die Arthur allang gesteld zou hebben als hij niet een kleine jongen was geweest, maar net zo volwassen als de anderen. 'Hebt u het er al met Hinda over gehad?'

Hinda zat nog steeds met de soeplepel in haar hand en legde hem nu zo zorgvuldig neer als je een lieveheersbeestje dat is komen aanvliegen, op een blad zet.

'Noe?' zei Chanele toen Kamionker geen antwoord gaf.

Zalman was zo verlegen als alleen iemand kan zijn voor wie verlegenheid een totaal onbekend gevoel is.

'Het zit dus zo,' zei hij hakkelend. 'Ik dacht dat ik het eerst aan de ouders moest vragen.'

'Narrisjkeit,' zei Chanele, die nu al wist dat dat een van haar lievelingswoorden zou worden.

'Ik wilde ...' zei Kamionker.

'Vraag het haarzelf!'

Janki had intussen zijn tong teruggevonden. 'Daar komt niets van ...' begon hij.

'Sst!' zei Chanele.

Zalman Kamionker, die de hele tijd zo zelfverzekerd was geweest, bekeek nu zijn handen, als een instrument dat hij nooit had leren bespelen. Toen stak hij ze naar Hinda uit, schuchter als een klein kind dat een koningin een boeket overhandigt. 'Juffrouw Hinda,' vroeg hij, 'wilt u ...?'

Hinda liet hem wachten en zei pas na een paar oneindig lange seconden: 'Wat moet ik doen? Als het toch onbespreekbaar is ...'

31

Het was al juni en het ging nog steeds niet beter met Mimi. Ze zag er zo opgeblazen uit dat ze zichzelf niet eens meer in de spiegel wilde bekijken, en dat terwijl ze – '*Comme ça me dégoûte!*' – absoluut niets meer binnen kon houden. Pinchas hoorde haar soms al kokhalzen als hij heel vroeg in de morgen opstond om tefilien te leggen.

Sophie, de opvolgster van de rampzalige Regula, had verstand van kruiden en trakteerde Mimi op verschillende soorten thee waarvan de recepten, zoals ze trots vertelde, in haar familie altijd alleen aan de oudste dochter werden doorgegeven, als bruidsschat zeg maar. Zelf, zei ze met een veelbetekenende blik, zou ze de geheime kennis waarschijnlijk aan een nichtje moeten nalaten, want Sophie hield niet van mannen. Pinchas had vaak nog nooit gehoord van de planten en wortels die in zijn keuken stonden te sudderen en hun doordringende geur aan zijn eten gaven. Mimi zwoer aanvankelijk bij Sophies kunst. Een thee van onkruid, zilverschoon genaamd – Sophie noemde het krampkruid – gaf haar inderdaad wat verlichting. Maar na een bezoek aan haar geboortedorp maakte Sophie een brouwsel van vuilboombast waar Mimi dagenlang diarree van had. Dat betekende het einde van de kruidenkuren en er werd een nieuw dienstmeisje aangesteld dat Gesine Hunziker heette.

Mimi ging – natuurlijk zonder dat Pinchas er iets van mocht weten – ook weer naar de seances bij madame Rosa. Maar ook de stemmen uit het hiernamaals konden haar geen raad geven. Integendeel, de enige boodschap die haar bereikte luidde 'In jou is zeer veel jeugd', wat Mimi als transcendentale hoon ervoer, want heimelijk raakte ze er met de dag meer van overtuigd dat haar problemen te maken hadden met die gevreesde periode in het leven van een vrouw die Golde beschaamd 'de overgang' had genoemd. Mimi was daar weliswaar nog veel te jong voor, maar met die dingen had ze altijd al erg getobd, andere mensen hadden geen idee.

Pinchas wilde al weken dr. Wertheim raadplegen, maar Mimi weigerde categorisch; ze had het nu eenmaal niet op dokters. Toen ze haar kind verloor hadden ze haar ook niet kunnen helpen, en een hoop geld uitgeven alleen om door iemand in het Latijn uitgelegd te krijgen dat hij geen idee heeft? Certainement pas!

'Ik ben niet ziek,' zei ze, 'het gaat alleen niet goed met me, en het zou lang zo erg niet zijn als jij je niet altijd meteen zo aanstelde.'

Op de zondag dat Pinchas al vroeg naar zijn discussie in Endingen moest, wilde de misselijkheid helemaal niet meer overgaan. Eigenlijk had Mimi met hem mee willen gaan; ze had haar jeugdvriendin Anne-Kathrin al in geen tijden meer gezien en dit zou een goede gelegenheid geweest zijn. Anne-Kathrin woonde nog altijd in Endingen, maar allang niet meer in het schoolgebouw. Ze was getrouwd met de oudste zoon van meester-slager Gubser en sindsdien stuurde ze Mimi regelmatig brieven waarin ze in haar minutieuze handschrift alle bewonderenswaardige vorderingen beschreef die haar vier uitermate begaafde kinderen week na week maakten. De angstaanjagende perfectie van dat kroost was voor de kinderloze Mimi reden genoeg geweest om de reis steeds weer uit te stellen en stiekem was ze blij dat ze door haar gezondheidstoestand een smoes voor zichzelf had. Meer dan een smoes, mijn god, alleen al de gedachte aan de rook van de locomotief vulde haar mond met zo'n bittere smaak dat ze ten slotte toegaf en beloofde de dokter te laten komen, 'ja, beslist vandaag nog'. Dr. Wertheim was lid van de gemeente, op sjabbes had ze hem niet kunnen laten komen, maar op zondag was dat geen probleem. En of Pinchas nu alsjeblieft wilde gaan, zei Mimi, zodat hij niet vanwege haar nog de trein miste, en trouwens, met zijn overdreven zorgzaamheid maakte hij straks echt nog een zieke vrouw van haar.

Voor de voordeur moest Pinchas even blijven staan en met gesloten ogen heel diep ademhalen. Mijn god, wat hield hij toch veel van die vrouw! Ze móést gewoon weer beter worden!

Op het debat in Endingen had hij zich goed voorbereid, hij had zelfs veel te veel argumenten verzameld. Hij meende echt op elke mogelijke tegenwerping een antwoord klaar te hebben. Tenslotte was hij niet alleen sjochet, maar ook journalist. Hij kon met woorden omgaan en was een modern mens, ook al nam hij de tradities van zijn geloof serieus. Dat maakte hem – tot die conclusie was hij na aanvankelijke twijfels gekomen – een ideale vertegenwoordiger van het joodse standpunt. De dierenbeschermers, die sjechten als onnodige wreedheid beschouwden, kon hij bestrijden met de ervaring van zijn beroepsleven. In de abattoirs, waar joodse en christelijke slagers naast elkaar hun werk deden, was hij echt beter thuis dan al die fijnzinnige wereldverbeteraars. Luxe gevoeligheden waren daar niet op hun plaats, aan de joodse noch aan de christelijke kant. Worsten en koteletten groeiden nu eenmaal niet aan de boom. En wat nog veel belangrijker was: hij kon aan de hand van concrete voorbeelden bewijzen dat ook het moderne schietmasker, dat sinds een paar jaar zo sterk werd gepropageerd, beslist geen garantie was voor pijnloos slachten. Welke methode je ook toepaste, uiteindelijk kwam het alleen aan op de vaste hand van de slachter. En wie deed zijn werk nou zorgvuldiger? De ongeïnteresseerde christelijke slagersknecht die zich elk moment met een tweede poging kon corrigeren, met een steek in de hals of een klap op de kop, of zelfs met twee of drie klappen als het dier bleef stuiptrekken, of de joodse sjechter die met het kleinste foutje het hele dier treife maakte, die dus elke keer dat hij slachtte zijn eigen parnose op het spel zette en die daarom ... Nee, 'parnose' mocht hij niet zeggen, drukte hij zich op het hart, hij moest de taal van de mensen in de zaal spreken en mocht van zichzelf geen buitenstaander maken.

Daarom had hij ook zijn meest gojse pak aangetrokken, grijze scheerwol, eigenlijk veel te warm voor de tijd van het jaar. Hij had het pak geaccepteerd als betaling voor een niet-voldane vleesrekening, van kleermaker Turkavka, die het mooie exemplaar eigenlijk had genaaid voor een professor aan de Zwitserse Technische Hogeschool die het bij zijn oratie had willen dragen. Maar hij was toen toch niet benoemd en had het pak nooit opgehaald. Mimi had Pinchas destijds verweten dat hij te goedhartig was en zich liet uitbuiten, maar in feite was ze trots op hem geweest, dat had hij aan haar gezien. Turkavka had het pak passend gemaakt; het zat perfect en Pinchas zag er helemaal niet joods in uit. Afgezien van het kleine zwarte zijden keppeltje natuurlijk. Misschien moest hij dat vandaag bij wijze van uitzondering in het belang van de goede zaak ...

Pinchas schrok op. Hij was helemaal opgegaan in zijn gedachten; dat kreeg je als je de coupé voor jezelf had. Terwijl hij zich toch had voorgenomen tijdens de reis alle voorzorgsmaatregelen nog eens door te nemen die bij een correcte sjechita in acht genomen dienden te worden; hij meende dat er geen overtuigender bewijs bestond voor het feit dat er bij het sjechten scherp op werd gelet het dier niet onnodig te laten lijden. Om te beginnen, recapituleerde hij, moest het lemmet zorgvuldig nagekeken worden, want zelfs de kleinste schaarde waaraan bij het snijden iets kon blijven hangen of waardoor het weefsel kon scheuren, maakte de hele sjechtprocedure ongeldig en het vlees onverkoopbaar. De snee zelf moest in één keer, zonder enige druk en puur door de scherpte van het mes uitgevoerd worden; luchtpijp en slokdarm moesten daarna volledig doorgesneden zijn. 'Allemaal voorzorgsmaatregelen,' zou hij zeggen, 'om het dier zo min mogelijk pijn te doen. U ziet dus,' zou hij zeggen, 'dat er tussen de terechte eisen van de dierenbescherming en onze duizenden jaren oude traditie bij nader inzien geen enkele discrepantie bestaat. Daarom is er van die kant,' zou hij zeggen, 'geen reden om vóór een wetsartikel te stemmen dat uw joodse medeburgers het leven in dit mooie land niet alleen zou bemoeilijken, maar gewoonweg onmogelijk zou maken.' Hij had lang gewikt en gewogen en toen besloten er nog een zin aan toe te voegen. 'Als u vóór stemt,' zou hij zeggen, 'dan bent u misschien wel geen antisemiet, maar u zou die mensen door uw stem toch kunnen sterken in het geloof dat met vooroordelen en ophitsing iets te bereiken valt.' Ja, dat zou hij zeggen.

Maar zijn gedachten dwaalden alweer af. Waarom moest hij toespraken houden? Was hij een politicus? Hij had beter thuis kunnen blijven om voor Mimi te zorgen. Wat zou ze hebben? Ze had altijd al graag gejammerd en van haar kwaaltjes genoten. Van elk incident had ze een ramp gemaakt en van elke ergernis een drama. Juist omdat ze zich deze keer anders gedroeg maakte hij zich zorgen. Telkens als hij naar haar toestand wilde informeren weerde ze hem af; ze hield hem voor dat hij haar nog echt ziek maakte met zijn eeuwige gevraag en dat ze tenslotte niet constant hoefde te zingen en te dansen, alleen om meneer de echtgenoot te bewijzen dat het goed met haar ging. Als het maar niets ernstigs was! Als hij vanavond thuiskwam zou hij meteen met dr. Wertheim gaan praten en geen genoegen nemen met de nietszeggende geruststellende frasen waar dokters zo goed in waren. Nee, hij zou erop staan ...

Zonder het te merken was hij in Baden aangekomen.

Voor het station wachtte tot zijn verrassing niet Janki op hem, maar Chanele. Janki wilde toch liever niet mee naar Endingen, liet hij weten, na rijp beraad leek het hem beter zich als Fransman niet in zulke zuiver Zwitserse aangelegenheden te mengen. Chanele bracht de boodschap over op een toon die er geen twijfel over liet bestaan dat Janki in werkelijkheid andere redenen had. Hij vermeed nu eenmaal graag situaties waarin zijn rol niet helemaal duidelijk was.

Als vrouw, zei Chanele, was ze op een politieke bijeenkomst weliswaar niet welkom, maar niemand kon haar beletten haar pleegvader te bezoeken en, voor het geval Salomon erheen wilde, hem 's middags naar café Guggenheim te vergezellen; hij was tenslotte al een dagje ouder en had een arm nodig die hem ondersteunde. Het idee van een gebrekkige Salomon Meijer deed Pinchas gniffelen; ondanks zijn leeftijd liep de veehandelaar bijna elke dag een paar uur door de velden en zwaaide daarbij als in vroeger dagen met zijn paraplu.

Chanele had geen koets voor hen besteld, in plaats daarvan wachtte er een met twee paarden bespannen wagen. Gouden letters op een groene ondergrond prezen het Moderne Warenhuis en zijn omvangrijke aanbod aan. 'In het weekend staan de wagens toch maar in het koetshuis,' zei Chanele verontschuldigend. 'Waarom zou je geld over de balk smijten?'

Ze zaten dus met z'n drieën opeengepakt op de bok. De koetsier deed onderdanig en maakte zich heel klein, hij kromde zich letterlijk over de zijleuning om toch vooral voldoende plaats voor Chanele over te laten en informeerde meer dan eens nadrukkelijk of madame Meijer wel echt gemakkelijk zat. Hij rook naar de koude rook van de kromme virginia die tijdens het wachten was uitgegaan en die hij niet opnieuw aan durfde te steken. Zijn nabijheid verhinderde dat er een gesprek ontstond. Chanele informeerde naar Mimi's gezondheid en Pinchas schudde bedenkelijk zijn hoofd. Daarna zwegen ze weer.

Het was zondag en op het land was niemand aan het werk. Het was windstil en de paar wolken bewogen zich maar langzaam langs de hemel. Je kon de indruk krijgen dat niet alleen de mens maar ook de natuur zich een rustpauze gunde, een ademtocht tussen bloesem en vrucht.

Chanele moest denken aan de tijd – was het echt al meer dan twintig jaar geleden? – dat ze meewerkte in het pas geopende Franse Stoffenhuis. Toen hadden ze ook weleens met z'n drieën dicht naast elkaar op de bok gezeten wanneer een vriendelijke voerman 's morgens vroeg of op de terugweg naar Endingen voor haar en Janki was gestopt. Janki had dan zijn best gedaan om haar niet aan te raken, maar ze was zich van zijn lichaam, zo dicht naast het hare, altijd heel sterk bewust geweest. Ze was niet gelukkig toen – waar staat in de Sjoelchen Orech dat je gelukkig moet zijn? –, maar het was toch een ongeluk vol leven geweest, een pulserende droefheid, niet dat onpersoonlijke langs elkaar heen leven dat nu wellicht haar lot was geworden. Chanele had graag weer eens echt bedroefd willen zijn, alleen maar om te weten of ze dat vermogen niet was kwijtgeraakt.

De huizen van Endingen kwamen in zicht en toen ze zijn ouderlijk huis naderden, waar allang iemand anders een slagerij had, was Pinchas voorbereid op een aanval van heimwee en melancholie. Maar toen ze erlangs reden, merkte hij dat de plaats hem niets meer deed. Hij was Endingen waarschijnlijk definitief ontgroeid.

Rond café Guggenheim stonden de karren en koetsen zo dicht opeen dat er voor de brede wagen geen doorkomen aan was. 'Alsof er iets gratis te krijgen is,' mompelde de koetsier ontstemd. Hij kon niet bij de ingang van het café komen, maar moest Pinchas al eerder laten uitstappen en was zeer teleurgesteld toen ook Chanele besloot die paar straten naar het oude dubbele huis te voet te gaan. Hij had zijn bazin zeker liever als een vorstelijk postiljon voorgereden, met snuivende rossen en een bonte rozet op zijn hoge hoed.

In de gelagkamer was nu al bijna geen lege stoel meer te vinden, hoewel de vergadering pas om drie uur was gepland. Er zwalpte zo'n luide golf van gesprekken, gelach en geschreeuw over Pinchas heen dat hij onwillekeurig een stap achteruit deed en een tweede aanloop moest nemen om naar binnen te gaan.

Hij kwam niet vaak in cafés en was niet echt vertrouwd met zulke locaties, toch had hij onmiddellijk het gevoel dat het hier anders was dan normaal in zulke gelegenheden. Aanvankelijk kon hij niet zeggen waar dat aan lag. Tot het hem ineens duidelijk werd: doorgaans zit je 's avonds in het café, het is donker en in het licht van de lampen zie je alleen gezichten, handen en glazen. Hier scheen de zon door de ramen, waardoor de rookwolken van de vele pijpen en sigaren bijna feestelijk oplichtten. Ook de gasten, louter mannen, leken in een zondags humeur. Terwijl ze anders op het platteland zorgvuldig over hun bier of wijn waken om uit het geïnvesteerde geld het optimale rendement aan gezelligheid te halen, dronken ze elkaar hier overmoedig toe; ze hadden hun borrel nog niet gekregen of ze bestelden de volgende al. De stemming leek meer op het overwinningsfeest van een schuttersvereniging dan op een bijeenkomst van de Maatschappij tot Nut van 't Algemeen.

De deur naar de zaal waar de eigenlijke manifestatie plaats zou vinden, stond wijd open, maar twee stevige kerels met zwartblauwe banden om hun gespierde bovenarmen flankeerden de ingang en zorgden dat niemand voortijdig het allerheiligste binnendrong. Onbeweeglijk als schildwachten stonden ze daar, met een streng gezicht en duidelijk onder de indruk van hun eigen gewichtigheid.

'Zoekt en gij zult vinden,' zei een stem vlak naast Pinchas. 'De heer Pomeranz! Ik herkende u meteen! Ja, ja, ware schoonheid vergaat niet.'

Zelf was de schoolmeester erg veranderd. Hij leek vooral veel kleiner dan Pinchas hem in herinnering had, de gereduceerde kopie van een verdwenen origineel. In Pinchas' tijd waren joodse kinderen alleen maar naar het cheider gegaan en niet, zoals tegenwoordig vanzelf sprak, ook naar de openbare school, maar aan de autoriteit van de schoolmeester had dat bij hen geen afbreuk gedaan. Integendeel, juist omdat ze het zelf niet hadden meegemaakt geloofden ze al die verschrikkelijke verhalen die de dorpskinderen over zijn opvoedkundige methoden vertelden.

Nu stond daar een ouwelijk mannetje met dunne benen en een bolle buik; het leek of er een kussen onder zijn vest was gestopt. Zijn baard was nog net zo ruig als vroeger, maar nu zou je kunnen denken dat hij opgeplakt was. Ook zijn stem was schriller en ijler geworden, zoals een fles die je vult vlak voor het overlopen zijn hoogste toon bereikt.

'Lang gewacht en toch gekregen,' zei het mannetje. 'De aanhouder wint. Het heeft lang geduurd voor ik mijn afdeling van 't Nut kon oprichten, maar nu zei de vader van mijn schoonzoon tegen me: laten we gewoon beginnen. En moet u zien: het loopt storm, iedereen is enthousiast. Iedereen heeft plezier in die wedstrijd van meningen en argumenten! Arma virumque cano! Verstaat u Latijn?'

'Zoveel nog net,' zei Pinchas.

'Wie had toen gedacht dat wij elkaar ooit in zo'n ongewone omgeving …? Weet u nog wanneer we elkaar voor het laatst hebben gezien? In mijn tuin was dat, in mijn bescheiden tusculum, en u … Maar ik zie wel dat u daar niet graag aan wordt herinnerd. Weest u maar niet bang, de betamelijkheid gebiedt mij te zwijgen.' Hij legde een vinger op zijn smal geworden lippen en gaf Pinchas een al te vertrouwelijke knipoog. 'Komt u mee, komt u mee, er wordt een stoel voor ons vrijgehouden, maar dan moeten we wel opschieten. Er zijn zo veel mensen gekomen naar het gevecht van de wagens en gezangen.'

Hij greep Pinchas bij zijn mouw en trok hem achter zich aan. Toen ze zich een weg door het café baanden, verstomden om hen heen de gesprekken. De mensen stootten elkaar aan en fluisterden.

Pinchas herkende geen van de gezichten, hoe hij ook zijn best deed ze zich na twintig jaar te herinneren. Ze kwamen hem allemaal zo jong voor, maar dat was natuurlijk belachelijk. Hij was zelf ouder geworden.

Het eerste vertrouwde gezicht was dat van slager Gubser, die hij als jongen vaak in het slachthuis had gezien als zijn vader hem daar mee naartoe nam. Gubser was nauwelijks veranderd, hij was hoogstens nog waardiger en domineesachtiger geworden. Hij sprong op toen Pinchas en de schoolmeester dichterbij kwamen, en hoewel het in de zaal echt rumoerig was hoorde je de vele kleine hangertjes aan zijn horlogeketting rinkelen.

'De jongeheer Pomeranz,' riep hij terwijl hij zijn hand op zijn hart legde. 'Wat fijn dat u kon komen. Wat fijn, wat fijn, wat fijn.' Hij greep Pinchas' hand en schudde hem alsof hij een lang gemiste vriend had teruggevonden. 'Gaat u zitten, gaat u toch zitten! Ik heb voor uw stoel moeten vechten als een leeuw. Drinkt u een glas wijn met ons?' En toen Pinchas beleefd bedankte: 'Natuurlijk niet, wat dom van me! Onze wijn is jullie niet zuiver genoeg, of hoe dat in jullie boeken heet. Maar wij hebben niet zulke gevoelige magen, nietwaar, mannen?'

De andere mannen aan de tafel lachten hard. Je kon merken dat ze om alles gelachen zouden hebben wat Gubser zei.

Pinchas was liever ergens anders gaan zitten, maar de schoolmeester belette hem dat. 'De heer Gubser heeft me zo vaak bij de voorbereidingen geholpen,' zei hij, en hij was zo blij als een kind met het succes van zijn maatschappij. 'Zelf had ik me – bescheidenheid siert de mens! –

een veel kleiner kader voorgesteld, het schoollokaal misschien, maar Alois …'

'We doen ons best.' De slager maakte zittend een lichte buiging naar de schoolmeester. 'Wist u trouwens, geachte heer Pomeranz, dat Anne-Kathrin en mijn oudste zoon …? O, dat wist u? Natuurlijk. Jullie mensen zijn altijd goed geïnformeerd. Dan weet u ook dat ik de zaak heb overgedragen aan mijn zoon en me alleen nog bezighoud met de belangrijke dingen. De echt belangrijke dingen.'

De mannen rond de tafel knikten. Ja, iets belangrijkers bestond er helemaal niet.

'Alois,' zei de schoolmeester met zijn piepstem, 'de heer Gubser is namelijk voorzitter van de lokale vereniging voor dierenbescherming …'

'Van de regionale!' corrigeerde een van de mannen hem met een gewichtig gezicht en weer knikte iedereen.

'U?'

'Wie is er van het leed der schepselen beter op de hoogte dan een man van mijn vak?' zei Gubser vroom.

'… en hij zal vandaag op het podium ook het standpunt van die organisatie verdedigen,' piepte de schoolmeester. 'Ik verheug me al op een leerzaam debat, vreedzaam en uitsluitend vertrouwend op de kracht van het beste argument. Hoe zegt onze Goethe dat ook weer zo fraai? "Met woorden kan men prachtig strijden."'

Pinchas was helemaal niet blij met het vooruitzicht het tegen de in Endingen zeer populaire meester-slager Gubser te moeten opnemen, en dat was waarschijnlijk overduidelijk aan zijn gezicht te zien.

'Ik kan me geen betere combinatie voorstellen dan wij tweeën,' zei Gubser terwijl hij alweer zijn hand op zijn hart legde. 'We zijn immers collega's. Een slachter en een sjechter. Twee bezigheden die zich enkel door een l en een e onderscheiden. En weet u waar die l voor staat, geachte heer Pomeranz? Voor wat de sjechter helaas mist. Voor de liefde.'

De mannen aan de tafel applaudisseerden.

Pinchas merkte dat hij vanbinnen koud werd. 'Als die l tenminste niet staat voor wat de slachter te veel doet,' zei hij. 'Liegen, bedoel ik.'

'Maar dat is…!' begon een van de mannen, maar een gebaar van Gubser volstond om hem het zwijgen op te leggen.

'Mijne heren!' De schoolmeester had waarschijnlijk het liefst tikken uitgedeeld. 'Dat zijn niet de woorden die ik straks wil horen. Zakelijk en vreedzaam, zo is het afgesproken. Wie naar het zwaard grijpt, zal door het zwaard omkomen.'

'Dat spreekt vanzelf,' zei Gubser glimlachend. 'Vreedzaam. Absoluut vreedzaam.'

32

Toen de twee deurwachters na een onzichtbaar teken een stap opzij deden en de ingang van de zaal vrijmaakten, ontstond er een ware stormloop, alsof daarbinnen echt – wat had de koetsier ook weer gezegd? – alsof daarbinnen echt iets gratis te krijgen was. Een al wat oudere man verloor in het gedrang zijn hoed en probeerde hem op te rapen, maar de mensenstroom liet zich niet door een enkeling tegenhouden. Zonder dat hij weer overeind kon komen werd hij in gebukte houding gewoon verder geduwd.

Bijna van het ene moment op het andere was het tafeltje waaraan Pinchas met zoveel tegenzin had plaatsgenomen, het enige waar nog werd gedronken. Op de andere stonden alleen nog lege of zelfs halfvolle glazen en pullen, zo plotseling was iedereen opgestaan. Alleen de mannen van de dierenbescherming – het speldje dat ze allemaal op hun revers droegen was Pinchas pas na een poosje opgevallen – bleven als de notabelen op de eretribune van een feestelijke optocht roerloos zitten. 'Onze plaatsen worden door niemand ingepikt,' zei Gubser en de schoolmeester straalde over heel zijn oude gezicht en zei dat Alois nu eenmaal altijd overal aan dacht. Hij moest toegeven dat hijzelf nooit op het idee gekomen zou zijn bij zo'n manifestatie zaalwachters in te schakelen, maar hij was dan ook meer een man van de wetenschap dan van de daad.

De twee ordebewaarders, die zo lang de deur hadden bewaakt, kregen van Gubser ieder een biertje. Ze dronken staande, in militaire houding, en hadden daarna allebei dezelfde schuimsnor boven hun mond.

'Moeten wij niet ook …?' Pinchas wilde opstaan, maar Gubser schudde zijn hoofd.

'Nog niet. Laat de mensen maar rustig een poosje wachten, dan luisteren ze straks des te beter.'

'Op school is het net andersom,' zei de schoolmeester. 'Als je ze te lang alleen laat, worden ze ongezeglijk.'

Niemand lette op hem.

De deur van het café ging open en er kwamen een paar laatkomers binnen. Door het zonlicht in hun rug waren eerst alleen hun contouren te zien. Pas aan zijn paraplu herkende Pinchas Salomon Meijer. Tegelijk met hem was Chanele binnengekomen en verder nog een man die hij niet kende. Hij moest uit het oosten komen, want hij droeg een kaftan met een zwart koord. De rode peies die zijn bebaarde gezicht omlijstten leken wel vastgemaakt aan de rand van zijn enorme hoed.

'Dit is reb Zwi Löwinger uit Lemberg,' stelde Salomon de vreemdeling voor. 'Hij is naar Zwitserland gekomen om geld voor zijn jesjieve in te zamelen en hij heeft mij de eer bewezen met sjabbes mijn gast te zijn.'

De sjnorrer boog majestueus zijn hoofd.

'Reb Zwi is zeer geïnteresseerd in deze bijeenkomst. Dus als niemand er iets op tegen heeft …?'

'Eenieder die naar kennis streeft is welkom!' piepte de schoolmeester. 'Hoe staat het ook weer precies in *Faust*? "Ik weet wel veel, maar ik wil alles weten."'

'Ja,' zei slager Gubser terwijl hij de man in de kaftan van top tot teen opnam, 'ik ben ook blij dat u er bent. U kunt zich niet voorstellen hoe blij ik ben.'

Zijn vrienden van de dierenbescherming grinnikten, hoewel Gubser toch helemaal niets grappigs had gezegd.

Vanuit de zaal galmde luid gelach, alsof ze daar naar hen hadden geluisterd.

Salomon draaide zijn hoofd naar de deur van de zaal. 'Is het druk?' vroeg hij.

'U zult nog wel een plaatsje vinden, meneer Meijer,' zei Gubser. 'Daar twijfel ik geen moment aan. Jullie mensen schijnen er een handje van te hebben overal binnen te dringen.'

Alweer werd er in de zaal gelachen.

Salomon nam Pinchas apart. 'Het ziet er niet best uit,' fluisterde hij.

'Ik weet het.' Aan het tafeltje dronk iedereen als op commando zijn glas leeg. 'Het zal niet makkelijk worden.'

Maar Salomons bezorgdheid had niets te maken met de dierenbescherming. 'Ik heb samen met reb Zwi naar de gematria gekeken. Je begeeft je in een discussie, in een pilpoel. Getalswaarde tweehonderdzesentwintig. Maar het zal een discussie zijn zonder lev, zonder hart.'

'Het is tijd!' riep Gubser.

'Noe!' zei Salomon en dat betekende in dit geval: 'U kunt best nog even wachten.'

'Ik moet echt …' begon Pinchas, maar Salomon liet hem niet eens uitpraten.

'Let op,' zei hij steeds vlugger pratend. 'Lev heeft een getalswaarde van tweeëndertig. Als je dat van tweehonderdzesentwintig aftrekt, krijg je honderdvierennegentig. En welk woord in de Tanach heeft een gematria van honderdvierennegentig? Noe?'

'Misschien kun je me dat straks …'

'Wajibokoe,' zei Salomon triomfantelijk. '"En ze waren gespleten."'

Pinchas staarde hem niet-begrijpend aan.

'De wateren van de Rode Zee. Bij de uittocht uit Egypte.'

'Meneer Pomeranz!' riep Gubser.

'Je begrijpt wat dat betekent,' zei Salomon. 'Bij een discussie die zonder hart wordt gevoerd, kan men het niet eens worden.'

'Woorden thans genoeg gewisseld, laat ons nu eindelijk daden zien.' De schoolmeester had zich tussen hen in gewrongen en duwde Pinchas voor zich uit als een leerling die de bel voor het begin van de les niet heeft gehoord.

'Laten we naar binnen gaan,' zei Chanele en ze wilde Salomon een arm geven. Hij keek haar aan alsof ze mesjoege was, pakte zijn paraplu steviger vast en knikte naar reb Zwi. Het tweetal vormde de achterhoede van een kleine optocht die op weg ging naar de vergadering.

Bij de deur liet Gubser Pinchas voorgaan.

In de zaal van café Guggenheim zaten de mannen schouder aan schouder aan lange tafels; ze konden amper hun pas gevulde bierglazen pakken. Ook langs de muren stonden ze dicht opeengepakt, zodat van de lauwerkransen en de verenigingsvaandels in de vitrines niets meer te zien was.

Op het podium hing een grote Zwitserse vlag aan het plafond. De man die voor de vlag bij het spreekgestoelte stond, leek daarbij in het niet te verdwijnen.

'Is het al begonnen?' vroeg Pinchas verbaasd.

'Natuurlijk niet,' zei Gubser, 'natuurlijk niet. Dit is alleen een beetje amusement, zodat de mensen zich niet vervelen.'

Schaterend gelach maakte duidelijk dat de mensen zich inderdaad niet verveelden.

De man bij het spreekgestoelte las uit een dun boekje een gedicht voor. 'Hier is de joodse uitverkoop,' declameerde hij. 'Daar gooit de christen zijn geld op de hoop. En al zijn de spullen half verrot, meneer Levi verkoopt ze vlot.'

'Precies!' riep een stem in de zaal en de instemming van de anderen was als een collectief uitademen.

'Maar eenzaam in zijn winkel staat de christen met prima kwaliteit,' ging de man bij het spreekgestoelte door. 'Ach dwaas, doe ook, als Jakobs zaad, in zwendel, woeker en verraad!'

Deze keer was het geen uitademen, maar een collectieve kreet.

'Dat is niet zoals het hoort,' zei Pinchas woedend.

'Hoezo? Het heeft toch niets met ons onderwerp te maken.' Gubser trok het martelaarsgezicht van een man die constant gedwongen is anderen de eenvoudigste dingen van de wereld uit te leggen. 'Of wilt u het soms over joodse warenhuizen hebben?'

'Natuurlijk niet!'

'Dan begrijp ik niet waar u zich over opwindt, meneer Pomeranz. Jullie mensen zijn ook altijd zo gauw beledigd.'

Om makkelijker te zitten hadden de toehoorders hun banken ver naar achteren geschoven en versperden, als een op z'n zondags geklede wal, de gangpaden tussen de tafels. Als twee zaalwachters niet een weg voor de deelnemers aan de discussie hadden gebaand, waren ze er nooit doorgekomen.

Het iele mannetje voor de grote vlag zag Gubser aankomen, sloeg zijn boek dicht en stak het omhoog. 'Het staat allemaal in de liederenbundel van Ulrich Dürrenmatt,' riep hij de zaal in. 'Koop hem als jullie iets willen leren!' Toen maakte hij onder luid applaus het spreekgestoelte vrij.

De lange tafels, die dwars op het podium stonden, kwamen niet tot helemaal vooraan. Vlak voor het podium stond één rij lege stoelen, aan weerskanten bewaakt door jonge knapen met een blauwzwarte band om hun arm. Alsof ze geoefend hadden, deden ze allemaal tegelijk een stap achteruit en maakten de weg vrij. De schoolmeester ging in het midden zitten, links en rechts geflankeerd door Pinchas en de slager. Ook de heren van de dierenbescherming namen plaats op de eerste rij. Aan beide kanten bleven een paar stoelen leeg. Niemand van de mensen die geen plaats meer hadden gevonden, durfde er te gaan zitten.

Pinchas keek zoekend om zich heen, maar Salomon en Chanele waren nergens meer te bekennen. Waarschijnlijk waren ze bij de deur blijven staan.

De mensen in de zaal – je voelde het gewoon – waren ongeduldig, zij het op een beheerste manier. Pinchas moest denken aan Simches Toure, waarop hij als kind de vereiste kalmte tijdens de eredienst ook slechts met moeite had kunnen bewaren, omdat hij wist dat er achteraf een zak vol snoep op hem wachtte.

Toen de schoolmeester op het podium klom, werd hij eerst met applaus begroet. Maar de stemming sloeg algauw om toen zijn welkomstwoorden uitmondden in een uitgebreide toespraak. Terwijl hij in een poging om populair te doen toch louter Zwitserse schrijvers citeerde en af en toe een rake uitspraak van Gottfried Keller of Conrad Ferdinand Meyer in zijn uiteenzettingen vlocht. Alleen: de mensen waren niet gekomen om zich de doelstellingen van de Maatschappij tot Nut van 't Algemeen uit te laten leggen. Een aanzwellend gebrom bewoog zich als van een geïrriteerde zwerm bijen van achter in de zaal naar het podium, en omdat de schoolmeester zich daardoor niet van de wijs liet brengen en intussen al bij Pestalozzi was aangeland, begonnen de mensen om een andere spreker te roepen, eerst maar een paar stemmen, toen steeds meer. 'Gubser! Gubser!' riepen ze.

In een poging de rustverstoorders te overstemmen – in zijn klas zou hij ze in de hoek hebben gezet en op strafwerk hebben getrakteerd – werd de stem van de oude schoolmeester steeds schriller en zo pieperig dat de mensen ten slotte om hem begonnen te lachen. Toen hij berustend de eerste discussiebijdrage aankondigde en vlug van het podium klom om weer op zijn stoel plaats te nemen, leek het wel of hij vluchtte.

Gubser nam de vier treden naar het podium heel langzaam, zoals een dominee de kansel beklimt, geconcentreerd en tot concentratie manend. Hij liep niet meteen naar het spreekgestoelte, maar bleef op de rand van het podium staan, keek de zaal in en schudde treurig zijn hoofd. 'Jullie moesten je schamen,' zei slager Gubser. 'Een man als onze schoolmeester gewoon uitlachen! Wat zijn dat voor manieren?'

Dat hadden ze niet van hem verwacht.

'Wat moet de wereld wel niet van ons denken als jullie je zo slecht gedragen?' zei Gubser en hij leek het serieus te menen. 'We zijn hier namelijk niet onder elkaar. We hebben bezoek van ver gekregen. Men wil ons op de vingers kijken, of we wel alles goed doen, wij simpele Zwitsers. Er is iemand uit Lemberg gekomen. Dat ligt ergens ver weg in het oosten waar de knoflook groeit. Löwy heet de man. Of Löwental of zoiets. Ik ben te dom om die buitenlandse namen te onthouden. Maar het doet denken aan een leeuw, dat is zeker. In elk geval heeft hij wilde manen.' Hij wees naar de ingang van de zaal en de mensen verdraaiden hun hals of gingen zelfs staan om te kijken wie hij bedoelde. Van die plotselinge aandacht schrok reb Zwi zo dat hij achter Salomon dekking zocht, wat om hen heen gelach veroorzaakte.

'Maak ons land dus niet te schande,' zei Gubser. 'Of willen jullie soms dat ze in Lemberg zeggen dat de mensen in Aargau zich niet weten te gedragen? Uitgerekend in Lemberg, een centrum van beschaving, in vergelijking waarmee Parijs of Londen maar een armzalig boerengat is.'

Nu lachte iedereen, duidelijk opgelucht dat Gubser het toch niet zo serieus had gemeend. Wie niet gewend is aan ironische opmerkingen, is extra blij als hij ze een keer doorheeft.

Gubser lachte mee, heel even maar, toen trok hij gauw weer zijn ernstige domineesgezicht. Hij ging achter het spreekgestoelte staan, haalde de bladen van een manuscript uit zijn binnenzak en legde ze in een keurig stapeltje op de lessenaar. Daarna schonk hij uit de gereedstaande karaf water in een glas en nam een grote slok.

'Beste vrienden,' begon hij voor te lezen, 'de reden van onze huidige bijeenkomst is een zeer ernstige. Over enkele weken zullen wij Zwitsers bij de stembus moeten beslissen over een voorstel dat het hart van ons staatsbestel raakt. Het gaat niet alleen om het pro en contra van een verdovingsplicht vóór het laten doodbloeden van dieren, nee, dat is slechts de uiterlijke aanleiding. Die zondag worden wij allen opgeroepen om een veel principiëler vraag te beantwoorden. Mogen er in ons land, mogen er in een staat waar de wetten voor iedereen zijn gemaakt, privileges bestaan voor één kleine groep?'

'Nee!' werd er in de zaal geroepen.

'Met alle respect voor tradities, ook al zijn ze niet de onze ...'

'Dit is nog altijd een christelijk land!' riep een stem.

'Met alle respect: kunnen gebruiken die – ik zal de laatste zijn om dat te ontkennen – duizenden jaren geleden beslist gerechtvaardigd geweest kunnen zijn, kunnen zulke gebruiken in onze moderne tijd belangrijker zijn dan het leed van het gekwelde schepsel?'

'Nee!'

'Laten we eens naar de feiten kijken!' zei Gubser en hij begon alle argumenten op te sommen waar Pinchas al rekening mee had gehouden. Zelf, zei Gubser met een heel zachtmoedige blik, zelf was hij een vriend van de joden, een vriend die het van harte, ja, van ganser harte toejuichte dat nu ook in Zwitserland de oude, kleingeestige barrières waren weggevallen en men de Israëlieten de gelijke rechten had gegeven die in een moderne staat vanzelfsprekend hoorden te zijn. Maar, zei hij, en na dat woord nam hij een lange, veelzeggende pauze in acht, maar dan moest men ook kunnen verlangen dat de joden van hun kant de pas verworven rechten erkenden en zich niet gedroegen als advocaten van kwade zaken die alleen de krenten uit de pap probeerden te pikken.

'Zo zíjn ze nu eenmaal!' De interpellant scheen steeds dezelfde te zijn.

De joden, dat was toch geen onbillijke eis, vervolgde Gubser, moesten met de nieuwe rechten ook de plichten accepteren die voor alle andere burgers van het land golden en niet, zoals in de slachtkwestie, willen vasthouden aan een achterhaalde uitzonderingspositie. Ja, zijn broederlijke gevoelens tegenover de joden gingen zo ver, zei hij met de hand op het hart, dat hij zich genoodzaakt, om niet te zeggen verplicht zag hier een waarschuwing uit te spreken. Het vasthouden aan middeleeuwse gebruiken kon nu eenmaal in onontwikkelde kringen het geloof in onbewezen gruwelsprookjes versterken, zoals het vrij recente proces over de rituele moord van Tisza-Eszlar weer eens had bewezen. Hijzelf, en hij had lang over het probleem nagedacht, kon alleen maar zeggen: 'Uitsluitend in de verstikkende lucht van verouderde gebruiken kan zulk bijgeloof gedijen!'

Daarna ging Gubser in op de verschillende slachtmethoden. Als voormalig slager durfde hij zich op dat punt in alle bescheidenheid, jawel, in alle bescheidenheid een vakkundig oordeel aan te meten. Zelf had hij het sjechten talloze malen van zeer nabij kunnen gadeslaan. De joodse sjechter Naftali Pomeranz, trouwens de vader van zijn huidige opponent, was dan wel geen intieme vriend maar toch een gewaardeerde collega van hem geweest, en hij moest toegeven dat het bloederige proces hem telkens diep had geschokt. Terwijl hij toch, wie hem kende wist dat, geen bedaagd juffertje was dat maar met een papiermes in haar vinger hoefde te snijden om al flauw te vallen.

De toehoorders, die het graag een beetje platter hadden gehad, beantwoordden het grapje met dankbaar gelach.

Alleen al het tegen de grond gooien van de dieren, zei Gubser, deed hun onnodig pijn, waarbij hoorn- en ribbreuken en kneuzingen van de weke delen geen zeldzaamheid waren. Het eigenlijke slachtproces wilde hij met het oog op de gevoeligheden van zijn toehoorders hier niet in detail beschrijven, maar slechts aanhalen wat de koninklijke hofdierenarts dr. Sondermann uit München daarover had gezegd. Ieder mens, had hij in een artikel gezegd, die in staat was deze daad van menselijke zinloosheid zonder inwendige ergernis te verdragen, was te bewonderen.

Maar om een onverdachte getuige te vinden hoefde je helemaal niet naar München, vervolgde Gubser, tenslotte waren er ook in Zwitserland voldoende vaklieden die zich verheugden in een internationale reputatie.

Hopelijk komt hij nu met Siegmund, dacht Pinchas, want hij was ervan overtuigd die volstrekt niet onpartijdige kroongetuige van de tegenstanders van het sjechten makkelijk in diskrediet te kunnen brengen. Siegmund was de uitvinder van een schietmasker dat hij in heel Europa probeerde te verkopen en daarom had hij er persoonlijk financieel belang bij alle concurrerende slachtmethoden zwart te maken.

'De slachthuisbeheerder en dierenarts Siegmund uit Basel,' zei Gubser, 'heeft vastgesteld dat het sterven van het dier bij het sjechten anderhalf tot drie minuten duurt. Anderhalf tot drie minuten! En langzaam doden als het ook vlug kan, mijne heren, is in mijn ogen niets anders dan dierenmishandeling.'

De eerste rij applaudisseerde en de andere toehoorders volgden.

Gubser somde nog een hele lijst van autoriteiten op die het sjechten allemaal onnodig wreed en niet meer van deze tijd noemden. Bij de eentonige reeks van namen, titels en steeds eendere argumenten begon bij sommige gasten het hoofd al op de borst te zakken, tot Gubser van koers veranderde.

'Wie mij kent,' zei hij met de hand op het hart, 'weet dat ik een eenvoudig mens ben, een man van het volk, en dat ik geen blad voor de mond neem. Als het alleen aan mij lag zou ik vanaf deze plaats zeggen: "Afgelopen, uit, jullie weten wat je in augustus moet stemmen."' Hij hief zijn hand op om het beginnende applaus af te weren. 'Maar we zijn hier niet op een vergadering van de vereniging van dierenbeschermers, al zou je dat met zoveel dierbare en vertrouwde gezichten haast denken, we zijn op de oprichtingsvergadering van de Endingense afdeling van 't Nut. Dat betekent dat hier niet slechts één iemand het voor het zeggen heeft, maar dat ook de andere partij aan het woord komt. Hoe zeg je dat ook weer in het Latijn?'

'Audiatur et altera pars,' piepte de schoolmeester.

'Zien jullie hoeveel verstandiger dat meteen klinkt als je het niet verstaat?'

De toehoorders lachten dankbaar.

'Daarom maak ik nu het spreekgestoelte vrij voor een man die, als het om het sjechten gaat, waarschijnlijk heel andere opvattingen heeft dan ik.'

Ergens in de zaal klonk schril gefluit.

Gubser schudde misprijzend zijn hoofd. 'Dat gaat te ver, mijne heren,' zei hij. 'Wat moet onze spion uit Lemberg wel niet van ons denken?'

Weer draaiden alle hoofden zich om naar reb Zwi.

'Ik geef nu het woord ...'

Pinchas trok zijn das recht.

'Met veel genoegen geef ik nu het woord ...'

Pinchas nam snel een besluit. Hij nam het keppeltje van zijn hoofd en stopte het in zijn zak.

'... geef ik het woord aan een man die een grondige studie heeft gemaakt van alles wat met sjechten te maken heeft.'

Pinchas stond op.

'Haast u langzaam, meneer Pomeranz,' zei Gubser. 'U bent nog niet aan de beurt.' Zijn glimlach was van een giftige vriendelijkheid. 'Wij hebben de eer hier een echte rabbijn te begroeten die ons alles zal vertellen wat we nog niet weten.'

Even dacht Pinchas verbouwereerd dat Gubser, niet wetend dat een reb nog lang geen rabbijn is, plotseling besloten had de sjnorrer Zwi Löwinger te vragen naar het spreekgestoelte te komen.

Maar het was nog veel erger.

Met de verende tred van een koorddanser en zijn horlogeketting vrolijk op zijn buik dansend, kwam uit een zijpad een man het podium op gehuppeld die Pinchas hier nooit had verwacht.

Dr. Jakob Stern.

33

De nederlaag was erger dan alles wat Pinchas zich in zijn meest pessimistische bui had kunnen voorstellen.

Dr. Stern, die ook nog de gotspe had hem vanaf het podium hartelijk te begroeten, alsof ze oude vrienden en strijdmakkers waren, wist precies hoe je een vergadering moet bespelen. Hij stelde zich voor als een joodse Talmoedgeleerde, een moderne Talmoedgeleerde welteverstaan, één die de verplichtingen van de moderne wereld, zoals de geachte heer Gubser die zo treffend had beschreven, volledig accepteerde; ze leefden tenslotte niet meer in de achttiende eeuw, maar in de negentiende, en daarin was voor schijnheiligheid en verkeerd begrepen kwezelarij geen plaats meer. (Interruptie vanuit de eerste rij: 'Precies!')

Natuurlijk waren er, dat moest hij met een bezwaard gemoed erkennen, nog altijd een heleboel collega's die in wat zij hun geloof noemden – maar geloof was nu eenmaal iets anders dan kennis – zo halsstarrig en vastgeroest waren dat ze het woord 'vooruitgang' nog niet eens konden spellen. Maar zulke mensen hadden, als hij dat hier zo onverbloemd mocht zeggen, in moderne, vrijzinnige landen als Zwitserland niets meer te zoeken en konden zich maar beter zo vlug mogelijk terugtrekken in de duistere regionen waar men hun middeleeuwse wereldbeeld nog geloofde. In Lemberg bijvoorbeeld.

De hoofden draaiden naar achteren.

Reb Zwi, die alleen Jiddisj sprak, had de woorden van de spreker niet helemaal kunnen volgen. Maar de naam van zijn woonplaats had hij verstaan en nu ze allemaal naar hem keken, dacht hij dat hij begroet werd en groette hij zwaaiend terug.

De zaal gromde als een kettinghond.

Zelf kwam hij ook niet bepaald uit een metropool, vervolgde dr. Stern, maar uit het plaatsje Buttenhausen in Zwaben, dat beslist vergeleken kon worden met Endingen. Maar het was zijn ervaring, zei hij, en als een goochelaar die dadelijk een konijn uit zijn hoge hoed zal toveren boog hij voor zijn toehoorders, het was zijn verheugende ervaring dat juist in zulke kleine plaatsjes het gezond verstand nog aanwezig was, juist bij de zogenaamd eenvoudige mensen die nog van aanpakken wisten en hun bezit met eigen handen hadden verworven.

Jawel, vond de zaal, zo was het en als de hoge heren eens wat vaker naar hen luisterden, zouden heel wat dingen beter zijn.

In de grote steden geloofden ze graag, zei dr. Stern, dat ze de navel van de wereld waren, terwijl ze vaak een heel ander lichaamsdeel waren, dat je alleen goed kon zien als je hen van achteren bekeek.

Hij had die grap vast al vaker gemaakt en wist dat hij de mensen in de zaal de tijd moest geven. Maar toen schaterden ze van het lachen en sloegen ze met de vlakke hand op de tafels.

Dr. Stern maakte een zelfingenomen huppelpasje. Zijn horlogeketting huppelde mee.

Hij wist dus, vervolgde hij, dat hij hier mensen van eigen bodem voor zich had, die hun verstand op den duur niet door grote woorden en ingewikkelde theorieën lieten benevelen.

Om de dooie dood niet, vond de zaal en men wenkte de obers met de alweer leeggedronken bierpullen.

Maar juist dat benevelen werd vanuit een bepaalde hoek gedaan en het was hard nodig dat hier eens een frisse wind waaide. Het hele debat sloeg namelijk nergens op. Helemaal nergens op. Om dat te bewijzen nodigde hij iedereen uit voor een uitstapje naar de wereld van de Talmoed, een obscure en vreemde wereld, dat zei hij er meteen bij, waarin al menigeen was verdwaald. De heer uit Lemberg in zijn ouderwetse kledij – de hoofden werden omgedraaid – was een goed voorbeeld van het soort mensen dat in die wereld gedijde. Maar hij beloofde zijn toehoorders, zei dr. Stern, dat hij hen bij de hand zou nemen en weer veilig uit dat labyrint van pseudologische valstrikken zou voeren. Of ze de moed hadden hem op die expeditie te volgen?

De mensen in de zaal begrepen dan wel niet precies wat hij van hen wilde, maar moed hadden ze en de hele spreker beviel hun. Ze kenden hem pas een paar minuten, maar ze zouden hem overal gevolgd zijn.

In al die dikke delen van de Talmoed, zei dr. Stern, ging het er alleen om met steeds weer nieuwe logische foefjes en verdraaiingen uit de tekst van het Oude Testament wetten en verboden af te leiden die er helemaal niet in stonden. Zo'n Talmoedrabbijn moest je je voorstellen als een louche advocaat die niets liever deed dan over de heldere en duidelijke tekst van een contract net zo lang praten tot hij precies het tegenovergestelde leek te betekenen van wat er eigenlijk in afgesproken was. Wie van dit soort juridische acrobatiek ook weleens schade had ondervonden, wilde die nu zo vriendelijk zijn om zijn hand op te steken?

Dat hadden ze allemaal weleens ondervonden.

Dan zouden ze moeiteloos begrijpen wat hij wilde uitleggen. In de Mozaïsche wet, waar de rabbijnen zich altijd op beriepen als de hoogste instantie, stond namelijk – en dat zou hen verbazen – met geen woord dat je voor consumptie bestemde dieren met een lang mes de keel moest doorsnijden. Met geen woord!

De zaal stond versteld.

Alleen in Deuteronomium, hoofdstuk 12, vers 21, kwam dat onderwerp ter sprake. Ze waren natuurlijk allemaal zo Bijbelvast dat ze die passage uit hun hoofd kenden (gelach), maar voor de weinigen die het misschien even vergeten waren, wilde hij het vers met genoegen herhalen. 'Gij zult van de runderen en van het kleinvee, die de Here u gegeven heeft, slachten zoals ik u geboden heb, en in al uw woonplaatsen daarvan eten zoveel gij wilt.' Zodra dr. Stern Bijbelverzen citeerde trok hij, ondanks al zijn ongeloof, weer het vrome gezicht dat hem in zijn tijd als kanselredenaar ongetwijfeld goede diensten had bewezen.

'Gij zult slachten zoals ik u geboden heb,' stond er, meer niet. Geen woord over lange messen en doorgesneden kelen. Alleen: 'Zoals ik u geboden heb.' Maar hóé God het geboden had, dat was nergens in de Bijbel vastgelegd, al las je het Oude Testament van de eerste tot en met de laatste letter en het Nieuwe erbij. En omdat het nergens stond, hadden de uitleggers en verklaarders zich beroepen op een mondelinge overlevering, die niemand kon bewijzen of weerleggen. Dat was, om het heel simpel te zeggen, ongeveer net als wanneer je in een contract met je buurman zou schrijven: 'We doen het zoals we het altijd hebben gedaan.' Dan kwam er op een gegeven moment vast ook zo'n advocaat en rechtsverkrachter die de onmogelijkste dingen in die zin zou smokkelen, tot je je buurman vroeg of laat niet alleen het recht van overpad had gegeven, maar hem ook huis en haard had vermaakt.

'Gij zult slachten zoals ik u geboden heb.' In de preek tijdens de eredienst, die in de joodse traditie eerder uitzondering dan regel is, citeert de spreker een Bijbelvers steeds opnieuw om er telkens een andere uitleg of een nog diepere levenswijsheid aan te verbinden. Dr. Stern deed hetzelfde en in feite was het ook een soort preek die hij hield.

'Slachten zoals ik u geboden heb.' Weliswaar was er nog op een andere plek in het Oude Testament sprake van slachten en daar werd zelfs uitdrukkelijk vermeld dat je het bloed van de dieren moest vergieten. 'Het bloed van uw slachtoffers zal op het altaar van den Here, uw God, uitgegoten worden.' Maar in die verzen ging het altijd over offerdieren, niet over het gewone slachten, wat iets heel anders was. De Bijbel maakte daar ook een taalkundig verschil en ze moesten hem maar niet kwalijk nemen dat hij nu een uitstapje maakte naar de filologie. 'U weet hoe dat gaat met ons intellectuelen: wij willen altijd bewijzen dat we op de universiteit echt iets geleerd hebben.' (Gelach.)

Alleen, echt alleen waar sprake was van het slachten van offerdieren gebruikte de Bijbel het werkwoord 'sjachat', dat het opensnijden van de hals betekende en waarvan de wortel ook in het woord 'sjechten' zat. Maar als het ging om het gewone doden van dieren, zoals in het geciteerde vers, dan was het werkwoord 'zavach', en dat twee heel verschillende woorden ook twee heel verschillende dingen betekenden, dat zag iedereen wel in die geen kronkel in zijn hersens had van het al te lang bestuderen van de Talmoed. Waar 'sjachat' stond, moest het dier de keel doorgesneden worden. Het woord 'zavach' impliceerde ook elke andere manier van doden.

De rabbijnen was die tegenstrijdigheid natuurlijk ook opgevallen en als religieuze advocaten van kwade zaken hadden ze geprobeerd haar met omgekeerde redeneringen uit de wereld te helpen. De Ramban bijvoorbeeld, een van de belangrijkste commentatoren van de Talmoed, had het op zich genomen het volkomen duidelijke woord uit de Bijbel zo uit te leggen: 'Gij zult doden', namelijk op gewone dagen, had God bedoeld, 'zoals ik u geboden heb', namelijk bij de slachtoffers. Dus, beweerde de Ramban, die het beter meende te weten dan de goede God, had God eigenlijk willen zeggen: 'Neem uw mes en hak erop los!'

De zaal riep 'Boe!' en was er trots op een middeleeuwse geleerde op sjoemelen betrapt te hebben.

'Dat argument is er natuurlijk met de haren bij gesleept,' zei dr. Stern, die van vreugde over zijn eigen virtuositeit niet meer stil kon staan, 'maar haren hebben die heren genoeg. Net als onze vriend uit Lemberg, die daar achterin zo ijverig notities maakt.' (Gelach en omdraaien van alle hoofden.)

Reb Zwi had helemaal niets genoteerd, hij had alleen geprobeerd de toespraak min of meer te volgen. Maar in de hoofden van de deelnemers aan de vergadering was hij nu een spion, iemand die gekomen was om hen op de vingers te kijken. En ze zagen niet in waarom ze die inmenging moesten pikken.

'Ik vat samen,' zei dr. Stern.

Misschien moesten ze die indringer gewoon de deur uit zetten. Waarvoor hadden ze zaalwachters?

'Ik vat samen!' Er was geen bel waarmee hij de vergadering tot de orde had kunnen roepen, maar dr. Stern hamerde net zo lang op het spreekgestoelte tot ze weer naar hem luisterden. 'Volgens de Mozaïsche wet, en ik zeg dat als geletterd joods theoloog, kan van een religieuze plicht tot het zogenaamde sjechten geen sprake zijn. Alle desbetreffende voorschriften zijn een verzinsel van de middeleeuwse Talmoedjoden en kunnen niet ontleend worden aan het Bijbelwoord zelf. Er is dan ook geen enkele reden om uit verkeerd begrepen religieuze tolerantie met allerlei uitzonderingswetten in te stemmen. Ik dank u voor uw aandacht.'

De zaal juichte en bij het verlaten van het podium dankte hij voor de ovatie met een reeks kleine wisselpasjes en buigingen die een circusartiest niet misstaan zouden hebben. Het liefst was hij waarschijnlijk nog een keer uit de coulissen gekomen om zijn hele toespraak da capo te houden.

Maar nu kreeg Pinchas het woord.

Het werd een ramp.

Ze luisterden niet eens naar hem. Waarom zouden ze ook? De winkeliers en ambachtslieden en boeren in de zaal waren in één klap specialist geworden in godsdienstgeschiedenis en Oudhebreeuwse taalkunde en lieten hun verstand niet meer benevelen. Als Pinchas wilde beginnen over de morele verplichting van een duizenden jaren oude traditie, brulden ze 'Zavach!' en 'Sjachat!' om hem te overstemmen. Als hij alleen maar zei: 'Uit eigen ervaring ...' riep iemand al: 'Ervaring als dierenbeul!' en het geloei begon opnieuw. Slager Gubser had hun laten zien dat het sjechten niets anders was dan een bloederige slachtpartij en van die dr. Stern wisten ze nu ook nog dat de joden daarvoor zelfs de heilige Bijbel hadden vervalst. Waarom zouden ze dus naar hem luisteren?

Gubsers vergelijking van de slachtmethoden was eenzijdig en onzakelijk geweest. Maar hoe hem weerleggen? Met de gebreken van Siegmunds schietmasker? Voor dat soort bewijsvoering was hier geen gehoor meer te vinden. Je kunt een storm niet met je blote handen keren. En dr. Sterns verdraaiing van de Talmoed? Hoe had Pinchas daartegen moeten argumenteren? Met Rasji en Onkelos en andere wijzen? Ze zouden hem als middeleeuwse rechtsverdraaier hebben uitgelachen. Nee, de zaal had zijn oordeel geveld en gaf daar in dronken spreekkoren uiting aan.

Toen begonnen ze ook nog te zingen, eerst alleen om hem te overstemmen en daarna omdat ze er plezier in hadden. 'Heil, Helvetia', zongen ze en ze waren allen 'zonen zoals Sint-Jakob hen zag, bereid tot de strijd'. Hun monden gingen als vanzelf open en dicht en hoorden helemaal niet meer bij hen, ze trommelden met de bierpullen de maat op de tafels en waren waarschijnlijk het liefst weggemarcheerd, om het even waarheen.

In de eerste rij was de schoolmeester opgestaan. Met geruststellende gebaren probeerde hij voor orde te zorgen. Maar het lied was sterker dan hij en zijn zwaaien veranderde heel langzaam in dirigeren. Hij nam de maat over en gaf hem aan en voor het eerst op deze oprichtingsavond van zijn afdeling van 't Nut hoorde hij er helemaal bij. Slager Gubser en zijn dierenbeschermers zaten met de armen over elkaar en deden of ze met de hele zaak niets te maken hadden.

De mensen zongen nu alleen nog voor zichzelf en waren Pinchas allang vergeten. Hij deed voorzichtig een stap opzij en nog een, de opening in de coulissen was vlakbij. Even later had hij die bereikt en was hij achter het podium verdwenen. Naast het touw van het toneeldoek stond een tafeltje met een half leeggedronken bierpul. Hier had dr. Stern voor en na zijn optreden waarschijnlijk een hartversterking genomen. Er stond een deurtje open, dat direct naar de straat leidde.

In de zaal zongen ze nog steeds. 'Staan wij een rots gelijk', zongen ze en zo stonden ze er ook bij, kaarsrecht en mannelijk en met gezwollen borst. Ze waren 'nooit voor gevaren bleek, blij nog in de doodssteek', en ze waren gelukkig omdat ze iets hadden gevonden om te verdedigen, al was het maar een vereniging voor dierenbescherming.

Sommigen kenden alle coupletten, anderen begonnen weer met het eerste, tot de stemmen door elkaar raakten en ten slotte verstomden. Maar nu hadden ze ook wel genoeg gezongen en wilden ze eindelijk iets doen. Op het podium was niemand meer en dat verbaasde hen niet. Dat joden laf zijn en weglopen als je ze van repliek dient, dat hadden ze altijd al geweten. Maar achter in de zaal was toch die vreemdeling nog, die spion, hem zouden ze zijn vet geven. Niemand hoefde hun te vertellen wat ze met hem moesten doen, dat wisten ze zelf wel. Als zo iemand dacht dat hij gewoon uit Lemberg kon komen om zich hier met hun vrijheid van meningsuiting te bemoeien, dan had hij de gevolgen aan zichzelf te wijten.

De zaalwachters wachtten op een aanwijzing van slager Gubser, maar iedereen in de zaal was op de been, de mensen stonden zelfs op de banken, dus moesten ze op eigen gezag handelen. Arm in arm versperden ze de mensen de weg, zonder hen trouwens lang tegen te kunnen houden. Maar voor reb Zwi Löwinger was het lang genoeg om zich in veiligheid te brengen, de deur van de zaal achter zich dicht te slaan en dwars door de gelagkamer de straat op te rennen.

De menigte kwam daarna vanzelf tot stilstand omdat er vlak voor de zaaldeur iemand op de grond lag te stuiptrekken. Dat was niet de vreemdeling uit Lemberg, maar veehandelaar Meijer, die ze bijna allemaal kenden, ook een jood, maar een fatsoenlijke vent, en de vrouw die naast hem neerknielde kenden ze ook, ze heette Chanele en was hier in Endingen opgegroeid.

Niemand had Salomon Meijer iets gedaan, zeker niet met de vuist of een bierpul. Hij was helemaal vanzelf omgevallen, zonder dat iemand hem zelfs maar had aangeraakt. Dr. Reichlin, die ook lid was van de vereniging voor dierenbescherming, zei dat het waarschijnlijk een beroerte was geweest. Iemand die daartoe voorbestemd was, kon die te allen tijde krijgen; met de opwinding van het moment hoefde dat niets te maken te hebben. Hij kon geen goede prognose geven, hoezeer het hem ook speet, hij kende gevallen waarbij het nog maanden had geduurd, maar zo'n patiënt weer tot leven wekken, dat ging de geneeskunde te boven.

Ze droegen hem aan de achterkant naar buiten, sleepten het nog altijd zware lichaam langs de Zwitserse vlag over het podium. De andere weg was niet zo gunstig geweest, want in de gelagkamer was een luidruchtig nafeest aan de gang en waren de mensen ook alweer aan het zingen.

'Ras overvalt de dood de mens,' zei de schoolmeester en ook slager Gubser betuigde zijn spijt. Het was echt een ongelukkige samenloop van omstandigheden, vond hij, dat het uitgerekend hier had moeten gebeuren.

Chanele was vooruitgerend om de koetsier te zoeken.

Ze legden de oude veehandelaar op een bed van rollen stof die al in de wagen lagen om de volgende dag bezorgd te worden. Salomon ademde nog steeds, heel regelmatig zelfs, maar zijn ogen waren verdraaid en zijn tong hing uit zijn mond.

Toen ze weg wilden rijden, kwam een van de zaalwachters van café Guggenheim naar buiten rennen, met de zwartblauwe band nog om zijn arm. Hij bracht Salomon Meijers paraplu.

Ze reden naar Baden, waar Janki zijn schoonvader al een hele tijd geleden een kamer in de grote woning had aangeboden.

De laatste woorden van Salomon Meijer, beheimesoucher en gematriakunstenaar, waren geweest: 'Waarom zou "sjachat" zo'n veel hogere getalswaarde hebben dan "zavach"?' Toen was hij getroffen door een beroerte.

In de trein terug naar Zürich deelde Pinchas de coupé met twee mannen die de hele reis over hun culinaire voorkeuren praatten. Ze zagen niet dat hij een jood was en probeerden hem in een gesprek te betrekken over wat er beter smaakte: hoofdkaas of kalfskop. Hij zei bijna niets terug, waarop ze gepikeerd reageerden. Meneer vond zich zeker te goed om met hen te praten.

Terwijl hij door de Löwenstraße liep, hield Pinchas zijn pas telkens in en toch leek de weg naar de Sankt-Anna-Gasse hem korter dan ooit. Soms bleef hij zelfs gewoon staan, uit pure lafheid, al verschool hij zich achter het argument dat hij nog de juiste formulering moest zien te vinden. Hoewel hij heel goed wist dat er geen pijnloze woorden zijn om een vrouw mee te delen dat haar vader op sterven ligt.

Hij was bij het huis aangekomen voor hij een formulering had gevonden en zocht in zijn zak omstandig naar zijn sleutel, al kon de deur om deze tijd nog helemaal niet op slot zijn.

In het trappenhuis kraakten de treden bij elke stap veel te hard.

Toen hij de woning binnenging, stond Mimi al in de gang op hem te wachten. Zoals altijd als ze opgewonden was, zat haar gezicht vol rode vlekken. Ze wilde iets zeggen, maar kon geen woord uitbrengen en begon te snikken.

Chanele moest haar een telegram gestuurd hebben.

Pinchas nam zijn vrouw in zijn armen. Hoewel dit echt niet het moment was om aan zoiets te denken, viel hem op hoe lekker ze rook. Onder alle parfums en eaux de cologne die ze zo graag gebruikte, was ze altijd het jonge meisje gebleven op wie hij destijds verliefd was geworden.

Pomeransen.

Gaandeweg werd haar gesnik minder, het trok langzaam weg zoals 's zomers het onweer wegtrekt, met een laatste windvlaag en dan nog een allerlaatste. Ze snotterde als een kind en zonder zich uit zijn armen los te maken opende ze haar behuilde ogen en keek naar hem op.

Haar gezicht was heel zacht.

'Het is een wonder,' zei Mimi.

Pinchas streelde hulpeloos haar rug. Hij nam op dit moment alles zo duidelijk waar dat hij de stof van haar jurk kon horen ritselen.

'*Un vrai miracle*,' zei Mimi.

Haar sjeitel was een beetje verschoven en zat scheef op haar hoofd, alsof ze hem als een speelse vermomming had opgezet.

'In die toestand heb je geen pijn,' zei Pinchas troostend. 'Dat weet ik heel zeker.'

Mimi pakte met twee vingers de punt van zijn neus en bewoog langzaam zijn hoofd heen en weer. Vroeger was dat een spelletje van hen geweest.

'Ach, jullie mannen!' zei Mimi. 'Wat weten jullie nu van dat soort dingen?'

'De dokter heeft gezegd ...'

'Heb je dr. Wertheim al gesproken?' Haar betraande gezicht was teleurgesteld.

'Dr. Reichlin. Ik weet niet of je hem kent. Hij was ook op die vergadering en ...'

'Over die stomme vergadering wil ik nu niets horen,' zei Mimi. 'Certainement pas. Dr. Wertheim zegt dat er geen twijfel mogelijk is, Pinchas, ik ben zwanger.'

34

Salomon Meijer stierf op 20 augustus 1893, de dag dat er werd gestemd. Zijn toestand was in al die weken onveranderd gebleven. Ze hadden hem naar het kleine kamertje gebracht dat naaikamer werd genoemd, hoewel er nooit iemand naaide, – wie een winkel met een eigen kleermakerij bezit, heeft zoiets niet nodig – en daar lag hij al die dagen op zijn rug, ademde schijnbaar moeiteloos, was er en was er toch ook weer niet.

In het begin spraken ze nog met hem, ze praatten tegen hem en hielden zich zo aan de stilzwijgende afspraak dat daar nog altijd oom Salomon lag en niet gewoon een homp oud vlees. Gaandeweg, bijna onmerkbaar, werd de taal die ze tegenover de zieke bezigden steeds kinderlijker, alsof de oude man elke dag van zijn doodsstrijd jonger werd en terugveranderde in een baby, alsof hij aan het eind van zijn reis niet zou sterven, maar weer in de warme moederschoot zou kruipen.

De verandering was echter niet volledig, want tegelijk werd Salomons gezicht steeds ouder. Zijn baard groeide, alsof hij extra kracht putte uit de roerloosheid van de rest van het lichaam. De verslapte huid bleek lastig te scheren en zo groeiden stoppels uit tot haren en haren tot bosjes. De altijd zorgvuldig verzorgde bakkebaarden verloren hun contouren, als eilandjes in aangespoeld wier. De rode adertjes die zijn wangen, zolang Arthur zich kon herinneren, altijd zo'n vrolijk aanzien hadden gegeven, misvormden zijn gezicht als eczeem.

Zelf merkten ze niet eens dat ze Salomon steeds meer als een klein kind behandelden. Als ze zijn kwijl hadden afgeveegd, vonden ze het heel vanzelfsprekend om zijn wangen te aaien en te zeggen: 'Jajajaja, dat vind je fijn, hè, dat vind je fijn.' Later praatten ze helemaal niet meer tegen hem, ze deden zwijgend en haastig wat er gedaan moest worden en liepen zonder om te kijken de kamer uit.

Hoewel ziekenverzorging echt niet tot de taken van een keukenmeid behoorde, bleek de dikke Christine bijzonder flink. Zelfs de onaangenaamste dingen deed ze even vanzelfsprekend als wanneer ze de schubben van een karper schrobde of de ingewanden uit de buikholte van een pas gesjechte kip haalde. 'Wie elke dag kookt is nergens meer vies van,' zei ze op een keer tegen Arthur, en hoe langer hij over die zin nadacht, hoe minder het eten hem smaakte.

Ten slotte was hij de enige die uren aan Salomons bed zat. Janki keek elke dag één keer in de kamer, als hij terugkwam uit het stoffenhuis. Met zijn jas aan en zijn hoed op bleef hij in de deur staan en kwam niet echt binnen. 'Is alles in orde, Salomon?' vroeg hij dan, of: 'Heb je alles wat je nodig hebt?' Als er geen antwoord kwam, wat ook helemaal niet kon, kuchte Janki één of twee keer, draaide zich op zijn hakken om en vertrok. De deur deed hij nooit achter zich dicht, het was alsof hij bang was voor de onherroepelijkheid van een dichtgeklikt slot.

Chanele kwam vaker, maar altijd als Arthur er niet was en ze met Salomon alleen kon zijn. Eén keer was Arthur zonder te kloppen naar binnen gegaan – wat had kloppen ook voor zin gehad als Salomon toch niet 'Binnen!' kon roepen – en Chanele had met Salomons hand in de hare zitten huilen. Zonder dat ze hem had gezien was Arthur weer naar buiten geslopen; je eigen moeder zien huilen vond hij onbehoorlijk en ongeoorloofd.

Alleen Hinda behandelde oom Salomon ook na weken nog net als vroeger. Bij elk bezoek babbelde ze heel onbevangen over de kleine dingen van alledag, zoals je doet met een dierbare vriend die je zo vaak ziet dat alles van belang altijd al gezegd is. Als oom Salomon nog iets had kunnen horen, had hij meer van haar geweten dan ieder ander, ook dingen die Hinda verder aan niemand toevertrouwde, bijvoorbeeld dat ze Zalman Kamionker had gekust en dat dat iets heel anders was dan wanneer je na het bensjen op vrijdagavond je vader of moeder kust. Hij had zijn tong in haar mond gestoken, een idee waar alleen die mesjoegener op kon komen, maar het was niet eens onaangenaam geweest, 'als een zacht beestje', vertrouwde Hinda oom Salomon toe, en dat ze bij die woorden bloosde, kon hij toch niet zien. Kamionker had intussen in Zürich werk gevonden; hij kon met een naaimachine omgaan en dat was niet vanzelfsprekend. 'Hij kan echt alles,' zei Hinda.

François kwam nooit. Naar iemand omkijken die dat niet eens kan waarnemen en er dankbaar voor kan zijn, dat vond hij zinloos.

Twee keer kwamen Pinchas en Mimi uit Zürich over. Er was iets ongewoons met hen aan de hand, dat viel Arthur meteen op. Pinchas liep sinds kort altijd heel dicht naast zijn vrouw, alsof hij haar moest beschermen, en Mimi was bijzonder lief tegen Arthur, ze streelde zijn hoofd en woelde door zijn haar. Ze bracht zelfs cadeautjes voor hem mee, één keer een rood-witte zuurstok en één keer een caleidoscoop met kleine gekleurde glasscherven, die zich tot steeds nieuwe patronen samenvoegden. Ze noemde hem 'neef Arthur' en moest dan van het lachen een zakdoek voor haar mond houden, zo grappig vond ze het. Toen ze haar vader daar met verdraaide ogen en zijn tong uit zijn mond zag liggen, plengde ze hete tranen en zei: 'Mon Dieu, ah, mon Dieu.' Maar ze huilde niet lang. Daarna vond ze het nodig om zich met Chanele in Chaneles kamer op te sluiten en heel lang met haar te praten.

Meestal was Arthur met oom Salomon alleen. Met een boek waarin hij nooit las zat hij urenlang op een stoel naast het bed. Dat oom Salomon zou sterven, had hij begrepen en hij was er niet eens bang voor. Hij was eerder bang dat hij het moment zou missen, het exacte moment dat iemand leeft en daarna niet meer, want Arthur had besloten dokter te worden, niet zomaar een dokter, maar een die ontdekkingen doet en naar wie de mensen van heinde en verre komen. Als hij erin slaagde het moment van de dood te observeren, dacht hij, het heel precies te observeren, dan moest het ook mogelijk zijn om er een middel tegen te vinden. Thomas Edison had vierhonderddrieënnegentig uitvindingen gedaan, intussen waren het er vast al een paar meer, en telkens was hij begonnen met een heel eenvoudige observatie.

Na school rende Arthur altijd zo vlug hij kon naar huis en ging eerst naar de naaikamer. Als hij dan de regelmatige ademhaling hoorde, was hij gerustgesteld en opgelucht.

Eén ontdekking had hij al gedaan, een heel belangrijke zelfs. Dr. Bolliger, die in het begin dagelijks en later nog maar twee keer per week kwam, had zelfs tegen Chanele gezegd: 'Daarmee heeft hij het leven van uw vader verlengd.' Oom Salomon was helemaal niet Chaneles vader, maar het zou te ingewikkeld geweest zijn dat de dokter uit te leggen.

Met Arthurs ontdekking zat het zo: aanvankelijk was het onmogelijk geweest om oom Salomon te voeren. Hij merkte het niet als je een lepel in zijn mond stak en de soep of de melk liep er gewoon weer uit. En als het er niet uit liep stokte zijn adem en moest je zijn zware lichaam overeind zetten en hem op de rug kloppen. 'U bent een vrouw bij wie je niet om de zaak heen hoeft te draaien,' had dr. Bolliger tegen Chanele gezegd en Arthur was stil in een hoekje gekropen om niet de kamer uit gestuurd te worden. 'Uw vader zal niet aan de beroerte sterven, maar aan een tekort. En ook niet van de honger, maar van de dorst. Een mens kan heel lang zonder voedsel, in India schijnen fakirs te zijn die veertig dagen geen hap eten, maar met de dorst ligt het heel anders. Als uw vader geen vloeistof tot zich kan nemen ...' Hij had veelzeggend zijn hoofd heen en weer bewogen en Chanele had gezegd: 'Misschien is het maar beter zo.'

En toen deed Arthur zijn ontdekking. Hij had net als Edison geëxperimenteerd, hij had alle mogelijke methoden uitgeprobeerd en was tot de volgende conclusie gekomen: als je met de volle lepel zachtjes op de tong drukte, op een bepaalde plek, helemaal achterin, dan slikte oom

Salomon, of liever gezegd: zijn keel slikte. Het lukte niet elke keer, maar Arthur werd er steeds handiger in en zo kwam oom Salomon niet om van de dorst, en dr. Bolliger zei: 'U hebt een buitengewoon kind, mevrouw Meijer.'

Je kon niet zeggen dat Arthur de verzorging alleen voor zijn rekening nam; zonder de dikke Christine, die oom Salomon overeind kon zetten en kon keren alsof hij niet meer woog dan een net vol uien, had hij het vast niet gered. Maar Arthur was wel degene die de lepels vloeistof in de hulpeloos gapende mond schepte, meestal de lauwwarme vleesbouillon, waarvan het recept nog van tante Golde stamde en die getrokken was van een pond ribstuk. Arthur stelde voor het ook eens te proberen met het bijzondere drankje dat in zijn familie techias-hameisem-thee werd genoemd, maar dr. Bolliger legde uit dat de kruidnagels en de jenever de keel van de bewusteloze te zeer zouden prikkelen. 'De slikreflex is er nog, maar we kunnen beter niet uitproberen of ook de hoestreflex nog werkt.' Arthur was trots dat de dokter zo collegiaal met hem praatte, van vakman tot vakman zeg maar. Anders had altijd alleen oom Salomon hem zo serieus genomen.

Chanele prees hem omdat hij zo liefdevol voor Salomon zorgde, maar in werkelijkheid genoot Arthur van de lange uren aan het bed van de stervende. Gewoon naar de gelijkmatige ademhaling zitten luisteren gaf hem het gevoel nuttig te zijn, een gevoel dat hij anders nooit had. Arthur, het nakomertje, vond zichzelf namelijk overbodig, iemand die pas op de wereld was gekomen toen alles al klaar en verdeeld was. Nu had hij eindelijk een functie, een taak, die hij niemand had hoeven afpakken, die men hem graag en zelfs met dankbaarheid toevertrouwde. Hij schoof de stoel altijd heel dicht bij Salomon en bleef dan stil zitten, vaak tot ver na bedtijd. En omdat zijn bar mitswe naderde, zong hij voor oom Salomon steeds weer de hele sidre, inclusief alle zegenspreuken en de haftore; hij zei de droosje op, over de mitswes die aan bepaalde tijden gebonden zijn en waarvan de vrouwen daarom zijn vrijgesteld, en hij herhaalde alles zo vaak dat cantor Würzburger hem verbaasd met zijn knokkel op het hoofd tikte en scherp zei: 'Kijk eens aan, is er toch nog ergens een lampje gaan branden?'

Als er bij oom Salomon iets veranderde, merkte Arthur dat altijd als eerste. Nog voordat iemand anders iets opviel, zei zijn neus hem wanneer het tijd was Christine te roepen om het bed weer te verschonen. Ze had-den oom Salomon luiers omgedaan, extra grote en speciaal voor hem in de kleermakerij van het Moderne Warenhuis genaaid, en als hij ver-schoond was gaf Christine weleens een vriendelijk tikje op de billen van de oude man en zei: 'Jajajaja, dat vind je fijn, hè, dat vind je fijn.'

Salomon werd vol toewijding verzorgd, 'voorbeeldig gewoon', zei dr. Bolliger, daaraan merkte je toch maar dat de familie voor de joden nog iets betekende, je kon zeggen wat je wilde. Desondanks hing er op een dag die bedorven lucht, die Arthur natuurlijk als eerste opsnoof. Het was een open plek die kwam van het lange liggen en waartegen geen enkele zalf hielp. Oom Salomon moest regelmatig gekeerd worden, van zijn rug op zijn zij en van zijn zij weer op zijn rug, 'als een stuk vlees dat aan alle kanten aangebraden moet worden', zei Christine tegen Louisli. Toch werd de lucht sterker, dr. Bolliger keek bedenkelijk en Arthur voelde zich schuldig.

En toen, op de ochtend van 20 augustus, op 8 eloel van het jaar 5653, hield Salomon Meijer op met ademen. Het ging niet zoals Arthur zich had voorgesteld, het was geen langzaam uitdoven of zwakker worden. Oom Salomons laatste ademtocht was net als alle andere, rustig en vast, en opeens kwam er gewoon geen meer. Verder was er niets veranderd, de ogen waren opengebleven en de uit de mond hangende tong was nog steeds vochtig, maar onder het laken ging de borstkas niet meer op en neer, en de bedorven lucht, waar Arthur al bijna aan gewend was, wees opeens op iets heel anders.

Er was niets gebeurd dat tot een ontdekking had kunnen leiden. Er was alleen iets opgehouden met gebeuren.

Arthur kwam de kamer uit, 'heel rustig', zoals Chanele later aan Mimi vertelde, en hij zei: 'Ik geloof dat we nu de chevre moeten laten komen.'

De mannen van het begrafenisgenootschap waren er vlug; ze hadden met de dood van Salomon Meijer rekening gehouden en alles al in gereedheid gebracht. Een van de mannen trok zijn neus op en zei: 'Het werd de hoogste tijd.'

Op de avond van die zondag, toen het lijk allang het huis uit was gedragen en de oude Blumberg, die zijn vermogen had verzopen en elke mogelijkheid om iets te verdienen moest aangrijpen, op de begraafplaats bij hem waakte, kwam het bericht dat de stemming was verloren en dat het sjechtverbod nu onderdeel van de grondwet was. Janki zei: 'Ook dat nog!' en wanneer later het sjechten ter sprake kwam, moest Arthur altijd aan zijn dode oom Salomon denken.

Op de begrafenis gebeurde er niets bijzonders, behalve dat hoteldirecteur Strähle, onkundig van de sobere joodse gebruiken, een grote krans stuurde. De dikke Christine en Louisli haalden er later de bloemen uit en versierden er hun zolderkamer mee.

Voor de sjivve liet Janki de grote tafel met het blad van tropisch hout naar de zolder brengen; in plaats daarvan werden de lage stoelen voor de rouwenden neergezet. Daar zat de familie een week lang, zoals men in Bijbelse tijden ten teken van rouw op de grond had gezeten, maar zij voelden eerder opluchting dan rouw.

Er kwamen veel bezoekers, ook bezoekers die beheimesoucher Salomon Meijer nooit hadden gekend. Arthur liet ze allemaal binnen en wees ze de eetkamer. Niemand had hem daartoe opdracht gegeven; hij was er gewoon aan gewend geraakt een taak te hebben. Janki verheugde zich over iedereen die kwam. Hij hield ervan in de Badense gemeenschap een belangrijk man te zijn, iemand die men respect betoont door in zijn verlies te delen.

Geen van de gasten had thuis voor de rouwenden een maaltijd gekookt. Bij een familie met een eigen keukenmeid had dat oude gebruik niet veel zin meer. Maar brood en taart brachten ze wel mee, meer dan men op kon.

Hoewel Chanele geen echte dochter was, zat ze er de hele week bij en niemand stoorde zich daaraan. Op Mimi hadden de mensen wel iets aan te merken. Ze vonden dat mevrouw Pomeranz een gezicht trok dat niet bij zo'n gelegenheid paste. Het viel inderdaad niet te ontkennen dat Mimi de hele tijd blij en in gedachten verzonken zat te glimlachen.

Tegelijk met de anderen kwam ook oom Melnitz, hij ging zitten en stond niet meer op. Pinchas, die de slagerij de hele week aan zijn compagnon had toevertrouwd en in Baden was gebleven, knikte hem toe, terwijl Janki Melnitz met opzet over het hoofd zag en hem alleen stiekem vanuit zijn ooghoek gadesloeg. Als we geen notitie van hem nemen, dacht hij, zal hij vroeg of laat wel begrijpen dat hij hier bij ons niets meer te zoeken heeft, dat hij dood en begraven is en definitief tot het verleden behoort.

Maar oom Melnitz bleef zitten en ook al zei hij niets, toch mengde hij zich alleen al door zijn aanwezigheid in de gesprekken.

Zo'n sjivve is niet alleen aan het gezamenlijk gedenken van de doden gewijd, maar stelt de nabestaanden ook in staat in de lange uren dat ze bij elkaar zitten alles te bespreken wat na een sterfgeval geregeld moet worden. Ze waren het er snel over eens dat Chanele de woning in Endingen leeg zou maken en dat de kleine winst die dat op zou leveren naar de sjnorrers zou gaan om wie Salomon zich de laatste jaren van zijn leven zo graag had bekommerd. Een paar waren er zelfs bij de sjivve verschenen, erop vertrouwend dat rouw de geldbuidel opent.

Pinchas vroeg of hij uit de boeken van de overledene mocht kiezen wat hij kon gebruiken. Veel zou het niet zijn, dat was wel duidelijk, want Salomon was op het gebied van religie geen geleerde geweest en de werken die hij als oude man over het onderwerp gematria had aangeschaft, kwamen dicht in de buurt van bijgeloof.

Een kleine woordenwisseling hadden ze alleen over de sjabbeslamp die in Endingen boven de eettafel hing en die zowel Mimi als Chanele graag wilde hebben. Het fraaie exemplaar was van messing en voorzien van een mechanisme waarmee je de lamp lager – 'Lamp omlaag, zorgen omhoog!' – en na de sabbat weer hoger kon hangen. Je vulde hem met olie en dan brandden de pitten van vrijdagavond tot zaterdagnacht, want op sabbat zelf is het verboden om licht aan te steken. Voor Mimi symboliseerde die lamp al het vertrouwde, alle geborgenheid van haar ouderlijk huis, en ook voor Chanele had hij een speciale betekenis. Al die jaren was een van haar taken geweest de lamp elke vrijdag gereed te maken en elke zondag weer te poetsen. De twee voerden hun discussie op een ongewone manier: allebei stonden ze erop dat de ander de lamp zou nemen en uit pure consideratie en gulheid waren ze elkaar bijna in de haren gevlogen. Ze werden het er ten slotte over eens dat de lamp voorlopig naar Baden zou gaan, maar daar niet opgehangen zou worden; zo kon de moeilijke beslissing uitgesteld worden tot later.

Toen alles besproken en geregeld was en er, zoals wel vaker op de laatste dagen van een sjivve, al een beetje verveling opkwam, kuchte Pinchas plotseling en zei dat hij de familie iets belangrijks mee te delen had. Nu wisten ze natuurlijk al, ook al had niemand er officieel over gepraat, dat Mimi zwanger was en daarom bereidden ze zich erop voor een geforceerd verrast gezicht te zetten om het plezier van de overbrenger van de allang bekende goede boodschap niet te bederven. Maar Pinchas wilde iets heel anders zeggen.

'Nadat het sjechtverbod is ingevoerd – met dank aan de antisemieten! – zal er in mijn beroep een hoop veranderen. We zullen één of twee keer per week naar het buitenland moeten, naar Straatsburg eventueel, dat zien we nog wel, om daar te sjechten en het vlees dan weer in Zwitserland in te voeren. Dat zal veel tijd kosten. Of we slachten helemaal niet meer zelf en verwerken alleen nog geïmporteerd vlees. Hoe dan ook, ik zal nooit meer een slager als mijn vader kunnen zijn.

Hij kon nog trots zijn dat hij sjocheet was. Maar ik ... Na die vergadering in Endingen, na die kwaadaardige sfeer daar, die eventueel heeft bijgedragen tot Salomons dood, wie zal het zeggen, na al die haat die daar op ons afkwam – Chanele, jij was erbij, jij kunt het bevestigen – en nu, na de uitslag van de stemming, na deze beslissing die, zoals we allemaal weten, niet genomen is om de dieren te beschermen en niet uit liefde voor de schepselen, maar gewoon uit een vaag gevoel van vijandigheid, omdat joden slechte mensen zijn die je op de vingers moet tikken ... Na dat alles wil ik gewoon niet meer. Ik verkoop de slagerij aan mijn compagnon. Elias Guttermann is een vakman en zijn rookvlees is zelfs beter dan het mijne.'

'En jij?'

'Koosjere kruidenierswaren. Zo'n winkel is ook nodig. Ik heb het met Mimi besproken. Zij vindt weliswaar dat ik mesjoege ben ...'

'*Un tout petit peu fou*,' zei Mimi zonder enig verwijt.

'… maar ik denk dat dit het goede moment is om iets nieuws te beginnen. Ik ga misschien minder verdienen, maar wat ik belangrijk vind is dat ik meer tijd zal hebben. Voor Mimi en … Nou ja, jullie hebben het allemaal wel gemerkt.'

Nu mochten ze eindelijk 'Mazzel tov!' zeggen, ze mochten Pinchas op de schouder kloppen en Mimi op de wangen kussen.

Alleen oom Melnitz trok een ernstig gezicht en zei: 'Je loopt weg. Maar ja, dat is nu eenmaal onze aard.'

35

Arthurs bar mitswe werd niet zo uitgebreid gevierd als anders gebruikelijk was. Vrijdags hadden ze nog sjivve gezeten en condoleancebezoek
ontvangen en dan zouden ze op sjabbes in één keer vrolijk moeten zijn?
Wat zou dat voor indruk maken? De mensen in de gemeenschap zouden
denken dat het verdriet om Salomon niet echt was geweest. 'We doen het
hoogstnodige en geen stap meer,' had Janki beslist. 'Arthur zal dat wel
begrijpen, hij is een verstandige jongen.'

De eigenlijke reden was dat ze van gemeenschappelijke gebeurtenissen, gelukkige en ongelukkige, gewoon genoeg hadden. Op zondagmor-
gen was Salomon gestorven en nog diezelfde middag waren Mimi en
Pinchas, die telegrafisch gewaarschuwd waren, in Baden gearriveerd.
Sindsdien verdrongen ze elkaar in één woning, die weliswaar ruim was,
maar zo ruim ook weer niet, ze zaten de hele dag naast elkaar op hun
rouwstoelen en kwamen ook bij het eten veel te dicht in elkaars buurt;
aan de kleine tafeltjes, die eigenlijk alleen bedoeld waren om thee te
drinken, raakte je elkaars ellebogen bijna. Toen de mannen van de chevre vrijdagsmiddags eindelijk de lage stoelen weer ophaalden en zo
vriendelijk waren om ook de lange eettafel nog van de zolder te helpen
dragen, probeerden ze allemaal hun opluchting te verbergen, maar
iedereen verlangde toch op zijn manier naar het leven van alledag. Chanele wilde eindelijk terug naar haar winkel en Pinchas naar zijn slagerij,
waar vanwege de geplande overdracht aan Elias Guttermann een hoop
te bespreken was. Mimi maakte zich buitengewoon ongerust of Gesine
Hunziker, die immers nog niet lang bij haar was en nog helemaal niet
goed was ingewerkt, of dat meisje van buiten wel overal goed voor had
gezorgd, misschien zouden ze thuis een ware chaos aantreffen, 'et tout
cela dans mon état'.

François had al die dagen zijn gesloten beleefde gezicht opgezet, het
masker dat hij altijd tevoorschijn haalde als iets hem niet zinde. Voor
hem was de rouwweek niet meer dan een voortzetting van het strenge
regime dat Janki hem had opgelegd en dat, geheel tegen François' ver-

wachting, niet gewoon in vergetelheid was geraakt. Toen hij zelfs geen toestemming kreeg om 's avonds, als er beslist geen rouwgasten meer werden verwacht, met een paar andere jongelui, die allemaal net zo'n snor hadden als hij, naar de kroeg te gaan, klaagde hij dat hij in deze familie behandeld werd als een onmondig kind, hij wist niet hoe gauw hij uit deze muffe, bekrompen sfeer weg moest komen, op wat voor manier dan ook. Toen Chanele daarop alleen maar glimlachte was hij beledigd en zei hij de hele dag geen woord meer. De bezoekers, die hem met een vertrokken gezicht zagen zitten, dachten dat het droefheid was.

Janki had opdracht gegeven alle gasten van buiten de stad die voor de bar-mitswesoede waren uitgenodigd, mee te delen dat men het zeer betreurde zich nu toch niet in hun gezelschap te mogen verheugen, maar dat men met het oog op het tragische verlies had besloten deze dag ingetogen en alleen in intieme familiekring te vieren. De brief ging ook naar meneer en mevrouw Kahn uit Zürich, die samen met hun dochter Mina op de lijst stonden. Hoewel Chanele veel moeite had gedaan om Janki ervan te overtuigen dat persoonlijk contact met de grootste zijde-importeur van het land voor zijn bedrijven uitermate nuttig kon zijn, protesteerde ze niet tegen de afzegging. Je moet de dingen nemen zoals ze zijn. Hinda daarentegen, die anders altijd het zonnetje in huis was, leek de gedwongen nabijheid van haar familieleden niet goed verdragen te hebben. Ze maakte over de afzegging ruzie met haar vader en begon daarbij zelfs te schreeuwen. En dat alleen omdat dezelfde brief ook naar Zalman Kamionker was gestuurd.

Kamionker kwam toch, hij stond op vrijdagavond gewoon voor de deur en zei argeloos dat hij de brief niet had gekregen, hij zou eens een hartig woordje met de postbode spreken, hij was dan wel een vredelievend mens, maar zoiets kon natuurlijk niet. Ze konden hem niet eens wegsturen, want hoe had hij nog naar Zürich terug gemoeten, zo vlak voor sjabbes? Bovendien had hij een cadeau voor Arthur meegebracht, heel stijlloos verpakt in een joodse krant met op de voorpagina een foto van een arbeider die zijn boeien verbreekt. Het cadeau was een talles, niet nieuw, maar van prachtig fijn geweven materiaal en met een sier-kraag zoals hier nog nooit iemand had gezien. Hij had het destijds in de weverij van Simon Heller in Kolomea voor zichzelf gemaakt, zei Kamionker, en toen was het beste voor hem amper goed genoeg geweest.

Arthur was de hele week niet naar school geweest, hoewel hij volgens de religieuze voorschriften niet eens verplicht was aan de sjivve deel te nemen. Chanele had met zijn klassenleraar gepraat omdat ze zich zorgen maakte om haar jongste zoon. Op zijn leeftijd de dood van een mens van zo nabij meemaken, helemaal alleen met de stervende in één kamer, dat ging een kind niet in de koude kleren zitten, betoogde ze, zeker zo'n gevoelig en ziekelijk kind als Arthur niet. Haar verzoek strookte dan wel niet met het schoolreglement, maar de leraar had vanwege de uitslag van het referendum tegenover alle joden vaag een slecht geweten en maakte daarom een uitzondering.

In de nacht voor zijn bar mitswe sliep Arthur slecht. Zijn grote dag viel op de joodse datum 14 eloel, het was dus midden in de maand en volle maan. Hij was weliswaar – tenslotte was hij nu een man – allang niet bang meer voor de schaduwen van de plataan, maar het vale licht hield hem toch uit zijn slaap en zijn gedachten bleven maar in een kringetje ronddraaien. Nadat hij eindelijk in slaap was gevallen, werd hij weer wakker van een schrille vogelkreet voor zijn raam. Het was een ekster die in de stad eigenlijk helemaal niets te zoeken had. De vogels en hun stemmen uit elkaar houden had hij van oom Salomon geleerd, zoals hij – dat gevoel had hij op dit moment – eigenlijk alles wat belangrijk was altijd van hem had gehoord. Salomon had hem ook een verhaal over eksters verteld: een boer had er een keer een gevangen en in een kooi gestopt, die hij meenam naar het veld in de hoop dat de ekster met zijn valse hulpkreten zijn soortgenoten zou lokken. Op het platteland worden de zwart-witte vogels namelijk als ongedierte beschouwd. Er kwam inderdaad een tweede ekster aangevlogen, de boer greep hem en draaide hem de nek om. 'En op dat moment,' had oom Salomon gezegd, 'precies op dat moment viel de ekster in de kooi om en was ook dood. En weet je waaraan hij gestorven is? Aan een gebroken hart.' Misschien is ook Salomons hart wel gebroken, dacht Arthur, aan de betrokkenen zelf is het niet te zien.

Toen was het eindelijk dag en dus tijd om het nieuwe pak aan te trekken dat bij de grote ontvangst een soort generale repetitie had gehad. Er hoorde een wit overhemd bij met een heel nauwe kraag en een stropdas waarin glinsterende zilverdraden waren geweven. Janki ging achter Arthur staan om de das te strikken, net zoals Arthur vaak achter Chanele had gestaan om haar jurk dicht te knopen. Het was bijna een omarming en Arthur had graag steun in de armen van zijn vader gezocht en zich door hem laten vasthouden. Maar dat kon natuurlijk niet. Op je dertiende ben je een individu, had oom Salomon gezegd, omdat dertien de getalswaarde van echod is.

Er was afgesproken dat de dikke Christine hem later zou helpen met het uitpakken van de cadeaus en in ruil daarvoor had hij moeten beloven zich voor zijn gang naar de synagoge met pak, stropdas en zwarte hoed aan haar te laten zien. Toen hij in volle pracht de keuken binnenkwam zette ze haar handen in haar zij, zoals ze dat op de markt deed als een haar aangeboden vis niet helemaal fris leek te zijn; ze nam Arthur van top tot teen op en zei toen tegen Louisli: 'Ja ja, het zijn best aan-trekkelijke mannen, die jonge Meijers.' Waarop Louisli begon te huilen; Arthur wist niet waarom.

In sjoel, de synagoge bij de Schlossberg die de gemeente van de gebroeders Lang had gehuurd, stond Arthur eindelijk in het middelpunt van de belangstelling. Toen Janki en François en hij binnenkwamen, was het bijna een beetje zoals wanneer de Torarol door de synagoge wordt gedragen en de mannen zich verdringen om de fluwelen mantel met de schouwdraden van hun gebedsmantel aan te raken en die dan te kussen. Hem klopten ze op de schouder of ze stootten hem kameraadschappe-lijk aan en zeiden: 'En? Erg zenuwachtig? Nou, het zal best lukken.'

Over het algemeen hield Arthur ervan om 'naar sjoel te gaan', zoals het synagogebezoek werd genoemd. Dat had bij hem niets te maken met vroomheid, absoluut niet. Arthur had zelfs een keer, uitgerekend tijdens Kol Nidrei, nadrukkelijk gedacht: misschien bestaat er helemaal geen God! Hij had het heel bewust gedaan en daarmee een vreselijke straf uit-gelokt, maar er was niets gebeurd. Nee, het ging hem niet om de religie, hij hield gewoon van het geroezemoes, de vertrouwde melodieën, het geprevel dat iets aangenaam slaapverwekkends had. Als je je gebeden-boek opengeslagen voor je hield en niet vergat de bladzijden om te slaan, kon je je hier heerlijk ongestoord overgeven aan je gedachten. François – of nee, Sjmoeël natuurlijk, bij religieuze gelegenheden heette hij Sjmoeël – klaagde telkens dat de diensten te lang duurden, maar voor Arthur hadden ze eindeloos mogen zijn.

Vandaag was alles anders, onrustig en ongewoon, niet alleen omdat het zijn bar mitswe was en hij dadelijk moest laten zien wat hij geleerd had, maar ook vanwege het pak en de stropdas en het nieuwe talles. De zachte stof rook een heel klein beetje naar tabak, wat wel vreemd was, want wie trekt er nu zijn talles aan als hij gaat roken?

Sjachres ging vlug voorbij en aan de herhaling van de sjmone-esre kwam zo abrupt een einde dat Arthur bijna dacht dat cantor Würzbur-ger iets had overgeslagen.

Nu werd de Tora al uit de Ark genomen. Als familielid mocht François hem in zijn arm houden. Hij trok er een gezicht bij alsof die taak geen eer, maar een straf voor hem was. Nu droeg hij de Torarol al naar de les-senaar, de mannen verdrongen zich om de rol aan te raken en te kussen, de kroon, het zilveren schild en de geborduurde mantel werden eraf gehaald, hij werd uitgepakt en opengerold, het ging allemaal zo vlug, veel te vlug. En toen riep meneer Weinstock, de sjammes, met zijn ijle, mekkerende stem de oude meneer Katz al op, die als priester het eerst tot de Tora werd opgeroepen, en daarna was cantor Würzburger aan de beurt, die een leviet was en als tweede kwam. Dat was praktisch, zeiden de mensen bij elke bar mitswe, want dan stond hij toch al op het almemmor als de bar-mitswejongen aan de beurt was en kon hij hem helpen voor het geval die bleef steken. Want nu was Arthur al aan de beurt, zo vlug, veel te vlug.

'Chajim ben Jakauv, habar mitswa,' mekkerde sjammes Weinstock, en Chajim ben Jakauv, dat was hij, dat was zijn joodse naam. Arthur heette hij elke dag, maar in sjoel was hij Chajim, wat leven betekent, en zijn vader was Jakauv, dus Jakob, want als het om de goede God gaat, bestaat er geen Janki en al helemaal geen Jean.

Toen hij naar het almemmor liep, keken ze hem allemaal aan, al die mannen in hun witte gebedsmantels, en achter in de vrouwensjoel – hij durfde zijn hoofd niet om te draaien, maar hij voelde het duidelijk – stonden Chanele en Hinda en Mimi met haar nieuwe hoed met de zwarte zwanenveren ook naar hem te kijken, allemaal keken ze, en hij wist dat zijn stem het zou begeven, dat hij midden in de sidre zou blijven steken, dat hij zich zou blameren, vreselijk blameren, zichzelf en de hele familie.

Op het almemmor kon hij amper de zilveren hand vasthouden waarmee je de letters volgt, omdat die voor gewone vingers veel te heilig zijn, en een zweetdruppel viel van zijn voorhoofd rechtstreeks op het kostbare perkament. Hij zou falen, hij wist het, en iedereen zat daar alleen maar op te wachten.

Maar toen hij met de eerste zegenspreuk begon was het of hij oom Salomon naast zich hoorde ademen, vast en regelmatig, en hij zong alleen nog voor hem, zoals hij ook in de naaikamer steeds weer voor hem had gezongen, hij vergat geen woord en geen triller en achteraf zeiden de mensen dat het zelden voorkwam dat een bar-mitswejongen helemaal niet zenuwachtig was.

Bij de ontvangst, die ze niet hadden kunnen afzeggen omdat dat een gierige indruk gemaakt zou hebben, stonden ze naast elkaar, zoon en vader, en telkens als iemand tegen Arthur 'Mazzel tov!' zei en 'Wat heb je mooi gezongen', legde Janki zijn hand op Arthurs schouder en was hij trots. Ook Chanele stond er. Zij kende alle cadeaus die Arthur had gekregen, maar nog niet had mogen bekijken. Als de betreffende mensen aan de beurt waren om hem de hand te schudden, stootte Chanele hem onopvallend in zijn rug en dan zei hij: 'Hartelijk bedankt voor het mooie cadeau.'

Er waren taartjes en friandises, opgediend op schalen van echt zilver, wat opzien baarde. De schalen had directeur Strähle ter beschikking gesteld; toen de lekkernijen op waren, kwam het wapen van de Verenahof tevoorschijn. De vrouwen dronken zoete wijn en de mannen brandewijn; ze vulden de kleine geslepen glaasjes tot aan de rand en hieven ze dan in de richting van Arthur. 'Lechajim,' riepen ze, en zelfs het vertrouwde 'Proost!' klonk Arthur vandaag vreemd in de oren, want 'lechajim' betekent eigenlijk 'op het leven', maar op deze dag, die de zijne was, kon het ook 'voor Chajim' betekenen. Arthur had het gevoel dat het woord al generaties lang was voorbereid, alleen maar om vandaag ter ere van hem gebruikt te worden.

Toen was de ontvangst voorbij. Ze hadden allemaal veel te veel zoetigheid gegeten, maar thuis wachtte toch de soede, die hoorde er nu eenmaal bij.

Zoals beloofd stond de dikke Christine al klaar met een scherp mes, hoewel ze in de keuken genoeg te doen had. Alle pakjes waren naar de naaikamer gebracht, waar het tot Arthurs verrassing naar verbrande dennennaalden rook. Hij kende de geur alleen van school, waar elk jaar in de klas kerst werd gevierd en hij er zwijgend naast moest staan tot ze klaar waren met zingen. De dennennaalden waren een idee van Louisli geweest, want ondanks ijverig luchten had er 's morgens nog steeds een vleugje van de bedorven lucht van oom Salomons wonden gehangen. Het bed was naar buiten gebracht; in plaats daarvan stond er een tafel, waarop een hele berg cadeaus op Arthur lag te wachten.

'Waar beginnen we mee?' vroeg Christine en ze zwaaide ongeduldig met het mes alsof ze voor het middageten nog een hoop aardappelen moest schillen.

Arthur had het liefst tot woch gewacht met uitpakken, want dan mocht hij zelf weer een touw doorsnijden en een papier kapotscheuren. Maar één ding duldde geen uitstel, één ding moest hij onmiddellijk weten, nu meteen. Dat ene geschenk, het belangrijkste, het veel te dure – zat dat erbij?

Het eerste pakje dat de goede grootte en het goede gewicht leek te hebben, was een teleurstelling. Christines mes bracht alleen een cassette met zwarte boeken tevoorschijn, de gebedenboeken voor alle feestdagen van het jaar, in de Rödelheim-editie met de Duitse vertaling. Op elke sidoer was in gouden letters zijn naam gedrukt, Arthur Chajim Meijer. Het zag er chic uit en het was ook een duur cadeau, van oom Pinchas natuurlijk, want hij hechtte in de familie de meeste waarde aan tradities, maar Arthur legde het onverschillig opzij.

Het volgende pakje was veel te licht; hij nam het Christine uit de hand en legde het terug. Ze was heel boos dat hij weer zoveel toestanden maakte. Maar het derde – ah, het derde!

Een kist van fraai gebeitst hout, nee, geen kist: een echt kastje met twee openslaande deurtjes zoals de Torakast in de synagoge. Het had zelfs een slotje, net zo klein als het slot van een dagboek, en even raakte Arthur in paniek omdat hij de sleutel niet meteen kon vinden. Maar onder het kastje zat nog een la met een beweegbaar handvat van messing, net als aan de commode in mama's kamer, en toen Arthur hem opentrok lagen er in zijdepapier gewikkelde glasplaatjes en inderdaad de sleutel. Hij stak hem in het slot en had – het lag waarschijnlijk aan de bijzondere dag – heel even het gevoel dat hij een gebed moest zeggen voor hij het open-maakte. Toen zwaaiden de deurtjes open en daar was hij.

Zijn microscoop.

'Wat nemen we als volgende?' vroeg Christine, en Arthur had het idee dat iemand op het heiligste moment van de eredienst heel hard over het weer of over zijn zaken praatte.

'Morgen,' zei hij. 'Morgen ga ik verder. Anders wordt papa ongedul-dig.'

Christine ging vlug weg. Ze had Louisli weliswaar nauwkeurige instructies gegeven, maar het zou niet de eerste keer zijn dat de soep op het allerlaatste moment aanbrandde omdat hij niet met de nodige zorg werd omgeroerd.

Zijn microscoop.

Hij kon hem er niet zomaar uit pakken, er was nog een houder die hij eerst met een heel kleine vleugelmoer los moest maken, maar toen, nadat hij zijn van opwinding vochtige vingers aan zijn broek had afge-veegd, kon hij hem in zijn handen nemen, heel, heel voorzichtig, hij kon hem voor zich neerzetten, liefst op de vensterbank, daar was het meeste licht, en hij kon hem eindelijk in alle rust bekijken, niet meer alleen als een plaatje in een boek. Arthur wist het niet, maar hij trok hetzelfde gezicht als Hinda wanneer ze Zalman Kamionker aankeek.

Het objectief met de drie lenzen leek een beetje op de caleidoscoop die tante Mimi voor hem had meegebracht, alleen was het natuurlijk niet beplakt met kinderachtig gekleurd papier. Het was van messing, alleen de ring boven aan het oculair was van nog lichter, matglanzend metaal. Aan de zijkant zat een instelschroef waar je aan kon draaien, dan werd de buis langer en langer, en als er onder op de tafel al een glasplaatje had gelegen, zou het nu gebroken zijn.

Het eerste wetenschappelijke experiment – dat had Arthur zich vast voorgenomen – zou hij doen met zijn eigen bloed, hij zou met een naald in zijn vinger prikken en er een druppel uit persen. Een echte onder-zoeker en ontdekker laat zich niet door pijn afschrikken.

Toen Chanele hem kwam halen, zat hij op zijn stoel voor het raam, dezelfde stoel waarop hij altijd aan oom Salomons bed had gezeten, en hij streelde de microscoop met zijn vingertoppen alsof het instrument leefde. 'Ben je nu gelukkig?' vroeg ze.

Hij was zo gelukkig dat hij het niet eens kon zeggen. En hij had een slecht geweten omdat oom Salomon dood was.

Ze zaten allemaal al rond de tafel die feestelijk gedekt was, want al wilden ze niet veel drukte maken, het was toch zijn bar mitswe. Het goede servies van sarguemine stond op het beste tafellaken, het mes met het zilveren heft lag naast de plank met de sabbatbroden en de wijn voor de kidoesj was al ingeschonken.

Janki zag er jonger uit dan anders, misschien omdat hij trots was op zijn zoon. Als hij trots was zat hij altijd kaarsrecht, zoals het een oud-soldaat betaamt. Zijn wandelstok met de leeuwenkop had hij in zijn hand en toen Chanele met Arthur binnenkwam, gaf hij een teken met de stok en begonnen ze allemaal te klappen.

François klapte alleen met zijn vingertoppen en hield zijn hoofd een beetje schuin, alsof hij wilde zeggen: 'Dit is allemaal drukte om niks, maar als het moet, doe ik wel mee.' Maar hij knipoogde naar Arthur en dat was als een onderscheiding, als de opname in een geheim verbond, waar de anderen niets vanaf wisten.

Hinda klapte het hardst, nee, op één na het hardst, want naast haar zat Zalman Kamionker en die sloeg zijn handen zo krachtig tegen elkaar dat het telkens knalde als een schot. Hij probeerde ook een lied aan te heffen, maar toen niemand inviel lachte hij alleen maar en stopte. Kamionker was zonder sjabbesdike kleren naar Baden gekomen en Janki had erop gestaan dat hij een oud jasje van oom Salomon aantrok. Hoewel dat toch een stevige man was geweest, barstte de kleermaker met zijn brede schouders bijna uit de naden.

Oom Pinchas fluisterde tante Mimi iets in het oor; ze kreeg een kleur als vuur, gaf hem een tik en zei: '*Mais vraiment*, Pinchas!' Toen tuitte ze haar lippen en wierp Arthur een kushandje toe. Hij had haar er bijna voor bedankt en net als bij de ontvangst gezegd: 'Hartelijk bedankt voor het mooie cadeau!'

De enige vreemde gasten waren cantor Würzburger en zijn vrouw, die ze niet hadden kunnen afzeggen omdat Arthur bij het eten zijn droosje nog moest houden en er beter iemand bij kon zijn voor het geval hij de draad kwijtraakte. De cantor riep bij het klappen 'Bravo!' en omdat hij de klank van zijn stem niet welluidend genoeg vond, greep hij met duim en wijsvinger in zijn vestzak en haalde er een salmiakdropje uit, dat hij in zijn mond stak.

Ook Chanele was gaan zitten, aan het andere eind van de tafel, tegenover haar man. Het was vast mama geweest die papa overgehaald had om de microscoop toch te kopen, ook al was hij heel duur. Arthur wist het zeker en hield daarom nog meer van haar. Alleen al vanwege mama had hij nooit begrepen waarom je bij het ochtendgebed God dankt dat hij je niet als vrouw heeft geschapen.

Christine en Louisli stonden in de deur en hadden waarschijnlijk ook

geklapt als ze niet de schalen met de karper in gelei hadden moeten vasthouden.

Het is fijn om bij een familie te horen, dacht Arthur en hij besloot dat hij ooit ook drie kinderen wilde hebben, minstens drie, en dat hij ze alles zou geven wat ze wensten.

'Ga toch zitten,' zei Chanele. 'Je staat weer te dromen.'

1913

36

Het is fijn om bij een familie te horen, dacht Arthur. Hij zette zijn bril af, deed zijn ogen dicht en wreef met duim en middelvinger over zijn neusrug. Een jonge dokter, die nachtelijke huisbezoeken niet kan weigeren, heeft moeite om tijdens een lange ceremonie wakker te blijven. Het gebaar camoufleerde heel onopvallend dat hij alweer tranen in zijn ogen had gekregen, die onverklaarbare ontroering overviel hem telkens onverwachts, juist in situaties waarin hij eigenlijk gelukkig had moeten zijn.

Hij was ook gelukkig. Natuurlijk was hij gelukkig. Waarom zou hij niet gelukkig zijn?

Zoals elk jaar met Pesach was bijna de hele familie uit Zürich bijeen. Dat er twee ontbraken, dat er eigenlijk twee stoelen meer in de kring hoorden te staan, elk met zijn eigen kussen, dat er twee bekers meer op het witte tafellaken hadden moeten prijken, daar waren ze aan gewend. Daar móésten ze wel aan wennen.

Het was nu al zeven jaar geleden dat François ...

Het was al zeven jaar geleden en nog altijd was het niet vanzelfsprekend. Integendeel, het zwijgen erover werd met het jaar luider. Alsof we allemaal patiënten zijn, dacht Arthur. Alsof we een geamputeerd lichaamsdeel nog steeds voelen.

Alle andere Meijers waren er. Eigenlijk was het niet correct om van 'de Meijers' te spreken, want ze heetten Pomeranz en Kamionker, maar als iemand het hun gevraagd had, zouden ze zichzelf ook zo genoemd hebben. Als een soort bewijs stond op het buffet in een met krullen versierd lijstje de foto waarvoor Salomon en Golde ooit met tegenzin hadden geposeerd, zij met haar sjeitel die als een verschoven theemuts zat, hij steunend op zijn paraplu, als een veldheer op zijn zwaard. Hun gezichten waren door het verplichte lange stilstaan vertrokken tot een streng masker, alsof ze het nageslacht wilden intimideren. De foto was verbleekt. Hinda nam zich telkens voor hem eindelijk op een andere plek te zetten waar de zon er niet pal op scheen, maar ze vergat het steeds weer. Er waren in dit huishouden te veel andere dingen te doen.

Juist vandaag, nu de seider voor de hele misjpooche voorbereid moest worden, had ze eigenlijk vier handen moeten hebben of ten minste een dienstmeisje. De Kamionkers hadden alleen een werkster, voor een paar uur per dag, en ook die moest soms langer op haar loon wachten dan het hoorde. Mevrouw Zwicky was een beetje traag en wist niet van aanpakken, als je haar niet met haar neus op het werk duwde zag ze het niet, maar ze had thuis twee kleine kinderen en een man die na een ongeluk geen geld meer verdiende. Zo iemand ontsla je niet; dat zou Zalman nooit toegelaten hebben. 'Kun je niet ten minste thuis ophouden een *unionist* te zijn?' had Hinda een keer gevraagd en hij had geantwoord: 'Dan zou ik iemand anders zijn en je met een vreemde man inlaten is echtbreuk, mevrouw Kamionker.'

Uiteindelijk was het Hinda ook om het even dat haar huishouden niet perfect was. Zolang haar man om de onvermijdelijke ongelukjes moest lachen, waarom zou ze zich dan druk maken? Toen de kinderen nog klein waren, was er een keer bezoek gekomen, aangekondigd bezoek welteverstaan, terwijl er een volle pot de chambre – in zulke netelige situaties sprak niet alleen Mimi Frans – midden in de kamer stond. De dames van het hulpcomité voor de Russische vluchtelingen raakten er niet over uitgepraat en wisten niet waar ze zich meer over moesten opwinden: over het voorwerp waarvan men de naam niet in de mond neemt of over het feit dat Hinda om het pijnlijke incident alleen maar had gelachen.

Zalman, die flink was als geen ander, zou carrière hebben kunnen maken, hij had allang voorbereider of zelfs afdelingschef moeten zijn, in plaats van nog altijd als een eenvoudige kleermaker aan de naaimachine te zitten en zijn ogen te bederven. Maar vroeg of laat kreeg hij met elke baas ruzie om de een of andere onrechtvaardigheid die niet eens hemzelf betrof, maar altijd anderen die zich niet konden of durfden verweren. Meestal waren het joden uit het oosten, die na de tsaristische pogroms van 1905 in groten getale naar Zürich waren gevlucht en hier met hun verzoek om hulp bij het zoeken van werk net zo vanzelfsprekend naar Zalman Kamionker toe kwamen als de sjnorrers vroeger naar Salomon Meijer in Endingen. Zalman bezorgde hun een baantje, streed hun strijd voor hen, won ook vaak en als hij na een succesvolle slag op straat werd gezet, vertelde hij thuis altijd vol trots over zijn ontslag. 'Je bent mesjoege,' zei Hinda dan en Zalman antwoordde: 'Gelukkig maar – anders zou je me veel te saai vinden.'

Het was een goed huwelijk, al zaten ze in huize Kamionker altijd krap bij kas. Maar wat is geld? Als Hinda haar man in zijn witte sargenes op de ereplaats van de seidergever zag zitten, terwijl hij zich de kom om zijn handen te wassen en de handdoek liet aanreiken, dan was hij in deze kring de croesus, en seider kon nergens anders gevierd worden dan bij hen, in hun kleine vierkamerwoning; niet bij Pomeranz, waar de ziekelijke Mimi al dat werk helemaal niet aangekund had, niet bij Arthur, in wiens vrijgezellenwoning niet eens een tafel stond die groot genoeg was en natuurlijk al helemaal niet bij Mina, met wie je alleen maar medelijden kon hebben omdat haar man en haar zoon ...

Niet aan denken. Vandaag niet.

Vandaag was het Pesach, een vrolijk feest, een feest van bevrijding en verlossing. 'Al wie honger heeft, kome en ete mee; al wie er behoefte aan heeft, kome en viere het Pesach met ons.' Ze hadden het verhaal van de uittocht uit Egypte verteld, ze hadden de traditionele vragen gesteld – 'Wat is het verschil tussen deze avond en alle andere avonden?' – en de traditionele antwoorden gegeven, ze hadden over de vier zonen gehoord, de wijze, de slechte, de simpele en de zoon die niet weet hoe hij vragen moet stellen, ze hadden de plagen van Egypte opgesomd en bij elke plaag een druppel wijn uit hun volle beker gehaald – als anderen lijden, moet je je eigen vreugde temperen –, ze hadden gegeten wat op deze avond altijd wordt gegeten, zowel de symbolische spijzen: zoet, taai charoset en bittere mierikswortel, als de wereldse: matseballen en gefilte fisj, ze zongen het 'Sjier Hamalous', waarmee het tafelgebed wordt ingeleid, ze waren een joodse familie als alle andere, een gelukkige familie, al had François ...

Niet aan denken.

Zoals altijd mondde het zingen uit in een kleine vriendschappelijke wedstrijd. Zalman had uit Kolomea een andere uitspraak en andere melodieën meegebracht dan de in Zwitserland gebruikelijke en werd nu door de rest van de familie overstemd. Het resultaat was een vrolijke kakofonie, waar zelfs Pinchas, die de religieuze tradities serieuzer nam dan alle anderen, om moest gniffelen.

Zalman zat aan het hoofd van de tafel als een koning – nee, als een keizer, dacht Hinda, want hoe meer zijn snor bezit nam van zijn wangen, hoe meer Zalman op de Habsburger Frans-Jozef begon te lijken.

Hij was een enthousiaste vader en had het liefst een hele dynastie kleine Kamionkers op de wereld gezet. Toen, intussen alweer negentien jaar geleden, Ruben werd geboren had Zalman bij de bries, bevleugeld door vadertrots en mazzel-tov-bronfen, met luide stem gezegd: 'De namen voor de volgende weet ik ook allemaal al', en hij begon ze op te sommen: 'Simon, Levi, Jehoeda, Dan, Naftali ...', daarmee aangevend dat hij, net als aartsvader Jakob, dertien kinderen wilde hebben, twaalf zonen en een dochter. Het waren er maar drie geworden, Ruben en de tweelingzusjes, maar het getal dertien had voor Zalman en Hinda een heel speciale geheime betekenis gehouden. Nu ze als ervaren echtpaar zulke domheden allang te boven waren, kon hij zijn vrouw nog altijd het schaamrood naar de kaken jagen als hij haar bij een saai feest in het oor fluisterde: 'Kunnen we niet beter naar huis gaan en de dertien volmaken?'

Ruben zag zijn moeder glimlachen en dacht verwijtend: ze is er met haar hoofd niet bij. Oom Pinchas, die deze eer bij iedere seider te beurt viel, was net met het tafelgebed begonnen en dan is het voor het naleven van het gebod niet voldoende om alleen uit gewoonte de gemeenschappelijke gezangen mee te zingen en je verder over te geven aan je gedachten, nee, je moet de tekst woord voor woord uitspreken en je bewust zijn van de betekenis. Ruben voelde zich sinds een tijdje verplicht in religieuze aangelegenheden rigoureus te denken, tenslotte zou hij na de feestdagen Zwitserland voor minstens een jaar verlaten om naar de jesjieve te gaan. Niet naar een van de grote beroemde jesjieves – zo'n briljante student was hij ook weer niet – maar toch een echte, waarmee hij bedoelde: een in het oosten. Zalman, voor wie de tradities van zijn religie meer betekenden dan de wetenschap ervan, was over Rubens wens aanvankelijk niet erg enthousiast geweest en hij had oom Pinchas, die Ruben vaak hielp met leren, zelfs gekwetst met het verwijt dat hij per se een rebbe van zijn zoon wilde maken, terwijl de jongen daar helemaal de hersens niet voor had. Maar ten slotte had hij toch toegegeven – 'Een appelboom kan geen peren voortbrengen!' – en voor Ruben een studiejaar in zijn geboorteplaats Kolomea geregeld, inclusief gratis onderdak bij een vriend uit de tijd dat hij tallesnaaier was. 'Voor een zoon van Zalman Kamionker doe ik alles,' had de vriend geschreven. Die generositeit had iets te maken met een vechtpartij met dronken Roethenen, die het op een zondag na de kerk voor godgevallig hadden gehouden een jonge jood een gebroken neus te slaan. 'Zij waren met z'n zessen en hij was alleen,' zei Zalman. 'Ik ben een vredelievend mens, maar dat kon ik natuurlijk niet laten passeren.'

Ruben wierp een misprijzende blik op de tweeling, die ook tijdens het tafelgebed maar door bleef gaan met fluisteren. In de overdreven ijver van zijn nieuwe religieuze strengheid voelde hij zich zelfs verplicht vermanend zijn wijsvinger op zijn lippen te leggen, wat door de twee met heftig gegiechel werd beantwoord. Meisjes waren dom en zijn zussen helemaal.

De meisjes hadden hun naam te danken aan het feit dat Zalman bij hun geboorte had gezegd: 'Ik ben toch net als aartsvader Jakob. Al worden het dan misschien geen twaalf zonen, ik heb toch ook een Lea en een Rachel.'

Wie hen niet kende, zou nooit gedacht hebben dat de twee zeventienjarigen zusjes waren, laat staan tweelingzusjes. Lea leek op haar grootmoeder, ze had van Chanele de aan elkaar gegroeide wenkbrauwen geërfd, bovendien had ze een donkere huidskleur die maar niet lichter wilde worden, hoe zorgvuldig ze het ook vermeed zich aan de zon bloot te stellen. Rachel, een kwartier jonger, was bijna een hoofd groter dan haar zus en had – zoiets was sinds mensenheugenis niet meer bij de Meijers voorgekomen – vuurrood haar. Haar sproetenkop en de lichtgroene ogen pasten totaal niet bij de rest van de familie en daarom noemde Zalman haar liefdevol 'mijn gojse dochter'. Op één punt voldeden Lea en Rachel echter precies aan het beeld dat we van een tweeling hebben: ze waren onafscheidelijk. Het liefst hadden ze ook nog altijd dezelfde kleren gedragen, maar dat was een luxe die de Kamionkers zich niet konden veroorloven. Ze moesten het doen met wat Zalman bij zijn werkgevers goedkoop op de kop kon tikken, tweede keus of modellen van vorig jaar. Zodoende droeg Lea op deze seideravond een donkerrode fluwelen jurk die veel te ouwelijk was voor een meisje van zeventien, terwijl Rachel in een witte cheviotjurk met een kraagje van bengaline nog bleker leek dan anders.

Déchirée daarentegen …

Natuurlijk heette de late dochter van Mimi en Pinchas niet echt Déchirée.

Désirée heette ze, de vurig gewenste. Voor Pinchas zou Deborah, de joodse naam van zijn dochter, ook volstaan hebben – Désirée en Pomeranz, dat waren twee werelden die niet echt bij elkaar pasten –, maar omdat de Franse elegantie zijn vrouw gelukkig maakte, verzette hij zich niet.

Hoewel … Franse namen … Als François een gewone Sjmoeël was gebleven, dan had hij misschien nooit …

Niet meer aan denken.

Na die zware bevalling zou Pinchas elke wens van Mimi hebben vervuld; de kwelling had meer dan vierentwintig uur geduurd en Désirée was een bijzonder groot kind geweest. Mimi was ook al die jaren ziekelijk gebleven. Soms kwam ze hele dagen haar bed niet uit, dronk alleen kamillethee, sabbelde op bonbons en legde op de deken een patience. Ze koesterde de ongemakken van haar moederschap met evenveel overgave als vroeger het leed van haar kinderloosheid. Toen ze vandaag bijvoorbeeld aan de seidertafel gingen zitten, had ze zich, haar verzwakte toestand benadrukkend, de kussens van Pinchas en Arthur laten geven en een kleine bank gebouwd, waarop ze nu troonde als een heerseres die het regeren beu is maar koppig doorgaat.

Désirée was van jongs af een voorbeeldige dochter geweest, een kind dat weinig moeilijkheden veroorzaakte, en als ze toch eens iets deed wat Mimi niet zinde, als ze bijvoorbeeld te hard lachte of uitgerekend op de piano wilde oefenen als mama lag te rusten, dan werd ze terechtgewezen met het eeuwige verwijt: '*Ah, ma petite, mais tu m'as déchirée!*' Mimi gebruikte dat onweerlegbare argument zo vaak dat het op een gegeven moment werd overgenomen en zelfs Désirée nam het niemand meer kwalijk als ze zo werd aangesproken.

Ook vandaag droeg ze weer een jurk waarop Lea en Rachel alleen maar jaloers konden zijn. Hoewel ze pas negentien was, twee armzalige jaartjes ouder maar dan haar nichtjes, was het geen bakvissenjurk, maar een volwassen, met de hand geborduurde crêpe-voile-japon met inzetstukken van valenciennes, een model, zoals Zalman met één vakkundige oogopslag had vastgesteld, dat uit Frankrijk geïmporteerd moest zijn; hier in Zwitserland werd zo'n kwaliteit helemaal niet gemaakt. Haar donkere haar, met een strakke scheiding in het midden, was vastgestoken met een opengewerkte sierkam die van echt zilver leek. Ondanks de elegante uitdossing had Désirée, die overbeschermd was en haar leven lang bij de minste onpasselijkheid in bed was gestopt, iets attractief hulpeloos. Ze zat daar met neergeslagen ogen, de handen in de schoot, en bij de samenzang bewogen haar lippen slechts geluidloos.

De voorlaatste zin van het tafelgebed, zo wil het tactvolle gebruik, wordt alleen maar gefluisterd, want de woorden 'Jong ben ik geweest, ook ben ik oud geworden, maar een rechtvaardige heb ik niet verlaten gezien, noch zijn nageslacht zoekende brood' zouden een arme tafelgast in zijn gevoelens kunnen kwetsen. Maar vandaag was er niemand aanwezig die enkel uit medelijden was uitgenodigd, afgezien van Mina dan, die als getrouwde vrouw en moeder helemaal alleen naar een vreemde seider moest omdat haar man ...

Er stond een overtollige, tot aan de rand met wijn gevulde beker op tafel, die echter niet wachtte op François maar op de profeet Elia. Het was nog altijd waarschijnlijker dat de profeet juist deze woning – Rotwandstraße 12, derde verdieping – en deze datum – 21 april 1913 – zou uitkiezen om de spoedige komst van de Verlosser te verkondigen dan dat François Meijer, warenhuisbezitter en succesvol zakenman, nog een keer in de kring van zijn familie zo'n feest zou vieren.

Want dat was het waarover aan deze seidertafel zo luid werd gezwegen: François Meijer had zich laten dopen.

Hij had zich laten sjmadden.

Hij had zijn jodendom laten verwijderen als een hinderlijke puist.

Zeven jaar geleden was dat nu en de vraag 'Waarom?', 'Hoe kon hij dat doen?', 'Waarom heeft hij ons dat aangedaan?' werd in kleine kring nog altijd druk besproken. Natuurlijk niet vandaag, want vandaag zat Mina ook aan tafel, Mina, de vrouw van François. Voor haar was het het allermoeilijkst geweest, daar waren ze het allemaal over eens, een joodse vrouw met een gojse man, en toch was ze niet van François gescheiden maar leefde ze nog altijd met hem samen. De cynici onder de joden in Zürich – en dat waren er niet weinig – meenden dat ze geen afstand had kunnen doen van zijn geld, want François Meijer was vlugger rijk geworden dan anderen en, zoals men elkaar toefluisterde, niet altijd op een nette manier. Zachtaardiger lieden schreven Mina's verbazingwekkende trouw toe aan heel praktische moeilijkheden: 'Hoe moet een goj een get schrijven?' De get is de scheidingsakte die de man voor zijn vrouw moet opstellen om de scheiding rechtsgeldig te maken en haar in staat te stellen te hertrouwen, en omdat het ook een religieus document is kan een niet-jood die natuurlijk niet opstellen.

De echte reden was dat Mina haar zoon niet kwijt wilde raken, want François – en dat nam vooral Hinda hem meer kwalijk dan al het andere – had ook Alfred, toen nog een onschuldige jongen van twaalf die de draagwijdte van het gebeuren totaal niet kon inschatten, meegenomen naar het sjmadden. 'Zelfs de bar mitswe heeft hij hem niet gegund,' zei ze telkens als ze er met Zalman over praatte, alsof juist dat detail het verfoeilijkste was van de zaak.

Arthur, de piekeraar en theoreticus, was de enige in de familie die het mogelijk achtte dat François – al paste dat eigenlijk niet bij zijn berekenende aard – een echte verschijning had gehad, dat een overrompelend inzicht, echt of vermeend, hem ertoe had gebracht zijn geloof af te zweren en een ander geloof aan te nemen. Maar iedereen wist dat Arthur zijn oudere broer altijd mateloos had bewonderd en ook verder geneigd was veel te vlug een excuus te vinden voor andermans fouten, 'alsof hij zelf iets te verbergen heeft, waarvan hij hoopt dat het hem ook wordt vergeven', had Chanele ooit peinzend gezegd.

Haar en Janki had de zaak diep geraakt; Chanele omdat ze vreesde dat haar oudste zoon zijn hele leven geen evenwicht meer zou vinden en Janki omdat hij zich zorgen maakte om zijn reputatie in de gemeenschap. In zijn eerste opwinding zwoer hij zelfs nooit meer een woord met zijn zoon te wisselen en hij had dat voornemen waarschijnlijk ook uitgevoerd als er niet steeds weer die onvermijdelijke zakelijke besprekingen waren geweest. François' warenhuis was mede met Janki's geld opgericht, een investering die hem tot een welgesteld man had gemaakt. Maar al zeven jaar sloeg hij de uitnodiging om voor de seider naar Zürich te komen af en draaide hij liever alleen met Chanele een vreugdeloze ceremonie af in zijn veel te grote eetkamer in Baden. In Zürich had hij naar de synagoge gemoeten en daar zou hij de Kahns tegengekomen zijn, Mina's ouders, die hem altijd zo verwijtend aankeken, alsof hij zijn zoon persoonlijk naar het doopbekken had gesleept. Mina zelf had nooit iemand een verwijt gemaakt. Zij verdroeg het besluit van haar man zoals ze als jong meisje haar kinderverlamming had verdragen, geduldig en zonder te klagen.

Voor Pinchas was de bekering van François aanleiding geweest om te treuren en hij ging het onderwerp het liefst uit de weg: een pijnlijk lichaamsdeel belast je niet. Mimi had een woordspeling bedacht met '*chrétien*' en '*crétin*' en daar kwam ze steeds weer mee aanzetten, hoewel er al bij de eerste keer niemand om had gelachen.

Zonder het te weten kwam Zalman met zijn praktische verklaring nog het dichtst bij de waarheid. 'Anderen verwerven iets door te kopen,' was zijn mening. 'François zal iets verworven hebben door zich te laten dopen.'

Het tafelgebed was afgelopen, de derde beker leeggedronken en de vierde ingeschonken. In het ritueel van de seideravond kwam nu het moment dat de voordeur wordt geopend om de profeet Elia binnen te laten die, aldus de belofte, op de vooravond van het pesachfeest zal verschijnen om het tijdstip van de verlossing aan te kondigen. Désirée zat het dichtst bij de deur, dus werd zij naar buiten gestuurd. Het liep al tegen elven – zo'n seideravond kan lang duren – en ze moest op de tast haar weg door de gang zoeken. Achter haar begon Zalman aan het gebed waarin God wordt opgeroepen zijn toorn over de ongelovigen uit te storten. In het trappenhuis brandde de gaslamp en door de melkglazen ruit leek het heel even of er iemand voor de deur stond te wachten om binnengelaten te worden.

'Zij hebben Jakob verslonden,' reciteerde Zalman in het Hebreeuws, 'en zijn woonstede verwoest.'

Iemand – waarschijnlijk Mimi, die altijd bang was voor inbrekers – had de ketting op de deur gedaan. Het duurde even voor Désirée de haak los had.

'Gij zult hen in toorn vervolgen en verdelgen van onder des Heren hemel.'

Bij het opengaan kreunde de deur als een ernstig zieke die moeite heeft met ademhalen.

Er stond inderdaad iemand in het trapportaal te wachten: een jongeman in de kleuren van het corps, met baret, sjerp en clublint, allemaal in de wit-groene kleuren van zijn vereniging. Hij stond een beetje wankel op zijn benen en toen hij begon te praten rook zijn adem naar bier.

'Hallo, Déchirée,' zei de student. 'Déchirée' zei hij, alsof ze elkaar kenden. 'Vandaag zijn toch alle hongerigen uitgenodigd. Daarom dacht ik: ik kom gewoon eens langs.'

'Wie …?' vroeg Désirée en ze moest slikken voor ze de zin kon afmaken. 'Wie bent u?'

'Ken je me niet meer?' zei de student. Hij boerde, bracht zijn hand half naar zijn mond en liet hem toen vermoeid weer zakken: het kostte hem te veel moeite de beweging af te maken. 'Ik ben Alfred. Alfred Meijer. De goj.'

37

'*Scandaleux*,' zei Mimi.

Ze zei het al voor de vierde of vijfde keer tijdens dit late ontbijt en smeerde intussen zo verwoed boter op haar matse dat hij op haar bord in kleine stukjes brak. De satijnen strik die haar ochtendjas van Turks bedrukt mousseline met al te bonte elegantie aan de hals sloot, wapperde even heen en weer en kwam toen op haar boezem weer tot rust. Mimi was niet dik geworden, certainement pas, maar naarmate ze de zestig naderde, had ze toch bepaalde matroneachtige trekjes aangenomen. 'Statuesk' heette dat in de romans die ze nog altijd graag las en het verleende haar, zoals ze steeds weer voor de spiegel constateerde, een zekere waardigheid. Haar gezicht was nog altijd glad, waar ze ijverig met poeder en crèmes toe bijdroeg; alleen links en rechts van haar mond, onder de lichtelijk papperige wangen, liepen twee diepe rimpels naar haar kin, lijnen zoals het leven ze nu eenmaal in je gezicht tekent als je veel hebt moeten meemaken; andere mensen hadden geen idee.

'Scandaleux,' herhaalde Mimi. 'Natuurlijk was hij dronken. Bij hun zuippartijen, of hoe ze dat noemen, drinken ze bier als zeugen aan de trog. Wat een brutaliteit om zomaar binnen te komen en bij ons aan tafel plaats te nemen! Alsof hij bij de familie hoort!'

Désirée had haar ogen neergeslagen en bestudeerde grondig een klein beschadigd plekje op haar koffiekopje. Voor Pesach neem je niet het allerbeste servies, het staat toch maar het hele jaar op de zolder te wachten om voor die ene week naar beneden gehaald te worden. Als je met je nagel langs de rand van het kopje streek, veroorzaakte dat op de kapotte plek telkens een bijna onhoorbaar klikje. 'Hij ís toch familie,' zei Désirée zonder op te kijken.

'Niet van mij. Familie is iets anders. Je moet bedenken waar hij vandaan komt, die ... die student.' Mimi zei het zo vol walging, alsof er in het hele woordenboek geen verachtelijker woord voorkwam. 'Alleen Chanele al – je weet dat ik van haar hou, moge ze honderdtwintig worden gezoenderheid, maar ze is nu eenmaal maar een aangenomen kind.

En Janki ... een kleinzoon van een oom van een grootvader. Als dat misj-pooche is, dan is de hele wereld familie van me. Een schooier die midden in de nacht bij ons in Endingen voor de deur stond, zoals ... zoals ...'

'Zoals Alfred gisteren?'

'Alfred!' Mimi's verontwaardiging had prompt een nieuwe richting gevonden – een hond die een vers geurspoor volgt. 'Wat een naam: Alfred!'

'Daar kan hij niets aan doen. Ik heet ook Désirée, hoewel ...'

'Hoewel? Hoewel?' Als Mimi zich opwond kreeg ze knalrode wangen, als een potige marktvrouw.

'Neem me niet kwalijk, mama,' zei Désirée, hoewel ze helemaal niets gezegd had waarvoor je je zou moeten verontschuldigen.

'Gewoon voor de deur.' Mimi's verontwaardiging bleef maar pruttelen, zoals de melk blijft schuimen als je de pan al van het vuur hebt genomen. 'En dan heeft hij ook nog het lef om mee te zingen.'

Bij het halleel had Alfred nog gezwegen. Er was een stoel voor hem gevonden en Rachel had zelfs een kussen moeten halen, van haar eigen bed, want zonder kussen op seideravond, dat gaat niet. Maar hij leunde er niet tegenaan, hij zat daar met een rechte rug en beide voeten op de grond geplant, iemand die op het punt staat op te staan en weg te gaan.

Ze hadden allemaal geprobeerd hem niet aan te staren, uit beleefdheid of uit verlegenheid, wie zal het zeggen? Alleen Ruben bleef zijn neef strak aankijken, zoals hij misschien naar een stuk varkensvlees gekeken zou hebben dat na een aaneenschakeling van toevalligheden op de sei-dertafel was beland – in de uitgekiende voorbeelden van de Talmoed komen uitzonderlijker situaties voor. 'Je bent een treife goj en je hebt hier niets te zoeken!' betekende die blik.

In de stamkroeg van zijn corps – maar dat kon Ruben weer niet weten – zou Alfred iemand die hem zo aankeek onmiddellijk verzocht hebben een secondant te zoeken. Hier voelde hij de blikken niet eens. Hij scheen ook niet te horen dat de tweeling het steeds weer uitproestte, hoe stijf ze in een vergeefse poging zich te beheersen hun servetten ook tegen hun mond drukten. Hij zat daar maar en wiebelde heel zachtjes heen en weer. Heen en weer.

Als iemand die sjokkelt.

Eén keer, precies op het moment dat de anderen in koor 'Omein!' riepen, liet hij een boer. Hij sprong op, sloeg zijn hakken tegen elkaar en leek zich te willen verontschuldigen. Maar toen vergat hij wat hij had willen zeggen, keek verdwaasd om zich heen en ging weer zitten.

Arthur zette zijn bril af en drukte zijn vingertoppen tegen zijn neus-rug. Die arme jongen weet niet waar hij bij hoort, dacht hij. Dat is het ergste wat iemand kan overkomen.

Hinda had Mina's hand gepakt en drukte hem heel vast. Het gebaar betekende: 'Ik weet wat er in je omgaat', en Mina was dankbaar voor dat leugentje om bestwil. Want natuurlijk kon Hinda, die haar hele leven nog nooit iets ergs had meegemaakt, zich absoluut niet voorstellen wat er in deze minuten in haar schoonzus omging, maar troost put zijn kracht niet uit begrip maar uit de goede bedoeling. Daar zat plotseling Mina's zoon aan tafel, haar enig kind, hij was op het verkeerde moment op de verkeerde plaats in de verkeerde wereld, hij was dronken en in de war en belachelijk en ze mocht hem niet in haar armen nemen en tegen zich aandrukken, ze mocht zijn verwarring niet gewoon wegkussen zoals ze bij hem als klein kind zijn pijntjes had weggekust. Ze mocht alleen naar hem kijken. Ze had haar hele leven alleen naar alles mogen kijken.

Zalman, de heer des huizes, probeerde te doen alsof er niets aan de hand was. Dat lukte niet echt. Hij zong het halleel harder dan nodig en veegde na de vierde beker al te opvallend zijn lippen af. Toen waren ze bij het allerlaatste deel van de seider aangeland, bij de middeleeuwse liederen die geen rituele betekenis meer hebben. Ze worden alleen gezongen omdat ze altijd al zijn gezongen en de avond zonder die liederen niet compleet zou zijn. Ze zongen het *Adir hoe* en totaal onverwachts, bij 'bimheiro, bimheiro', begon Alfred mee te zingen. Zeven jaar was hij niet meer bij de seider geweest en gezongen had hij alleen met de corpsleden, *Gaudeamus igitur* en *Als we naar de hemel gaan*. Maar nu was er een herinnering boven komen drijven, misschien omdat hij te dronken was om haar te onderdrukken, en hij zong als vanzelfsprekend met de anderen mee.

Ruben viel meteen stil; in zijn jeugdig strenge godsdienstigheid leek het hem een zonde om een lied dat de mystieke eigenschappen van God prijst, samen met een gedoopte te zingen. Maar zelfs oom Pinchas sloot zich niet bij zijn stille protest aan en dus zong hij bij het volgende refrein weer opvallend hard met het koor mee. Ruben had een rauwe stem die af en toe oversloeg, alsof hij, terwijl hij al oud genoeg was voor de jesjieve, nog altijd de baard in de keel had.

Alfred daarentegen hief de oude melodieën aan met een fluwelen bariton, die zijn bieradem en de uit de toon vallende kledij deed vergeten. Hij had zijn ogen dichtgedaan en glimlachte bij het zingen stilletjes. Net een kleine jongen, dacht Désirée.

Ze zongen de liederen met alle herhalingen. Tegen het eind van de laatste Aramese rondzang, die verhaalt van het bokje dat de vader voor twee *zoez* heeft gekocht, zwegen ze allemaal alsof het was afgesproken en lieten Alfred de laatste herhaling alleen zingen. Hij kende inderdaad – na zeven jaar! – de hele reeks nog van achteren naar voren uit zijn hoofd, liet God de doodsengel doden en de doodsengel de slachter doden, liet de slachter de os slachten en de os het water drinken, het water bluste het vuur, het vuur verbrandde de stok, de stok sloeg de hond, de hond beet de kat omdat die het bokje had opgevreten dat de vader voor twee zoez had gekocht, het bokje, het bokje.

Na het laatste lied van de seider komt er altijd een moment van verlegenheid. Men heeft de hele avond een voorgeschreven ritueel gevolgd, men heeft de vertrouwde weg afgelegd en moet nu zijn eigen koers weer zien te vinden. Op deze avond – wat is het verschil tussen deze avond en alle andere avonden? – was dat gevoel bijzonder sterk. Ze keken allemaal naar Alfred, die nog steeds zachtjes zat te wiegen en naar zijn eigen stem luisterde. Toen deed hij zijn ogen open, niet als iemand die wakker wordt, maar als iemand die schrikt; hij keek hen aan en stond op, sloeg zijn hakken tegen elkaar en zei: 'Neem me niet kwalijk. Ik hoor hier niet.' En hij liep naar de deur, zo kaarsrecht als dronkenmannen soms kunnen lopen, liet nog een boer en was verdwenen.

'Scandaleux,' zei Mimi.

Désirées nagel cirkelde over de rand van haar kopje.

Hopelijk kwam papa gauw thuis.

In de gebedsruimte van de Israëlitische geloofsgemeenschap was de ochtenddienst iets later afgelopen dan in de grote synagoge in de Löwenstraße. Ze namen het daar met alle overgeleverde inlassingen en toevoegingen aan de gebeden heel nauw. Tenslotte hadden ze zich destijds niet alleen vanwege het harmonium en de vrouwenstemmen in het synagogekoor van de grote gemeente afgescheiden. Ze wilden de aloude Asjkenazische tradities bewaren, zonder uitzondering, want als je ook maar één dag stopt met het dichten van de gaten in een dijk, is de vloedgolf vroeg of laat niet meer tegen te houden.

Pinchas had zich niet vanaf het begin bij die geloofsgemeenschap aangesloten. In zijn overdreven correctheid was hij bang geweest dat hem egoïstische beweegredenen toegedicht zouden worden, want natuurlijk waren de orthodoxe leden van de afgescheiden gemeente de beste klanten voor een koosjere kruidenierswinkel. Maar dat was nu al bijna twintig jaar geleden en tussen de beide gemeenten bestonden allang geen spanningen meer. Ze hadden hem zelfs gevraagd zich beschikbaar te stellen voor het bestuur, maar dat had hij – ook weer met het oog op zijn klanten – steeds geweigerd. Maar als ze hem nog een keer vroegen ...

De zon gaf op deze lenteochtend al een beetje warmte, zodoende losten de pratende groepjes voor de gebedsruimte zich maar langzaam op. Overal was het een gewone werkdag, een leerjongen duwde een kar met pakjes naar de post, een koetsier tilde biervaten van zijn wagen en midden in die zee van doordeweekse drukte stonden daar op een onzichtbaar eilandje feestelijk geklede mannen met opgedofte kinderen aan de hand, die als ze afscheid namen hun glanzende hoge hoed lichtten. Dan werd op hun achterhoofd het kleine zwarte keppeltje zichtbaar, dat ze onder hun hoed droegen om vooral geen moment oneerbiedig met ontbloot hoofd te hoeven staan.

Arthur was bijna de enige die een gewone zwarte hoed droeg. Dat was bij vrijgezellen gebruikelijk, alleen waren mannen van zijn leeftijd in deze gemeente nog maar zelden vrijgezel. Hoewel hij geen lid was, ging hij de laatste tijd altijd met Pinchas mee naar de gebedsruimte in de Füsslistraße en gold daar op zijn manier als een vrome omdat ze hem, als de gemeente een gebed al had beëindigd, vaak nog met gesloten ogen zagen staan, schijnbaar devoot biddend. In werkelijkheid sloeg Arthur de bladzijden van het gebedenboek alleen mechanisch om als de mensen naast hem dat ook deden en gebruikte hij de murmelende regelmaat van de dienst om zich over te geven aan zijn eigen gedachten, gedachten die in een kringetje ronddraaiden, in een eindeloze kring altijd om hetzelfde middelpunt, waar hij voor terugschrok.

Hij was natuurlijk – het hoefde niet eens gezegd te worden, zo vanzelfsprekend was het – bij de familie Pomeranz uitgenodigd voor het pesachontbijt. 'De dames zullen wel niet op ons gewacht hebben,' zei Pinchas. 'Als Mimi honger heeft, dan heeft ze honger. Dr. Wertheim vindt ook dat ze moet eten als ze trek heeft. Ze heeft dat nodig in haar toestand.'

Arthur kende dr. Wertheim als een ouwelijke collega die vooral geliefd was bij patiënten die niet echt ziek waren, omdat hij hun in plaats van diëten liever badkuren voorschreef. Mimi's 'toestand' zou, zo vermoedde Arthur, in geen enkel medisch handboek te vinden zijn. Ondanks alle vermoeienissen die haar late moederschap met zich mee had gebracht, leek het hem niet meer dan een slim excuus om onder onaangename plichten uit te komen en altijd precies te doen waar ze zin in had. Maar hij knikte slechts en zei: 'Misschien kunnen we nog een ommetje maken. Ik wil je iets laten zien.'

Onderweg naar de overkant van de Bahnhofstraße kwam het gesprek natuurlijk op het onverwachte bezoek van Alfred bij de seider. Het was een van die gebeurtenissen die eindeloos verteld moeten worden voor ze, keurig gerangschikt en voorzien van een opschrift, een passende plaats in het museum van de familieherinneringen vinden.

'Als ik Zalman was geweest,' zei Pinchas, 'had ik hem de deur uit gezet. Maar ik was de heer des huizes niet.'

'En waarom?'

'Zoiets geeft geen pas,' zei Pinchas en dat is onder joden een formulering waar niemand tegenop kan.

Een eindje liepen ze zwijgend naast elkaar. Arthur groette een patiënte die hun met een boodschappenmand aan de arm tegemoet kwam en verbaasd naar de jonge dokter keek, die op een doodgewone dag zo'n plechtig pak had aangetrokken. Er zal iemand gestorven zijn, dacht ze.

'Ik heb medelijden met de jongen,' zei Arthur.

'Hij is geen jongen meer. In zijn studentenuitdossing voelt hij zich vast heel volwassen. We mogen blij zijn dat hij niet ook nog zijn sabel bij zich had.'

'Niemand kan het helpen dat hij is zoals hij is.'

Pinchas keek Arthur verrast aan. 'Waarom zeg je dat?'

'Jullie vallen allemaal over hem heen, terwijl ...'

'Het was Pesach en hij is een goj.'

'Omdat ze een goj van hem gemáákt hebben. Het is erg als je niet weet waar je bij hoort.'

'Daar kom je niet achter door je te bezatten.'

Ze hadden bijna ruziegemaakt, maar zoals altijd in zulke situaties bond Arthur in. Hij wist nu al dat hij achteraf ontevreden over zichzelf zou zijn.

Gelukkig waren ze bij de etalage aangekomen die hij Pinchas wilde laten zien. De etalage hoorde bij een klein winkeltje in een van de straatjes die naar de Rennweg lopen en het raam was amper groot genoeg voor het prachtig geborduurde verenigingsvaandel dat er was uitgestald. Het vaandel was wit met blauw en de matglanzende zijde was geborduurd met gouddraad. 'Moet je zien!' zei Arthur. 'Dat is precies wat we nodig hebben.'

'Schutters Herrliberg,' las Pinchas. 'Wat heb jij daarmee te maken?'

'Niet dit vaandel, natuurlijk, een vaandel als dit. Dezelfde kwaliteit, bedoel ik. Ik heb geïnformeerd. Katoenfluweel moet het zijn, met een bijzonder dichte pool, en ripslint en zuivere zijde. De draad heet Japans goud. Dat is de duurste, maar die glanst over honderd jaar nog.'

'Waarvoor heb jij ...?'

'Voor de Joodse Turnvereniging. Zonder een echt vaandel maken we ons bij elke uitvoering belachelijk.'

'Ik dacht dat je daar helemaal niet meer bij betrokken was.'

'Toch wel,' zei Arthur, die ineens een verlegen indruk maakte. 'Eigenlijk zelfs heel sterk.'

Drie of vier jaar geleden had Arthur, die op school altijd tegen de gymlessen had opgezien, zich plotseling heel intensief voor sport geïnteresseerd. Hij was lid geworden van de turnvereniging, destijds iets nieuws waar een beetje om werd gegrinnikt, en hij was heel actief geweest. In de familie hadden ze alleen hun hoofd geschud, vooral toen hij uitgerekend worstelen als zijn persoonlijke sport uitkoos, want voor lichamelijke dingen had Arthur nooit veel aanleg gehad. 'Hij denkt over elke stap net zo lang na tot hij over zijn eigen benen struikelt,' had oom Salomon ooit over hem gezegd. Tot ieders verrassing deed hij het niet eens zo slecht, misschien omdat hem bij het worstelen zijn anatomische kennis goed van pas kwam, en er was een speciale greep, de nelson, waarmee hij meer dan eens ook sterkere tegenstanders vloerde. Hij won zelfs een keer het clubkampioenschap Grieks-Romeins worstelen, hoewel zijn tegenstander, een stevig gebouwde leerjongen, Joni Leibowitz genaamd, algemeen als favoriet had gegolden.

En toen, even plotseling als het was begonnen, was Arthurs enthousiasme voor de sport weer verdwenen en als hij er nu over werd aangesproken, antwoordde hij met een schouderophalen en een verlegen glimlach.

'Ik ben niet meer actief,' legde hij nu uit, 'al een hele tijd niet meer, maar zo'n vereniging heeft toch een dokter nodig en ik heb me bereid verklaard ...'

'Hoort het bij de taken van een dokter om voor de vereniging een vaandel te versieren?'

'Ik had gedacht ...' Arthur had zonder enige reden gebloosd, een euvel waar hij als kind al onder leed. 'Jij zou me kunnen helpen,' zei hij. 'Je schrijft toch af en toe voor het *Israelitisches Wochenblatt*. Als daar een oproep geplaatst zou worden ... Voor een collecte. Zo'n vaandel is duur.'

'Hoe duur?'

'Heel duur,' zei Arthur en hij bloosde alweer.

Het was heel gebruikelijk om met een 'ingezonden brief' het geld voor een advertentie uit te sparen en er was geen reden waarom Pinchas hem dat kleine plezier niet zou doen. 'Dat valt wel te regelen,' zei hij. 'Maar nu heb ik honger. Elk jaar verheug ik me al dagen van tevoren op het eerste matseontbijt. Een dikke laag boter en dan aardbeienjam.'

Voor het huis – Mimi en Pinchas woonden nu in de Morgartenstraße – stond een bode met samengeknepen ogen de deurbellen te bestuderen, als iemand die niet kan lezen en zich achter bijziendheid verschuilt.

'Kan ik u helpen?' vroeg Pinchas.

De bode schoof zijn rood-zwarte pet, waarop koperen letters hem het nummer 46 toekenden, op zijn achterhoofd en wreef, hoewel het helemaal niet warm was, met een groezelige zakdoek zijn voorhoofd droog. 'Ik moet een brief voor iemand afgeven,' zei hij ten slotte. 'Maar die woont hier niet.'

'Welke naam?'

'Meier,' zei de bode en met het gezicht van een wetenschapper die net een grote ontdekking heeft gedaan, voegde hij eraan toe: 'Weet u, het is raar – er zijn zoveel mensen die Meier heten, maar als je er een keer een zoekt, dan bestaat hij niet.'

'Mag ik de brief eens zien?'

De bode haalde een envelop uit de binnenzak van zijn uniformachtige jasje, deed een stap achteruit en terwijl hij zich afwendde en veiligheidshalve vooroverboog, bestudeerde hij het adres, een leerling die zijn buurman niet wil laten afkijken. 'Hij heet echt Meier,' zei hij meer dan eens knikkend. 'Met een heel rare voornaam.' Hij hield de envelop zo dicht voor zijn ogen dat zijn hele gezicht verdween. 'Pinchas Meier.'

'Dan is de brief beslist voor mij,' zei Pinchas.

'Heet u Meier?' vroeg de bode achterdochtig.

'Ik heet Pomeranz.'

'De brief is voor Meier.'

'Ík heet Meijer,' bemoeide Arthur zich ermee.

'En u woont hier?'

'Nee,' begon Arthur, 'ik ben...' De bode bewoog zijn hoofd heen en weer, heel langzaam van links naar rechts en weer terug, alsof hij wilde zeggen: 'Ik ben veel te slim om me door bedriegers te laten beetnemen!' en dus besloot Arthur tot een leugentje om bestwil. 'Ja, ik woon hier.'

'En u heet Meier?'

'Ja.'

'Pinchas Meier?'

'In zekere zin,' zei Arthur.

Toen hij wegging was de bode er definitief van overtuigd dat hier iets niet in de haak was. Hij had niet eens een fooi gekregen. Hij kon niet weten dat joden op feestdagen geen geld op zak mogen hebben.

Aan de eetkamertafel, waar Mimi en Désirée nog steeds aan hun late ontbijt zaten, maakten ze de brief open.

Beste oom Pinchas,

Ik weet nog zoveel en toch kan ik niet op uw achternaam komen. Ik schrijf gewoon 'Meijer' op de envelop. U was altijd oom Pinchas voor mij en ik hoop dat u het me niet kwalijk neemt als ik u nog steeds zo noem.
Ik weet nog de verhalen die u ons vertelde als ik bij u was om met Désirée te spelen. In een ervan kwam een vis voor die zo groot was dat de matrozen er een vuurtje op stookten en een picknick hielden. Ik geloofde toen in die vis en ergens geloof ik er nog steeds in.
Op een keer vertelde u dat u een tand miste en dat de dokter er een kunsttand in had gezet. Ik moest raden welke het was, maar ik kon het niet ontdekken. Ze zagen er allemaal hetzelfde uit en toch was er één vals en de andere waren echt. Ik begreep er niets van.
Voor mijn bar mitswe, dat weet ik ook nog, hebt u me een heel

speciaal cadeau beloofd. Ik heb het nooit gekregen.

Ik ben niet meer dronken, al lijkt het misschien zo. We moesten met Duitse studiegenoten de opening van het nieuwe universiteitsgebouw vieren en zijn drie dagen niet van de biertafel opgestaan.

Ik schrijf deze brief om me bij u en tante Mimi en Désirée te verontschuldigen. Ik heb me onmogelijk gedragen en dat kwam niet alleen door de drank. Soms zijn er momenten

Hier hield de zin op, zonder punt of komma, en wat daarna kwam was er kennelijk later bij geschreven: hetzelfde handschrift, maar veel hoekiger en beheerster.

Ik verzoek u mij te vergeven en beloof dat ik u nooit meer met zulke dwaze scènes lastig zal vallen.

Met de meeste hoogachting,
Alfred Meijer

Pinchas vouwde de brief zorgvuldig op, zoals je een document opvouwt dat je nog voor een proces nodig zult hebben. Arthur had zijn bril afgezet en wreef over zijn neus. Désirée leek de matsekruimels op het tafellaken te tellen.

'Scandaleux,' zei Mimi.

38

François had zijn chauffeur alleen in dienst genomen omdat hij Landolt heette. Hij was eerst voerman bij hem geweest en François had een chauffeurspet en een paar leren handschoenen voor hem gekocht en hem laten leren rijden.

Alleen omdat hij Landolt heette.

'Waar blijf je, Landolt?' kon hij nu zeggen, of: 'Harder, Landolt!' en omdat dat een wrange grap was, als het ware ingelegd in azijn, bleef hij lang goed. Hij had ook een hond kunnen nemen, een of andere straathond, en die Landolt noemen, maar honden janken alleen en trekken hun staart in als je ze slecht behandelt.

Een mens was beter.

Zijn Landolt had flaporen. Vanaf de achterbank leek het of de grijze pet ertussen vastgespeld was. De uitgeschoren nek boven de kraag van de stofjas was puisterig en ontstoken. Het was een lelijke man, die Landolt.

Ook daarom had François hem in dienst genomen.

'Alles in orde, Landolt?'

'Jawel, meneer Meijer.'

Als hij naar voren boog, kon hij over de rand van de bestuurdersplaats zien met hoeveel inspanning Landolt het stuur moest vasthouden. Na een lange rit had hij soms blaren in zijn handen.

Net goed.

Natuurlijk was het comfortabeler geweest om met de trein naar Baden te gaan. Dan had hij niet zo onder het stof gezeten en had mama hem van het station gehaald. Ze genoot er altijd zo van om een paar minuten met hem alleen te zijn, hoewel ze dan meestal niets zeiden, maar zwijgend naast elkaar liepen. Soms dacht hij: haar zou ik kunnen uitleggen hoe het allemaal zo gekomen is. Maar hij was niemand uitleg schuldig.

Niemand.

De auto was een Buchet, met een radiateur als een opengesperde muil. Franse kwaliteit. In tegenstelling tot Arthur was François nooit Zwitser geworden en hij was het ook niet van plan. Waarom zou je je aanpassen als je er toch niets aan had?

Eén keer hadden ze de afstand Zürich-Baden in drie kwartier afgelegd. François hield van die momenten waarop de stofwolk die je achter je aantrok, je een gevoel van snelheid gaf. Als het moest was de auto met zijn zware stalen vering ook bestand tegen kuilen en oneffenheden. Een auto was iets voor mensen die zich niet lieten tegenhouden. Het kwam op de kracht aan. Vijfentwintig pk. François genoot van het idee dat vijfentwintig paarden zich moesten inspannen om hem naar Baden te brengen.

Buchet-motoren werden zelfs in vliegtuigen ingebouwd.

'Harder, Landolt,' zei hij en hij moest het luidkeels herhalen omdat de motor zoveel lawaai maakte.

Landolt.

Ze hadden elkaar twee keer ontmoet en beide keren was Landolt beleefd geweest. Hij was opgestaan toen François binnenkwam, had hem een stoel aangeboden en de sigarenkoker naar hem toe geschoven. Donkerbruin leer met een gouden familiewapen erop.

Ook daarom had François een hekel aan hem.

'Een heel interessant voorstel, dat u me daar hebt gedaan,' had hij gezegd.

Landolt bezat een bouwterrein – hij bezat veel bouwterreinen, maar er was dat ene, dat heel speciale –, een stuk grond dat altijd al van zijn familie was geweest. 'Altijd al,' zei hij en het klonk bijna verontschuldigend, alsof de Landolts zonder hun toedoen buiten de geschiedenis stonden, eenmaal rijk, altijd rijk. Op het terrein stond een lang, laag gebouw, een voormalige werkplaats of fabriek, met kleine, dof geworden ramen en vuilgroen bemoste dakpannen. Een schandvlek op een uitstekende locatie, slechts een paar passen van de Paradeplatz vandaan. Vergeten en verlaten, omdat men het niet nodig had er iets mee te doen.

Niet als men een Landolt was.

François was er zo vaak langsgelopen dat het terrein al bijna van hem was. Hij wist precies waar de ingang van zijn nieuwe warenhuis zou komen, twee enorme dubbele deuren die als het weer het maar enigszins toeliet open moesten staan, zodat je wel naar binnen móést gaan, niet gewoon een winkel in, maar een wereld waarin je kon flaneren en bewonderen en kopen. Hij was langs de etalages van elk vierenhalve meter lang gelopen en had de uitgestalde artikelen al gezien, niet zomaar op een hoop gelegd als in een kruidenierswinkel, maar royaal opgezette arrangementen, vormgegeven door kunstenaars.

Hij had de klanten al geteld.

De winkel liep niet slecht, waarachtig niet. Toch was het allemaal heel bekrompen. Je noemde je een warenhuis, maar als puntje bij paaltje kwam stond je nog altijd achter de toonbank en moest je voor elke verkoop kruipen. Dat was niet wat hij wilde, hij had andere plannen, altijd al gehad, veel grotere, en die zou hij ook verwezenlijken. De een gaat te voet, de ander koopt een Buchet. Ooit, dat had hij zich vast voorgenomen, zou hij ook dat terrein bij de Paradeplatz krijgen, wat het ook kostte. Landolt was toen al een oude man geweest, een ziekelijke oude man, en zijn erfgenamen zouden …

Een van Landolts kleinkinderen zat in dezelfde studentenvereniging als Alfred. Zo leerde je elkaar beter kennen.

Als Alfred eenmaal zijn doctorstitel had … Dr. jur. Alfred Meijer. Ze hadden hem meteen een tweede voornaam moeten geven, net als in Amerika. Dr. jur. Alfred W. Meijer.

De w van warenhuis.

De jongere chef, dr. Meijer.

Later ooit.

Nu was Alfred nog een groentje en François was op die benaming bijna nog trotser dan zijn zoon. Hij had er ook niets op tegen als Alfred met zijn kliek nachtbraakte en 's morgens niet uit zijn bed kon komen. Dat ging wel over. Nu kwam het erop aan dat hij daar mensen leerde kennen. Je moest erbij horen.

Het was toch goed geweest dat hij hem indertijd had meegenomen.

Dat was tenminste iets wat goed was geweest.

Dat tenminste wel.

De Buchet had vaart geminderd en stopte midden op de weg, nog steeds schokkend en trillend, alsof het voertuig voelde dat François ongeduldig was. Twee koeien, waarvan je de ribben kon tellen, versperden de weg en de boerenjongen die ze naar de wei moest drijven, of naar de slager of de vilder, stond met zijn stok in zijn hand naar de auto te staren alsof hij zoiets nog nooit gezien had.

François leunde uit de auto en moest zich uitrekken om met zijn hand bij de rubberbalg van de claxon te kunnen. Het geluid was oorverdovend, half loeiend, half kreunend. De koeien tilden niet eens hun kop op – alsof hun eigen horens al te zwaar voor hen waren, zo mager waren ze – maar kwamen toen toch in beweging – gezapige oude vrouwen die elke beweging verlangzamen om met de paar boodschappen die ze moeten doen de lege dag zo veel mogelijk te vullen.

'Vooruit Landolt, rijden!'

Hij had een bod gedaan waar je je niet voor hoefde te schamen. Bepaald niet krenterig. Mina's bruidsschat was niet onaanzienlijk geweest en was in de zaak nog gegroeid. Ook Janki was bereid nog meer te investeren. Zelfs met de bank was alles besproken, al had meneer Hildebrand daar gezegd: 'Hij zal het terrein niet aan u verkopen; u zult het zien.'

En toen kuchte Landolt in zijn zakdoek en zei: 'Een heel interessant voorstel, dat u me daar hebt gedaan.' En hij bood hem een stoel aan en schoof de koker met de sigaren naar hem toe.

Wat had hij een hekel aan die man.

'U kunt wel rekenen, zie ik,' zei Landolt. 'Wat u daar schrijft zit goed in elkaar. Het is bijna jammer ...' Hij draaide zijn sigaar om, pafte en had alle tijd van de wereld. Hij keek naar de gloed alsof hij net het vuur had uitgevonden.

'... bijna jammer dat we geen zaken met elkaar kunnen doen.'

Het bouwterrein, aldus Landolt, was van een familiestichting. Zelf had hij, dat was zo vastgelegd, als oudste van zijn generatie het volledige beschikkingsrecht, hij kon ook verkopen als een verkoop hem opportuun leek, maar hij diende wel bepaalde regels in acht te nemen. Achterhaalde regels misschien, daar wilde hij niet over twisten, maar daarom waren ze niet minder bindend. En een van die regels – 'Het is echt bijna jammer!' – luidde nu eenmaal dat ze met mensen van het Mozaïsche geloof geen zaken deden.

'Staat dat zwart op wit?' had François gevraagd.

Landolt had naar zijn sigaar gekeken, waarvan de gloed hem nog altijd niet perfect leek, en geantwoord: 'Er zijn dingen die je niet hoeft op te schrijven.'

'Is dat de enige reden? Als ik geen jood was, zou u het terrein dan wel aan me verkopen? Voor die prijs?'

'In principe wel.'

Dat was het moment geweest. Exact het moment.

Zeven jaar was dat nu geleden.

Al zeven jaar.

Er hing opeens een vieze geur in de lucht. Waarschijnlijk het koolzaad dat op een van de akkers al bloeide.

'Rij toch harder, Landolt!'

Toen dacht François voor het eerst van zijn leven na over zijn joodzijn, hij schoof het vage gevoel ergens bij te horen dagenlang in zijn persoonlijke boekhouding heen en weer, boekte het nu eens aan de ene, dan weer aan de andere kant en kwam telkens tot een ander resultaat. Hij woog loyaliteit af tegen nut, vergeleek oude gewoonten met nieuwe kansen en maakte steeds weer andere rekeningen op. Zoiets als geloof kwam in geen van die rekeningen voor, want een geloof had hij nooit gehad. Als zulke filosofische begrippen tot zijn wereld hadden behoord, had hij zich waarschijnlijk agnosticus genoemd, iemand die het tijdverspilling vindt om vragen te stellen waar toch geen antwoord op kan komen.

Naar oud joods gebruik wordt het woord 'God' uit puur respect voor de Heilige nooit helemaal op papier gezet, je schrijft 'G'd'. Die traditionele onvolledigheid had voor François altijd iets heel anders betekend dan eerbied: er was gewoon niets. Of anders gezegd: het stond eenieder vrij te beslissen wat hij daar wilde invullen.

Dat waren allemaal ongewone gedachtegangen voor hem. Over zijn snor – al jaren kort, tegenwoordig minder opvallend dan toen in Baden – had hij in zijn leven meer nagedacht dan over zijn religie. Jood-zijn was voor hem altijd zo vanzelfsprekend geweest als het feit dat hij bruine ogen had of veel te vroeg grijs was geworden.

Het was gewoon zo.

Maar haar kon je verven en je ogen kon je achter een bril verbergen.

Mina had een lam been, maar zolang ze op haar stoel bleef zitten merkte niemand er iets van.

Niet dat zijn jood-zijn hetzelfde was als een handicap, natuurlijk niet. Maar lastig was het soms wel. Die toestand met het bouwterrein was maar een van de vele voorbeelden. Er waren altijd weer situaties voorgekomen waarin het voordeliger was geweest om Huber of Müller te heten. Een Meier had het makkelijker dan een Meijer.

En een Landolt kon zich alles permitteren.

Een opspattend keitje sloeg tegen de spaken van het achterwiel. Het klonk als het knappen van een snaar in een piano.

'Kijk toch uit, Landolt!'

Hij sprak er met niemand over, ook niet met Mina, hoewel ze de laatste tijd tegen de verwachting in steeds vaker met elkaar praatten. Hij was destijds met een bruidsschat getrouwd en had Mina erbij gekregen, een rol satijn met het dessin van vorig jaar die je erbij moet nemen als je ook de veelgevraagde modestof wilt hebben. Hun huwelijk was een transactie geweest, een eerlijke, zuivere transactie. Zij had een man gekregen en hij de kans om al jong een eigen bedrijf op te richten. Hij had zijn deel vervuld, was altijd een fatsoenlijk echtgenoot geweest, al kon hij zich met Mina met haar lamme been niet goed vertonen. Als hij zijn vrouw bedroog, deed hij dat zo discreet dat ze er niets van hoefde te merken als ze niet wilde. Maar gaandeweg was hij aan haar gewend geraakt, zoals mensen die huisdieren houden aan een hond wennen, hij was haar zelfs gaan missen als hij thuiskwam en zij er toevallig niet was.

Eerst had hij alleen af en toe hardop gedacht, had hij een probleem of een te nemen beslissing alleen maar onder woorden gebracht om de zaak voor zichzelf op een rijtje te zetten, en hij had beslist geen commentaar van Mina verwacht en zeker geen oplossing. Maar Mina kon luisteren zoals andere vrouwen piano kunnen spelen of bloemen schikken, ze beheerste dat zo goed dat je bij het vertellen helemaal vanzelf op de gezochte antwoorden kwam, die zij dan alleen maar hoefde te bevestigen. Het deed goed om met haar te praten.

Een buitenstaander zou waarschijnlijk geconstateerd hebben dat François in de loop van zijn huwelijk stilaan verliefd was geworden op zijn vrouw, dat gewoonte stap voor stap was veranderd in genegenheid. Maar het woord 'liefde' kwam in François' vocabulaire evenmin voor als 'geloof' of 'blind vertrouwen'. De mens – en ook die overweging zou de zakenman François Meijer vreemd geweest zijn – kan nu eenmaal meer voelen dan hij kan zeggen.

Over Landolt vertelde hij haar niets. Alleen dat de koop van het bouwterrein niet doorgegaan was. Nou ja, er zou wel een andere oplossing gevonden worden.

Er viel ook nog helemaal niets te bespreken. Voorlopig verzamelde hij alleen informatie. Puur theoretisch. Voor alle zekerheid. Een denkmanoeuvre, meer niet. Een generale staf wil niet meteen ten strijde trekken, alleen omdat hij al aan een plan de campagne schaaft.

Ook het gesprek met dominee Widmer was niet meer dan dat. Een gesprek, verder niets. Je praat met zoveel mensen zonder meteen plannen met ze te hebben.

Hij was heel toevallig langs de kerk gekomen. Als het terrein bij de Paradeplatz niet te krijgen was, moest hij nu eenmaal iets anders zoeken, moest hij zonder bepaald doel door de stad slenteren, de mensen gadeslaan en ze zien als klanten. Waar kwamen ze langs? Waar bleven ze staan? Wie een net wil uitgooien moet weten waar de vissen zwemmen.

Uit pure nieuwsgierigheid was hij naar binnen gegaan. Een toerist die in een vreemde stad langs een interessante ruïne komt. Hij was nog nooit in een kerk geweest. Zoveel anders dan een synagoge zou het wel niet zijn, maar nu hij er toch was … Hij had toevallig tijd.

Heel toevallig.

Zijn eerste indruk was een grote teleurstelling. Hij had zich bij een kerk altijd iets prachtigs voorgesteld, kleuren, afbeeldingen, geuren, maar dit hier was ondanks de gekleurde ramen niet meer dan een kale hal. Hoog en smal en kil, een gebouw met samengeknepen lippen als het ware.

In zijn neus geen wierook, maar stof en de boenwas waarmee houten banken worden ingewreven. Na de zomervakantie had het in de klas ook zo geroken.

Hij kwam binnen door een zijdeur; de grote toegangspoort deden ze waarschijnlijk alleen 's zondags open. Het eerste wat hij zag was een houten verkoopstandaard met geschriften en brochures. 'Te veel artikelen, te weinig ruimte,' stelde François met kennersblik vast. Slecht voor de omzet. Overvolle rekken maken de klant duidelijk dat hij geen haast hoeft te maken met kopen.

Grijze kale muren, quadersteen dat vochtig leek zonder het te zijn. Achterin een galerij met orgelpijpen. Geen zijgalerijen. Mannen en vrouwen zaten hier bij de dienst niet apart.

François kon zich niet voorstellen bij het bidden naast Mina te zitten. Maar dat stond ook helemaal niet ter discussie. Hij was hier toevallig.

Uit pure nieuwsgierigheid.

Voor de leden van hun gemeente hadden ze geen afzonderlijke plaatsen zoals in de synagoge, alleen lange banken waarin je, zo stelde François zich voor, akelig dicht bij elkaar zat. Geen lessenaars om je gebedenboeken en je talles in te bewaren.

Onzin. Alsof je hier een talles nodig had.

Waarom zou François niet gewoon even gaan zitten? Hij had lang door de stad gelopen en zijn benen waren moe.

Er was zelfs een speciale plank om je voeten op te zetten. Niet echt comfortabel. Maar misschien had die constructie wel een heel ander doel.

Natuurlijk.

Knielen zou ik nooit doen, dacht François. Dan zou ik me belachelijk voelen.

Op een van de pilaren die de tongewelven droegen was een kansel aangebracht. Erop geplakt als iets wat achteraf was bedacht. Bij de christenen, herinnerde François zich, was je niet vanaf je geboorte priester, maar je kon het worden.

Je kon alles worden.

De oude Kahn was, zoals de naam al zei, een kouhen. François had er altijd moeite mee gehad om in Mina's vader iets heiligs te zien, alleen omdat hij bij de priesterzegen zijn talles over zijn hoofd trok. Misschien was het christelijke systeem zo gek nog niet.

Puur theoretisch. Niet dat hij de bedoeling had ...

Rechts voorin, daar waar in de synagoge de rabbijn gezeten zou hebben, was een bord met getallen aan de muur bevestigd. '124, 1-4, 19, 1, 2, 6.' Elke religie heeft haar geheimen.

Hetzelfde bord ook aan de linkerkant.

In het midden het kruis.

Het tseilem.

Een leeg kruis, waaraan niemand hing. Ze hadden de afbeelding niet meer nodig omdat die al in hun hoofd zat. Ook dat speelde later bij zijn besluit een rol. Aan een naakte man aan het kruis had François nooit kunnen wennen.

Dit was dus een kerk. Teleurstellend, al met al. Nou ja, het ging hem niets aan.

'Het is gebruikelijk om je hoed af te zetten,' zei een stem. Dat was de eerste zin die dominee Widmer tegen hem zei.

Widmer was even onopgesmukt als zijn kerk. Hij had ook de sjammes kunnen zijn, of hoe dat hier werd genoemd. Een zwart pak en een zwarte das. Een boerenhoofd, veel te gezond voor deze sombere ruimte. De ronde bril paste niet bij de rest van het gezicht, alsof hij hem alleen had opgezet om waardiger over te komen.

'Ik heb u hier nog nooit gezien,' zei Widmer.

Zo raakten ze in gesprek.

Heel toevallig.

Als Widmer ook maar iets priesterachtigs had gehad, iets plechtigs of zalvends, dan had François zijn hoed weer opgezet en was weggegaan. Dan had hij zijn wandeling voortgezet en niet meer aan de zaak gedacht. Of er wel aan gedacht, maar niets ondernomen. Als Widmer maar een klein beetje anders was geweest. Als hij maar een spoortje jagerskoorts had vertoond. De geringste interesse om een nieuw schaapje voor zijn kudde te winnen.

Maar zo was hij niet. Absoluut niet. Hij wilde niets van François en François wilde niets van hem. Twee verstandige mensen voerden een verstandig gesprek. Praatten over overeenkomsten en verschillen, mogelijkheden en onmogelijkheden. Heel algemeen. Alsof het niet over hen ging.

En het ging ook niet over hen. Het ging over een bouwterrein. Het perfecte bouwterrein op de perfecte locatie. Het ging over Landolt.

Toen er niets meer te verzwijgen viel, zei François tegen Mina: 'Niemand heeft me bekeerd. Daar gaat het ook helemaal niet om. Het heeft alleen geen zin om je vast te klampen aan achterhaalde tradities waar je enkel nadeel van hebt. Dat vond jij toch ook altijd. Je hebt nooit een sjeitel gedragen en de wereld is toch niet vergaan. Mijn vader stopt met koosjer eten zodra hij van huis is. Die dingen zijn tegenwoordig niet belangrijk meer. We leven in de twintigste eeuw. En wat verandert er nou? Ik ben al twee jaar niet meer in de synagoge geweest. In plaats daarvan zal ik niet naar de kerk gaan. Zeg eens wat!'

Maar Mina luisterde alleen maar. Als jong meisje had ze soms haar mening gegeven, maar intussen was ze volwassen geworden.

'Als je er goed over nadenkt, zijn het allemaal maar uiterlijkheden. Ik kleed me ook niet meer zoals opa Salomon. We moeten ons aanpassen. Vooroplopen, niet achteraanhobbelen. We zullen het modernste warenhuis van Zürich hebben als ik dat bouwterrein ...'

'O ja,' zei Mina, 'het bouwterrein.'

'Dat is alleen de aanleiding. Vroeg of laat had ik anders ook ... Alleen al vanwege Alfred. Jij wilt toch ook dat hij de beste kansen krijgt. Dat hij kan studeren en lid worden van een vereniging.'

'Er zijn ook joodse studentenverenigingen.'

'Dat is niet hetzelfde. Hij moet later alles kunnen doen wat hem bevalt. Dat wil jij toch ook.'

'Ik wil dat mijn zoon weet waar hij bij hoort.'

'Hij zal er wel aan wennen. Op die leeftijd is dat geen probleem. Je doet kaarsen in de kerstboom in plaats van in de chanoekalamp – zo groot is het verschil niet. Een kind doet wat zijn ouders doen.'

'Ik laat me niet dopen,' zei Mina.

'Maar ...'

'En nog iets, François: ik laat me ook niet scheiden.'

39

Wat trek je aan bij je eigen doop? Dat zeggen ze er niet bij. Een geklede jas en een hoge hoed? Dat zou de zaak een te plechtig karakter hebben gegeven. Als een zakenman met een nieuwe compagnon gaat samenwerken, gaat hij ook niet in een jacquet en een gestreepte broek naar kantoor. Aan de andere kant: al te gewoon mocht hij ook weer niet verschijnen, dat zou onbeleefd zijn. De mensen moesten niet denken dat hij zich in een kerk niet wist te gedragen.

Maar er zouden helemaal geen mensen zijn. Alleen Widmer en Alfred en hij. Vooral geen gedoe, daar had hij op gestaan. In geen geval gedoe. Het liefst had hij gewoon een papier getekend, een contract of een plechtige verklaring, waarmee de zaak dan afgedaan was. Maar al was Widmer een verstandig mens en absoluut geen paap, bepaalde vormen moesten volgens hem in acht genomen worden. Natuurlijk, uiteindelijk kwam het aan op het geloof en op niets anders, daar had meneer Meijer gelijk in, maar de kerk was nu eenmaal voor de mensen gemaakt en mensen hadden rituelen nodig. 'In dat opzicht zijn de katholieken ons ver vooruit. Ik denk weleens: het orgel heeft meer mensen bekeerd dan de beste preek.'

In 's hemelsnaam geen orgel! Op dat punt had François zijn been stijf gehouden. Orgelmuziek had hij niet verdragen en al zou de overeenkomst nooit bij hem opgekomen zijn: wat dat betrof dacht hij helemaal niet zoveel anders dan Pinchas, die vanwege een harmonium van gemeente was veranderd. 'Eenvoudig,' zei hij toen ze de ceremonie bespraken, 'ik wil het vooral eenvoudig. En zonder mensen.' Zelfs de peters had hij Widmer uit het hoofd kunnen praten. Die waren ook niet echt nodig, had Widmer ten slotte toegegeven.

Dat was wel een voordeel van de nieuwe religie: er viel mee te onderhandelen.

Ten slotte spraken ze af op een dinsdagmorgen om halfnegen. 'Dan laten de mannen zich nog scheren en de vrouwen zijn naar de markt.' François koos voor een eenvoudig colbertje met één rij knopen van gemêleerd marengo en een zilvergrijze das, dat was feestelijk genoeg. Alfred kreeg zijn matrozenpak aan; op die leeftijd was dat altijd goed. Op school had François vrij voor hem gevraagd, in verband met dringende familieaangelegenheden.

Mina had gewoon wat langer kunnen slapen, ze had hen de zaak kunnen laten afhandelen zonder er achteraf over te praten. Maar toen ze klaar waren om te vertrekken stond ze in de deur, volkomen vanzelfsprekend, alsof ze slechts naar de zaak of naar school gingen, ze streek de linten van Alfreds matrozenmuts glad en bracht François' das in orde. Toen bleef ze voor hem staan en zei: 'Je kunt je nog bedenken.'

François bedacht zich niet. Als een verstandig mens eenmaal een verstandige beslissing heeft genomen, dan zou het onverstandig zijn haar niet ook uit te voeren.

Widmer stond al te wachten. Hij droeg als altijd zijn zwarte pak waarin hij eruitzag als zijn eigen koster. Ja, het woord voor de christelijke sjammes had François intussen geleerd. Op het gelaat van de dominee lag een plechtige uitdrukking die net zomin bij zijn boerengezicht paste als zijn nikkelen bril. Zijn handen had hij voor zijn buik gevouwen, alsof hij het zwarte boek dat hij daaronder klaar hield voor Francois wilde verbergen. Bij de borst zat zijn colbertje te strak. Slechte snit, dacht François.

Met z'n drieën stonden ze bij het doopvont. Het bekken van gepolijst rood graniet ontsteeg aan een paar gebeitelde handen, het enige beeld dat François in deze strenge kerk had kunnen ontdekken.

Het jodendom, dacht hij, kent ook geen beelden. Zo groot was het verschil helemaal niet.

Als je er goed over nadacht.

'Zullen we beginnen?' vroeg Widmer.

François nam zijn hoed van zijn rechter- in zijn linkerhand. Hij wist niet of hij straks een kruis zou moeten slaan en wilde niet staan stuntelen.

'Laten we beginnen,' zei hij.

Alfred hield zijn hoofd gebogen, een leerling voor een repetitie die hij niet heeft geleerd.

Widmer sloeg zijn boek open. Tussen de bladzijden zaten een heleboel zijden linten in verschillende kleuren. François hoopte dat hij niet alle gemarkeerde passages nodig zou hebben.

'Ik lees uit het evangelie van Mattëus,' zei Widmer. 'Hoofdstuk 28, vers 18 tot 20.'

Nu had hij tóch zo'n zalvende priesterstem. Had hij tot nu toe gedaan alsof?

'En Jezus trad naderbij en sprak tot hen, zeggende: Mij is gegeven alle macht in de hemel en op aarde. Gaat dan henen, maakt al de volken tot mijn discipelen en doopt hen in de naam des Vaders en des Zoons en des Heiligen Geestes.'

Dat van de Heilige Geest heeft hij me wel vijf keer uitgelegd, dacht François. Ik heb het nooit begrepen.

'En leert hen onderhouden al wat Ik u bevolen heb. En zie, Ik ben met u al de dagen tot aan de voleinding der wereld.'

Dominee Widmer sloeg zijn boek zo krachtig dicht dat de zijden linten wapperden. Dat heeft niet lang geduurd, dacht François lichtelijk teleurgesteld.

Maar Widmer was nog niet klaar. Alleen had hij voor het volgende geen boek nodig.

'Onze Vader die in de hemelen zijt. Uw naam worde geheiligd.'

François was opgegroeid met Hebreeuwse gebeden waarvan hij altijd maar brokstukken had begrepen. Dat maakt het makkelijker, dacht hij nu.

'Uw Koninkrijk kome. Uw wil geschiede, gelijk in de hemel alzo ook op de aarde.'

Het orgel zette dreunend in. Een onweer in de lege kerk.

'Geef ons heden ons dagelijks brood.'

François kende de melodie. Op de vooravond van Jom Kipoer wordt ze drie keer gezongen, het plechtigste gebed van het hele jaar.

Het gebed waarmee je je bevrijdt van religieuze geloften. Zodat God niet opeist wat je hem lichtvaardig hebt beloofd. Zodat hij je niet bestraft.

'Kol Nidrei' speelde het orgel.

De organist zat ergens op de galerij, achter de balustrade, maar François zag hem zitten, hij was helemaal in het zwart en zijn handen die op de toetsen beukten waren die van een oude man.

'Kol Nidrei,' zong het orgel. 'Weëzorei, wecharomei, wekounomei.' François kende de stem, hij had hem altijd al gekend.

Oom Melnitz wiegde bij het spelen met zijn bovenlichaam heen en weer, zoals een vrome of een musicus die opgaat in zijn muziek, hij stak zijn armen omhoog zoals wanneer je achter de Torarollen aan danst, hij klapte in zijn handen, ei, ei, ei, en sloeg toch geen enkele noot over, hij liet het orgel zingen en zong zelf mee en François verstond elk woord, hoewel het Aramees en vreemd was en hem niets aanging.

'Wechinoejei, wekinoesei oesjevoeous,' zong oom Melnitz.

Elke keer een beetje harder, zoals gebruikelijk.

'Alle geloften, eden en verplichtingen,' zong hij, 'dat zij ontbonden, kwijtgescholden en nietig verklaard zijn.'

'En vergeef ons onze schulden,' zei Widmer.

'Ik berouw ze allemaal,' zong oom Melnitz.

En hij zong het nog een keer en nog een keer.

'Gelijk ook wij vergeven onze schuldenaren.'

En toen stond Melnitz naast François en klapte op de maat van de muziek in zijn handen, het orgel speelde een dans en oom Melnitz greep François bij zijn schouders en draaide hem in het rond en kuste hem op zijn voorhoofd en was vrolijk, omdat de geloften geen geloften waren en de eden geen eden. 'Je laat je jood-zijn wegwassen,' zei hij – een stap naar links, een stap naar rechts –, 'maar het zal je niet helpen. Het heeft nog nooit iemand geholpen. Ze hebben altijd al met de grote vrijheid voor onze neus staan wapperen,' zei hij – een stap naar voren, een stap terug –, 'maar als we ernaar wilden grijpen, dan hadden ze het telkens anders bedoeld.

De joden in Spanje,' zei oom Melnitz. 'Weet je nog? De trotse Sefardiem. "Laat je dopen," zeiden ze tegen hen. Heel vriendelijk. "Dan ontkomen jullie aan de brandstapel en aan het vagevuur en iedereen zal van jullie houden. Slechts een paar druppels op je voorhoofd en jullie zijn Spanjaarden als alle anderen. Dan kunnen jullie dokter worden en minister en wat jullie maar willen. Dan kunnen jullie grond kopen en warenhuizen bouwen, met deuren die voor iedereen openstaan, met altijd vriendelijke verkopers en paternosterliften. Slechts een paar druppels," zeiden ze.'

'En leid ons niet in verzoeking.'

'En toen noemden ze hen maranen, wat varkens betekent, en al het mooie doopwater hielp niets.'

Oom Melnitz stak zijn knokige vinger in het doopvont en likte hem af. Thuis in Baden had de dikke Christine de soep altijd zo geproefd.

'Het smaakt bitter,' zei Melnitz en hij vertrok zijn gezicht. 'Als je een mens zout water te drinken geeft, telkens nog een kruik en nog een en nog een, als je daarbij zijn neus dichthoudt zodat hij met zijn door God gegeven vrije wil kan beslissen of hij wil drinken of stikken, en als je hem dan vraagt of hij stiekem niet toch een jood is gebleven, althans in gedachten, dan beschermt de doop hem niet meer. Dan komt de jood weer uit hem tevoorschijn. Misschien moet je ervoor op zijn buik springen, maar hij komt tevoorschijn.

Je kunt ook zijn nagels uittrekken of zijn vingers breken. Je kunt hem aan zijn armen ophangen en zijn gewrichten uit elkaar draaien totdat hij in de lucht danst en zelf het lied erbij zingt, ei, ei, ei. Je kunt zoveel doen om de jood weer uit hem te kietelen. Dikke boeken hebben ze erover geschreven. Wanneer je moet ophangen en wanneer uit elkaar draaien. Zodat alles gaat zoals het hoort. En als hij dan verbrand werd – en hij werd altijd verbrand –, dan deden ze het niet zelf. Ze lieten het over aan de wereldse rechtbanken, vol spijt, en zelf stonden ze vol medelijden bij zijn brandstapel, met de Bijbel in de hand, en ze zeiden tegen hem: "Heb berouw! Bekeer je! Zodat je niet als dode jood in de hel komt, maar als dode christen in de hemel." Zelfs die belofte hebben ze niet gehouden. Een ministershoed heeft niet geholpen. Een doctorstitel niet en een gekleurd lint van een studentenvereniging niet. Ook een warenhuis op een uitstekende locatie met de mooiste etalages van de hele stad niet. Het heeft allemaal niets geholpen. Een jood blijft een jood blijft een jood. Ja. Hoe vaak hij zich ook laat dopen.'

En hij zat weer op de galerij en wiegde op de melodie, ei, ei, ei, hij beukte met zijn stokoude handen op de toetsen, trapte met zijn voeten op de pedalen, trok de registers uit, vox humana en vox angelica, en liet de allerdiepste bassen dreunen.

'Kol Nidrei,' liet hij het orgel zingen. 'Dat onze geloften geen geloften zijn en onze eden geen eden.'

'En leid ons niet in verzoeking,' zei Widmer, 'maar verlos ons van de boze. Want Uwer is het Koninkrijk en de kracht en de heerlijkheid in der eeuwigheid. Amen.' Hij keek François vol verwachting aan.

'Amen,' zei François. En hij stootte Alfred aan en ook die zei: 'Amen.'

'En nu de geloofsbelijdenis.' Widmer trok nog altijd dat plechtige gezicht. 'Als u het goedvindt zal ik die voor u uitspreken. Voor jou ook, Alfred. Het volstaat als u de woorden meedenkt. God herkent de zijnen aan hun hart.'

Aan hun hart.

'Ik geloof in God de Vader, de Almachtige, Schepper van hemel en aarde,' zei de man met het boerengezicht.

'Denk de woorden maar fijn mee,' fluisterde Melnitz.

'En in Jezus Christus, zijn eniggeboren Zoon, onze Here, die ontvangen is van de Heilige Geest, geboren uit de maagd Maria, die geleden heeft onder Pontius Pilatus, is gekruisigd, gestorven en begraven, neergedaald in de hel, op de derde dag opgestaan uit de doden, opgevaren naar de hemel, en zit aan de rechterhand van God, de almachtige Vader; van daar zal Hij komen om te oordelen de levenden en de doden.'

'Onthoud het allemaal goed,' fluisterde Melnitz.

'Ik geloof in de Heilige Geest. Ik geloof in een heilige, algemene, christelijke Kerk, de gemeenschap van de heiligen, vergeving van de zonden, opstanding van het lichaam en een eeuwig leven.'

'Dat is heel wat,' zei Melnitz en hij liet het orgel nog een keer weerklinken.

'Amen,' zei de man met de ronde nikkelen bril.

'Amen,' zei François.

En Alfred herhaalde: 'Amen.' Maar pas nadat zijn vader hem had aangestoten.

'Omein,' zei oom Melnitz.

Toen Widmer voor de derde keer water over zijn hoofd goot, drupte er een beetje op zijn zijden das. François had het graag willen afvegen, maar hij wist niet of dat correct geweest zou zijn.

Het was opeens zo eigenaardig stil. Of was het al langer zo stil?

'Wanneer stop je, Landolt?'

'We zijn er, meneer Meijer.'

In huis rook het naar gremseliesj, het zoete gebak dat bij Pesach niet mag ontbreken – O ja, Pesach, dacht François – en vanuit de keuken, waar allang niet meer de dikke Christine de scepter zwaaide, hoorde hij het verre geklepper van een pan.

De kamer had in de woning in Baden steeds weer nieuwe functies gekregen, zoals een mens zonder speciale talenten die van het ene beroep naar het andere hobbelt. Het was de naaikamer geweest en de sterfkamer van oom Salomon. Toen Chanele het aan haar nieren had en vierentwintig uur per dag verzorgd moest worden, had de verpleegster er geslapen, een strenge vrouw die, zoals achteraf bleek, de vreemde gewoonte had om elke dag met een potlood een streepje op het behang naast het bed te zetten, een gevangene die op zijn ontslag wacht.

Nu was het Janki's kantoor. Voor het raam stond een bureau vol paperassen en aan de muur hing het portret van François Delormes, dat al die jaren in de achterkamer van het Franse Stoffenhuis had gehangen, het portret van een heilige. Het was geen schilderij, maar een knipsel uit een tijdschrift; toch had Janki er een dure lijst voor laten maken.

'Waar is mama?' vroeg François.

'Ze brengt Arthur naar de trein.'

'Arthur?'

'Hij kwam onverwachts op bezoek. Omdat het chol hamoëed is. Weet je nog wel?'

Natuurlijk wist François dat nog. Chol hamoëed is de tijd tussen de 'voorste' en de 'achterste' feestdagen, als de jontef weliswaar een pauze maakt, maar het ook nog niet echt een werkdag is.

'En wat wilde hij?'

'Mij ervan overtuigen dat het Franse Stoffenhuis zijn turnvereniging een vaandel moet schenken. Dat zou volgens hem een goede reclame zijn.'

'Heb je gezegd dat je geen reclame meer nodig hebt?'

Janki schudde zijn hoofd. 'Het is nog niet getekend.'

'Maar je gaat tekenen?'

'Ik wil dat je de contracten nog een keer bekijkt. In die dingen ben jij beter thuis dan ik.' Janki pakte een stapeltje papieren van het bureau en ging zijn oudste zoon voor naar de eetkamer.

Hij wordt oud, dacht François.

De wandelstok met de leeuwenknop was nog altijd dezelfde, maar als Janki Meijer er nu op steunde was dat geen elegant gebaar meer, maar bittere noodzaak. Zijn rechterbeen, waar hij eerst voor de schijn en vervolgens uit gewoonte altijd een beetje mee had getrokken, deed de laatste tijd echt pijn en hij was al meer dan eens zonder duidelijke reden gewoon door zijn knie gezakt. De stok, van ornament tot instrument geworden, bleek voor zijn nieuwe taak echter niet erg geschikt. Als Janki om zijn evenwicht te bewaren de greep te stijf omklemde, lieten de gebeeldhouwde manen van de leeuwenkop pijnlijke sporen achter in zijn handpalm. Toch zou Janki zijn stok nooit voor een andere verruild hebben; hij zou het gevoel gehad hebben dat hij een deel van zijn karakter moest opgeven.

'Pijn?' vroeg François.

'Alles in orde.'

'Ook het been?'

''t Kan niet beter.'

'Ik had de indruk ...'

'Dat is de oude oorlogswond. Het is niet meer dan logisch dat ik die af en toe voel.'

Janki had in de oorlog van 1870-1871 nooit deelgenomen aan een veldslag en was al helemaal niet gewond geraakt. Maar François sprak zijn vader niet tegen. Iedereen heeft het recht om van zichzelf te maken wat hij wil.

De eetkamer, het verraste hem telkens opnieuw, was veel kleiner dan in zijn herinnering. Ook de tafel – tropisch hout! – was een doodgewone tafel. Op het buffet stond nog altijd de Tantalus, de halfvolle kristallen karaf in zijn zilveren gevangenis. Sinds zijn kinderjaren was het peil van de erin opgesloten goudkleurige vloeistof niet veranderd. 'Wat zit er eigenlijk in?' vroeg François.

'Ik weet het niet. Ik heb er nooit een sleutel van gehad.'

De contracten waren in orde. Het Franse Stoffenhuis en het Moderne Warenhuis werden gekocht door Paul Schnegg, een telg van de rijke Schneggs, van wie ook het pand Het Rode Schild was en wiens ouders François ooit op een mislukte soiree had ontmoet. Schnegg nam de zaken over zoals ze waren en wilde in elk geval het Moderne Warenhuis voortzetten. Er zou niet eens een uitverkoop komen. De prijs was goed en het geld zou Janki investeren in de firma van François.

'Wat zegt mama ervan?'

'Veertig jaar heb ik gewerkt,' zei Janki. 'Heb ik dan niet een beetje rust verdiend?'

'Ze is het er dus niet mee eens.'

'Dit is een puur zakelijke beslissing.' Janki ordende zorgvuldig de papieren die François helemaal niet door elkaar had gegooid. 'En het zal haar ook goeddoen. We gaan reizen. Kuren in een badplaats en later misschien Italië.'

'Dan is dus alles duidelijk?'

'Alles is duidelijk.'

Tussen zijn ouders moesten heftige woordenwisselingen hebben plaatsgevonden, daar was François van overtuigd. Het warenhuis was de inhoud van Chaneles leven geweest. Wat moest ze zonder haar zaak beginnen?

Maar de beslissing was verstandig en in zakelijke aangelegenheden moest het verstand beslissen. Alleen het verstand, geen gevoelens.

Duidelijke voorwaarden. Duidelijke regels. Duidelijke beslissingen.

De rest was niet fair.

Verdomme, het was niet fair.

Hij had zich meteen de volgende dag bij Landolt laten aandienen. Met het doopbewijs op zak.

Landolt glimlachte, bood hem een stoel aan en schoof de sigarenkoker met het familiewapen over de tafel.

Het familiewapen dat hem tot iemand maakte die meer was dan een ander, enkel en alleen omdat het ook in de een of andere gildekamer hing.

Wat had hij een hekel aan die man.

'Wat verschaft mij het onverwachte genoegen, meneer Meijer?' vroeg Landolt en hij kuchte in zijn zakdoek.

Maakte uitgebreid zijn bril schoon voor hij hem eindelijk opzette.

Bestudeerde toen het doopbewijs zo grondig als een geleerde een document in een vreemde taal bestudeert.

Hield het zelfs tegen het licht.

Vouwde het papier weer op en schoof het precies naar het midden van de tafel. Een pokerspeler die zijn inzet plaatst.

Maar spellen hebben regels en Landolt hield zich er niet aan.

Hij zette zijn bril weer af en zei …

Heel vriendelijk zei hij het.

Alsof het echt een vraag was.

Zei: 'Mag ik vragen waarom u me dit laat zien?'

'Het bouwterrein. Aan een jood mocht u het niet verkopen.'

'Ah,' zei Landolt terwijl hij spijtig zijn hoofd schudde. 'Het is echt bijna jammer. Maar weet u, beste meneer Meijer: een gedoopte jood blijft een jood.'

'Verdomme, Landolt, rijden!'

40

Mimi at likeurbonbons om medische redenen. Ter versterking van haar aangetaste constitutie had dr. Wertheim haar eigenlijk port voorgeschreven, maar Mimi kon niet goed tegen alcohol – 'Ik zal nooit begrijpen hoe iemand zich vrijwillig kan ansjikkern!' – en moest zich echt dwingen om het voorgeschreven pepmiddel tenminste in deze vorm tot zich te nemen. Dat ze nu al het vierde zoete bolletje in haar mond stak was enkel de schuld van Désirée.

Je vertrouwt je kinderen, je offert je voor ze op en dan zoiets!

Ze was helemaal duizelig geworden van opwinding en haar migraine stak ook weer de kop op. Met haar vingertoppen tekende ze kleine rondjes op haar slapen en liet daarbij fijne chocoladesporen achter.

'Fijn dat je er weer bent, Désirée,' zei ze met een tragische glimlach. 'Je was dus met Esther Weill op stap?'

'Ja, mama,' zei Désirée een beetje verbaasd. Esther Weill, van schoenenwinkel Weill, was haar beste vriendin en Mimi had er nog nooit iets op tegen gehad dat ze samen gingen wandelen of tentoonstellingen bezochten.

'En hebben jullie in de tent op de Platzspitz die vis gezien?'

'Geen vis, mama. Het was een walvis en dat is eigenlijk een zoogdier.'

'Wat aardig,' zei Mimi met een beangstigend vriendelijke stem, 'wat attent van je om je domme moeder over zulke dingen in te lichten. Een zoogdier dus? Wat interessant.'

Haar hand tastte naar de volgende bonbon.

'Het is natuurlijk maar een skelet. Maar gigantisch! Veel groter dan ik me had voorgesteld. Ze moeten het op drie wagens vervoeren en in elke stad opnieuw in elkaar zetten. Alleen al de schedel ...'

'De schedel,' zei Mimi, terwijl ze een in glanzend zilverpapier verpakte bonbon tussen haar vingers ronddraaide als een projectiel. 'Die interesseert me bijzonder. Hoe ziet die schedel eruit?'

'Heel lang en smal. Als een reusachtige vogelsnavel.'

'Een vogelsnavel. Heel interessant.' Het bolletje draaide steeds vlugger.

'Wat heb je, mama?'

'Ik?' zei Mimi. 'Wat zou ik hebben? Ik luister alleen graag naar wat mijn dochter zoal beleeft. Samen met haar beste vriendin. Beschrijf de onderkaak van die walvis eens!'

Désirée staarde haar moeder aan. 'De onderkaak?'

'Of hebben walvissen zoiets niet? Misschien omdat het zoogdieren zijn?'

'Ik begrijp niet wat er met je aan de hand is, mama.'

'Maar ik begrijp het des te beter.' Mimi had zich voorgenomen heel rustig te blijven, maar nu sloeg ze toch op de tafel. Uit haar vuist spatte bruinig vocht op het mooie tafellaken. 'Ik begrijp dat mijn dochter tegen me liegt.'

'Ik ...'

Met een zwierig gebaar, dat er ingestudeerd uitzag – terwijl ze op haar dochter wachtte had ze het inderdaad twee of drie keer uitgeprobeerd – legde Mimi de *Tages-Anzeiger* voor Désirée neer. Het gebaar had niet helemaal het gewenste dramatische effect omdat haar vingers aan het papier bleven plakken. Geërgerd trok ze haar zakdoek uit haar mouw en veegde haar hand af.

'Lees!' zei ze. 'Pagina vier. "Gemengde berichten".'

Nu was het niet zo dat Mimi elke dag de krant bestudeerde. De kleine lettertjes waren veel te vermoeiend voor haar ogen. Maar Pinchas had een abonnement en de nieuwe bisjge, die een hang naar het hogere had, las het blad elke ochtend tijdens haar koffiepauze en als Mimi haar niet kon ontwijken, pronkte ze graag met de pas verworven wijsheid. Vandaag was het een heel klein berichtje geweest waar ze niet over uit kon. 'Wie doet zoiets nou?' had ze hoofdschuddend gevraagd.

'Eergisternacht,' las Désirée, 'is in Zürich een curieuze diefstal gepleegd. Uit het reizende natuurwetenschappelijke kabinet, dat momenteel achter het Landesmuseum de belangstelling van de ontwikkelde standen trekt, is door onbekenden de onderkaak van het daar tentoongestelde skelet van een potvis of cachelot (Physeter macrocephales) ontvreemd. Volgens directeur Marian Zehntenhaus, de eigenaar van de tent, heeft het ontbrekende bot een lengte van bijna drie meter en kan het alleen met veel moeite en met behulp van een wagen weggehaald zijn. Tot nu toe ontbreekt van de daders elk spoor, aangenomen wordt dat onverantwoordelijke nachtbrakers achter dit wonderlijke misdrijf zitten. Voor tips over de verblijfplaats van het ontvoerde deel van het skelet is een beloning van vijftig frank uitgeloofd. Dit zeer royale bedrag valt te verklaren uit de aanzienlijke economische schade die door deze zinloze vandalistische daad is aangericht. Een incompleet skelet is volgens directeur Zehntenhaus volkomen waardeloos en niet meer geschikt om tentoongesteld te worden. De tent op de Platzspitz blijft daarom tot nader order gesloten. Reeds gekochte toegangskaarten kunnen bij de kassa worden teruggegeven.'

Désirée keek met een vuurrood hoofd op van de krant.

'Kun je me uitleggen,' zei Mimi met een stem zo zoet als haar bonbons, 'kun je je domme moeder alsjeblieft uitleggen hoe jij en Esther Weill een tentoonstelling bezocht hebben die helemaal niet geopend is?'

'We ...' zei Désirée terwijl ze aan het piqué kraagje van haar blouse friemelde, 'we zijn ...'

'Dit heb ik niet verdiend.' Mimi's gepoederde wangen trilden als bij een wijnkenner die het edele vocht keurend door zijn mond beweegt. 'Als ik nou zo'n kloek was die haar kinderen constant controleert, dan zou ik het misschien nog begrijpen. Maar zo ben ik niet. Certainement pas. Ik heb me nooit met je leven bemoeid. Nooit. Daarom grieft het me bijzonder dat je het de laatste tijd nodig vindt om tegen me te liegen.' Ze wierp een onderzoekende blik op haar hand en toen er geen sporen van chocola en likeur meer op te bespeuren waren, legde ze hem op haar boezem. 'Het grieft me tot diep in mijn ziel.'

'Het spijt me, mama.'

'En jij denkt dat daarmee de kous af is?' Mimi depte met de zakdoek haar ooghoeken. 'Ik heb me mijn leven lang voor je opgeofferd, je hebt geen idee hoe ik heb geleden, alleen al om je ter wereld te brengen, tu m'as déchirée, ma petite, en dit is je dank. Je hebt geheimen voor me. Ge-heimen.' Ze sprak het woord uit alsof het minstens vier lettergrepen had.

'Esther en ik waren vandaag ...'

'Nee, zeg maar niets meer.' Mimi genoot met rode wangen van de dramatiek van de scène. 'Ik wil het niet weten. Als mijn dochter me niet meer vertrouwt, als ik geen dochter meer heb, dan zal ik daarmee moeten leven. Het breekt weliswaar mijn hart, maar als het mijn lot is, zal ik ook dat verdragen. – Ook dat,' herhaalde ze met zachte stem. Ze hield haar hoofd schuin en legde met een gebaar dat ze pas in de schouwburg had gezien, de rug van haar hand op haar voorhoofd.

Het duurde nog tien minuten en twee likeurbonbons voor Désirée eindelijk bereid was een bekentenis af te leggen.

'Maar je moet me beloven dat je het aan niemand vertelt.'

'Je kent me toch, ma petite. Niemand kan een geheim zo goed bewaren als ik. Dat hebben al veel mensen tegen me gezegd.'

'Zweer je het?'

'Nou goed,' zei Mimi. 'Ik zweer het.'

En toen, met veel gedraai en gebloos, kwam het er eindelijk uit: Esther Weill, Désirées beste vriendin, had een aanbidder.

'Een echte aanbidder,' zei Désirée.

Ze ontmoetten elkaar stiekem, hand in hand maakten ze lange wandelingen, dronken koffie in cafés waar fatsoenlijke mensen niet kwamen en waar je dus ook niet bang hoefde te zijn door een kennis betrapt te worden, en Désirée verschafte hun een alibi, ze knikte bevestigend wanneer Esther haar ouders net zo hard voorloog als zijzelf al weken haar argeloze moeder had voorgelogen, ze verzon details over bijeenkomsten die ze nooit had bezocht, haalde zelfs brochures om haar leugens geloofwaardiger te maken, ze had bijvoorbeeld voor vijf rappen een brochure gekocht over het geprepareerde walvisskelet, zo- en zoveel meter lang, zo- en zoveel ton zwaar, en dat alleen maar omdat ze haar moeder niet vertrouwde, die toch ook jong was geweest en nog heel goed wist hoe het is als je hart sneller slaat vanwege een man, een moeder die begrip had voor de dwalingen van jonge zielen, die je in vertrouwen kon nemen, die ze allang in vertrouwen had móéten nemen in plaats van domme fabeltjes te verzinnen die vroeg of laat toch …

Kort en goed: 'Wie is die man?'

Maar dat was nu juist wat Désirée haar moeder niet mocht vertellen. Ze had haar vriendin volstrekte geheimhouding gezworen en dat je zo'n belofte niet mag breken, moest Mimi toch inzien, 'nietwaar, mama?'

Mimi was niet nieuwsgierig, certainement pas, en ze peinsde er niet over Désirée uit te horen. Als ze er niet over wilde praten, dan was dat in orde, volkomen in orde, en Mimi was zelfs trots dat haar dochter zo betrouwbaar was.

'Maar …'

Ze gooide de tegenwerping de kamer in zoals een visser ongemerkt een vishaak in het water gooit. 'Maar je neemt wel een grote verantwoordelijkheid op je. Als die jongeman, om maar een voorbeeld te noemen, uit een volkomen ongepaste familie komt …'

'Hij komt uit een zeer goede familie,' zei Désirée.

'En is jood, mag ik hopen.'

'Uit een zeer goede joodse familie.'

'Dat stelt me in elk geval gerust. Hoewel … eigenlijk zou ik Rifki Weill ervan op de hoogte moeten brengen dat haar dochter …'

'Dat mag je niet doen!'

'Ik zal erover nadenken,' zei Mimi en om beter te kunnen nadenken moest ze eerst details weten, zo veel mogelijk details. Dit was eindelijk eens een roman uit het echte leven.

Mimi was dol op romans.

Hoe die twee elkaar ontmoet hadden, wist Désirée niet te vertellen. 'Het zal wel toeval geweest zijn,' zei ze en Mimi knikte veelbetekenend en mompelde dat je het toeval een handje kon helpen als je het erop aanlegde.

'In het begin vond ze hem niet eens sympathiek.' Désirée leek opgelucht dat ze eindelijk kon praten over iets wat ze zo lang had moeten verzwijgen. 'Ze kon hem eerst niet uitstaan. Ze dacht dat hij arrogant was. Maar toen merkte ze dat hij alleen maar verlegen was. En ongelukkig. Hij is vreselijk ongelukkig, zegt Esther.'

'Hoezo?'

'Hij heeft een hoop meegemaakt. Zegt Esther. Zelf ken ik hem niet zo goed. Eigenlijk helemaal niet.'

'Je bent er toch bij als die twee elkaar ontmoeten?'

'Nou ja,' zei Désirée, die nu net zulke rode wangen had als haar moeder. 'Helemaal alleen laten kan ik ze niet. Dat zou onfatsoenlijk zijn.'

'Inderdaad.'

'Maar ik hou me op de achtergrond. Ik ga niet aan hetzelfde tafeltje zitten als ze naar een café gaan. En als ze gaan wandelen, dan hou ik afstand. Ik wil hun gesprekken niet afluisteren.'

'Natuurlijk niet,' zei Mimi, die maar een heel klein beetje teleurgesteld was.

'Ik ben zo blij dat je niet meer boos op me bent.'

'Hoe zou ik boos op je kunnen zijn, ma petite? Maar van nu af aan vertel je me alles. Hoor je? Alles.'

En zo begon de kleine samenzwering tussen moeder en dochter. Niet dat Mimi het gedrag van haar dochter goedkeurde, geheel au contraire. Ze had genoeg romans gelezen om Désirée in de schrilste kleuren te kunnen schilderen wat voor verschrikkelijke, zelfs dodelijke gevolgen een geheime liefdesaffaire kon hebben, en ze deed dat ook telkens weer, waarbij ze steeds nieuwe, nog gruwelijker varianten naar voren wist te brengen. Maar ze verbood de discrete vriendendiensten ook niet uitdrukkelijk en vooral: ze vertelde er niemand iets over, zelfs Pinchas niet, die – mannen hebben nu eenmaal geen oog voor zoiets – van de hele affaire niets merkte. Als Mimi in de vrouwenvereniging of bij een andere gelegenheid Rifki Weill ontmoette, informeerde ze telkens met het onschuldigste gezicht van de wereld hoe het met haar charmante dochter ging, al zo volwassen en toch nog zo meisjesachtig onschuldig, en ze deed dat zo opvallend onopvallend dat mevrouw Weill tegen haar man zei: 'Als ik niet wist dat Mimi Pomeranz alleen een dochter heeft en geen zoon, dan zou ik zweren dat ze een sjidoech probeert te maken.'

Als tegenprestatie moest Désirée haar moeder alles, maar dan ook alles over Esther Weills avonturen vertellen, ze moest nauwkeurig verslag uitbrengen van elke keer dat ze elkaars hand vasthielden of elkaar iets in het oor fluisterden en vooral moest ze de helemaal niet zo zeldzame momenten van gevaar gedetailleerd beschrijven. Op een keer waren ze bijvoorbeeld een sigarenwinkel binnengevlucht omdat ze dachten dat ze een bekende tegenkwamen en de jongeman, wiens naam Mimi niet mocht weten, had uit pure verlegenheid een sigaar gekocht en die inderdaad proberen te roken. Een andere keer, tijdens een wandeling in het Zürichbergwald, had Désirée hen uit pure discretie uit het oog verloren en toen kennelijk de verkeerde weg genomen, want ze had hen een hele tijd niet meer kunnen vinden en toen Esther en de jongeman – 'Nee, ik zeg de naam niet, vraag er alsjeblieft niet naar, mama!' – eindelijk uit een volkomen onverwachte richting weer opdoken, waren ze zo verlegen dat ze elkaar niet eens meer aan durfden te kijken, nee, Désirée wist niet of ze elkaar stiekem hadden gekust, dat was echt iets wat je zelfs niet aan je beste vriendin kon vragen, nietwaar, mama?'

En op een keer ...

Désirée leek steeds meer plezier te krijgen in het vertellen van andermans avonturen. Het kwam zelfs voor dat ze haar moeder onder het werk apart nam om haar nog een vergeten detail mee te delen, en een keer ontglipte haar tijdens het avondeten zelfs de zin: 'Hij wil een snor laten groeien, maar dat staat hem helemaal niet.'

'Wie wil er een snor laten groeien?' vroeg Pinchas verwonderd.

'Niemand,' zei Désirée vlug en ze moest bukken om een op de grond gevallen servet op te rapen.

'Een acteur van de stadsschouwburg,' fluisterde Mimi tegen haar man. 'Ze heeft hem in een voorstelling gezien en volgens mij is ze nu *un tout petit peu amoureuse*.' Ze legde een vinger op haar lippen en toen Désirée vreselijk verlegen weer overeind kwam, veranderde Pinchas gauw van onderwerp.

'Ik moet zelfs voor je liegen,' zei Mimi later verwijtend tegen Désirée. En ze was trots dat ze haar dochter zo handig uit de nesten had geholpen.

Mimi nam bij de hele zaak trouwens toch de leiding. Ze bedacht trefpunten waar je niet bang hoefde te zijn dat je werd gestoord en ze was bijzonder creatief in het vinden van evenementen die Esther en Désirée als voorwendsel voor gemeenschappelijke middagen konden gebruiken. 'Bij Seiden-Grieder wordt vandaag de nieuwe herfstmode getoond,' zei ze bijvoorbeeld, 'dat zou toch iets voor jullie zijn.' Als ze knipoogde kwamen er in de poeder rond haar ooghoeken heel fijne barstjes. 'Het wordt trouwens hoog tijd dat je eens wat meer aandacht aan je uiterlijk besteedt.'

De laatste zin zei ze uit pure gewoonte. In werkelijkheid – misschien had het meeleven met andermans avonturen er iets mee te maken, of het lag gewoon aan het feit dat haar dochter stilaan van een meisje in een vrouw veranderde –, hoe dan ook: de laatste tijd had Désirée grote belangstelling voor modieuze zaken. Ze was zelfs een keer in tranen uitgebarsten, alleen maar omdat Mimi het domweg vertikte om een zuiver zijden, azuurkleurige jurk met lovertjes voor haar te kopen, die ze in het warenhuis van François had ontdekt. Maar vierendertig frank vijftig voor een jurk die volgend jaar al uit de mode zou zijn, dat was echt overdreven. Mimi gaf voor haar dochter toch al veel meer geld uit dan verstandig was. Als Pinchas de slagerij nou nog had gehad in plaats van de kruidenierswinkel, die maar matig liep, terwijl er gezegd werd dat Elias Guttermann met de slagerij geld als water verdiende.

Désirée droeg ook haar scheiding niet meer gewoon in het midden, hoewel de meisjesachtig eenvoudige coupe helemaal niet slecht bij haar gelijkmatige gezicht had gepast. Ze probeerde de meest uiteenlopende kapsels en, wat Mimi erg leuk vond, ze paste zelfs een keer alle hoeden uit de goed gevulde klerenkast van haar moeder. Maar die waren allemaal een beetje té, en een heel eenvoudige bolero met een garneersel van blauwe satijnen vleugeltjes stond haar veel beter. De hoed kwam ook uit de winkel van François, die nu eenmaal het beste aanbod had, al hadden ze zich eigenlijk voorgenomen daar niets meer te kopen.

Het interessante was dat Désirée steeds meer veranderde, terwijl bij Esther Weill helemaal niets van haar geheimzinnige liaison te merken was. Ze was nog altijd wat Mimi een 'oninteressant meisje' noemde, niet knap en niet lelijk, niet bijzonder slim en niet bijzonder dom. Als ze langskwam om met Désirée quatre-mains te oefenen – zij moest ook pianoles nemen, hoewel ze daar in tegenstelling tot haar vriendin echt geen enkel talent voor had –, maakte Mimi soms een heel kleine toespeling, zonder ook maar één keer een reactie te bespeuren. Als een romanfiguur van wie Mimi soms in dagelijkse afleveringen de avonturen meemaakte, werd Esther Weill gewoon door de verkeerde persoon gespeeld.

Al was Mimi absoluut niet nieuwsgierig, het irriteerde haar toch dat ze de mannelijke hoofdrolspeler van deze roman nog steeds niet kende. Maar op dat punt hield Désirée voet bij stuk. 'Ik heb een belofte gedaan,' zei ze, 'en daar wordt niet aan getornd.'

Mimi was nijdig dat Pinchas overgegaan was tot de Israëlitische geloofsgemeenschap, want van hen kon het niemand zijn, die waren allemaal veel te vroom. Het liefst – maar dat zou ook weer opgevallen zijn – was ze bij elke gelegenheid naar de synagoge in de Löwenstraße gegaan om de jongemannen van de gemeente vanaf de vrouwengalerij met argusogen te observeren. Maar ik kom er nog wel achter, dacht ze, en intussen was ze er heilig van overtuigd dat ze de hele zaak alleen door haar superieure mensenkennis aan het licht had gebracht. Het toeval van de gesloten tent was ze al helemaal vergeten.

Tot Pinchas geheel onverwachts juist dat verhaal een keer tijdens het avondeten ter sprake bracht.

'Ik weet niet of jullie dat toen gehoord hebben,' zei hij. 'Een paar weken geleden was hier in de stad een heel merkwaardige rechtszaak. In een tent op de Platzspitz had een of andere spullenbaas een geprepareerde vis tentoongesteld …'

'Geen vis, Pinchas,' zei Mimi. 'Een walvis is eigenlijk een zoogdier.'

'Je herinnert je het verhaal?'

Nee, zei Mimi, ze herinnerde het zich helemaal niet, het was maar een algemene opmerking.

'In elk geval, dat dier, dat zo groot geweest moet zijn dat je er inderdaad een picknick op had kunnen houden – hoe dan ook, dat skelet was op een dag niet meer compleet. Iemand had de onderkaak gestolen. Herinneren jullie het je echt niet?'

Ook Désirée had er nog nooit van gehoord.

'Dat bot, dat bijna een meter lang geweest moet zijn …'

'Bijna drie meter,' zei Désirée en ze voegde er vlug aan toe dat ze het op school een keer over walvissen hadden gehad en dat ze zich meende te herinneren dat hun kaak …

'In elk geval: dat bot was op een dag ineens verdwenen.'

'Echt?' zei Mimi en ook Désirée was heel verbaasd.

'De kermisreiziger leefde min of meer van dat skelet en daarom had hij het verzekerd. Bij Sally Steigrad. Voor een flink bedrag en dat wilde hij nu opeisen omdat een incompleet skelet volgens hem geen waarde meer had. Nu is er echter een getuige opgedoken – ik heb het rechtstreeks van Sally – die gezien heeft dat die fameuze directeur Zehntenhaus de kaak zelf uit de tent heeft gezeuld en in de Limmat heeft gegooid. De zaken liepen zeker niet meer zo goed en toen wilde hij … Doodgewone verzekeringsfraude! Wat zeggen jullie daarvan?'

Het was niet te geloven wat de mensen allemaal bedachten, zei Désirée. En Mimi voegde eraan toe: 'Terwijl dat stiekeme gedoe helemaal geen zin heeft. Vroeg of laat komt toch alles uit.'

41

Voor de eerste vakantiereis van zijn leven liet Janki zich maar liefst drie nieuwe pakken aanmeten. In het ene – een zwarte geklede jas en een gestreepte broek – zag hij eruit als een diplomaat en bij het passen controleerde hij ook meteen of de mouw niet te ver opschoof als je op de boulevard beleefd je hoed lichtte. Bij het tweede koos hij, na lange vakkundige discussies met de coupeur, voor de sportieve Amerikaanse stijl, met bijpassend doorgeknoopt vest waarbij dit seizoen overhemden met een Caruso-boord werden gedragen, niet echt comfortabel, maar door de hoge snit was je gedwongen je hoofd heel recht te houden en dat had iets elegants. Als derde bestelde hij een nonchalant strandkostuum: een broek van witte wasbare Engelse stof en een marineblauw colbertje met twee rijen knopen, daarbij een schipperspet met een geborduurde band en witte strandschoenen die François speciaal voor hem van een leverancier uit Engeland moest laten komen. Voor het geval het eens stevig zou waaien – en aan de Noordzee moest je daar altijd rekening mee houden – was er een strandmantel van zwaar wit fries, en omdat hij toch aan de gang was kocht hij ook nog een paar niet per se noodzakelijke, maar elegante kleinigheden, een doos met bijzonder zachte reispantoffels bijvoorbeeld en een praktische dubbele klem waarmee je op warme dagen tijdens wandelingen je strohoed aan je revers kon vastmaken. Waarvoor was je mede-eigenaar van een warenhuis als je er niet van profiteerde?

Koppig als ze was, wilde Chanele eerst helemaal niets nieuws aanschaffen, ze zei dat ze al meer dan genoeg ongedragen kleren in haar kast had hangen en waar stond in de Sjoelchen Orech geschreven dat je je moest opdoffen als een gedresseerde aap, alleen om op een godverlaten eiland zand in je schoenen te krijgen? Naar geen van Janki's argumenten wilde ze luisteren, niet dat je je na zoveel jaar gewerkt te hebben gerust ook eens iets mocht gunnen, noch dat je in het beste hotel van de stad niet als een nebbisjl uit de provincie aan de table d'hôte kon verschijnen. Ze gaf pas toe toen ook Mina haar probeerde te overreden, die in zulke dingen veel verstandiger was dan haar schoonmoeder. Ten slotte liet ze zich in elk geval een strandkostuum van zwaar geruwd cheviot opdringen, een volgens de laatste Parijse mode vervaardigde deux-pièces en voor slecht weer een regenmantel met raglanmouwen. Janki probeerde haar ook nog een loden kostuum in Zuid-Tiroler snit aan te praten, maar Chaneles enige reactie was dat ze niet van plan was bergen te beklimmen of te leren jodelen.

De twee hutkoffers waren natuurlijk niet genoeg en François moest op het allerlaatste moment ook nog een grote leren handkoffer voor hen kopen. Die was zo nieuw dat de hele inhoud later rook alsof er parfum met de geur van juchtleer overheen was gegoten. François kwam niet naar het station; hij vermeed het zijn joodse familie vaker te zien dan strikt noodzakelijk, ze hadden elkaar niets te zeggen en het bedierf telkens zijn humeur als ze allemaal zo hard hun best deden om gewoon, zonder verwijtende ondertoon met hem te praten.

Maar de anderen waren er wel. Mimi, opgewonden alsof haar vriendin en haar man een expeditie naar de bronnen van de Nijl wilden ondernemen, herhaalde steeds weer: 'Pas goed op jezelf, pas alsjeblieft goed op jezelf.' Ze kon slecht tegen de augustushitte en telkens als ze het zweet wegwiste probeerde ze te doen of het afscheidstranen waren.

Pinchas had uit zijn winkel een pakket levensmiddelen als reisproviand meegebracht, waaronder een harde worst die zo hinderlijk naar knoflook rook dat Janki al terwijl hij ervoor bedankte besloot hem bij de eerste de beste gelegenheid in de coupé te laten liggen. 'Dan hebben jullie iets koosjers bij je,' zei Pinchas, wat je ook als verwijt kon opvatten. In Westerland – er werd niet over gepraat, maar iedereen had eraan gedacht – zou alles chazzertreife zijn. Mimi wierp hem een verwijtende blik toe – 'Soms kan hij zo tactloos zijn!' – en begon als afleidingsmanoeuvre over haar dienstmeisje te klagen, dat ze wel zou moeten ontslaan omdat die goje liever de krant las dan dat ze onder de meubels stofte.

Désirée was verschenen in een geborduurde jurk van witte voile, die Lea en Rachel zo jaloers maakte dat ze het nodig vonden elkaar in het oor te fluisteren dat ze zoiets nog niet cadeau wilden krijgen, in zo'n ding zag je eruit als een poppetje en bij het kleinste vlekje was de hele boel meteen bedorven. Van de Kamionkers waren alleen Hinda en de twee meisjes er; Ruben studeerde al in Kolomea en Zalman, die net een nieuwe baan had, kon midden in de week niet zomaar wegblijven.

Arthur had voor zijn ouders een kleine reisapotheek samengesteld, 'alleen voor de zekerheid', en dat vond Mimi zo aandoenlijk dat ze alweer de tranen of het zweet wegwiste en nog maar eens zei: 'Pas goed op jezelf, pas in 's hemelsnaam goed op jezelf.'

'Wat kan er nou gebeuren?' Mina hield niet van zulke gevoelsuitbarstingen. Sinds haar kinderverlamming had ze in haar leven veel te veel moeten toekijken en luisteren en zoals een abonnementhouder die drie keer in de week naar dezelfde schouwburg gaat, was ze met het jaar allergischer geworden voor holle frasen.

De locomotief spuugde rook uit. Lea en Rachel wachtten al vol leedvermaak op de eerste roetvlekken op Désirées witte jurk toen volkomen onverwachts ook Alfred nog opdook. Hij groette niemand, keek zijn familie niet eens aan, gaf alleen Chanele een pakje honingkoekjes, 'voor onderweg', lichtte zijn studentenpet en omdat de stationschef al opgewonden op zijn fluitje blies en met een ernstig, verwijtend gezicht de deuren van de coupé dichtsloeg, gaf hij zijn moeder een arm en liep met haar over het perron naar de uitgang – hij met kaarsrechte rug, Mina zoals altijd schijnbaar dronken heen en weer zwaaiend. Ze droeg van oudsher heel wijde rokken, zodat je niet zo goed zag hoe ze haar lamme been bij elke stap in een halve cirkel naar voren moest slingeren. De hele familie keek het ongelijke paar zo gefascineerd na dat eerst niemand merkte dat de trein zich in beweging zette. Toen liepen ze allemaal wuivend achter de wagons aan.

'Wat een kwal, die Alfred,' zei Lea tegen Désirée, maar Désirée had nu toch een roetvlek op haar witte jurk gekregen en had al haar aandacht nodig om hem met haar vingertoppen weer te verwijderen.

Het echtpaar Meijer reisde eerste klas. Dat was wel mesjoege duur, maar ze konden het zich permitteren, en hoewel Chanele protesteerde – 'Sinds wanneer heten we Rothschild?' – was ze maar wat blij tijdens de veel te lange reis bijna de hele tijd een coupé voor zichzelf te hebben. In Baden-Oos, waar de trein een paar minuten stopte, keek ze verlangend uit het raam; als Janki zijn zinnen niet uitgerekend op Sylt had gezet, waren ze hier al op de plaats van bestemming geweest. Een kuur was tenslotte een kuur, of je je nu in een badplaats met warme bronnen verveelde of aan het strand, dat maakte in elk geval voor haar weinig verschil.

Janki's been deed pijn van het lange zitten, ook de reispantoffels gaven geen verlichting, maar omdat hij helemaal in z'n eentje besloten had dat het deze badplaats moest zijn en geen andere, mocht hij niet klagen.

De eigenlijke reden voor zijn keuze had hij Chanele nooit verteld: in *Journal des Modes*, dat hij elke maand van a tot z doornam, had hij gelezen dat de Weense hofkleermaker Kniže elk jaar de zomermaanden in Westerland op Sylt doorbracht, en Kniže was wat elegantie en maatschappelijke correctheid betrof momenteel de maat van alle dingen. Hij moest zelfs een keer, wat tot nog toe alleen van François Delormes werd verteld, geweigerd hebben voor aartshertog Frans Ferdinand een broek te maken, alleen omdat de troonopvolger per se een model wilde dat Kniže niet geschikt vond.

Op een gegeven moment – 'Liever drie keer achter elkaar de grote schoonmaak voor Pesach dan nog eens zo'n reis!' – kwamen ze dan toch eindelijk in Hamburg aan, waar Janki in hotel Vier Jahreszeiten een kamer met stromend water had gereserveerd, weer zo'n geldverspilling, voor die ene overnachting. Maar hij had zich vast voorgenomen op deze reis nergens op te bezuinigen. Je verkoopt je zaak niet om jezelf daarna te kastijden.

De volgende dag moesten ze zich nog een keer in een trein wurmen, een boemeltje naar een gat genaamd Hoyerschleuse, waar de stoomboot naar Sylt vertrok. Er was maar één eersteklascoupé, met oeroude kussens die muf en vochtig roken, alsof tijdens de laatste reis een paar landeigenaren mestmonsters hadden vergeleken. De spoorwegbeambte bij wie Janki zijn beklag wilde doen, sprak zo plat dat je er als normaal mens geen woord van verstond.

Tot overmaat van ramp hadden ze de coupé niet eens voor zichzelf. Vlak voor de trein vertrok stapte er nog een stuurse man in die, hoewel hij in burger was, in één oogopslag als oud-soldaat was te herkennen. Weliswaar verontschuldigde hij zich uiterst correct voor de storing, maar hij deed dat op zo'n afgebeten, onbeschofte toon dat zijn excuus ondanks de beleefde woorden eerder op een aanval leek.

De nieuwe medereiziger ging tegenover Janki en Chanele zitten en aanvankelijk ontstond er zo'n onaangename pauze waarin de etiquette voorschrijft dat je zogenaamd geen notitie van iemand neemt, hoewel hij pal voor je neus zit. De man, ongeveer van Janki's leeftijd, droeg een donkergroen loden jagerspak en op zijn hoed, die hij bij het instappen even voor Chanele had gelicht, zat een klein veertje. Van zijn linkeroog tot bijna aan zijn kin had hij een lelijk, bruinig verkleurd litteken. Zeker een litteken van zo'n idioot studentenduel, dacht Janki. Dat zou ik aan Alfred moeten kunnen laten zien, dan zou de lol in zulke gojemnaches er voor hem gauw af zijn.

De man zag Janki's blik, las waarschijnlijk ook zijn gedachten en zei met zijn krakende stem: 'Granaatscherf. 1870. Sedan.'

En Janki antwoordde zonder na te denken: 'Sedan? Daar ben ik ook geweest.'

'Echt?' De man had Janki niet stralender aan kunnen kijken wanneer die zijn sinds lang vermiste broer was geweest. Hij sprong prompt op, waarop Janki natuurlijk ook moest gaan staan, en omdat de coupé niet erg ruim was stonden de beide mannen een paar seconden zo dicht tegenover elkaar dat het leek of ze elkaar wilden omhelzen en kussen. Maar ze schudden elkaar alleen de hand en gingen, met de verlegenheid van mensen die geen vertrouwelijkheden gewend zijn, weer op hun plaats zitten.

'Niet te geloven,' zei de man. Hij had zijn kazernetoon zo snel laten varen als je onder goede vrienden een te nauwe boord losser maakt, en aan zijn uitspraak was nu duidelijk te horen dat hij uit Zuid-Duitsland kwam. 'Nou breekt mijn klomp.' Er was geen twijfel mogelijk: een sterkere uitdrukking van verbazing kende hij niet.

Hij staarde Janki hoofdschuddend aan, alsof die er helemaal niet mocht zijn, zeker niet in deze trein. Meteen sprong hij nog een keer op – hij kon kennelijk niet stilzitten –, lichtte zijn hoed en stelde zich voor: 'Staudinger.'

'Meijer,' zei Janki. Waarschijnlijk was het wel zo correct geweest om ook weer te gaan staan, maar er was gewoon te weinig plaats tussen de stoelen. Daarom boog hij alleen zijn hoofd en maakte een vaag gebaar naar Chanele: 'Mijn vrouw.'

Staudinger rukte opnieuw zijn hoed van zijn hoofd en sloeg zijn hakken tegen elkaar. Toen boog hij zich over Chaneles hand en drukte er een kus op, geen vluchtige, elegante, maar een echte, smakkende, natte kus. 'Het is mij een eer, mevrouw Meijer,' zei hij. 'Een genoegen is het. De vrouw van een krijgsmakker.'

'Gaat u toch zitten,' zei Chanele, die al misselijk was van het geschok van de trein en de muffe lucht van de kussens.

Staudinger ging zitten, verzekerde nog eens dat zijn klomp brak en sprong alweer op. '5de Koninklijk Beiers Infanterieregiment, 2de bataljon,' meldde hij deze keer. 'Garnizoen Aschaffenburg. En u, kameraad?'

'20ste korps, 2de divisie, 4de bataljon van het Régiment du Haut-Rhin. Garnizoen Colmar.'

'Colmar? Maar dat was toen toch nog niet …'

'Ik ben Fransman,' zei Janki.

Staudinger ging zo plotseling zitten alsof iemand hem een trap in zijn knieholtes had gegeven.

'U was …?'

'Aan de andere kant,' zei Janki terwijl hij uit voorzorg de greep van zijn wandelstok steviger vastpakte.

Maar Staudinger was enthousiast. 'Fenomenaal!' zei hij. 'Nu breekt mijn … Waar heeft uw regiment gevochten?'

Chanele hield haar zakdoek voor haar gezicht, waarschijnlijk vanwege de onaangename lucht. Janki was door bewonderende klanten zo vaak gevraagd om over zijn krijgshaftige heldendaden te vertellen dat hij niet om een antwoord verlegen was. 'Een soldaat gaat overal heen waar hij naartoe wordt gestuurd,' zei hij. 'Als de kogels om je oren vliegen, kan de plaats je niets schelen.'

'Juist,' zei Staudinger. 'Volkomen juist. We waren toen allemaal jong en wisten niet dat we er ons leven lang over zouden moeten vertellen.'

'Wat u vast liever doet dan ik.'

'Waarom?'

'U hebt de oorlog gewonnen.'

Staudinger stootte een bulderend 'Ha!' uit, dat waarschijnlijk een kameraadschappelijke hartelijke lach moest zijn. 'Die is goed. Heel goed. Die moet ik onthouden. "U hebt de oorlog gewonnen."' Er volgde nog een 'Ha!' en daarmee leken voor hem de preliminairen afgehandeld en begon hij te vertellen over zijn eigen oorlogservaringen. 'We stonden voor de Porte de Mézières. Hebt u daarvan gehoord? Nee? Nou ja, het was niet de voorste linie, maar strategisch wel een heel belangrijk punt dat beslist verdedigd moest worden. Ik kan de posities voor u tekenen. Nou ja, een andere keer misschien. We zien elkaar toch terug, hoop ik. U gaat ook naar Sylt? Westerland? Ik ook. We moeten beslist ... Welk hotel? Het Atlantic? Aan de Herrenbadstraße, ik weet het. Een chique bedoening, heel gedistingeerd, dat kan niet iedereen zich veroorloven. Ik in elk geval niet. Ha!' Hij lachte alsof het hem was opgedragen en vervolgde zijn monoloog, die hij vast al talloze keren letterlijk zo had gehouden. 'We hadden dus samen met het 1ste bataljon en een bij ons gedetacheerde jagercompagnie voor die poort positie genomen en de granaten vlogen over onze hoofden. Als u er ook geweest bent, kent u dat geluid, het gefluit dat steeds harder wordt, tot je je het liefst zou ingraven. Maar we hadden een oude sergeant-majoor, Niedermayer heette hij, zo'n echte gezellige Beier, heel bekwaam maar vanwege een of andere oude geschiedenis nooit bevorderd, en die lachte alleen maar als wij ons lieten vallen en zei: "Als jullie ze horen zijn ze al voorbij." En zo ging het bij mij inderdaad. De granaat die me geraakt heeft, heb ik nooit gehoord. Echt niet gehoord, stel je voor. Alleen was mijn gezicht opeens heel heet, geen pijn, eerst helemaal niet, alleen dat hete gevoel en over mijn handen liep iets vochtigs; ik dacht eerst dat mijn veldfles geraakt was. Maar het was mijn eigen bloed. Zodoende heb ik het meeste maar vaag waargenomen, de Fransen die als een gek met hun witte doeken zwaaiden, ik wil niet onbeleefd zijn, maar zo was het, en de onderhandelaar die dwars door onze rijen ... Nou ja, u zult het allemaal wel weten. Tot dan eindelijk de hospitaalsoldaten kwamen en ...' Hij stopte abrupt en nam Janki met een enigszins argwanende blik op. 'Bent u ook gewond geraakt?'

'Aan mijn been,' zei Janki. 'Maar ik heb er niet veel last van. Ik voel het alleen als het weer omslaat.' Chanele hield alweer haar zakdoek voor haar gezicht. De lucht van de oude kussens was echt heel onaangenaam.

Voordat de trein in Hoyerschleuse aankwam, waren de beide mannen de beste maatjes en hadden ze afgesproken elkaar op het eiland spoedig terug te zien. Staudinger, die hier een paar kameraden wilde ontmoeten die met dezelfde boot naar Sylt voeren, regelde ook nog een kruier voor hun bagage – hij kon zijn krakende commandostem aan- en uitdoen als een mantel –, gaf Chanele opnieuw een smakkende handkus en nam afscheid van Janki door zijn hand op militaire wijze naar de rand van zijn jagershoedje te brengen.

Pas toen de bagage was geteld – twee hutkoffers, een nieuwe juchtleren handkoffer, vier hoedendozen – en de kruier zijn geld had gekregen, kon Chanele eindelijk met Janki praten.

'Wat vertel je die man voor sjmontses?' zei ze. 'De dames in Baden hebben je avonturen misschien geloofd, maar deze Staudinger heeft echt in Sedan gevochten. Een walgelijke kerel trouwens, met dat litteken.'

'Dat vind ik niet.' Ze stonden naast elkaar aan de reling van de *Freya* en keken samen met de andere passagiers naar de potige matrozen die de trossen van de boot met zo'n beledigd gezicht losmaakten alsof de veerdienst voor badgasten ver beneden de waardigheid van een echte christelijke zeevaarder was.

'Janki Meijer, de held van Sedan!'

'Sst!' Janki keek geschrokken om zich heen. Gelukkig had niemand het gehoord.

'Alleen jammer dat je vergeten bent je onderscheidingen in te pakken.'

'Wat voor onderscheidingen?'

'Die Napoleon III je persoonlijk heeft toegekend. Voor bijzondere dapperheid tegenover de vijand.'

Al die jaren had het Chanele koud gelaten dat Janki de weinig roemrijke herinneringen aan zijn diensttijd per keer kleurrijker schilderde. Het had haar niet echt gestoord en in de winkel was waarachtig genoeg te doen wat belangrijker was. Maar sinds Janki het Moderne Warenhuis buiten haar om had verkocht, voelde ze zich ook niet meer verplicht rekening te houden met zijn gevoeligheden. Vrijwel van de ene dag op de andere was Chanele bitter geworden, niet twistziek, maar koppig, en omdat Janki vanwege de opheffing van de zaak in stilte een slecht geweten had en daarom geen enkele fout kon toegeven, hadden ze steeds heftiger woordenwisselingen.

Zoals wijn die te lang heeft gelegen was hun huwelijk na meer dan veertig jaar verzuurd.

'Je begrijpt het niet,' zei Janki. 'In zo'n badplaats moet je de juiste mensen kennen, anders blijf je alleen. Nu hebben we alvast een introductie in de betere kringen.'

'Vier er sjabbes mee!' Chanele keerde haar man de rug toe en had het de volgende minuten erg druk met het observeren van de zwerm meeuwen die het schip als een krijsende escorte vanuit de haven volgde.

Chaneles onverholen misprijzen en de vage angst dat ze misschien gelijk had, bedierven Janki's plezier in de voorkeursbehandeling die hun na het aanleggen op Sylt te beurt viel. Terwijl andere passagiers genoegen moesten nemen met rijtuigen of zelfs verloren en alleen gelaten naast hun stapels bagage moesten wachten, werden zij opgewacht door een chauffeur in livrei, op wiens pet in gouden letters de naam Atlantic prijkte. Ze waren de enige nieuwkomers die dit hotel van de allereerste categorie hadden geboekt en Janki was bijna teleurgesteld dat zijn nieuwe vriend Staudinger nergens te bekennen was. Vanuit de auto die klaarstond om hen naar het hotel te brengen had hij graag kameraadschappelijk naar hem gezwaaid of zelfs aangeboden hem mee naar Westerland te nemen. Plaats was er genoeg geweest, want de auto, minstens even prachtig als de Buchet van François, had behalve de bestuurdersplaats twee ruime banken. Hun koffers, en dat vond Janki bijzonder chic, werden niet achterop vastgegespt, maar sukkelden op een door twee paarden getrokken bagagewagen kalmpjes achter hen aan.

In het hotel werden ze met veel strijkages ontvangen en die onderdanigheid duurde de hele dag voort, zodat Chanele ironisch opmerkte dat je de verschillende bedienden hier het eerst aan hun achterhoofd van elkaar leerde onderscheiden. Hun suite – 'De beste van het hele hotel,' zei de kruiperige portier – bood alle comfort van de moderne tijd, elektrisch licht, een eigen badkamer en een hele rij belknoppen waarmee je voor elke speciale wens de juiste bediende kon roepen.

'Zie je hoe we hier ontvangen worden?' zei Janki toen ze eindelijk alleen waren.

'Als ieder ander van wie ze een ruime fooi verwachten.'

'Beter dan ieder ander.' Hij had geheimzinnig gekeken, maar Chanele deed hem niet het plezier nieuwsgierig te zijn, dus moest hij de chochme die hij had bedacht en waar hij erg trots op was, ongevraagd vertellen. 'Ik heb directeur Strähle verzocht ons bij zijn collega hier als bijzonder belangrijke gasten aan te kondigen. Wat zeg je daarvan?'

'Narrisjkeit,' was alles wat Chanele daarop te zeggen had.

42

Met de knoppen op het bellenpaneel had er een kamenierster geroepen kunnen worden die mevrouw, zo had de pluimstrijkende portier bij hun aankomst verzekerd, te allen tijde graag zou helpen bij het aankleden. Tot Janki's dagelijks terugkerende ergernis weigerde Chanele steevast van deze service gebruik te maken, hoewel hij bij de prijs voor de kamers inbegrepen was en toch betaald moest worden. Telkens als hij wilde dat ze zich voor de boulevard, de table d'hôte of een gezellige bijeenkomst verkleedde – als man van het vak bepaalde hij meteen ook welke jurk voor welke gelegenheid passend was – moest hij zelf al die lastige linten los- en weer vastmaken en de duizend haakjes door de piepkleine oogjes wurmen. Waar staat in de Sjoelchen Orech dat je een man die op zijn oude dag bij de elite wil horen, bij zijn mesjoegaas ook nog behulpzaam moet zijn?

In tegenstelling tot Arthur, die als kind elke gelegenheid had aangegrepen om door zulke kleine handreikingen dichter bij zijn moeder te zijn, had Janki een hekel aan deze hulp bij het toilet maken. Maar Chanele dwong hem ertoe, juist omdat ze wist dat haar oud en slap geworden lichaam hem tegenstond. Janki hield van uiterlijkheden, van het effect; zijn pakken had hij niet laten maken om zich er gemakkelijk in te bewegen, maar om er goed in uit te zien. Van hofkleermaker Kniže, die in zijn persoonlijke eretempel zijn oude leermeester Delormes steeds meer verdrong, bewonderde hij het meest het balkostuum dat deze volgens *Journal des Modes* ooit voor een kromgegroeid lid van het keizerlijk huis had gemaakt, 'zo perfect van pasvorm dat je de bochel helemaal niet meer zag'. Als ze een van haar dure jurken aanhad, was Chanele zoals hij haar wilde zien: de welgestelde vrouw van een succesvol zakenman. In hemd en korset stond daar alleen maar een grootmoeder met een verlepte huid, en als Janki op hun eerste gezamenlijke rondgang door Westerland dure eau de toilette voor haar had gekocht, dan had hij dat niet uit hoffelijkheid gedaan. Hij meende haar ouderdom en verval te ruiken en daar kon hij niet tegen omdat het hem bang maakte.

Als costumier was Janki niet onbekwaam. Met stoffen en kleren was hij vertrouwd en als Chanele 'klaar verkleed' was, zoals ze het zelf noemde, zocht hij met de grootste zorg ook de juiste sieraden en de passende accessoires uit. Het was het enige onderdeel van dit ritueel waar hij van genoot.

Vandaag had hij een zomerjurk van ivoorkleurige crêpe uit de kast gepakt. Om een niet uitgesproken reden was dit zijn favoriete jurk. Het was al meer dan tien jaar geleden dat hij op een zakenreis een keer ongewild het gesprek van een vreemd echtpaar had afgeluisterd, maar hij hoorde de harde stem van de vrouw nog. 'Wat me bij die joodse vrouwen het meest stoort,' had ze gezegd, 'is dat ze allemaal zo dik zijn.' Bij de jurk van crêpe hoorde een losse lakceintuur die Chaneles smalle taille accentueerde en elke kijker duidelijk maakte dat zij het niet nodig had haar figuur achter gerimpelde tule of kunstig gedrapeerde bloemenslingers te verbergen. Als Janki zich die denkbeeldige kijker nu voorstelde, dacht hij steeds aan zijn nieuwe vriend Staudinger.

Het orkest in de muziekschelp op de boulevard droeg vandaag theatrale uniformen uit de tijd van de napoleontische oorlogen; er stond een 'Vaderlands Concert' op het programma, wat betekende dat de acht musici de ene militaire mars na de andere moesten spelen, hoewel de bezetting daar niet echt geschikt voor was. Maar de enige trompettist deed erg zijn best en de concertmeester – die door Fleur-Vallée als beklagenswaardige dilettant uitgelachen zou zijn – had voor deze ene keer zijn viool weggelegd en mishandelde in plaats daarvan een schellenboom. Bij de badgasten leek het in de smaak te vallen; de dames neurieden de makkelijk te onthouden melodieën mee en lieten de bloemenarrangementen op hun hoeden ritmisch trillen; de heren stampten op de maat van de muziek met hun wandelstokken op de grond. Een paar kinderen hadden de schepjes waarmee ze anders op het strand hun kastelen bouwden over hun schouder gelegd en marcheerden onder leiding van een jongen van twaalf ijverig heen en weer.

Chaneles toilet – waarom stoorde het haar toch om zich door een kamenierster te laten helpen? – kostte tijd en daarna kon Janki zelf niet zo gauw tussen drie verschillende stropdassen kiezen. Toen ze eindelijk bij de muziekschelp aankwamen, op hun dooie gemak, zoals dat ondanks alle haast hoorde op de boulevard, waren de witgelakte stoelen allemaal al bezet. Ze waren weliswaar niet de enigen die moesten staan, maar Janki, die tenslotte in het duurste hotel van de stad logeerde, was uiterst ontevreden over de weinig vooruitziende blik waarmee het bestuur van de badplaats zijn werk deed. Van Staudinger was ook geen spoor te bekennen, terwijl de keuze van de muziek toch eigenlijk naar zijn smaak moest zijn.

Terwijl Janki zoekend om zich heen keek, elk moment bereid om beleefd zijn hoed te lichten, hoewel hij hier behalve zijn kennis uit de trein nog helemaal niemand kende, observeerde Chanele gefascineerd de cellist van het orkest, een al wat oudere man met een smal, fijn besneden gezicht. De melodieën van het vaderlandse programma waren allemaal geschreven in dezelfde vierkwartsmaat waarop je kon marcheren, en de cellist leek te lijden onder het pretentieloze van de muziek die hij moest spelen. Weliswaar liet hij de strijkstok correct – één, twee, één, twee – over de snaren schrapen, maar hij hield zijn ogen dicht, alsof hij de concertmeester met zijn schellenboom niet meer kon verdragen. Hij wiegde zijn hoofd in een heel ander ritme heen en weer en bewoog zijn lippen. Chanele stelde zich voor dat hij, terwijl hij zijn plicht deed, een onhoorbare tegenmelodie zong, een lied dat alleen van hem was en dat niemand hem kon afpakken.

Na elk muziekstuk applaudisseerden de heren en ook de dames wreven in hun fijne handschoentjes. In de korte pauze die telkens ontstond wanneer de muziekbladen werden omgeslagen, klonk plotseling een schelle kreet en een jongetje in een matrozenpakje verliet de exercerende kinderen, die juist in het gelid hun schepjes presenteerden, en wrong zich op zoek naar zijn moeder tussen de rijen stoelen door. Nu zag men kinderen op de boulevard beslist graag; zolang ze maar lief en stil waren aaiden zelfs wildvreemde mensen hen over het hoofd en gaven hun een stuiver voor hun spaarpot. Maar dit jongetje was luidruchtig, hij schreeuwde doordringend en sleepte tot overmaat van ramp ook nog zijn ongetwijfeld onder het zand en het vuil zittende schep achter zich aan, zonder ook maar enigszins rekening te houden met de jurken van de dames die hij daarmee raakte. Hij trok een spoor van afkeurende commentaren en pedagogisch strenge blikken achter zich aan, zoals het straatstof altijd nog een paar seconden blijft dwarrelen wanneer er een auto voorbijgereden is. De jongen merkte er niets van. Hij kon zijn moeder niet vinden en moest haar toch zijn verschrikkelijke leed klagen en daarom schreeuwde hij de longen uit zijn lijf.

'Mamme!' gilde het jongetje. 'Mamme!'

Chanele duwde Janki de parasol die ze van hem had moeten meenemen in de hand, trok haar arm uit de zijne, zoals je een draad uit een naald trekt, en liet hem staan. Haar rijglaarsjes waren gemaakt om elegant te flaneren; het was helemaal niet zo eenvoudig om daarmee vlug genoeg aan de andere kant van de rijen stoelen te komen. Er werd misprijzend gekeken; dat was zeker de beklagenswaardige moeder die niet in staat was haar kind in bedwang te houden.

Het jongetje schoot met zijn hoofd naar voren tussen de stoelen vandaan, hij was misschien over een stiekem uitgestoken parasol gestruikeld of gewoon over zijn eigen benen. Zijn schep was hij kwijt, maar dat kon hem niet schelen, hij wilde zich alleen maar ergens vasthouden en verstoppen en getroost worden.

'Wat is er gebeurd?' vroeg Chanele.

'Ik wil ook soldaat zijn!' jammerde de jongen. Hij zei het in het Jiddisj, met precies hetzelfde accent dat Chanele kende van haar schoonzoon Zalman.

Met een tsjing van de schellenboom en een boem van de pauk begon de muziek weer en dat geluid scheen de jongen zo verdrietig te maken dat hij zijn betraande gezicht in Chaneles jurk begroef en zich wanhopig aan haar vastklampte. De vlekken zouden waarschijnlijk nooit meer uit de besmettelijke crêpe gaan.

Chanele boog zich over hem heen en met het geoefende gebaar van een vrouw die al veel kinderen en kleinkinderen heeft getroost, nam ze hem op haar arm. Het haar van de jongen rook naar zon en zand en Chanele móést hem wel tegen zich aandrukken. 'Rustig maar,' fluisterde ze, 'rustig maar. We gaan je mamme zoeken.'

Het was allemaal zo vlug gegaan dat Janki niet wist of hij zijn vrouw achterna moest gaan of hier op haar moest wachten. Een stem met een Zuid-Duits accent nam de beslissing voor hem. De stem sprak hem met zo'n luidruchtige hartelijkheid aan dat een paar badgasten afkeurend naar de bron van deze nieuwe storing omkeken.

'Daar bent u eindelijk, Meijer,' bulderde Staudinger. 'Waar verstopt u zich al die tijd? Ik wil u aan een paar kameraden voorstellen.'

Als je in je ene hand een wandelstok hebt en in je andere een parasol, valt het niet mee om je hoed perfect te lichten, maar dat leek de vier mannen die Staudinger vergezelden niet te storen. Ze kwamen van een ochtendborrel die tot na het middageten was uitgelopen en hadden geen behoefte aan plichtplegingen. Ze klopten Janki op de schouder en schudden hem, wandelstok en parasol of niet, de hand. Een van de mannen presenteerde op militaire wijze zijn met kleine schildjes bespijkerde wandelstok, met zulke hoekige bewegingen dat het leek of hij die van de exercerende kinderen had afgekeken, en intussen praatten ze allemaal door elkaar zodat Janki de namen waarmee ze zich voorstelden, helemaal niet verstond. De man met de wandelstok, zoveel ving hij op, noemde zelfs een adellijke titel.

Ze stonden erop dat Janki met hen meeging naar het strandcafé, waar het bier bijzonder goed smaakte, en wel subiet, want met drinken was het volgens hen als met trommelvuur: het werd pas gevaarlijk als je ermee ophield, ha! Ze namen hem tussen zich in en wie het groepje op weg naar het café tegenkwam, had niet kunnen zeggen of hier iemand door een erewacht werd geflankeerd of als misdadiger werd afgevoerd.

Ze dronken bier. Toen Janki aanbood ter ere van de kennismaking op een goede fles wijn of zelfs champagne te trakteren, lachten ze als om een goede grap, nou brak hun klomp, maar hij was tenslotte Fransman en dan moesten ze wat door de vingers zien. Alleen kon hij zijn dandy-achtige neigingen maar beter meteen afleren, anders zouden ze zich misschien nog gedwongen zien de oorlogshandelingen te hervatten.

'Ha!' zei Staudinger.

Janki lachte met hen mee. Hij zou om alles gelachen hebben, zo blij was hij dat hij werd opgenomen in deze kring waar iemand zelfs een adellijke titel had.

Staudinger, wiens litteken van de zon of het bier rood was geworden, moest zijn vier kameraden de ontmoeting in de trein naar Hoyerschleuse in detail hebben beschreven en daarbij flink hebben overdreven. Hij had van Janki kennelijk een met de moed der wanhoop vechtende Gallische held gemaakt, die de kansen van de slag bij Sedan misschien nog eigenhandig zou hebben gekeerd als een kogel hem niet had geveld en levensgevaarlijk verwond. Dat die kogel inderdaad uit de gelederen van Staudingers 2de bataljon was gekomen, wilde hij niet direct beweren, maar mogelijk was het wel, en daarom waren de twee – een soldaat is een soldaat, aan welke kant hij ook vecht – verbonden door een soort mystieke bloedbroederschap die beslist gevierd en begoten moest worden.

Ze vierden en ze begoten.

Janki, die geen bier gewend was, begreep niet alles wat de kameraden hem vertelden, alleen dat ze alle vijf, zij het in verschillende eenheden, hadden gevochten in de slag van Sedan, dat ze elkaar veel later ter gelegenheid van de viering van de Sedan-dag op Sylt hadden leren kennen en daar besloten hadden elkaar voortaan elk jaar op dezelfde plaats te ontmoeten om die dag gezamenlijk te vieren, als een soort veteranenreünie of gewoon als mannenuitje. 'Iedereen is blij met een smoes om zijn vrouw een keer thuis te kunnen laten, bij jou zal het niet anders zijn, nietwaar, kameraad?'

Ze waren intussen overgegaan op jou en jij en hadden Janki in een dronken ceremonie, waarbij Chaneles parasol het zwaard voor de ridderslag moest vervangen, plechtig opgenomen in hun kring. Toen ze hem naar hotel Atlantic terugbrachten hadden ze, uit kameraadschap en bij gebrek aan evenwicht, hun armen om elkaars schouders geslagen en zongen ze gezamenlijk het lied van de dappere soldaten die elkander nooit zullen verlaten.

De parasol had Janki in het strandcafé laten liggen.

Hoewel het al bijna avond was en dus tijd om zich te verkleden voor de table d'hôte, was Chanele nog niet terug. Terwijl Janki leerde een glas bier in één teug leeg te drinken, had zij de moeder van het jongetje gevonden.

'Uw jurk,' had de vrouw als eerste geroepen, 'lieve hemel, uw mooie jurk! Motti, wat heb je nu weer uitgespookt?' En vervolgens was ze opgelucht geweest dat Chanele haar niet had gezocht vanwege de vlekken op de crêpe, maar omdat de kleine jongen eindelijk, eindelijk zijn verdriet moest kunnen uithuilen.

Hij had niet mee mogen spelen.

Hij had zich bij de compagnie van de exercerende kinderen willen aansluiten, met de schep over zijn schouder en zijn matrozenmuts schuin op zijn hoofd, zoals ze allemaal deden, hij had ook goed opgelet en de commando's onthouden, 'Rechts om!' en 'Op de plaats rust!' en 'Presenteer ge-weerrr!', hij had alles goed gedaan, echt goed gedaan, en toch had de twaalfjarige officier die het voor het zeggen had, hem weggeduwd en gezegd: 'Jij niet.' Gewoon: 'Jij niet.' En toen hij zich toch weer wilde aansluiten, hadden de anderen geen plaats meer voor hem opengelaten, ze hadden hun ellebogen uitgestoken en de steel van hun schep als spies gebruikt, en de officier had hem bij zijn oor gepakt en uit de formatie getrokken en gezegd dat joden geen soldaat mochten zijn.

En nu moest zijn moeder meekomen, nu, meteen, en ze moest tegen de anderen zeggen dat ze hem mee moesten laten spelen.

'Het is vast allang afgelopen,' zei de vrouw troostend, hoewel je de schellenboom nog steeds kon horen. Ze veegde de neus van haar zoon af, zette zijn matrozenmuts weer recht en beloofde dat tatte een nieuwe strandschep voor hem zou kopen, een veel, veel mooiere.

Toen zuchtte ze diep en zei met een trieste glimlach tegen Chanele: 'U weet niet hoe de mensen soms tegen ons joden doen.'

'Me nesjoeme weet ik dat,' antwoordde Chanele.

'U ook?' zei de vrouw opgelucht. 'Ik had het eigenlijk kunnen weten, met die wenkbrauwen.'

Natuurlijk raakten ze in gesprek en natuurlijk hadden ze elkaar een hoop te vertellen. Of liever gezegd: de moeder van het jongetje vertelde Chanele een hoop. Ze was een van die mensen die uit verlegenheid meestal zwijgen, maar als de gesprekspartner een keer ongevaarlijk blijkt te zijn de opgestuwde woordenvloed als bij een overstroming buiten de oevers laten treden.

Malka Wasserstein kwam uit Mariampol in Galicië, je hoefde de plaats niet te kennen – hoezo plaats? Een gat was het, een vliegenstrontje op de landkaart, een dorp van niks. Haar man had daar met een houtzagerij flink verdiend – 'We zijn geen Rothschilds, maar we hebben het heel goed, werkelijk waar' – en dat had een probleem opgeleverd – 'Een probleem? Ik wens het alle joodse kinderen toe!' – waar ze vroeger nooit aan

379

gedacht zouden hebben: er was in de hele omgeving geen geschikte man voor haar dochter te vinden. De kleine Motti had namelijk een oudere zus en was zelf een nakomertje, een hekkensluiter – 'geboren toen ik dacht dat mijn tijd al voorbij was. Maar de Riboine sjel Oilem zal wel weten wat hij doet.'

Chanele kon nauwelijks vertellen dat ook zij een nakomertje had en soms dacht dat Arthur haar zelfs het dierbaarst was van al haar kinderen. Malka's zinnen hadden hun ellebogen uitgestoken en lieten voor andermans woorden net zo weinig ruimte als de exercerende kinderen voor de kleine Motti.

Er was dus Chaje Sore, bijna vijftien jaar ouder dan haar broertje – 'Motti, laat dat liggen, daar speel je niet mee!' –, een meisje van eenentwintig en nog altijd ongetrouwd, werkelijk waar. Natuurlijk had ze aanzoeken gehad – 'De sjadchonem hebben de deur platgelopen, ze had iedereen in het district kunnen krijgen, een gouden sleutel opent elk slot' –, maar waarom zou Chaje Sore trouwen met een kaarsenmaker of met een haringman of – 'God verhoede het!' – met een kastelein die met elke klant lechajim moet drinken en naar bronfen stinkt als hij eindelijk in bed kruipt? Niet dat ze zichzelf beter vond dan andere mensen – 'Mijn tong mag uit mijn mond vallen als ik ooit zoiets gezegd heb!' – maar je wilde toch het beste voor je kinderen, waarvoor lag je anders je hele leven krom?

'Hoeveel kinderen hebt u?' vroeg Malka. Ze wachtte het antwoord echter niet af, daarvoor stonden haar sluizen veel te ver open, maar vertelde dat haar man Hersj – 'Soms noem ik hem Hersj Ostropoler omdat hij zulke mesjoege ideeën heeft' – op de gedachte was gekomen om naar zee te gaan, niet om vakantie te houden – 'Zoiets kan ik missen als kiespijn!' – maar omdat je daar mensen kon leren kennen, woile jidn, die ook kinderen hadden en een sjidoech zochten en bij wie je er zeker van kon zijn dat ze tot de goede kringen behoorden, juist omdat zo'n vakantieoord een hoop geld kostte en niet iedereen zich dat kon permitteren.

Als Malka Wasserstein op haar praatstoel zat, had ze iets van een leerlinge die haar leraren hoopt te imponeren met onverteerde frasen uit de gesprekken van haar ouders. Ook uiterlijk leek ze een meisje dat verkleed was als een volwassene, want ze had – alleen in Mariampol kon iemand denken dat zoiets elegant was – voor de boulevard een heel bonte, zijden wandeljurk met brede strepen uitgekozen, die haar mollige figuur omhulde als slordig dichtgebonden cadeaupapier. Daarbij droeg ze een hoed met reigerveren die Chanele nooit voor de middagen verkocht zou hebben; reigerveren hoorden thuis in de balzaal, waar het dit seizoen mode was om ze bij de tango mee te laten wippen.

Maar nog veel meer dan haar kleren waren het haar bewegingen die duidelijk maakten dat Malka uit de Galicische provincie kwam. Ze praatte met haar handen en maakte met haar gebaren zelfs het verslag van een vakantiereis tot een dramatische gebeurtenis.

Ze waren dus gegaan – 'Wat een drukte! Wat een gedoe!' –, maar Hersj had van tevoren natuurlijk niet goed geïnformeerd, bij hem moest alles altijd vlug gaan, hij stortte zich in elke affaire als een jonge bruidegom in het mikwe, en hij had waarachtig een vakantie op Borkum geboekt, uitgerekend Borkum! Of Chanele wel wist hoe het daar toeging?

Nee, dat kón ze niet weten en daar moest ze God voor danken! Sodom en Gomorra had hij verwoest, maar Borkum moest hij over het hoofd gezien hebben, terwijl die plaats nog veel erger was dan de beide Bijbelse steden, een eiland vol resjoëm. Malka wenste niemand iets kwaads toe, maar als er een zondvloed kwam die de hele zandhoop in zee spoelde, zou zij er in elk geval geen traan om laten, en als ze langs de graven van die mensen kwam, zou ze erop dansen, jawel, dansen zou ze.

Het volgende was namelijk op Borkum gebeurd …

Maar door al het vertellen was Malka helemaal de tijd vergeten, terwijl ze alleen zo vlug bij het concert weggegaan was om Hersj en Chaje Sore te zoeken, ze had gedacht dat haar Motti – 'Leg dat weg, Motti, wie weet wie daar allemaal aangezeten heeft!' – vredig met de andere kinderen speelde, je had ook geen moment rust, en waarom sommige mensen voor hun plezier op vakantie gingen, dat zou ze nooit begrijpen, al werd ze honderdtwintig, werkelijk waar.

Ze moesten elkaar beslist weer ontmoeten, haar man zou Chanele ook persoonlijk voor haar vriendelijkheid willen bedanken en wie weet, misschien kende Chanele zelfs iemand die … Hoe oud was haar jongste ook weer, het nakomertje? Drieëndertig? Dan was het hoog tijd dat hij aan trouwen dacht – 'Als je alleen bent, kom je op domme gedachten!' – Ja, ze zouden elkaar beslist terugzien, liefst meteen morgen, maar nu moest Malka haar man en haar dochter gaan zoeken. Die hadden in de tuin van de lunchroom willen gaan zitten, waar je zag en gezien werd, maar daar waren alle tafeltjes bezet, ze moesten ergens anders heen gegaan zijn en vroegen zich vast al af waar ze bleef, ze moest er nu echt vandoor. 'Geef die dame netjes een hand, Mottele! U moet hem moichel zain, hij is vandaag helemaal uit zijn doen, anders doet hij dat altijd heel netjes.'

Toen Chanele in de hotelkamer kwam, lag Janki met vuile schoenen op het bed te slapen. Hij snurkte en stonk naar bier.

43

Janki had er niets op tegen dat Chanele hem alleen liet; het kwam hem
zelfs goed uit. Zijn nieuwe vrienden – intussen wist hij ook hun namen:
Hofmeister, Neuberth, Kessler en Von Stetten – namen hem bijna vierentwintig uur per dag in beslag. 's Morgens om elf uur, als hij net met
moeite uit bed was gekomen, verwachtten ze hem al voor een lunch
waar hij gerookte paling – treife, maar helemaal niet slecht – en andere
vette dingen moest eten, omdat volgens een oude mannenwijsheid de
alcohol van de vorige avond daarmee het beste te binden was. Om de
wind door hun hersens te laten waaien, sleepten ze hem daarna voor een
gezonde wandeling mee naar het strand, maar ze kwamen nooit verder
dan het strandcafé, waar ze al werden verwacht en ongevraagd bier kregen. Daar werden ze in de loop van de uren eerst patriottisch en vervolgens sentimenteel en zongen onder leiding van Neuberth, die lid was
van een mannenkoor, romantische liederen die hen met hun welluí-
dendheid tot tranen toe bewogen: 'Te Sedan op de toren bij het Franse
oorlogsbanier staat met gekruiste armen een jonge officier.' Ze werden
daarbij echter nooit meer zo dronken als op de eerste dag; dat bewaar-
den ze voor 's avonds. Voor de deur van hun hotels, die lang niet zo deftig waren als het Atlantic, namen ze dan zo uitgebreid afscheid alsof ze
elkaar jaren niet meer zouden zien, terwijl ze alleen maar uiteengingen
voor de duur van de table d'hôte, waar ze, ieder in zijn prijsklasse, de
noodzakelijke bodem legden voor het nachtelijke gepimpel in de bier-
kelder van Tacke Blecken. Die kroeg werd anders door badgasten gemeden, omdat je in dit laatste toevluchtsoord van de ingezetenen en
matrozen soms ook bepaalde dames aantrof die met hun verwelkte
charmes alleen nog in de smaak konden vallen bij een zeevaarder die in
geen maanden meer een haven had gezien. Ze hadden daar de ronde
tafel veroverd, pal onder Tacke Bleckens beroemde luchter, die bestond
uit een oud boegbeeld en het gewei van een eland. Tacke, van wie gezegd
werd dat hij zelf ooit kapitein was geweest tot hij met zijn kotter in
zware dronkenschap op een klip was gelopen, schonk een drankje dat

weliswaar grog heette, maar behalve bruine rum, suiker en water nog andere ingrediënten bevatte, waar je al na het eerste glas zwaar van begon te filosoferen.

Afgezien van een paar vluchtige avonturen tijdens zakenreizen had Janki in zijn leven nooit de gelegenheid gehad om eens echt uit de band te springen. Des te meer genoot hij nu van dit late vrijgezellenleven, hij gaf het ene rondje na het andere en wist intussen over zijn belevenissen bij Sedan zo veel details te vertellen dat de slag drie dagen had moeten duren om ze allemaal onder te brengen. Zo meende hij zich te herinneren – en elk glas maakte de herinnering duidelijker – dat hij een gewonde kameraad met gevaar voor eigen leven uit het vijandelijk vuur had gered en later van hem als dank de wandelstok met de leeuwenknop had gekregen, een onderscheiding die voor hem veel waardevoller was, zo verzekerde hij, dan elke orde die de staat hem had kunnen toekennen.

Natuurlijk merkten de anderen dat hij overdreef, maar het stoorde hen niet; ze deden zelf niet anders. Hofmeisters onderscheiding wegens opgelopen verwondingen bijvoorbeeld, die hij op de dag van Sedan altijd trots op zijn revers droeg – een afbeelding van koning Karel van Württemberg met de tekst 'Voor trouwe plichtsbetrachting in de oorlog' –, was in werkelijkheid maar een simpele zilveren medaille zoals men die in de algemene vreugde over de overwinning kwistig had uitgedeeld. Hofmeister, een gemoedelijke kastelein uit Nürtingen, had in de oorlog bij een bevoorradingscompagnie gezeten en achter zijn potten en pannen van de hele veldslag niet meer gehoord dan ver kanongebulder. Waarom zou hij de oorlogsverhalen van andere mensen betwijfelen zolang zij als tegenzet zijn eigen heldhaftigheid niet in twijfel trokken?

Von Stetten, de oudste van het gezelschap, was als enige van hen bij Sedan officier geweest, een kranige luitenant die, als hij niet zo discreet was geweest, over zijn veroveringen in de dameswereld verhalen had kunnen vertellen, 'daar zouden jullie met je oren van staan klapperen, heren!' Hij had uit die tijd de gewoonte overgehouden bij het eind van elke zin aan zijn snor te draaien, zodat de punten als bevestigende uitroeptekens omhoog stonden.

Elke nacht dronken ze Tacke Bleckens geheimzinnige grog, paften de sigaren die Janki mocht meebrengen en creëerden achter een gordijn van rook en mannelijk gelach – 'Ha!' – hun eigen wereld, waar alleen krijgslieden werden toegelaten, geen burgers en zeker geen vrouwen.

Chanele op haar beurt zag niet ongaarne dat haar man bezig was, al walgde ze van de stank van rook en grog die hij 's morgens vroeg mee de kamer in bracht. Maar dat was een geringe prijs voor het feit dat ze bevrijd was van de noodzaak niet alleen in het vakantieoord te zíjn, maar de vakantieganger ook te spélen. Als Janki katterig zijn bed uit

rolde, had zij allang een van haar eenvoudige libertyjurken aangetrokken, waarin ze zich het prettigst voelde, vervolgens ontbeten en het hotel
verlaten.

Ze ontdekte zelfs een nieuwe passie, waar ze haar leven lang nooit de
tijd voor had gevonden: hotel Atlantic beschikte over een leeszaal en
daar pakte ze op goed geluk een boek uit de kast, elke dag een ander,
nam het mee naar het water, ging in haar strandstoel zitten en gunde
zich de luxe van problemen en verwikkelingen die je elk moment kon
dichtklappen en wegleggen. Zo bracht ze, al viel het haarzelf niet op,
haar vakantie net zo door als Janki: in een wereld die niet echt bestond.

Haar rust werd echter steeds weer verstoord door de Wassersteins, die
hun gehuurde strandstoelen – niet één, niet twee, maar liefst drie! – vlak
bij haar lieten neerzetten en vastbesloten waren Chanele niet alleen te
leren kennen, maar haar ook helemaal in beslag te nemen.

Hersj Wasserstein, kleiner dan zijn vrouw, was een gedrongen, kroes-
harige bonk energie. Het verblijf in het water gold op dit strand als niet
echt gezond, maar toch droeg hij de hele tijd een zwart badpak met een
ronde hals waar borsthaar uit krulde, en verder een strohoed met een
gekleurd lint zoals die in de souvenirwinkels van Westerland overal werden verkocht. Zijn armen en benen waren roodverbrand, maar ondanks
de waarschuwingen van zijn vrouw hield hij het nooit lang uit in de
schaduw van zijn strandstoel, hij kon niet stilzitten, ging glazen met
limonade halen – 'U neemt er toch ook een, mevrouw Meijer, doet u mij
dat plezier!' – of hielp de kleine Motti bij het bouwen van een waterrad
in de gracht van zijn zandkasteel, precies hetzelfde systeem trouwens –
'Dat zult u interessant vinden, mevrouw Meijer!' – als dat van de zaag-
molen in Mariampol.

Zijn vrouw, die bij hun eerste ontmoeting op Chanele had in gepraat
alsof de woorden de volgende dag twee keer zoveel zouden kosten, zei in
aanwezigheid van haar man maar weinig. Behalve 'Wat vind jij, Hersj?'
en 'Inderdaad, Hersj!' hoorde je nauwelijks iets van haar. Maar het was
altijd nog meer dan haar dochter zei.

Chaje Sore Wasserstein was beledigd, niet om een of andere concrete
reden, maar uit principe. De limonade was niet koud genoeg, het zand
te heet, de jongens die je hier ontmoette ook niet beter dan die in
Mariampol – en dat alles zei ze zonder woorden, ze liet alleen haar
mondhoeken hangen, bestudeerde haar nagels en slaakte af en toe een
zucht, alsof de hele wereld samenspande om haar eenentwintigjarige
leven tot een hel te maken. Van kindsbeen af hadden haar ouders haar
verzekerd dat zij het ooit beter zou hebben en Chaje Sore Wasserstein
was van mening dat ze die belofte nog lang niet waren nagekomen.

Hersj was een spraakzaam man en stond erop Chanele uitvoerig te vertellen over de verschrikkelijke dingen die ze in hun eerste vakantie-oord Borkum hadden meegemaakt. Het zandkasteel van de kleine Motti was vertrapt, in hun hotel had een dienstregeling Borkum-Jeruzalem gehangen, met de onomwonden oproep daarheen te verdwijnen en nooit meer terug te komen, en bij het concert voor de badgasten hadden alle mensen een lied gezongen, het Borkum-lied, waarvan hij de laatste regels nooit zou vergeten, al werd hij honderdtwintig. 'Maar wie jou nadert op platvoeten,' hadden ze gezongen, 'het haar gekruld, de neuzen krom, die zal niet van je strand genieten, die kere om, die kere om!' Ze waren toen heel gauw vertrokken, gevlucht om eerlijk te zijn, en hier op Sylt was het echt veel beter, 'vindt u ook niet, mevrouw Meijer?'

Chanele had zich het liefst achter haar boeken verscholen, maar de opdringerige aandacht van haar nieuwe kennissen belette dat steeds weer. Als ze in de middaghitte weleens een paar minuten wegdommel-de, haalde ze de figuren uit de beide werelden door elkaar, een bedoeïenen-envorst uit een avonturenroman nam de trekken aan van Hersj Wasserstein, en de mooie freule die hij gevangenhield had hetzelfde beledigde pruilmondje als Chaje Sore.

Ook Janki droomde. Om precies te zijn: de zes musketiers, zoals ze zichzelf noemden, hadden een gemeenschappelijke droom. Wie als eerste op het idee was gekomen, wisten ze niet eens meer, waarschijnlijk Staudinger, die een soort voorzitter was. Nu fantaseerden ze al dagen samen verder en vlochten, bevleugeld door bier en grog, steeds bontere draden in het mooie beeld. In Westerland, dat wisten ze van vorige jaren, werd op 2 september ter ere van de dag van Sedan weliswaar gevlagd en de burgemeester legde bij het zegemonument een krans voor de gevallenen, maar volstond dat voor zo'n belangrijke dag? Dat de hotels hun eetzaal met zwart-wit-rode versieringen opluisterden en de chef-koks nieuwe vaderlandse namen voor hun oude recepten bedach-ten – Hofmeister, die in zulke dingen thuis was, herinnerde zich heel gewone Büsumse garnalen die onder de naam 'Veldmaarschalk-Moltke-garnalen' op tafel waren gekomen –, dat de muziekkapel vaderlandse wijs-jes speelde en op veel zandkastelen de oorlogsvlag wapperde, dat was allemaal goed en wel, maar natuurlijk niet genoeg voor echte veteranen die in deze slag hun leven op het spel hadden gezet.

'We zouden,' zei Staudinger, 'een centrale bijeenkomst moeten orga-niseren, met toespraken en huldigingen …', '… we zouden,' fantaseerde Kessler verder, 'daarvoor een zaal in een hotel moeten huren …' en natuurlijk riep Janki: 'In hotel Atlantic, waar anders?' Daar was name-lijk een grote feestzaal waar de gezellige bijeenkomsten en dansavonden werden gehouden, die moest de directeur hun – 'Geen probleem, dat neem ik voor mijn rekening!' – ter beschikking stellen, het plaatselijk nieuwsblad moest grote advertenties plaatsen en het huisorkest moest in plaats van altijd maar die tango's iets waardigs spelen – De *Hohen--friedbergse Mars*, zei de muzikale Neuberth, 'die heeft de oude Fritz persoonlijk gecomponeerd' –, op die klanken zouden de oud-strijders binnenmarcheren en dan … Ja, wat er dan moest gebeuren, dat was hun nog niet helemaal duidelijk en dus bestelden ze nog een rondje van Tacke Bleckens geheimzinnige grog, steunden met hun hoofd in hun handen en dachten na.

'Ik heb er nog eens over nagedacht,' zei Hersj Wasserstein. 'Eigenlijk zouden we alles heel vlot en zonder omhaal kunnen afhandelen.' Hij had zijn gezin uit wandelen gestuurd en knielde nu naast Chaneles strandstoel in het zand, zoals in het boek dat ze net aan het lezen was Sir Walter Raleigh voor de troon van koningin Elisabeth knielde. 'Hoe vindt u Chaje Sore?'

'Aardig, alleraardigst,' zei Chanele, want waar staat in de Sjoelchen Orech dat je een trotse vader zijn illusies moet ontnemen?

'Het is een juweel van een kind, dat ik alle joodse ouders toewens. Een beetje stil misschien, maar wie weinig zegt, zegt ook niets verkeerds, heb ik gelijk of niet?'

Chanele, met haar wijsvinger ongeduldig tussen de bladzijden van haar boek, beaamde dat hij met die uitspraak natuurlijk gelijk had.

'En een nadn zal ze krijgen … We zijn niet rijk, maar we hebben het heel goed, werkelijk waar.' Zijn vrouw had letterlijk hetzelfde gezegd; ze had de gewoonte om de zinnen van haar man zonder bronvermelding te citeren, zoals je een spreekwoord of een algemeen bekende uitspraak citeert. 'Ja, mijn Chaje is een goede partij, een engel, werkelijk waar, en op haar eenentwintigste precies op de goede leeftijd. Uw zoon is arts, nietwaar?'

'Arthur? U bedoelt dat Chaje Sore en Arthur …'

'Drieëndertig is hij, zegt mijn vrouw. Precies het goede leeftijdsverschil. Natuurlijk, mijn Malka ziet overal sjidoechem. Hoe zeggen ze dat ook weer? "God kon niet overal zijn en daarom heeft hij de Jiddisje mamme geschapen." Maar het idee bevalt me wel. Een dokter uit Zürich – dat is nog eens iets anders dan een kaarsenmaker of een haringman. Die denken allemaal dat ze ik weet niet wat zijn, terwijl … In een klein dorp ben je algauw koning. Dus, mevrouw Meijer, wat vindt u? Worden we het eens? Slaat u toe?'

Chanele vertrok geen spier, en dat viel niet mee. Hersj Wasserstein zag er belachelijk uit, zoals hij daar voor haar in het zand knielde, in een badpak zoals worstelaars dat op de kermis droegen en met een strohoed die hij twee maten te klein had gekocht. Hij stak haar inderdaad de hand toe, net als Salomon altijd gedaan had als het loven en bieden voorbij was en de verkoop van een stuk vee alleen nog bezegeld moest worden. Hij dacht werkelijk dat hij de zaak hier ter plekke kon regelen en dan weer kon overgaan tot de echt belangrijke dingen, de prijzen op de houtmarkt en de vraag of de stormen van de afgelopen winter er invloed op zouden hebben.

Maar hij was ook een vader die het beste met zijn dochter voorhad.

Chanele herinnerde zich hoe onbeholpen Zalman om de hand van Hinda had gevraagd, dat was ook belachelijk geweest, en die twee waren toch gelukkig geworden met elkaar, ze dacht aan alle dingen die zij zelf had ondernomen toen ze het nodig achtte François onder de choepe te brengen, en dus lachte ze niet, maar zei alleen: 'Niet zo vlug, meneer Wasserstein. U kent mijn zoon niet eens.'

'Ik ken zijn moeder!' Met een elegant gebaar, dat beter bij een geklede jas had gepast dan bij een bezweet zwart badpak, legde Wasserstein zijn hand op zijn hart. 'Als de zoon met maar tien procent van uw charme is gebensjt ... Wat zeg ik?' onderbrak hij zichzelf en om nog complimenteuzer te worden begon hij met zichzelf te onderhandelen, 'als hij er maar vijf procent van heeft, maar één procent ...'

'U kent hem niet,' herhaalde Chanele, 'en trouwens: zoiets moet u eigenlijk met mijn man bespreken.'

'Heel verstandig,' zei Hersj Wasserstein. 'Zaken zijn mannenaangelegenheden. Ik heb ook al een beetje geïnformeerd. Zeg eens: die Meijer die in Zürich dat mooie warenhuis heeft – is dat misjpooche van u?'

'Meijer,' zei Von Stetten, 'dat is toch een goede Duitse naam. Wij hadden in ons regiment een zekere Meier, die is zelfs voorzitter van de regeringsraad geworden.'

Ze zaten op hun vaste plaats in het strandcafé en het eerste rondje bier stond nog altijd onaangeroerd op tafel. De zes musketiers hadden een hoop te bespreken, want wat daarnet niet meer dan een dronkenmansidee was geweest, had al snel concrete vormen aangenomen, zo snel dat ze er bang van werden. De directie van hotel Atlantic stelde de feestzaal ter beschikking, gratis, en uit eigen beweging had ze ook nog beloofd voor een waardige decoratie te zullen zorgen. De uitgever van het plaatselijk nieuwsblad, die ze heel voorzichtig over hun plan hadden aangesproken, was meteen laaiend enthousiast geweest en had op zijn beurt contact opgenomen met alle verenigingen op het eiland, die allemaal met hun vaandels aan het defilé wilden deelnemen. Daarop had de burgemeester van Westerland zich plotseling gerealiseerd dat hij al lang met hetzelfde plan had rondgelopen, en hij had aangeboden de helden van Sedan niet alleen welkom te heten, maar hun ook de erepenning van Sylt te verlenen, een onderscheiding die anders alleen jubilerende hotelhouders of verdienstelijke wijnleveranciers kregen.

Het zou allemaal prachtig geweest zijn als de uitgever van het nieuws-blad niet met vette koppen had aangekondigd dat een echte oud-strijder op de manifestatie een toespraak zou houden en over zijn eigen erva-ringen tijdens de grote veldslag zou vertellen.

Geen van de musketiers wilde die spreker zijn en allemaal hadden ze een andere smoes. Von Stetten voerde aan dat de herinneringen van een gewone soldaat veel meer indruk zouden maken dan die van een adellijke officier, Kessler beriep zich op zijn stotteren dat hem bij optredens in het openbaar altijd weer parten speelde, Neuberth – dat had hij in het man-nenkoor geleerd – klaagde over schorheid, Staudinger had vanwege zijn verwonding van de beslissende gebeurtenissen helemaal niets gemerkt en Hofmeister bekende blozend dat hij bij de tros en niet bij de gevechtstroe-pen had gezeten. Dus bleef alleen Janki over, naar wiens gedetailleerde oorlogsverhalen ze allemaal zo gefascineerd hadden geluisterd.

'Maar hij is een Fransman!' wierp Kessler tegen. Dat bezwaar werd door de anderen met veel woorden van de tafel geveegd. Als je bij een dergelijke gelegenheid de voormalige vijand aan het woord liet, was dat volgens Von Stetten een bewijs van ware ridderlijkheid en Neuberth viel hem bij door erop te wijzen dat na de slag van Sedan zelfs Bismarck de overwonnen Franse keizer buitengewoon beleefd had behandeld. En trouwens, zei Staudinger, zo'n echte Fransman was kameraad Meijer ook weer niet, tenslotte kwam hij uit Elzas-Lotharingen en dat was nu al meer dan veertig jaar goed Duits rijksgebied.

Waarop Von Stetten vaststelde dat ook Meijer een goede Duitse naam was.

Janki aarzelde, maar niet erg. Hij zag zich al op de klanken van de *Hohenfriedbergse Mars* de feestzaal binnenmarcheren, hinkend, maar rechtop, hij zag zich al achter het spreekgestoelte staan, steunend op zijn wandelstok, waarvan hij de geschiedenis natuurlijk ook zou vertellen, hij zag al de hoopvolle gezichten en hoorde het applaus. Dus dronk hij zijn bierglas, zoals hij geleerd had, in één teug leeg, stond op en zei: 'Kameraden! Als de plicht roept, mag een soldaat zich niet drukken.'

Bij de table d'hôte wilde Chanele haar man het grappige verhaal van Hersj Wassersteins verrassende aanbod vertellen, maar Janki was in gedachten zo met de geplande viering bezig dat hij haar woorden niet eens hoorde. Het stelde hem erg teleur – hij had niet anders verwacht, maar het stelde hem toch teleur – dat zijn vrouw helemaal niet enthou-siast was over zijn voornemen en hem zelfs de hele zaak uit het hoofd probeerde te praten. Ze had gewoon nooit begrepen, zei hij, hoe belang-rijk het in deze wereld was om geaccepteerd te worden en bestond er een vollediger acceptatie dan wanneer je als Fransman bij de viering van de Sedan-dag de feestrede mocht houden?

'Maar je hebt helemaal niet in Sedan gevochten!'

Janki keek zijn vrouw bestraffend aan en zei toen met zijn charmant-ste stem, die vroeger alleen bestemd was voor zijn beste klanten: 'Zullen we nog een fles wijn bestellen, liefste? We hebben iets te vieren.'

Toen de zes musketiers de volgende dag weer in het strandcafé zaten en de details van de grote dag bespraken – In welke volgorde moesten ze binnenmarcheren? Schudde je de burgemeester na het verlenen van de erepenning de hand of bracht je de militaire groet? – kwam er een vreemde man naar hun tafeltje. Hij droeg een strandkostuum van wit linnen en bruine wandelschoenen die er niet bij pasten. Op zijn kroes-haar zat een belachelijk kleine strohoed.

'Excuseert u mij,' zei de man, 'maar ik moet dringend iets met de heer Meijer bespreken.'

Zijn stem had een onaangenaam buitenlands accent.

'We zijn druk bezig, zoals u ziet,' zei Staudinger nors.

'Het zal niet lang duren,' zei de man, die kennelijk de gewoonte had iets wat hij zich eenmaal in het hoofd had gezet, meteen af te handelen. 'Vijf minuten, als we het eens worden. En zo niet – nou ja, dan zijn we nog vlugger klaar.'

'We hebben nu echt geen tijd voor zaken,' zei Staudinger.

'Wie van u is Meijer?' vroeg de man en toen ze allemaal naar Janki keken, schudde hij hem de hand als een oude kennis en zei: 'Zait mir moichel, ik had u meteen moeten herkennen. Uw vrouw zal u wel over mij verteld hebben.'

'Mag ik vragen waar het over gaat?'

'Over Chaje Sore natuurlijk. Een juweel van een dochter. Precies de ware voor uw Arthur. Een sjidoech, gemaakt in de hemel.'

Von Stetten stond op, als een rechter die opstaat om het vonnis uit te spreken. Zijn stem had opeens dezelfde krakende commandotoon als Staudinger in de trein naar Hoyerschleuse had gebruikt. 'Kameraad Meijer,' zei hij, 'ken jij deze jood?'

'Ik heb geen idee.'

'De heer Meijer beweert geen idee te hebben,' zei de opdringerige vreemde man. 'Terwijl onze kinderen gaan trouwen.'

Het schaterende gelach dat die zin rond de tafel veroorzaakte, ebde snel weg. Ze zagen Janki's gezicht en wisten dat er niets te lachen viel.

'Meijer,' zei Von Stetten – de kameraad was hij al vergeten –, 'Meijer, ik heb maar één vraag: ben jij een jood?'

'Wat speelt dat voor rol? Ik ben ook Fransman en jullie hebben gezegd ...'

'Ik zou het op prijs stellen, meneer Meijer,' zei luitenant Von Stetten, 'als u me niet zou tutoyeren.'

44

Achteraf – Arthur kon en wilde het niet vergeten – achteraf, dat ook altijd een vooraf was, omdat het nieuwe verlangen alweer ontwaakte als het oude nog maar net was geblust, achteraf, als ze weer adem konden halen en hun hart niet meer bonsde alsof ze een top hadden beklommen, en het was ook een top, elke keer weer, een ontoegankelijke berg was het, waar je bang voor bent en die je toch onweerstaanbaar aantrekt, die je moet verkennen en bedwingen, die elke keer anders is en elke keer vertrouwder, met paden die je weer wilt volgen, steeds weer, als er niet de angst was uitgeput te raken voordat je andere, nog verlokkender paden hebt verkend, achteraf, als ze hun ogen nog niet wilden openen, zoals je een droom nog probeert vast te houden hoewel je weet dat je hem niet terug kunt halen, niet voor de volgende keer wanneer het weer anders zal zijn, nog mooier, nog raadselachtiger, nog gevaarlijker, achteraf, als de fijne haartjes op hun huid nog statisch waren en onder hun dwalende vingertoppen vonkten – niet verder! niet nu! nog niet! –, achteraf, als door de gesloten blinden het leven van alledag alweer naar binnen sijpelde met zijn muffe geur, die stank van de werkelijkheid die ze maar een paar minuten hadden verdrongen maar niet echt verdreven, als de vanzelfsprekendheid van hen afviel als een slecht genaaide jas, als hun naaktheid weer naaktheid was en geen bevrijding meer, achteraf, als ze weer overeind kwamen en nog een paar seconden zo bleven zitten omdat ze nog niet op hun evenwicht konden vertrouwen, achteraf, als ze naast elkaar zaten en hun voeten in de lucht bengelden, alsof dit niet de onderzoektafel in Arthurs spreekkamer was, maar een oever, een meer, een zee, en de werkelijkheid koud water waar ze in moesten springen – nog niet! nog even niet! –, als ze allebei naar de glazen kast met de medische boeken staarden omdat ze nog niet de moed hadden hun blik weer op elkaar te richten, achteraf, als het voorbij was en de lichte teleurstelling al in hen opkwam die bij het geluk hoort als de ouderdom bij het leven, achteraf, als de tijd stilstond en toch weer moest beginnen, achteraf overbrugden ze de seconden van de zoete pijnlijkheid altijd met hetzelfde sentimentele ritueel.

'Ach, dokter,' moest Joni dan zeggen, 'wanneer kan ik weer een afspraak met u maken?'

En Arthur moest de zwarte agenda van het bureau pakken en erin bladeren alsof hij het antwoord niet wist, alsof het niet het enige antwoord in zijn leven was waar hij niet aan twijfelde, en hij moest zeggen: 'Wanneer je maar wilt.'

Ze hadden elkaar hier leren kennen, hier in deze kamer met de geur van desinfecterende middelen en met het kersverse diploma aan de muur. Arthur had de kamer nog maar net ingericht en toch maakte hij al een ouwelijke indruk, een kleine jongen die de veel te lange broek van zijn vader aantrekt en een colbertje waarin de armen de uitgang niet kunnen vinden, die zo door de woning paradeert en zich verbeeldt volwassen te zijn. Janki had hem destijds uitgefoeterd omdat hij met de zorgvuldig geperste broekspijpen over de pas geboende vloer sleepte, terwijl hij alleen had willen uitproberen hoe het is om …

Hij had het alleen willen uitproberen.

Nee, dat klopte niet. Het was meer geweest dan nieuwsgierigheid.

Veel meer.

Joni was bij hem gekomen omdat hij een spier had verrekt, niets ergs, niet eens bijzonder pijnlijk, maar voor het volgend weekend stond er een wedstrijd op het programma en hij wilde weten of er niet een middeltje voor was, iets om in te smeren of zo, want juist die wedstrijd was heel belangrijk. 'Interesseert u zich voor worstelen, dokter?'

En Arthur had gezegd: 'Kleed je maar even uit.'

Soms krijgen heel gewone zinnen, zinnen die je al duizend keer hebt gezegd, in één klap een heel andere betekenis; de woorden komen eruit als een vers geslagen munt, glanzend en nieuw.

Kleed je maar even uit.

Sesam, open u.

Hij had hem getutoyeerd, natuurlijk had hij hem getutoyeerd. De jongen was zeventien, geen kind meer, maar ook nog geen man. Waarom zou hij hem niet getutoyeerd hebben?

Hij had geen bijbedoelingen.

En toen had Joni naakt voor hem gestaan. Voor het eerst.

Hij had helemaal niet zulke stevige spieren. Niet voor een worstelaar. Een harde vechter kon hem maken en breken. Kon hem pijn doen. Heel smalle heupen. En de buik … Gespannen alsof er een gebalde vuist in verborgen zat die alleen maar wachtte tot je …

Stop. Jonathan Leibowitz. Een patiënt. Rectus abdominis goed ontwikkeld. De benen misschien iets te stevig in vergelijking met de rest van het lichaam. Platvoeten? Nee, het was alleen de manier waarop hij stond. Klaar voor de strijd was niet de goede uitdrukking. Klaar voor alles.

'Zei u iets, dokter?'

Zijn stem … Als je over je arm strijkt zonder hem echt aan te raken, alleen de fijne haartjes beroert zodat ze overeind gaan staan en om meer vragen – zo'n stem had Joni Leibowitz.

'Zei u iets?'

Een verrekking van de levator scapulae, vandaar de lichte klachten bij het bewegen van de schouder. Arthur wees Joni de spier aan op een van de kleurenplaten die hij bij de opening van zijn praktijk had gekregen. De huidloze man, met de ene arm langs zijn lichaam, de andere omhooggestoken, deed hem telkens denken aan de bloedende martelaar destijds op het reclamebord van het panopticum. Dat was ook zo'n dag geweest die alles veranderde, waarop naderhand niets meer zijn oude plaats had, waarop je plotseling begreep …

'Is er iets aan te doen, dokter?'

Hij had hem een zalf voorgeschreven die wel of niet zou helpen, en toen had hij gezegd: 'Kun je vandaag over een week nog eens terugkomen? Ik wil je graag nog een keer zien.'

De meest vanzelfsprekende zinnen waren ineens niet vanzelfsprekend meer.

Ik wil je graag nog een keer zien.

Hij was naar de wedstrijd gegaan. Gewoon zomaar. In het *Israelitisches Wochenblatt* had pas nog een ingezonden brief gestaan dat ze de Joodse Turnvereniging moesten steunen, dus waarom zou hij niet, als hij die zondagmiddag toch niets beters te doen had? Hij was zogenaamd alleen maar toevallig langs de school aan de Hirschgraben gekomen, hij wilde zich onopvallend onder de toeschouwers mengen, maar er bleken bijna geen toeschouwers te zijn, het was geen belangrijke wedstrijd en de worstelaars – wat het later allemaal veel makkelijker voor hem maakte – hadden toch al niet veel supporters. De mensen keken om toen hij de gymzaal binnenkwam en Sally Steigrad, de voorzitter van de vereniging, snelde op hem af en met de praatzucht van een verzekeringsagent begroette hij de jonge dokter als graag geziene eregast.

Joni zat naast drie andere worstelaars op een bank, alle vier in een lange witte turnbroek en een strak shirt. Er was een lok op zijn voorhoofd gevallen, hij gooide zijn hoofd opzij en zijn blik kruiste heel toevallig – maar niets wat Joni deed was toevallig, het kon gewoon niet allemaal toeval zijn –, zijn blik kruiste als bij toeval die van Arthur. Hij glimlachte en leek zich daarna niet meer voor de nieuwe toeschouwer te interesseren.

Zoals Arthur nog zou ontdekken, had Joni twee soorten glimlach, een publieke en een persoonlijke.

Midden in de veel te grote gymzaal waren matten gelegd, een vlot in de zee, en de toeschouwers gingen er bijna onbehoorlijk dicht omheen staan. Men kwam maar in vier gewichtsklassen uit, meer worstelaars had de jonge Joodse Turnvereniging nog niet. Het was een zeer ongelijke strijd: onervaren beginnelingen tegen zelfverzekerde veteranen, die alle grepen en tegengrepen kenden en met geroutineerde vanzelfsprekendheid punten scoorden. Joni was als laatste aan de beurt; het stond al 3-0 en zijn gevecht was niet meer van betekenis. Maar het moest toch gehouden worden, had Sally Steigrad met de voorzitter van de tegenstander afgesproken, 'mijn jongens moeten ervaring opdoen'.

Joni's tegenstander had sterk behaarde armen, veel te grof om ermee naar dat slanke jongenslichaam te graaien.

Veel te grof.

Toen de twee tegenover elkaar stonden en de eerste greep uitvoerden, toen ze hun bovenlichamen tegen elkaar drukten, golem en engel, toen hun hoofden elkaar raakten als bij een liefkozing, moest Arthur zijn bril afzetten en over zijn neuswortel wrijven. Een merkwaardige ontroering had zich van hem meester gemaakt, een niet onaangename droefheid, waar hij tranen van in zijn ogen kreeg.

Toen was het gevecht al voorbij. Joni was gevloerd, zijn tegenstander liep weg van de mattenzee, hij had een klus geklaard die vermoeiend maar niet erg moeilijk was geweest. Joni lag nog steeds op de mat en wees met een vertrokken gezicht naar zijn schouder, waar zijn tegenstander aan had staan rukken zoals een boerenknecht aan een zak graan rukt om hem goed vast te kunnen pakken en bij de andere op de hoop te gooien.

'Zou u zo vriendelijk willen zijn, dokter?' vroeg Sally Steigrad.

Het was alsof Joni geen eigen geur had. Het zweet van zijn behaarde tegenstander drong in Arthurs neus, en het stof van de mat waarop hij neerknielde en het zurige aroma van inspanning en uitputting dat alle gymzalen van de wereld met elkaar gemeen hebben. Maar Joni? Zelfs toen hij zich over hem heen boog om de blessure te onderzoeken was er geen geur die hij had kunnen opsnuiven. Of leek Joni's geur zo veel op de zijne dat hij hem helemaal niet rook, zoals je ook jezelf niet ruikt?

'Weer dezelfde plek?' vroeg Arthur.

Joni draaide zijn hoofd naar hem toe en glimlachte naar hem met zijn persoonlijke glimlach.

'Ach, dokter,' zei Joni, 'wanneer kan ik weer een afspraak met u maken?'

Het was de eerste keer dat hij dat zei.

Zo begon het.

Arthur zou alles gedaan hebben om bij Joni in de buurt te zijn, en

Sally Steigrad was trots op het nieuwe, academische lid, wiens plotseling gewekte belangstelling voor de worstelsport hij toeschreef aan zichzelf, of in elk geval aan de oproep die hij in het *Wochenblatt* had geplaatst. Arthur was geen groot talent, maar hij deed zijn best en als medicus had hij het voordeel dat hij bekend was met botten en pezen en dat je hem de grepen en het effect ervan niet uitgebreid hoefde uit te leggen. Hij moest alleen de remming overwinnen om die kennis in de praktijk van het gevecht toe te passen.

Bij de training was zijn partner meestal Joni Leibowitz, die in dezelfde gewichtsklasse uitkwam. Die twee zijn een goede combinatie, dacht Sally Steigrad als hij hen gadesloeg. Vaak werkten ze nog aan hun techniek als alle anderen zich alweer aankleedden.

Wat zich in die tijd tussen hem en Joni afspeelde, had Arthur niet kunnen uitleggen, hoewel hij in slapeloze nachten elke toevallig – toevallig? – opgevangen blik analyseerde en in elke terloops gemaakte opmerking naar een verborgen betekenis zocht. Hij was nog nooit verliefd geweest en kon de toestand die hem overviel, deze ziekte, heel lang niet verklaren. Nog nooit had iemand tegen hem gezegd dat liefde vooral verwarring betekent.

Joni was pas zeventien, een leerjongen in de papierwinkel van zijn oom, en toch reageerde hij veel zelfverzekerder dan de geleerde dokter. Hij begreep Arthurs vage gevoelens voordat Arthur ze zelf goed begreep en hij leek zich er niet door gekwetst of bedreigd te voelen. Heel onbevangen speelde hij met de macht die ze hem over de oudere man gaven en kennelijk deed hij dat zonder enige kwaadaardigheid, zoals de kat ook geen haat koestert tegen de muis die hij laat ontsnappen en weer vangt en weer laat ontsnappen en opnieuw vangt. Of Joni zijn liefde beantwoordde – ja, het was liefde, Arthur had het eindelijk moeten toegeven en voelde zich sindsdien merkwaardig opgelucht –, of hij hetzelfde voelde als hij of althans iets soortgelijks, dat was een vraag waar Arthur tot het eind toe niet echt een antwoord op kreeg.

Tegen de verwachting in won Arthur zijn eerste wedstrijd. Het was bij een returnwedstrijd van de competitie – hoe bescheidener de sportieve prestaties, hoe serieuzer men regels en plannen neemt – en de Joodse Turnvereniging was al teruggevallen naar de laatste plaats op de ranglijst. De tegenstander was dezelfde als bij Arthurs allereerste bezoek aan de gymzaal, de Turnvereniging van Arbeiders uit Wiedikon, allemaal mensen die dag in dag uit in de fabriek zwaar lichamelijk werk verrichtten en worstelen als sport hadden gekozen omdat hun overtollige kracht ook in het weekend een uitlaatklep nodig had. Arthur kwam uit tegen de man die Joni toen had verslagen en verwond, die het had gewaagd Joni pijn te doen, en toen hij de behaarde armen op zijn lichaam voelde, overviel hem voor het eerst van zijn leven, dat tot nog toe altijd mild en theoretisch was geweest, zo'n tomeloze woede dat ze hem op het eind bij zijn tegenstander weg moesten sleuren omdat hij de nelson ook niet stopte toen de ander allang op de mat had geklopt ten teken van opgave.

'Nu hebben we u toch nog het juiste vuur bijgebracht,' zei Sally Steigrad, die ook dat succes aan zichzelf toeschreef.

Achteraf stonden ze naast elkaar bij de wasbak. Joni gooide zijn lok van zijn voorhoofd en zei: 'Ik weet wat je van me wilt.' Ze tutoyeerden elkaar, natuurlijk, sportkameraden tutoyeren elkaar, dat heeft niets te betekenen. 'Ik weet wat je wilt,' zei Joni, 'maar je krijgt het pas als je me verslaat.'

Arthur lag de hele nacht wakker en probeerde te begrijpen wat hij verstaan meende te hebben.

Bij het verenigingskampioenschap kwamen ze tegen elkaar uit. Het was geen belangrijke titel, één enkele ronde zou beslissen, meer deelnemers waren er in hun gewichtsklasse niet en eigenlijk was het verstandiger geweest om Joni de zegekrans zonder strijd op te zetten. Tot nu toe had Arthur tijdens de training nooit van hem kunnen winnen. Er waren inderdaad echte bronzen kransen van eikenloof met blauw-witte linten; Sally Steigrad hechtte veel waarde aan zulke uiterlijkheden en klaagde daarom ook over het feit dat de vereniging nog altijd geen vaandel had.

Gelukkig was er niemand van de familie gekomen, hoewel Hinda en Zalman het aangeboden hadden. Arthur voelde zich telkens betrapt als iemand hem over zijn pas ontdekte passie voor de sport aansprak en soms reageerde hij bij dat onderwerp heel bot, alsof iemand het tere punt van een slecht geweten aanroerde.

Ze stonden tegenover elkaar op de mat, ze voerden hun grepen uit en Arthurs handen trilden, zoals elke keer als hij dat lichaam aanraakte. Het was een afwachtend gevecht, een trage dans, tot na een greep en een tegengreep hun hoofden een keer heel dicht bij elkaar lagen, wang aan wang, en Joni plotseling zijn glimlach glimlachte, zijn persoonlijke glimlach, en Arthur toefluisterde: 'Beloofd is beloofd.' Toen liet hij zich vallen, op een manier dat de anderen moesten denken dat Arthur hem had gevloerd. Het gevecht was ten einde en Arthur had Joni verslagen.

Toen de anderen hem de kroon opzetten – 'Volkomen belachelijk, zulke onderscheidingen!' had hij altijd gezegd, en toch stond hij hem zijn leven lang niet meer af –, toen Joni voor hem stond en hem de hand schudde, de onverwachte winnaar en de faire verliezer, hoorde hij het hem voor de tweede keer zeggen. 'Wanneer kan ik een afspraak met u maken, dokter?'

Het was een heel gewone spreekkamer, met de geur van ziekte en netheid en angst voor de dood. De onderzoektafel was smal en zo hoog dat je benen in de lucht bengelden als je op de rand ging zitten en aan het ene uiteinde was een dikke papierrol bevestigd, hetzelfde ritselende hygiënische papier dat kappers voor de hoofdsteunen gebruikten. Er stonden een bureau, met een fauteuil erachter en een stoel ervoor, een kamerscherm waarachter een staande kapstok schuilging, en een witgeverfde glazen boekenkast vol leerboeken en vaktijdschriften en achterin, op de tweede rij, uit het zicht, ook professor Hirschfelds *Jaarboek voor seksuele tussenstadia*, waarin Arthur vergeefs naar verklaringen voor zijn eigen verwarring had gezocht. Hij had alleen vragenlijsten gevonden waarmee je het vrouwelijk aandeel in je eigen lichamelijkheid kon meten: 'Zijn uw vingers spits of stomp?', 'Scheidt u met warm weer een opvallende geur af?', 'Denkt u logisch?'

Nee, hij dacht niet logisch, en dat maakte hem bang en gaf hem moed, en hij kon nauwelijks wachten tot de dag aanbrak dat hij met Joni had afgesproken.

Het was een heel gewone spreekkamer, maar het was de mooiste kamer van de wereld.

Joni was net zo onzeker geweest als hij, net zo nieuwsgierig en achteraf net zo gelukkig en uitgeput.

Elke keer.

Achteraf, dat ook altijd een vooraf was.

Arthur was onmiddellijk gestopt met worstelen. Hij wist dat hij Joni niet meer had kunnen aanraken zonder dat iedereen gemerkt zou hebben wat voor aanraking dat was. Op een keer was hij opgeschrikt uit een droom waarin ze aan het trainen waren, de mat midden in zijn spreekkamer, eromheen hadden zich toeschouwers geschaard, Sally Steigrad en cantor Würzburger en ook oom Salomon, die allang dood was. Ze waren op elkaar afgegaan, Arthur en Joni, en Joni had zijn lok van zijn voorhoofd gegooid en Arthur had hem gekust, in het bijzijn van iedereen had hij hem gekust, en Joni had geglimlacht en gezegd: 'Ach, dokter, wanneer kan ik weer een afspraak met u maken?'

'Ik moet iets met je bespreken,' zei Joni.

De verkeerde zin.

'Het heeft niets met jou te maken,' zei Joni en hij keek hem niet aan, maar staarde naar de glazen kast met de boeken die ook geen antwoord wisten, 'alleen met mezelf en met het feit dat ik al negentien ben en erover moet nadenken hoe het verder moet.'

Het waren de beste jaren in Arthurs leven geweest en nog voor Joni verder praatte wist hij dat ze voorbij waren.

'Ik ga naar de rekrutenschool,' zei Joni, 'dan zien we elkaar toch een hele tijd niet, en daarna ga ik misschien naar het buitenland. Mijn oom kent iemand die in Linz een papierfabriek heeft en daar kan ik … Maar dat is niet de reden. Dat is allemaal niet de reden. De reden is …'

De reden is dat er geen wonderen bestaan.

De reden is dat je niet gelukkig kunt zijn zonder ervoor gestraft te worden.

'Ik heb veel nagedacht,' zei Joni, 'zoals jij ook altijd over alles nadenkt voor je iets doet. Ik heb veel van je geleerd. Daar ben ik je dankbaar voor. Echt: ik ben je dankbaar. Maar ik heb nagedacht en ben tot de conclusie gekomen … Het heeft echt niets met jou te maken.'

Je hart wordt uit je lijf gerukt, maar het heeft niets met jou te maken.

'Ik ben tot de conclusie gekomen …' zei Joni, die nog steeds naast Arthur zat; Arthur had zijn hand maar hoeven uitsteken om hem aan te raken, om hem vast te houden, om hem niet te laten gaan.

Maar daar had hij het recht niet toe.

'Ik ben tot de conclusie gekomen,' zei Joni, 'dat ik toch een heel gewoon mens ben. Iemand als alle anderen. Niets bijzonders. Niet zoals jij. Gewoon een man die ooit een gezin wil en kinderen en … ja, een vrouw. Zoals dat nu eenmaal gaat.'

Zoals dat nu eenmaal gaat.

'Voor jou zou dat ook het beste zijn. Een gezin, bedoel ik. Je zou een goede vader zijn, een fantastische vader, dat weet ik heel zeker. Het was altijd fijn met je, echt, het was fijn en ik maak je geen verwijten.'

Verwijten.

'Maar het leidt tot niets. Begrijp je? Het leidt tot niets.'

En Arthur deed het dapperste wat hij in zijn leven had gedaan, hij deed het lafste, het verachtelijkste, en zei: 'Ja, Joni, ik begrijp je.'

Joni liet zich van de onderzoektafel glijden en stond zo onwennig in de kamer alsof hij er alleen maar verdwaald was, onderweg naar een heel ander doel. Voor de laatste keer zag Arthur hem naakt, voor de allerlaatste keer. Het was geen jongensfiguur meer, het was nu een man, gewoon een man, een man als vele anderen. Hij zette zijn voeten neer alsof hij platvoeten had, zijn benen waren een beetje te kort en zijn billen …

Gluteus maximus. Gewoon een spier. Die ergens begon en ergens ophield en iets in beweging zette.

Het kamerscherm was een driedelig, met gerimpelde beige stof bespannen metalen frame en daarachter verdween Joni, zoals alle patiënten nadat ze onderzocht waren, ze verdwenen, je hoorde geritsel en even later kwamen ze weer tevoorschijn, aangekleed en gepantserd en alleen nog van zichzelf.

Arthur zat nog lang op de rand van de onderzoektafel. Hij betastte de leren bekleding, daar waar Joni had gezeten, en meende nog de laatste sporen van zijn warmte te voelen.

45

Na de rekrutenschool kwam Joni niet meer naar de turnvereniging. Hij ging ook niet naar Linz, dat was maar een uitvlucht geweest, hij had nu andere interesses, hij was breder geworden, uiterlijk en innerlijk, hij was zijn jeugdig smalle heupen kwijtgeraakt en in een vorm gegroeid waarvan je op de wereld vele afdrukken had. Natuurlijk zagen ze elkaar geregeld, Zürich was klein en het joodse Zürich nog kleiner, maar Joni had voor Arthur alleen nog zijn publieke glimlach over, een glimlach die besloten had zich niets te herinneren. Als hij hem groette deed hij dat beleefd en afstandelijk, een leerling die een leraar lang na zijn schooltijd weer tegenkomt.

Op een gegeven moment meldde Sally Steigrad zich bij Arthur, hij zocht hem thuis op en bracht twee flesjes bier mee, die ze – 'Vooral geen plichtplegingen onder sportkameraden!' – zonder glazen dronken. Sally was een lange magere man voor wie de vereniging belangrijker was dan zijn familie. Niet dat hij die niet had, integendeel, de Steigrads hadden talloze broers en zussen en neven, wier polissen hem als verzekerings-agent vanzelf een redelijk inkomen garandeerden. Maar polissen maakten het leven niet interessant. In de wedstrijden waarin hij zijn turners zo vaak mogelijk liet uitkomen, zocht Sally de spanning, hij had, zei hij van zichzelf, het karakter van een wereldreiziger of een veroveraar en hij klaagde er graag over dat in zijn leven alles zo ordelijk en geregeld verliep, soms had hij het gevoel dat hij tot aan zijn dood alleen nog vervaldata moest afvinken en dat zoiets als verrassingen in zijn lotsbestemming helemaal niet voorkwam. Hoewel je natuurlijk te allen tijde op verrassingen bedacht moest zijn, ook op onaangename. En nu ze het er toch over hadden: had Arthur weleens overwogen een levensverzekering af te sluiten?

Maar daarvoor was hij niet gekomen, echt niet, daar moesten ze het een andere keer nog maar eens over hebben, 'better safe than sorry', zeiden de Engelsen en dat waren geen domme mensen. Als Sally over verzekeringen begon, hadden zijn woorden iets automatisch, als een grammofoon die begint te jengelen op de plek waar de naald toevallig in de groef valt. Hij liep tijdens het praten heen en weer alsof zijn overtollige temperament hem geen moment rust gunde en intussen bekeek hij Arthurs bescheiden meubilair zoals een veilingmeester een boedel die verkocht moet worden. Maar verzekeringen waren niet het doel van zijn bezoek van vandaag, echt niet, zei Sally terwijl hij eindelijk ging zitten, vandaag wilde hij van Arthur geen handtekening maar iets heel anders – om kort te gaan: hij wilde hem weer voor de turnvereniging zien te winnen.

'Nee,' zei Arthur.

Nooit meer.

'Niet als actief lid,' stelde Sally hem gerust. Arthur was, hij moest hem die vrijmoedigheid maar niet kwalijk nemen, waarachtig nooit een Karl Schuhmann geweest, die naam zou hij wel kennen, slechts één meter drieënzestig maar vier gouden medailles. Sally had vaak gemerkt dat Arthur er met zijn gedachten niet helemaal bij was, 'alsof je in plaats van aan de overwinning aan iets heel anders dacht', maar zo waren intellectuelen nu eenmaal. Hij, Sally, stelde zich het beroep van arts voor als één groot avontuur dat de hele mens in beslag nam, heel anders dan de verzekeringsbranche waar alles altijd was uitgestippeld en door het hoofdkantoor werd voorgeschreven. Over een inboedelverzekering, dit terzijde, moest Arthur bij gelegenheid ook eens nadenken, hij bezat nog wel niet veel, maar de leren fauteuils waarin ze zaten waren heel mooi en als hij ooit trouwde kon hij de polis uitbreiden.

Maar om op het onderwerp terug te komen: niet als worstelaar wilde hij Arthur weer bij de vereniging betrekken, maar als arts. De laatste tijd was het gebruikelijk geworden, en hij vond dat ook verstandig, dat bij grotere manifestaties een vertegenwoordiger van de medische stand aanwezig was, meestal was dat maar een verpleger en één keer, hij had dat volkomen belachelijk gevonden, was er bij een worstelwedstrijd zelfs een tandarts verschenen, Arthur moest zich dat eens voorstellen, iemand die bij een uit de kom geschoten gewricht waarschijnlijk naar de boor gegrepen zou hebben, hahaha.

Zulke grapjes hadden Sally al menige overeenkomst vergemakkelijkt.

Dus, om kort te gaan: wat zou Arthur ervan vinden zich beschikbaar te stellen als verenigingsarts? Dat zou minder tijd kosten dan de actieve sport, trainen deed hij in zekere zin in zijn dagelijkse praktijk, hahaha, en misschien – het hoefde niet, maar het zou bij deze tijd passen – misschien kon hij de jongelui af en toe een soort cursus geven: op medisch verantwoorde wijze voor de training de spieren losmaken, de anatomische grondbeginselen van de wedstrijdsport. Dat soort dingen.

Tot zijn eigen verrassing hoorde Arthur zichzelf 'Ja' zeggen, niet 'Ja, ik zal over het voorstel nadenken', maar heel ondoordacht en direct 'Ja'.

Sally Steigrad schreef de spontane toezegging toe aan zijn eigen overredingskracht en zag zich weer eens gestaafd in zijn credo dat argumenten in de verzekeringsbranche belangrijker zijn dan formulieren.

Arthur nam de nieuwe taak om twee redenen op zich. Aan de ene kant voelde hij zich schuldig tegenover de turnvereniging, zoals het trouwens toch bij zijn karakter hoorde zich het best te voelen als hij iets goed meende te moeten maken, en aan de andere kant hoopte hij – een artikel in het *Jaarboek voor seksuele tussenstadia* had hem op dat idee gebracht – dat de regelmatige onschuldige omgang met jongemannen een inoculerend effect op hem zou hebben, zoals een verzwakte bacterie het lichaam voor het uitbreken van een ziekte behoedt.

En toch wist hij dat er onder de turners geen tweede Joni zou zijn, omdat er nooit meer een tweede Joni kon komen.

Als het een boetedoening was die hij daarmee op zich had genomen, dan was het er een van het niet onaangename soort. Arthur had weliswaar nog maar net zijn drieëndertigste verjaardag gevierd, maar sinds Joni een eind aan hun relatie had gemaakt, was hij oud geworden, niet direct zoals Rabbi ben Azarja, van wie gezegd wordt dat hij in één klap veranderde in een waardige grijsaard, maar toch als iemand voor wie de herinnering belangrijker is geworden dan de toekomst. De jonge turners bejegenden hem, uit respect voor zijn beroep en, ja, ook voor zijn leeftijd, met een zekere afstandelijkheid en juist dat vond hij prettig. Het hoorde bij zijn karakter zichzelf constant te controleren, net als mensen die drie keer teruglopen om er zeker van te zijn dat de voordeur op slot is, en telkens constateerde hij gerustgesteld en een beetje ontgoocheld dat er niets was.

Dat er nooit meer iets zou zijn.

Toen Sally Steigrad in het café waar ze na de training een pilsje dronken begon over de noodzaak van een verenigingsvaandel, dat ze absoluut moesten aanschaffen omdat ze zich anders bij uitvoeringen gewoon belachelijk maakten – 'we kunnen moeilijk een talles aan een stok binden en voor ons uit dragen' –, nam Arthur uit eigen beweging de taak op zich daar geld voor in te zamelen. Het vaandel, zo bedacht hij, zou hij opdragen aan Joni, alleen in gedachten natuurlijk, maar op je gedachten kwam het tenslotte aan.

Het idee beviel hem zo goed dat hij niet eens protesteerde toen Sally meteen al een datum voor de vaandelwijding wilde vastleggen. Ze werden het eens over 28 juni van het volgend jaar, 'dan heb je negen maanden de tijd', zei Sally, 'en negen maanden, dat hoef ik een medicus niet uit te leggen, zijn voldoende om iets tot stand te brengen wat goed in elkaar zit, hahaha'. Dat was een grap die hij anders altijd bij jonggehuwden maakte.

De zelfopgelegde taak bleek echter bijna onuitvoerbaar. Arthur ging langs bij de joodse zakenlieden, maar kreeg haast nooit een concrete toezegging, hoewel hij overal heel beleefd werd ontvangen. Tegen een dokter zijn de mensen altijd beleefd, misschien uit angst dat ze niet goed behandeld worden als ze ziek zijn.

Typisch voor de steeds langer wordende lijst van teleurstellingen was het bezoek aan Siegfried Weill, de vader van Désirées vriendin Esther.

BUREAU stond er op de deur. De Franse schrijfwijze moest de tussen de rekken geperste schrijftafel zeker opwaarderen, maar het was toch niet meer dan een opslagruimte vlak achter de winkel, en de stoel die Weill hem had aangeboden was eigenlijk bestemd voor vertegenwoordigers die te lang blijven als ze lekker zitten.

Met zijn diepe stem en zijn volle zwarte baard leek Weill op een officieel erkende Duitse rabbijn. Hij straalde een imposante waardigheid uit, waar hij zich zeer bewust van was en die hij ook graag gebruikte bij de verkoop. Aarzelende klanten sterkte hij met een prekerig 'Een zeer goede keus, madame!' in hun besluit, zodat ze het daarna zelden waagden toch liever eerst nog ergens anders te gaan kijken. Hij gebruikte een paar damesknoopschoenen, chevreauleer met lakneus, om Arthur uit te leggen waarom hij – 'tot mijn spijt en hoewel ik de turnvereniging als zodanig beslist de moeite van het ondersteunen waard vind' – helaas, helaas niet kon bijdragen aan de inzameling. 'Bekijkt u deze schoen eens,' zei hij terwijl hij Arthur de open doos met een plechtig gebaar toestak, 'een van onze gewildste modellen, echt Amerikaans. Te koop voor achttien frank. En zegt u nu eens, dokter: wat kost die schoen mij? Als ik alles meereken, vervoer, huur, lonen, belasting? Wat kost die schoen mij?'

Arthur had geen idee. 'Vijftien frank?' zei hij aarzelend.

'Vijftien frank! Halevai! Als ik een paar schoenen voor vijftien frank kon inkopen en voor achttien verkopen, twintig procent rejwech, dan zou het me een hanoë zijn om uw vaandel helemaal alleen te betalen, inclusief de stok! Hij schudde zijn hoofd, als een wijze over de zonden van deze wereld, en herhaalde klaaglijk: 'Vijftien frank zegt hij! Waarom niet meteen veertien?'

En trouwens, zei Weill, de sjnorrers – 'Excusez le mot, dokter' – liepen de laatste tijd zijn deur plat, ze waren als de wespen in een warme zomer, en dan waren er natuurlijk nog de vaste verplichtingen: als je in de synagoge tot de Tora werd opgeroepen moest je iets sjnodern en naast die charitatieve giften betaalde hij ook nog de sjekel voor het opbouwwerk in Palestina – hij was dan wel geen vurig zionist, maar helemaal achterblijven wilde hij ook niet – en ook verder was er voortdurend van alles en nog wat, kortom: hoezeer het hem ook speet, hij moest in dit geval toch nee zeggen. Maar als de Joodse Turnvereniging zich wilde verplichten voortaan alle sportschoenen alleen nog bij hem te kopen, dan zou hij hun tien procent korting geven, wat zei hij, vijftien procent! Alleen om de dokter te laten zien hoe positief hij tegenover de zaak op zich stond.

Zo verging het Arthur overal; hij kreeg het geld eenvoudigweg niet bij elkaar. Toen hij de lijst van zakenlieden helemaal had afgewerkt, bedroegen de vaste toezeggingen nog geen honderd frank. Zelfs in een bescheiden uitvoering kostte een vaandel minstens het viervoudige.

Volgend jaar juni, dat daarnet nog oneindig ver weg had geleken, stond voor Arthurs gevoel opeens praktisch voor de deur. Sally Steigrad riep vergaderingen bijeen waarop de vormgeving van het vaandel werd besproken, hij had ook al een lijst van zalen opgesteld die in aanmerking kwamen voor het grote bal – 'Natuurlijk moet er een bal komen, als je iets doet, doe het dan goed!' – en in het vlaggenatelier hadden ze tegen Arthur gezegd dat drie maanden het minste, echt het allerminste was waarop hij moest rekenen; juist nu iedereen al de landententoonstelling in Bern in zijn hoofd had, kwamen ze om in de opdrachten.

Nog een keer bij zijn vader aankloppen durfde Arthur niet; Janki had zich in de zomervakantie op Sylt helemaal niet ontspannen en was sindsdien voortdurend gedeprimeerd. Het afscheid van zijn winkel met de geur van oude kruiden viel hem toch zwaarder dan hij had gedacht.

Er bleef nog maar één mogelijkheid over.

Arthurs verhouding met François was nooit eenvoudig geweest. Als kind had hij de ademloze bewondering voor zijn grote broer niet onder woorden weten te brengen; hij had het toen al moeilijk gevonden om over gevoelens te praten. Later, toen hij de woorden misschien wel gevonden zou hebben, was er nooit een goede gelegenheid, hoewel ze intussen allebei in Zürich woonden. Tussen een opkomend zakenman die al getrouwd is en een zoon heeft, en een jonge student in de medicijnen liggen werelden en Arthur had het gevoel gehad dat het leeftijdsverschil tussen hen alleen maar groter werd; hoe volwassener François hem leek, hoe onrijper hij zichzelf vond.

Toen had François zich laten dopen en dat had hun relatie zo pijnlijk gemaakt dat er voor hartelijkheid geen plaats meer was. Een van Arthurs leraren op het gymnasium had een vuurrode zweer op zijn voorhoofd gehad, die je moest negeren maar niet kón negeren. Zo verging het hem met het christendom van François: de inspanning om het niet voortdurend te noemen, smoorde elk gesprek in de kiem.

Maar met Mina kon je praten.

François had een villa laten bouwen op de Zürichberg, in de nieuwe wijk naast de universiteit. Het huis was ruim maar levenloos, louter decor, en ook Mina, die daar toch de vrouw des huizes moest zijn, bewoog zich in de te grote vertrekken als een actrice die de tekst van haar stuk niet heeft gekregen. Een conciërge die het bezit van anderen verzorgt, zonder er zelf aanspraak op te maken.

'Nee, Arthur, je stoort helemaal niet. Dit huis is berekend op gasten. We zouden vierentwintig mensen te eten kunnen hebben als er vierentwintig mensen waren die zich door ons lieten uitnodigen.' Ze zei zulke dingen zonder bitterheid, ze constateerde slechts de feiten en deed met haar nuchtere directheid denken aan haar schoonmoeder Chanele.

Een dienstmeisje met kapje en schortje serveerde thee. Ze hadden plaatsgenomen aan een gietijzeren tafeltje in de serre, waar het ondanks de koele herfstdag bijna te warm was. Arthur bewonderde een sinaasappelboompje waaraan perfect gevormde vruchten hingen. Mina zag zijn blik en zei: 'Zolang je ze maar niet probeert te eten ...'

Ze achtte het beslist mogelijk dat François zich liet overhalen tot een gift.

'Ondanks ...?' Arthur kreeg de vraag niet over zijn lippen, maar Mina beantwoordde hem toch.

'Juist daarom. François benadrukt zo graag dat er voor hem eigenlijk helemaal niets is veranderd, dat de mensen alleen te bekrompen zijn, te zeer op uiterlijkheden gefixeerd, om te begrijpen dat hij nog steeds dezelfde is als vroeger ... Waarom zou hij de Joodse Turnvereniging dus niet ondersteunen?'

'En? Is hij nog steeds dezelfde?'

Mina schonk uit het zilveren kannetje een paar druppels melk in haar thee, deed er suiker bij, roerde en dronk. 'Neem een koekje,' zei ze.

'Is François nog dezelfde?'

'Ik vrees van wel.'

Vreemd, dacht Arthur, dat je je met een schoonzus verwanter kunt voelen dan met je eigen broer.

Toen François thuiskwam, was hij in een uitstekend humeur. Hij beschouwde de aanwezigheid van Arthur, die hij al maanden niet had gezien, als volkomen vanzelfsprekend. 'Goed dat je er bent. Ik moet jullie iets laten zien. Ik heb het net vandaag gekregen.' Hij zwaaide met een lange groene kartonnen koker, een kind dat vol trots een nieuw stuk speelgoed laat zien, en in zijn enthousiasme had hij bijna een van de vele bloemenrekjes omgegooid die van de serre een beschaafd klein oerwoud maakten.

Hij had zo'n haast dat hij niet eens de tijd nam om zijn jas uit te doen; alleen zijn hoed gooide hij op een met exotische krullen versierde rieten stoel. Ze moesten hem volgen naar de salon, waar hij de lage tafel opzijschoof om op de grond plaats te maken. Hij knielde neer, nog steeds met zijn jas aan, haalde een lange perkamentkleurige papierrol uit het kartonnen omhulsel en liet zich door Arthur twee zware geslepen asbakken aangeven om te zorgen dat het ene uiteinde op het tapijt bleef liggen. Toen rolde hij het papier zo zorgvuldig en bijna teder uit dat Arthur moest denken aan het uitrollen van de Torarol tijdens de dienst, hoewel die vergelijking juist bij François meer dan misplaatst was.

Wat François had meegebracht was de plattegrond van een warenhuis, een gekleurde, liefdevol tot in het kleinste detail uitgewerkte bouwtekening. In de etalages prijkten al glimlachende, volgens de laatste mode geklede etalagepoppen en voor de dubbele deuren van de ingang stond een rij zorgvuldig geschetste klanten ongeduldig te wachten om binnengelaten te worden.

Het drie verdiepingen tellende gebouw was klassiek van stijl. De brede etalages waren van elkaar gescheiden door half plastische Korinthische zuilen met kapitelen waaruit gebeitelde acanthusbladeren groeiden. Op de beide zuilen die de ingang flankeerden en die twee keer zo breed waren als de andere, zat een stenen leeuw met het wapen van Zürich tussen zijn klauwen. Op de bovenste verdiepingen waren de ramen groter dan gebruikelijk, waardoor het idee ontstond van uitnodigende ruimtes met een zee van licht.

Links en rechts op de plattegrond was een rij medaillons gerangschikt, getekende lijstjes waarin je als door een raam kon zien wat zich in het warenhuis ooit allemaal zou afspelen: een verkoper hielp een klant in hemdsmouwen in zijn nieuwe colbertje, een vrouw paste een met veren versierde hoed, een jong stel bekeek met een verlegen blik een keur van wiegjes.

'Dat is het,' zei François trots. 'Het mooiste warenhuis van Zürich.' Hij leek zo gelukkig dat Arthur zich dichter bij zijn broer voelde staan dan ooit.

'Je gaat een nieuw warenhuis bouwen?' vroeg hij.

'Ooit. Ooit.' François zei het zo overdreven minachtend dat duidelijk was dat hij niet kon wachten tot er naar meer details werd gevraagd.

'En waar?'

'Vlak naast de Paradeplatz.' François wreef in zijn handen. Hij knielde nog steeds op de grond en het leek wel of hij bad.

'Heb je het bouwterrein dan toch gekregen?'

'Nog niet,' zei François. Van pure voorpret straalde hij over heel zijn gezicht. 'Maar lang kan het niet meer duren. Ik heb uit zeer betrouwbare bron dat de oude Landolt op sterven ligt.'

Ze moesten de tekening bewonderen en François kon er maar geen genoeg van krijgen steeds nieuwe details te vertellen. 'Het geheel met een dubbele kelder eronder – alleen al het magazijn heeft een grotere oppervlakte dan nu de hele winkel! Een eigen garage voor de besteldienst van de firma – uiteraard alleen maar motorrijtuigen en de chauffeurs allemaal in hetzelfde uniform! Een jaarcatalogus met een verzendservice in heel Zwitserland!' In zijn enthousiasme was hij zonder het te weten een exacte kopie van zijn vader. Met evenveel enthousiasme had Janki jaren geleden, toen hij marchandeerde over de bruidsschat van Mimi, de oude Salomon Meijer het geplande Moderne Warenhuis geschilderd.

Arthur produceerde de juiste geluiden, zei 'Werkelijk?' en 'Indrukwekkend!', maar hij had net zo goed kunnen zwijgen, want in feite praatte François alleen tegen zichzelf. Mina luisterde op de haar eigen knappe manier zo aandachtig naar haar man dat je kon denken dat hij haar zijn plannen en ideeën niet al honderd keer uiteen had gezet.

'De modernste stoomverwarming die de ingang met een luchtgordijn afsluit, zodat de deuren naar de straat ook met koud weer uitnodigend open kunnen staan! Een theesalon op de stoffenafdeling, zodat je de boeken met knippatronen zo comfortabel kunt bekijken als in je eigen woonkamer! Vier paternosterliften en bovendien …'

Verder kwam François niet met zijn enthousiaste beschrijving, want voor de deur ontstond opeens kabaal, een luidruchtige woordenwisseling, er was een afwijzende stem te horen en een andere, woedende die weigerde zich te laten afwijzen, en toen werd de deur van de salon opengerukt en stormde Mimi binnen. Ze banjerde over de uitgerolde plattegrond zodat haar hakken gaten in het papier scheurden, duwde Arthur opzij en pakte François bij zijn arm, trok hem uit zijn knielende houding omhoog en greep hem bij de revers van zijn jas, zodat hij tegenover haar stond, met zijn gezicht vlak bij het hare. In de deur verscheen het angstige dienstmeisje dat wilde uitleggen dat ze gewoon opzij was geduwd, dat zij het niet kon helpen, maar ze kreeg er de kans niet toe, want Mimi schreeuwde tegen François, ze schreeuwde zo hard en woedend dat ze hem bespuugde, ze schreeuwde en schreeuwde en liet hem al die tijd niet los. Hij verzette zich niet en liet alles over zich heen komen. Vergeefs probeerde hij te begrijpen wat Mimi maar bleef herhalen en waar hij geen touw aan vast kon knopen.

'Dat vergeef ik je nooit!' schreeuwde Mimi. 'Nooit, nooit, nooit vergeef ik je dat.'

46

Uiteindelijk was het een levering Engelse herenlaarzen die het bouw-werk van leugens deed instorten.

De beide houten kisten vol schoenendozen, die twee dagen eerder waren aangekomen dan verwacht, waren te groot voor de met BUREAU aangeduide deur van het magazijn en bleven daarom in de winkel staan, waar ze afbreuk deden aan de omzetverhogende elegantie waaraan Sieg-fried Weill in zijn zaak zoveel waarde hechtte. Vandaar dat hij opdracht gaf de kisten onmiddellijk uit te pakken en de dozen in de rekken op te bergen, een actie waarbij niet alleen de twee bedienden, maar de hele familie de handen uit de mouwen moest steken, 'ja, jij ook, jongedame, je kunt je elegante manteltje meteen weer uittrekken en in plaats daar-van een schort voordoen'.

Esther Weill had die middag met haar vriendin Désirée afgesproken en wilde net de deur uitgaan toen haar vader haar tegenhield en ondanks alle protesten indeelde bij de werkploeg. Nog geen uur geleden – dat hoorde bij de afgesproken voorzorgsmaatregelen – was ze als het ware toevallig bij de familie Pomeranz langsgegaan en had Désirée dis-creet bevestigd dat niets de gemeenschappelijke herfstwandeling in de weg stond. Toen pas had Désirée haar moeder toevertrouwd dat Esther Weill haar aanbidder weer eens zou ontmoeten en dat zij als beste vriendin ook deze keer chaperonne en alibi tegelijk moest zijn.

Als Esther op het allerlaatste moment verhinderd was – ook dat was afgesproken – moest het rendez-vous meteen worden beëindigd en naar een ander tijdstip verplaatst. Maar Désirée was te verliefd om verstandig te zijn. Sinds de vorige keer was al meer dan een week verstreken en die week had een eeuwigheid geduurd.

Ze hadden in hun leven al veel te veel gemeenschappelijke jaren gemist. Alsof alles en iedereen samenspande om hen niet bij elkaar te laten komen. Terwijl ze toch voor elkaar bestemd waren.

Van kindsbeen af.

Désirée en Alfred.

Alfred en Désirée.

Ze hadden afgesproken op de Dolder, bij het wildpark achter het grand hôtel. Vanaf het Waldhaus, waar de tandradbaan eindigde, was dat een flink eind lopen en daarom kon je er, tenminste door de week, vrij zeker van zijn dat je niemand tegenkwam.

Toen ze aankwam, was hij er al. Hij was er altijd al, zo erg miste hij haar elke minuut van de dag. Al van verre kon hij zien dat Désirée haar hoed in haar hand hield en dat maakte hem gelukkig, omdat hij wist wat het betekende. Mimi stond erop dat Désirée vanwege haar gevoelige huid hoeden met een brede rand droeg en die hinderden bij het zoenen. Ze zoenden elkaar lang, zonder dat iemand het zag. Alleen een hert, niet schichtiger dan een koe, stond achter het hek van het park en leek net als zij op iets te wachten.

Esther kwam niet; ze was al tien minuten te laat, zo lang had ze nog nooit op zich laten wachten. 'Ze zal om de een of andere reden niet weg gekund hebben,' zei Alfred. 'Je moet meteen terug.'

Maar zijn gezicht stond zo verdrietig en Désirée kon er niet tegen als hij verdrietig was. 'Vijf minuutjes maar, drie, één.'

Zijn tong smaakte naar pepermunt. Voor ze elkaar ontmoetten sabbelde hij altijd op die kleine pastilles; daarom lachte ze hem uit en hield ze van hem.

En toen was er al een uur voorbij en maakte het niet meer uit; ze moest hoe dan ook tegen Mimi liegen. Soms vergat Désirée gewoon dat ze haar moeder telkens voorloog, zo vanzelfsprekend was het voor haar geworden om Esther Weill de hoofdrol in haar eigen liefdesgeschiedenis te laten spelen. Het was zo makkelijk om alles te vergeten, in die paar uur dat ze samen waren.

Het was zo fijn.

'Er zal heus niets gebeuren,' fluisterde Désirée. Ze fluisterden vaak als ze bij elkaar waren, ook als er helemaal geen gevaar bestond dat iemand hen kon horen. Ze hield haar hoofd heel dicht bij het zijne en fluisterde hem iets in het oor, en dan was er zijn oorlelletje dat ze ook moest kussen, soms knabbelde ze erop en beet ze er zelfs in. Eén keer had ze daarbij zijn bloed geproefd, een druppeltje maar, en dat was een magische verbinding tussen hen geweest.

Maar ze waren toch al magisch met elkaar verbonden.

Toen ze elkaar destijds heel toevallig weer waren tegengekomen, had ze stug tegen hem gedaan, echt bot. Alfred verweet het haar nog steeds en beweerde daarom nog altijd boos te zijn. Alleen voor de grap natuurlijk, in werkelijkheid kon hij haar niets kwalijk nemen. Hij probeerde dan een streng gezicht te zetten, wat natuurlijk niet lukte, en legde haar een straf op die ze moest wegkussen, kus voor kus. 'Ik ben jurist,' zei hij, 'ik kan geen clementie betrachten.'

Heel bot had ze tegen hem gedaan.

Haar pianolerares woonde en werkte in de Stockerstraße. Het was een oude vrouw die naar de naam Breslin luisterde, maar eigenlijk een veel ingewikkelder Russische naam had en aan de muziek die ze uit haar piano beukte, net zo'n hekel leek te hebben als aan haar leerlingen. Niemand ging graag naar haar toe, maar haar onvriendelijkheid had haar de reputatie bezorgd bijzonder bekwaam te zijn, en Mimi wilde er niet van horen dat haar dochter met de lessen stopte of van lerares veranderde. 'Je moet alleen meer oefenen,' zei ze.

Désirée had ook die dag niet geoefend en was bovendien te laat, wat weer een lange, half Duitse, half Russische tirade tot gevolg zou hebben. Op het conservatorium in Sint-Petersburg werden luie leerlingen met de maatstok op de vingers getikt en mevrouw Breslin betreurde het zeer dat ze die methode niet ook in Zürich mocht invoeren. Désirée had de kleine map met de muziekbladen onder haar arm geklemd, was veel te vlug de hoek omgeslagen – 'Een dame rent niet!' – en had hem bijna omvergelopen. Haar muziekbladen vielen op de grond, hij bukte zich om ze op te rapen en pas toen hij ze aan haar gaf herkenden ze elkaar.

'Waarom zo'n haast, Déchirée?' vroeg Alfred. Ze rukte de map uit zijn hand, zo verwijtend alsof de botsing zijn schuld was geweest, en liep zonder een woord te zeggen door.

Echt bot had ze gedaan.

En toen ze een uur later het huis in de Stockerstraße weer verliet, stond hij voor de deur. Hij was haar gewoon achternagegaan, had op haar gewacht en zei: 'Hallo, Désirée.' Maar de toon waarop hij het zei klonk hoogmoedig, ze moest niets van hem hebben, bij die eerste ontmoeting niet en ook niet bij de volgende.

Een week later stond hij er namelijk weer. 'Ik heb elke dag op je gewacht,' zei hij. 'Behalve op sjabbes natuurlijk.' Uit zijn mond klonk dat woord onnatuurlijk.

Ze mocht hem niet, absoluut niet. Ze wierp haar hoofd in haar nek en liet hem staan. Hij had haar nog lang nagekeken, beweerde hij later, maar ze had zich niet meer omgedraaid. Waarom ook? Hij dacht toch zeker niet dat ze zich voor hem interesseerde.

Hij liet haar koud, jawel, volkomen koud liet hij haar, maar toch bleef ze maar aan hem denken, ze was helemaal in de war en droomde met open ogen. Mimi maakte zich al zorgen omdat Désirée anders altijd zo zorgvuldig en betrouwbaar was, ze drong haar levertraan op en Désirée moest het slikken omdat ze haar moeder niet kon vertellen wat er echt met haar aan de hand was.

Ze begreep het zelf niet.

Op een gegeven moment – ze zou geploft zijn als ze het niet had gedaan – praatte ze er met Esther Weill over en die deed meteen heel opgewonden. Esther was een van die mensen die nooit iets dramatisch of buitengewoons meemaken omdat ze niet de gave hebben het buitengewone te herkennen. Dat Désirée een geheime liefde had – 'Ik hou niet van hem, hoe kom je op dat mesjoege idee?' – en dan nog een liefde die onmogelijk en verboden was – 'Als je nog een keer "liefde" zegt, praat ik mijn hele leven niet meer met je!' –, dat haar beste vriendin halsoverkop verkikkerd was geraakt op die gedoopte neef – 'Esther, heus!' –, het maakte haar zo enthousiast dat ze bang was dat die belevenis uit de tweede hand spoedig weer afgelopen kon zijn. 'Je moet zijn uitnodiging aannemen,' drong ze aan, want hij had Désirée inderdaad gevraagd of ze met hem wilde afspreken, alleen om met elkaar te praten, heus, alleen praten, verder niets, hij had haar zoveel te vertellen.

Maar Désirée kon toch niet met een vreemde man – nou goed, niet echt vreemd, maar dat maakte geen verschil –, ze kon toch niet zomaar met een man afspreken, wat zouden de mensen wel niet denken? Esther bood zich aan als alibi, als chaperonne en samenzweerster.

Als je er goed over nadacht, was het allemaal haar schuld.

De eerste keer wandelden ze langs de Sihl. De lente was al bijna voorbij en de grond onder de kastanjebomen was bedekt met een tapijt van bloemblaadjes. Esther bleef steeds een paar discrete passen achter hen, maar al kon ze niet horen wat ze tegen elkaar zeiden, ze kon toch zien hoe Désirée tijdens de wandeling veranderde, hoe haar houding steeds meegaander en zachter werd. Ze begon ook steeds langzamer te lopen; in het begin was het nog een regelrecht weglopen geweest en op het eind, toen ze station Selnau weer naderden, liep ze zo langzaam dat Esther bijna moest blijven staan om hen niet in te halen. Désirée hield ook haar armen niet meer over elkaar, maar liet ze langs haar lichaam hangen, bijna alsof ze hoopte dat Alfred ze zou pakken en vasthouden. Maar dat deed hij niet, hij nam afscheid zonder haar een hand te geven, met een kleine stijve buiging, en toen hij weg was, zei Désirée: 'Hij is heel anders.'

Hij was ongelukkig, maar hij zei dat zonder te klagen, hij stelde het alleen vast, als een medicus die een diagnose stelt. Had Désirée weleens van Kaspar Hauser gehoord? Zo voelde hij zich, alsof hij een deel van zichzelf kwijt was en niet meer wist waar hij bij hoorde. 'Ik zit er altijd tussenin,' zei hij. 'Begrijp je wat ik bedoel?'

Hij had er nog nooit met iemand over kunnen praten, niet eens met Mina, die toch overal begrip voor had. Nooit had hij iemand gevonden wie hij alles kon toevertrouwen. Tot opeens Désirée er weer was geweest, de kleine Déchirée, met wie hij als kind al had gespeeld.

Niet dat hij de hele tijd alleen maar over zichzelf had gepraat, absoluut niet. Hij verontschuldigde zich zelfs dat hij haar met zijn problemen lastigviel en behandelde haar met een behoedzaamheid die haar het gevoel gaf iets heel bijzonders te zijn.

Ze vroeg zich vaak af wanneer ze eigenlijk van hem was gaan houden en kon geen antwoord vinden. Het was niet meteen in het begin geweest, beslist niet op het eerste gezicht, en toch had ze het gevoel dat het nooit anders geweest was. Bijna vijf maanden duurde de affaire nu al, volgende week zouden het vijf maanden zijn.

Vijf maanden sinds Désirée eindelijk had waargemaakt wat haar naam beloofde.

Désirée, de begeerde.

Toen dat met die kermistent en het walvisskelet gebeurde, was ze zich doodgeschrokken. Maar toen was uit de nood het idee geboren om Esther de hele geschiedenis in de schoenen te schuiven en sindsdien had ze zelfs nog een tweede persoon bij wie ze haar gevoelens kwijt kon. Het was bijna alsof ze Mimi de hele waarheid had verteld.

Dat ze haar moeder slechts schijnbaar in vertrouwen had genomen, was nog het onvergeeflijkste van alles.

Mimi was heel toevallig langs de schoenenzaak van Weill gekomen, had door de etalage al die dozen gezien en omdat ze met modieuze dingen graag de eerste was – niet dat ze ijdel was, certainement pas –, was ze naar binnen gegaan. Tot haar teleurstelling bestond de nieuwe levering uit louter herenlaarzen; Mimi wilde meteen weer weggaan, maar werd door Weill tegengehouden. Hij moest haar beslist nog een uiterst elegante bandschoen laten zien, die alleen dames met een heel smalle voet konden dragen en die daarom, huichelde hij op zijn beste rabbijnentoon, als het ware gemaakt was voor de geachte mevrouw Pomeranz. Mimi wist dat hij tegen haar loog – 'Mij heeft nog nooit iemand om de tuin kunnen leiden' –, maar het compliment beviel haar en ze had toch niets dringends te doen.

Ze was net gaan zitten – 'echt maar heel even' – toen ze tot haar verrassing Esther zag, die met een stapel dozen onderweg was naar het magazijn.

'Zo, zijn jullie al terug?'

'Ja, we zijn al … Dat wil zeggen: we hadden … we hadden vandaag helemaal geen afspraak.'

Weill stuurde zijn stotterende dochter naar het magazijn. Omdat hij op zijn pedagogische principes net zo trots was als op zijn verkooptalent wilde hij een uitgebreide preek afsteken over de tekst 'Eerst het werk, dan het plezier', maar mevrouw Pomeranz had opeens erg grote haast, ze was een belangrijke afspraak vergeten en zou de elegante bandschoen, smalle voet of geen smalle voet, een andere keer moeten passen.

'Onderbreek nooit meer een verkoopgesprek!' wees Weill zijn dochter terecht en hij begreep niet waarom Esther alleen vanwege dat milde verwijt zo ongeremd begon te huilen.

Toen Désirée thuiskwam, lag Mimi op de chaise longue met een vochtige doek op haar voorhoofd.

'Hoofdpijn, mama?'

'Ach, als het alleen de migraine was ... Heb je een fijne dag gehad, ma petite?'

'Het wordt al een beetje koel, daarboven in het bos.'

'Dat kan ik me voorstellen,' zei Mimi met een lijdende stem, 'en het zal straks nog veel koeler worden.'

'Zal ik je een kopje thee brengen?'

'Niet nodig, ma petite.' Mimi haalde de doek van haar voorhoofd en legde hem terug in de kom met het verfrissende citroenwater. 'Kom eens bij me zitten, hier op het kussen, en vertel je moeder wat je vandaag allemaal hebt meegemaakt.'

En dus vertelde Désirée hoe Esther en haar anonieme aanbidder elkaar bij het wildpark hadden ontmoet en hoe blij ze waren geweest elkaar eindelijk weer te zien. Het was ook al negen dagen geleden sinds de vorige keer, 'en negen dagen duren vreselijk lang als je van elkaar houdt, geloof ik'.

'Je denkt dus dat ze van elkaar houden?'

Dat stond voor Désirée buiten kijf. Zelf had ze zoiets weliswaar nog niet meegemaakt, tenslotte was niet zij verliefd maar Esther, maar als je zag hoe die twee elkaars hand vasthielden en hem niet meer los wilden laten, hoe ze elkaar zoenden ...

'Zo,' viel Mimi haar in de rede, 'ze zoenen elkaar dus.'

Désirée had haar vriendin beloofd dat nooit aan iemand te vertellen, 'maar jij kunt een geheim bewaren, hè, mama?'

'Certainement,' zei Mimi, niemand kon beter zwijgen dan zij. Ze was rechtop gaan zitten en alleen aan haar hand, die ze boven een zakdoek steeds weer samenkneep, zag je nog dat het niet goed met haar ging.

Désirée beschreef hoe verlegen die twee bij hun allereerste zoen waren geweest, hoe onhandig ze heel lang hadden gedaan – 'Eén keer heeft hij bijna haar hoed van haar hoofd gestoten, stel je voor!' – en dat ze toen heel geleidelijk en steeds meer ...

'Oefening baart kunst, bedoel je.'

Ja, zo zou je het kunnen zeggen.

'En jij staat erbij te kijken?'

Nee, natuurlijk niet. Désirée was discreet en liet hen alleen. Ze bleef liever voor de hoek staan en waarschuwde de verliefden als er een wandelaar aankwam. Ze hadden daar een speciaal fluitje voor afgesproken, zoals je op sjabbes gebruikt als je niet op de deurbel mag drukken. Nee, ze stond niet te kijken als ze elkaar zoenden, beslist niet, wat dacht mama wel, maar Esther was haar beste vriendin en had haar precies verteld hoe het was om …

'En? Hoe is het?'

Heerlijk, had Esther gezegd, het was heerlijk. Je was zo dicht bij elkaar en je wist op dat moment heel zeker dat je bij elkaar hoorde, 'ik geloof dat je een man helemaal niet kúnt zoenen als je niet van hem houdt'. Omdat je hem daarbij ook proefde en rook, je had toch die uitdrukking 'iemand niet kunnen rieken', en als je dat niet kon, vermoedde Désirée, dan kon je hem ook niet zoenen. Ja, en dan moest ze nog iets grappigs vertellen: de jongeman, Esthers vriend, sabbelde altijd op pepermuntjes voor ze elkaar ontmoetten, 'is dat niet om te lachen, mama?'

Mimi lachte niet.

'Die twee weten dus dat ze bij elkaar horen?'

Daar was Désirée heel zeker van. Ze had hen vaak genoeg samen gezien en ze vulden elkaar zo goed aan, als … als … 'Als jij en papa. Jullie wisten vast ook van het begin af aan …'

Niet helemaal vanaf het begin, zei Mimi.

En ze zouden ook alle moeilijkheden overwinnen. Dat had Esther gezegd. Al waren hun families er nog zo op tegen, niets zou hen ooit uit elkaar kunnen drijven.

'Waarom zouden hun families erop tegen zijn?'

'Omdat hij immers …'

'Ja?'

Maar Désirée had haar vriendin beloofd dat niet te vertellen, anders kon ze Mimi net zo goed meteen de naam zeggen. En ze had trouwens alweer veel te veel verteld.

'Non, ma petite,' zei Mimi met een stem waarin opeens niets meer van migraine of zwakte doorklonk. 'Je hebt nog lang niet genoeg verteld.'

En toen begon ze over een levering Engelse herenlaarzen – ze zei 'herenlaarzen' op dezelfde beangstigend vriendelijke toon waarop ze nog niet zo lang geleden 'walviskaak' had gezegd –, over een onverwachte levering die stante pede opgeborgen had moeten worden, eerst het werk en dan het plezier, waardoor Esther Weill de hele middag thuis was gebleven, zonder rendez-vous en zonder wandeling en verliefd elkaars hand vasthouden en zoenen. En nu wilde Mimi weten, en wel onmiddellijk, wie vandaag wie bij het wildpark achter het grand hôtel had ontmoet, wie daar wie had gezoend, en wie die man was, die vreemde man wiens naam ze niet mocht noemen omdat de families erop tegen zouden zijn. 'Geen leugens meer.'

Désirées verzet hield maar een paar minuten stand.

Ze was altijd een gehoorzame dochter geweest; als je de verhalen mocht geloven had ze als baby al minder gehuild dan anderen. Mimi had twintig jaar op een kind gewacht en was – ze had zo veel in te halen – vanaf de eerste dag vastbesloten geweest om een perfecte moeder te zijn. Ze omringde Désirée met zo veel zorg dat Pinchas meer dan eens had gezegd dat ook vallen iets was wat een kind moest leren. Ook later, toen Hinda's kinderen, die een heel ander temperament hadden, al het hele huis op stelten zetten, toonde Désirée zo weinig belangstelling voor kwajongensstreken en avonturen dat Lea en Rachel haar minachtend een 'moederskindje' noemden. Ze had nooit tegen haar moeder leren ingaan en als ze het toch eens probeerde hoefde er maar verwezen te worden naar de pijn die ze Mimi bij de bevalling had bezorgd, of ze gaf al toe. Alle leugens van de afgelopen maanden waren alleen mogelijk geweest omdat ze eigenlijk de hele tijd de waarheid had gezegd, ze had niets verzonnen, maar haar belevenissen alleen een andere naam gegeven, ze had 'Esther' gezegd als ze 'ik' bedoelde en was blij geweest dat ze haar moeder het geheim op die manier toch een beetje kon toevertrouwen.

Ze probeerde het met zwijgen, kneep haar ogen stijf dicht, zoals kleine kinderen doen als ze iets bedreigends willen laten verdwijnen, maar kon toch niet voorkomen dat de tranen over haar gezicht stroomden.

'Vraag het me niet, mama, vraag het me alsjeblieft niet,' zei ze steeds weer, maar Mimi was zo woedend als Désirée haar nog nooit had gezien, niet zozeer op haar dochter, al had die haar verschrikkelijk voorgelogen, als wel op zichzelf omdat ze zich had láten voorliegen, omdat ze blind en stom was geweest, omdat ze het spel ook nog als een idioot had meegespeeld en goede raad had gegeven, omdat ze zich zo bij de neus had laten nemen. Ze zou het nooit vergeven, zichzelf niet en Désirée ook niet.

Het verzet hield maar een paar minuten stand.

Ja, ze was het zelf geweest, snikte Désirée, al die tijd was ze het zelf geweest, maar ze had het niet kunnen zeggen omdat het haar dan verboden was en dat zou ze niet overleefd hebben, nee, ze zou nog liever van een brug springen dan die man opgeven. 'Je weet niet hoe het is om van iemand te houden, mama, je kunt het niet weten, anders zou je me niet zo aankijken. Maar het is mijn leven en niet het jouwe en ik laat het niet kapotmaken.'

'Wie is die man?' vroeg Mimi.

Désirée zwoer dat ze het niet zou vertellen, nu niet en nooit niet, en toch wist ze al dat ze de kracht niet had om zich tegen haar moeder te verzetten.

'Is het een goj?' vroeg Mimi.

Désirée knikte en zei tegelijk: 'Nee, nee, het is geen goj', maar hij was het wel en niet en nu was alles kapot, voorgoed verwoest.

'Hoe heet hij?' vroeg Mimi.

Désirée huilde en smeekte en zei het toen toch.

Mimi sloot haar dochter op in de kamer en ging naar François. Als iemand zich liet sjmadden en zich daarmee voor altijd ongelukkig maakte, dan was dat zijn zaak. Maar als zijn zoon, die goj Alfred, nu ook nog het leven van Désirée wilde verwoesten, dan was dat iets heel anders. Iets wat ze hem nooit, nooit, nooit zou vergeven.

47

De hele woning rook naar de kwarktaart – het oude recept van moeder Pomeranz – die Hinda anders alleen op Sjavoeot bakte. Ze had zich er niet van af laten brengen, hoewel Zalman misprijzend zijn hoofd schudde en zei: 'Ze komen niet op koffievisite.'

'Ja, maar toch,' zei Hinda en ze pakte ook nog het jontefdike tafellaken uit de kast. Het was zo stijf gesteven dat het bij het neerleggen in de plooien zachtjes knisperde. 'De hele familie komt! Ze mogen niet denken dat ze bij arme mensen zijn!'

Als het aan Zalman had gelegen, hadden ze aan een lege tafel gezeten, met een glas water op elke plaats en verder niets. Als vakbondsman had hij al aan veel onderhandelingen deelgenomen en het was zijn ervaring, zei hij, dat je het vlugger eens werd als je het sober hield. 'Met een lege maag kun je beter denken.'

'Met een volle maag ben je vredelievender,' antwoordde Hinda en daar had ze natuurlijk ook weer gelijk in.

Lea en Rachel waren uit pure nieuwsgierigheid buitengewoon behulpzaam en sleepten als voor seideravond uit alle kamers stoelen aan.

'Dat zijn er te veel,' zei Zalman. 'We zijn maar met z'n negenen. Janki en Chanele komen niet.'

'Toch zijn we met z'n elven,' sprak Lea hem tegen en ze somde op: 'Drie Meijers, plus oom Arthur is vier, plus drie Pomeranzen is zeven, plus vier Kamionkers ...'

'Twee Kamionkers,' verbeterde Zalman haar. 'Jullie blijven op je kamer. Dit is niets voor kinderen.'

Lea protesteerde zo beledigd als je over die aanduiding alleen op je zeventiende kunt zijn en Rachel, die door haar temperament vaak sneller praatte dan haar achteraf lief was, probeerde haar zus te helpen. 'Als wij niet mogen, waarom mag Désirée dan ...?' Ze had de zin het liefst meteen weer ingeslikt.

'Precies,' zei Zalman.

Toen belde Arthur buiten adem aan. Hij had inderhaast op de trap zijn jas al uitgetrokken en was tot zijn eigen verbazing toch de eerste. 'Terwijl ik dacht … Ik kon gewoon niet weg uit de praktijk. Met dit weer is iedereen weer eens verkouden. En de zomer is nog maar net voorbij. Mag ik bij jou mijn handen nog een keer wassen, Hinda?' Bij het werk viel de carbollucht aan zijn vingers hem allang niet meer op, maar in iedere andere omgeving voelde hij zich daarmee ongemakkelijk, alsof hij zijn medemensen lastigviel met privéaangelegenheden.

Allemaal wilden ze het onaangename dat hun te wachten stond, nog uitstellen en daarom wilde niemand als eerste gaan zitten. Bijna vormelijk bleven ze achter hun stoel staan en praatten over van alles en nog wat, alleen niet over wat hen bezighield.

'Hebben jullie nog iets van Ruben gehoord?' vroeg Arthur.

'Hij schrijft iedere week.'

'Maakt hij het goed in Kolomea?'

'Hij is nog vromer geworden.' Aan Zalmans toon was niet te horen of hem dat verheugde of ergerde.

'Mooi,' zei Arthur en toen, na een stilte, nog eens: 'Heel mooi.' Als een oude man, dacht hij geërgerd, die zichzelf gezelschap moet houden en zijn lege dagen vult met zinloze taalflarden. Hij kuchte verlegen, nam zijn horloge, dat hij aan een ouderwetse ketting in zijn vestzak droeg, en liet het dekseltje openspringen. 'Ze zijn allemaal te laat.'

'Bij onderhandelingen heb je twee methodes,' zei Zalman docerend. 'Of je komt als eerste en bent dan in zekere zin de balebos die de regels bepaalt, of je laat de anderen wachten om te demonstreren dat je het niet nodig hebt om op tijd te zijn.'

'Dit is geen loononderhandeling, Zalman!'

'Helemaal mee eens, mevrouw Kamionker. Bij loononderhandelingen weet elke partij wat ze wil. Vandaag zullen ze waarschijnlijk alleen weten wat ze niet willen.'

Als volgende verscheen de familie Pomeranz. Mimi, geheel in matroneachtig zwart, ademde zwaar, verwijtend, alsof het een persoonlijke onvriendelijkheid jegens haar was dat de Kamionkers zich niets beters dan een woning op de derde verdieping konden permitteren. Ze moet afvallen, dacht Arthur, dan zou het traplopen haar niet zo zwaar vallen.

Pinchas' baard was de laatste weken grijzer geworden, maar misschien verbeeldde Hinda zich dat maar. Zijn hand liet hij de hele tijd op Désirées schouder liggen, om haar te bemoedigen of om haar gewoon vast te houden.

Désirée droeg weer net als vroeger een scheiding in het midden, waardoor ze eruitzag als een meisje dat bescherming behoefde, en ze had een heel eenvoudige witte jurk aan waarin ze het op straat koud gehad moest hebben. Ze liep kaarsrecht, als iemand die bang is voor een gevecht en toch niet wil laten merken dat hij zwak is. Haar familie begroette ze met een zekere vormelijkheid – 'Goedendag, oom Arthur, goedendag, oom Zalman' –, ze schudde iedereen de hand en ontweek daarbij alle blikken. Ze heeft zich voorgenomen niet te huilen, dacht Hinda.

Ook de nieuwkomers gingen nog niet zitten, maar bleven eveneens achter hun stoel staan. Désirée omklemde de leuning van de hare zo stijf dat haar knokkels spierwit werden. Heel even zei niemand een woord. Zoals tijdens de dienst wanneer de hele gemeente wacht tot ook de rabbijn klaar is met het Sjema.

En toen, volkomen onverwachts, moest Arthur lachen.

'Ik zou weleens willen weten wat er zo grappig is!'

'Neem me niet kwalijk, tante Mimi. Ik dacht alleen: we staan hier als …'

… als bij een bruiloftssoede, had hij gedacht, waar niemand mag gaan zitten voordat het bruidspaar plaats heeft genomen. En hij had zijn lachen niet kunnen inhouden omdat de vergelijking die hem door het hoofd schoot, volkomen misplaatst was. Bij deze familiebijeenkomst op het neutrale terrein van de woning van de Kamionkers ging het er juist niet om een chassene te vieren maar, integendeel, er een te verhinderen.

'De Meijers kunnen elk moment komen,' zei Hinda midden in de pijnlijke stilte. 'Wil iemand alvast een stuk taart?'

Niemand gaf antwoord. Alleen Mimi stak met een bijna verlangend gebaar haar hand naar haar bord uit en liet hem gauw weer zakken.

Het was geen uitgesproken armeluisbuurt waar Hinda en Zalman woonden, maar een Buchet, en zeker het nieuwste model, had hier nog nooit iemand gezien. De auto stond nog niet eens stil of er had zich al een groepje opgeschoten jongelui langs de straat verzameld dat het voertuig en zijn passagiers vakkundig van commentaar voorzag. Toen Landolt het portier wilde openen, was een jongen van een jaar of veertien hem voor. Zijn knieën had hij bij een of ander avontuur bloedig geschaafd en een achter zijn oor gestoken sigaret toonde zijn vroegrijpe mannelijkheid aan. Hij opende het portier, rukte – waar hij dat gebaar ook opgepikt mocht hebben – zwierig zijn pet van zijn hoofd, klemde hem onder zijn arm en stak de vrijgekomen hand dwingend uit. De drie Meijers stapten uit, François zeer correct met hoge hoed en grijze ulster, Mina met haar gebruikelijke extra wijde rok en Alfred in een pak van een zo volwassen snit dat hij er bijzonder jong in leek. Zonder op de uitgestoken hand te letten liepen ze door de haag van nieuwsgierige gezichten naar de voordeur. De teleurgestelde fooienjager knikte, alsof hij niet anders had verwacht, en zei: 'Typisch joden – die zijn allemaal gierig.'

'Meneer Meijer is protestant,' zei Landolt.

'Natuurlijk,' antwoordde de jongen en hij spuugde de chauffeur met een kunstige boog vlak voor de voeten. 'En dit hier is zeker een paardenkoets.'

Met haar lamme been viel Mina het traplopen zwaar; tree voor tree moest ze zich aan de leuning naar boven hijsen. Toch wilde ze van Alfreds aangeboden arm niets weten. De weigering leek hem te kwetsen en ze had spijt van haar ontoegeeflijkheid. 'Het is niet om jou,' zei ze vlug. 'Maar ik heb me aangewend mijn eigen zaken te regelen.'

Toen ze eindelijk op de derde verdieping waren, had François al aangebeld en was naar binnen gegaan. Mina nam het hoofd van haar zoon tussen haar handen – ze moest zich uitrekken, want Alfred was allang veel groter dan zij –, trok het naar zich toe en probeerde bemoedigend te glimlachen. 'We komen er wel uit.'

'We komen er wel uit,' herhaalde Alfred. Het klonk niet overtuigd.

Toen hij de kamer binnenkwam schrok Désirée op, alsof ze hem tegemoet wilde rennen of voor hem wilde vluchten, maar Pinchas' hand lag nog steeds op haar schouder en liet niet los.

Ze begroetten elkaar vormelijk en zonder hartelijkheid, als afgevaardigden van vijandelijke landen die om diplomatieke redenen gedwongen zijn voor een laatste vredespoging bijeen te komen, hoewel beide partijen al voorbereidingen treffen voor de oorlog. Zalman had gelijk: dit was geen koffievisite maar een conferentie.

'Laten we gaan zitten,' zei hij. De stoelpoten schoven als kanonaffuiten over de parketvloer.

De tafelschikking ontstond helemaal vanzelf: aan de ene kant de familie Meijer, aan de andere kant de familie Pomeranz, Alfred en Désirée elk geflankeerd door hun ouders, als misdadigers die voor de rechtbank bewaakt worden door strenge agenten. Désirée hield haar hoofd al die tijd gebogen en streek met haar nagel steeds weer langs een gesteven plooi in het tafellaken. Alfred bestudeerde het mizrachbord aan de muur tegenover hem. Zalman, als heer des huizes en ervaren gespreksleider, had plaatsgenomen aan de smalle kant voor het raam. Voor Arthur bleef de plaats aan het andere einde van de tafel over, waar hij met zijn rug naar de deur zat en zijn stoel, voor het geval er plotseling iemand binnenkwam, niet te ver naar achteren mocht schuiven. Hinda ging op een hoek van de tafel zitten om elk moment op te kunnen springen en iets uit de keuken te halen wat ze vergeten was.

'Wie mag ik een stuk taart geven?' vroeg ze.

François schoof nors zijn bord opzij, ook de anderen schudden zwijgend hun hoofd, alleen Pinchas was zo beleefd om te zeggen: 'Dank je, Hinda. Dat is erg aardig van je, maar … dit is gewoon niet het geschikte moment.'

'Goed dan ...' begon Zalman.

'Ik wil graag een stuk taart,' zei Alfred.

Het was een provocatie, dat was duidelijk. Het ging hem niet om de taart – hoe kon iemand in zo'n situatie nu honger hebben? – hij wilde alleen laten zien dat hij van het begin af aan niet bereid was iets wat hier besloten werd te accepteren.

'Laat dat!' beet zijn vader hem toe.

Alfred deed of hij het niet hoorde. Hij stak Hinda zijn bord toe en zei: 'Als kind was ik al dol op je taart.'

François sloeg met zijn vuist op tafel.

Hinda, met de taartschep al in haar hand, keek van de een naar de ander en wist niet wat ze moest doen.

François deed heel langzaam zijn gebalde vuist weer open, vinger na vinger. Hij vertrok zijn gezicht tot een glimlach, die echter zijn ogen niet bereikte. Hinda kende dat schijnbaar vriendelijke gezicht goed. Als kind had haar broer altijd zo gekeken wanneer hij echt woedend was. 'Kunnen we alsjeblieft beginnen?' vroeg hij. Zijn stem was vlak, hij moest zich waarschijnlijk inhouden om niet te gaan schreeuwen.

'Goed dan ...' wilde Zalman opnieuw beginnen, maar Alfred viel hem weer in de rede.

'Een ogenblikje nog, oom Zalman,' zei hij met een glimlach die even onverbiddelijk beleefd was als die van zijn vader. 'Er zijn verleidingen waaraan ik geen weerstand kan bieden.'

Arthur was de enige die merkte dat Désirée bij die zin bloosde.

'Als je zo vriendelijk wilt zijn, tante Hinda,' zei Alfred terwijl hij haar voor de tweede keer zijn bord toestak.

Hinda aarzelde. Net als alle anderen aan tafel voelde ze dat hier een conflict speelde waarin je maar beter geen partij kon kiezen.

Midden in de stilte hief Désirée haar hoofd op. Haar stem trilde een beetje. 'Ik wil ook graag een stuk taart,' zei ze zachtjes terwijl ze alleen Alfred aankeek.

Om de spanning van het moment te verdoezelen, verzekerde op François na plotseling iedereen dat hij eigenlijk ook wel trek had in taart en daar hoorde natuurlijk koffie bij. Onder het voorwendsel zich nuttig te maken grepen Lea en Rachel de gelegenheid aan de om zo'n sensationele reden bijeengekomen familie toch nog te begroeten en onopvallend te inspecteren. Terug in hun kamer discussieerden ze heftig over de vraag of Désirée inderdaad roodbehuilde ogen had gehad.

Pas toen het servies en de frasen – 'Je taart wordt elke keer beter, beste Hinda!' – eindelijk van tafel waren, kwam men ter zake. Het bleek algauw dat op de beide betrokkenen na iedereen dezelfde mening had: wat zich tussen Alfred en Désirée afspeelde was onmogelijk. Absoluut onmogelijk. Die twee waren dan wel niet zo nauw verwant dat een verbintenis tussen hen alleen al om die reden uitgesloten was, maar, nou ja, het gaf gewoon geen pas.

De redenen die de beide vaders voor hun gelijkluidende overtuiging aanvoerden, waren echter totaal verschillend.

François, de zakenman, betoogde dat Alfred door een ondoordachte liaison zijn kansen voor de rest van zijn leven zou verknallen. Hij somde alle aangename dingen op waar zijn zoon nu van genoot: groentje in een exclusieve studentenvereniging, contacten met de beste families van de stad, zakelijke aanknopingspunten zonder einde, en dat alles alleen maar omdat hem niet meer het stigma aankleefde ...

'Stigma?' Pinchas spuugde het woord uit als een pit die in de compote is beland. 'Ik zou je willen vragen in dit verband niet zulke treife uitdrukkingen te gebruiken.'

'Noem het zoals je wilt. De feiten verander je er niet mee. Als christen heeft Alfred alle mogelijkheden die ik nooit heb gehad.'

'Arme stakker! Het is je echt aan te zien dat je verhongert!' zei Hinda, hoewel ze zich heilig had voorgenomen zich niet in de discussie te mengen.

'Het gaat hier niet om mij!'

'O,' zei Mimi, 'dat zou de eerste keer zijn!'

'Het gaat om mijn zoon.'

'Aan hem had je moeten denken voor je hem meenam om te sjmadden.'

'Ik ben niet bereid daar met jullie over te discussiëren. Dat ik me toen heb laten dopen ...'

'Sjmadden,' hield Mimi vol.

'... gaat niemand iets aan. Het was mijn persoonlijke beslissing!'

'Maar niet de zijne.'

Alfred trok zo demonstratief een ongeïnteresseerd gezicht alsof de ruzie aan tafel over een onbelangrijke naamgenoot ging.

'Ik heb gedaan wat het beste voor hem was,' zei François, en Mimi lachte de schelle lach waarmee in de sociale komedies in de schouwburg verachting wordt uitgedrukt. 'Chrétiens – crétins,' mompelde ze, meer dan eens knikkend alsof de diepe waarheid van deze woordgelijkenis haar nu pas opgevallen was.

'Zo komen we niet verder,' probeerde Zalman als voorzitter de discussie in goede banen te leiden. 'We moeten verstandig en om de beurt ...'

'Dat probeer ik juist,' zei François. 'Als christen – of je dat nou leuk vindt of niet, Pinchas – heeft Alfred de beste kansen op een schitterende carrière. En die zouden in één klap tenietgedaan worden als hij met Désirée trouwde.'

'Trouwen? Ha!' zei Mimi, die alweer een strijdlustige blos op haar wangen had.

'Waar natuurlijk geen denken aan is,' zei Pinchas.

'Dan zijn we het eens.'

'Nee, François, we zijn het helemaal niet eens.'

'Noem hem niet François,' snauwde Mimi. 'Hij heet Sjmoeël.' En omdat ze wist hoe François zijn oude naam haatte, herhaalde ze: 'Sjmoeël! Sjmoeël! Sjmoeël!'

'Zo gaat het niet,' zei Zalman.

Mimi spitste beledigd haar roodgeverfde mondje, sloeg haar armen over elkaar en leunde achterover. 'Als mijn mening hier niet gevraagd wordt – nou, dan heb ik niets gezegd. Certainement pas. Ik kan ook zwijgen.'

'Luister, François,' begon Pinchas nog een keer. 'Ik zal je mijn standpunt in alle rust, maar ook in alle duidelijkheid uitleggen. Deborah is een fatsoenlijk joods meisje ...'

'Deborah? Sinds wanneer heet ze Deborah?'

'Dat was de naam van wijlen mijn grootmoeder, haar aandenken zij tot zegen.'

'Zie je? Dat is nou jullie probleem. Alles moet altijd gaan zoals bij jullie voorouders.'

'Die ook de jouwe zijn.'

'Dat kan best. Maar zij leefden toen en wij leven nu.'

'Sommige dingen gelden voor altijd.'

'En sommige dingen veranderen.'

'Ik zal in elk geval niet toestaan dat mijn dochter met een niet-jood ...'

Het kwam niet vaak voor dat Mina zich in discussies mengde, maar als ze het deed, werd er naar haar geluisterd.

'Alfred is geen goj,' zei ze. 'Hij is mijn zoon.'

'Hij is gedoopt.'

'Hij is mijn zoon,' herhaalde Mina en tegen dat argument wist zelfs Pinchas niets in te brengen, want het kind van een joodse moeder blijft een jood, langs welke omwegen zijn leven ook verloopt.

'Maar hij is ook míjn zoon,' zei François met de gevaarlijk rustige stem van iemand die zich nog maar met moeite in bedwang weet te houden, 'en ik verbied ...'

'Het kan me niet schelen wat jullie verbieden of toestaan!' Désirée was niet gewend in bijzijn van andere mensen haar stem te verheffen, en als een fluit waar je te hard op blaast, sloeg hij onmiddellijk over. 'Het kan me ook niet schelen of Alfred naar de synagoge gaat of naar de kerk of helemaal nergens naartoe! Het kan me absoluut niets schelen. Ik hou van hem.'

'Nebbech,' zei Mimi. 'Wat weet je op jouw leeftijd nou van de liefde?
'Op welke leeftijd moet je er dan iets van weten?' vroeg Arthur, maar niemand luisterde naar hem.

François had het over de noodzakelijke aanpassing aan de maatschappij, waarin zijn zoon niet weer een buitenstaander mocht worden. Pinchas citeerde passages uit de Talmoed, waarvan er niet één op de situatie van toepassing was. Mimi herhaalde haar bon mot van de chrétiens en de crétins en zelfs Arthur, die anders in discussies altijd vond dat voor beide standpunten wel iets te zeggen was, koos voor één keer partij en zei heel verdrietig dat sommige relaties, hoe pijnlijk dat voor de betrokkenen ook mocht zijn, bij voorbaat tot mislukken gedoemd waren, het speet hem, maar dat was nu eenmaal zijn ervaring. Alleen Mina vond dat je de dingen moest nemen zoals ze waren en soms had ze het gevoel dat de mensen alleen maar praatten om niet te hoeven luisteren.

Ze dreigden en smeekten, Mimi huilde ten slotte zelfs en snikte: 'Mais tu m'as déchirée!' Maar dat oude argument had zijn kracht verloren. Désirée bleef maar herhalen: 'Ik hou van hem', een toverspreuk die elke werkelijkheid buiten werking stelde. En Alfred, de rechtenstudent, verklaarde koppig dat hij nu eenmaal meerderjarig was en zodra ook Désirée eenentwintig was, zou niets hun beletten te doen wat ze juist achtten.

'En waar willen jullie van leven?' schreeuwde François. 'Van mij krijgen jullie geen cent.'

'Niet alles is te koop,' antwoordde Alfred, en Désirée, met een moed die haarzelf bang maakte, greep dwars over de tafel naar zijn hand en zei: 'De echt belangrijke dingen krijg je cadeau.'

Hoe vaker dezelfde argumenten herhaald werden, hoe meer ze allemaal door elkaar praatten. Je kon amper nog iets verstaan, hoewel Lea en Rachel de deur van hun kamer intussen wijd opengezet hadden – nieuwsgierige voorbijgangers die zonder toegangskaartje voor een circustent staan en uit het tromgeroffel en de reacties van de toeschouwers proberen op te maken welke sensatie ze nu weer hebben gemist.

'Als we nog eens een keer koffie voor ze zetten ...' dacht Rachel hardop, maar Lea schudde haar hoofd. 'Papa vermoordt ons.'

Rachel leek eerst bereid ook dat risico op de koop toe te nemen. Ze had – 'Dat komt door je rode haar,' zei Zalman altijd – een vurig temperament en neigde tot opstandigheid. Toen bleef ze toch maar naast haar zus op het bed zitten. 'Wat zou die Alfred voor iemand zijn?' vroeg ze.

Lea haalde haar schouders op. 'Had jij dat achter Déchirée gezocht?'

'Nee,' antwoordde Rachel en na een lange stilte voegde ze er verlangend aan toe: 'Maar ik wil ook ooit zo van iemand kunnen houden.'

48

Uiteindelijk werd er een compromis gesloten waar niemand tevreden mee was.

'Als niemand echt heeft gewonnen,' zei Zalman later tegen Hinda, 'dan heeft ook niemand echt verloren.' Hoewel het niet om een loononderhandeling was gegaan maar om een liefdesaffaire, had hij waarschijnlijk gelijk.

De oplossing, die geen echte oplossing was en daarom door iedereen geaccepteerd kon worden, hield in dat de beslissing werd uitgesteld. De twee verliefden mochten elkaar een heel jaar niet zien en als ze daarna nog steeds zo zeker van hun zaak waren – 'Wat God verhoede!' –, dan zou men verder kijken. In het ergste geval moest men hen dan hun gang laten gaan, al was het te hopen – 'Zeer te hopen!' – dat ze tegen die tijd verstandig geworden waren. Désirée en Alfred beweerden dat niets maar dan ook niets hen kon scheiden? Nou goed, nu kregen ze de kans dat te bewijzen.

Zolang ze allebei in Zürich bleven – daar waren de families Meijer en Pomeranz het over eens – kon men er niet van op aan dat ze een gegeven woord ook zouden houden. Ze waren gehaaid en ook zonder de hulp van Esther Weill zouden ze middelen en wegen vinden om elke afspraak te omzeilen. De laatste maanden had Désirée bewezen dat ze er niet voor terugdeinsde haar ouders schaamteloos voor te liegen, vooral haar moeder, die zich – 'Tu m'as déchirée, ma petite!' – haar leven lang voor haar had opgeofferd.

Daarom besloot de familieraad dat Alfred gedurende deze wacht- of proeftijd zijn studie zou onderbreken en naar het buitenland zou gaan. Misschien was het verkeerd geweest hem zo jong al te laten studeren en de verwende rijkeluiszoontjes uit zijn studentenvereniging waren vast niet altijd de beste voorbeelden voor hem geweest. Als hij eens flink de handen uit de mouwen moest steken, zo hoopte François, dan zou hij die gekheden wel afleren. In Parijs – dat was ver genoeg weg – had François een zakenvriend, een zekere monsieur Charpentier, die eveneens een warenhuis had; hij zou met hem overleggen en hem vragen zijn zoon als stagiair te nemen.

Mimi, die van dramatiek hield, stelde voor dat de twee elkaar in dat jaar ook geen brieven mochten schrijven, maar dat vond men toch te hardvochtig. 'Maar ik zal elke brief die bij ons aankomt lezen,' zei Mimi, waarmee ze toch nog het laatste woord had.

De afspraak met monsieur Charpentier was snel gemaakt. Hij zegde niet alleen toe Alfred op de verschillende afdelingen van zijn warenhuis te laten werken en, als hij voldeed, hem zelfs verantwoordelijkheid te geven, maar zorgde ook persoonlijk voor een pension, niet luxueus maar als goed bekendstaand. Daar zou de jongeman passend onderdak vinden. In een lange brief vol stijve Franse beleefdheidsformules beloofde hij Mina een quasi vaderlijk oogje in het zeil te houden en in een tweede, aanmerkelijk minder formele brief sprak hij met François af dat hij hem discreet op de hoogte zou brengen als zijn zoon domme dingen deed. Waarbij de twee zakenlieden het erover eens waren dat een bepaald soort domme dingen in dit speciale geval beslist gewenst was. In Parijs, aldus François' heimelijke plan, waren de vrouwen bij lange na niet zo terughoudend als in het Zürich van Zwingli. Een jongeman zou daar genoeg afleiding vinden om alle romantische onzin te vergeten.

Désirée mocht Alfred niet eens naar het station brengen. Zelfs de datum van zijn vertrek probeerde Mimi voor haar geheim te houden, maar in tegenstelling tot het beeld dat ze van zichzelf had, verstond ze niet de kunst te simuleren en babbelde ze bij het ontbijt zo ongelooflijk druk over allerlei bijzaken dat Désirée haar bestek neerlegde en vroeg: 'Hij vertrekt vandaag, hè?'

'Hij is al weg,' zei Mimi, die erop voorbereid was een huilende dochter troostend in haar armen te nemen. Maar Désirée knikte zwijgend, alsof de zaak geen speciale betekenis voor haar had.

Mimi had zich voorgenomen nu heel veel tijd met haar dochter door te brengen. 'Tenslotte,' zei ze vaak tegen Pinchas, 'is het allemaal mijn schuld. Ik heb veel te weinig naar Désirée omgekeken. Ik ben een slechte moeder!' Pinchas sprak haar dan tegen en dat troostrijke protest, dat wisten ze allebei, was het eigenlijke doel van haar zelfverwijten.

Hoewel Mimi steeds weer benadrukte dat ze, goedhartig als ze was, beslist bereid was te vergeven en te vergeten, wilde de oude vriendschappelijke vertrouwelijkheid tussen moeder en dochter niet terugkeren. Toen Désirée haar nog elke dag haar geheime avonturen toevertrouwde, al gebeurde het onder het voorwendsel dat ze haar beste vriendin waren overkomen, konden ze beter met elkaar overweg. Met Esther Weill mocht ze trouwens niet meer omgaan, tot grote verbazing van de ouders van Esther. Maar als ze niet in de hele gemeenschap in opspraak wilden komen, mochten ze niemand in die vervelende geschiedenis inwijden.

Anders dan Mimi had verwacht peinsde Désirée er niet over vergeving of troost bij haar te zoeken. Integendeel: het was alsof de rollen omgekeerd waren en Désirée, als de meest volwassene, nu menige kinderachtige handelwijze van haar moeder welwillend door de vingers moest zien. Mimi had haar hele leven het egocentrisme en het jengelende toontje van een klein meisje gehouden; Désirée was vrijwel in één klap volwassen geworden.

Pinchas zag de verandering van zijn dochter met genoegen aan. Hij had zich zorgen om haar gemaakt en stelde zich nu gerust met de gedachte dat ze, naarmate ze volwassener werd, wel zou inzien in wat voor uitzichtloos avontuur ze zich had gestort; je moest de dingen alleen de tijd geven. Voorlopig mocht hij blij zijn dat ze heel nieuwe interesses toonde en geen genoegen meer nam met het afwerken van de maatschappelijke agenda van een dochter van goeden huize.

Désirée probeerde zich zelfs in het huishouden nuttig te maken, wat echter problemen opleverde. Mimi's dienstmeisjes, voor zover ze niet bij de eerste de beste gelegenheid weer vertrokken, ontwikkelden zeer snel een hoge mate van zelfstandigheid. Van tijd tot tijd lieten ze een monoloog van de vrouw des huizes stoïcijns over zich heen gaan, maar voor de rest gingen ze hun eigen gang en Désirées plotselinge belangstelling voor huishoudelijke zaken werd opgevat als bemoeizucht. Ook Mimi vond het eigenlijk niet gepast dat een dochter van goeden huize in de keuken rondhing en zelfs een handje wilde helpen bij het schoonmaken. Zelf klaagde ze weliswaar graag dat het huishouden zo vermoeiend was – Pinchas had geen idee! – maar ze liet die dingen toch liever aan anderen over. Het meisje dat die betrekking nu vervulde was heel flink en Mimi wilde haar in geen geval reden tot klagen geven.

Zo kwam het dat Désirée emplooi zocht in Pinchas' winkel. Hij had maar één bediende, een zekere mevrouw Okun, die Zalman ooit naar hem toe had gestuurd met het verzoek iets voor haar te doen. Mevrouw Okun, een jonge weduwe, was onder dramatische omstandigheden uit Rusland gevlucht en vertelde graag met trillende stem over de vervolgingen waaraan je daar als jood blootstond. Ze was heel flink, maar behandelde de klanten erg onvriendelijk. Opgegroeid in een land waar gebrek heerste, was ze er niet van af te brengen dat kopers in feite niet meer dan smekelingen waren. Daarom kwamen er geregeld klachten en ieder ander zou haar allang ontslagen hebben. Pinchas beschouwde het als een mitswe haar in dienst te houden, maar greep nu de gelegenheid met beide handen aan om haar als het ware van het front naar de achterhoede over te plaatsen. Mevrouw Okun bottelde dus in de kelder zoete wijn uit Palestina, waarbij ze de hendel van de kurkmachine met zo veel kracht bediende dat de doffe slagen tot in de winkel te horen waren. Achter de toonbank stond Désirée; ze had een witte schort omgedaan en verkocht met rode bietjes gekleurde mierikswortel en gegarandeerd koosjer geproduceerde chocola.

Over Alfred had ze het nooit, wat Pinchas, die meer verstand had van de Talmoed dan van psychologie, als een goed teken opvatte. Ook Alfreds brieven, die Mimi zoals ze gedreigd had telkens van tevoren censureerde, werden steeds nietszeggender en bevatten vaak niet meer dan de obligate groeten waarmee je in de zomervakantie de achterkant van een prentbriefkaart volschrijft. 'Je zult zien: de zaak verwatert,' zei Pinchas hoopvol en Mimi geloofde al dat het idee van de wachttijd en de stage in Parijs eigenlijk van haar afkomstig was.

Ze vergisten zich allebei. Désirée, die – tot grote tevredenheid van Lea en Rachel, wie het niet anders verging – weer voor elk uitje toestemming moest vragen, sprak eens per week in de tearoom van restaurant Huguenin af met tante Mina. Mimi had ook dat graag verboden; Mina was de vrouw van François en hoorde dus bij de vijand. Maar daar wilde Pinchas niets van weten. Hij had met Mina te doen. Na alles wat ze in haar leven te verduren had gekregen, hadden ze nu ook nog haar zoon afgepakt.

Huguenin was een heel fatsoenlijk restaurant met veel joodse klanten. In de zomer, als de dagen lang waren, zaten ze er zelfs op sjabbesmiddag, natuurlijk zonder geld op zak omdat ze dat op die dag niet bij zich mochten hebben. Ze gingen er op zondag nog een keer heen om de opgeschreven consumpties te betalen. Toch informeerde de wantrouwige Mimi bij een paar vriendinnen die daar ook kwamen, of het echt alleen Mina was met wie Désirée daar chocolademelk dronk. Je kon immers nooit weten.

Eén ding vertelden haar spionnen niet, omdat ze er niets van merkten: de twee vrouwen deden meer dan alleen over Alfred praten. Mina bracht voor Désirée ook zijn echte brieven mee, die hij poste restante naar het hoofdpostkantoor stuurde en die zij daar voor haar schoondochter afhaalde. Ja, schoondochter. Mina, die in haar leven niet veel wensen in vervulling had zien gaan, beschouwde Alfreds doop als iets wat te vergelijken was met haar eigen kinderverlamming, een ongeluk waar de jongen niets aan kon doen. Ze was vastbesloten dat het voor hem geen beletsel mocht zijn om gelukkig te worden op de manier die hij verkoos. Het was de eerste keer in haar leven dat ze niet alleen toekeek en luisterde, en tot haar eigen verrassing genoot ze van de samenzwering, een modelleerling die alle gemiste streken van een volgzame schooltijd in één klap inhaalt.

Alfreds echte brieven bestonden niet uit holle prentbrieffrasen. Als je literaire maatstaven had willen aanleggen, waren ze zelfs uitgesproken bombastisch. Hij beschreef zijn leven in Parijs als één eindeloos wachten; wanneer hij in het weekend naar het museum ging, zag hij in elk portret alleen maar Désirées gezicht, en aan elke wolk die over de stad naar het oosten trok, gaf hij de groeten voor haar mee. Als je jong, verliefd en van elkaar gescheiden bent, stoor je je niet aan kitsch.

Désirée las de brieven zo vaak dat ze hele passages uit haar hoofd kende. Ze bewaarde de kostbare velletjes in de winkel, in een la met suikerbonen, waarvan Pinchas zich ooit een flinke partij had laten aansmeren, maar die niemand wilde kopen. Het papier nam algauw een zoetige geur aan, alsof Alfreds gevoelige frasen helemaal uit zichzelf naar amandelen en rozenwater roken. Désirée nam die geur zelfs mee naar huis; in de la van haar nachtkastje lag een handvol suikerbonen en als ze de la opentrok en haar ogen dichtdeed, had ze het gevoel dat ze heel dicht bij Alfred was.

In haar dagboek, dat ze alleen bijhield omdat ze zeker wist dat Mimi het stiekem zou lezen, schreef ze voor de schijn teleurgestelde zinnen als: 'Alfred doet zo koel', of ze spoorde zichzelf aan meer aan haar Franse vervoegingen te doen. De vervoeging die ze bedoelde had in Alfreds laatste brief gestaan: *'Je te désire, tu me désires, nous nous désirons.'* Zonder het te weten had Mimi haar precies de goede naam gegeven.

Ook François hield zich discreet op de hoogte. Zijn zakenvriend kon hem berichten over een ijverige, serieuze jongeman, die een groot talent had voor de winkelbranche. 'Je merkt wat hij bij u allemaal al heeft geleerd,' schreef monsieur Charpentier. Hij hoopte met François nog veel goede zaken te doen en strooide daarom met complimenten. Over liefdesaffaires kon hij tot François' spijt niets vertellen, hoewel Alfred, zoals monsieur Charpentier vleiend schreef, toch een heel knappe jongeheer was aan wie je meteen zag dat hij van goede komaf was. 'Op die leeftijd houdt trouw niet lang stand,' troostte François zich. 'Er zal heus nog wel iets gebeuren.'

In de winkel van Pinchas kwam je niet alleen vanwege de koosjere kruidenierswaren, je trof daar, wat veel klanten minstens zo belangrijk vonden, ook altijd wel iemand aan die op de hoogte was van de nieuwste roddels uit de beide gemeenten. Wat er vrijdags aan plaatselijke nieuwtjes in het *Israelitisches Wochenblatt* stond, was hier in de winkel allang besproken, en inderdaad was menig met -PP- ondertekend artikel alleen tot stand gekomen omdat Pinchas als freelance medewerker van het 'blaadje' bij het bijvullen van meel of suiker zijn oren open had gehouden. Ook de deftigere dames, die anders liever hun dienstmeisjes om boodschappen stuurden, kwamen graag zelf langs om tussen haringen en harde worsten over huwelijkskansen te discussiëren, verhalen over ziektes uit te wisselen of gewoon wat te roedelen. Mevrouw Okun had met

haar botte en ongeduldige manier van doen hun plezier in die babbel-
uurtjes vaak bedorven. Désirée, zo stelden de dames verheugd vast, was
heel anders. Omdat ze met haar gedachten meestal ver weg was, maakte
ze geen haast met afrekenen en mengde ze zich ook niet in de gesprekken, wat haar de reputatie bezorgde een heel verstandig en intelligent
meisje te zijn.

Mannelijke klanten waren zeldzaam. Alleen oude vrijgezellen of we-
duwnaars kwamen af en toe langs om de bescheiden porties te kopen die
ze dan thuis op het gasstel klaarmaakten. Jongemannen vielen hier op,
vooral die ene die geregeld opdook en dan helemaal niet leek te weten
wat hij eigenlijk wilde kopen. Hij was ook niet toevallig steeds in de
buurt, constateerden de welingelichte dames, hij werkte in een papierwinkel aan de Schaffhauserplatz en naar de koosjere winkel van Pinchas
was het toch ruim een halfuur lopen. Bovendien – de dames hadden niet
alleen scherpe ogen maar ook goede neuzen – rook hij telkens naar verse
eau de cologne en dat was bij jongemannen een duidelijk teken. 'Hij
interesseert zich voor Mimi's dochter,' ging algauw het gerucht en men
wachtte met spanning wanneer en hoe de jongeman de eerste stap zou
zetten.

Désirée was waarschijnlijk de enige die niets van de speculaties merkte. Twee maanden van het lange jaar waren al om en in de la met de suikerbonen groeide de stapel brieven van Alfred.

Mimi was natuurlijk wel op de hoogte – waarvoor had je anders vriendinnen? – en ze begon meteen inlichtingen in te winnen. Niet dat ze zich
ermee wilde bemoeien, certainement pas, dat was haar gewoonte niet,
maar als moeder was je verplicht om op de hoogte te zijn, vooral omdat
Pinchas, zoals alle mannen, in dat soort dingen vreselijk naïef was. Van
de affaire met Alfred had hij ook niets gemerkt.

Ze had al vlug ontdekt dat de familie van de jongeman niet bij 'onze
mensen' hoorde, dus niet uit Endingen of Lengnau kwam, maar al een
paar jaar voor de grote Russische vluchtelingenstroom uit het oosten
was gekomen. Mimi was trots op haar tolerantie in die dingen, ook oostjoden – *pourquoi pas?* – konden heel fatsoenlijke mensen zijn. De ouders
behoorden niet tot de traditionele joodse gemeenten, maar bezochten
een 'sjtiebel', een soort privégebedskring waar de dienst volgens chassidisch gebruik werd gehouden en waar vooral op Simches Toure exotisch wild werd gezongen en gedanst. Maar de zoon – de enige zoon
trouwens – had zich heel goed aan de gewoonten in Zürich aangepast en
was zelfs lid van de turnvereniging. Wat lag er dus meer voor de hand
dan Arthur voor het avondeten uit te nodigen en hem daarna een beetje uit te horen?

'Zo'n koosjere aanbidder,' zei Mimi nadat ze zich ervan verzekerd had dat Désirée op haar kamer was en niets kon horen, 'zou me niet onwel-gevallig zijn. Het kind moet op andere gedachten komen. Wat vind jij, Pinchas?'

'Hij heeft nooit gezegd dat hij zich voor Désirée interesseert.'

'Wat had je dan gedacht? Dat hij een mitswe koopt en wacht tot hij wordt opgeroepen? Vijf keer is hij de afgelopen drie weken in de winkel geweest. *Cinq fois!*' herhaalde ze, alsof het getal in het Frans nog indruk-wekkender was.

'Nou en? Mevrouw Wyler komt vijf keer per dag.'

Mimi maakte een wanhopig gebaar. 'Zeg, Arthur, zijn alle mannen zo onbeholpen?'

'Ik heb ook de indruk dat je er te veel achter zoekt.'

'Bella Feldmann heeft hem een keer een kwartier lang voor de etalage zien staan. En jullie willen toch niet beweren dat daar veel te zien is!'

Daar reageerde Pinchas maar liever niet op. Over de etalage had hij met Mimi al verhitte discussies gevoerd. Hij was van mening dat de klanten vanzelf wel wisten wat ze bij hem wilden kopen, terwijl Mimi van artistieke arrangementen droomde, de toren van Babel nagemaakt van stukken zeep of de contouren van een chanoekalamp van witte en bruine bonen. Ze vatte Pinchas zwijgen op als instemming en wendde zich weer tot Arthur.

'Jij kunt ons wel wat over die jongeman vertellen, denk ik. Hij zit ook op de turnvereniging en daar ken jij toch iedereen.' Ze keek hem zo hoopvol aan dat Arthur moest lachen.

'Je zou het me een stuk makkelijker maken, beste Mimi, als je me zijn naam zou verklappen.'

'Hij heet Leibowitz, Jonathan Leibowitz. Maar iedereen noemt hem Joni.'

De nacht was koud. Alsof het al winter was, had een snijdende wind de straten leeg geveegd en de paar mensen die nog onderweg waren, sta-ken liever de straat over dan dat ze te dicht langs elkaar heen liepen, alsof behalve zijzelf iedereen die met zulk weer niet in zijn warme woning bleef kwade bedoelingen had.

Arthur had zijn jas niet dichtgeknoopt en voelde de kou als een brandijzer. De wind joeg de eerste fijne ijskristallen voor zich uit, scher-pe naalden die in zijn gezicht prikten. Alleen niet hard genoeg.

Niet hard genoeg.

Hij had niets laten merken, hij had alleen zijn bril afgezet en over zijn neusrug gewreven en toen over Joni Leibowitz gepraat alsof hij zich hem maar met moeite kon herinneren. Ja, ja, dat was een heel fatsoenlijke jongeman, er was tenminste niets negatiefs over hem bekend, zijn vader werkte als schoenlapper en zijn moeder verdiende iets bij met verstelwerk. Hij en Joni hadden vroeger zelfs samen getraind en inderdaad, nu Pinchas het zei, schoot hem ook weer te binnen dat ze een keer in een wedstrijd tegen elkaar uitgekomen waren, hij kon zich niet eens meer herinneren wie er gewonnen had. Toen was die Joni nog een jongen geweest, hooguit een jaar of zeventien, achttien. Was hij nu echt al oud genoeg om …? Nou ja, waarom ook niet? Het was lang geleden dat ze elkaar gezien hadden en – 'Het spijt me, Mimi' – veel meer wist hij niet over hem te vertellen. Joni was niet meer actief in de turnvereniging en ze hadden allang geen contact meer.

Ze hadden geen contact meer.

Zonder het te merken was hij in het park bij het meer beland. De maan ging schuil achter dichte wolken en het door de havenpier van Engen tegen de wind beschutte water was niet te horen of te zien. Aan de overkant van het meer brandden een paar lampen, maar tot daar was de duisternis als een afgrond. De ketting van een schip ratelde.

Je zou erin moeten springen, dacht Arthur, maar hij wist dat hij zoiets onherroepelijks nooit zou doen.

Hij had ook geen reden. Geen enkele reden.

De affaire was allang afgelopen.

Nee, er zou niets dramatisch gebeuren, de wereld zou doordraaien, hij zou zijn werk doen, hij zou de vriendelijke, behulpzame dokter Meijer blijven, hij zou de jongelui op de turnvereniging uitleggen hoe je voor de training je spieren opwarmt en ze naderhand weer losmaakt, op de een of andere manier zou hij ook het geld voor het verenigingsvaandel bij elkaar krijgen en als Joni bij de vaandelwijding kwam, zouden ze elkaar vriendelijk en afstandelijk groeten.

Er zou niets dramatisch gebeuren.

Als Mimi met haar vermoeden gelijk had en Joni zich voor Désirée interesseerde, zou hij zich er niet mee bemoeien. Misschien zou ze haar Alfred vergeten, misschien ook niet. Liefde is niets duurzaams, dacht Arthur, en als het liep zoals het moest lopen, zou hij braaf zijn rol blijven spelen, hij zou de aardige oom zijn die met de verloving een origineel cadeau stuurt en met de bruiloft iets smaakvols. Ooit zouden de mensen zich er niet meer over verbazen dat hijzelf geen gezin had, zelfs de ijverigste koppelaarsters zouden geen sjidoechem meer voor hem bedenken, hij zou zijn plaats vinden, hij zou gewoon de argeloze, ietwat eigenaardige oom Arthur zijn en op een gegeven moment zo oud worden als hij zich altijd al had gevoeld.

Niets dramatisch.

Met een plotselinge beweging slingerde hij zijn hoed in het water. Een lichte plons, toen was het weer stil.

49

De ingang van de kantoren, had François hem aan de telefoon uitgelegd, moest op de linnenafdeling op de tweede verdieping zijn, ergens tussen de rekken vol wastafelgarnituren, sierhanddoeken en gordijntjes, waarop de voorgetekende tekst VLIJT BRENGT ZEGEN alleen nog geborduurd hoefde te worden. Arthur vroeg ten slotte een verkoopster naar de weg en ze wees hem de kleine deur zonder bordje. Drie keer was hij er ongemerkt langsgelopen.

Als je door deze deur stapte, bevond je je plotseling in een heel andere wereld. In de voor het publiek bestemde ruimtes had het warenhuis van François een zekere coulisseachtige glans, een oppervlakkige pracht die de klant het gevoel moest geven dat hij een van de gelukkige mensen was die niet op een paar rappen of zelfs franken hoeven te kijken. Achter de deur was alles sober en zakelijk. Je werd ontvangen door de muffe geur van een ruimte waar niemand de tijd neemt om te luchten, als een lakei die van de pronkkamers terugkomt in de vertrekken van de dienstboden.

De deur was niet op slot, maar als je hem opende stuitte je op een obstakel: vlak erachter stond in een smalle gang een oude bank, alsof die daar bij een verhuizing even was neergezet en niet meer opgehaald. Ook de man die erop zat, leek vergeten te zijn. Hij was in een ongemakkelijke houding in slaap gevallen, met zijn hoofd op zijn borst, en presenteerde de bezoeker de puisten in zijn rode nek. Pas de uniformpet, die naast hem op de zitting lag, herinnerde Arthur eraan waar hij de man al eens gezien had: het was de chauffeur, aan wie François om de een of andere reden een hekel leek te hebben en die hij toch niet ontsloeg. Landolt snurkte zachtjes. Hij wachtte hier waarschijnlijk tot hij weer in actie moest komen.

Op de deuren aan weerszijden van de gang zaten geen bordjes en door de melkglazen ruitjes was niet te zien wat erachter schuilging. Arthur bleef besluiteloos staan, tot er vlak achter hem een deur openging. Een dame met een streng kapsel – 'Ik ben belangrijk,' zei haar gelaatsuitdrukking – kwam de gang in en nam Arthur wantrouwig op. Haar door-knoopblouse van zwart satijn had een kraag tot aan haar kin, zo nauw dat haar ogen een beetje uitpuilden. Of misschien heeft ze gewoon een lichte vorm van basedow, dacht de medicus in Arthur.

'U wenst?' zei de dame. Haar toon liet er geen twijfel over bestaan dat als het aan haar lag, hier niemand iets te wensen had.

'Ik zoek François,' zei Arthur, die zich onder haar gouvernanteachtige, misprijzende blik meteen zelf corrigeerde: 'Meneer Meijer, bedoel ik. Ik ben zijn broer.'

Ze keek hem sceptisch aan, alsof ze elke dag te maken had met oplichters die onder het voorwendsel van een of andere familierelatie het allerheiligste van de bedrijfsleider probeerden binnen te dringen.

'Hebt u een afspraak?' vroeg ze.

'Ik heb een afspraak.'

'Volgt u me dan.' Ze kon zelfs schijnbaar beleefde zinnen alleen al door haar toon als een aanklacht laten klinken.

'En, hoe vind je mijn cerberus?' vroeg François toen de beide broers alleen waren.

'Laten we zeggen: niet erg beleefd.'

'Zo hoort het ook.' François sloeg zijn handen ineen alsof hij net een lucratieve deal met zichzelf had gesloten. 'Ze moet me de mensen van het lijf houden. Anders heb ik hier geen minuut rust en kom ik helemaal niet aan werken toe.'

'Het spijt me dat ik je nu ook nog stoor.'

'Zo was het niet bedoeld.' François moest een bijzonder goede bui hebben, want het was niet zijn gewoonte om zich te verontschuldigen. 'Maak het je gemakkelijk. Voor zover dat kan, bedoel ik. Ik ben hier niet op gasten berekend.'

In tegenstelling tot zijn huis, waar hij de architect opdracht had gegeven kosten noch moeite te sparen om alles zo indrukwekkend mogelijk te maken, was het kantoor van François bijna spartaans ingericht. De meubels waren niet zo oud als die in Chaneles kantoor in Baden, maar representatief kon je ze met de beste wil van de wereld niet noemen. Er was niet eens een stoel voor bezoekers; de enige zitplaats was een met groenige stof beklede divan, die Arthur deed denken aan de onderzoektafel in zijn praktijk. Mina had hem ooit verteld dat François in zijn kantoor overnachtte als daar veel te doen was. Erg gemakkelijk had hij het zich niet gemaakt.

François volgde zijn blik en lachte. 'Niet bepaald luxueus, hè? Maar ik steek hier geen cent meer in. Het wordt toch allemaal heel, heel anders.'

'Ga je verbouwen?'

'Misschien.' François trok zijn dat-zou-je-wel-willen-weten-gezicht dat Arthur als kind al van hem had gekend. Als François toen iets bijzonder lekkers op zijn bord had, een kippenpootje bijvoorbeeld of van een verjaardagstaart het stuk met de glazuurgarnering, dan liet hij het altijd een hele tijd liggen en wachtte hij met precies datzelfde gezicht, en pas als Hinda en Arthur hun portie op hadden en jaloers naar zijn nog volle bord staarden, vroeg hij: 'Wil iemand nog een stukje?' Wee je gebeente als je dan 'Ja' zei, dan at hij zeker alles zelf op, hij nam heel kleine hapjes om de anderen nog langer te kwellen en kauwde zorgvuldig en luidruchtig, zoals een wijnkenner smakkend een edele wijn proeft. Dat zij daarbij jaloers moesten toekijken maakte zijn genot pas volmaakt. Alleen als je geen antwoord gaf en deed of je veel te vol zat om je voor de resten op zijn bord te interesseren, had je een kans.

Arthur vroeg daarom niet door, maar kwam meteen ter zake. 'Ik wilde er drie maanden geleden al met je over praten, maar toen kwam dat van Désirée en Alfred ertussen.'

'Dat is van de baan. Ik hoor van mijn vriend Charpentier dat Alfred het in de zaak heel goed doet. Ik heb hem gevraagd de jongen in bepaalde huizen te introduceren, als je begrijpt wat ik bedoel. Dat moet hem tot andere gedachten brengen. Over een jaar is hij dat meisje vergeten.'

'Denk je echt?'

'Je zult het zien. Dus, wat wilde je van me?'

'Eh ... het zit zo ...'

'Nou?'

'Ik vind het een beetje pijnlijk je om geld te moeten vragen, maar ...'

'Loopt de praktijk zo slecht? Naar ik hoor ben je heel geliefd bij je patiënten.'

'Ik heb het geld niet voor mezelf nodig!'

'Aha, doe je weer eens iets goeds? Is mijn broer de wereld weer eens aan het verbeteren?' François zei het niet kwaadaardig, maar bijna meewarig, alsof Arthurs neiging zich om andere mensen te bekommeren een soort handicap was, een beklagenswaardige zwakte die je van een broer met een bezwaard hart moest accepteren.

'Het gaat om de Joodse Turnvereniging.'

'Nog steeds dat vaandel? Papa heeft me over je bedelarij verteld. Ik heb nooit begrepen waar jouw plotselinge enthousiasme voor de sport vandaan komt, maar ieder zijn meug.' François ging achter zijn bureau zitten, schoof een notitieblok recht en schroefde de dop van een dikke vulpenhouder. Het zag eruit of hij iemand minzaam audiëntie verleende en Arthur vroeg zich af of hijzelf ook zo op zijn patiënten overkwam als hij aanstalten maakte om hun ziektegeschiedenis te noteren.

'Jullie hebben dat vaandel dus gekocht.'

'Nog niet gekocht. We zouden wel willen, maar ...'

'Moment! De vaandelwijding is toch al vastgesteld. Dat heb ik in het *Wochenblatt* gelezen.'

'Lees jij dat blaadje nog steeds?' vroeg Arthur verwonderd.

'Het wordt heus niet treife als er eens een gedoopte in kijkt. Jullie hebben dus een vaandelwijding, maar geen vaandel. Met andere woorden: je inzamelingsactie is mislukt.'

'Ik had het me eenvoudiger voorgesteld,' gaf Arthur verlegen toe.

'Aan het geld van andere mensen komen, is nooit eenvoudig.' François zei het als een kunstcriticus die ervoor wil zorgen dat een ten onrechte onderschatte vaardigheid de haar toekomende plaats in de canon terugkrijgt. 'Er is veel handigheid voor nodig ...'

'... waar het mij kennelijk aan ontbreekt ...'

'... of een wonder. Maar wie weet ...' François legde allebei zijn wijsvingers op zijn bovenlip en streek vandaar zijwaarts over zijn wangen. Ook dat gebaar kende Arthur. Het stamde nog uit de tijd dat François zijn snor dandyachtig lang droeg en het betekende dat hij over iets – meestal een transactie – heel tevreden was. 'Wie weet is het vandaag zo'n wonderbaarlijke dag.' Hij boog zich over het notitieblok en keek Arthur vragend aan. 'Wat kost zo'n vaandel? En hoeveel heb je al?' François schreef beide getallen onder elkaar, trok zorgvuldig een streep en maakte toen de uitkomst van zijn berekening bekend: 'Je zult je vaandelwijding moeten uitstellen. Zo'n vijftig of honderd jaar.'

'Ik had gehoopt dat jij me kon helpen.'

'Als goj?' François trok zijn wenkbrauwen op.

'Als broer.'

'Daar moet ik over nadenken.' Hij verwijderde zorgvuldig en zonder haast een pluisje van de gouden punt van de pen, tekende bij wijze van proef een paar krullen op zijn notitieblok en praatte pas verder toen de streep weer slank en netjes uitviel. 'Zo'n nieuw vaandel heeft toch altijd een peter,' zei hij peinzend. 'Ik zal niet "doopvader" zeggen, dat woord zou jij vast onaangenaam vinden.'

'Een peetschap is inderdaad gebruikelijk,' zei Arthur voorzichtig. Hij wist nog niet waar François heen wilde.

'En die peter – corrigeer me als ik me vergis – is toch over het algemeen de donateur die het grootste bedrag heeft geschonken. Is het niet?'

Arthur knikte een beetje angstig.

'Goed, dan schrijf ik nu een cheque voor je uit en op jullie grote dag overhandig ik het vaandel plechtig aan de vereniging.'

'Jij?'

'Misschien met een aardige korte toespraak.'

'Dat is onmogelijk!'

'Hoezo?'

'Jij ...'

'Ja?'

Arthur gaf geen antwoord en François begon plotseling te lachen. 'Waarom zeg je het niet gewoon? Geld zouden jullie wel van me aannemen, maar een gedoopte peter – dat toch maar liever niet.'

'Ik had gedacht,' zei Arthur verlegen, 'dat we het warenhuis misschien als donateur konden noemen. Dat zou toch een mooie reclame zijn.'

'Natuurlijk.' François lachte met ironische hoffelijkheid. 'Als jullie al je turnshirtjes bij mij kopen, bereikt mijn omzet ongekende hoogten.'

'Neem me dan niet kwalijk. Hij spijt me dat ik je kostbare tijd zo lang in beslag heb genomen.'

'Wacht nog even. Jij bent altijd meteen beledigd.' François grijnsde. Hij had weer een van zijn privéspelletjes gespeeld, waarvan alleen hij de regels kende, hij had gewonnen en was nu heel tevreden over zichzelf. Uit een la van zijn bureau haalde hij een chequeboekje tevoorschijn, sloeg het open, vulde een bedrag in en ondertekende met een zwierig gebaar. Toen scheurde hij het papier uit het boekje, wapperde ermee door de lucht om de inkt te drogen en stak het Arthur toe. 'Hier. Ik heb het openstaande bedrag naar boven afgerond. Zulke dingen kosten altijd meer dan geraamd.'

'Het kan echt niet, jij als vaandelpeter.'

François schroefde zijn vulpen zorgvuldig dicht en stopte hem terug in het etui. 'Daar ben ik ook niet in geïnteresseerd,' zei hij. 'Ik wilde alleen je gezicht zien als je je die pijnlijke situatie voorstelde. Zeg maar tegen je mensen dat je het geld van papa hebt gekregen. Laat hém op jullie feest maar plechtig optreden. Hij houdt van zulke dingen.'

Arthur nam de cheque nog steeds niet aan. 'Waarom doe je dit?'

'Omdat ik in een goede bui ben,' zei François terwijl hij de cheque op het bureau liet dwarrelen. 'Omdat ik vandaag een bericht heb gekregen waar ik lang op heb moeten wachten.' Weer sloeg hij zijn handen ineen alsof hij een gunstige deal had gesloten. 'De oude Landolt is eindelijk gestorven. Is dat niet fantastisch?'

Op de gang wachtte een man met een grote, met zwarte linten dichtgebonden tekenmap, die hij met beide handen vasthield. Hij stond hier misschien al een hele tijd en had niet eens kunnen gaan zitten omdat op de oude bank de chauffeur nog steeds zat te snurken. De strenge dame met de nauwe kraag schoot haar kamer uit en wierp Arthur een verwijtende blik toe; waarschijnlijk had hij door een veel te lang gesprek een moeizaam uitgedokterde dagindeling onverbiddelijk in de war gestuurd. Ze rukte de deur van François' kantoor open en zei tegen de man met de map: 'Ga uw gang, meneer Blickenstorfer!' Arthur stelde verbaasd en opgelucht vast dat ze tegen andere mensen net zo onvriendelijk was als tegen hem.

François liet de lettertekenaar het karton tegen de muur zetten, daar waar er vanaf het raam achter het bureau het beste licht op viel, en hij bekeek de tekening lang. Hij voelde dat Blickenstorfer angstig naar hem keek en had er plezier in zijn tevredenheid niet meteen te laten merken. Terwijl het perfect was. Gewoonweg perfect. Zo moest het handelsmerk van zijn nieuwe warenhuis eruit komen te zien. Degelijk, elegant en aansprekend. Geen franjes en bloemenslingers, zoals die tegenwoordig overal in de mode waren, maar een heldere vorm. Op elke etalage van de nieuwe winkel zou hij het laten aanbrengen, niet te groot, maar heel bescheiden. Stijlvol. Een bedrijf als het zijne had het niet nodig om op te scheppen. De vorm doet denken aan een zegel, dacht hij, en die gedachte beviel hem. Het zegel van kwaliteit. Die formulering moest hij straks opschrijven.

Hij was niet bijgelovig, maar hij vond het een goed teken dat de tekenaar er juist vandaag mee was gekomen. Op de dag dat hij het bericht van Landolts dood had gekregen. Met de jonge erven zou te praten zijn. Hij had al eens discreet zijn voelhoorns uitgestoken en ze leken niet afkerig. Het waren moderne mensen voor wie de zaak belangrijker was dan oude vooroordelen. Natuurlijk, ze zouden het hem niet voor een vriendenprijsje geven, maar dat gaf niet. Op het geld zou het niet stuklopen. Hij zou zich diep in de schulden moeten steken, maar schulden waren ook maar getallen op een balans. Het bouwterrein was belangrijk. Het perfecte bouwterrein voor het perfecte warenhuis. Deze keer zou er niets tussenkomen. Deze keer niet.

Hij moest in gedachten zijn hoofd geschud hebben, want de lettertekenaar vroeg geschrokken: 'Is dit niet wat u wilt, meneer Meijer?'

Jawel. Het was precies wat hij wilde.

Een kring en daarin, horizontaal en verticaal, de letters M-E-I-E-R, zo gerangschikt dat beide woorden de middelste I deelden. Meier. Vertrouwenwekkend en van eigen bodem. Een Zwitserse naam. 'Laten we naar Meier gaan', dat kwam makkelijk over je lippen. Of, voor je ergens anders boodschappen deed: 'Laten we eerst even bij Meier kijken.'

'Goed gedaan, Blickenstorfer,' zei François. En hij voegde er het grootste compliment aan toe dat hij kende: 'U kunt de rekening sturen.'

Buiten wachtte alweer iemand, maar deze bezoeker liet zich niet aandienen. Hij liep gewoon door de deur, zonder hem eerst open te doen, en ging met zijn benen over elkaar op François' bureau zitten.

'Mooi,' zei oom Melnitz terwijl hij de tekening met het nieuwe handelsmerk in zijn hand hield. 'Echt heel mooi. Maar ben je niet een letter vergeten?'

'Jij bent dood,' zei François. 'Met jou hoef ik niet te discussiëren.'

De oude man schudde zijn hoofd zoals alleen een dode zijn hoofd kan schudden: de losse huid bleef op zijn plaats en enkel de schedel erachter bewoog. 'Ik ben alleen vaak gestorven,' zei hij zonder zijn mond te bewegen. 'Dat is iets heel anders.'

'Wat wil je van me?'

'Je aan je goede naam herinneren,' zei Melnitz. In zijn mond namen de vergeelde tanden de vorm aan van een glimlach. 'Je heet Meijer.'

'Ik weet hoe ik heet.'

'Een mens wordt vergeetachtig als hij zich laat dopen. De j ben je al vergeten. De j van jood. Je wilde zeker niet meer Meijer met de j van jood zijn.' Hij lachte alsof hij zijn gelach uit een boek voorlas, lettergreep na lettergreep, in een taal die hij nooit had geleerd.

'Ik heb de naam alleen vereenvoudigd,' zei François. 'Om zakelijke redenen.'

'Je hebt veel vereenvoudigd, nietwaar? Heb je je j tenminste kunnen verkopen? Heb je er een goede prijs voor gekregen? Zo'n exclusieve letter!' De oude man hield het karton met het nieuwe handelsmerk voor zijn gezicht en bewoog al spellend de kaken onder zijn vermoeide huid. 'Meier. Wat gewoontjes! Een massaproduct van de ramsjtafel. Kon je je geen edeler materiaal permitteren? Zilverberg? Goudkleur? Of iets welriekends? Rozentuin of Lelieveld? Vroeger schraapten de mensen al hun geld bij elkaar om een mooie naam te kopen. Ik kan me dat nog goed herinneren. Ik kan me alles herinneren.

Dat was,' zei Melnitz terwijl hij het zich in de directeursstoel van François gemakkelijk maakte, 'toen de wet plotseling voorschreef dat iedereen een nieuwe naam moest hebben. Niet alleen de goede oude die je eigen voornaam verbond met die van je vader, zoals jij Sjmoeël ben Jakauv heet of de verloofde van je zoon Deborah bas Pinchas. Een moderne naam moest het zijn, een die je netjes op een lijst en in een stamboek kon noteren. Je moest naar de burgerlijke stand, waar je voor een bureau moest gaan staan en een diepe buiging moest maken, en dan doopte meneer de ambtenaar zijn pen in de inktpot en wees je een naam toe.

Ik heet Melnitz en daar is iets bijzonders mee – maar dat vertel ik je een andere keer. Ik hoefde daarvoor niet naar een kantoor, maar voor veel mensen zat er niets anders op. Je kon een naam cadeau krijgen, je hoefde alleen leges te betalen, maar wat niets kost is ook niets waard, en zo zagen die namen er dan ook uit, ja. Op zulke kantoren vervelen ze zich namelijk en om de tijd te verdrijven bedachten de heren ambtenaren leuke grappen, althans grappen waarvan ze dáchten dat ze leuk waren. "Jij heet nu Laarzenknecht", zeiden ze als er zo'n kleine jood voor hen stond die niet eens een aardigheidje voor hen had meegebracht, of

"Jullie zijn nu de familie Voerzak". En dan was er altijd wel een ondergeschikte die hartelijk lachte en hun humor prees, omdat hij geen jood was en dus al een naam had die niemand hem kon afpakken.

Maar de mensen op die kantoren waren ook mensen, en met mensen valt te praten, ja. Niet dat ze corrupt waren, dat zijn ambtenaren nooit, maar een naam van een lijst schrappen en er een andere voor in de plaats zetten, dat is vermoeiend, vooral als het een mooie naam moet zijn, en dat ze zich voor die moeite schadeloos lieten stellen, daar kon niemand iets van zeggen. Wie genoeg geld meebracht mocht in ruil daarvoor dan ook Bloemenveld heten of iets anders aardigs, en als hij met de nieuwe naam thuiskwam, werd er een fles bronfen opengemaakt om te vieren dat ze zoveel geluk hadden gehad.

'Ja, Sjmoeël Meijer,' zei Melnitz, 'een naam kopen is een oude joodse traditie. Maar dat iemand de naam Meier koopt, doodgewoon Meier, dat heb ik nog nooit gehoord.'

'Je bent dood, oom Melnitz. Naar jou hoef ik niet te luisteren.'

'Je hebt je nieuwe naam origineel geschreven,' zei Melnitz terwijl hij de tekening bestudeerde. 'Zo mooi symbolisch. Je naam als kruis, wat toepasselijk. En zo'n mooie kring eromheen. Is dat de kring waarin je je tegenwoordig beweegt?'

'Je bent dood!' schreeuwde François, zonder zeker te weten of hij inderdaad had geschreeuwd.

Oom Melnitz zette het karton met de tekening zorgvuldig weer tegen de muur. Daar waar hij het had aangeraakt waren, als op een röntgenfoto, de knoken van zijn handen afgebeeld. 'Ik wens je veel geluk met je nieuwe naam, Sjmoeël Meier,' zei hij. 'Jischadesj. Draag hem gezoenderheit.'

50

Het toneelgordijn rook muf, als de jurk van een oude vrouw. De zachte donkerrode stof verdichtte het geroezemoes aan de andere kant tot een brij van woorden en gelach; je kon je voorstellen dat daarbeneden in de zaal iedereen alleen een mond had, maar geen gezicht.

'Waar blijf je nou?'

Sinds het succes van de avond vaststond – meer dan zeshonderd verkochte toegangskaartjes, terwijl de turnvereniging met vijfhonderd al uit de kosten geweest zou zijn – had Sally Steigrad zich een onaangename commandotoon aangemeten, zoals de gewestelijk directeur van zijn verzekering als hij de vertegenwoordigers bijeenriep voor de jaarvergadering. 'Ik ben het zat om me met elk detail te moeten bemoeien,' zei die toon, 'maar met zulke medewerkers zit er niets anders op.' Een paar weken geleden, toen 28 juni steeds dichterbij kwam, had Sally nog stiekem zijn hart vastgehouden voor de financiën van de vereniging, maar met een uitverkochte zaal zag hij zich als de geboren organisator en beraamde hij al nieuwe grootse plannen, een toernooi met joodse sportclubs uit heel Europa of op z'n minst een reis met de hele vereniging naar de Olympische Spelen in Berlijn.

'Alle ouders vragen naar je, Arthur,' zei hij verwijtend. 'Ze willen weten wanneer hun kinderen aan de beurt zijn.'

Dat met die kinderen was ook zo'n idee van Sally geweest. In naam van de feestcommissie had hij in het 'blaadje' een advertentie geplaatst – 'Voor het organiseren van een vlaggendans hebben we een groot aantal jongens en meisjes nodig' – en als adres voor de aanmeldingen had hij ongevraagd Arthurs praktijk opgegeven. 'Aan een arts vertrouwen de mensen hun kinderen graag toe,' zei hij toen Arthur zijn beklag deed, 'en bovendien, wie weet levert het je nog de een of andere nieuwe patiënt op.'

Natuurlijk was al het werk toen op Arthur neergekomen. Sally moest voor duizend nog belangrijker dingen zorgen: de versiering van de zaal, de lijst van uit te nodigen eregasten, maar vooral het binnenhalen van giften in natura voor de grote tombola, wat een verzekeringsagent heel discreet kon combineren met klantenbinding en acquisitie. Hij had ook een flink aantal aantrekkelijke prijzen bij elkaar gebedeld, van drie paar bijna hypermodern te noemen rijglaarsjes (schoenenzaak Weill) tot twaalf flessen zoete wijn uit Palestina (de bijdrage van Pinchas). De hoofdprijs, in de foyer uitgestald op een met gekleurd crêpepapier versierde verhoging, was een degelijke klapcamera inclusief statief.

'Waarom verstop je je hier op het toneel?'

'Ik wilde alleen …' Arthur zweeg. Hij kon Sally niet de waarheid zeggen. 'Ik verstop me,' had hij moeten zeggen, 'omdat ik bang ben Joni tegen te komen. Omdat ik nog veel banger ben hem niet aan te treffen. Omdat ik niet weet hoe ik hem moet groeten. Omdat ik niet de verkeerde woorden wil zeggen. Omdat er geen goede woorden zijn.' Maar hij haalde slechts zijn schouders op, zette zijn bril af en wreef over zijn neusrug.

'Vooruit, schiet op!' Sally klapte in zijn handen zoals zijn gewestelijk directeur ook altijd deed. 'Naar de zaal jij.'

Er waren zo veel mensen gekomen – 'Uit beide gemeenten!' stelde Sally tevreden vast – dat de grote zaal van het volkshuis uit zijn voegen barstte. Ze hadden de tafels steeds dichter bij elkaar moeten schuiven en ten slotte was er nauwelijks plaats overgebleven om na het officiële gedeelte te dansen of, zoals Sally het in een ingezonden stuk in het *Israelitisches Wochenblatt* had genoemd, Terpsichore te huldigen. Behalve voor de paar officiële gasten – de voorzitters van de kerkbesturen, de heren rabbijnen, de delegatie van de Turnbond en natuurlijk de genereuze donateur Janki Meijer – waren er geen gereserveerde tafels. Zodoende was er bij het openen van de zaal om zeven uur een amusante wedloop om de beste plaatsen begonnen, waarbij de jontefdik donker geklede mannen en de met sieraden behangen vrouwen in hun glitterjurken moesten doen alsof ze eigenlijk helemaal geen haast hadden en zich alleen door een plotseling overschot aan energie sneller bewogen dan anders.

Tot Hinda's misnoegen en Zalmans heimelijke plezier kende Rachel geen damesachtige remmingen. Met opgeschorte rokken was ze als eerste weggestormd en had voor de familie een achtpersoonstafel vlak bij de dansvloer veroverd, die ze met Lea's hulp ook succesvol verdedigde. Zalman, die als goede kleermaker niet alleen verstand had van jassen, had van restanten van een collectie van vorig jaar twee avondjurken voor de tweeling in elkaar getoverd, waarin ze zich onweerstaanbaar voelden. Dan moesten ze toch ook op een plaats zitten waar ze gezien werden. Wanneer moesten ze anders iemand veroveren?

Zalman en Hinda droegen dezelfde kleren als op seideravond: het pak en de twee keer vermaakte rok waarmee ze ook op Sjavoeot naar de synagoge waren gegaan en die ze voor de Hoge Feestdagen weer uit de kast zouden halen. Weliswaar had Hinda in een etalage een prachtige jurk gezien en daar een paar dagen haar zinnen op gezet, maar toen had ze een wasmachine met houten kuip en zwengel toch belangrijker gevonden.

Tante Mimi daarentegen kwam aanruisen in een nieuwe, met stras geborduurde zwarte jurk en met een hoed zo groot als een wagenwiel en vol struisveren. Ze wist Rachels actie voor een familietafel absoluut niet te waarderen en ging als vanzelfsprekend op de beste plaats zitten. Oom Pinchas had geweigerd iets feestelijkers aan te trekken dan zijn zwarte lustre colbertje, maar ter compensatie had Mimi hem veroordeeld tot een zijden das, die ze zo strak had gebonden dat hij zich in de loop van de avond steeds weer met zijn wijsvinger lucht moest verschaffen.

En Désirée ...

Ze had eerst helemaal niet mee willen gaan. Toen Mimi erop stond, gaf ze weliswaar toe, maar verklaarde ze dat ze in geen geval zou dansen, niet één pas. Zolang ze van Alfred gescheiden was, zou ze dat even ongepast hebben gevonden als het bezoek aan een operette in de 'verschrikkelijke dagen' tussen Nieuwjaar en Grote Verzoendag. Ze weigerde dan ook een baljurk aan te trekken, hoewel ze er, tot afgunst van Lea en Rachel, maar liefst twee in de kast had hangen. Dus zat ze nu in een heel eenvoudige zachtgroene jurk aan de tafel en trok door haar opvallende onopvallendheid alle aandacht.

De laatste stoel was bestemd voor Arthur, maar die had nog lang geen tijd om te gaan zitten. De kinderen waarmee hij de vlaggendans had ingestudeerd, bestormden hem van alle kanten en hun ouders leken het grote moment met nog veel meer opwinding tegemoet te zien. Wel tien keer moest hij herhalen dat ze nog een zee van tijd hadden, eerst kwamen de proloog en de turndemonstraties en dan pas, op z'n vroegst om negen uur ...

Iemand tikte hem op zijn schouder en het was niet de zoveelste ongeduldige vader, maar Joni.

Joni.

Joni, die half publiek, half persoonlijk tegen hem glimlachte en zei: 'Ik heb je gezocht.'

Het donkerblauwe pak was hem iets te klein en zijn bovenarmen leken daarom extra stevig. Sinds Arthur hem voor het laatst had gezien, had hij een koket snorretje laten staan, dat als een opgeplakt borsteltje op zijn bovenlip zat. Zijn gezicht was een beetje opgeblazen, zoals bij veel sporters die niet meer trainen. Welbeschouwd was hij geen bijzonder attractieve man, maar Arthur zag alleen Joni, zijn Joni, en hij moest zijn bril afzetten en over zijn neusrug wrijven voor hij kon zeggen: 'Fijn dat je gekomen bent.' Zijn stem trilde bijna niet.

'Je moet iets voor me doen,' zei Joni.

'Ja?' De vraag was overijverig en kwam veel te vlug. Ik ben toch geen ober die naar een fooi dingt, dacht Arthur geërgerd en hij voelde dat hij een hoofd als vuur kreeg.

'Die Désirée Pomeranz,' zei Joni, 'die is toch zoiets als misjpooche van je. Kun je me niet eens officieel voorstellen?'

Gelukkig kwam op dat moment Sally Steigrad naar hen toe, die Arthur dringend nodig had. De toneelmeester deed moeilijk over de fakkels die bestemd waren voor de grote slotpiramide – iets met veiligheidsvoorschriften en vergunningen. 'Regel jij dat,' zei Sally, die zich de laatste tijd een napoleontische toon had aangewend, en zo kon Arthur met een verontschuldigend gebaar achter het toneel vluchten.

De vaandelwijding, of althans het eerste gedeelte, was een groot succes.

Sally had een proloog in verzen geschreven, waarin 'edel streven' rijmde op 'turnerleven' en 'trouwe hand' op 'vaderland', en hij oogstte daarmee veel bijval. Toen kondigde hij het turnwerk aan – het was onder sportlieden gebruikelijk om in dat verband van werk te spreken – en de herenploeg begon met de vrije oefeningen. Sally had het idee gehad, of tenminste uit een bericht in de *Turnerzeitung* overgenomen, om de ritmische elementen te laten begeleiden door het orkest, en de oude kapelmeester Fleur-Vallée had speciaal voor dat doel een potpourri van bekende en populaire melodieën gemaakt. Bij bijzonder gewaagde overgangen, wanneer bijvoorbeeld *Falderie, faldera* heel onverwachts veranderde in een nigoen uit de Simches Toureliturgie, ging er telkens een gefluister door de zaal. Bovendien stelde Sally in de coulissen tevreden vast dat de maat van de muziek de onvermijdelijke kleine missers van de turners effectief verdoezelde.

De brug- en rekoefeningen waren nogal langdradig, maar zoals altijd wanneer er familie aanwezig was, werd er toch hard geklapt. Het optreden van de pas opgerichte damesploeg veroorzaakte zelfs een echt gejuich, al schudden een paar gasten van de orthodoxe geloofsgemeenschap bedenkelijk hun hoofd over de strakke turnpakjes.

Toen waren eindelijk de kinderen aan de beurt.

Kapelmeester Fleur-Vallée, die met het klimmen der jaren steeds meer een nieuwlichter was geworden, had de euvele moed gehad de *Intocht der gladiatoren* om te zetten in een plechtig synagogaal mineur, en toen de jongens en meisjes niet zoals verwacht vanuit de coulissen maar vanuit de foyer door de deuren binnenmarcheerden, ging er een langgerekt 'Ah!' door de zaal. Ze droegen allemaal witte hemden of blouses en hadden een doek in de blauw-witte verenigings- en stadskleuren om hun hals geknoopt. De dans die Arthur op vier avonden in de gymzaal met hen had ingestudeerd, kwam wegens plaatsgebrek niet helemaal tot zijn recht; door de extra tafels was de dansvloer flink gekrompen, maar dat deed geen afbreuk aan het algemene enthousiasme. Toen de kinderen tot slot op de klanken van het *Hatikva* een davidster vormden, noteerde Pinchas voor zijn bericht in het 'blaadje' dat er aan het hoerageroep geen einde wilde komen.

Er volgde een pauze waarin de kinderen opnieuw een belangrijke taak hadden: ze moesten de loten verkopen voor de tombola, die bij elk verenigingsevenement nodig was om uit de kosten te komen. Na rijp beraad had Sally Steigrad de prijs heel hoog gehouden: één lot voor twintig rappen, zes stuks voor een frank. 'Ze kennen elkaar allemaal,' was zijn argument, 'dan kan niemand het zich permitteren om gierig te zijn.'

Nu pas, in de pauze, kwam Arthur ertoe zijn ouders te begroeten. Hoewel een belangrijk argument voor de verkoop van de winkels geweest was dat ze dan meer tijd voor hun kinderen en kleinkinderen zouden hebben, waren Chanele en Janki lang niet meer in Zürich geweest. In plaats daarvan verschuilden ze zich in hun veel te grote woning in Baden, en in elk geval Janki toonde zich ook niet echt verheugd als je hem daar opzocht. Het lopen kostte hem steeds meer moeite; de oorlogsverwonding die hij nooit had gehad, was intussen echt pijnlijk geworden, zoals een kwade droom je tot in het dagelijks leven kan achtervolgen. Aan tal van kleine gebaren merkte je dat Chanele de rol van zijn verpleegster was gaan spelen en als ze zorgzaam Janki's das weer in orde bracht of hem een zakdoek opdrong, dan had dat altijd iets triomfantelijks – een verzamelaar die een met veel moeite eindelijk op de kop getikt kostbaar stuk onnodig steeds weer rechtzet om zich ervan te verzekeren dat het echt van hem is.

Arthur merkte dat zijn vader steeds weer naar de linkerkant van zijn borst greep en de arts in hem zocht al naar de bij dat symptoom horende ziekte. Maar het was alleen het manuscript van zijn toespraak als vaandelpeter waar Janki naar greep. 'Vertel vooral niet te veel over de slag bij Sedan,' zei Arthur voor de grap. Zijn vader keek hem streng aan en antwoordde: 'Ik heb helemaal niet in Sedan gevochten.'

De oude Kahns, Mina's ouders, kwamen langs. Zo demonstratief als ze Arthur feliciteerden met zijn kinderdans, zo demonstratief negeerden ze Janki en Chanele, de ouders van een schoonzoon die zich had laten sjmadden. Mina zelf was natuurlijk niet gekomen.

Toen Arthur zich eindelijk een weg naar de familietafel had gebaand, was zijn plaats al bezet. Op de laatste stoel, vlak naast Désirée, zat Joni Leibowitz.

'Ik ben zo vrij geweest me zelf voor te stellen,' zei hij. 'Ik heb juffrouw Pomeranz al verteld dat wij beiden heel goede vrienden zijn. We zijn toch vrienden, hè?' De dreigende toon in zijn stem viel niet te negeren.

'Natuurlijk,' zei Arthur. Wat had hij anders moeten zeggen?

'Dan heb je er vast niets op tegen als ik je plaats nog een beetje langer in beslag neem.' Joni streek over zijn jonge snor, deed een trek aan zijn sigaret en lachte Désirée van achter de rook met licht samengeknepen ogen toe, zoals je dat de minnaars in de bioscoop zag doen. 'Zulk charmant gezelschap vind je zelden.'

Lea en Rachel keken jaloers – 'Niet eens een baljurk en toch een aanbidder!' – en in de schaduw van haar hoed met de struisveren glimlachte Mimi zo tevreden alsof ze Joni hoogstpersoonlijk had geschapen.

Arthur was het liefst gevlucht, maar hij had niet meteen een smoes bij de hand. Gelukkig had Sally Steigrad zich aangewend hem te behandelen als zijn persoonlijke adjudant, die hij als vanzelfsprekend alle onaangename taken kon toeschuiven, en precies op het goede moment arriveerde – in de vorm van een haastig gezonden jonge turner – een bode te paard die Arthur in opdracht van Sally dringend terugriep naar achter het toneel. Daar waren twee jongedames, ene juffrouw Horn en ene juffrouw Jacobsohn, luidkeels ruzie aan het maken over de zelfvervaardigde gift van de damesploeg. Tijdens de plechtige ceremonie moesten ze de vaandeldrager gezamenlijk de bij zijn functie horende versierselen overhandigen en ze waren elkaar op het laatste moment in de zorgvuldig gekapte haren gevlogen over de vraag wie hem de handschoen zou geven en wie hem de geborduurde sjerp zou omdoen. Arthur reageerde al zijn opgekropte wanhoop op hen af, hij schreeuwde zo hard en onnodig heftig dat het door het gordijn tot in de zaal te horen moest zijn. Van hem, die altijd zo'n milde en terughoudende indruk maakte, waren ze zulke geluiden niet gewend en de geschrokken dames werden het snel eens.

Sally Steigrad legde zijn hand op Arthurs schouder en zei: 'Ik ben ook opgewonden, maar een mens moet zich weten te beheersen.'

De wijding begon met een speciaal voor de gelegenheid gecomponeerd preludium van het orkest, waarvoor kapelmeester Fleur-Vallée flink leentjebuur had gespeeld bij Richard Wagner. Toen het doek eindelijk opging, stonden alle turners en turnsters in de houding op het toneel, Sally en Arthur in de voorste rij. De vaandeldrager – uitgekozen vanwege zijn imposante lichaamsbouw – stapte naar voren en liet zich door de vertegenwoordigsters van de damesploeg de insignes van zijn functie overhandigen. Nadat juffrouw Jacobsohn hem de sjerp had omgedaan, kuste ze hem op de wang en daarmee was voor Arthur ook duidelijk waarom de beide dames zo'n ruzie hadden gemaakt.

De zo charmant geïnstalleerde vaandeldrager liep het toneel af om het na een trompetsignaal weer te betreden, met het omhulde vaandel in zijn vuist. Hij werd gevolgd door Janki Meijer die, steunend op zijn wandelstok met de zilveren leeuwenknop, langzaam en plechtig naar het spreekgestoelte hinkte.

Als vaandelpeter had hij een toespraak voorbereid waarin het veel ging over mannelijkheid en dapperheid en waarin de turners vergeleken werden met allerlei helden, van de Maccabeeën tot en met de oude Zwitsers. Dat Janki er geheel tegen zijn gewoonte van afzag de voor de hand liggende link te leggen met zijn eigen heldendaden in de Duits-Franse oorlog, viel alleen zijn familie op. Chanele luisterde aandachtig en bezorgd naar haar man en bewoog als tijdens de eredienst zwijgend haar lippen. Hij had haar de toespraak in steeds weer nieuwe versies zo vaak voorgelezen dat ze hem uit het hoofd kende.

Janki was nog niet halverwege zijn toespraak toen er in een hoek van de zaal gefluister ontstond dat ook na tot stilte manend gesis aan de andere tafels niet ophield. Gaandeweg kreeg het steeds grotere delen van de zaal in zijn greep, zoals gloed heel lang in droog hout smeult voor het plotseling in een loopvuur verandert.

Janki stopte geïrriteerd. Chanele had hem meer dan eens gewaarschuwd dat zijn toespraak veel te lang was; waarschijnlijk was het beter om een hele passage over te slaan, misschien die waarin hij figuren uit het Oude Testament als prototypes van moderne sporters beschreef, David met zijn steenslinger als de eerste schutter en Samson als het oerbeeld van alle krachtsporters. Misschien moest hij gewoon afsluiten en zonder omhaal het nieuwe vaandel aan de vereniging overhandigen. Wist hij maar wat daar beneden in de zaal gaande was.

Wat er gaande was had niets te maken met Janki en zijn toespraak. Het was de wereldgeschiedenis die, zoals het de wereldgeschiedenis nu eenmaal eigen is, op het ongunstigste moment de vaandelwijding van de Joodse Turnvereniging verstoorde. Buiten op straat werden schreeuwend extra edities van de kranten te koop aangeboden en één ervan had haar weg ook naar de grote zaal van het volkshuis gevonden. Knüsel, de chef-verkoper van schoenenzaak Weill, was de overbrenger van het slechte nieuws, want hij voelde zich verplicht zijn baas, die immers uit de hele wereld goederen betrok, meteen over de gebeurtenis te informeren. In de Bosnische hoofdstad Sarajevo was de Oostenrijkse troonopvolger Frans Ferdinand doodgeschoten, de moordenaar was een negentienjarige gymnasiast, genaamd Princip. Of hij alleen had gehandeld of deel uitmaakte van een complot, wist men nog niet met zekerheid te zeggen, maar vanuit Berlijn werd telegrafisch gemeld dat de voortekenen voor een Groot-Servische samenzwering zich de laatste tijd hadden opgehoopt en in een extra editie van de Weense *Freie Presse* had zelfs gestaan dat de Servische afgezant uitdrukkelijk voor een reis van de aartshertog naar Bosnië had gewaarschuwd. Over de gevolgen van de bloedige daad kon alleen gespeculeerd worden maar, en daar was men op straat net zo sterk van overtuigd als in de zaal van het volkshuis, ze zouden verschrikkelijk zijn.

Aan alle tafels werd gefluisterd en algauw ook luidkeels gediscussieerd, alleen op het toneel wist nog steeds niemand waar de plotselinge onrust vandaan kwam. Uit angst de draad definitief kwijt te raken, durfde Janki zijn toespraak toch niet in te korten, maar raffelde hij de voorbereide tekst alleen steeds sneller af. Voor de onthulling van het nieuwe vaandel, eigenlijk het absolute hoogtepunt van de avond, werd alleen nog door een paar doorbijters vluchtig geapplaudisseerd en het aangekondigde artistieke amusementsprogramma (zangvoordracht door mevrouw Modes-Wolf en joodse declamatie door de heer Karl Leser) verviel in zijn geheel. Zelfs de verloting van de hoofdprijzen van de tombola kon niet volgens de voorschriften worden uitgevoerd; Sally Steigrad moest de winnende nummers twee weken later in het *Israelitisches Wochenblatt* bekendmaken. Hij deed nog een poging om ten minste de piramide, de traditionele afsluiting van elke turnuitvoering, te laten zien, maar het bleek volstrekt onmogelijk ook maar de helft van de medewerkers los te weken uit de discussiegroepjes die zich overal hadden gevormd.

Gedanst werd er ook niet. Toen de musici van het orkest hun instrumenten inpakten, barstte Rachel in tranen uit en moest door haar tweelingzus worden getroost.

Janki verscheurde heel langzaam, vel na vel, zijn manuscript en zei tegen Chanele: 'Ik hou van mijn leven geen toespraak meer.'

'Dat is maar goed ook,' antwoordde ze.

Joni Leibowitz schoof zijn stoel dichter naar die van Désirée toe, streek over zijn beginnende snor en zei met zelfingenomen dapperheid: 'Als er oorlog komt, moet ik natuurlijk in dienst. U zult zien dat het uniform me heel goed staat.'

Désirée had zijn complimentjes de hele avond zonder reactie over zich heen laten gaan. Nu glimlachte ze tegen hem, wat hij als een hoopvol teken opvatte. Maar haar enige gedachte was geweest: als er oorlog komt, zal Alfred gauw thuiskomen.

'Zie je,' zei Sally Steigrad tegen Arthur en hij probeerde een gezicht te trekken alsof hij ook dit verrassende slot van de avond van tevoren had gepland, 'daarom heb je nou verzekeringen nodig. Omdat je nooit weet wat er kan gebeuren.'

'Een oorlog zou een straf van God zijn,' zei Pinchas.

'Maar is het ook goed voor de joden?' vroeg Mimi.

Zalman Kamionker sloeg in het bijzijn van iedereen zijn arm om zijn vrouw Hinda en trok haar tegen zich aan. 'Ik heb te doen met keizer Frans Jozef,' zei hij. 'Hij heeft het niet getroffen met zijn kinderen.'

51

De oorlog brak uit, maar Alfred kwam niet huis.

Op de dag van het Duitse ultimatum aan Frankrijk stuurde François een telegram naar monsieur Charpentier. Alfred ging meteen de volgende dag op reis, maar op dat moment werd de algehele mobilisatie afgekondigd. Hij was Frans staatsburger en toen zijn trein bij de grens kwam, werd hij uit de coupé gehaald en moest hij een militaire verlofpas laten zien. Zijn trein was nog voor het officiële begin van de mobilisatie in Gare de l'Est vertrokken en dus werd er geen aangifte gedaan wegens desertie. Alfred werd alleen teruggebracht naar Parijs en voorgeleid aan de rekruteringscommissie. Zoals vrijwel alle kandidaten in die dagen werd hij goedgekeurd en ingedeeld bij een opleidingscompagnie. Toen zijn familie in Zürich dit hoorde, was Alfred al rekruut.

François, die ervan overtuigd was dat de meeste dingen met geld te regelen waren, gaf monsieur Charpentier plein-pouvoir om Alfred vrij te kopen, maar tegelijk met de oorlog was in Frankrijk het patriottisme uitgebroken en de traditionele korte lijntjes van de corruptie werkten niet meer.

De opleiding viel mee, schreef Alfred aan zijn familie, in de algemene chaos hadden ze tot nog toe niet eens geweren voor de nieuwe rekruten weten te bemachtigen en het exerceren met bezemstelen was ronduit komisch. Tegen de goed georganiseerde Duitsers, daar was hij vast van overtuigd, hadden de Fransen even weinig kans als in 1870-1871 en voor hij zelf naar het front moest, zou de oorlog allang afgelopen zijn.

Janki reisde onaangekondigd naar Zürich om met François te praten. Toen hij hem niet in zijn kantoor aantrof, zocht hij het hele warenhuis naar hem af en maakte ten slotte midden op de stoffenafdeling ruzie met hem. Hij verweet hem dat hij in deze aangelegenheid niet genoeg deed, niet elke soldaat had zoveel geluk als hij, Janki, destijds had gehad en als Alfred naar het front moest en daar sneuvelde, was het enkel en alleen François' schuld. Toen François hem wilde kalmeren – familieproblemen bespreek je niet waar iedereen bij staat – verloor Janki zijn zelfbeheersing en sloeg hij met de stok met de leeuwenkop op zijn zoon in. François was voor het eerst blij dat de zaken sinds het uitbreken van de oorlog niet meer zo goed liepen en dat daarom maar weinig klanten de pijnlijke scène konden gadeslaan.

Chanele was intussen bij haar schoondochter Mina en de beide vrouwen probeerden elkaar moed in te spreken. Maar hoe ze ook haar best deed om haar eigen angst te verbergen, Chanele kon de gedachte niet van zich afzetten dat Mina haar leven lang alleen maar pech had gehad. Waarom zou het haar met haar zoon anders vergaan?

Mina, die op de familiebijeenkomst als enige tegen Alfreds verbanning naar Parijs had gestemd, liet niemand merken wat er in haar omging. Slechts één keer, toen ze in de stad dominee Widmer tegenkwam, spuugde ze voor hem op de grond, waarna ze slechts met moeite de behoefte kon weerstaan om haar excuses aan te bieden. Het ongeluk was niet met hem begonnen, maar met dat bouwterrein waarvoor François bereid was alles te doen.

In een poging iets aan de situatie te veranderen had François intussen zijn levenslange verzet opgegeven en besloten Zwitser te worden. Er waren verscheidene gemeenten waarvan bekend was dat ze hun financiën graag met sterk verhoogde registratiekosten voor nieuwe – meestal joodse – burgers op orde brachten; hij koos voor Wülflingen bij Winterthur, waar men zich bereid verklaarde de procedure tegen een extra inschrijfgeld van vijfduizend frank buitengewoon snel af te handelen. Net als bij zijn doop werd Alfred ook hierin betrokken zonder eerst gevraagd te worden. Maar het argument van zijn nieuwe staatsburgerschap bracht de Franse autoriteiten er vooralsnog niet toe Alfred uit militaire dienst te ontslaan.

Désirée huilde alleen nog maar en Mimi sleepte haar mee naar dr. Wertheim. Die stelde bloedarmoede en algehele nervositeit vast en schreef een versterkend dieet voor. Maar gebroken harten genees je niet met vleesbouillon, ook al is die gekookt volgens het recept van grootmoeder Golde.

Pinchas zei elke morgen Tehiliem en zonder er veel woorden aan vuil te maken, laste hij zelfs meer dan eens een persoonlijke vastendag in. Er viel heel wat af te smeken in die dagen, want ook voor Ruben moest gebeden worden.

Meteen na de gebeurtenissen in Sarajevo hadden Zalman en Hinda hun zoon geschreven dat hij onmiddellijk naar huis moest komen. Hij had teruggeschreven dat hij alleen nog de paar dagen tot de sioem wilde blijven, het traditionele feest dat altijd gevierd werd als de studenten van de jesjieve klaar waren met het bestuderen van een Talmoedtraktaat. Toen begon de oorlog en waren alle verbindingen met Oost-Galicië van het ene moment op het andere verbroken. Het enige wat ze op het postkantoor te horen kregen was dat er voor gebieden waar gevochten werd helaas geen telegrammen meer aangenomen konden worden.

Hinda jammerde en klaagde niet, maar ze werd heel stil en deed haar werk nog slechts mechanisch. Lea en Rachel hadden hun moeder altijd als een vrolijk iemand gekend en konden de verandering maar moeilijk verdragen. Ze waren in die tijd vlijtiger en behulpzamer dan ooit. Het was de enige manier waarop ze hun bezorgdheid om hun broer konden tonen.

Zalman richtte met hulp van Pinchas een ondersteuningsfonds op voor de vluchtelingen uit Galicië, waarvan er in de loop van september steeds meer naar Zürich kwamen. Aan alle mensen die zich bij hem meldden vroeg hij of ze iets over de jesjieve in Kolomea hadden gehoord, maar de nieuwkomers waren allemaal te zeer bezig met hun eigen lot. De binnengerukte Russische troepen, zo vertelden ze, gedroegen zich tegenover de Roetheense inwoners heel correct; de Galicische joden daarentegen werden algemeen verdacht van collaboratie met de Oostenrijkers, wat de kozakken steeds opnieuw reden gaf tot gewelddadigheden en plunderingen.

Hoewel Zwitserland neutraal was, veranderde de oorlog het leven ook hier totaal. Het was angstaanjagend hoe snel de mensen eraan wenden.

Arthur, de meest onmilitaire van de hele familie, meldde zich vrijwillig bij de geneeskundige troepen, maar werd vanwege zijn slechte ogen afgekeurd. Joni Leibowitz was als infanterist van de fuselierscompagnie IV/69 in actieve dienst en bracht het algauw tot soldaat 1ste klas. Sally Steigrad beleefde als foerier eindelijk de avonturen waar hij altijd naar had verlangd.

Vanuit Parijs berichtte Alfred dat ze intussen geweren hadden gekregen, maar dat de munitie nog altijd ontbrak, waardoor ze belachelijk genoeg alleen met de bajonet leerden vechten. Door de Duitse zege bij Tannenberg voelde hij zich gesterkt in zijn overtuiging dat de oorlog niet lang zou duren en smeedde hij al plannen voor de tijd daarna. 'Als ze ons dan nog altijd willen scheiden,' schreef hij poste restante naar Désirée, 'dan zal ik je met mijn bajonet veroveren.'

Alle joodse vluchtelingen, of ze nu wel of niet religieus waren, kwamen op erev sjabbes en op de vooravond van de feestdagen in een van de beide gemeenten naar de eredienst. Vanwege de mitswe, maar ook uit echt medelijden, vocht men er daar om ze voor het eten uit te nodigen en er ontwikkelde zich zelfs een complete concurrentiestrijd om de meest meelijwekkende figuren. Pinchas Pomeranz bracht op erev Soekes een hele familie mee naar huis, een echtpaar met een volwassen dochter, die alle drie uit de verschillende klerenkasten eerst in het nieuw gestoken moesten worden voor ze enigszins jontefdik aan tafel konden gaan. Ze waren halsoverkop voor de Russen gevlucht en hadden de hele Jom Kipoer in de trein doorgebracht, met tal van lotgenoten samengepropt in een veewagon. 'Toen hebben zelfs de meest treife lieden gevast,' zei de man bitter terwijl hij achter zijn gastheer de trap naar de zolder opliep, 'want er was niets te eten of te drinken.'

Pinchas had zijn loofhut op het dak gebouwd, daar waar anders de was werd opgehangen. De houten schotten waren versierd met verbleekte foto's van beroemde rabonem en boven de feestelijk gedekte tafel kruisten slingers van schrompelige kastanjes en verkleurd papier elkaar. Als er geen kinderen meer in huis zijn, wordt er ook geen nieuwe versiering meer gemaakt. De oktoberavond was koel, maar het regende tenminste niet, zodat ze in overeenstemming met de voorschriften bij het eten het vaste dak konden openen om naar de sterren te kijken. Ook Arthur werd elk jaar in de soeka uitgenodigd en Mimi klaagde bij Pinchas – in het Frans, zoals dat hoorde bij discrete aangelegenheden – dat het met zeven personen wel erg krap zou worden. Maar in feite was ze trots te kunnen bewijzen dat er in haar huishouden niet beknibbeld hoefde te worden en dat ze er altijd op berekend was ook onverwachte gasten te ontvangen. Met de bonensoep, die stijf stond van de worst en het rookvlees zodat je lepel rechtop bleef staan, hadden wel twintig mensen hun buik kunnen vullen.

Geheel tegen zijn gewoonte kwam Arthur te laat en had hij bijna de kidoesj gemist. Hij was op het laatste moment nog bij een spoedgeval geroepen, zei hij verontschuldigend, bij een oude Galiciër die tijdens de vlucht een wond aan zijn voet had opgelopen die gevaarlijk begon te etteren.

Toen hij aan de vreemde gasten werd voorgesteld – 'De familie Wasserstein, dr. Arthur Meijer!' –, gebeurde er iets vreemds. De dochter van de familie, een zeer gesloten jonge vrouw die de hele avond nog geen woord had gezegd, barstte plotseling uit in luid gelach. Het was een reactie die niets met vrolijkheid te maken had, het was een hysterisch, ademloos geschreeuw of gehijg. Daarbij wees ze met haar vinger naar Arthur en herhaalde steeds: 'Arthur Meijer! Arthur Meijer! Arthur Meijer!' Het gelach hield net zo abrupt op als het was begonnen en ging al even plotseling over in tranen. Alle pogingen van haar moeder om haar te troosten weerde ze af, maar door Désirée liet ze zich in de armen nemen en wiegen als een klein kind.

'Zait ir moichel,' zei Wasserstein. Hij leek door het feit dat hier in een soeka in Zürich dr. Arthur Meijer tegenover hem zat, net zo van zijn stuk gebracht als zijn dochter. Steeds weer schudde hij zijn hoofd en streek hij met zijn vingers door zijn kroeshaar, alsof hij het met bosjes tegelijk wilde uittrekken. 'Wat toevallig …'

'U moet weten, dokter,' legde zijn vrouw uit, 'eigenlijk had u beiden met elkaar moeten trouwen.'

Chanele en Janki hadden nooit iets over de ontmoeting in Westerland verteld, ze waren over hun zomervakantie trouwens toch weinig mededeelzaam geweest en zo kwam het voor Arthur als een volslagen verrassing dat hij – althans in de plannen van hun ouders – ooit in zekere zin verloofd was geweest met Chaje Sore Wasserstein.

'Maar nu zal ze natuurlijk nooit meer trouwen,' zei Hersj Wasserstein.

De chaos kent geen orde en zo werd het verhaal bij stukjes en beetjes en zonder logische volgorde verteld. De toehoorders moesten veel uit vage aanduidingen opmaken en heel wat ongezegde dingen toevoegen. Het was een verhaal als vele in die dagen en het bijzondere was alleen dat het zijdelings met de familie Meijer te maken had.

De Wassersteins waren over het overhaaste vertrek van Janki en Chanele destijds heel verbaasd geweest. Hun eigen verblijf op Sylt was zonder verdere incidenten, maar ook zonder sjidoech geëindigd. Terug in Mariampol hadden ze weer contact met de Meijers proberen op te nemen, maar uit Baden was nooit antwoord gekomen. 'Nou ja, niet elke transactie eindigt met een handslag,' zei Hersj Wasserstein, 'dat leer je wel als zakenman.'

En alsof dat woord als arrogantie uitgelegd kon worden, voegde hij er vlug aan toe: 'Nu ben ik natuurlijk geen zakenman meer, maar enkel nog een sjnorrer. Ik moet andermans kleren aantrekken en er dankbaar voor zijn.'

'We zíjn ook dankbaar,' zei zijn vrouw vlug. 'We hebben nebbech alles verloren.'

De Russische troepen hadden de zagerij platgebrand; er was hout genoeg voor een prachtige brandstapel. Hersj Wasserstein had hen ervan willen weerhouden zijn levenswerk te verwoesten, ze waren slaags geraakt en de kleine Motti – 'Zo'n jongen weet niet hoe slecht de mensen kunnen zijn!' – was zijn vader te hulp gesneld. Hij dacht zeker dat de oorlog, net als bij de exercerende kinderen op de boulevard in de badplaats, maar een spel was en dat zijn vader niet mocht meespelen.

Ze regen hem aan hun bajonet, 'niet eens in blinde woede'. Malka zei het zo verbaasd alsof haar zoon weer levend zou worden als iemand haar dat kon verklaren. 'Ze waren niet eens woedend.'

'Geloofd zij de Rechter der waarheid,' prevelde Pinchas.

'Affreux,' zei Mimi. Ook dat klonk als een gebed.

Chaje Sore had haar hoofd op Désirées jurk gevlijd en bewoog het heel langzaam heen en weer, alsof ze zich door de zijden stof wilde laten strelen.

De kozakken – 'Eigenlijk maar een kleine stoottroep, maar om een familie ongelukkig te maken heb je geen leger nodig' – hadden daarna feestgevierd, wat bij hen betekende: ze hadden gedronken. Wat soldaten doen als de wodka hun naar het hoofd en de lendenen stijgt, was bekend en Chaje Sore was een mooi meisje.

De loofhut had geen gas of elektriciteit. Een ouderwetse petroleumlamp wierp flakkerende schaduwen op de wanden; de lippen van de ingelijste wijzen leken te bewegen, alsof ze Kaddisj zeiden voor de kleine Motti.

En een gebed dat in geen enkele sidoer staat voor Chaje Sore Wasserstein, die zich voor elke man te goed had gevoeld en die toen voor twintig man goed genoeg was geweest.

Toen ze later afscheid namen, zei Malka Wasserstein een verrassende zin tegen Arthur.

'Als u met haar getrouwd was, dan was ze daar niet geweest,' zei ze.

Arthur zette zijn bril af en wreef over zijn neusrug. Twee uur geleden had hij nog niet van het bestaan van ene Chaje Sore Wasserstein geweten en nu voelde hij zich verantwoordelijk voor haar lot.

De hele nacht schrok hij steeds weer op, zoals in zijn schooltijd en als student vaak voor examens, en als hij toch een keer in slaap viel droomde hij over vragen die hem werden gesteld en die hij niet kon beantwoorden.

De volgende morgen was hij al vroeg in de gebedsruimte, helemaal in het begin als alleen de vroomsten er zijn om op tijd minjan te maken. Urenlang las hij al die zegenspreuken, voorbedes en lofprijzingen woord voor woord mee, alsof er een zin in verborgen moest zijn die uitsluitend voor hem was geschreven.

Met Soekot heeft de dienst een heel eigen karakter, men schudt met het palmblad, de loelav, in alle vier de windstreken en op de lessenaars verspreiden de esrogem, de rituele citrusvruchten waar geen enkele andere taal een naam voor heeft, hun typische geur. Maar als Arthur in de vertrouwde woorden en gebaren naar een antwoord zocht, dan vond hij er geen. Alleen de haftara, het woord van de profeet dat volgt op de lezing uit de Tora, leek betrekking te hebben op de gebeurtenissen van de vorige avond: 'De stad zal genomen worden,' dreigde Zacharia, 'de huizen zullen worden geplunderd en de vrouwen geschonden.' Maar wat je moest doen als je je aan dat alles schuldig voelde en het toch niet was, dat wist ook de profeet niet te vertellen.

In de kleine pauze die altijd ontstaat voor het terugleggen van de Torarollen, fluisterde Pinchas hem toe: 'Désirée heeft weer een brief van Alfred gekregen. Jontef of geen jontef, we hebben hem opengemaakt. Hij schrijft dat ze nu eindelijk ook munitie hebben, maar hij weet zeker dat de oorlog allang afgelopen zal zijn voor er nieuwe rekruten naar het slagveld moeten.'

'Volgens mij er is er niets zeker meer,' fluisterde Arthur terug.

Pas toen de dienst afgelopen was, merkte hij dat ook Hersj Wasserstein aanwezig was, helemaal achterin op de laatste rij, die bestemd is voor vreemdelingen en bedelaars. Hij droeg het pak dat hij gisteren van Pinchas had gekregen en nu, bij daglicht, was goed te zien dat het colbertje te klein en de broek te lang was, de kleding van een sjnorrer die zijn handwerk nog moest leren. Als iemand hem de hand toestak om hem een goede jontef te wensen – alsof er voor hem ooit nog een goede dag kon komen! –, dan aarzelde hij telkens even voor hij hem nam. Hij was gewend de onderdanige vriendelijkheid van smekelingen af te weren en moest zich er telkens weer aan herinneren dat hij er nu zelf een was.

Arthur vouwde zijn talles, het mooie exemplaar dat Zalman hem voor zijn bar mitswe had geschonken, heel langzaam op en precies op het moment dat hij de doek in zijn fluwelen hoes teruglegde, wist hij wat hem te doen stond. Het was hem volkomen duidelijk, hij koesterde geen enkele twijfel, en dat de zaak niet goed kon aflopen maakte het alleen nog maar duidelijker. 'Ik ben niet geboren om gelukkig te zijn,' zei hij bij zichzelf en hij had het gevoel dat dat het antwoord was waar hij in alle gebeden vergeefs naar had gezocht.

De meeste mannen waren al weg. Hersj Wasserstein stond helemaal alleen bij de deur van de gebedsruimte. Arthur liep naar hem toe, de weg leek eindeloos. 'Meneer Wasserstein,' zei hij, 'ik kom de hand van uw dochter vragen.'

Zijn eigen stem klonk hem vreemd in de oren, maar bij het idee met Chaje Sore, die hij amper kende, onder de baldakijn te staan, kreeg hij tranen in zijn ogen.

Hersj Wasserstein maakte met zijn voet een onrustig schrapende beweging, alsof hij een sigaret uittrapte. Toen keek hij Arthur recht in de ogen en zijn blik had niets van een sjnorrer. 'Het is niet netjes om je over ongelukkige mensen vrolijk te maken,' zei hij.

Hij draaide zich om en liep weg, en niets van wat Arthur tegen hem zei, kon hem ertoe bewegen terug te komen.

'Je bent mesjoege,' zei Hinda toen Arthur het haar vertelde.

Ze zaten in de soeka van de Kamionkers. De tweeling had veel werk gemaakt van de versiering; hun vader had van zijn werk bonte stofresten mee moeten brengen en daarmee hadden ze bijna zoiets als een oosters paleis geschapen. Ook dat was voor Ruben.

'Ik meende het serieus,' verzekerde Arthur.

'Ik weet het. Dat is juist het mesjoegene.'

'Als ik toen met haar getrouwd was …'

'Je kende haar niet eens.'

'Maar als ...'

Het deed Arthur goed om argumenten voor zijn morele verplichting tegenover de Wassersteins aan te voeren, vooral omdat hij wist – al gaf hij dat niet toe – dat hij deze discussie nooit zou winnen. Hinda kende hem te goed.

'Je bent niet voor alles op deze wereld verantwoordelijk,' zei ze. 'Je bent de goede God niet.' En toen begon Hinda, de zelfverzekerde, altijd vrolijke Hinda opeens klaaglijk te huilen, ze sloeg haar armen om de hals van haar broer en fluisterde hem in het oor: 'Maar als je wel de goede God bent – breng dan alsjeblieft mijn Ruben thuis.'

Arthur streelde onbeholpen haar rug en had het gevoel dat hij zichzelf troostte.

Zalman zat intussen in de kamer achter de winkel van Pinchas, waar het hulpcomité voor de Galicische vluchtelingen tussen zakken met linzen en vaten met augurken een provisorisch kantoor had ingericht. Mevrouw Okun, jaren geleden zelf uit Rusland gevlucht, fungeerde als secretaresse en haar kortaangebonden, zakelijke optreden leek de hulpzoekenden goed te doen. Te veel medeleven kan ook pijnlijk zijn.

De oorlog trekt zich niets aan van feestdagen, zodoende waren er ook vandaag weer nieuwe vluchtelingen aangekomen, die ze van het hoogstnodige moesten voorzien en voor de eerste nachten ergens moesten onderbrengen. Zalman stelde niet veel vragen. 'Als iemands tong uit zijn mond hangt, hoef je niet te vragen of hij dorst heeft.' Maar natuurlijk informeerde hij bij alle mensen of ze iets konden vertellen over het lot van de jesjieve in Kolomea. Uit de woonplaatsen van de vluchtelingen viel met een paar dagen vertraging op te maken hoe het front verliep en de nieuwkomers van vandaag kwamen uit een heel andere streek. Alleen een oude man met een eigenaardige halve baard – de andere helft had een grapjas in Russisch uniform weggebrand – meende gehoord te hebben dat de rabbijn met al zijn studenten de stad had verlaten, maar hij kon niet zeggen waar ze hun toevlucht hadden gezocht.

Zalman vond voor alle vluchtelingen onderdak, vertelde waar ze iets te eten konden krijgen en gaf de zieken en gewonden het adres van Arthurs praktijk. Daarna schreef hij de gegevens van de nieuwkomers zorgvuldig en zonder zich te haasten op systeemkaarten, stopte ze in een kaartenbak en schoof de bak naar mevrouw Okun.

'Vanaf morgen zult u het zonder mij moeten doen. Ik weet zeker dat Pinchas u zal helpen.'

'En u?'

'Ik ga naar Galicië,' zei Zalman. 'Ik ben een vredelievend mens, maar nu gaat het om mijn zoon.'

52

Hij ging naar de kapper, hoewel het nog steeds jontef was. Hij nam plaats in de stoel met de draaibare zitting, legde zijn handen op de armleuningen, voelde in zijn nek het knisperende papier, haalde diep adem, rook haarwater en pommade en zeep, blies als iemand die boven water komt de lucht proestend uit en was zover.

Meneer Dallaporta, die ook al vijfentwintig jaar in Zwitserland woonde en wiens eerste winkel bij de onlusten in 1896 was verwoest, was verbaasd hem te zien. 'Is het vandaag geen zondag voor de joden?' vroeg hij en Zalman antwoordde: 'Soms moet je ook op zondag werken.' Ze onderhielden zich in het Duits dat in Zürich wordt gesproken, de een met een Napolitaans, de ander met een Galicisch accent. Geen van beide mannen viel de uitspraak van de ander op.

'De bakkebaarden,' zei Zalman. 'Ze moeten eraf.'

Meneer Dallaporta was een esthetisch man en had zelfs één muur van zijn salon versierd met een zelfgemaakt schilderij van de Vesuvius. Zalmans bakkebaarden waren ook een kunstwerk, bovendien één waar hij zelf jarenlang aan mee had gewerkt, en het vernietigen leek hem een misdaad. 'Waarom?' vroeg hij, terwijl hij met een dramatisch gebaar dat net zo goed een Jiddisj als een Italiaans karakter kon hebben, de handen ten hemel hief. 'Die van keizer Frans Jozef zijn niet mooier!'

'Juist daarom. Zo'n baard draagt alleen een Oostenrijker. En voor mij is het de komende tijd beter om er niet als een Oostenrijker uit te zien.'

Hij liet zijn snor weer knippen zoals hij hem twintig jaar geleden had gedragen: ruig en niet erg netjes. Toen hij met zijn nieuwe gezicht thuiskwam, herkende Hinda hem eerst niet, terwijl toch alleen de oude jonge Zalman weer tevoorschijn was gekomen. Rachel noemde haar veranderde vader een kanjer, wat op dat moment haar lievelingswoord was, en alleen Lea, die net als haar grootmoeder Chanele een goede kijk op mensen had, zei onmiddellijk: 'Je voert iets in je schild.'

Hij vertelde hun over zijn plan dat nog helemaal geen plan was, maar alleen een voornemen – 'Maar helemaal niets doen zou het slechtste plan zijn dat er bestaat' –, en ze probeerden het hem uit het hoofd te praten. Hij had dat wel verwacht en liet zich niet van de wijs brengen. 'Juist jij zou dat moeten begrijpen,' zei hij tegen Hinda. 'Er zijn dingen die onbespreekbaar zijn.'

Ze discussieerden nog met hem toen hij zijn rugzak al inpakte – 'Nee, geen koffer, ik ga geen plezierreisje maken' –, ze praatten nog op hem in toen hij de grote schaar en zijn naaigerei al in een doek wikkelde – 'Je weet nooit waar het goed voor is' – en toen hij naar het station ging, zonder te weten naar welke plaatsen nog treinen reden, hadden ze Pinchas en Arthur erbij gehaald, die hem er ook van probeerden te overtuigen dat hij zijn leven onnodig op het spel zette.

'Onnodig?' vroeg Zalman. 'Mijn zoon is daar.' En hij liet zijn vingers knakken, zoals je lang niet meer gebruikt gereedschap weer in orde maakt.

Tot Kraków, zei de man achter het loket, zouden de treinen misschien nog rijden. Maar hij verkocht Zalman toch liever maar een kaartje tot Wenen, waarbij zijn motivatie van een troostrijke alledaagsheid was. 'Mocht er geen verdere verbinding zijn, dan zouden we u het geld niet terug kunnen geven. Oorlogsgebeurtenissen gelden in de transportvoorwaarden als overmacht en dan zou het weggegooid geld zijn.'

Zalman kocht een kaartje naar Wenen. Enkele reis. Bijna had hij gezegd: 'Mocht ik niet terugkomen, dan zou het weggegooid geld zijn.'

Pinchas had niet echt verwacht dat hij hem van zijn besluit kon afbrengen en onder het prevelen van een gebed stopte hij een enorm stuk rookvlees in zijn rugzak. Het zou een kostbaar geschenk blijken te zijn.

'En waar ga je onderweg overnachten?' vroeg Arthur, alsof er niets belangrijkers bestond.

'Ik ga een loofhut bouwen. Dat is toch toepasselijk, nu met Soekes.'

Hinda lachte en dat was het moeilijkste wat ze in haar leven voor haar man had moeten doen. Ze hield het vol tot zijn trein vertrokken was. Toen pas liet ze zich door haar dochters troosten.

Later, toen alles allang voorbij was, werd Zalmans reis naar het front een legende, een heroïsch familie-epos dat men elkaar steeds weer vertelde en iedere keer verder opsmukte en vervolmaakte, tot het de helderheid en ongeloofwaardigheid aannam van een sage. Voor zijn kleinkinderen, die hem alleen kenden als de grootvader die altijd in de stemming was voor kinderlijke grappen, waren zijn avonturen niet reëler dan hun vurig geliefde sprookje voor het slapengaan over de reusachtige vis, op de rug waarvan de matrozen hun eten koken.

Zalman zelf praatte na een eerste verslag weinig over zijn belevenissen en was over de hele zaak veel zwijgzamer dan ze van hem gewend waren.

Als er erg werd aangedrongen, vertelde hij altijd dezelfde anekdotes, waarvan er niet één echt geschikt was voor een beschaafd milieu. Er was het verhaal over de Oostenrijkse soldaten die naar huis gestuurd wilden worden en daarom zeep slikten, omdat je daarvan een vorm van diarree kreeg die geen enkele militaire arts kon onderscheiden van de symptomen van cholera, en het verhaal over de rokers die geen vloeitjes meer hadden voor hun tabak en op de latrine papier sorteerden: 'Dit is schoon, dit niet.' Dat laatste werd in de familie een gevleugeld woord dat zowel bij het afwassen als bij het sorteren van de was werd gebruikt. 'Dit is schoon, dit niet.'

In elke legende zit een kern van waarheid en ook zonder alle opsmuk waren Zalmans belevenissen in die weken avontuurlijk genoeg.

Het begon zonder speciale moeilijkheden: de verbinding Wenen-Kraków bestond nog. In zijn coupé was hij de enige burger tussen allemaal officieren van het Oostenrijks-Hongaarse leger en hij werd dan ook wantrouwig bekeken. In de tegenovergestelde richting moesten de vluchtelingen al in goederenwagens worden getransporteerd, zo veel waren het er, en dan reisde iemand vrijwillig naar het strijdgebeuren? Om niet aangezien te worden voor een spion begon Zalman, denkend aan zijn tijd in New York, met een Amerikaans accent te praten. Hij beweerde correspondent van *The Herald* te zijn en noteerde de namen van al zijn medereizigers voor een reportage over het heldhaftige Oostenrijkse leger. Het vooruitzicht op internationale roem maakte dat de officieren zich snel over hun wantrouwen heen zetten. Oorlog heeft heel veel te maken met ijdelheid.

De Russen, vertelden ze hem zo beledigd alsof die tegen de spelregels van een fatsoenlijke oorlog hadden gezondigd door een onvoorzien voordeel te behalen, de Russen waren via de in alle oefeningen op de kaart als ondoordringbaar beschouwde Prypjat-moerassen doorgestoten naar Galicië, wat betekende dat ze zich, onsportief als ze waren, al jaren op die strijd moesten hebben voorbereid. Van Lemberg in het noorden van Galicië tot aan Czernowitz in de Boekovina hadden ze een hele reeks steden onder de voet gelopen en waren snel opgerukt naar het westen. Maar daardoor – de officieren zeiden het met de hand voor de mond, alsof stafchef Von Hötzendorf het hun persoonlijk had toevertrouwd – waren hun aanvoerwegen nu veel te lang en eigenlijk, daar was iedereen in de coupé van overtuigd, hadden ze zonder het te weten door hun overwinning al de nederlaag geleden. Zalman moest denken aan vakbondsvergaderingen waar men zich, om de moed niet te verliezen, ook altijd wijsmaakte dat de staking al effect had en dat het alleen een teken van zwakte was dat de tegenpartij nog steeds niet wilde onderhandelen.

Hij gaf de officieren op alle punten gelijk, waardoor ze hem voor een vakman in strategische aangelegenheden hielden en zelfs vroegen hoe de door de Russen omsingelde en ingesloten vesting Przemyśl volgens hem het beste ontzet kon worden.

De stemming was ten slotte zo vriendschappelijk dat ze in Kraków zelfs een plaats voor hem regelden in een hospitaaltrein die tot vlak bij Tarnów reed; de stad zelf was al door de vijand ingenomen. De trein stopte vlak achter het front; je hoorde het geweervuur. De triomftocht van de Russen leek onstuitbaar en de bewoners van het dorp waar de hospitaaltenten stonden, hingen aan hun huizen al Russisch-orthodoxe iconen, waarvan gezegd werd dat ze de kozakken milder stemden: Jezus, Maria en de heilige Nicolaas. 'Ook aan de joodse huizen hingen zulke schilderijtjes,' vertelde Zalman later, 'en misschien hebben ze wel geholpen. Verder dan Tarnów zijn de Russen nooit gekomen.'

Hoe hij zich eerst door de Oostenrijkse en daarna door de Russische linies sloeg, daar praatte hij nooit over. Alleen tegen Arthur zei hij een keer: 'Ik heb daar meer gewonden gezien dan jij in je praktijk ooit onder ogen zult krijgen en geloof me: als iemand zijn eigen darmen vasthoudt en je smeekt hem dood te schieten om een eind aan zijn lijden te maken, dan betreur je het dat je geen wapen hebt.'

De enige goede weg naar het oosten liep via Rzeszów, Jarosław en Przemyśl. Maar omdat de vesting daar als laatste Habsburgse eiland nog altijd verzet bood en er hevig werd gevochten, moest Zalman uitwijken naar het zuiden, waar het al bergachtig werd en er daarom weinig te veroveren en te winnen viel. Hier op de hellingen van de Beskiden hadden nooit grote legers tegenover elkaar gestaan en daarom was er ook nooit een beslissing gevallen. Alleen kleinere eenheden leverden sporadische gevechten, als uitgeputte boksers die op elkaar in blijven slaan, hoewel niemand meer de illusie heeft een beslissende stoot te kunnen toedienen.

De oorlog, die hier alleen uit een reeks bloedige overvallen bestond, vond midden tussen de bevolking plaats; aardappelkelders deden dienst als schuilplaats en in de kerktorens verborgen zich mitrailleurschutters. Er waren geen duidelijke grenzen meer, niet in het groot en niet in het klein. Zelfs de tuinhekken waren verdwenen, tot brandhout gehakt of gebruikt om de modderige wegen te verharden.

De oorlog had het land overhoopgehaald zoals Mimi de kaarten schudde als ze in bed patience speelde: het hele pak op de deken gooien en er met gesloten ogen blindelings in woelen.

Veel gezinnen waren uiteengerukt en als ze met veel geluk bij elkaar waren gebleven, wisten ze niet waar ze heen moesten. Het kwam voor dat twee groepen elkaar tegenkwamen en elke groep een goed heenkomen zocht in de richting waaruit de andere net was gevlucht. Er zwierven zo veel vluchtelingen rond dat ze met bittere spot 'het tweede leger' werden genoemd. Eén enkele man in kapotte en vuile kleren viel hier niet op.

De streek was altijd al arm geweest en door de oorlog nog armer geworden. Alles wat eetbaar was, was tegen waardeloze vorderingsbiljetten – 'in te wisselen als mosjiach komt' – in beslag genomen en de hongerige soldaten spitten met hun bajonet nog de laatste aardappelen uit de grond. Wie zich moest terugtrekken, en dat waren hier waar het front geen duidelijk verloop had nu eens de Oostenrijkers en dan weer de Russen, joeg van tevoren alle voorraden die hij niet mee kon nemen, met een lading ecrasiet de lucht in.

Nood breekt wet en als Zalman een stuk van het rookvlees wilde afsnijden dat Pinchas hem op het laatste moment nog had meegegeven, moest hij telkens een schuilplaats zoeken.

Het land was vol bedelaars, oude en nieuwe. 'Ze waren makkelijk uit elkaar te houden,' vertelde Zalman. 'De geroutineerde schamen zich niet en kijken je recht in je gezicht als ze hun hand uitsteken.'

Op een keer, hij wist niet meer of het bij Sanok of Sambor was geweest, sloot zich een hele dag een ervaren sjnorrer bij hem aan, een al wat oudere man die nooit in een veldslag had gevochten, maar op wiens borst toch een hele rij Russische medailles voor bewezen moed rinkelde. Voor het geval de oorlogskansen keerden hield hij in zijn jaszak evenveel Oostenrijkse medailles gereed. 'De mensen willen medelijden kunnen hebben met iemand die bij hen hoort,' was zijn verklaring. 'Dat ben je je klanten schuldig in mijn metier.'

Als Zalman over zulke ontmoetingen vertelde, leek alles één groot avontuur, maar er waren veel dingen waar hij nooit over praatte en die je alleen uit kleine details kon opmaken, zoals een archeoloog uit een paar scherven een hele cultuur samenstelt. Zo praatte hij bijvoorbeeld nooit over een geplunderd herenhuis en toch moest het er geweest zijn, want op een keer zei hij: 'Hout van piano's brandt het beste', en een andere keer, toen hij al een eigen kleermakerij had en iemand hem een opvallend groene fluwelen stof wilde verkopen: 'Van zo'n biljartlaken heb ik voor een kleumende sergeant eens een voering in zijn jas genaaid.'

De echt erge dingen, en er moesten er een hoop geweest zijn, hield hij voor zich of vertrouwde hij hoogstens aan Hinda toe. Alleen zij wist waarom Zalman zijn leven lang geen peer meer aanraakte – onder een perenboom had een dode gelegen en de rottende vruchten hadden zich met het in staat van ontbinding verkerende lichaam vermengd –, of waarom hij zich met zoveel inzet op zijn werk voor het hulpcomité stortte. Tegen de anderen zei hij alleen: 'De joden zullen in deze eeuw nooit meer zoiets ergs meemaken als in Galicië', en hij keek de mensen recht in hun gezicht als hij om een gift voor het comité vroeg.

'En heb je nooit de hoop opgegeven dat je Ruben zou vinden?' vroeg Hinda hem.

'Hoop kost niets,' antwoordde hij. Het moest een grapje zijn, maar hij glimlachte er niet bij.

Al was maar de helft van wat er later in de familie verteld werd echt gebeurd – Zalman moest veel meegemaakt hebben. Met Soekes was hij uit Zürich vertrokken en het was al november toen hij via Stryj en Stanisławów eindelijk in Kolomea aankwam.

Hier was hij opgegroeid en toch herkende hij de stad niet meer.

Voor het station, dat buiten de stad lag, leek een koetsier op aankomende gasten te wachten, maar toen Zalman dichterbij kwam, bleek er alleen het geraamte van een koets te staan, zoals ook het hele gebouw nog slechts het geraamte van een station was. Van hier was het twee kilometer naar de stad en het was een vreemd gevoel voor hem om de brede straat, waar in zijn tijd voetgangers, karren en koetsen elkaar hadden verdrongen, helemaal voor zichzelf te hebben.

Kolomea, in het uiterste oosten van Galicië gelegen, was een van de eerste steden die de Russische troepen hadden ingenomen en omdat ze het in het eerste vuur van de nieuwe oorlog bijzonder goed wilden doen, hadden ze met hun kanonnen een complete schietwedstrijd georganiseerd, waarbij ook de Grieks-orthodoxe kerk zijn toren was kwijtgeraakt. Wat restte was niet meer dan een vormloze stenen klomp die deed denken aan een paardenstal en door de kozakken in de eerste dagen van de bezetting ook zo werd gebruikt. Een classicistisch gebouw dat Zalman nog nooit gezien had – het moest gebouwd zijn nadat hij was weggegaan – vertoonde weliswaar geen inslagen, maar was toch volledig uitgebrand. Hij liep er over een tapijt van verkoolde papiersnippers langs; eerst dacht hij dat het een bibliotheek was geweest en pas de Hebreeuwse lettertekens onder zijn voeten maakten hem duidelijk dat het om de nieuwe synagoge moest gaan die Ruben in een van zijn brieven vol ontzag had beschreven.

Op de Ringplatz, de markt in het centrum van de stad, ontbraken de volle stalletjes waar de bont geklede Hoezoelse boeren pluimvee en groente hadden verkocht; alleen een paar uitgehongerde stedelingen hadden overbodige huishoudelijke voorwerpen uitgestald, waarachter ze zonder hoop op kopers zaten te wachten. De ramen van de kantoren waren allemaal met planken dichtgetimmerd, alsof ze de aanblik van hun zieke stad niet meer konden verdragen. De meeste winkels waren gesloten, alleen banketbakker Righietti in de Kosciuszkostraat hield zijn bedrijf dapper gaande. Een bordje op de deur verontschuldigde zich bij de geachte clientièle dat er, 'om redenen die buiten onze invloedssfeer liggen', helaas geen koffie met gebak geserveerd kon worden.

De mensen die hij tegenkwam ontweken zijn blik. Elke vreemdeling kon een vijand zijn of, nog gevaarlijker, iemand die hulp zocht. Dan was het verstandiger hem niet eens op te merken.

Russische soldaten waren nergens te bekennen. Alleen voor hotel Bellevue in de Jagiellónskastraat stond een dubbele wachtpost. Hier hadden de Russen waarschijnlijk hun hoofdkwartier ingericht.

Naar de jesjieve was het niet ver meer, maar Zalman ging eerst naar de Jablonowka, het straatje in de joodse wijk waar de oude vriend woonde die Ruben in huis had genomen. Boven de hele buurt hing de geur van natgeregend verbrand hout en Zalman begon te rennen, alsof na een voettocht van meer dan drie weken plotseling elke minuut telde.

De straat was intact, de lage houten huizen stonden nog altijd dicht opeen, alsof ze elkaar moed wilden geven. Maar het was er stil, stiller zelfs dan hij ooit had meegemaakt op Jom Kipoer, wanneer iedereen in de synagoge was.

De voordeuren waren niet op slot.

In het huis van zijn vriend stonden ook de kasten open, ze waren grondig en met zorg leeggemaakt, het servies- en linnengoed was weggehaald zonder dat er een puinhoop was achtergelaten. Alleen voor de boeken had niemand belangstelling gehad.

Op tafels en stoelen waren met krijt namen geschreven, Sawicki, Truchanowicz, Brzezina. Zalman hoorde pas later wat dat te betekenen had: de plunderaars, allemaal keurige buren, hadden hun buit gemerkt om, zodra de passende plaats in hun eigen huis vrij was gemaakt, de stukken in alle rust af te voeren. Ze hoefden zich niet te haasten, want niemand hoefde bang te zijn dat de joodse eigenaren ooit nog terug zouden komen.

In een klein kamertje op de eerste verdieping lag Rubens koffer op het bed.

Leeg.

Zalman ging ernaast zitten en streelde het donkerbruine karton.

Toen hij weer op de uitgestorven straat stond en niet wist waar hij heen moest, riep een stem plotseling zijn naam. Het was een ijle, oude, lispelende stem die uit het niets leek te komen, want hij kon niemand ontdekken. 'Kamionker!' riep de stem. 'Ben jij niet Kamionker?'

Nu pas zag hij in het open raam van een huis een oude vrouw staan die hem bekend voorkwam, maar die hij toch niet kon thuisbrengen. Ze gaf hem een teken dat hij boven moest komen en toen hij voor haar stond – ook in dit huis waren de deuren open en de kasten keurig leeggemaakt – wist hij het weer.

'Mevrouw Heller?'

Toen hij als jonge knaap in de tallesweverij van Simon Heller had gewerkt was zij de bazin geweest, een vrouw voor wie je je pet afnam als ze door de ateliers liep en die altijd – Zalman rook het nog – een fijn waas van viooltjesparfum bij zich droeg. Nu stond er een oude vrouw in de leeggehaalde woning, hoewel mevrouw Heller zo oud nog niet kon zijn. Ze droeg geen sjeitel meer en door het verwarde grijze haar schemerde de hoofdhuid gelig als Toraperkament.

'Waarom ben jij niet ook in Ottynia, Kamionker?' vroeg ze.

Vroeger had ze niet gelispeld.

De Hellers hadden nooit in de Jablonowka gewoond, maar altijd in een statig fabrikantenhuis vlak naast de weverij. Maar ze was hier waarschijnlijk opgegroeid en had zich weer in haar ouderlijk huis verscholen nadat ...

Zalman vroeg niet naar haar verhaal. Hij had de afgelopen weken te veel afschuwelijke dingen gehoord.

'Ottynia?'

'Daar zijn ze allemaal heen gegaan. Naar de rebbe van Ottynia. Hij is een heilig man, zeiden ze, hij zal hen beschermen.'

'Ook de boochrem van de jesjieve?'

'In Ottynia. Allemaal in Ottynia.' Ze zei het bijna zingend en glimlachte tegen hem, zoals je tegen domme mensen glimlacht die naar iets vanzelfsprekends vragen. Een geweerkolf had de tanden uit haar mond geslagen, maar het was nog altijd de oude gereserveerde glimlach waarmee ze als bazin langs hen heen was gelopen, met haar geur van viooltjes. 'Ik heb je lang niet meer op het werk gezien, Kamionker,' zei ze. 'Ben je ziek geweest?'

In de keuken, waar geen serviesgoed meer in de kasten stond, liet hij zijn laatste stukje rookvlees voor haar achter. Hij had het bewaard voor noodgevallen, maar nu hij wist waar Ruben was, konden er geen noodgevallen meer zijn.

Ottynia had op zijn weg gelegen en hij had het stadje gemeden, zoals hij alle plaatsen waar soldaten konden zijn zo veel mogelijk meed. Het was maar een paar kilometer, terug in de richting van Stanisławów. Nog diezelfde avond kon hij er zijn.

Hij kwam langs de jesjieve, ook een weerloos open gebouw.

Op het oude joodse kerkhof was een granaat ingeslagen, precies in het midden van de begraafplaats. De trechter deed denken aan de kelk van een bloem en de naar alle kanten omgevallen grafstenen aan bloemblaadjes.

53

Het slot van het verhaal kende de familie beter, omdat Ruben erbij was geweest en er ook graag over vertelde, met de geloofsijver van iemand die aan den lijve een wonder heeft ervaren. Want was het niet een wonder geweest, een nes mien hasjomajim, dat zijn vader in het huis van de rebbe plotseling voor hem stond? 'Terwijl,' zei hij, en hij kon het maar niet begrijpen, hoe vaak hij het ook vertelde, 'terwijl ik hem eerst voor een vreemdeling aanzag, zoals Jozef niet door zijn broers werd herkend toen ze in Egypte voor hem stonden.' Ruben had zich aangewend in Bijbelse vergelijkingen te praten, maar was qua gelovigheid over het algemeen veel toleranter geworden. Hoe zekerder iemand van zijn overtuiging is, hoe minder hij de behoefte heeft die anderen op te dringen.

Het huis van de rebbe van Ottynia had Zalman makkelijk kunnen vinden. Het was het mooiste gebouw van het stadje, wat niet veel wilde zeggen, want Ottynia was een arm plaatsje waar de mensen, zoals het spreekwoord luidt, alleen sjabbes konden vieren als iedereen zijn buurman iets leende. Vroomheid alleen bouwt geen kastelen.

Maar rabbijn Chajim Hager, een zoon van rabbijn Baroech uit het beroemde geslacht van de Wisjnitsers, was een tsadiek, een vorst van de Tora, een telg uit een oude familie van geleerden, en daarom zorgden zijn chassidiem voor hem, al moesten ze hun bijdrage vaak uit hun mond sparen. Het gebouw waar hij resideerde en hof hield voor zijn volgelingen was van steen, niet zoals bijna alle andere huizen in het stadje slechts van hout, het had boven de benedenverdieping nog twee verdiepingen en op de driehoekige gevel, die er als een decorstuk op was aangebracht, prijkte een davidster.

Het grootste gedeelte van de benedenverdieping werd ingenomen door de gebeds- en studiezaal – 'sjoel' heet dat in het Jiddisj, omdat een vrome ook altijd een lerende is – en op feestdagen konden hier meer dan honderd chassidiem samenkomen en dan hadden ze nog altijd genoeg plaats om zich bij het Jom-Kipoer-gebed ter aarde te werpen.

Nu verdrongen zich bijna vijfhonderd mensen in het gebouw. Als ze de nabijheid van de rebbe in vredestijd al nodig hadden, zoals een kind zijn vader, dan zeker in de oorlog. Waar moesten ze anders bescherming zoeken?

Al jaren waren de volgelingen van de rebbe van Ottynia hierheen getrokken om hun geestelijk leider om raad te vragen en zijn zegen af te smeken. Ze baden en zongen met hem en als ze van de sjirajem, de resten van de tafel van de rebbe, een hapje kregen, dan smaakte hun dat zo kostelijk als de rechtvaardigen in het paradijs de leviathan.

Nu was er voor iedereen niet meer dan een kom boekweitegort per dag en sjirajem waren er allang niet meer over.

In Ottynia had men de chassidiem altijd graag zien komen omdat ze een bescheiden verdienste opleverden. Zelfs de zionisten, die zo trots waren op hun verlichte moderniteit en stiekem de spot dreven met wonderrebbes, verhuurden de vrome pelgrims graag een bed of spanden hun magere paard in om hen naar het station van Kolomea te brengen.

Nu viel er niets meer aan hen te verdienen. De armenkas van de gemeente was allang leeg en de prijs van levensmiddelen steeg met de dag; voor één brood werd al een hele kroon gevraagd. Als het voor de opgesloten joden bestemd was, werd het algauw het dubbele; wie geen keus heeft, kan niet onderhandelen. De Russische commandant had het huis van de rebbe tot arrestantenlokaal verklaard en alle bewoners tot gevangenen. De joden hadden een strategische telefoonleiding vernietigd, zo luidde de officiële verklaring, het waren dus allemaal saboteurs. Wie het gebouw probeerde te verlaten en werd betrapt, kreeg vijfentwintig zweepslagen. Soms waren het er ook vijfenzeventig of gewoon zoveel tot de provoost een lamme arm kreeg.

Het huis binnengaan was niet verboden, alleen kwam je er dan niet meer uit. Toen Zalman op de deur klopte, hield de wachtpost hem niet tegen, hij lachte alleen en zei tegen zijn kameraad: 'Kijk eens aan, nu komen de lammeren al uit zichzelf naar de slachtbank.'

De nieuwkomer werd van alle kanten bestormd en naar nieuwtjes uit de buitenwereld gevraagd. Als Zalman niet zo moe was geweest, had hij de opgeslotenen graag met een paar hoopvolle leugens moed ingesproken. Maar eerst moest hij Ruben zoeken.

Hij vond hem in een kamer waar zes mensen konden slapen en waar de Talmoedstudenten uit Kolomea met z'n twintigen huisden. Ze sliepen in ploegen, niemand langer dan vier uur, zodat iedereen zich in de loop van de dag één keer kon uitstrekken.

Ruben, met slaaplokken zo lang als hij in Zürich nooit had gedragen, zat vermagerd en met ingevallen wangen tegen de muur, met zijn armen om zijn opgetrokken benen geslagen. Hij had zijn ogen gesloten en wiegde met zijn bovenlichaam heen en weer, zoals je bij het bidden of het huilen doet. Zalman moest over slapende lichamen heen stappen om bij hem te komen; iedereen probeerde te rusten waar hij maar kon, al hoort een vrome niet op de grond te liggen omdat dat de plaats voor de doden is.

Hij knielde bij zijn zoon neer en omhelsde hem. Ruben deed zijn ogen open en wist niet wie die vreemde man was die naar rook en naar de straat stonk en bij wie de tranen over zijn ongeschoren wangen liepen. Toen herkende hij hem en bewoog geluidloos zijn lippen, hij had het spreken verleerd, en toen hij zijn stem eindelijk had teruggevonden, stamden zijn eerste woorden uit een Bijbelvers.

'Pleito gedoilo,' stamelde Ruben, wat 'grote verlossing' betekent.

'Doch God heeft mij voor uw aangezicht henen gezonden,' zegt Jozef tegen zijn broers, 'om u een overblijfsel te stellen op de aarde, en om u bij het leven te behouden, door een grote verlossing.'

Toen Ruben jaren later tot rabbijn werd gewijd en zijn allereerste preek hield, was dat de tekst die hij daarvoor koos.

'Nu gaan we naar huis,' fluisterde Zalman. Ruben legde hem uit dat ze hier opgesloten zaten en dat niemand het gebouw kon verlaten, maar zijn vader liet zijn vingers knakken en zei: 'Er is altijd een weg te vinden.'

Zalmans vriend, bij wie Ruben in Kolomea had gewoond, was trouwens nooit in Ottynia aangekomen. Onderweg moest hem iets overkomen zijn, niemand wist wat. Het was een tijd waarin mensen gewoon zoekraakten, zoals een zakdoek of een sleutelbos.

Zalman was op een vrijdag in Ottynia aangekomen en 's avonds stond hij naast Ruben in de gebedszaal. Ze hadden echt moeten vechten om binnen te komen, want al was de rebbe van Ottynia een gebensjter, een van de zesendertig rechtvaardigen, aldus zijn volgelingen, omwille van wie God de aarde niet verwoest, toch was zijn sjoel niet de tempel in Jeruzalem, waarvan gezegd wordt dat hij elk jaar op wonderbaarlijke wijze groter werd om aan alle pelgrims plaats te bieden. Ze stonden dicht opeengepakt, zo dicht dat aan het slot van het sjmone-esre niemand de bij dit gebed horende drie passen achteruit en weer vooruit kon doen.

Ze stonden in volstrekte duisternis. Kaarsen waren er allang niet meer. Boven hen, als een rode stip in het niets, zweefde de eeuwige lamp.

Sinds de Baäl Sjem, de heiligste onder de heiligen en de wijste onder de wijzen, ooit uit handen van zeerovers werd bevrijd, begroeten alle chassidiem de sabbat met psalm 107, waarin God wordt geprezen omdat hij de gevangenen en verdwaalden verlost en de hongerigen weer hun akkers laat bezaaien en hun wijngaarden laat beplanten. 'Hij deed hen treden op een effen weg,' zongen de stemmen rondom Zalman, 'om te gaan naar een stad ter woning.' Ze zongen het jubelend in de duisternis van hun gebedszaal, alsof de belofte al in vervulling was gegaan.

Helemaal vooraan, bij de oostmuur, stond de rebbe ergens het gebed te leiden. Dat je hem niet kon zien en ook niet boven het geroezemoes uit hoorde, maakte hem tot een mystiek persoon, even onwerkelijk en toch reëel als de onzichtbare sabbatbruid naar wie iedereen zich bij haar binnenkomst omdraaide.

Ze baden en zongen en als er plaats geweest was om te dansen, zouden ze in hun vervoering ook gedanst hebben.

Zalman was nooit een vroom man geweest. Vaak zei hij half spottend, half berustend: 'Ik weet niet of er een God bestaat, ik weet alleen dat wij zijn uitverkoren volk zijn.'

Maar toen hij Hinda later over die vrijdagavond in de sjoel van Ottynia vertelde, zei hij peinzend: 'Of er een God bestaat weet ik nog steeds niet. Maar íets is er.'

'Lamp omlaag, zorgen omhoog,' zeiden ze in de familie Meijer. Hier was geen sjabbeslamp die je boven de tafel kon laten zakken en aansteken en als er wel een geweest was, zou er geen olie geweest zijn. Toch had Zalman in de duisternis van die gebedszaal het gevoel dat hij zich eindelijk mocht laten gaan, althans voor een dag.

De soede, de feestelijke sabbatmaaltijd, bestond uit een stuk brood en een snufje zout. Zalman nam een hap zo groot als een olijf, waarmee hij zijn plicht had vervuld, en de rest gaf hij aan Ruben.

Een paar uur sliepen ze naast elkaar op de grond. Zalman had een arm om zijn zoon geslagen en snoof de geur van zijn haar op, zoals vroeger wanneer Ruben als angstig klein jongetje bij zijn ouders in bed kroop omdat het buiten onweerde.

Toen de sabbat voorbij was, had Zalman zijn plan klaar. 's Zondags, in het eerste licht van de morgen, begon hij het uit te voeren.

Hij vond een stuk wasdoek dat waarschijnlijk ooit een tafelzeiltje was geweest – wie heeft er tafelzeiltjes nodig als hij niets te eten heeft? – en daarvan naaide hij een soort langwerpige zak met twee lange banden aan de uiteinden. Hij legde niets uit, maar zei alleen tegen zijn zoon: 'Als je nog afscheid van iemand wilt nemen, doe het dan vlug, want wij tweeën gaan er nu vandoor.'

In het huis van de rebbe, waar alle kamers en gangen vol waren met mensen, verspreidden geruchten zich snel en dus wist iedereen algauw dat er een man was, een mesjoegener of een gebensjter, wie zou het zeggen, die dacht dat hij gewoon langs de wachtposten de vrijheid tegemoet kon wandelen. Zonder dat er een bode of een officieel verzoek was gekomen wist het gerucht ook dat de rebbe kleermaker Zalman en zijn zoon Ruben wenste te zien.

Bij de rebbe mogen komen en hem om zijn raad en zegen vragen was een grote eer, maar ook een formele gebeurtenis waarbij net zulke strenge regels in acht genomen dienden te worden als bij een audiëntie bij de koning. Je legde de rebbe je problemen niet mondeling voor, maar schreef ze op een briefje, het kwitl, waar niets anders op mocht staan dan de naam van de smekeling, zijn herkomst en de zaak waar het om ging. Een wijze als de rebbe van Ottynia heeft geen uitleg nodig, hij begrijpt het zo ook wel.

'Ruben ben Hinda en Zalman ben Sjeindl,' schreven ze, want op een kwitl noem je de naam van je moeder en niet die van je vader, 'beiden uit Zürich'. Als reden voor het onderhoud vulde Ruben in wat hem bij het zien van zijn vader als eerste door het hoofd was geschoten: 'Pleito gedoilo', grote verlossing.

Als enige in dit overvolle huis had de rebbe nog altijd een ruimte voor zichzelf, al was het niet meer de grote studeerkamer, maar alleen nog het kleine kamertje waar hij zich vroeger af en toe had teruggetrokken om een halfuur te rusten. De gabbe, in zekere zin de hofmeester van de rebbe, deed de deur voor hen open en liet hen binnen.

Rabbijn Chajim Hager zat achter een tafel vol boeken. Het eerste wat Zalman aan hem opviel waren zijn ogen, omdat ze zo verschillend waren: het ene wijd open en doordringend en het andere, met hangend ooglid, half dichtgeknepen, alsof de rebbe van Ottynia zijn vis-à-vis vermanend doorzag en hem op hetzelfde moment alles alweer vergaf. Pas achteraf hoorde hij dat de rebbe – 'Maar desondanks ziet hij meer dan ieder ander!' – aan één oog blind was. Onder de dikke grijze baard waren de lippen altijd een beetje opgetrokken, als voor een kus of om een onbekend gerecht te proeven. Hij droeg zijn zwarte zijden kaftan, maar op zijn hoofd had hij niet meer, zoals op sabbat, de sjtraiml, de bonthoed met de dertien donkerbruine sabelstaarten, maar een stijve zwarte hoed, een dop, zoals de Galicische leraren of sommige handelaren op de markt droegen. De hoed was naar achteren geschoven en boven het hoge, gladde voorhoofd was het fluwelen keppeltje te zien.

De gabbe had de deur allang achter zich dichtgedaan, maar rabbijn Chajim staarde met zijn goede oog peinzend in de ruimte en keek hen niet aan.

Ze legden het kwitl voor hem neer, samen met de obligate munt die de rebbe door zou geven aan de armen. Een paar minuten gingen stil voorbij. Toen pas pakte hij het briefje, vouwde het open en hield het voor zijn goede oog.

'Pleito gedoilo,' las hij, en uitgesproken door de zachte maar krachtige stem van de rebbe klonken de woorden als een belofte. Natuurlijk herkende hij de Bijbelplaats; er werd van hem gezegd dat hij niet alleen de

Tanach met al zijn boeken vanbuiten kende, maar ook de hele Misjna. Hij glimlachte tegen hen en als de rebbe glimlacht kan je niets ergs meer overkomen. 'Dus zijt gij het niet, die mij hierheen gezonden hebt,' vervolgde hij het Bijbelcitaat in het Hebreeuws, 'maar God.' En hij voegde er in het Jiddisj aan toe: 'Als iemand door God gezonden is – wat kan er dan misgaan?' Hij hief zijn hand op om hen te zegenen en verzonk weer in gedachten.

Dat was de hele audiëntie van Zalman en Ruben Kamionker bij de grote rabbijn Chajim Hager van Ottynia. Het was tijd om ervandoor te gaan.

Achter het huis, waar in vreedzamer tijden ooit de groentetuin was geweest, was voor al diegenen die bescherming zochten een latrine gegraven, die al twee keer groter was gemaakt maar nog steeds te klein was. Daar knielde Zalman op de smerige planken neer en viste met ingehouden adem een handvol uitwerpselen op en nog een en nog een. Hij deed het met zijn blote handen en stopte de walgelijke massa in de wasdoeken zak. Hij veegde zijn handen af aan de broek van zijn zoon – 'Ook dat heeft een bedoeling,' zei hij – en toen begon hij aan het moeilijkste kleermakerswerk van zijn leven: hij naaide een zak vol stront dicht, met grove steken en in allerijl, want het kostte hem moeite om niet over te geven.

Ruben moest de zak omdoen en er zijn broek overheen trekken. Omdat de naad, zoals bedoeld, niet helemaal dicht was, voelde hij algauw hoe de vreemde stront langzaam en weerzinwekkend langs zijn benen liep.

'Goed zo,' zei Zalman.

Hij legde zijn zoon over zijn schouder, zoals een jager een doodgeschoten stuk wild, ging door de achterdeur weer naar binnen, marcheerde met vaste tred door de lange gang langs de sjoel, opende de voordeur en toen de wachtposten hem met gevelde bajonet de weg versperden, zei hij maar één woord.

'Cholera,' zei Zalman.

Ook in het Russische leger waren meer soldaten door die verraderlijke ziekte omgekomen dan door vijandelijke kogels en toen de soldaten zagen hoe bij de jonge jood de stront uit zijn broek liep, toen ze zijn misselijk makende stank roken en zijn ingevallen wangen en zijn gesloten ogen zagen, deden ze een stap achteruit en nog een en lieten hen door.

'Zo moet het gegaan zijn toen Mozes de Rode Zee spleet,' zei Ruben later.

Met zijn zoon over zijn schouder liep Zalman het hele stadje Ottynia door. Pas in het bosje waar de mensen in het voorjaar piepkleine aardbeien en in het najaar reusachtige paddenstoelen zochten, pas toen niemand hen meer kon zien en horen, zette hij hem weer op de grond, deed een paar passen opzij en gaf over. 'Probeer je zo goed mogelijk schoon te maken,' zei hij alweer kokhalzend.

Toen Ruben schoon was – niet echt schoon, dat werd hij pas toen hij in Czernowitz eindelijk een bad kon nemen –, toen de wasdoeken zak onder een hoop rotte bladeren was begraven en er niets meer van te zien was, opende Zalman zijn dun geworden rugzak, haalde zijn naaigerei tevoorschijn en wikkelde de grote schaar uit de doek. 'Ze zullen wel weer bijgroeien, maar een hoofd groeit niet bij,' zei hij toen hij de slaaplokken van zijn zoon afknipte. Voor wat hij van plan was, zou het niet goed geweest zijn als de mensen aan hem gezien hadden dat hij een jood was.

Ze liepen naar het zuidoosten, met een grote boog om Kolomea heen, want Zalman zou het niet verdragen hebben zijn geboortestad nog een keer zo te zien als hij hem drie dagen geleden had aangetroffen.

Hun doel was de grens met de Boekovina, waar ook het front was. De weg daarheen was makkelijk te vinden: ze hoefden maar de kant op te gaan waar de vluchtelingen vandaan kwamen.

Ze bereikten Śniatyń, waar ze al zo dicht bij de legers waren dat ze hun kanonnen hadden moeten horen, maar bij de Russische troepen was de munitie schaars geworden en de Oostenrijkers wachtten op de overwinning in het westen om dan pas samen met hun Duitse bondgenoten opnieuw aan te vallen.

Vergeleken met wat Zalman achter de rug had, was de weg naar de andere kant een wandelingetje. In dit grensgebied was altijd al gesmokkeld en omdat een mens ook in oorlogstijd geld moet verdienen, vonden ze een boer die hun tegen goede betaling een sluipweg door de stellingen wees.

De Russen hadden ook Czernowitz onder de voet gelopen en waren nog maar net verdreven, maar in de koffiehuizen schonken ze alweer echte koffie en in het hotel vulden ze voor een halve kroon een bad met heet water voor je.

Bij een handelaar kochten ze oude broeken, jasjes en warme overjassen, allemaal niet elegant, maar wel schoon. Het enige kledingstuk, het enige voorwerp zelfs dat Ruben uit Zürich had meegenomen en ook weer mee naar huis bracht, was zijn arbe kanfes met de schouwdraden op de vier hoeken.

De dienstregeling was nog niet van kracht, maar één keer per dag reed er een trein naar de hoofdstad, met een conducteur die zo onvriendelijk was als in de beste vredestijd.

In Wenen aten ze in het beroemde koosjere restaurant van Schmeidel Kalisch. Het smaakte zo goed dat Ruben achteraf buikkramp had. Hij was het overvloedige eten niet meer gewend.

Bij een krantenjongen op het station kocht Zalman de *Freie Presse*. In Galicië, zo las hij, hielden de Russische troepen zich weliswaar niet altijd aan het oorlogsrecht, maar het was slechts een kwestie van tijd voor ze weer teruggedreven zouden worden naar de steppen waar ze vandaan kwamen. Ook daarom was het in hoge mate te betreuren, schreef de schrijver van het hoofdartikel, dat zoveel Mozaïsche staatsburgers halsoverkop het land uit waren gevlucht; enig onrecht, vond hij, moest men in zulke moeilijke tijden kunnen verdragen. Zalman spreidde de krant uit op de lege zitting tegenover hem, legde zijn voeten erop en viel in slaap.

Toen hij midden in de nacht wakker werd, wilde Ruben per se onmiddellijk met hem praten. Hij had zijn vader nog niet bedankt en uren naar de goede woorden gezocht.

Zalman wilde er niet van horen. 'Laat maar zitten,' zei hij. 'Ik ben een vredelievend mens, maar als het me te gek wordt, ben ik niet te houden.'

'Het was een nes mien hasjomajim!'

'Dank dan de goede God,' zei Zalman en hij viel weer in slaap. Dat was alles wat er tussen vader en zoon ooit over gezegd werd.

Toen ze de grens gepasseerd waren, zei Ruben het gebed na doorstane gevaren.

In St. Gallen wilde hij uitstappen om een telegram naar huis te sturen. In Oostenrijk was dat uit angst voor spionage verboden geweest: achter schijnbaar onschuldige woorden kon geheime informatie over troepensterkten en opmarswegen schuilgaan. Maar de gang naar het telegraafkantoor zou te lang geduurd hebben, de trein zou zonder hen vertrokken zijn en dan waren ze vier uur later in Zürich aangekomen.

Dus werden ze door niemand van de trein gehaald en eigenlijk waren ze daar allebei blij om.

Op weg naar de Rotwandstraße werden ze door menig voorbijganger vijandig en stuurs aangestaard omdat ze slecht zittende kleren droegen en aan hen te zien was dat ze een lange reis achter de rug hadden. Er waren al genoeg vluchtelingen in Zwitserland, waar men het vanwege de oorlog al moeilijk genoeg had, betekenden die blikken.

Maar de straten waren vol verkeer en de etalages vol artikelen.

Hoe dichter ze bij huis kwamen, hoe langzamer ze begonnen te lopen. Ook voor dingen waar je lang naar hebt verlangd, kun je bang zijn.

Toen ze voor de deur stonden, kuste Ruben de mezoeze, het kokertje met de Bijbelverzen dat elke joodse familie aan de deur van zijn woning heeft bevestigd. Toen pas mocht Zalman aanbellen.

Het was Rachel die opendeed en toen ze hen zag, schreeuwde ze zo hard dat Hinda dacht dat het een overval was en met een braadpan in de hand uit de keuken kwam rennen.

'U bent nog gevaarlijker dan een kozak, mevrouw Kamionker,' zei Zalman.

Daarna zei heel lang niemand meer iets.

54

Begin december 1914 werd Alfreds militaire opleiding voor beëindigd verklaard. Weliswaar was de daarvoor uitgetrokken tijd nog niet om, maar de oorlog verliep slecht en het vaderland had elke man nodig.

Hij werd ingedeeld bij het infanterieregiment 371 en samen met de andere jonge soldaten ingeënt tegen tyfus, omdat het hele bataljon gedetacheerd zou worden naar Indochina. De plannen werden echter gewijzigd en in plaats daarvan werden ze naar de Elzas gestuurd, niet ver van de Zwitserse grens, waar het regiment de opdracht kreeg de door de Duitse troepen verbroken verbinding tussen Aspach-le-Haut en Aspach-le-Bas te herstellen. Alfred wachtte samen met zijn kameraden op de verzamelplaats bij Thann op het transport naar het front toen er vlak naast hen een verdwaalde Franse granaat insloeg.

Hij was op slag dood.

Toen ze werden ingedeeld hadden de rekruten een adres moeten opgeven waar in geval van hun heldendood bericht naartoe gestuurd moest worden. Alfred had de naam van Désirée op de envelop geschreven. Van het gebruik van die van tevoren geadresseerde brieven kwam men later terug; ze bespaarden weliswaar tijd, maar voor het moreel van het thuisfront bleek het slecht als families het bericht van de dood van hun zoon moesten vernemen uit een envelop met zijn eigen handschrift.

De brief werd in de Morgartenstraße bezorgd door mevrouw Reutener, een notoir nieuwsgierige vrouw die de postbode verving voor de duur van zijn actieve dienst. Ze kwam Mimi in het trappenhuis tegen en toen ze de envelop uit haar tas viste, zei ze: 'Zo, zo, mevrouw Pomeranz, uit Frankrijk', op de toon die je aanslaat als je van de ander graag een antwoord wilt, maar de conventie je belet de vraag te stellen. Mimi zei 'Merci', waarbij ze de klemtoon op z'n Frans op de tweede lettergreep legde om het te onderscheiden van de vulgaire Zürichse uitspraak, en ze verdween in haar woning zonder de nieuwsgierigheid van mevrouw Reutener bevredigd te hebben.

Sinds hij was opgeroepen waren Alfreds mededelingen allemaal gecensureerd aangekomen, wat te zien was aan de slordige reepjes papier waarmee de opengesneden enveloppen weer werden dichtgeplakt. Deze brief was door niemand opengemaakt. Een Fransman zou onmiddellijk hebben geweten wat dat betekende: het was een officieel schrijven en dat beloofde in deze dagen niet veel goeds.

Mimi, voor wie de oorlog ver weg was, kende die regel niet en maakte zich geen zorgen.

Ze had een zekere vaardigheid verkregen in het openen van enveloppen boven de hete damp van de theeketel, want al had ze bij voorbaat op ondubbelzinnige wijze te kennen gegeven dat ze de correspondentie van haar dochter met de onbeminde Alfred persoonlijk zou controleren, je mocht dat niet al te opvallend doen. De tranen zaten bij Désirée de laatste tijd toch al zo hoog.

Mimi las de brief en begreep hem eerst niet, ze staarde alleen maar naar de letters en zag er de zin niet van in. 'Sur le champ de bataille,' stond er. 'En défendant sa patrie.' 'Sans avoir souffert.' Ze kon er geen touw aan vastknopen.

Toen ze niet langer kon doen of ze het niet begreep, schoot haar de idiote gedachte door het hoofd: als ik geen Frans verstond, zou Alfred nog in leven zijn.

Ze viel niet flauw, zoals ze dat in de stukken in de schouwburg deden, maar dacht juist heel rustig en zakelijk na wat ze nu moest doen. Pas in de koude wind van de decembermorgen merkte ze dat ze zonder jas en hoed de deur uit was gegaan.

Het was woensdag, dan waren er nooit veel klanten in de winkel. Mimi wist dat haar man de zaak op die dagen graag aan zijn dochter en mevrouw Okun toevertrouwde en in het leerhuis aan de Füsslistraße achter zijn Gemore kroop. Sinds Zalman terug was uit Galicië, had Pinchas daar ook weer meer gelegenheid voor; vóór die tijd had het ondersteuningsfonds voor de vluchtelingen hem elke vrije minuut in beslag genomen. Hij had voor tientallen mensen onderdak en bescheiden financiële hulp moeten regelen.

Zo'n leerhuis is een zuiver mannelijk toevluchtsoord. Mimi was er tot nog toe alleen geweest als het bij bar mitswes of verlovingen voor de obligate ontvangsten aan zijn eigenlijke bestemming werd onttrokken. Nu stormde ze er binnen zonder de misprijzende blikken van de andere lerenden zelfs maar te zien.

Ze legde de brief voor Pinchas neer en haar onderlip trilde als die van een klein meisje dat iets zo verschrikkelijks heeft meegemaakt dat het niet eens meer de moed heeft om te huilen.

Pinchas keek naar haar, keek naar de brief en snapte er niets van. Nu pas schoot haar te binnen dat hij helemaal geen Frans kende.

Met trillende stem begon ze te vertalen, zoals je op het cheider de Tanach vertaalt: steeds een kort zinsdeel en dan meteen de vertaling erachteraan. '*J'ai la lourde charge* – ik heb de zware taak – *de vous annoncer* – u mee te delen – *que le soldat Alfred Meijer …*'

Le soldat Alfred Meijer.

Sur le champ de bataille.

Pinchas wreef over zijn voorhoofd zoals hij deed als hij een moeilijke passage in de Talmoed niet doorgrondde. Toen prees hij de Rechter der waarheid en stelde de enige vraag die op dat moment gesteld moest worden: 'Weet Désirée het al?'

Mimi schudde haar hoofd. Ze wou dat ze eindelijk kon huilen, maar ze was vanbinnen uitgedroogd.

Dat ze toen toch niet direct naar Désirée gingen, was maar ten dele lafheid; ze kwamen praktisch langs het warenhuis van François. Hoe je verder ook tegenover hem staat: een vader die zijn enige zoon heeft verloren, moet je een hand geven en een paar troostende woorden zeggen.

Mimi kende de kleine deur op de linnenafdeling. De dame met het strenge kapsel, die haar wilde tegenhouden, duwde ze gewoon opzij. Pinchas verontschuldigde zich met een handgebaar voor de haast van zijn vrouw.

François zat achter zijn bureau en had zijn handen voor zijn gezicht geslagen. Hij dacht na over zakelijke problemen, maar Pinchas en Mimi, die dat niet konden weten, dachten dat het droefheid was.

Op de storing reageerde hij nors. 'Ik weet dat Alfred jullie dochter stiekem liefdesbrieven schrijft, maar het is achter mijn rug om gebeurd. Als ik Mina niet toevallig bij het postloket had gezien…'

Hij had het nog niet gehoord.

Mimi noch Pinchas vond de juiste woorden. Mimi stak François alleen de brief toe, maar hij wuifde hem weg, hij wilde hem niet eens lezen en herhaalde: 'Ik zeg toch: achter mijn rug om.'

Toen hij het eindelijk begreep, zei hij heel verbaasd: 'Maar ik heb hem toch Zwitser laten worden.'

En toen begon hij pas te schreeuwen.

Hij schreeuwde de hele tijd maar één naam, en het was niet de naam van zijn zoon.

'Mina!' schreeuwde François.

Désirée las de brief terwijl ze achter de toonbank stond, als een boodschappenlijstje.

Ze las hem in één keer uit, zoals je iets leest wat je al kent en je alleen voor de geest hoeft te halen. '*J'ai la lourde charge. Sur le champ de bataille. Sans avoir souffert. Veuillez accepter, mademoiselle, l'expression de ma profonde sympathie.*' Capitaine Waltefaugle had Alfred nooit gekend maar er toch de zin aan toegevoegd: '*Il était beaucoup apprécié par ses camarades.*' Er waren dienstinstructies voor zulke brieven.

Désirée las hem een tweede en derde keer. Mimi wilde haar in haar armen nemen, maar haar dochter deed een stap achteruit. Toen vouwde ze de brief heel langzaam op en stak hem terug in de envelop waarop in Alfreds handschrift, dat ze zo goed kende, haar naam stond. Ze liep naar de la met de suikerbonen die niemand wilde kopen, trok de la open, bedekte de brief met de snoepjes, begroef hem er letterlijk onder, pakte vervolgens een handvol van de met witte poedersuiker bestrooide balletjes, rozenwater en amandelen, en stak ze haar ouders toe.

'Willen jullie er ook een?' vroeg ze. 'Ze zijn heel zoet.'

Nu pas wist Mimi weer hoe je moet huilen.

Mina, die haar leven lang een waarneemster was geweest, luisterde zwijgend toen men haar over de dood van haar enig kind vertelde. Zeven dagen zat ze naast haar man en hield zijn hand vast. Het was geen echte sjivve – hoe moet een goj sjivve zitten? –, maar ze waren samen en dachten aan Alfred. Toen François weer dringend in de winkel nodig was, stond ze in de deur en bracht zijn das in orde. Dat was de laatste keer dat hij haar zag.

Toen hij 's avonds thuiskwam was Mina verdwenen, ze was gewoon weggegaan, zonder afscheid, ze had alleen een briefje achtergelaten waarop in haar keurige handschrift stond: 'Ik ga naar mijn zoon.' Of dat betekende dat ze naar Frankrijk probeerde te reizen of iets veel ergers, daarop vond niemand ooit een antwoord. Hoewel haar slingerende gang een opvallend kenmerk was, werd Mina nooit gevonden. 'Ze zou in het Meer van Zürich verdronken kunnen zijn,' zeiden ze bij de politie, maar ook daar waren geen aanwijzingen voor.

Het was of er nooit een Mina was geweest.

Het ergste was dat het leven gewoon doorging. Het had moeten zijn zoals in de bioscoop wanneer de film in de projector blijft steken en stilstaat en de hitte van de lamp zich vervolgens in het beeld vreet, eerst is er alleen een vlek, dan een gat dat steeds groter wordt, een bruinomrand niets waarin alles verdwijnt wat net nog op het scherm te zien was, gezichten, hoofden, mensen, liefdesparen; wanneer de pianist eerst nog doorspeelt, maar dan merkt dat er niets meer te begeleiden valt en zijn handen van de toetsen neemt, midden in de melodie, onaf en zonder slotakkoord; wanneer iedereen dan om de operateur roept en het licht in de zaal aangaat en de mensen, nog helemaal niet teruggekeerd in de echte wereld, zich zitten af te vragen hoe het verhaal verder gegaan zou zijn.

Als het verder gegaan zou zijn.

Zo had het moeten zijn. Maar de wereld stond niet stil.

Désirée ging nog steeds naar de winkel, woog grutten af en wikkelde zoute haring in krantenpapier vol oorlogsberichten, luisterde naar de banale opmerkingen van de klanten en gold als bijzonder beleefd omdat ze niet zelf aan het woord probeerde te komen. Buiten de familie wist niemand iets van haar geheime liefde en dus hoefde ze ook geen condoleances aan te horen, die toch maar holle woorden geweest zouden zijn.

Op een keer vroeg een klant of ze eigenlijk nog van die ouderwetse suikerbonen hadden, met de geur van amandelen en rozenwater, en Désirée antwoordde: 'Nee, die zijn er niet meer en ze worden ook niet meer geleverd.'

Toen François na de rouwweek in zijn warenhuis terugkwam, stond hij niet toe dat iemand hem over zijn dubbele verlies aansprak. Hij stortte zich op zijn werk, zat tot diep in de nacht achter zijn bureau en sliep bijna altijd op kantoor. 'Hij houdt het thuis niet meer uit,' zei zijn personeel, dat zich in zijn mening bevestigd voelde toen François zijn villa in de universiteitswijk verkocht, voor een heel slechte prijs, want het was een tijd waarin voor zulke objecten geen kopers te vinden waren.

Maar zijn gevoelens waren niet de reden voor de verkoop. François, van wie iedereen meende te weten dat hij een rijk man was, had dringend geld nodig. Sinds het begin van de oorlog was de omzet in zijn warenhuis met bijna de helft verminderd; de mensen kochten alleen het hoogstnodige en ook dat stelden ze zo lang mogelijk uit. Van het beetje soldij dat de mannen van de grensbewaking naar huis stuurden, kon men geen bokkensprongen maken.

Dat had hij allemaal nog te boven kunnen komen, hij had kunnen inkrimpen, personeel ontslaan, het bedrijf als het ware in een winterslaap brengen. Maar er kwam bij dat François zich voor het nieuwe bouwterrein diep in de schulden had moeten steken. Met de erven Landolt was contractueel overeengekomen dat de gedane aanbetaling verviel als hij de afgesproken termijnen niet op tijd betaalde, en toen de kantonnale bank met veel woorden van spijt – 'De tijden zijn nu eenmaal zo, meneer Meijer, daar moet u begrip voor hebben!' – een krediet opzegde, deed dat geval zich inderdaad voor. François was dan wel niet volledig geruïneerd, zijn warenhuis behield hij en daar ging het op een gegeven moment ook weer beter mee, maar het terrein bij de Paradeplatz, het terrein dat zoveel jaren al zijn plannen en overwegingen had bepaald, dat ging naar iemand anders.

Er bleef alleen een getekende plattegrond van over, waarop een stenen leeuw het stadswapen bewaakte en ongeduldige klanten voor de ingang stonden te wachten.

Een plattegrond waarin Mimi's hakken gaten hadden getrapt.

De laatste twintig jaar, het hele leven van zijn zoon Alfred, had François voor niets gewerkt.

Op 11 november 1918 werd in Compiègne de wapenstilstand getekend. Volgens de voorwaarden van het verdrag moesten de Duitsers zich uit Elzas-Lotharingen terugtrekken en zodra dat gebeurd was, ging François naar Pinchas en vroeg of hij hem een plezier wilde doen.

Pinchas aarzelde eerst. Een hele nacht zat hij boven zijn boeken en zocht hulp bij het nemen van een besluit. Maar er zijn verzoeken die je niet kunt weigeren, al zou je er wat voor geven ze nooit gehoord te hebben.

De Buchet had gedurende de hele oorlog opgekrikt in de garage van het warenhuis gestaan. Nu liet François hem weer aan de gang brengen. In de Elzas waren de meeste spoorbanen nog verwoest; op een andere manier dan met de auto kon je er niet komen.

François reed zelf. Zijn chauffeur Landolt had hij, met een opvallend royale schadeloosstelling, allang ontslagen. De auto was niet makkelijk te besturen, maar François verdroeg de pijn in zijn armen als deel van een boetedoening.

Tijdens de lange rit spraken de mannen maar weinig met elkaar. Hoewel ze allebei aan hetzelfde dachten, waren hun gedachten te verschillend.

In Mulhouse waren de naweeën van de oorlog nog goed te merken en moesten ze een hotelkamer delen. Toen Pinchas bij het ochtendgebed zijn tefilien legde, keek François verlegen de andere kant op, zoals je de pijnlijke naaktheid van iemand anders bewust negeert.

Zonder het afgesproken te hebben zagen ze allebei af van het ontbijt. Toen het buiten licht werd, zaten ze alweer in de auto.

Tijdens de oorlog was het front een aantal weken precies tussen Mulhouse en Thann verlopen en om de weg waarop ze reden was hevig gevochten. Je kon je nog altijd goed voorstellen dat de smalle laan er ooit heel schilderachtig uitgezien had, al was hij nu omzoomd met kapotgeschoten en versplinterde bomen. Aan sommige kwamen al weer groene loten.

Thann was een onopvallend provinciestadje, of liever gezegd: het was ooit een onopvallend provinciestadje geweest. Door de heldere kijk die de oorlog op de dingen geeft, had men ingezien dat de huizen in werkelijkheid helemaal geen huizen waren, maar dekking voor soldaten, en men had ze systematisch kapotgeschoten.

Het grote plein voor de kerk, althans voor wat de kanonnen van beide partijen van de kerk hadden overgelaten, was ooit de verzamelplaats voor verse troepen geweest. Nu lag er het puin van de verwoeste huizen in keurige hopen, hier gebroken dakpannen, daar verbrand hout. Voor één keer hadden niet de inwoners maar de stenen van een stad zich verzameld, als om te bespreken hoe het verder moest.

Een al wat oudere man met de mouwband van een hulpagent zag er met een streng gezicht op toe dat niemand zijn puin op de verkeerde hoop gooide. Waar lang chaos heeft geheerst, kunnen regels en voorschriften alleen maar heilzaam zijn.

Toen François en Pinchas hem de weg naar hun bestemming vroegen, keek hij hen eerst wantrouwig aan. Maar toen overtuigde François' Zwitserse accent hem ervan dat hij geen boches voor zich had en gaf hij vriendelijk informatie. Daar meteen in de volgende straat links langs de mairie – 'Het bord is goed te lezen, al staat er van het gebouw nog maar één muur overeind' – en dan almaar rechtdoor, tot aan het beekje met de provisorische houten brug. Niet de brug over, die zou het gewicht van de auto waarschijnlijk niet kunnen dragen – 'Een mooie wagen trouwens, een Buchet, is het niet?' –, maar daar rechtsaf en dan over het weggetje langs het water. – 'Of nog beter: u laat de wagen bij de brug staan en gaat de rest te voet. De wielen zouden weg kunnen zakken, weet u. Er zijn daar de laatste tijd heel veel mensen geweest.'

Langs de weg stond een sleedoornhaag. De kleine paarsblauwe vruchten hingen nog aan de takken. François kon niet tegen de stilte en zei: 'Na de eerste vorst hadden ze geplukt moeten worden.'

Hij kreeg geen antwoord.

Toen ze op de plaats van bestemming waren aangekomen, zette François zijn hoed af. Pinchas schudde zijn hoofd en hij zette hem weer op.

De begraafplaats was niet omheind; het was trouwens toch geen behoorlijke begraatplaats. Ze hadden gewoon een akker genomen waarop vroeger ooit maïs of koolzaad had gegroeid. Vast geen al te beste grond; boeren zijn zuinige mensen en doden leveren niets op.

Later zou hier ooit een gedenkteken komen, een krijgshaftige poilu van zandsteen misschien, voor altijd waakzaam naar het oosten speurend, het geweer schietklaar in de hand. Eén keer per jaar zou aan zijn voeten een krans worden gelegd, altijd met hetzelfde lint en dezelfde toespraak. Daarna zouden ook alle namen in een imposante sokkel worden gebeiteld, gerangschikt naar jaren en binnen de jaren naar het alfabet. Dan zou het makkelijker zijn om een zekere Alfred Meijer te vinden.

Sectie 1914, tussen Marceau en Milleret.

Maar nu moesten de doden nog hun eigen gedenkteken zijn.

Op de plek waar ze aan hun zoektocht begonnen lagen de gevallenen van 1918. Het was een lange weg van het einde naar het begin van de oorlog, maar François en Pinchas stonden zich geen kortere weg toe, ze liepen langs de graven in de volgorde waarin ze gedolven waren. Steeds een rij naar links en een rij naar rechts.

1917.

1916.

1915.

Hoe dichter ze bij hem kwamen, hoe vaker ze moesten bukken om de namen te ontcijferen. In die paar jaar waren de letters alweer verbleekt, zoals de herinnering verbleekt waarin iemand eerst een held is, dan alleen nog een dode, een naam, en dan helemaal niets meer.

Op sommige graven lagen de resten van bloemen. In hun staat van ontbinding imiteerden ze het lot van de mensen voor wie ze waren meegebracht.

Toen vonden ze hem. Meijer, Alfred. 1914.

François boog zich over het graf, onhandig als een oude man. Met zijn rechterhand streek hij door de verdorde bladeren waarvan de wind een heuveltje had gevormd. De eigenlijke grafheuvel was allang weer één geworden met de grond.

Hij raapte een steen op, geen kiezelsteen zoals op joodse begraafplaatsen gebruikelijk is, maar een scherp stukje rots zoals dat op elke nog zo zorgvuldig bewerkte akker altijd weer aan de oppervlakte komt. Maar er was geen zerk waarop hij de steen ter nagedachtenis had kunnen leggen en dus liet hij hem gewoon weer vallen, zodat hij wegzakte in de hoop rotte bladeren.

Heel langzaam kwam François overeind. Zijn rug wilde maar niet recht worden.

'Alsjeblieft, Pinchas,' zei hij.

'Ik weet niet of dat in orde is.'

'Is er iets in orde op deze wereld?' zei François. En toen, na een pauze: 'Mina zou het ook gewild hebben.'

Zo kwam het dat Pinchas Pomeranz aan een christelijk graf Kaddisj zei, jisgadal wejiskadasj sjemei rabo.

Kaddisj voor Alfred Meijer, die men christen en Zwitser had gemaakt en die daar niets aan had gehad.

Kaddisj voor een jood op wiens graf een kruis stond.

1937

55

De tafels waren afgeruimd, alleen Chanele en Arthur waren blijven zitten. De aardige vrouw met het hygiënische witte kapje had het tafelzeiltje mee willen nemen, maar Chanele had zich hevig verzet, zoals wel vaker, en de vrouw had vriendelijk geknikt en het blauw-witte zeiltje alleen met een spons schoongemaakt.

Blauw-wit, als melk.

'We gaan zo ontbijten,' zei Chanele, hoewel ze net een boterham had gegeten en moutkoffie had gedronken. 'Ze zullen voor jou ook een bord brengen. Je bent welkom.'

Vlak na het opstaan was ze meestal het helderst. Daarom ging Arthur vroeg van huis als hij zijn moeder in het bejaardentehuis in Lengnau bezocht. De laatste keer had ze gevraagd of hij met haar naar de begraafplaats wilde gaan en al wist hij dat ze dat verzoek allang weer vergeten was, toch voelde hij zich verplicht haar mee te nemen.

Janki was destijds uit de Elzas gekomen, hij kwam dus uit geen van de twee oude joodse gemeenten. Toch wilde hij per se op de gemeenschappelijke begraafplaats van Endingen en Lengnau begraven worden, en niet in Baden waar hij zo lang had gewoond, en al helemaal niet in Zürich, waar hij tegen zijn zin het laatst had gewoond. Dat ze daar toen toch naartoe verhuisd waren, hadden Chanele en hij gemotiveerd met het feit dat ze dichter bij de kinderen wilden zijn, maar belangrijker was waarschijnlijk dat Janki met de jaren steeds meer last kreeg van zijn been en hij de artsen in de kleine stad niet vertrouwde. Maar in het academisch ziekenhuis konden ze hem ook niet helpen, hoewel ze vlak voor zijn dood vanwege de necrose zelfs nog een amputatie uitvoerden.

Het oude interieur, ook de grote tafel van tropisch hout, was toen allang verkocht. Arthur had alleen om de Tantalus gevraagd, waarin de goudkleurige vloeistof steeds meer verdampte. De oude sjabbeslamp uit Endingen, waar Mimi en Chanele het destijds niet over eens waren geworden, hing nu bij Hinda en Zalman in de Rotwandstraße boven de eettafel.

Chanele had haar botermesje niet teruggegeven en hield het dreigend in haar vuist, alsof ze zich wapende tegen een overval.

'Waarom heb je de kinderen niet meegebracht?' vroeg ze.

'Ik heb geen kinderen, mama.'

'Je had ze best mee kunnen brengen.'

Chanele had haar standvastigheid niet verloren. Veel andere dingen, die schijnbaar net zo onafscheidelijk bij haar hadden gehoord, was ze geleidelijk kwijtgeraakt, zonder echt te veranderen, zoals in het zandsteen van een verweerd monument nog steeds de grote vorm te herkennen is.

Ook haar lichaam was kleiner geworden. Ze had zich daarover beklaagd, drie, vier keer, zoals ze alles drie, vier keer zei, zonder zich van de herhaling bewust te zijn. Ze had gemopperd dat de zoom van haar rok over de grond sleepte en ze erover struikelde, de stof moest volgens haar uitgerekt zijn, slechte kwaliteit, ze zou haar beklag doen bij de leverancier. François, die – nu het niet meer tot Chanele doordrong – een goede zoon was geworden, had in de kleermakerij van zijn warenhuis ten slotte een exacte kopie van de oude jurk laten maken, een beetje korter maar verder in niets ervan te onderscheiden: hetzelfde strenge zwart, hetzelfde ouderwetse kanten inzetstuk bij de kraag. Om de nieuwe stof voor haar vertrouwd te maken, besprenkelde hij hem eigenhandig met de dure eau de cologne die Chanele destijds in Westerland van Janki had gekregen en sinds zijn dood zelfs had gebruikt. Zo kon ze zich elke dag blijven kleden alsof ze naar haar werk in het Moderne Warenhuis ging en niet naar het ontbijt aan een zespersoonstafel in het Joodse Bejaardentehuis.

'Waarom heb je de kinderen niet meegebracht?'

'Ik heb geen kinderen, mama.'

'Je had je vrouw mee kunnen brengen.'

'Ik ben niet getrouwd.'

Chanele glimlachte sluw; ze wist dat natuurlijk en had alleen zijn geheugen willen testen. Een spelletje om te kijken of haar jongen wel luisterde.

'Natuurlijk niet. Sjmoeël is degene die getrouwd is.'

Zoals altijd duurde het even voor Arthur weer wist wie zijn moeder met die naam bedoelde. Het was lang geleden dat François zo heette.

'Híj brengt tenminste elke keer zijn vrouw mee.'

'Mina is dood, mama.'

'Hij brengt haar mee,' hield Chanele vol en Arthur sprak haar niet langer tegen. Misschien had ze in haar wereld wel gelijk.

'Hinda is ook getrouwd.' Je moest Chanele al heel goed kennen om achter de ogenschijnlijke vanzelfsprekendheid waarmee ze zulke zinnen zei, het schuchtere verzoek om bevestiging te horen. Op haar betere momenten wist ze dat ze veel dingen niet meer wist, maar haar eeuwige zelfbeheersing was een van haar essentiële karaktertrekken en die zou ze waarschijnlijk pas als allerlaatste verliezen. Alleen haar wenkbrauwen verraadden haar: telkens als ze haar onzekerheid probeerde te verdoezelen, trok ze vragend haar wenkbrauwen op. De aan elkaar gegroeide streep was met de jaren wit geworden en omdat Chanele nog altijd dezelfde donkere sjeitel droeg, zag hij er in haar rimpelige gezicht net zo onecht uit als de opgeplakte wattenwenkbrauwen van de sinterklazen die pasgeleden door Zürich waren getrokken.

'Ja,' beaamde Arthur, 'Hinda is getrouwd.'

'En ze heeft kinderen.'

'Hoeveel?' Arthur kon het niet laten die strikvraag te stellen.

'Niet zoveel als ik zou willen,' zei zijn moeder. Er gleed een triomfantelijke glimlach over haar gezicht. Zo makkelijk liet ze zich niet op haar zwakheid betrappen.

'Hoe heet de oudste?'

'Ze moeten eindelijk mijn ontbijt brengen.' Met een gebaar dat aan de oude Salomon Meijer herinnerde – alleen was er buiten haar niemand meer die zich hem had kunnen herinneren –, wreef ze in haar handen alsof ze ze zonder water waste, greep weer naar haar mes en trommelde met haar andere hand ongeduldig op het tafelzeiltje. Toen Arthur voor de tweede keer vroeg hoe haar oudste kleinkind heette, luisterde ze niet.

Ze wilde niet luisteren.

In januari, op Chaneles vijfentachtigste verjaardag, waren ze allemaal naar het bejaardentehuis in Lengnau gekomen. Ook Ruben, de zoon van Zalman en Hinda, was er, zij het zonder zijn gezin. Hij was bang geweest dat de Duitse autoriteiten, die elke dag nieuwe antisemitische pesterijen bedachten, hem anders geen inreisvisum meer zouden geven. Een paar jaar geleden had hij een rabbinaat in Halberstadt aanvaard, een centrum van orthodoxe joden, waar hij waarnemer en, naar hij hoopte, de latere opvolger van de beroemde dr. Philipp Frankl in de Klaus was. Zijn vrouw, die er ook met sjeitel uitzag als een eeuwige bakvis en zelfs door haar eigen kinderen alleen Lieschen werd genoemd, heette van haar meisjesnaam Sternberg. Ze kwam uit Berlijn. Ruben had haar leren kennen toen hij daar het rabbijnenseminarie bezocht. Ze hadden vier kinderen, drie jongens en een meisje, wat Zalman altijd de opmerking ontlokte dat zijn zoon het tenminste op dat punt verder had geschopt dan hij.

Ruben kon maar drie dagen blijven. Een langere afwezigheid zou als definitieve emigratie uitgelegd zijn en dan zouden ze hem het land niet meer binnengelaten hebben. Duitsland probeerde met bureaucratische middelen zijn joden kwijt te raken. Ze hadden hem allemaal bezworen niet in dat gevaarlijke land te blijven, maar met zijn gezin naar Zwitserland terug te keren. Maar Ruben, die voor zijn ambt zelfs de Duitse nationaliteit had moeten aannemen en de Zwitserse had opgegeven, wilde in deze moeilijke tijd zijn gemeente in geen geval in de steek laten. 'Ze pesten ons wel,' zei hij, 'maar als jood zijn we dat gewend. Ze zullen ons heus niet vermoorden.'

'Ruben!' zei Chanele in een plotselinge ingeving. 'Ruben en Lea en Rachel. Drie kinderen.' Soms ging er in haar hoofd onverwacht een raampje open en een paar minuten of, als je geluk had, een halfuur was ze dan bijna helemaal zichzelf. 'Waarom zitten we hier eigenlijk nog?' vroeg ze ongeduldig. 'Het ontbijt is allang afgelopen. Jij treuzelt ook altijd zo.'

Ze gooide het mes op tafel en zei, zo streng als ze als madame Meijer vaak had moeten zijn: 'Bij het afruimen laten ze altijd de helft liggen. Dat regel ik straks wel. Nu niet. We zouden toch weggaan.'

Ze zei dat niet omdat ze het zich herinnerde. Over de leuning van een stoel hing een jas klaar die haar bekend voorkwam en daaruit had ze haar conclusie getrokken. Steeds weer lukte het haar om de hiaten in haar werkelijkheid met zulke combinaties te overbruggen. Die succesjes maakten haar heel overmoedig, zodat ze zich voor één keer op het gladde ijs van de verwarrende feiten waagde.

'Gaan we met de Buchet?' vroeg ze.

'Dat nu niet direct, mama.'

Arthur had niet echt een auto nodig gehad. Hij had dan wel een drukke praktijk, maar de meeste patiënten woonden vlakbij, op sjabbesdike loopafstand rond de nieuwe synagoge in de Freigutstraße in Zürich-Enge. Ze woonden daar zo dicht opeen dat de buren onder elkaar spottend zeiden: 'God heeft de joden in het nauw gedreven.' Voor ziekenbezoeken had hij dus geen auto nodig en naar Lengnau had hij ook met de bus kunnen gaan. Nee, als hij eerlijk was, had hij de auto zuiver voor zijn plezier aangeschaft, hij had tegen zichzelf gezegd dat je je gerust ook eens iets mocht gunnen als je de hele dag werkte en geen gezin had.

Alsof een auto een gezin kon vervangen.

Hij had een heel nieuw Italiaans model uitgekozen, een Fiatje waar maar twee personen in pasten. Plaats voor een derde was er alleen met mooi weer; dan ging het roldak open en kon de extra passagier achterin zonder al te veel problemen min of meer rechtop zitten. De auto was stralend rood en Arthur was waanzinnig trots op zijn dertien pk.

Chanele zat naast hem, met haar handen zo meisjesachtig in haar schoot als paste bij de eeuwige verkleinvorm van haar voornaam. Zo had ze waarschijnlijk op de wagen naast een vreemde koetsier gezeten, onopvallend haar best doend hem niet aan te raken. Voor hij wegreed, boog Arthur zich naar haar toe en kuste haar op de wang. De vertrouwde, aangename geur van haar huid werd overheerst door iets vreemds dat hem deed denken aan de bezwete lakens van koortslijders.

'Ruben, Lea, Rachel. Ruben, Lea, Rachel.' Chanele zat de drie teruggevonden namen de hele tijd te zingen: een dalende drieklank.

'Lea heet nu Rosenthal,' probeerde Arthur haar te helpen. 'Kun je je haar man nog herinneren? Adolf?'

Dat was nu alweer twintig jaar geleden. Het was nog voor het einde van de oorlog geweest, een paar weken voor Lea's – en natuurlijk ook Rachels – twintigste verjaardag. De hele familie had zich toen verbaasd dat zij, toch altijd de meest afstandelijke en, om eerlijk te zijn, ook de minst knappe van de twee, zoveel eerder onder de choepe kwam dan haar levendige tweelingzus. Dr. Adolf Rosenthal, haar man, was heel wat jaren ouder dan zij, maar wie hen tegenwoordig samen zag dacht dat ze even oud waren. Misschien kwam het door de dikke bril die Lea intussen moest dragen.

Adolf was wiskundeleraar op een middelbare school, een beroep dat goed bij hem paste. Hij hield van het exacte, zowel in zijn overtuigingen als in zijn gewoontes. Het middageten bijvoorbeeld moest precies om tien over twaalf beginnen, zodat ze bij de nieuwsberichten om halfeen hun bestek neer konden leggen. Differentiëren was niets voor hem; voor hem bestond er over alles een verkeerde en een goede mening, waarbij hij de goede in lange monologen met een onweerlegbare logica wist te verdedigen, zolang je zijn premissen maar accepteerde. Zo had hij als enige in de familie *Mein Kampf* van Hitler van de eerste tot de laatste bladzijde gelezen en er hoop uit geput. Een systeem, zo betoogde hij, dat gebaseerd was op een pamflet vol innerlijke tegenstrijdigheden, kon gewoon niet standhouden. Als hij zo zat te doceren, trok Lea alleen maar haar wenkbrauwen op en leek dan heel erg op haar grootmoeder Chanele.

Ze hadden een zoon die Hillel heette. In zijn pas stond Heinrich, maar in tegenstelling tot zijn oom François destijds wilde hij alleen met zijn joodse naam aangesproken worden. Hij was een vurig zionist en smeedde nu al plannen voor zijn alia, wat tot heftige discussies leidde met zijn door en door Zwitserse vader. Het ergst vond Adolf het dat Hillel na de middelbare school weigerde een van de beroepen te leren die in de gemeenschap gebruikelijk waren. 'In Erets hebben ze geen boekhouders of handelsvertegenwoordigers nodig,' zei hij. 'Erets' betekent gewoon land, maar voor een zionist is er geen ander land dan dat ene. 'Boeren hebben ze in Erets nodig,' zei Hillel en hij gaf zich op voor de landbouwschool Strickhof, waar hij als stadskind en eerste jood in de geschiedenis van de school werd aangestaard als een kalf met twee koppen.

'Ruben, Lea, Rachel. Ruben, Lea, Rachel.' Chaneles gedachten draaiden in een kringetje rond, ze zaten elkaar achterna, maar konden elkaar niet inhalen. Arthur wist dat dit urenlang zo door kon gaan. Soms bleef ze zulke liederen net zo lang zingen tot ze schor was. Hij remde hard en gaf meteen weer gas, zodat de auto schokte. Het monotone gezang hield op en Chanele zei verwijtend: 'Je moet die Landolt ontslaan. Hij rijdt zo wild.'

'Hoe zit het met Rachel? Komt ze bij je op bezoek?'

'Natuurlijk. Ze brengt elke keer haar kinderen mee. Niet net als jij.'

Rachel had geen kinderen.

Ze was nog steeds ongetrouwd en dat verbaasde de familie nog meer dan Lea's vroege huwelijk iedereen had verrast. Met haar ondernemende openheid had Rachel al vroeg mannen aangetrokken en ze was ook algauw voor de eerste keer verliefd geraakt, en meteen daarna voor de tweede, derde en vierde keer. Het was nooit iets geworden. Ze was, zoals Chanele het formuleerde toen ze Chanele nog was, nooit verliefd op de mannen, maar altijd op het verliefd-zijn zelf en als de eerste euforie voorbij was, wilde ze geen genoegen nemen met een alledaags geluk. Nu was ze al bijna veertig, een drempel waar geen enkele vrouw graag in haar eentje overheen stapt, en ze werd kwaad als Hillel haar 'tante Rachel' noemde. Haar luidruchtige levenslust – ze leefde tenslotte niet meer in de negentiende eeuw en hoefde zich als alleenstaande vrouw niet te verstoppen – had de laatste tijd een schrille ondertoon gekregen. Ze werkte in de kledingfabriek van Zalman, een bedrijf dat een paar jaar geleden als het ware uit het niets was ontstaan, en ze was daar, zoals ze graag benadrukte, volstrekt onmisbaar.

Ze waren aangekomen bij de begraafplaats, die een eindje van de weg af op een beboste helling lag. Arthur wilde zijn moeder helpen, maar ze keek de andere kant op om de aangeboden arm niet te hoeven zien. 'Ik ben toch geen oude vrouw,' betekende dat gebaar. 'Een madame Hanna Meijer heeft geen hulp nodig.'

Op de hard bevroren grond lag nog een beetje sneeuw. Chanele liep zoekend tussen de graven en mompelde zachtjes; het kon een gebed zijn of alleen maar een poging een kwijtgeraakte naam in herinnering te roepen. Het dubbele graf van Salomon en Golde, dat ze zo vaak had bezocht, liep ze achteloos voorbij. Arthur, die niet te ver achter wilde blijven, had amper tijd genoeg om te bukken en, zoals het gebruik wil, een steentje op de zerk te leggen.

Midden tussen vreemde graven bleef Chanele staan en zei met een hulpeloos verward stemmetje: 'Ze zijn er niet meer. Iemand heeft alles overhoopgehaald.'

'Wie zoek je, mama?'

'Mimi en Pinchas. Ik ben met haar man getrouwd, maar ze was toch mijn vriendin.'

Soms was Chanele wel heel erg in de war.

'Oom Melnitz lag bij me in bed en ...' Ze stopte abrupt, keek haar zoon met holle ogen aan en vroeg verwijtend: 'Waarom heb je de kinderen niet meegebracht?'

Tante Mimi en oom Pinchas waren binnen achtenveertig uur aan dezelfde ziekte gestorven, in de winter van 1918, toen de golf van de Spaanse griep al was weggeëbd en daarna met dubbele kracht nog een tweede keer over Europa heen spoelde. Arthur herinnerde zich die tijd als een boze droom. Hij had zich voor zijn patiënten compleet opgeofferd en toch bij velen alleen nog de ogen toe kunnen drukken. Mimi was eerst gestorven en Arthur had Pinchas, op wie hij erg gesteld was, nog twee dagen lang omzichtig moeten voorliegen en hem vertellen dat ze aan de beterende hand was. Nu lagen ze naast elkaar op de begraafplaats Steinkluppe en hem kennende was Pinchas ook na zijn dood nog steeds bijzonder gelukkig met Mimi's nabijheid.

Désirée had destijds de kruidenierswinkel overgenomen, die ze tot op de dag van vandaag runde. Ze was ongetrouwd gebleven. Anders dan bij Rachel leek dat in haar geval volkomen vanzelfsprekend.

Arthur pakte zijn moeder bij de hand. Als een klein meisje liet ze zich door hem naar de brede zerk leiden, waar op de ene helft 'Jean Meijer' gebeiteld was, terwijl de andere helft al meer dan vijftien jaar op Chanele wachtte. 'Hier ligt papa.'

'Zijn been doet pijn,' zei Chanele, die opgetogen was toen Arthur bevestigde dat Janki inderdaad altijd problemen met zijn been had gehad.

'Dat komt door de oorlog,' zei Chanele.

Ja, papa had ook in de oorlog gevochten.

Hij duwde haar een steentje in de hand. Ze legde het niet op de zerk, maar stak het in haar mond, sabbelde erop en spuugde het weer uit. 'Dat vindt Janki niet lekker,' zei ze.

Arthur nam haar in zijn armen, maar ze maakte zich los en keek zoekend om zich heen. 'Waar is mijn vader?' vroeg ze.

'Je bedoelt oom Salomon?'

'Mijn vader heet niet Salomon.' Ze wenkte hem zoals je doet wanneer je iemand een speciaal geheim wilt toevertrouwen. 'Hij heet Menachem.'

Er was niemand in de familie die Menachem heette.

'Menachem Bär.'

'Bär?'

'Ja,' zei Chanele. 'Bär, Bär, Bär, Bär.'

De rit moet te vermoeiend voor haar geweest zijn, dacht Arthur.

'En weet je wat hij doet?' Chanele giechelde als een klein kind dat een schuine mop vertelt die het maar half begrijpt. 'Hij gaat dood. Elke dag gaat hij dood.'

'Laten we naar huis gaan, mama.'

Chanele schudde zijn hand van zich af. Ze voelde zich zo opgewekt en helder als in geen tijden en wilde dat het zo lang mogelijk duurde. 'Menachem Bär,' zei ze. 'Het is geheim, maar jij bent oud genoeg om het te mogen weten. Tenslotte is mijn vader jouw ... jouw ...' Ze kneep haar ogen stijf dicht, zo ingespannen probeerde ze haar gedachte ten einde te denken, maar ze wist niet meer hoe haar vader verwant kon zijn met haar zoon. 'Hij heet Menachem Bär,' herhaalde ze uiteindelijk, blij dat ze tenminste dáár heel zeker van was, 'en mijn moeder heet Sarah. Menachem en Sarah, Menachem en Sarah.' Ze begon weer te zingen, de ene naam hoog, de andere laag, ze stampte zelfs op de maat met haar voet op de harde grond, alsof ze wilde gaan dansen.

Hij moest haar gauw terugbrengen naar het tehuis.

'Het is hier te koud voor je, mama,' zei hij. Ze hoorde hem niet.

'Aan je kinderen mag je het vertellen,' zei Chanele terwijl ze zijn hand streelde. 'Een mens moet weten waar hij vandaan komt. Iemand marcheerde de hele tijd met een geweer heen en weer. Maar het was geen echt geweer. Dr. Hellstiedl zegt dat ze geen van allen gevaarlijk zijn.'

Arthur zette zijn bril af en wreef over zijn neusrug. Hij kende de artsen die zich om het lot van de bewoners van het bejaardentehuis bekommerden en geen van hen heette Hellstiedl.

'Aan weerskanten stonden populieren,' zei Chanele, 'en het was heet. Het gaat makkelijker als je de passen telt. Vijfenveertig. Zesenveertig. Een miljoen.'

'Het middageten staat vast al klaar.'

'Iemand was bladeren aan het harken.' Chanele giechelde weer. 'Maar er lagen helemaal geen bladeren.'

Hij probeerde zijn moeder mee naar de uitgang te tronen, maar ze verzette zich, net zo hevig als daarstraks toen de hulp het tafelzeiltje weg wilde halen. 'We zijn nog niet bij zijn graf geweest,' zei ze. 'Hij viert daar de bries. Dr. Hellstiedl is ook uitgenodigd. Ze houden een feest en dan zingen ze allemaal. Menachem en Sarah. Menachem en Sarah. Menachem en Sarah.'

Omdat ze anders niet kalm te krijgen was, nam hij haar ten slotte mee naar een vreemd graf, het moest een van de eerste op de begraafplaats geweest zijn, want de steen was verweerd en half in de grond gezakt.

Misschien was het nog een van de stenen die van de oude Judenäule in de Rijn hierheen waren gebracht. De inscriptie was allang met mos begroeid en niet meer te ontcijferen.

'Hier, mama. Dit is het graf van Menachem en Sarah.'

'Zie je wel.' Chanele had het triomfantelijke gezicht van iemand die gelijk heeft gekregen. 'Je wilde tegen me liegen. Ze willen allemaal tegen me liegen, maar ik laat me niets wijsmaken.' Ze bukte – ze deed het zonder hulp, hoewel het haar zwaar viel –, raapte een steentje op en legde het op de vreemde zerk. 'Als je hem aanraakt,' zei ze, 'is zijn huid net papier.'

Daarna accepteerde ze Arthurs hulp, ze liet zich door hem naar de auto terugbrengen en had zich waarschijnlijk ook op de arm laten nemen en dragen. Ook dat zou Arthur niet zwaar gevallen zijn. Erg veel was er van zijn moeder niet over.

Op de terugweg zong ze beide liedjes door elkaar, 'Ruben, Lea, Rachel' en 'Menachem en Sarah'. Arthur had niet kunnen zeggen wat hem treuriger stemde: dat ze haar kleinkinderen niet meer kende of dat ze zich een vader herinnerde die ze nooit had gehad.

Terug in het bejaardentehuis hielp hij haar uit haar jas en Chanele ging handenwrijvend aan een van de lege tafels zitten. 'We gaan zo ontbijten,' zei ze. 'Je bent welkom. Waarom heb je de kinderen niet meegebracht?'

56

Het was een stommiteit, natuurlijk, een kwajongensstreek die je als schoolleider niet mocht tolereren, maar het was ook het soort kwajongensstreek dat over tien of twintig jaar tot een heroïsche daad verheven zou zijn, iets wat je op een reünie steeds weer kon vertellen, om de jongeren die zoiets niet hadden meegemaakt dan meewarig op de schouder te kloppen en te zeggen: 'Ja ja, zulke dingen deden wij op de goeie oude Strickhof.'

Directeur Gerster deed dus zijn best om een streng gezicht te trekken en foeterde de twee flink uit. Ze zouden van school gestuurd worden, zonder pardon, allebei, als hem nog één keer, één enkele keer, ook maar iets ter ore kwam wat niet door de beugel kon. Dan zou er wat zwaaien. En trouwens: ze moesten zich schamen, want wat er bij zulk kattenkwaad – hoezo kattenkwaad, elke kat had meer verstand dan zij! –, wat er allemaal had kunnen gebeuren, daar hadden ze natuurlijk niet bij stilgestaan. Ze dachten zeker dat Onze-Lieve-Heer het hoofd gemaakt had om sigaren mee te roken in plaats van te denken.

De uit de kluiten gewassen Böhni liet de donderpreek in kaarsrechte houding over zich heen gaan. Hij droeg, zoals trouwens met bijna elk weer, een korte broek en had de mouwen van zijn grijze overhemd zelfs opgestroopt, terwijl het lokaal niet verwarmd was. Het was zondag en op een landbouwschool hebben ze het geld niet om het te verstoken. Gerster had thuis in zijn warme kamer gezellig met zijn bezoek zitten keuvelen toen de telefoon ging, uitgerekend op het moment dat zijn vrouw de pruimentaart op tafel zette.

Die snotapen!

Het viel Gerster op dat Böhni een beetje rood zag, maar dat was beslist niet omdat hij zich schaamde en ook niet van de kou. Hij had altijd zo'n hoofd. Directeur Gerster, die graag theoretiseerde over lichaamstaal en fysionomie, dacht daarom dat hij cholerisch was.

Rosenthal daarentegen … Uit die jongen kon hij gewoon niet wijs worden. Alleen al dat hij met alle geweld het boerenvak wilde leren, terwijl niemand in zijn familie daar iets mee had. Er moest alleen ooit een veehandelaar in zijn familie geweest zijn, dat had Rosenthal hem tenminste verteld. Maar zijn vader was een intellectueel, die stuurden hun zoons doorgaans naar het gymnasium; en het boeren zat de joden echt niet in het bloed. Hij deed erg zijn best, dat moest je hem nageven, al moest hij heel wat dingen nog leren waarmee de anderen van jongs af aan vertrouwd waren. Zoals hij de eerste keer de zeis had vastgepakt, alsof het ding beet! Ze hadden hem dan ook hartelijk uitgelachen. Hij onderging het allemaal gelaten en ook over de blaren in zijn stadse jongenshandjes klaagde hij nooit. Directeur Gerster hield van leerlingen die de tanden op elkaar zetten. Landbouw was wat anders dan kleedjes haken.

Hij stond er ook heel anders bij dan de ander. Met zijn armen over elkaar en wijdbeens, zoals je gaat staan wanneer je wilt zeggen: 'Wie doet me wat.' Niet direct uitdagend, dat kon je niet van hem zeggen, maar een harde kop had hij wel. Het was iemand die niets over zijn kant liet gaan en daarom was die vervelende geschiedenis ook gebeurd.

'Stommelingen!' schreeuwde directeur Gerster. 'Blagen!' Maar hij had zijn hoofd niet echt bij zijn donderpreek. Het was een kras staaltje, wat die Rosenthal had uitgehaald.

Het zat zo: hoewel ze zelfs een eigen proefstation voor machines hadden, hadden ze op de Strickhof geen hoge dunk van moderne techniek. Kudi Lampertz, die als waarnemend schoolleider ook landbouw onderwees, ging zelfs echt tekeer tegen de moderne tractoritis – 'Alsof een kleine boer in Säuliamt zich zo'n duur apparaat kan permitteren!' – en hij stond erop dat zijn leerlingen allemaal nog met een vierspan leerden ploegen, al zag dat er wel een beetje ouderwets uit, zeker op de Strickhof, waar de stad zich zo had uitgebreid dat de akkers van de landbouwschool tussen de woonhuizen lagen. Tegen de aanschaf van een vrachtwagen hadden ze zich niet kunnen blijven verzetten, maar één oude traditie had zich gehandhaafd: op zondag, als er weinig verkeer was in de stad, spanden ze twee paarden in en reden ze de melkbussen op de boerenwagen naar de coöperatieve melkfabriek. De klus was in trek; als je met een bont lint aan je zweep vanaf de hoge bok de meisjes nafloot, maakte je indruk en keek er bijna niet één beledigd de andere kant op.

Vandaag waren Walter Böhni en Hillel Rosenthal aan de beurt, Böhni omdat hij het mennen op de boerderij van zijn ouders had geleerd en Rosenthal omdat hij moest oefenen. Ze zetten jongens met meer en minder ervaring graag bij elkaar, vanwege de kameraadschap maar ook omdat ze door het kanton nooit genoeg leerkrachten toegewezen kregen.

In de stal was er dus geen derde bij geweest, maar als mensenkenner kon Gerster zich goed voorstellen hoe het gegaan was. Böhni had natuurlijk de vakman uitgehangen en gedaan of hij het voor het zeggen had; hij had de beginneling als een knecht het roskammen van de paarden opgedragen en hem uitgekafferd als de sjabloon verschoof en het schaakbordpatroon op de kroep niet goed te zien was. Ook het inspannen zou hij nog wel aan hem hebben overgelaten, maar de teugels had hij natuurlijk zelf genomen om de grote koetsier te spelen, het hele stuk over de Schaffhauserplatz en de Kornhausbrücke. In de Langstraße – dat hoefde Gerster helemaal niet te vragen en Böhni zou het ook niet hebben toegegeven – was hij vast in razende galop onder de spoorbrug door gereden. Dat was uitdrukkelijk verboden, maar iedereen deed het en al te streng kon je tegen bijna volwassen mannen ook weer niet zijn.

Maar toen ...

'Gespuis!' schreeuwde Gerster. 'Vervloekt daglonerstuig!' 'Dagloner' was zo'n beetje het ergste scheldwoord dat je een boerenzoon kon toevoegen en Böhni kromp dan ook in elkaar. Rosenthal, de stadsmens, vertrok geen spier.

Voor de melkfabriek was toen het volgende gebeurd: nadat de volle melkbussen waren afgeladen en de lege weer opgeladen – ook dat werk zou Böhni wel genereus aan de ander hebben overgelaten – en Rosenthal voor de terugrit de teugels moest overnemen, had Böhni hem waarschijnlijk een beetje geprikkeld, of liever gezegd: met de hooivork gestoken, want het subtiele werk was niets voor hem. Wat voor woorden er precies waren gevallen en of het daarbij alleen om gebrek aan paardenverstand of ook om iets anders was gegaan, dat wilde Böhni noch Rosenthal vertellen en eigenlijk vond directeur Gerster dat ook best. Sommige dingen kon je beter onder vier ogen en met vier vuisten regelen. Maar het had beslist iets te maken gehad met het feit dat Rosenthal een jood was en Böhni een grijs hemd droeg, niet direct het hemd van het Nationaal Front, maar toch dezelfde kleur, kortom, Rosenthal voelde zich verplicht zijn rijkunst te bewijzen en nam daarom met het span niet de voorgeschreven directe weg terug naar de Strickhof, maar ...

'Stelletje deugnieten!' schreeuwde Gerster, die meteen merkte dat het laatste scheldwoord een beetje zwak was uitgevallen.

Hij was naar het centrum van de stad gereden, die idioot, wat natuurlijk helemaal niet mocht. En Böhni had hem laten begaan, hij had hem gewoon zijn ongeluk tegemoet laten gaan in plaats van als de meest ervarene de verantwoording op zich te nemen. Verantwoording! Maar dat was waarschijnlijk een woord dat niet in hun vocabulaire voorkwam. Dat ze ten slotte meer geluk dan wijsheid hadden en er niet echt iets ergs gebeurde, konden ze geen van beiden helpen en daarom waren ze ook allebei even schuldig, om het even wie uiteindelijk de teugels in handen had gehad. Wie met pek omgaat, wordt ermee besmet.

Hij moest er niet aan denken, tierde directeur Gerster, wat voor gevolgen een verkeerde afloop voor de school en voor hemzelf gehad zou hebben, al die berichten die hij had moeten schrijven, en de verklaringen. En, wat haast nog erger was: de mensen die de Strickhof allang de stad uit wilden hebben, die van de akkers en boomgaarden bouwgrond wilden maken, die mensen zouden ze de argumenten kant-en-klaar hebben geleverd. Zo zag je maar weer, zouden ze gezegd hebben, dat een landbouwbedrijf en een grote stad gewoon niet samengingen.

Hij zocht naar een passende krachtterm, vond er geen en sloeg daarom met zijn vlakke hand zo hard op de lessenaar dat de klap in het lege lokaal weergalmde als een kanonschot. Je had het als directeur ook niet makkelijk.

En thuis at het bezoek intussen de lekkere pruimentaart op.

De vlegel was tot aan de achterkant van het station gereden en toen aan de andere kant de Bahnhofstraße in, wat je desnoods nog door de vingers had kunnen zien, want die was breed, maar daarna was hij plotseling linksaf de Rennweg ingeslagen, en vervolgens ook nog de Fortunagasse in, die zo smal was dat zelfs de lijfkoetsier van de Engelse koning zich wel twee keer bedacht zou hebben.

'Waarom ben je uitgerekend daarheen gereden?' schreeuwde Gerster en Rosenthal spreidde zijn armen uit en zei: 'Zomaar'.

Dat was natuurlijk gelogen. Hillel was die weg absoluut niet toevallig ingeslagen, maar dat zou hij Gerstli, zoals ze de directeur stiekem noemden, nooit aan zijn neus hangen. In de Fortunagasse stond het Beet Hechaloets, een huis waar een stuk of twintig jonge pioniers, de chaloetsiem, op een gelegenheid wachtten om door te kunnen reizen naar Palestina. Het waren allemaal vluchtelingen, Duitsers en uit Duitsland uitgewezen Polen; ze leefden daar als collectief, net zoals het later in de kibboets zou zijn. Ze stortten het beetje geld dat ze verdienden in een gemeenschappelijke kas, kookten in een gemeenschappelijke keuken en discussieerden tot diep in de nacht hoe ze een joodse staat en tegelijk het socialisme wilden opbouwen. Hillel wist dat ze op zondag allemaal thuis zouden zijn, het was te koud om te wandelen en een bezoek aan het koffiehuis konden ze zich niet permitteren.

Allemaal – dat wilde zeggen: ook een zekere Malka Sofer uit Warschau, die weliswaar al tweeëntwintig was en dus onbereikbaar voor een jongen van zeventien, maar die prachtige zwarte lokken had en een heel ernstig gezicht, dat Hillel graag eens aan het lachen gekregen zou hebben. Maar dan moest ze eerst notitie van hem nemen en bestond er voor dat doel een beter middel dan als het ware met de wagen bij haar voorrijden, met een tweespan en een bont lint aan de zweep?

Hij was van plan geweest op de Rennweg te stoppen, waar iets verder naar boven ook iemand met weinig ervaring de paarden zonder problemen had kunnen wenden. Aan de bok was een grote geelkoperen bel bevestigd, zoals je ze op een schip ziet; de politie eiste in het verkeer een waarschuwingssignaal en bij een paard en wagen zou echt geen claxon hebben gepast. Die bel wilde hij luiden, had hij bedacht, en dan zouden ze in het Beet Hechaloets allemaal uit het raam kijken, ook Malka, hij zou heel nonchalant met de zweep groeten en later, als ze een keer alleen waren – hij smeedde al plannen om dat voor elkaar te krijgen –, zou hij een aanknopingspunt hebben, en wat eenmaal een begin heeft, kan ook een vervolg krijgen.

Maar toen hij de Fortunagasse inkeek, stond er een groep mannen, tien of twintig, zo precies kon hij ze in de gauwigheid niet tellen. Vanaf de bok kon hij alles overzien als vanaf een balkon; ze droegen de grijze hemden van het Nationaal Front en stonden in het gelid, bijna als soldaten. Hun vlag hadden ze ook bij zich, de tot aan de rand doorgetrokken witte balken van het Zwitserse kruis tegen een rode achtergrond. Ze stonden voor het huis van de chaloetsiem en schreeuwden iets wat Hillel eerst niet verstond of niet wilde verstaan. Terwijl het een heel simpele zin was die ze steeds weer scandeerden: 'Kom uit jullie holen en ga terug naar Polen!' Een van hen had een landsknechttrommel en sloeg de maat. Ze demonstreerden tegen zijn mensen en Böhni zat naast hem met een grijns op zijn gezicht, alsof hij wilde zeggen: 'Jij zit niet alleen vanwege je ongeoorloofde uitstapje in de stront, maar ook verder!'

Hillel had niet lang nagedacht, hij had helemaal niet nagedacht, op dat punt had Gerstli volkomen gelijk, hij had alleen een ruk aan de teugels gegeven en 'Ho!' geroepen en op de een of andere manier was alles goed gegaan, beter dan ooit op het oefenterrein. De paarden waren de Fortunagasse ingeslagen en op de veel te smalle rijweg gaan galopperen, hij had ze nog de zweep gegeven en de bel geluid zoals de brandweer bij alarm. De mannen van het Nationaal Front waren uiteengestoven, de portieken in en tegen de muur aan, daar waar de weg omhooggaat naar de Lindenhof. De vaandeldrager liet zijn vlag vallen en hoe de trommelaar zich met zijn trommel in veiligheid had gebracht, kon Hillel niet eens zeggen. Maar gewonden waren er niet geweest, anders zouden ze nu niet voor de directeur staan en een uitbrander krijgen, maar hun spullen al aan het pakken zijn.

Zelfs dat zou ik ervoor overgehad hebben, dacht Hillel.

Hij had geen tijd gehad om naar boven te kijken en wist dus niet of de chaloetsiem echt bij het raam hadden gestaan en of Malka erbij was geweest. Het ging allemaal veel te vlug, hij had alleen nog uit alle macht de teugels proberen vast te houden, maar er viel niets meer vast te houden. Het was gebeurd, er was niets meer aan te doen, ze waren het huis gepasseerd en achter hen stonden de eersten alweer dreigend hun vuist te schudden. Toen pas schoot hem te binnen dat hij aan het eind van de Fortunagasse niet verder kon omdat daar alleen aan de linkerkant het steile pad was met de trap omlaag naar de Limmat. Hij had als een gek aan de teugels gerukt om de paarden op de een of andere manier nog tot staan te brengen, maar de knollen waren niet meer te houden, in elk geval niet door hem. En Böhni, die misschien nog iets had kunnen doen, zat verstijfd van angst naast hem, met opengesperde ogen en mond, alsof hij wilde schreeuwen en niet meer wist hoe dat moest.

Toen waren de paarden helemaal vanzelf links afgeslagen, keurig in galop, zoals je dat in de rijles leert, alleen zouden ze de leerlingen daar nooit toegestaan hebben de bocht zo scherp te nemen en zeker niet met die snelheid. De wagen helde over, hij balanceerde nog maar op twee wielen en zou gekanteld zijn als de doorgang niet zo smal was geweest dat hij een erkerraam op de benedenverdieping schampte en daardoor weer overeind kwam. Er viel een lege melkbus achter van de wagen en op hetzelfde moment denderden de wielen het pad met de traptreden af, ze kregen telkens een schok zodat ze bijna van de bok waren gevlogen.

Op de een of andere manier kwam de wagen tot stilstand, Hillel had niet kunnen zeggen hoe. Misschien had Kudi Lampertz toch gelijk als hij zei: 'Laat de paarden hun gang maar gaan, ze hebben meer verstand dan jullie.' Opeens was het heel stil geworden. Alleen de melkbus rolde langzaam tree voor tree achter hen aan, rammelend, alsof hij riep: 'Wacht op me, ik hoor er ook bij!'

Toen pas had hij gedaan wat hij allang had moeten doen: de handrem aantrekken. Met knikkende knieën was hij van de bok geklommen en had de paarden bekeken. Ze waren nat van het zweet, dampten en hadden schuim op hun bek, maar ze waren niet gewond – Lampertz zou hem doodgeslagen hebben! –, er liep er niet één kreupel en op een gegeven moment, toen zijn hart niet meer zo bonsde, kon Hillel verder rijden, rechtsaf naar de Rudolf-Brun-Brücke, linksaf naar de Limmatquai en daar de berg op tot aan de Schaffhauserplatz en weer terug naar de Strickhof.

Daar stond de telefonisch gewaarschuwde directeur Gerster hen al op te wachten. Hij kafferde hen eerst flink uit en liep toen, terwijl zij de paarden droogwreven, ongeduldig voor de stal op en neer, vastbesloten hun een les te lezen die ze van hun leven niet zouden vergeten.

'Halve gare!' schreeuwde de directeur. 'Waarom ben je daar naar beneden gereden?'

'Zomaar,' zei Hillel.

Dit verhaal zal nog lang verteld worden, dacht Gerster. Je moest verrekte goed met paarden kunnen omgaan om zo'n huzarenstukje tot een goed einde te brengen. Hij bleef weliswaar nog een tijdje schelden omdat dat zijn plicht was, maar hij deed het automatisch en keek intussen zelfs op zijn horloge.

De straf die hij hun oplegde was onschuldig, zoals het soms kan donderen en bliksemen dat je denkt dat de hele oogst verloren is en dan valt er toch niet meer dan een milde regen. Ze moesten de wagen weer in orde maken, en wel tiptop. Waar hij de muur had geschampt moesten de krassen worden bijgeschilderd en dat moesten ze samen doen, zodat ze leerden dat hier op de Strickhof kameraadschap hoog in het vaandel stond – 'Kameraadschap, verdomme nog aan toe!' – en als hem nog één keer ook maar iets ter ore kwam, dan zou hij eigenhandig hun kop van hun romp rukken.

Hij zei nog een keer 'Stelletje snotapen!', draaide zich om en ging terug naar zijn pruimentaart.

Toen de deur achter Gerster dichtsloeg, stond Böhni nog steeds in de houding. Hillel keerde zich naar hem toe en zei: 'Amod noach!' Hij grijnsde toen Böhni hem niet-begrijpend aankeek. In Hasjomeer Hatsaïr, de zionistische jeugdbeweging, deden ze graag een beetje militair en dat was het bevel als je bij het mifkad, het appèl, weer gewoon mocht gaan staan.

'Maar de bok lak jij,' zei Böhni.

'Hoezo?'

'Tenslotte is het allemaal jouw schuld.'

'Kameraadschap, Walter! Alweer vergeten? Op de Strickhof staat kameraadschap hoog in het vaandel, verdomme nog aan toe!' Hillel was van de opwinding en de gelukkige afloop zo hoteldebotel dat hij zelfs Gerstli na-aapte.

De wagen stond nog buiten op het grind. Dat was heel praktisch, want schrammen bijwerken is precisiewerk en dat kun je beter bij daglicht doen.

In de wagenloods vonden ze twee kwasten en een bus groene lak.

Opeens stond Kudi Lampertz voor hun neus; waarschijnlijk had de directeur hem gebeld. Hij deed of hij alleen even een zondagse wandeling onderbrak en hield met de handen in de zij toezicht op hun werk. 'Een boer moet met zijn handen werken, niet met zijn mond' was een van zijn favoriete uitspraken en dus kibbelden Böhni en Rosenthal heel zachtjes verder.

'Je bent een klootzak,' fluisterde Böhni.

'Met klootzakken ben jij bekend,' fluisterde Hillel terug.

'Hoe bedoel je?'

'Als ik naar dat hemd van jou kijk ...'

'Ik kan aantrekken wat ik wil.'

'Weet je waarom de hemden van het Nationaal Front zo goor zijn? Omdat het karakter erdoorheen komt.'

Böhni had hem graag met een snedig antwoord op zijn nummer gezet, maar er wilde hem niets te binnen schieten. 'Ze zullen je een flinke aframmeling geven,' fluisterde hij toen.

'Eerst moeten ze er nog achter komen wie het gedaan heeft.'

'Misschien vertelt iemand het ze wel.'

'Ga jij het soms verklikken?'

Böhni gaf geen antwoord, maar trok een sluw gezicht, wat wilde zeggen: de joden denken altijd dat alleen zij slim zijn, maar andere mensen weten ook hoe je een rekening vereffent.

'Ben je dat van plan?'

'En wat dan nog?'

'Dan zou ik eens met mijn oom moeten praten.'

'Hè?'

'Hij is een beroemd worstelaar. In de Joodse Turnvereniging. Heb je nog nooit van Arthur Meijer gehoord? Als die met zijn ploeg komt, dan zullen jullie ervan lusten.'

De joden zijn tot alles in staat, dacht Böhni, dat schreef dr. Rolf Henne elke dag in *Die Front*. Misschien hadden ze echt een geheime knokploeg waarvoor je op je hoede moest zijn. Waarom zou Rosenthal ondanks de dreiging met een goed Zwitsers pak slaag anders zo grijnzen? Hij kon niet weten dat Hillel alleen moest lachen om het idee dat zijn vredelievende, bijziende oom Arthur een gevaarlijk straatvechter kon zijn.

Walter Böhni was geen slecht mens. Hij was opgegroeid op een kleine boerderij bij Flaach, midden in het wijnland, en als kind had hij al hard moeten werken, vooral in het voorjaar als de welgestelden in de stad asperges wilden eten en jij op het land je rug ruïneerde. De landbouwschool was voor hem de grote kans om vooruit te komen en iets te worden en daarom had hij een hekel aan mensen als Rosenthal die dat alleen uit liefhebberij deden en het niet eens nodig hadden. Hij wilde naar Palestina om daar te boeren, had hij op de eerste schooldag gezegd toen ze allemaal moesten vertellen wat ze van de Strickhof verwachtten. Terwijl iedereen wist dat je daar in het zuiden alleen woestijn en moeras had en er helemaal niets te boeren viel.

Böhni's ouders hadden altijd hard gewerkt, gezwoegd hadden ze, en toch wisten ze vaak niet waar ze het beetje vlees bij de aardappelen vandaan moesten halen. Dat was niet eerlijk en Böhni, die op zijn manier ook een denker was, was dankbaar geweest toen iemand hem daar een verklaring voor gaf. Het was de schuld van de joden met hun warenhuizen en banken, die alleen ten doel hadden de kleine man uit te buiten en te onderdrukken. Zelf was hij geen lid van het Nationaal Front, dan moest je te vaak naar vergaderingen en demonstraties, maar hun krant las hij regelmatig en hij vond alles wat daarin stond heel doordacht. Misschien was het helemaal niet verkeerd om de kameraden een beetje te informeren over wat de joden zoal van plan waren.

'Wat is dat eigenlijk voor huis, daar in de Fortunagasse?' fluisterde hij daarom.

'Daar wonen louter mensen die precies willen wat jouw vrienden zo luidkeels eisen: zo gauw mogelijk weg uit Zwitserland.'

'Naar Polen?'

'Nog veel verder naar het oosten.'

'Waarom zijn ze dan eigenlijk …?'

Hij zweeg, want Lampertz kwam er aan. Lampertz was anders meer het type van een stramme marcheerder, maar nu liep hij overdreven losjes te slenteren om te benadrukken dat hij echt alleen heel toevallig op zijn vrije dag langs de Strickhof was gekomen.

'Denkt u dat de lak zo goed is of moeten we er nog een keer overheen?' vroeg Hillel.

'Twee keer, op z'n minst. Hier wordt geen half werk geleverd.' Hij bleef bij hen staan en zei na een poosje: 'Ben je echt met het tweespan de trap afgereden?'

'Het spijt me, meneer Lampertz.'

'En terecht. Maar ik moet zeggen: alle respect! Dat had ik niet achter je gezocht. Zoiets had zelfs jij niet klaargespeeld, Böhni.'

57

Zalman Kamionker was aan zijn kledingfabriek gekomen als de Maagd aan haar kind of, zoals hijzelf zei, als stamvader Abraham aan zijn zoon Izaäk, op een leeftijd dus dat zo'n verandering in het leven niet meer te verwachten was. Door zijn werk in het hulpcomité voor de vluchtelingen uit Galicië was hij noodgedwongen ook arbeidsbemiddelaar geworden, wat eerst, nog tijdens de wereldoorlog, niet zo moeilijk was voor een ervaren onderhandelaar. Door de actieve dienst en de bezetting van de grens was er overal een tekort aan mannen en iedereen die van aanpakken wist was welkom. Later dutte het comité gaandeweg in; ze kwamen alleen nog weleens in actie bij een acute noodsituatie en legden voor de rest één keer per jaar rekenschap af van het magere kassaldo, een taak die mevrouw Okun ook heel goed alleen had afgekund. Tijdens de economische crisis van de vroege jaren dertig begon de werkloosheid steeds sneller te stijgen en moest het comité gereactiveerd worden. De crisis trof vooral de oostjoden, aan wie je nog kon horen waar ze vandaan kwamen en die, om eerlijk te zijn, ook door de gevestigde Zwitserse joden niet erg gewaardeerd werden. Die eigenlijk al heel goed ingeburgerde vluchtelingen waren opeens weer vreemde schooiers geworden, die Zwitserland overheersten en de schaarse banen inpikten. Als er ontslagen vielen, waren zij het eerst aan de beurt, en bij wie kwamen ze dan met hun problemen? Bij Zalman natuurlijk, en die stuurde hen niet weg, hoewel Hinda pinnig opmerkte dat iemand weleens door pure hulpvaardigheid voor anderen zijn eigen parnose had verloren. Voor allerlei vreemde mensen zocht hij werk en omdat er geen werk te vinden was, besloot hij het te creëren.

Zoals hij dat deed in zijn tijd in de Goldene Mediene, ging hij bij de warenhuizen langs en bood de inkopers aan confectie te leveren, geheel naar hun wensen en voordeliger dan alle andere aanbieders. Hij wilde daarmee een beetje werkgelegenheid scheppen in een tijd dat de mensen al met kartonnen bordjes op de hoek van de straat stonden en zichzelf aanprezen zoals een sjmatteshandelaar oude broeken. Als iemand toen tegen hem had gezegd dat hij op die manier balebos van een eigen bedrijf zou worden, dan had hij hem voor mesjoege verklaard. Zalman Kamionker als kapitalist, dat was net zo waarschijnlijk als Joseph Goebbels als minjeman.

De eerste bestelling kwam van François, in wiens warenhuis na een plotselinge koudegolf in het voorjaar de warme jassen opgeraakt waren. François zei nadrukkelijk dat de opdracht niets, maar dan ook niets met liefdadigheid te maken had, hoe zou uitgerekend hij als gedoopte op het idee komen om joodse vluchtelingen te helpen? Hij was zakenman en in zaken had joodse liefdadigheid of christelijke naastenliefde niets te zoeken. Als de jassen niet van de allerbeste kwaliteit waren, hoefde Zalman zich nooit meer bij hem te laten zien, was dat begrepen? Maar de opdracht gaf hij.

Zo begon het.

In het eerste jaar nam Zalman de mensen, afhankelijk van de hoeveelheid werk, per dag of zelfs per uur in dienst. Iedereen werkte thuis, bediende als het ware met de ene voet de naaimachine en bewoog met de andere de wieg heen en weer. Omdat ze allemaal om den brode naaiden, kon de dag ook weleens veertien uur hebben of zelfs meer. Zalman voelde zich vaak een uitbuiter, uitgerekend hij, de vakbondsman die bij de algemene staking van 1918 voorop had gelopen om de achtenveertigurige werkweek te bevechten en daarom natuurlijk prompt weer eens zijn baan was kwijtgeraakt. Eerst leverde hij uitsluitend jassen – daar had Zalman sinds zijn Amerikaanse tijd het meeste verstand van –, later kwamen er ook jurken en ochtendjassen bij en algauw was het monogram KK in alle soorten confectie te vinden. KK betekende eigenlijk Kamionker Kleding, maar de medewerkers trokken hun eigen conclusie uit de letters. Voor hen betekende KK doodgewoon: Koosjere Kledingfabriek.

De definitieve doorbraak werd vreemd genoeg veroorzaakt door de modieuze gebruiken van een ver continent. Een Duitse vluchteling, ooit eigenaar van een modezaak in Magdeburg, had toevallig een visum voor Kenia gekregen, waar een schijnbaar onbeperkte vraag naar katoenen jurken in maat 50 en hoger bestond, waarbij felgekleurde stoffen met grote stippen het meest in trek waren. Toen de man op doorreis naar Kenia vanwege bureaucratische moeilijkheden een paar weken in Zürich vastzat, had Zalmans comité hem geholpen – het beperkte zijn activiteiten allang niet meer tot Galiciërs – en uit dankbaarheid hield hij nu rekening met de koosjere kledingfabriek. Het waren zijn voortdurende nabestellingen die KK in staat stelden een eigen bedrijfsruimte in Wollishofen te huren en de eerste vaste medewerkers aan te stellen.

Aanvankelijk werkte Zalman niet zelf in het bedrijf, of hij liet zich voor zijn medewerking in elk geval niet betalen. Want al kreeg hij regelmatig ruzie met zijn werkgevers, het was hem nog steeds gelukt om een baan te vinden en hij peinsde er niet over een baan in te pikken van iemand anders. Maar hoe meer succes het bedrijf had, hoe moeilijker het werd het tussendoor en uit pure liefdadigheid te runnen en op een gegeven moment had Zalman zich erbij neer moeten leggen dat hij nolens volens meneer de directeur was. Om tenminste op één punt zijn principes trouw te blijven, wilde hij zichzelf eerst niet meer loon geven dan een coupeuse, maar toen had Hinda, die zich anders niet met zijn werk bemoeide, geweldig opgespeeld. Of hij soms dacht dat hij in Gan Eden een betere plaats kreeg als hij met zeventig rappen per uur genoegen nam, had ze willen weten, en of hij haar alsjeblieft ook kon uitleggen hoe van zo'n hongerloontje de pakken en mooie overhemden betaald moesten worden die hij in zijn nieuwe rol nu eenmaal moest dragen. Dat was haast het ergste voor Zalman: omdat hij constant met klanten te maken had, moest hij nu elke dag een das om. Hij was een vredelievend mens, maar dat maakte hem telkens weer razend.

Het argument dat hem ten slotte overtuigde was het feit dat ook Rachel in het bedrijf meewerkte. Het zou echt te gek zijn als Zalman, die dag en nacht voor de firma in de weer was, niet meer verdiende dan zijn dochter, die als hoofd van het kantoor alleen maar op haar tooches zat en de mensen commandeerde.

Intussen was hij er helemaal aan gewend om meneer de directeur te zijn. De koosjere kledingfabriek was een erkend bedrijf, men werkte op naaimachines met inwendige spoeltjes van het merk Deutschland en gebruikte elektrische strijkijzers met een regelknop. Maar wat nog veel belangrijker was: er was werk voor zo'n dertig mensen. Op de personeelslijst stonden een cheffin voor de ontwerpen, veertien naaisters en naaiers, zes coupeuses, vier strijksters, drie mensen op kantoor, een leerjongen, een vertegenwoordiger en een eigen mannequin. Van de medewerkers waren er maar twee niet joods: de cheffin, een zekere juffrouw Bodmer, die alle modeshows bezocht om dan telkens heel gauw haar eigen ontwerpen naar de actuele trends te maken, en de mannequin, een huilerige geblondeerde jongedame, genaamd Blandine Flückiger, die zich liet voorstaan op haar gevoelige ziel en bijna elke dag getroost moest worden omdat ze gekwetst was.

Rachel, die het kantoor met strenge hand leidde, had regelmatig ruzie met haar, zoals ze ook al ruzie had gehad met haar twee voorgangsters. Het zinde haar absoluut niet dat zo'n nuf van amper vierentwintig door alle mannen werd verwend, alleen maar omdat ze een leuk smoeltje en maat 38 had. Bovendien wist Rachel bijna zeker dat er iets was tussen Blandine en Joni Leibowitz, de vertegenwoordiger. De klantenkring van

KK strekte zich intussen uit tot St. Gallen, Bern en Basel en overal wilden de inkopers de nieuwe ontwerpen aan het levende model zien. Joni Leibowitz en Blandine Flückiger waren dus vaak met z'n tweeën met de auto op pad en hoe het met de moraal van mannequins gesteld was, dat was bekend.

De diepere reden voor haar vijandigheid was dat Rachel, zo lang geleden dat het niet eens meer waar kon zijn, zelf belangstelling had gehad voor Joni Leibowitz. In de oorlog en voor hij door alle rondjes die hij beroepshalve moest geven, een burgerbuikje had gekregen, was hij in zijn uniform een vlotte vent geweest, van beroep vertegenwoordiger in papierwaren; hij was pas later naar de sjmattesbranche overgestapt. Eigenlijk had hij toen een oogje op Désirée, maar omdat er met haar na de dood van Alfred geen zinnig woord meer te wisselen viel, verloor hij gaandeweg zijn interesse in haar en de kruidenierswinkel en begon hij elders rond te kijken. Rachel en hij waren een paar keer wezen dansen en één keer – God, je was jong en onnozel – had ze zich door hem laten zoenen en hij had meteen zijn handen onder haar blouse proberen te schuiven. Wat ze natuurlijk niet had gepikt, zo jong en onnozel was ze zelfs als baby niet geweest.

Met elk jaar dat ze zelf ongetrouwd bleef, had Rachel meer op getrouwde en attractieve vrouwen aan te merken.

Zelf had ze niets opwindenders te doen dan elke dag naar kantoor gaan, vandaar dat ze beweerde dat ze dat graag en uit overtuiging deed. 'We leven in de twintigste eeuw; daar is geen plaats voor modepoppetjes en kletskousen.' Ze had nog steeds haar vuurrode haar, al moest ze het elke maand discreet een keer met henna verven, en ze droeg altijd de chicste kleren uit de KK-collectie, 'niet uit ijdelheid, zoiets is me als werkende vrouw volkomen vreemd, maar omdat ik tenslotte de firma moet representeren'. Als er bezoekers kwamen, nam die representatie twee totaal verschillende vormen aan. Inkopers ontving ze met een soort studentikoze kameraadschappelijkheid en ze plaatste dan voor elke zin de onuitgesproken inleiding: 'Onder ons zakenlieden …' Tegenover sollicitanten en andere smekelingen was ze afwijzend en streng, wat ook hard nodig was. Zalman liet zich in zijn goedigheid veel te makkelijk overhalen en ze had al vaak tegen hem moeten zeggen: 'Als jij het voor het zeggen had, zouden we elke twijfelachtige sjnorrer in dienst nemen en zou het bedrijf na een jaar mechoele zijn.'

De man die voor haar stond was ook zo'n twijfelachtig sujet. Zijn hele manier van doen beviel haar niet. Hij had haar een moment scherp opgenomen, zoiets voelde ze, en nu trok hij zo'n ongeïnteresseerd gezicht alsof het niet de moeite waard was haar beter te bekijken. Hij stond daar alsof hij wortel had geschoten, met zijn hoed in zijn hand, en hij verroerde zich ook niet toen ze hem liet wachten en eerst nog een telefoongesprek voerde en daarna nog een. Niet één keer ging hij van zijn ene been op zijn andere staan. Dit was iemand die had leren wachten, een van de geduldigen, die bijzonder lastig zijn omdat je ze niet zo makkelijk kwijtraakt.

'U wenst?' moest Rachel ten slotte vragen.

'Werk.'

Hij zei het zoals ze in het leger iets meedelen, geen woord te veel of te weinig. Hij was een Duitser, een Berlijner, dacht Rachel. Ze had weliswaar geen verstand van dialecten, maar alles wat haar onaangenaam Teutoons in de oren klonk, kwam volgens haar uit Berlijn. Zijn stem was verassend hard; als mensen iets wilden, waren ze doorgaans eerder schuchter. 'Ik wil u niet storen,' betekende hun toon dan, 'maar als het niet al te ongelegen komt, zou ik u iets willen vragen.'

Hij was niet iemand die iets vroeg. Als hij stoorde – nou goed, dan stoorde hij maar.

'Bent u kleermaker?' vroeg Rachel, hoewel ze natuurlijk best wist dat hij dat niet was. Dat kon je zien. Zijn pak was voor een veel dikkere man gemaakt en slobberde om zijn lijf. Een vakman zou het allang ingenomen en passend gemaakt hebben, als hij al aangewezen was op afgedankte kleren.

'Als u een kleermaker nodig hebt, ben ik een kleermaker,' zei de man.

'Kunt u naaien?'

'Ik kan het leren.'

'Zo? Van de ene dag op de andere?'

'Desnoods.'

'Hoe stelt u zich dat voor?'

'Er zijn moeilijker dingen.'

'Luister eens,' zei Rachel en omdat de man zoveel groter was dan zij en ze hem niet de koved wilde bewijzen voor hem op te staan, wipte ze op haar bureaustoel op en neer. 'We nemen hier geen ongeschoolde krachten aan.'

Hij lachte. Nee, hij lachte niet. Hij liet een geluid horen dat een lach had kunnen zijn als je een lach zou kunnen inzouten om hem in de kelder te bewaren en op een gegeven moment, als er niets anders meer is, weer tevoorschijn te halen.

'Gelooft u me, juffrouw,' zei hij, 'Ik kan alles wat er van me gevraagd wordt. Ik ben door de wol geverfd.'

Rachel hield er niet van als iemand haar juffrouw noemde. Ze vermoedde achter dat woord altijd bedekte spot, in de trant van: 'Al bijna veertig en nog geen man.'

De bezoeker was moeilijk te schatten. Vijftig kon hij zijn. Of jonger.

Niet dat het haar interesseerde.

'Wat verwacht u eigenlijk dat ik voor u doe?'

'U had me naar mijn naam kunnen vragen,' zei de man. 'Ik heet Grün.'

'Grün en verder?'

'Grünberg, Grünfeld, Grünbaum. Kiest u maar uit.'

'Wat zegt u?'

'Kent u de moppen die allemaal beginnen met: "Grün komt Blau tegen …?" Nou, Blau is dood. Ik ben Grün.'

Hij had niets bijzonders, als je het te wijde pak wegdacht. Bij een joodse simche zou niemand hem de deur uitgezet hebben, met zo'n gezicht hoorde je in elk huis bij de misjpooche. Rond zijn ogen had hij van die goede-oom-rimpeltjes, al had Rachel hem nog niet zien glimlachen. Neen, hij had niets bijzonders.

De geksten zien er altijd het gewoonst uit, had ze eens ergens gelezen.

'Eigenlijk, meneer Grün, wilde ik alleen uw voornaam weten.'

'Felix,' zei de man. 'Is dat geen goeie grap?'

'Wat is daar zo grappig aan?'

'Felix betekent de gelukkige.'

Ze kon niet wijs uit hem worden en alleen al daarom vond ze hem onsympathiek. Je kunt naaien of je kunt het niet, maar je gaat daar niet zomaar met je hoed in je hand staan en krijgt meteen werk.

'Het spijt me, meneer Grün, maar …'

'Het spijt u helemaal niet,' stelde de man zonder enig verwijt vast. 'Het doet u zelfs plezier. Niet veel, maar toch. Ik ken dat. Misschien zou ik ook zo zijn als ik macht had over anderen.'

'Hoezo macht?'

'U hebt werk, ik heb werk nodig.'

'U bent geen kleermaker.'

'Ik kan doen of ik er een ben. Bedrieglijk echt. Net als uw haar.'

De brutaliteit!

'Wat is er met mijn haar?'

'Voor u de pasta in uw haar smeert moet u er een beetje zwarte koffie door doen, dan ziet de henna er niet zo fel uit. Dat weet ik van een collega.'

'En wat voor beroep heeft die collega? Betweter?' Die man maakte haar echt razend.

'Ze zat in dezelfde branche als ik,' zei Grün. 'Toen ik nog een beroep had. Nou ja' – hij zuchtte en ook de zucht kwam uit de kelder, uit een of andere voorraadpot waar hij zijn gevoelens in bewaarde – 'nou ja, kleermaker is ook niet gek. Als u wilt, kan ik meteen beginnen.'

'Hier is niets voor u,' zei Rachel, die tot haar ergernis merkte dat haar stem schril was geworden.

'Jawel,' zei Grün. 'Hier is werk en ik heb werk nodig. Dus wacht ik tot ik het krijg.'

'Ik heb toch gezegd ...'

'U bent hier niet de baas.' Ook dat zei hij niet onvriendelijk. 'Ik heb zoiets leren herkennen. Men laat u commanderen, maar u hebt het niet echt voor het zeggen.'

'Hoe weet u dat nou?' Het lukte haar niet de vraag in te slikken, hoewel je met zulke mensen niet in discussie moest gaan.

'U doet te hard uw best,' zei Grün.

Hij stond bij de muur, maar leunde er niet tegenaan, hij vroeg niet om een stoel, informeerde niet wanneer de baas eindelijk kwam, stond daar gewoon te wachten. Als er iemand binnenkwam keek hij hem even aan en wist meteen dat het de goede nog niet was. Ook toen Joni Leibowitz terugkwam van een klant en luidkeels zijn beklag deed dat bij een levering damesjassen de bestelde reserveknopen er niet in genaaid waren, hoewel hij daar speciaal nog een keer opdracht toe had gegeven – En wie moest dan de klachten van de inkopers aanhoren? Hij! –, zelfs toen draaide Grün alleen zijn hoofd even om en verzonk weer in gedachten: een man die al vaak heeft gewacht en wie een paar uur meer ook niets uitmaakt.

Zalman was naar een afspraak bij de bank. Hij deed dat niet graag, maar er zat niets anders op; hoe succesvoller een bedrijf werd, hoe meer geld er nodig leek te zijn. Ze waren uiterst beleefd tegen hem geweest en de medewerker had niet alleen het krediet verleend voor de aanschaf van een eigen knopenmachine, maar hem zelfs gefeliciteerd: hij deed het precies goed. Zolang de arbeidskrachten goedkoop waren en de vakbonden niets in te brengen hadden, moest je je slag slaan; hij zou zien dat ze bij de eerste tekenen van een opleving weer uit hun holen kropen. In het belang van het bedrijf had Zalman hem niet tegengesproken en alleen al die zelfbeheersing vond hij een directeurssalaris waard.

De man die zo lang had gewacht, deed een stap naar voren toen Zalman binnenkwam, als een soldaat die een bevel opvolgt. 'U bent hier de baas,' zei hij.

'En wie bent u?'

'Ik heet Grün.'

'Ik heb hem gezegd, papa, dat we geen ongeschoolde krachten aannemen, maar hij wilde toch per se op je wachten, papa.' Rachel had graag nog een derde 'papa' in de zin gevlochten. Die Grün mocht gerust weten dat zij de dochter van de directeur was.

Zalman nam de man op. Een vluchteling, natuurlijk, de wereld was vol met vluchtelingen. Het pak was van goede Engelse stof, dus was hij iemand die het ooit beter had gehad. Dat sprak om te beginnen tegen hem, niet omdat je je voor verloren bezittingen moest schamen, maar omdat mensen die ooit rijk waren geweest in de regel geen goede arbeiders waren. Handen kon je iets bijbrengen, was zijn ervaring, een hoofd niet. Het pak – zoiets zag Zalman in één oogopslag – was op maat gemaakt, maar voor een veel dikkere Grün. Hij moest dus iets ergs meegemaakt hebben; ook dat was geen zeldzaamheid bij een jood die uit Duitsland kwam.

'Wat bent u van beroep?'

'Wat u maar nodig hebt.'

'Hij is geen kleermaker, papa.'

'Ik ben ook niet altijd vluchteling geweest,' zei Grün. 'En toch heb ik het snel onder de knie gekregen.'

'U moet begrijpen,' zei Zalman, die al voor de tweede keer op deze dag vervloekte dat hij de directeur moest spelen, 'u moet begrijpen dat hier elke week twintig mensen aankomen. Dertig. Als ik die allemaal zou aanstellen ...'

'Geeft u me vijf minuten,' zei Grün.

Een echte directeur had hem gewoon laten staan. Maar je kunt een hoofd niet alles bijbrengen en Zalman had te lang geleefd volgens het principe dat je naar ieder mens moet luisteren alvorens nee te zeggen.

'Goed dan, vijf minuten.'

De twee verdwenen in de directiekamer, eigenlijk niet meer dan een door dunne gipswanden van het grote kantoor afgescheiden hokje. De deur ging achter hen dicht en Rachel hief duidelijk wanhopig haar ogen naar het plafond.

Joni Leibowitz had de scène gadegeslagen en leunde nu met een sigaret in zijn mondhoek tegen Rachels bureau. Ze had niet graag dat hij nog altijd zo vanzelfsprekend aanspraak maakte op een vertrouwelijkheid die allang niet meer bestond.

'Ik wed om een fles wijn dat hij hem aanneemt.'

'Nooit.'

'Hij neemt hem nooit aan of jij wedt nooit?'

'Allebei.' Ze had hem meer dan eens gevraagd haar op kantoor niet te tutoyeren.

Joni liet de as van zijn sigaret in zijn holle hand vallen – een gewoonte die Rachel onmogelijk vond – en klopte toen zijn handen boven haar prullenmand af. 'Ook een?' vroeg hij terwijl hij haar het opengeklapte etui toestak. Het was van alpaca, maar hij hoopte waarschijnlijk dat men dacht dat het van zilver was.

'Ik rook niet.'

'Dan moeten de peuken met de lippenstiftsporen die ik altijd in de pakkamer vind, van iemand anders zijn.'

Hij grijnsde. Joni was iemand die graag geheimen oprakelde, omdat hij plezier had in de macht die ze hem over anderen gaven.

Plezier in de macht? Die eigenaardige meneer Grün had precies hetzelfde van haar beweerd.

'Mag ik nu alsjeblieft doorgaan met mijn werk?' zei ze streng.

'Ik zal je niet tegenhouden.' Hij liet zijn sigarettenpeuk in de prullenmand vallen – ook dat was zo'n typische lompe gewoonte van hem – en ging naar buiten. Vroeger, maar dat was oneindig lang geleden, had Rachel zijn demonstratief nonchalante, slenterende gang heel aantrekkelijk gevonden.

Het duurde langer dan vijf minuten, minstens een halfuur. Toen pas ging de deur van de directiekamer open en kwamen de beide mannen naar buiten.

'Meneer Grün begint morgen,' zei Zalman. 'Iemand moet hem uitleggen hoe een naaimachine werkt.'

58

Arthurs praktijk bleef om de veertien dagen op woensdag dicht. Zijn assistente, de ouwelijke juffrouw Salvisberg, scheepte alle patiënten af en hij reed naar Heiden om in het joodse kindertehuis Wartheim gratis spreekuur te houden.

De reis naar het Appenzellerland zou ook met de trein heel aangenaam geweest zijn – Arthur hield vooral van de kleine tandradbaan die vanaf Rorschach tegen de zacht glooiende heuvels opklom –, maar als het weer het enigszins toeliet kroop hij nog liever in zijn Fiatje. Waarvoor heb je een eigen auto als je hem niet gebruikt? Maar hij vond het bijna pijnlijk dat hij van dat deel van zijn vrijwilligerswerk altijd zo genoot; zijn overijverige geweten was van mening dat je je een goede daad alleen mocht aanrekenen als die je zwaar viel.

Dat Wartheim een arts uit Zürich moest laten komen, had te maken met geld, of liever gezegd: met gebrek aan geld. Voor de particuliere kinderen waren er genoeg artsen in het dorp en als die geen raad meer wisten, liet men ook weleens een specialist uit St. Gallen komen. Een kind was particulier als zijn ouders het kostgeld voor de volle honderd procent zelf betaalden, wat alleen Zwitsers konden, en zelfs die niet allemaal. Ook de 'voogdijkinderen', van wie de huisvesting wegens behoeftigheid door de sociale dienst werd gefinancierd, hadden recht op medische verzorging, waarbij de plaatselijke medici wel uitkeken bij hen al te dure ziekten vast te stellen. Het probleem waren de 'vrouwenverenigingskinderen', de voor het merendeel Duitse pupillen die door de Bond van Joodse Vrouwenverenigingen ondersteund moesten worden omdat hun ouders geen geld meer stuurden – omdat ze geen geld meer hadden of omdat de voortdurend aangescherpte deviezenbepalingen regelmatige overschrijvingen onmogelijk maakten. Men liet die kinderen niet verhongeren, natuurlijk niet, maar al werden ze elke vrije minuut ingeschakeld voor allerlei karweitjes en verdienden ze op die manier tenminste een deel van hun onderhoud zelf, ze waren toch een last en voor buitengewone kosten als doktersvisites was nooit genoeg geld.

Ze hadden Arthur niet twee keer hoeven vragen die taak op zich te nemen. 'Als ik nee zou zeggen, zou ik het gevoel hebben dat ik de school verzuimde,' had hij tegen Hinda gezegd en zijn zus had geantwoord: 'Nee, Arthur, wat jij verzuimt is het leven.'

De reis verliep vandaag vlot en in Heiden had hij zelfs nog tijd om een halfuurtje in de Schützengarten te gaan zitten. Zijn Zürichse dialect deed in het Appenzellerland exotisch aan en toen hij koffie bestelde, wisten ze zeker dat hij een vreemdeling was. Hier dronken de mensen op elk moment van de dag bier of rode wijn.

Aan de stamtafel zaten twee pijprokende mannen over politiek te praten. Ze waren het er luidkeels over eens dat Hitler het in Duitsland niet lang zou maken. Hij had ruzie gezocht met het internationale jodendom en dat pakte altijd verkeerd uit.

Op de steile weg van het dorp naar het kindertehuis reed Arthur te hard en bijna had hij de inrit gemist.

Juffrouw Württemberger, de directrice, verwachtte hem al. Haar kantoortje was met twee uitpuilende boekenkasten ingericht als een studeerkamer. 'Met niets anders dan een kist boeken ben ik naar Zwitserland gekomen,' mocht ze graag zeggen en ze verzette zich niet tegen de indruk dat ze, om haar bibliotheek te redden, vrijwillig heel wat waardevollere schatten in Duitsland had achtergelaten. Ze was wat Chanele 'een oude vrijster' genoemd zou hebben, in dit geval een academische oude vrijster. Tijdens gesprekken liet ze graag vallen dat ze als filosofiestudente aan de voeten van Heidegger had gezeten, en hoewel haar grote meester later lid van de nazipartij en rector van de 'Führeruniversität Freiburg' was geworden, verdedigde ze hem nog steeds. 'Freiburg is de enige universiteit waar nooit boeken zijn verbrand,' was haar standaardverweer en als laatste bewijs haalde ze ook haar waarschijnlijk kostbaarste bezit uit de kast: een door haar idool persoonlijk gesigneerd exemplaar van het *Jaarboek voor filosofie en fenomenologisch onderzoek* uit het jaar 1927, met het eerste deel van de beroemde verhandeling over Zijn en Tijd.

Juffrouw Württemberger hield aanzienlijk meer van boeken dan van mensen, want die waren in geen enkel rationeel systeem in te passen en hielden stug vast aan hun eigen, niet te classificeren individualiteit. Dat ze de baan in Wartheim had aangenomen, beschouwde ze als een offer dat je als emigrant nu eenmaal diende te brengen. Bij het kennismakingsgesprek had ze de welmenende dames van de vrouwenvereniging zo minachtend behandeld en zo veel vreemde woorden gebruikt dat ze haar voor een ervaren pedagoge aanzagen en prompt aanstelden.

'Ik had u eerder verwacht,' zei ze ter begroeting. Met een afwijzend gezicht, alsof ze het ritueel van handen drukken veel te intiem vond, stak ze hem haar vingertoppen toe. Afgebeten nagels, dacht Arthur zoals elke keer. Bij de kinderen zou ze dat niet door de vingers zien. Juffrouw Württemberger trok haar hand meteen weer terug, zoals je een onhandig kind een breekbaar voorwerp afpakt, en streek met een nerveus gebaar over haar strakke knotje. Ze maakte jacht op weerbarstige pieken als een gevangenbewaarder op uitbrekers.

'Vandaag zijn het er vier.' Juffrouw Württemberger zei het verwijtend, alsof Arthur persoonlijk schuldig was aan dat onbehoorlijk hoge aantal zieken onder de vrouwenverenigingskinderen. Zoals altijd had ze hem geen stoel aangeboden. Arthur betwijfelde of op die midden voor haar bureau neergezette bezoekersstoel ooit iemand plaats had mogen nemen, zoals hij soms ook de verdenking koesterde dat de ronde glazen in juffrouw Württembergers bril van vensterglas waren en alleen dienden om de directrice een nog intellectueler aanzien te geven dan ze al had.

Er was geen spreekkamer in het tehuis en zelfs als er een plekje voor was geweest, zou dat niet gebruikt zijn voor de vrouwenverenigingskinderen. Voor zover de patiëntjes niet bedlegerig waren, moesten ze keurig in de rij – 'Monden dicht!' – voor de strijkkamer op de tweede verdieping aantreden en daar op de dokter wachten. De grote tafel waarop anders lakens en slopen werden opgevouwen, diende als onderzoektafel en als de kinderen hun kleren moesten uittrekken, belandden die in een wasmand. Er hing een geur van zeepvlokken in de lucht, die de voor een spreekuur zo ongeschikte plaats toch nog een indruk van antiseptische netheid verleende.

'Spreekuur' was trouwens een eufemistische benaming voor een gebeurtenis die zich van de kant van de kinderen bijna zwijgend voltrok. Juffrouw Württemberger stond erop bij elke behandeling aanwezig te zijn en Arthurs vragen zelf te beantwoorden.

'Hij is zo onhandig,' klaagde ze over een kleine jongen die zich bij het aardappelen schillen diep in de bal van zijn linkerduim had gesneden. 'Ik heb hem wel tien keer laten zien hoe je het mes moet vasthouden, maar hij wil het gewoon niet begrijpen.'

De jongen sprak haar niet tegen en huilde ook niet toen de gapende wond met jodium werd behandeld. Pas toen Arthur zich bij het hechten over zijn hand boog, zei hij heel schuchter: 'Ik ben linkshandig.'

'Heb je je daarom gesneden?'

'Met mijn rechterhand kan ik gewoon niet zo …'

Verder kwam hij niet. 'Er is een mooi handje en een lelijk handje,' viel juffrouw Württemberger hem in de rede. Martin Heidegger persoonlijk had het axioma niet overtuigender kunnen verkondigen. 'Een mooi en een lelijk handje. Dat moet je leren, anders bereik je nooit iets in het leven.'

512

Arthur knipoogde stiekem naar de kleine jongen om te zeggen: 'Laat haar maar praten.' Maar hij reageerde niet, zei alleen heel beleefd: 'Dank u, dokter' en liep de kamer uit.

Het tweede patiëntje kende Arthur al. Ze had – 'Jij rent ook altijd in plaats van te lopen zoals een verstandig mens!' – een paar weken geleden haar arm gebroken en Köbeli, de geestelijk licht gehandicapte, maar handige conciërge van Wartheim, had volgens Arthurs telefonische instructie vanmorgen het gipsverband opengezaagd. De breuk was zonder problemen genezen.

'Het gips heb je hopelijk als aandenken bewaard?' vroeg Arthur. Hij herinnerde zich dat de andere kinderen zich er met handtekeningen en kleine tekeningetjes op hadden vereeuwigd.

'We hechten hier veel waarde aan hygiëne,' antwoordde juffrouw Württemberger in de plaats van het meisje. 'We hebben het natuurlijk weggegooid.'

Als volgende kreeg Arthur een jongen te zien die volgens hem niets mankeerde. Alleen plaste hij sinds kort in zijn bed – 'Op zijn elfde!' – en hoewel juffrouw Württemberger al haar pedagogische talenten had aangewend – ze liet hem elke morgen eigenhandig het vuile laken wassen en terwijl het aan de lijn hing te drogen moest hij ernaast staan en zich door de andere kinderen laten uitlachen –, hoewel ze dus alles had gedaan wat je redelijkerwijs van haar kon verwachten, wilde hij er maar niet mee stoppen. Juffrouw Württemberger, die alle psychologie onwetenschappelijk vond, hield vol dat de kwaal, al speelde er zeker angst en eenzaamheid mee, een fysiologische oorzaak moest hebben en ze herhaalde die formulering drie keer, zoals mensen die trots zijn dat ze de vakterm van een vreemd beroep hebben begrepen. Na een lange discussie kon Arthur niet meer voor de jongen doen dan hem een licht sedatief voorschrijven, hoewel hij uit eigen ervaring wist dat nachtmerries niet met slaapmiddelen te verdrijven zijn.

'Maar de laatste heeft echt iets,' zei juffrouw Württemberger, alsof half afgesneden vingers en gebroken armen geen ongelukken, maar alleen lastige storingen waren. 'Ze geeft bloed op.' En op haar ze-maken-het-me-ook-altijd-zo-moeilijk-toon voegde ze eraan toe: 'Ik heb het pas een paar dagen geleden gehoord.'

'Hoe lang is ze hier al?'

'De drie maanden zijn bijna om.'

Drie maanden was de met de Zwitserse vreemdelingenpolitie overeengekomen maximale verblijfsduur voor buitenlandse kinderen. *Gouverner, c'est prévoir*: de strikte limiet van een kwartaal moest voorkomen dat graag geziene kuurgasten op een gegeven moment onbeminde immigranten werden. Aan de andere kant was Zwitserland nog altijd een toe-

ristenland en dat moest het ondanks alle omwentelingen in Europa vooral blijven, en ook economisch gezien was er van hogerhand absoluut
niets op tegen dat Duitse kinderen in de gezonde Appenzeller lucht weer
blozende wangen kregen.

Alleen was er in dit speciale geval van de blozende wangen niets
terechtgekomen.

'Ze geeft bloed op? Zomaar ineens? Ervoor hebt u nooit iets gemerkt?'

'Met dat kind heb ik niets dan narigheid,' zei juffrouw Württemberger
klaaglijk. 'Ze struint rond.'

'Is ze weggelopen?'

'Zoiets komt bij ons niet voor. Ik neem mijn zorgplicht zeer serieus.'
Ze overtuigde zich ervan dat er nog steeds geen piek uit haar knotje was
ontsnapt. 'Het is nog veel vervelender.' Ze liet haar stem zakken en zei
bijna fluisterend: 'Ik heb haar op de kamer van Köbeli betrapt.'

'Wat zegt u?'

'Op de kamer van een debiel! Op zijn slaapkamer!' Ze sprak het woord
zo verontwaardigd uit alsof haar conciërge naast zijn slaapkamertje nog
een hele reeks andere kamers voor het uitkiezen had.

'Köbeli is ongevaarlijk.'

'Zoiets weet je nooit zeker,' zei juffrouw Württemberger somber. 'Hij
was gelukkig niet aanwezig. Wat niets verandert aan de vraag wat een
meisje van twaalf op de kamer van een vreemde man te zoeken heeft?'

'Er is vast een heel onschuldige reden voor.'

Zo makkelijk was de directrice niet gerust te stellen. 'Ze was in haar
nachthemd,' zei ze somber. 'Dus praktisch naakt. En u weet wat er op die
leeftijd allemaal kan gebeuren.' Juffrouw Württembergers gezicht maakte duidelijk dat er dwalingen waren die ze onmogelijk met een man kon
bespreken, ook al was hij arts. 'En nu ook nog die ziekte! Terwijl die twee
volgende week terug moeten.'

'Die twee?' herhaalde Arthur het verrassende meervoud.

'Ze is hier met haar broertje. Irma en Moses Pollack uit Kassel. Hier
zijn de attesten.'

Elk kind dat vanuit het buitenland naar Wartheim kwam, moest voor
het passeren van de grens een doktersattest laten zien waarin verklaard
werd dat het helemaal gezond was. Ook dat verlangde men van hogerhand, want hoe trots men ook op de heilzame werking van de goede
Zwitserse lucht was, zieken wilde men toch liever niet het land binnenlaten. Een toeristenland kan zich geen epidemieën veroorloven.

Privaatdocent dr. Saul Merzbach (voor de vakterm 'chef de clinique
gynaecologie in het Rode Kruis Ziekenhuis Kassel' was met inkt 'voormalig' ingevoegd) had bevestigd dat hij bij de kinderen Pollack, Irma (12
jaar oud) en Moses (9 jaar oud), een grondig onderzoek inclusief neus-

uitstrijk op difteriebacillen had verricht en geen ziekteverschijnselen op lichamelijk of geestelijk gebied had geconstateerd. Dat was drie maanden geleden geweest.

Maar nu gaf Irma bloed op.

'En haar broertje?'

'Volkomen gezond. Alleen hangt hij veel te erg aan zijn zus. Ik heb ze proberen te scheiden. Om zijn zelfstandigheid te bevorderen. Maar dat heeft tot scènes geleid …' Kinderen konden zo onverstandig zijn.

'Dan wil ik eens naar die Irma kijken.'

Ze kwamen met z'n tweeën binnen, hand in hand. Arthur had het meisje jonger geschat, tien, hoogstens elf. Ze was klein voor haar leeftijd, maar had een kinderlijk-volwassen gezicht met grote bruine ogen die een beetje scheel keken. De afwalende blik wekte de indruk dat ze constant in gedachten en met haar aandacht ergens anders was.

Ziek zag ze er niet uit.

Moses was veel kleiner dan zijn zusje, maar hij keek zo vol vertrouwen naar haar op en zij hield zijn hand zo beschermend vast dat je onwillekeurig aan een moeder met haar kind dacht.

'Jij bent dus Irma,' zei Arthur. 'En jij de kleine Moisji.'

'Ik heet Moses,' verbeterde de jongen het verkleinwoordje. Hij had een heel zacht stemmetje, alsof hij maar een deel van zichzelf uit Duitsland had meegebracht en de rest daar had achtergelaten. 'De naam komt van Moses Mendelssohn.'

'En weet je ook wie Moses Mendelssohn was?'

'Niet precies. Een musicus, geloof ik. Maar mijn vader heeft gezegd dat het een naam is om trots op te zijn.'

'Daar heeft je vader volkomen gelijk in. Schrijf je hem ook regelmatig?'

'We kunnen hem niet schrijven,' zei het meisje. 'Hij is dood.'

Arthur had het liefst zijn tong afgebeten.

Juffrouw Württemberger had geen tijd voor zulk geleuter. 'Dat doet allemaal niet ter zake. Zeg tegen de dokter wat je mankeert.'

'Ik moet steeds hoesten. Het doet pijn, hier vanbinnen.' Ze greep naar haar borst. 'En soms komt er bloed mee.'

'Laat het de dokter zien!'

Zonder haar broertje los te laten greep Irma met haar vrije hand in de zak van haar zwart-witgeruite schort, haalde er een verfrommelde zakdoek uit en stak hem Arthur toe. In de stof zat een grote, opgedroogde, zwartbruine bloedvlek.

'Inderdaad,' zei Arthur.

Hij stak de zakdoek ook juffrouw Württemberger toe, maar die deinsde geschrokken en vol weerzin achteruit.

'Dat had die dokter in Kassel toch moeten merken,' mopperde ze, terwijl ze alweer naar ontsnapte haarpieken speurde. 'Zoiets komt niet van de ene dag op de andere.'

'Soms wel.'

Juffrouw Württemberger stak haar wijsvinger met de afgebeten nagel beschuldigend naar het kleine meisje uit en snauwde: 'Ik stel jou verantwoordelijk! Je had dat veel eerder moeten zeggen.' En op niet minder verwijtende toon tegen Arthur: 'Wat is het voor ziekte? Toch hopelijk niets besmettelijks?'

Arthur was een milde man, veel te mild zoals Hinda hem steeds weer verweet. Maar er waren grenzen. 'Het zal zelfs u niet ontgaan zijn,' zei hij sarcastisch, 'dat artsen hun patiënten soms onderzoeken voor ze een diagnose stellen. En laat u me nu alstublieft met het kind alleen.'

'Ik sta erop ...'

'Zoals u wilt.' Arthur legde de al tevoorschijn gehaalde stethoscoop weer in zijn koffertje en liet het slot dichtklikken. 'Dan beëindig ik nu mijn werk en zal ik de vrouwenvereniging meedelen dat hier in Wartheim misschien een zeer besmettelijke longziekte heerst.'

'Maar ...'

'Nagaan wie voor zo'n epidemie de verantwoordelijkheid draagt, zal dan niet meer mijn zaak zijn.'

Als haar bolwerk van vreemde woorden en indiscutabele dogma's eenmaal doorbroken was, had juffrouw Württemberger niet veel meer te berde te brengen. Ze rukte Moses letterlijk van zijn zusje weg en beende met hem de kamer uit, de jongen als een krijgsgevangene achter zich aan trekkend.

De deur sloeg dicht. Irma wilde haar broertje achternalopen, maar bleef toen toch staan.

'Als ze niet aardig tegen hem is,' zei Arthur troostend, 'brouw ik een drankje voor haar waar ze drie dagen buikpijn van heeft.'

Vermoedelijk begreep de kleine Irma zijn grap niet. Arthur hield van kinderen, maar was niet gewend met ze om te gaan. Het meisje keek hem alleen met grote ogen aan, of liever gezegd: ze keek langs hem heen en vroeg: 'Moet ik me uitkleden? Zodat u me kunt onderzoeken?'

'Ja, natuurlijk. Maak je bovenlichaam vrij.'

De meeste mensen, ook kinderen, draaiden zich om als ze voor een onderzoek hun kleren uittrokken, een paar seconden verborgen ze nog de naaktheid die ze de dokter dadelijk zouden tonen. Irma deed dat niet. Integendeel, ze keek hem zo geconcentreerd aan alsof ze iets over hem moest ontdekken of in verband met hem een raadsel moest oplossen.

'Vanbuiten is er niets te zien,' zei ze terwijl ze haar schort opvouwde en in een wasmand legde. 'Maar als ik hoest, doet het heel erg pijn.'

'Waar precies?'

'Overal,' kwam de stem vanonder de trui die ze net over haar hoofd trok.

'En hoe vaak heb je die aanvallen?'

'Soms elke dag en soms … Het komt altijd heel onverwachts.'

Ze legde ook haar hemd zorgvuldig in de wasmand en stond nu alleen nog in een witte onderbroek en grijze, met de hand gebreide sokken voor hem.

Dit was geen ziek kind. Misschien een beetje ondervoed, met te sterk uitstekende sleutelbeenderen, maar verder … De huid roze en beslist niet cyanotisch.

Maar bij het hoesten spuugde ze bloed.

Op de binnenplaats was het geschreeuw van spelende kinderen te horen en de stem van juffrouw Württemberger, die riep dat ze stil moesten zijn.

Het meisje had geen tuberculose, daar had hij zijn doktersbul om durven verwedden. Hij onderzocht haar grondig, volgens de regels van de kunst, en vond geen enkel symptoom van een ziekte. Bij het bekloppen klonk het helder en bij het beluisteren was er geen gereutel of gebrom te horen. Hij liet haar, wat hij sinds zijn stage in het academisch ziekenhuis niet meer had gedaan, precies volgens het leerboek 'Zesenzestig' fluisteren en daarna met een diepe stem 'Negenennegentig' zeggen. Het klonk allemaal zoals het klinken moest. In de ziektestaat die hij van elk vrouwenverenigingskind aanlegde, noteerde hij de afkorting 'g.o.b.'.

Geen opvallende bevindingen.

Maar haar zakdoek zat vol bloed.

Hij zei dat ze zich weer moest omdraaien en zette de stethoscoop nog een keer op haar rug.

'Hoest eens.'

Ze hoestte hard en greep naar haar borst.

'Is er weer bloed meegekomen?'

Ze hield haar hand voor haar mond, spuugde erin en stak hem Arthur toe. 'Deze keer niet.' Daarna veegde ze haar hand af aan haar onderbroek, vertrok haar gezicht en voegde eraan toe: 'Maar het doet wel pijn.'

'Als je hoest?'

'Heel erg pijn.'

Waar ze haar hand had afgeveegd zat aan de zoom van haar onderbroek iets roods. Geen bloed, zoals Arthur heel even dacht, maar alleen een rood geborduurd merkje. I.P. van Irma Pollack. Men was op orde gesteld hier in Wartheim.

Buiten joelden de spelende kinderen. In de strijkkamer rook het naar zeepvlokken en vocht.

'Kan ik me weer aankleden?' vroeg Irma.

'Eén moment nog. Als er bij het hoesten bloed meekomt – welke kleur heeft dat dan?'

De twee scheefstaande ogen keken hem verrast aan. 'Zoals bloed natuurlijk. Rood.'

'Hoe precies?'

'Gewoon donkerrood. Ik begrijp niet wat u wilt weten.'

'Ik wil maar één ding van je weten, Irma,' zei Arthur. Hij zette zijn bril af en wreef over zijn neusrug. 'Maar één enkel ding. Waarom lieg je tegen me?'

59

'Het is echt bloed,' zei ze.

Ze had alles geprobeerd, ze had voor hem gehoest en haar rug gekromd alsof de pijn niet te harden was, ze had beschreven hoe ze 's nachts soms geen lucht meer kreeg en het raam wagenwijd open moest zetten, de andere meisjes op de slaapzaal hadden al geklaagd over de tocht, hij kon het aan ze vragen. Toen hij zijn hoofd maar bleef schudden was ze op de bokkige toer gegaan, ze had op de grond gestampt en gezegd dat ze nu eenmaal een heel bijzondere soort tuberculose had die je met een beetje bekloppen en beluisteren niet kon herkennen. Toen dat allemaal niet hielp, had ze haar hard geworden zakdoek uit elkaar geschud en hem voor zijn ogen gehouden. 'Bloed, echt bloed, ziet u dat dan niet?' Ze had alles geprobeerd.

Alleen gehuild had ze niet.

'Kleed je maar weer aan,' zei Arthur. 'Anders vat je nog kou.'

Aan het eind van een onderzoek is er altijd dat pijnlijke moment waarop de patiënt niet meer de onpersoonlijke uitbeelder van zijn ziekte is, maar weer zichzelf en daarom niet meer gewoon ongekleed, maar naakt. Ook Irma kruiste plotseling haar magere armen voor haar kleinemeisjesborst en draaide zich om. Het was een teken van onderwerping. Ze had haar best gedaan, maar nu gaf ze zich gewonnen.

Pas toen ze haar hemd weer had aangetrokken, vroeg ze: 'Hoe hebt u het gemerkt?'

'Het was het verkeerde bloed.'

'Het was echt bloed,' protesteerde ze.

'Ik zal het je uitleggen,' zei Arthur, die niet alleen op dit moment graag ervaring met eigen kinderen had gehad. 'Als iemand bloed opgeeft en als dat bloed uit de longen komt, zoals bij tuberculose, dan is het altijd lichtrood. En een beetje schuimend. Alsof iemand er een heel klein snufje bruispoeder doorheen heeft gedaan. Maar op jouw zakdoek ...'

'Dat is echt bloed!' Alsof ze hem toch nog kon overtuigen als ze het maar vaak genoeg herhaalde.

'Dat heb ik gemerkt. Hoe kwam je eraan?'

Ze keek spiedend om zich heen, hoewel ze alleen in de strijkkamer waren en door het raam niemand naar binnen kon kijken. Toen trok ze de pijp van haar onderbroek een eindje omhoog. Aan de binnenkant van haar magere dijbeen zat een hele rij littekens, het ene naast het andere.

'Juffrouw Württemberger controleert overal of we schoon zijn,' legde Irma uit. 'Maar onze onderbroek moeten we aanhouden, ook onder het nachthemd. Daarom heb ik me daar gesneden en toen mijn zakdoek ertegenaan gedrukt.' Er gleed een vluchtige glimlach over haar gezicht. Ze was weer het kleine meisje dat de volwassenenwereld er bijna in had laten lopen.

'Hoe kwam je aan het mes?' vroeg Arthur.

'Ik heb uit de kamer van Köbeli een scheermesje gepikt.'

'Ik snap het.'

'Nee,' zei Irma. 'U snapt er niets van.'

Ze zaten naast elkaar op de strijktafel. Voor bekentenissen, zo had Arthur ervaren, is het goed om naast elkaar te zitten; je bent dan dicht bij de ander en hoeft hem toch niet aan te kijken.

Het was een lang verhaal dat ze hem vertelde en als hij er later aan terugdacht, rook hij altijd zeepvlokken en vochtige lakens en de geur van gewassen kinderhaar.

Irma's verhaal begon ermee dat in Duitsland alle joodse organisaties werden opgeheven, waardoor Irma's moeder van de ene dag op de andere zonder werk en zonder woning zat. Nee, eigenlijk begon het nog eerder.

Met het ongeluk.

'Hij is uitgegleden,' zei Irma, 'gewoon uitgegleden, niet eens gevallen, zegt mama. Ze was erbij. Hij is alleen gestruikeld, van het trottoir op de weg, en toen kwam die vrachtwagen.'

Ze vertelde zonder tranen over de dood van haar vader, ze had zich waarschijnlijk eens en voor altijd voorgenomen om niet te huilen, tenminste niet hier in Heiden, waar ze verantwoordelijk was voor haar broertje en sterk moest zijn.

Vijf jaar was er sinds het ongeluk verstreken, zij was toen zeven en Moses pas vier. 'Hij weet er niets meer van, niet echt, maar mama en ik vertellen hem over zijn vader, steeds weer, dan is het net of hij het zich zelf kan herinneren.'

Ze had het de hele tijd alleen maar over 'zijn vader' en 'mijn vader', ze zei nooit 'papa'. Ze had een heleboel muren opgetrokken waar ze zich achter kon verschuilen en op de tast langs kon lopen.

'Mama heeft toen werk gevonden in het bejaardentehuis van B'nai B'rith. Weet u wat B'nai B'rith is?'

Ja, Arthur wist wat B'nai B'rith was. Hij was zelfs lid van de liefdadige organisatie.

'We hebben daar ook gewoond. Boven op zolder. Vroeger waren daar de kamers voor de dienstmeisjes. Met heel schuine muren. Mama zei: "De oude woning is veel te groot voor ons, nu we nog maar met z'n drieën zijn." Maar ik denk dat ze gewoon de huur niet meer kon betalen.'

'Dan was je vast heel verdrietig.'

'Nou,' zei Irma, 'het was eigenlijk heel leuk op die nieuwe plek.'

Ze zei het dapper, zoals ze het waarschijnlijk vaak had gezegd om haar moeder te troosten. Slimme kinderen weten dat er van ze verwacht wordt dat ze levenslustig zijn, en als ze voortijdig volwassen moeten worden, weten ze het helemaal.

'Toen hebben de nazi's het tehuis van de ene dag op de andere gesloten. De oude mensen hebben ze gewoon weggestuurd. Terwijl sommigen volgens mama heel veel geld betaald hadden om daar voor altijd te kunnen wonen. Mama zegt dat daar niets aan te doen is. Maar dat mag toch niet zomaar. Begrijpt u dat?'

Niet alles wat je begrijpt kun je een kind uitleggen. Nog niet zo lang geleden hadden de Duitse autoriteiten B'nai B'rith verboden en alle instellingen geconfisqueerd. Waar vroeger zieken werden verpleegd of weeskinderen opgevoed, zetelden nu nazi-organsitaties. *Kraft durch Freude*: sterkte door plezier.

'Nee,' zei hij, 'ik begrijp het ook niet zo goed.'

Irma knikte, ze had niets anders verwacht en vertelde verder. 'Toen zijn we bij oom Paul gaan wonen, maar daar is maar één kamer voor ons drieën en we moeten altijd stil zijn en mogen hem niet storen. Hij heeft het aan zijn hart en dan is lawaai heel slecht. Daarom zei mama dat het goed zou zijn als ik met Moses voor drie maanden naar Zwitserland ging, zodat zij op haar gemak werk en een nieuwe woning kon zoeken. Ik dacht dat zo'n reis veel te duur was, maar mama zei dat we uitgenodigd waren en dat het niets kostte.'

Waarschijnlijk, dacht Arthur, had iemand van de verboden B'nai B'rith aan de Augustin-Keller-Loge, de zusterorganisatie in Zürich, geschreven en om hulp gevraagd. Wartheim was namelijk eigendom van die loge, ze hadden het met geschonken geld gekocht en gratis aan de vrouwenverenigingen ter beschikking gesteld.

'En nu moeten we terug naar Kassel, maar ...'

Maar ...

Ze zat heel stil naast hem. Alleen haar voeten speelden met elkaar, alsof ze met de rest van haar lichaam niets te maken hadden.

Maar ...

Ze nam een besluit en liet zich van de tafel glijden. Ze ging voor Arthur staan, met haar handen op haar rug gevouwen. Om hem aan te kijken, moest ze haar hoofd in haar nek leggen.

'Ik wil u iets vragen,' zei ze. Ze keek hem in de ogen en tegelijk langs hem heen.

'Ja?'

'Dokter Merzbach, die vroeger in het ziekenhuis de kinderen op de wereld hielp en dat nu niet meer mag, heeft me verteld dat alle dokters een grote eed moeten afleggen dat ze nooit een geheim zullen verklappen.'

'Dat klopt,' zei Arthur, die benieuwd was welk geheim ze hem wilde toevertrouwen. 'Dat noem je de zwijgplicht van een dokter.'

'Geldt die ook in Zwitserland?'

'Die geldt op de hele wereld. Wat een patiënt mij vertelt, mag ik nooit, maar dan ook nooit aan iemand anders vertellen. Tenzij hij me toestemming geeft.'

'Maar ik geef u geen toestemming,' zei Irma, triomfantelijk op haar tenen wippend. 'Ik ben uw patiënt en ik geef u geen toestemming,' Ze voerde een complete krijgsdans uit, zo trots was ze op haar list. 'Dus mag u juffrouw Württemberger ook niet verklappen dat ik helemaal niet ziek ben.'

'Daar moet ik over nadenken,' zei Arthur. 'Maar eerst ben jij nog aan de beurt. Waarom wil je per se iets ergs hebben?'

Ze bleek een goede reden te hebben.

'Mama heeft geschreven dat ze nog steeds geen werk heeft gevonden en nu een baan in het buitenland zoekt.'

Irma, de twaalfjarige volwassene, had dat goed vertaald: haar moeder zag in Duitsland geen toekomst meer en had besloten te emigreren.

'En dat het veel praktischer zou zijn als Moses en ik niet eerst terugkwamen en dan meteen weer weg moesten.'

Je kunt je kinderen niet schrijven: 'Kom niet naar huis, hier zijn jullie niet veilig.' Je legt ze niet uit: 'Mijn kansen om een visum te krijgen zijn groter als jullie al in het buitenland zijn.' Je schrijft: 'Het zou praktischer zijn als jullie de reis niet twee keer hoefden te maken.' En als een meisje van twaalf slim is en luistert als de volwassenen over politiek praten, dan begrijpt ze heus wel wat er bedoeld wordt, vooral als ze haar moeder beloofd heeft op haar kleine broertje te passen.

In Wartheim waren ze volgens mama in goede handen en het zou het beste zijn als ze daar langer konden blijven dan de reglementair toegestane drie maanden. Om in Zwitserland te komen had Irma een doktersattest nodig gehad. Waarom zou er niet ook een zijn dat de terugreis verbood. Bijvoorbeeld omdat ze bloed opgaf en niet vervoerd kon worden.

Zo, het was eruit, maar aan juffrouw Württemberger mocht hij niets vertellen. Omdat hij namelijk dokter was en Irma zijn patiënte en omdat hij die eed had afgelegd die alle dokters moeten afleggen, en een eed mag je niet breken.

Arthur liet zijn bril aan de poot heen en weer bungelen, zoals hij vaak deed als hij moest nadenken. Zijn ogen waren vochtig geworden. Waarschijnlijk van de zeeplucht.

'Hoe ben je uitgerekend op tuberculose gekomen?' vroeg hij ten slotte.

'Dat heb ik in een boek gelezen.'

'Een boek over geneeskunde?'

'Nee,' zei Irma, 'een roman.'

In Wartheim was een bibliotheek, althans een kast vol boeken waaruit elke pupil één keer per week een exemplaar mocht lenen. Er waren maar weinig kinderboeken bij, *Benjaminnetje vliegt uit het nest* en *De kinderen Turnach in de winter*, en daar was moeilijk aan te komen. Zoals bij alle dingen in Wartheim werd bij het uitzoeken een strikte volgorde in acht genomen: eerst waren de particuliere kinderen aan de beurt, van wie de ouders tenslotte heel veel geld betaalden, daarna de voogdijkinderen en pas helemaal aan het eind mochten de vrouwenverenigingskinderen iets uitzoeken. Dan waren er meestal alleen nog boeken voor volwassenen over, stukgelezen exemplaren die in Wartheim waren beland omdat liefdadige dames een inzamelingsactie hadden gebruikt om hun boekenkast uit te mesten. Irma had de roman meegenomen vanwege de titel: *Alleen tussen vreemden*. Ze had gedacht dat er misschien ook een meisje in voorkwam dat niet naar huis mocht omdat daar erge dingen gebeurden. Maar het bleek een liefdesroman te zijn, zo'n echte keukenmeidenroman waarin op het eind een versmade Julia, door tragische misverstanden vervreemd van haar Romeo, in een sanatorium in Davos hoestend haar dood tegemoet gaat, tot haar geliefde op het allerlaatste moment toch nog aan haar ziekbed verschijnt en haar nieuwe levensmoed schenkt. De eindeloze liefdesverklaringen en gevoelsuitbarstingen, al die perikelen van de volwassenen, hadden Irma verveeld, maar de vele beschrijvingen van donkerrode vlekken op spierwitte zakdoeken hadden haar op een idee gebracht. In de roman was ook alles weer goed gekomen zodra de hoofdpersoon bloed begon op te geven.

Alleen had de schrijfster er helaas niet bij gezet dat het bloed lichtrood moest zijn. En vermengd met bruispoeder.

De bekentenis was ten einde en in de strijkkamer was het doodstil. Alleen buiten voor het raam gilden de spelende kinderen die van niemand meer een standje kregen.

'En wat nu?' vroeg Arthur.

'Kunt u niet gewoon zeggen dat ik echt tuberculose heb?'

'Je bedoelt dat ik moet liegen?'

Als Irma nadacht fronste ze haar voorhoofd. 'Het zou niet echt liegen zijn,' zei ze. 'U zou het gewoon niet gemerkt hebben.'

'Maar dan zou ik een heel slechte dokter zijn.'

Irma haalde haar schouders op. Het was een erg volwassen gebaar.

Hij had de deur niet op slot gedaan en dus kon juffrouw Württemberger gewoon binnenstormen, de kleine Moses nog steeds achter zich aan slepend. Ze duwde de jongen naar Irma toe en ging met haar handen in haar zij voor Arthur staan. Het afgelopen halfuur was ze in haar kantoor geweest, buiten op de binnenplaats en weer in haar kantoor, en al die tijd had ze argumenten verzameld, zoals ze voor een referaat citaten en bewijsplaatsen verzameld zou hebben, ze had al die dingen bedacht die ze tegen die arrogante dokter Meijer wilde zeggen, en nu borrelde dat allemaal uit haar op zoals het water uit een pan als de damp het deksel omhoogduwt.

Wat er eigenlijk aan de hand was, wilde ze weten, en wel nu, meteen. Ze was niet van plan, absoluut niet van plan zich nog een keer te laten wegsturen en afschepen, tenslotte was zij hier de directrice en droeg ze de verantwoordelijkheid, voor bijna twintig kinderen meer dan normaal, de meesten uit Duitsland en niet eens in staat om het kostgeld te betalen. Als er nu ook nog een epidemie uitbrak, wie zou dat de das omdoen? Dus: wat was er aan de hand?

Arthur was iemand die zich door overheden en autoriteiten makkelijk liet imponeren en als ze het een beetje beleefder had gevraagd, had hij haar waarschijnlijk de waarheid gezegd.

Nee, zelfs dan niet. Zonder dat hij had kunnen zeggen wanneer die beslissing was gevallen, had hij de kant van Irma gekozen.

'Op één punt kan ik u geruststellen, juffrouw Württemberger,' zei hij daarom. 'Besmettelijk is het meisje niet.'

Irma boog haar hoofd en sloeg een arm om haar broertje, bereid om hem troostend tegen zich aan te trekken.

'Maar ze heeft een ernstige en gevaarlijke ziekte die veel verzorging vereist.'

Irma tilde haar hoofd weer op en keek hem aan. Grote bruine ogen die een beetje scheel keken. Nog nooit had iemand hem zo vol vertrouwen aangekeken.

'Een zorgvuldige en liefdevolle verzorging,' herhaalde hij.

'Die kan ze in Kassel krijgen. Volgende week gaat ze naar huis.'

'Nee,' zei Arthur. 'Ze gaat niet naar huis. Uit medisch oogpunt kan ik dat in geen geval toestaan. Het kind kan niet vervoerd worden. Veel te gevaarlijk.'

Als je eenmaal begonnen bent met liegen, is het niet moeilijk om te overdrijven.

'De jongen kan toch niet alleen ...'

'Dat zou ook niet te verantwoorden zijn. Bij de verzwakte toestand van het meisje zou zo'n abrupte scheiding een shock kunnen veroorzaken.'

Nu was er echt een piek uit het knotje ontsnapt, maar juffrouw Württemberger slaagde er niet in hem terug te stoppen.

'Uiteraard,' zei Arthur, 'uiteraard geef ik u de attesten die u bij de bevoegde instanties moet indienen.'

'Maar wat heeft ze dan?' Juffrouw Württemberger vroeg het zo hard dat haar stem oversloeg, wat ze met een kuchje probeerde te camoufleren.

'Het is niet zo eenvoudig om dat aan een medische leek uit te leggen. Laat ik het zo zeggen: ik vermoed een zeer zeldzame en langdurige longziekte. Niet besmettelijk, zoals gezegd, maar wel ernstig.'

De kleine Moses klampte zich vast aan de hand van zijn zus. 'Gaat Irma dood?' vroeg hij met zijn zachte stemmetje.

'Natuurlijk niet.' Arthur streek hem geruststellend over zijn korte haar. 'Ze wordt weer helemaal beter. Omdat ze hier heel, heel goed voor haar zullen zorgen. Nietwaar, juffrouw Württemberger?'

'Wij zijn geen ziekenhuis. Ik krijg veel te weinig personeel en ...'

'Ik twijfel er niet aan,' zei Arthur, 'dat een vrouw met uw capaciteiten ook voor dat probleem een oplossing zal vinden. Veel verzorging is ook helemaal niet nodig. Alleen overvloedig eten. Het kind lijkt me een beetje ondervoed.'

In Wartheim kreeg iedereen genoeg te eten, zei juffrouw Württemberger boos, zoiets hoefde ze zich niet te laten aanleunen, en trouwens, wie zou dat betalen? Maar het was nog slechts een achterhoedegevecht en in gedachten formuleerde ze al de brief waarmee ze bij de vrouwenvereniging haar beklag zou doen over die dokter Meijer. O, ze zou de juiste woorden wel weten te vinden.

'En er is nog iets wat ik u dringend zou aanraden,' zei Arthur. 'Geeft u Irma een eigen kamer. Het beste samen met haar broertje. Vanwege het kalmerende effect.'

Juffrouw Württemberger aarzelde en besloot toen dat waartoe ze gedwongen werd tenminste uit eigen beweging te doen. 'Dat heb ik ook al zitten denken,' loog ze en ze geloofde het nog bijna ook. 'We zullen wel zorgen dat je weer beter wordt, hè, Irma?' En ze liep trots naar buiten, alsof ze zich staande had weten te houden in een lastig debat onder promovendi.

Irma gaf hem bij het afscheid heel vormelijk een hand, ze maakte zelfs een kleine reverence, zoals ze dat in Duitsland leerden, en drukte het hoofd van haar broertje omlaag tot een correcte buiging. Arthur had haar het liefst omarmd, hij had zijn armen zelfs al uitgespreid, maar liet ze toen toch weer zakken omdat hij het te opdringerig vond. Ze keek hem aan alsof ze zijn gedachten had geraden en zei: 'U bent een goede dokter, meneer Meijer.' En opeens kneep ze een oog dicht en lachte, de eerste keer dat hij haar hoorde lachen; toen tilde ze haar broertje op, dat bijna even groot was als zijzelf, en rende met hem de kamer uit.

Op de terugweg naar Zürich nam Arthur een lifter mee die aan de kant van de weg zijn duim opstak. Het was een oude, in het zwart geklede man en toen hij op de plaats naast de bestuurder ging zitten, werd de mooie nieuwe auto gevuld met de geur van ongeluchte kelders.

'Bravo, Arthur,' zei oom Melnitz. 'Nu ben je zeker wel trots op jezelf. Je klopt je op je schouder en vindt jezelf geweldig, ja.'

De weg omlaag naar het Mittelland had voor Arthurs gevoel vandaag meer bochten dan anders.

'Je hebt een meisje ziek verklaard dat niet echt ziek is,' zei oom Melnitz. 'Dat maakt natuurlijk een held van je. Je bent het nationaalsocialisme te slim af geweest en de Zwitserse vreemdelingenpolitie erbij, ja.'

'Meer kan ik niet doen,' zei Arthur.

'Natuurlijk niet. Niemand kan meer doen.' Oom Melnitz hoestte en spuugde bloed in een grote witte zakdoek. 'Niemand kan ook meer verlangen. Je portemonnee openen als er wordt gecollecteerd. Op protestvergaderingen een serieus gezicht trekken. Misschien zelfs een ingezonden brief naar de krant schrijven. Heel dapper ondertekend met je eigen naam. Bravo, Arthur, ja.'

Het stuur was vandaag moeilijk te hanteren en Arthur moest zijn ogen constant op de weg houden.

'Elke keer is het nog zo begonnen,' zei oom Melnitz. 'Dat iedereen zich wijsmaakt dat hij niet meer kan doen en dat het wel los zal lopen. Dat het vanzelf ophoudt omdat het zo immers niet door kan gaan.'

Aan weerskanten van de weg stonden vreemde mensen die ze zorgvuldig moesten ontwijken.

'Maar het gaat wel zo door,' zei oom Melnitz. 'Elke keer gaat het zo door.'

'We leven in de twintigste eeuw.'

'Dat is natuurlijk iets anders.' Oom Melnitz lachte en hoestte en spuugde. 'Iets heel, heel anders, ja. We leven in die fantastische twintigste eeuw. Niet meer in de erge negentiende of de slechte achttiende of de verschrikkelijke zeventiende.'

'Dat is niet hetzelfde!'

De oude man lachte zo hard dat er kleine bloedspetters tegen de voorruit vlogen. Lichtrode, schuimende bloedspetters. Bruispoeder. 'Het heden is altijd iets anders. En nog nooit was het zo anders dan in die o zo fantastische twintigste eeuw. Waarin we elektrisch licht hebben. En vliegtuigen. En radio's. En alleen nog maar goede mensen. Dan kunnen zulke dingen natuurlijk niet meer gebeuren. Nooit, nooit meer, niet-waar, Arthur?'

'Wat moeten we dan doen?'

'Dat moet je mij niet vragen,' zei oom Melnitz. 'Ik ben dood en begraven.'

60

Er zou een speciaal woord voor moeten zijn, dacht Hillel. Als iemand
beslist niet je vriend is, maar ook niet echt je vijand, omdat die ander je
veel te onverschillig laat om je vijand te zijn, als je toch op de een of
andere manier bij elkaar hoort, in de ogen van die ander en, of je wilt of
niet, ook in je eigen ogen – hoe noem je zo iemand dan? Maat? Nee, dat
klonk naar grijze hemden en soldatenlaarzen. Kameraad? Tegen dat
woord zou Böhni zich heftig verzet hebben, dat betekende voor hem
Komintern en bevelen uit Moskou. En een chaveer, zoals je in het Ivriet
zei, was hij al helemaal niet.

Een klasgenoot, goed, zo kon je het noemen. Hoewel ... Zo heel
afstandelijk en puur toevallig zaten ze ook weer niet naast elkaar in de
schoolbank. Tenslotte hadden ze samen dat avontuur met het tweespan
op de trap beleefd. Dat trouwens niet aan zijn belangrijkste doel had
beantwoord, want Malka Sofer was totaal niet onder de indruk geweest.
Integendeel, ze had Hillel kinderachtig genoemd en wilde niets van hem
weten.

Maar een avontuur was het wel geweest.

Eerst had Böhni zich ervan willen distantiëren: Rosenthal had gereden, niet hij. Maar toen hij merkte dat de wilde rit op de Strickhof als
een heldendaad werd bewonderd, ging hij bij het vertellen algauw van
'hij' en 'die idioot' over op 'wij': 'Wíj hebben de teugels gegrepen, de
paarden aangespoord, de bocht genomen.' Alleen dat ze daarbij een
groep mannen van het Nationaal Front uiteen hadden gedreven ver-
meldde hij natuurlijk niet, niet met 'wij' en ook niet met 'hij daar'.

Omdat je zoiets niet ook nog mag bevorderen, deden alle leraren alsof
ze nooit iets over het verboden uitstapje hadden gehoord, maar ze
maakten er als vanzelfsprekend een gewoonte van om die twee het praktische werk samen te laten doen en hen bij het onderwijs in de theoretische vakken naast elkaar te zetten. Waar Böhni meer van profiteerde dan
Hillel, omdat er bij Hillel meer over te schrijven viel.

De aanzet tot dat partnerschap – ja, dat was misschien een woord dat je kon gebruiken, al was het nog steeds niet helemaal juist –, het initiatief zeg maar, was uitgegaan van directeur Gerster. Die was namelijk op die zondagavond bij het zielige restje van zijn pruimentaart tot de conclusie gekomen dat de twee zondaars er ondanks de stevige uitbrander nog veel te goed afgekomen waren, en hij had een extra straf voor hen bedacht die hij hun de volgende dag meedeelde. Ze moesten een opstel schrijven – 'Ja, jullie samen, zodat je leert dat het alleen mét elkaar gaat en niet tégen elkaar!' –, acht kantjes in het net, komende maandag inleveren. Als pedagogisch leerzaam onderwerp stelde hij vast: 'De betekenis van een gezonde boerenstand voor onze natie'.

Toen had je natuurlijk de poppen aan het dansen. Van schrijven moest Böhni niet veel hebben, aan de andere kant kon hij het ook niet zomaar aan Rosenthal overlaten. Al zou het hem vast makkelijk gevallen zijn, aangezien de joden zoals bekend liever met hun hoofd werken dan met hun handen. Hij probeerde het in elk geval in z'n eentje en zat tot 's woensdags te zwoegen, maar hij kreeg niet meer dan twee kantjes bij elkaar en daar zat kop noch staart aan. Toen hij heel terloops aan Rosenthal vroeg hoever hij al was, grijnsde Hillel alleen maar en zei dat hij er niet over peinsde zich het leven moeilijk te maken als het ook makkelijk ging. Hij had een brochure gevonden over dat onderwerp waaruit ze gewoon de inleiding konden overschrijven, dat merkte Gerstli nooit. Maar zo'n monnikenwerkje liet hij graag over aan Böhni, tenslotte moest die ook iets doen, want wat had Gerster ook weer zo treffend gezegd? Het gaat alleen mét en niet tégen elkaar.

Böhni wees het idee verontwaardigd van de hand, dat waren joodse trucjes waar hij niet aan begon. Maar op vrijdag was hij nog geen stap verder en op zondag wilde hij naar de interland in het Letzigrund-stadion, Duitsland tegen Zwitserland. Dus moest hij uiteindelijk – 'Maar op jouw verantwoording!' – het voorstel accepteren en beginnen met overschrijven. De brochure – dat was weer zo'n typische rotstreek van Rosenthal – was echter geen goed Zwitsers geschrift uit de schoolbibliotheek, zoals Böhni had verwacht, maar een zionistisch traktaat met zo'n joodse kandelaar op het titelblad. Maar de tekst, dat moest hij toegeven, was niet slecht. De schrijver zette uiteen dat een staat alleen gezond kon blijven als zijn burgers de grond met hun eigen handen bewerkten, dat de wetenschappen weliswaar belangrijk waren, maar dat alleen de landbouw de ziel van een volk kon sterken. In principe allemaal gedachten waar Böhni niets tegen had, alleen de bron zinde hem niet. Bovendien moest hij bij het overschrijven verdraaid goed opletten dat hij steeds 'de Zwitsers' schreef in plaats van 'de joden' en 'Zwitserland' in plaats van 'de jisjoev'. Eén keer vergiste hij zich en moest hij een hele bladzijde overdoen.

Gerster merkte niets. Hij was zelfs diep onder de indruk van de uiteenzettingen en prees hen voor hun patriottische denkwijze. Toen kon Böhni natuurlijk aan niemand meer vertellen dat Rosenthal hem erin had geluisd. Dat was weer zo'n geheim dat hen met elkaar verbond, iets tussen vijandschap en vriendschap.

Er zou een speciaal woord voor moeten zijn.

Bij hun bijzondere relatie hoorde dat ze bij elke gelegenheid kibbelden. Toen bijvoorbeeld Duitsland de interland met 1-0 had gewonnen, vroeg Rosenthal de volgende dag heel sarcastisch voor wie Böhni in het stadion nu eigenlijk had gejuicht, voor de Zwitsers of voor zijn innig geliefde Duitsers met het hakenkruis op hun shirt. Hij kon zich daar maar beter buiten houden, antwoordde Böhni, voetbal was nu eenmaal iets waar zijn soort mensen totaal geen verstand van had. Waarop Rosenthal warempel beweerde dat een volkomen joods elftal, FC Hakoah Wien, een paar jaar geleden Oostenrijks kampioen was geworden. Bij hem wist je nooit of hij je niet belazerde.

In de praktische vakken voelde Böhni zich dan weer superieur en als die superioriteit niet duidelijk was, kon hij met een geintje een handje helpen. Er was bijvoorbeeld een methode – letterlijk peper in de reet – waarmee een koe zo gek gemaakt kon worden dat ze nauwelijks te melken was, en als ze dan voor de derde keer de emmer omstootte, kon hij zeggen: 'Ja ja, die stadsmensen. Die denken dat de melk van de melkboer komt.' Bij de eerstvolgende gelegenheid hanteerde Rosenthal de mestvork zo zwierig dat Böhni een lading midden in zijn gezicht kreeg, waarop Hillel zich beleefd verontschuldigde en zei dat hij als onervaren stadsjongen de mestvork verward had met een dorsvlegel.

Zoals gezegd: een heel bijzondere relatie.

Thuis vertelde Hillel niet veel over de Strickhof, maar zijn ouders begrepen toch dat hij met één medeleerling meer te maken had dan met de anderen en Lea stond erop dat hij hem een keer te eten vroeg, gewoon voor de gezelligheid, het hoefde niet direct een vrijdagavond met kaarsen en kidoesj te zijn. Hillel was niet erg enthousiast over het voorstel en stelde de uitnodiging steeds weer uit, zoiets was op school niet gebruikelijk, zei hij, en Böhni zou zich bij hen vast niet op zijn gemak voelen. Maar als Lea iets wilde, hield ze rustig vol en tegen de retorische vraag of hij zich soms voor zijn familie schaamde, had Hillel geen argument.

Dus nodigde hij Böhni ten slotte uit. Tot zijn opluchting wilde Böhni eerst eigenlijk ook niet en bedacht hij duizend uitvluchten. Maar zoals dat gaat: juist omdat Böhni zich zo aanstelde, werd de zaak voor Hillel opeens belangrijk, hij was zelfs echt beledigd dat Böhni tegenstribbelde, hij begon er elke dag opnieuw over en verzekerde ten slotte zelfs ironisch dat hij niet bang hoefde te zijn, het paschafeest was voorbij en tot volgend jaar hoefden ze in zijn familie geen christenjongens meer te slachten om hun bloed in de matses te bakken. Laf wilde Böhni ook weer niet genoemd worden en uiteindelijk is een avondeten niets bijzonders en gaat het voorbij.

Dus kwam het er toch van.

Normaal zouden ze met de fiets naar de stad gegaan zijn, maar Böhni stond er om de een of andere reden op dat ze met tram 22 gingen, al kostte zo'n rit onnodig geld, dertig rappen heen en dertig rappen terug. Toen ze elkaar – 'Wees alsjeblieft op tijd, Böhni! Mijn vader is heel precies in die dingen!' – bij de Milchbuckplatz ontmoetten, moest Hillel zijn lachen verbijten, want Böhni kwam in zijn donkerblauwe zondagse pak en had zijn das zo strak gestrikt dat hij zijn hals moest uitrekken om adem te kunnen halen. Hij had zelfs bloemen voor Lea meegebracht, een bos roze tulpen. Die werden op de Strickhof gekweekt voor de weekmarkt op de Bürkliplatz en wat onverkocht terugkwam, belandde op de mestvaalt. Böhni had de bos in een oud nummer van *Die Front* gewikkeld, wat hij op het laatste moment toch ongepast vond, zodat hij hem voor de huisdeur gauw weer uitpakte. Hij maakte van de krant een prop en stak hem in de zak van zijn colbertje, waar hij de hele avond ritselde.

Hillels ouders zagen er eigenlijk heel gewoon uit, helemaal niet als joden. Zijn vader had geen slaaplokken en droeg geen hoed of keppeltje. Ook had hij geen kromme neus. Hillels moeder met haar dikke bril en haar aan elkaar gegroeide wenkbrauwen deed hem denken aan juffrouw Fritschi, bij wie ze destijds op catechisatie die vrome liederen hadden moeten zingen.

Het goede blauwe pak was een vergissing geweest; zijn gastheer en gastvrouw waren heel gewoon gekleed. Alleen had meneer Rosenthal een huisjasje aan dat er een beetje oriëntaals uitzag, maar daaronder was hetzelfde soort gestippelde vlinderdasje te zien als directeur Gerster graag droeg.

Ook aan de woning zelf was niets bijzonders te zien, ze hadden alleen heel veel boeken. Maar dat kon ook komen doordat meneer Rosenthal leraar was. Het enige opvallende was naast elke kamerdeur zo'n vreemd kokertje met een Hebreeuws teken erop. Böhni wist hoe Hebreeuws eruitzag; in de karikaturen in *Die Front* werden de Duitse letters soms ook met zulke smalle ophalen en brede dwarsbalken geschreven en dan wist je meteen: joden. Meneer Rosenthal, die ook in zijn vrije tijd een leraar bleef, zag hem naar de deurposten kijken en begon aan een ingewikkelde uitleg, waarvan Böhni alleen begreep dat in die kokertjes Bijbelspreuken zaten. Hij moest denken aan het Onzevader dat thuis in Flaach in de keuken hing en waar in vier kleuren gedrukte engelen omheen zweefden. De overeenkomst beviel hem wel.

'Bloemen? Dat had toch niet gehoeven,' zei Lea en tegen Hillel: 'Zo, dat is dus je vriend.' Dat was het moment waarop Hillel begon te zoeken naar een woord dat een niet-vriend en niet-vijand beter omschrijft.

Het bezoek vond plaats op de dag na Sjavoeot, het Wekenfeest. Dat was praktisch, want dan hoefde Lea niet extra te koken, er was nog genoeg over van de kwarktaart die bij die feestdag hoort. Ze bereidde hem precies volgens het recept van de legendarische grootmoeder Pomeranz uit Endingen en de hare was zelfs nog beter dan die van Hinda.

Ook over het onderwerp Wekenfeest moest Böhni een voordracht aanhoren. Hillel verdraaide zijn ogen vanwege de schoolmeesterachtigheid van zijn vader, maar die trok zich van zulke reacties niets aan. Net als bij de theoretische vakken op de Strickhof luisterde Böhni maar met een half oor, maar hij begreep wel dat meneer Rosenthal van landbouw niet veel verstand had. Hij beweerde namelijk dat op die dag altijd de eerste tarwe van het jaar als offer naar de tempel was gebracht en dat was natuurlijk onzin: in mei is de tarwe nog lang niet rijp om geoogst te worden. Hoewel … Misschien was dat daar in het zuiden in Palestina anders. Dat zou hij later aan Hillel moeten vragen.

Van het Wekenfeest stond ook nog een aangebroken fles wijn op het buffet, eveneens uit Palestina, en meneer Rosenthal schonk voor iedereen een glaasje in. De wijn was zo zoet als stroop en Böhni had liever een biertje gehad.

Hillels moeder wilde iets over zijn familie horen en hoe hij het op school vond, maar hij gaf slechts mondjesmaat antwoord, niet uit verlegenheid, maar omdat hij van thuis niet gewend was dat er onder het eten zoveel werd gepraat. Bovendien was de kwarktaart heel erg lekker.

Zolang er iets te eten op tafel stond, ging het prima, maar op een gegeven moment waren de borden afgeruimd, Lea schonk nog een keer thee in en er werd geconverseerd. In dit huishouden betekende dat dat Hillels vader een monoloog hield, terwijl alle anderen hoogstens af en toe een opmerking maakten. Misschien had hij zich dat aangewend op zijn school, waar bij zijn voordrachten over trigonometrie of kansberekening vast ook niemand hem mocht onderbreken, maar waarschijnlijk was hij gewoon praatziek. Als hij een gedachte al te breedvoerig uiteenzette, stootte zijn vrouw hem soms onder tafel aan en herinnerde hem er met een blik aan dat ze bezoek hadden. Dat maakte het alleen nog maar erger, want dan probeerde meneer Rosenthal door vragen de schijn van een gesprek op te houden. Böhni voelde zich als op een examen. Hij begon te zweten alsof hij Kudi Lampertz moest vertellen wat de juiste verhouding van fosfaat en kalium was in de mest voor voedermaïs.

Meneer Rosenthal had voor het avondeten nog de avondeditie van de

Neue Zürcher Zeitung gelezen – hij deed dat elke werkdag en was altijd precies met het eten klaar – en nu zat hij te mopperen over een zogenaamde Peel-commissie, waar Böhni nog nooit van had gehoord. Die commissie had blijkbaar een of ander rapport uitgebracht dat hij ook niet kende. 'En over dat rapport,' zei meneer Rosenthal, 'kun je op z'n zachtst gezegd van mening verschillen.'

'Ik geloof niet dat Böhni dat interesseert,' probeerde Hillel zijn vader af te remmen.

'Waarom niet? Hij is toch een intelligente jongeman. Dus, wat vindt u daarvan?'

Net als soms in de les probeerde Böhni er eerst omheen te draaien. Hij zei dus heel voorzichtig dat hij vond dat meneer Rosenthal volkomen gelijk had: je kon de zaak beslist van twee kanten bekijken.

Zo makkelijk kwam hij er niet van af, drong meneer Rosenthal aan, hij interesseerde zich toch zeker voor politiek. Dat kon Böhni in elk geval met een gerust geweten beamen, tenslotte las hij elke dag *Die Front*, en dat terwijl een jaarabonnement achttien frank kostte, een hoop geld voor de zoon van een keuterboer uit het wijnland.

Dat dacht hij al, knikte meneer Rosenthal, ook op school merkte hij steeds weer dat de jongelui tegenwoordig veel meer belangstelling voor die dingen hadden dan een paar jaar geleden. Nu moest de heer Böhni er niet onderuit proberen te komen, maar ronduit zijn mening zeggen. 'Dus, hoe beoordeelt u het werk van Lord Peel?'

'Van wie?'

Dat was toch de leider van die commissie, hielp mevrouw Rosenthal hem, die nu een verdelingsplan voor het mandaatgebied had gepresenteerd.

Mandaatgebied? Wat was dat nu weer?

'Kunnen we het alsjeblieft over iets anders hebben?' vroeg Hillel terwijl hij zijn vader woedend aankeek.

Meneer Rosenthal lette net zomin op hem als hij in de les op een recalcitrante leerling gelet zou hebben. Over dat verdelingsplan, vervolgde hij, zou hij graag de mening van de heer Böhni horen. Het was altijd leerzaam om te weten hoe een onbevooroordeelde, neutrale waarnemer iets zag.

Aan Hillel had hij niets. Die had zijn handen in zijn nek gevouwen, wiebelde op zijn stoel en keek naar het plafond, alsof hij wilde zeggen: 'Ik ben er niet.'

Böhni redde zich ten slotte met een methode die ook bij Kudi Lampertz altijd werkte. Hij vond het moeilijk, zei hij, echt heel ingewikkeld, en daarom zou hij blij zijn als meneer Rosenthal het hem nog eens heel precies kon uitleggen, als het niet te veel moeite voor hem was.

Het was helemaal niet te veel moeite voor meneer Rosenthal. Integendeel, hij knikte Böhni bemoedigend toe – wie iets wil leren, moet vragen stellen – en begon aan de volgende monoloog.

In Palestina, legde hij uit, was sinds een jaar een opstand van de Arabische bevolking tegen de joodse kolonisten aan de gang. Er waren steeds weer schietpartijen en aanslagen geweest en er waren ook heel wat doden gevallen, zoals de heer Böhni ongetwijfeld wist. Nu had de Britse regering, die Palestina zoals bekend sinds het einde van de wereldoorlog als mandaatgebied beheerde – Aha, dacht Böhni – eindelijk een commissie ingesteld die voorstellen moest doen om vrede in de regio te brengen. En deze commissie had nu een verdelingsplan gepresenteerd, met een heel kleine joodse staat in het noordwesten en een corridor van Jaffa tot Jeruzalem, die onder controle van de Britten moest blijven. De rest zou volgens dit plan toegevoegd worden aan Transjordanië, dus aan het machtsgebied van koning Abdoellah.

'Wat vindt u, meneer Böhni? Moet zo'n plan aangenomen worden?'

Böhni had graag het goede antwoord willen geven, alleen al om van het gevraag af te zijn. Alleen wist hij niet wat meneer Rosenthal wilde horen. Daarom zei hij heel voorzichtig dat het hem op het eerste gezicht allemaal heel verstandig leek.

Maar nu had hij toch lelijk zijn vingers gebrand. Het was juist heel ónverstandig, tierde meneer Rosenthal, dat viel aan de hand van duizend historische voorbeelden te bewijzen. Een staat in zo'n klein gebied vestigen, dat was pure zelfmoord, vooral als dat gebied ook nog eens verdeeld werd door een vreemde corridor, en hij kon alleen maar hopen dat het wereldcongres in de stadsschouwburg ...

Hoe de stadsschouwburg plotseling in het verhaal terechtkwam, begreep Böhni absoluut niet en je kon aan hem zien dat het hem duizelde.

'Het zionistische wereldcongres,' legde Lea behulpzaam uit, 'vergadert dit jaar in Zürich, in de stadsschouwburg.'

Böhni knikte, hoewel hij niet precies wist wat zionistisch was. In de brochure die hij voor het strafwerk had overgeschreven, was het woord voorgekomen en in *Die Front* werd de joodsgezinde *Basler Nationalzeitung* altijd uitgemaakt voor *Zionalzeitung*. Maar dat zou wel niet hetzelfde zijn.

' ... dat het wereldcongres dit voorstel eens en voor altijd naar de prullenmand verwijst.'

'Onzin,' zei Hillel, die opeens helemaal niet meer ongeïnteresseerd was, maar tot Böhni's verrassing pisnijdig. 'Het is klinkklare onzin wat je daar vertelt.'

'Hillel!' probeerde zijn moeder hem te stoppen, maar over dat onderwerp hadden vader en zoon waarschijnlijk al te vaak ruzie gehad en daarom konden ze midden in een oude woordenwisseling weer beginnen, als het ware met een vliegende start, zoals dat bij de zesdaagse heette.

Volslagen onzin was het, wat zijn vader daar vertelde, zei Hillel. Natuurlijk moest die staat gesticht worden, al was het maar op één enkele vierkante meter.

En waarom dan wel, vroeg meneer Rosenthal scherp.

Alleen als ze eindelijk een eerste stap zetten, konden er op een gegeven moment andere volgen, zei Hillel terwijl hij met zijn vuist zo hard op tafel sloeg dat de theeglazen dansten. Als ze wachtten tot Engeland of de Volkenbond of een goede fee hun op een dag een Groot-Israël beloofde, dan konden ze net zo goed meteen besluiten om nog eens tweeduizend jaar in ballingschap te blijven. Wat had het uitgehaald dat ze al die eeuwen elke dag om een terugkeer hadden gebeden? Helemaal niets! Nu er misschien een reële kans was, moesten ze toehappen en geen onvervulbare eisen stellen zodat ze op het eind met lege handen stonden.

Dat was kortzichtig, sprak zijn vader hem tegen, ronduit fanatiek. Een eigen staat was absoluut niet het belangrijkste en overdreven nationalisme had nog nooit tot iets goeds geleid.

Zo, zei Hillel, overdreven nationalisme was dat dus, en of zijn vader hem misschien kon uitleggen waar al die vluchtelingen uit Duitsland dan naartoe moesten als er geen eigen staat was.

Dat er zoveel mensen uit Duitsland verdreven werden was betreurenswaardig, zei meneer Rosenthal, maar met hen viel geen staat te maken, want ze kwamen niet uit overtuiging maar slechts uit Duitsland. Bovendien was dat met die vluchtelingen maar een tijdelijk fenomeen. Hitler zou niet eeuwig aan de macht blijven en tegen de tijd dat in Palestina zo'n staat was gesticht, had het nationaalsocialisme allang afgedaan. Lang hield dat niet stand.

Eigenlijk had Böhni hem op dat punt graag tegengesproken, maar hij kwam niet aan het woord, en dat was maar beter ook.

Gelukkig, zei Hillel, zouden de verstandige zionisten op het wereldcongres vast in de meerderheid zijn en het plan-Peel niet zomaar naar de prullenmand verwijzen.

Het was zeer de vraag, zei meneer Rosenthal, of zoiets als een verstandige zionist eigenlijk wel bestond.

Waarop Hillel zijn stoel achteruitschoof en opstond. 'Kom, Böhni, we gaan!'

'Laten we het over iets anders hebben,' probeerde Lea te bemiddelen. 'Wat hebt u eigenlijk voor interesses, meneer Böhni?'

'Hij wil op tijd op zijn kamer zijn,' zei Hillel. 'Dat is zijn enige interesse.'

Volgens de regels van de Strickhof moesten de toekomstige boeren in de school overnachten, wat ook heel verstandig was als je 's morgens om vijf uur uit de veren moest om te melken. Ook voor de sporadische leerlingen uit de stad zoals Hillel werd geen uitzondering gemaakt.

'Er is nog een stuk kwarktaart over,' zei Lea. 'Zal ik het voor u inpakken?'

'Allicht,' zei Hillel sarcastisch. 'Böhni heeft nog een pagina van zijn favoriete krant in zijn zak. Die is bijzonder geschikt als verpakking voor een koosjere taart.'

Het overhaaste vertrek leek een beetje op een vlucht en in de tram terug naar de Irchelplatz – om deze tijd reed de 22 naar de Milchbuckplatz niet meer – had Hillel de pest in en zei hij geen woord.

'Ik zou mijn vader nooit zo mogen tegenspreken,' probeerde Böhni na het uitstappen weer een gesprek aan te knopen.

'Jouw vader vertelt hopelijk ook niet zulke onzin als de mijne.'

'Eerlijk gezegd heb ik niet helemaal begrepen waar het eigenlijk om ging.'

'Dat kun jij ook niet begrijpen met al die lulkoek van het Nationaal Front in je hoofd.'

Als Hillel zich niet zo aan zijn vader had geërgerd, had hij Böhni niet zo afgeblaft. En als Böhni zich niet de hele avond zo ongemakkelijk had gevoeld, had hij niet zo lichtgeraakt gereageerd en Rosenthal een stomp gegeven. Hoe dan ook, om het even wie er begon: onderweg van de tramhalte naar de Strickhof vochten de twee voor het eerst met elkaar. Het deed hun echt goed hun slechte humeur zo af te reageren, bijna met genoegen rolden ze over de grond, ondanks Böhni's goede blauwe pak, en het deed hun ronduit plezier elkaar een bloedneus te slaan.

Het plezier was hun trouwens niet aan te zien. Als er iemand langs was gekomen, had hij wel moeten denken dat de twee jongemannen elkaar wilden vermoorden.

Toen het voorbij was, zonder dat een van hen had gewonnen, waren ze vreemd genoeg nog dichter bij elkaar gekomen. Ze waren geen vrienden, dat zeer zeker niet, maar ook geen vijanden. Ze waren geen maten en geen chaveriem, maar iets waar een speciaal woord voor zou moeten zijn.

61

Arthur was niet zo'n vrijgezel die met een fornuis kan omgaan. Als hij na het werk in zijn kleine woning terugkwam, werkte hij achteloos iets naar binnen, een stuk chocola of een paar plakken salami, wat hij toevallig in huis had. Als Désirée op bezoek kwam, bracht ze daarom altijd iets mee wat ze zelf had gekookt. Terwijl zij het in de keuken opwarmde, ruimde Arthur op of legde in elk geval de paperassen en tijdschriften op overzichtelijke stapels. De kleine tafel dekte hij met het mooie sarguemine-servies uit de woning in Baden. Hij had er een kast vol van geërfd, genoeg voor het grote gezin dat hij nooit zou krijgen.

Ze noemden die gemeenschappelijke avonden met melancholische zelfspot het 'bal van de eenzame harten', want allebei hadden ze zich erbij neergelegd dat ze hun leven alleen zouden slijten. Désirée beschouwde zich na Alfreds dood als weduwe en al was het verdriet geheeld, elke belangstelling voor een andere man zou haar toch als ontrouw voorgekomen zijn. Arthur was in zijn eenzame bestaan verzeild geraakt zoals een drinker aan de drank raakt: zonder bewust besluit, maar ook zonder het vooruitzicht op verandering. Als ze bij elkaar zaten, met z'n tweeën en toch ieder voor zich, voerden ze hun gesprekken bijna als een oud echtpaar, ze herhaalden de altijd eendere zinnen en voelden zich daarin thuis. Als Arthur zijn bord leeg had, zei hij bijvoorbeeld elke keer: 'Een eigen gezin zou toch iets moois zijn.' En Désirée antwoordde: 'Als het zover is, ruilen we van woning.'

Dat meende ze niet echt, want ze woonde al veertig jaar op dezelfde plek, ze was in de woning in de Morgartenstraße opgegroeid en had die ondanks de veel te vele kamers na de dood van Pinchas en Mimi als vanzelfsprekend overgenomen en er nooit iets veranderd. In Pinchas' kantoor, waar het bureau nog altijd vol ongelezen papieren lag, kwam ze vaak wekenlang niet, ze had alleen gedoe met de werkster en maakte daarom geregeld plannen voor een verandering. Het bleef bij plannen, want er was iets wat haar steeds weer tegenhield: zoals een fles met formaldehyde een natuurwetenschappelijk specimen voor eeuwig vastlegt, zo bewaarde de woning voor haar het jonge meisje dat ze ooit was geweest, de verliefde bakvis met de nachtkastlade vol snoepjes die naar amandelen en rozenwater roken.

Na het eten – ook dat was een traditie geworden – zaten ze samen in de woonkamer, waar uit Arthurs tijd bij de turnvereniging de bronzen krans van eikenloof aan de muur hing en de sinds de vorige eeuw niet geopende Tantalus in de boekenkast stond. Ook de kale leren fauteuils kon alleen een vrijgezel zoveel jaar gehouden hebben; ze waren sjofel en toch comfortabel als een paar afgetrapte pantoffels. 'Ik ben ermee vergroeid,' zei Arthur.

Het hoorde bij hun gemeenschappelijke ritueel dat Arthur uit het kistje dat een dankbare patiënt hem elk jaar met Poeriem als sjlachmones stuurde een sigaar nam, die hij zonder precies te weten waar hij bij het keurende knisteren eigenlijk op moest letten tussen zijn vingers ronddraaide en dan paffend aanstak. Meestal ging hij binnen de kortste keren weer uit en eindigde hij vergeten in de asbak. Arthur hield niet zo van sigaren, maar hij zou het ondankbaar hebben gevonden als hij van het geschenk helemaal geen gebruik had gemaakt.

Désirée dronk port, 'een oudevrijsterneutje', zoals ze dat noemde. Haar oudevrijsterachtigheid accentueerde ze ook met haar kapsel: een scheiding in het midden, zoals ze die als bakvis al had gedragen. Alleen was haar haar dunner geworden en vertoonde het de eerste grijze plukken.

Ook vandaag had alles kunnen zijn zoals altijd. Maar hun gesprek, dat gewoonlijk over aangename, onbelangrijke dingen als het weer of de nieuwste films ging, dreef onweerstaanbaar steeds naar hetzelfde punt en werd door de al te sterke stroom van de feiten steeds in dezelfde draaikolk getrokken. Aan de andere kant van de grens, slechts een paar kilometer van Zürich vandaan, was de wereld uit zijn voegen gerukt, de cafépolitici waren van de stamtafel naar de regeringsbank verhuisd en publiceerden hun grof-geschut-leuzen nu als wetsteksten.

Ruben schreef in zijn brieven over telkens nieuwe pesterijen die allemaal hetzelfde doel hadden: zo veel mogelijk joden uit Duitsland verdrijven. In de afgelopen vier jaar was zijn gemeente in Halberstadt bijna met de helft geslonken, waarbij vaak een ogenschijnlijk helemaal niet zo belangrijk detail de laatste stoot tot emigratie gaf. Bijvoorbeeld het '*Stürmer*-kastje', een oud-Duits gebeeldhouwde vitrine met telkens de nieuwste editie van het opruiende blad van Julius Streicher; het was vlak voor de ingang van de Klaus neergezet, zodat de gelovigen op weg naar de dienst langs de karikaturen van meisjes onterende joodse artsen en bloedzuigende joodse bankiers moesten sluipen. Voor anderen gaf een eenvoudige som in de wiskundeles van hun kinderen de doorslag.

Ruben had in een brief het voorbeeld uit een schoolboek geciteerd: 'Tijdens de Weimarrepubliek werden bepaalde intellectuele beroepen in Berlijn door joden beheerst. Zo was van de theaterdirecteuren 80 procent joods, van de advocaten 60 procent, van de artsen 40 procent, van de hoogleraren aan de filosofische faculteit 25 procent. Druk de getallen uit in een grafiek!' Iemand van het kerkbestuur, die in de wereldoorlog had gevochten en aanhanger was van de Duitsnationalen, had gezworen zich in geen geval uit zijn vaderland te laten verdrijven en was van de ene dag op de andere naar het buitenland vertrokken, nadat bij een poging telefonisch een telegram op te geven een beleefde stem hem had uitgelegd dat joodse namen aan de telefoon niet meer gespeld mochten worden, dat was onverenigbaar met de rassentrots van de Duitse postbeambten.

'Een heel land is gek geworden,' zei Arthur. 'We kunnen God danken dat we in Zwitserland wonen.'

'Kunnen we dat echt?' Désirée streek met haar nagel peinzend langs de rand van haar glas. 'Misschien zijn de gekken bij ons alleen nog niet aan de oppervlakte gekomen.'

Ook dit gesprek voerden ze niet voor het eerst en ook bij dit onderwerp argumenteerden ze als oude echtelieden die elkaars meningen zo goed kennen dat ze op sommige zinnen al reageren voor ze gezegd zijn. Désirée wist beter dan Arthur zelf dat hij zich de wereld niet anders dan verstandig kon voorstellen, met wetten die weleens misbruikt werden maar in beginsel rechtvaardig waren. Voor iemand als hij moesten er gewoon betrouwbare regels zijn omdat je anders je houvast verloor. Op zijn beurt kende Arthur Désirées principiële scepsis tegenover alles wat de eigen rationaliteit en zakelijkheid al te luid verkondigde. Het was haar vaste overtuiging dat daarachter altijd dwaasheid en blinde emoties schuilgingen. Die houding had ze van haar vader. Pinchas had het zijn hele leven niet kunnen verkroppen dat het allereerste volksinitiatief in Zwitserland het sjechtverbod had gegolden – dat een nieuw recht meteen was gebruikt om een nieuw onrecht te scheppen. 'Eén enkel mens kan oordelen vellen,' was de lering die hij daaruit had getrokken. 'De massa kent alleen maar vooroordelen.' En wat was, als bewijs van deze stelling, een van de eerste besluiten van de Hitler-regering geweest? Een sjechtverbod. 'Je wordt hier noodgedwongen vegetariër,' had in een van Rubens brieven gestaan.

'Moeten we echt afwachten tot het ook bij ons zover is? Misschien is het verstandiger om op tijd onze biezen te pakken.'

'En waar moeten we heen?'

Désirée spreidde haar armen uit, een gebaar dat de hele wereld omvatte, en liet ze toen weer zakken zodat de wereld waar je naartoe kon

vluchten zich oploste en in duizend stukken uiteenviel. 'Ergens heen,' zei
ze.

'Dat zou laf zijn.'

Désirée knikte. 'En voor lafheid ontbreekt het ons aan moed.'

Ze hoefde niet uit te leggen wat ze daarmee bedoelde. Als Alfred destijds bij het uitbreken van de oorlog de moed had gehad om gewoon
weg te lopen, te deserteren, zich te verstoppen – misschien was hij dan
nog in leven geweest.

Misschien was alles dan anders gelopen.

'Laat je niet bang maken door die mannen van het Nationaal Front. In
ons land zullen die nooit de meerderheid krijgen.'

'Misschien niet. Alleen weet ik soms niet zeker of dit ons land nog wel
is.'

In de winkel kreeg Désirée altijd alles te horen wat er gebeurde. Ze
hoorde over de kinderen wie men op straat nariep: 'Jood, val dood!',
waarbij niet die kreet het ergste was, maar het feit dat niemand zich
eraan stoorde; ze vernam het verhaal van de Duitse vluchteling die,
omdat je niet aan hem zag dat hij een jood was, in een winkel werd gefeliciteerd met het feit dat er in zijn land eindelijk opgeruimd en orde
geschapen werd; of het verhaal van de advocaat die voor de rechtbank
betoogde dat de op de muur van de synagoge in Bern gekladde leus
'Jood, verrek!' niets te maken had met antisemitisme, maar alleen een
door de grondwet beschermde politieke meningsuiting was, en die zich
daarbij nog op een oordeel van het hoogste gerechtshof kon beroepen
ook.

'En heb je gehoord wat er in het warenhuis van François is gebeurd?'

Nee, dat had Arthur nog niet gehoord.

Iemand had aanstoot genomen aan het handelsmerk waarmee
François al jaren zijn etalages versierde. Die iemand, die de politie niet wist
te achterhalen, had het horizontale en verticale monogram M-E-I-E-R
daarom teruggebracht tot zijn oorspronkelijke vorm en op elke etalage
met olieverf zorgvuldig de ontbrekende j weer ingevoegd.

De j van jood.

'Dat zijn kwajongensstreken,' zei Arthur, maar hij geloofde zelf niet
wat hij zei.

'Misschien. Alleen leven we in een tijd dat kwajongens in de regering
komen.'

'Niet in Zwitserland.'

'Weet je dat zeker?' vroeg Désirée.

Tot Arthurs geluk ging precies op dat moment de telefoon en hoefde
hij niet meer toe te geven dat hij dat helemaal niet zeker wist.

Hij had gedacht dat het een van zijn patiënten zou zijn en was verrast toen hij de stem van Rachel hoorde. 'Je moet onmiddellijk naar de fabriek komen,' zei ze met de overduidelijke articulatie van iemand die zijn paniek maar met moeite weet te onderdrukken. 'We hebben hier een geval van doodslag.'

Désirée stond erop mee te gaan.

De schijnwerpers van de Fiat gleden als nieuwsgierige vingers langs de donkere gevels. Telkens als ze langs een late voorbijganger streken, was het of ze hem hadden betrapt, een hele stad vol louche figuren, allemaal onderweg naar iets verbodens. Arthur was zenuwachtig, hij vergat bij het schakelen tussengas te geven en liet dan de koppeling weer slippen, zodat je had kunnen denken dat de auto zich schokkend verzette tegen de tocht die hij op dit uur nog moest maken.

'Weet je of de politie er is?' vroeg Désirée.

'Ik geloof van niet. Ik had de indruk dat er iets gebeurd is wat ze liever niet aan de grote klok willen hangen.'

'Ik kan het me niet voorstellen. Een moord in Zalmans fabriek?' Désirée sprak het onvertrouwde woord als het ware met fluwelen handschoenen uit, zoals je dingen die je eng vindt alleen heel voorzichtig vastpakt.

'Rachel zei: doodslag.'

'Weet jij wat het verschil is?'

Hoewel dit echt niet het moment was, of misschien juist omdát het niet het moment was, moest Arthur om die vraag lachen, van de zenuwen natuurlijk, maar ook omdat Désirée daarmee het karakter van Rachel Kamionker zo goed had getroffen. 'Weet jij wat het verschil is?' De jaren dat de mannen om Rachel zwermden en zelfs op haar meest onbezonnen uitlatingen instemmend reageerden waren allang voorbij, maar nog altijd werd haar gedrag bepaald door de toen gegroeide zekerheid ook zonder lang nadenken te allen tijde bijval te oogsten.

Toen ze de fabriek binnenrenden, Arthur met zijn koffertje in zijn hand, stond er een hele haag klaar: employés met bezorgde gezichten die hun allemaal de weg naar de grote naaizaal wilden wijzen, in de hoop bij die gelegenheid een blik op het dramatische gebeuren te kunnen werpen waarvan ze buitengesloten waren.

Op het moment dat Arthur de klink wilde grijpen, sprong de deur open en stormde er een jonge vrouw op hem af die volkomen overstuur was. Arthur zag onmiddellijk dat ze heel knap was en hij had ook meteen een slecht geweten omdat hij eerst dat had gezien en toen pas de grote bloedvlek op haar jurk. Ze greep hem bij zijn mouw en stamelde: 'Goddank, dokter! U moet hem redden! Anders gaat hij dood! Hij gaat dood!' Ze klampte zich aan hem vast en Désirée moest haar wegtrekken. Nu pas zag hij dat ook de handen van de jonge vrouw onder het bloed zaten en de ongepaste vraag schoot hem door het hoofd of die vlekken wel uit zijn jas zouden gaan.

De naaizaal baadde in een onnatuurlijk wit, helder licht. Dat moesten die nieuwe neonlampen zijn waar Zalman zo trots over had verteld. De naaimachines stonden in twee keurige rijen, als de lessenaars in een leslokaal. Voorin lag een roerloze gedaante op de grond. Eromheen stonden Zalman, Rachel en een man die Arthur niet kende. Geen van hen keek op toen Arthur binnenkwam.

Iemand had het lichaam dat ze bewaakten willen toedekken en hoewel hier beslist allerlei andere stoffen waren, had hij daarvoor een zacht glanzend wit weefsel genomen, te onpraktisch voor een laken en te kostbaar voor een lijkkleed. Rond het hoofd van de man zat de stof vol bloed, maar hij leek nog te ademen en ...

Het was niet zomaar een man.

Het was Joni Leibowitz.

Zijn Joni.

Arthur knielde naast hem neer, hij knielde naast Joni zoals hij ooit, duizend jaar geleden, naast dit lichaam had geknield, in een turnzaal, hij kon de herinnering nog ruiken, zweet en stof, hij knielde naast hem en zocht in het dik geworden gezicht de vertrouwde trekken, in de koude sigarettenrook de vaak opgesnoven geur die zoveel op de zijne leek, hij knielde op de grond en heel even was hij alles vergeten wat een arts moet kunnen, hij wachtte alleen hulpeloos tot Joni zijn ogen opsloeg, wachtte op de persoonlijke glimlach die niet iedereen kreeg, wachtte op een stem uit het verleden die moest zeggen: 'Ach, dokter, wanneer kan ik weer een afspraak met u maken?'

Maar de enige stem was die van de vrouw die buiten voor de deur bleef jammeren. 'Hij gaat dood,' schreeuwde ze, 'hij gaat dood, niemand kan hem redden.'

Toen was het moment voorbij, het was waarschijnlijk echt niet meer dan een moment geweest, hij was weer arts zoals hij dat al honderd keer bij een noodgeval was geweest, en zijn handen deden vanzelf wat er gedaan moest worden. De schedel, waarvan hij de lijnen zo goed kende, was ongedeerd, er was alleen een oppervlakkige wond, een scheur in de huid die zonder problemen gehecht kon worden. Natuurlijk had Joni veel bloed verloren, maar een hoofd bloedt algauw zonder dat het meteen dramatisch hoeft te zijn. Ze hadden beter de wond kunnen verbinden dan hem alleen maar toedekken, maar misschien had niemand dat aangedurfd, of de hysterische vrouw had het niet toegelaten. Ze moest zijn hoofd in haar schoot hebben gelegd, vandaar het bloed op haar jurk, ze moest hem gestreeld hebben, onverstandig en onhygiënisch.

Arthur benijdde haar erom.

Eindelijk sloeg Joni zijn ogen op. Hij leek Arthur niet te herkennen, wat aan de verwonding kon liggen, hij keek hem aan als een vreemde, zonder persoonlijke of publieke glimlach. Hij streek met zijn tong over zijn lippen alsof hij zich ervan moest overtuigen dat zijn mond er nog was en functioneerde, en zei toen zacht en woedend: 'Ik zal hem aanklagen, die mesjoegener.'

Buiten schreeuwde de vrouw: 'Hij gaat dood!' Joni probeerde zijn hoofd om te draaien, vertrok zijn gezicht van de pijn en fluisterde: 'Kan iemand alsjeblieft zorgen dat Blandine haar mond houdt?'

Eigenlijk had hij ter observatie naar het ziekenhuis gemoeten, hij had een klap op zijn hoofd gekregen en was bewusteloos geweest. Een hersenschudding was dan niet uit te sluiten, in zulke gevallen konden zich complicaties voordoen, evenwichtsstoornissen of nog erger. Maar Zalman maakte zich zorgen om de goede naam van de firma en met Joni leek het van minuut tot minuut beter te gaan. Dus werd besloten dat hij voor het hechten van de wond naar Arthurs praktijk vervoerd zou worden, maar daar was Arthurs auto nu weer te klein voor – het model werd niet toevallig Topolino genoemd, muisje dus – en er moest bij Welti-Furrer een taxi worden besteld. Tot die kwam, werd er in de knipkamer een ligstoel voor Joni neergezet en de zo bezorgde Blandine Flückiger – de mannequin van de firma, zoals Arthur vernam – kreeg opdracht verfrissende, vochtige doeken op zijn voorhoofd te leggen.

Wat was er gebeurd? Zalman wilde het vertellen, maar Rachel liet haar vader niet aan het woord. Tenslotte was zij erbij geweest toen het gebeurde, zei ze, terwijl Zalman in zijn kantoor had gezeten en dus helemaal geen goede informatie kon geven.

Vandaag was er weer eens een spoedeisende commissie binnengekomen, zoals de opdrachten in deze branche werden genoemd, een van die ongeduldige orders die bij Kamionker Kleding belandden omdat ze het werk daar nodig hadden en ook weleens één of twee nachten doorwerkten. Zalman hield niet van die overuren, maar wat moest hij? In de huidige situatie trokken de klanten aan het langste eind.

Ze stopten dus niet zoals gewoonlijk om halfzeven met werken, maar gaven de leerjongen, die toch met de dagelijkse pakketten naar de post moest, opdracht voor iedereen brood en kaas te kopen en bereidden zich voor op een lange nacht. Tegen negenen hielden ze een pauze en aten ze iets. Er heerste bij zulke gelegenheden altijd een stemming als bij een picknick tijdens een uitstapje, ze waren moe en opgewonden tegelijk, wandelden wat om de stijve benen te strekken en praatten over van alles en nog wat.

De tafel met de geïmproviseerde maaltijd was vlak bij de ingang neergezet en de meeste mensen verzamelden zich daar. Slechts weinigen namen hun boterhammen liever mee naar hun werkplek. Dat deed ook de man die al de hele tijd naast Zalman stond en die Arthur nog nooit eerder had gezien. Hij heette Grün en was nieuw.

Meneer Grün – dat moest zelfs Rachel toegeven – had het naaien vlug onder de knie gekregen. Voor ingewikkelde werkjes was hij nog niet goed genoeg, maar een rechte zoom lukte al zonder problemen en ook met de vereiste snelheid.

Maar hij bleef een mesjoegener.

Hij had aan zijn naaimachine gezeten – 'Altijd zondert hij zich af!' – en was de enige of bijna de enige in de naaizaal geweest toen Joni Leibowitz en de mannequin binnenkwamen, misschien omdat ze hoopten daar niet gestoord te worden. Rachel liet er geen twijfel over bestaan waarom ze volgens haar niet gestoord wilden worden.

Zelf had ze heel toevallig in de deur gestaan …

'Toevallig?' vroeg Zalman en Rachel reageerde verrassend fel: ze had voor meneer Leibowitz noch voor juffrouw Flückiger ook maar de minste belangstelling en als iemand dacht dat ze hen had bespioneerd, dan moest hij haar ook vertellen waarom ze dat had moeten doen.

Hoe dan ook, ze stond in elk geval in de deur en kon bevestigen dat Joni en Blandine heel vreedzaam met elkaar hadden gepraat, over politiek natuurlijk, waar praatten de mensen in deze dagen anders over, tot meneer Grün plotseling was opgestaan. Niet opgesprongen, alsof hij woedend of opgewonden was geweest, nee, hij was heel rustig opgestaan, had het zware strijkijzer gepakt dat in de naaizaal altijd klaarstond omdat je sommige delen eerst moet strijken voor je ze kunt naaien, had dus het strijkijzer gepakt en er Joni zo hard mee op zijn hoofd geslagen dat die in elkaar zakte. En toen? Toen had hij het strijkijzer zorgvuldig weer in zijn houder gezet, was teruggegaan naar zijn plaats alsof er niets was gebeurd, was weer gaan zitten en had verder gegeten.

Joni had daar gelegen, je had kunnen denken dat hij dood was, alles zat onder het bloed en Blandine Flückiger had geschreeuwd als een mager varken, tot plotseling iedereen om hen heen stond, het hele personeel, het leek wel een gekkenhuis. Rachel was de enige die haar seichel niet had verloren en onmiddellijk Arthur had gebeld.

Grün stond de hele tijd zwijgend te luisteren, in zijn te wijde driedelige pak dat volstrekt niet bij een confectienaaier paste, en toen iedereen hem vervolgens vragend aankeek, knikte hij alleen maar en zei: 'Dat hebt u heel goed gezien, juffrouw Kamionker. Zo is het precies gegaan.'

'En waarom?' vroeg Zalman.

'Ik had niets anders bij de hand dan het strijkijzer.'

'Wat heeft Leibowitz u gedaan?'

Grün haalde zijn schouders op en hield zijn gespreide handen voor zich, een erg joods gebaar dat ongeveer betekent: 'Niets aan te doen. De mens wikt maar God beschikt.' Toen wendde hij zich tot Zalman en zei: 'U zult me nu wel ontslaan.'

'Eerst wil ik weten wat u bezielt.'

'Daar hebt u recht op,' zei Grün heel zakelijk. 'Maar hoe moet ik het uitleggen? Laat ik het zo zeggen: wat de heer Leibowitz de jongedame vertelde, zinde me niet.'

'Wat?' Zalman was een vredelievend mens, maar nu verhief hij toch zijn stem.

'Hij hing het haantje uit. Hij wil het meisje in bed krijgen, wat hem tot nog toe niet is gelukt.'

'Hoe weet u dat nou?' viel Rachel hem in de rede.

'Dat zie je,' zei Grün. 'Je kunt het hem ook niet kwalijk nemen, het meisje is knap. Het gaat me ook niets aan.'

'En toch hebt u ...?'

Grün praatte rustig verder, alsof ze niet allemaal ongeduldig om hem heen stonden. 'Hij wilde haar imponeren met zijn chochme, wilde laten zien hoe intelligent hij is en hoe goed hij op de hoogte is van de grote politiek. Ze praatten over wat er in Duitsland gaande is en hij zei dat hem zoiets nooit zou overkomen. Hij kon met alle niet-joden altijd uitstekend overweg, zelfs als ze met het Nationaal Front sympathiseerden of Hitler een groot staatsman vonden. Omdat hij zich, in tegenstelling tot vele anderen, wist aan te passen, omdat hij niet opviel en zich niet buitensloot.

Hij legde haar uit dat veel joden dat nog steeds niet hadden begrepen en als iemand dan gepest werd of in een kamp belandde, was dat ook altijd een beetje zijn eigen schuld. "Zijn eigen schuld," zei hij. Toen heb ik het strijkijzer gepakt en hem op zijn hoofd geslagen.'

Zalman ging naar hem toe en legde een hand op zijn schouder. 'Ik zou u dankbaar zijn, meneer Grün,' zei hij, 'als u de volgende keer genoegen zou nemen met een minder hard voorwerp.'

'De volgende keer?' vroeg Rachel verontwaardigd.

'Dit is toch geen reden om hem te ontslaan,' zei Zalman.

62

'Vraag het hem gewoon!'

Steeds hetzelfde antwoord, hoe Rachel ook bij haar vader aandrong. 'Vraag het hem! Als hij het je wil vertellen, zal hij het je wel vertellen.' En ook Hinda, die hij ongetwijfeld had ingewijd, gaf geen sjoege.

Er was natuurlijk een officiële versie. Er is altijd een officiële versie.

Het was een ongeluk geweest, had men op de zaak aan iedereen verteld, een ongelukkige glij- of struikelpartij, wat dan ook. Dat had weliswaar niemand overtuigd, maar wat Blandine Flückiger, de mannequin, vertelde was nog veel ongeloofwaardiger. Grün had doelbewust het strijkijzer gepakt, beweerde ze in alle ernst, en er gewoon op los geslagen. 'Uitgesloten,' zeiden de mensen. Ze wisten van haar dat ze met enthousiasme de martelaar uithing en haar niet erg interessante leven graag dramatiseerde.

Als een mens de waarheid niet kent, dan maakt hij er een en dus werden ze het er in de koosjere kledingfabriek over eens dat er jaloezie in het spel geweest moest zijn. Twee niet meer zo jonge mannen die tot bloedens toe om een geblondeerde Jean Harlow vechten – dat was een mooi verhaal, dat ook graag geloofd werd.

Geen van beiden wilde zich over de gebeurtenissen uitlaten en hun hardnekkige zwijgen werd door iedereen opgevat als een bevestiging van de legende. Zalman had Joni Leibowitz die nacht naar Arthurs praktijk vergezeld en hem bij die gelegenheid tot stilzwijgen verplicht – Rachel wist niet met welke argumenten. Twee dagen later was Joni al weer aan het werk gegaan, met een dik verband om zijn hoofd waarop zijn hoed zat alsof hij twee maten te klein was. De grappen van de inkopers pareerde hij steeds met dezelfde kwinkslag: 'Oké, ik ben op mijn hoofd gevallen, maar niet zo erg dat u iets van de prijs af krijgt.'

Grün werkte een paar dagen door alsof er niets was gebeurd. Hij was alleen nog stiller geworden, zei 'Goedemorgen' en 'Tot ziens' en praatte verder met niemand. Telkens als Blandine Flückiger hem zag, kroop ze met een schrille kreet achter iemand weg, wat Grün beantwoordde met een glimlach, of in elk geval met een gelaatsuitdrukking die vroeger een glimlach geweest moest zijn.

'Vraag het hem!' was alles wat de nieuwsgierige Rachel te horen kreeg, maar natuurlijk peinsde ze er niet over Grün iets te vragen. Ze keek wel uit.

Maar een paar dagen later zat hij niet meer aan zijn naaimachine en zijn hospita, mevrouw Posmanik, liet weten dat hij hoge koorts had en dat ze niet kon zeggen wanneer hij weer beter zou zijn. Toen móést Rachel wel naar hem omkijken. Als je in een bedrijf verantwoordelijk bent voor het personeel en elke maand de loonzakjes vult, heb je zorgplicht.

'En dan kun je de mensen meteen een beetje uithoren,' zei Zalman spottend.

Aan zoiets had Rachel, zoals ze waardig verklaarde, nooit gedacht. Ze deed alleen haar plicht. En dus pakte ze 's avonds vol plichtsbesef geld voor een flesje versterkende bloedwijn uit de kleine kas en ging op pad.

De familie Posmanik woonde in de Molkenstraße, vlak achter het exercitieplein van de kazerne, in zo'n goedkoop gebouwd huurhuis dat er al bouwvallig uitziet als het nog nieuw is. Vijf personen op een kluitje in drie kamertjes, waarvan ze er ook nog een hadden moeten verhuren. Meneer Posmanik bracht zijn dagen door met het zoeken van werk, wat in de praktijk betekende dat hij zich 's morgens met een eerste biertje sterkte voor die taak en zich 's avonds met een laatste borrel trooste omdat hij geen succes had gehad. Zijn vrouw hield het hoofd boven water door restjes brokaat, die ze onder anderen van Zalman lospeuterde, met gouddraad om te haken en die dan als onderzetters bij de joden aan de deur te verkopen. Haar producten waren niet nuttig en ook niet erg decoratief, maar de mensen hadden medelijden met de ziekelijke vrouw – 'Ze heeft een huid als magere melk,' had Hinda ooit gezegd – en kochten steeds weer iets van haar. Je kon in Zürich de indruk krijgen dat een joodse woning zonder brokaten onderzetters net zomin compleet was als zonder een mezoeze aan de deurpost.

Uit de woning op de bovenste verdieping drong kindergeschreeuw. Rachel klopte eerst beleefd aan, maar moest ten slotte met haar vuist op de deur bonzen. Het geschreeuw hield op, ze hoorde gefluister en toen ging de deur eindelijk open, althans zover als de deurketting het toeliet. Een spiernaakt jongetje bekeek haar wantrouwig door de kier. 'Aan de deur wordt niet gekocht,' zei hij, een zin die hij waarschijnlijk vaak bij zo'n gelegenheid van zijn moeder had gehoord en voor een correcte begroeting hield.

'Ik ben mevrouw Kamionker,' zei Rachel met haar liefste tantestem. 'Ik kom op bezoek.'

'Er is niemand thuis,' zei het jongetje en hij wilde de deur weer dicht-duwen. Rachel kon er nog net een voet tussen zetten.

'Jullie onderhuurder is thuis. Meneer Grün.'

Toen hij die naam hoorde, straalde het jongetje over heel zijn gezicht. 'Dat is zo'n leuke man,' zei hij. En toen, weer heel serieus: 'Maar nu is hij ziek.'

Een leuke man? 'Leuk' was wel het laatste woord waar je bij Grün aan dacht.

'Zal ik een gedicht voor u opzeggen?' vroeg het jongetje. 'Dat heb ik van oom Grün geleerd.'

'Wil je me niet eerst binnenlaten?'

'Eerst het gedicht,' zei hij ernstig, alsof een dergelijke voordracht in welopgevoede kringen vanzelfsprekend aan een bezoek voorafging.

'Goed dan.'

Het naakte jongetje in de kier van de deur haalde diep adem en decla-meerde zonder haperen: 'Papegaai is ziek en hij moet sterven. Maak wat appelmoes al van conserven. Voor onze gaai, voor onze gaai. Voor onze allerliefste zoete papegaai.'

'Dat is een lied,' zei Rachel.

'Alleen als je het zingt,' antwoordde het jongetje en hij vervolgde: 'Papegaaitje leef je nog? Ieja deja. Ja meneer, ik ben er nog! Ieja deja. 'k Heb m'n eten opgegeten en m'n drinken laten staan. Ieja deja POEF! Weet u wat conserven zijn?'

'Groenten in blik.'

'Hebt u appelmoes voor hem?' vroeg het jongetje. 'Ik geloof dat oom Grün iets moet eten.'

'Leert hij je altijd zulke gedichtjes?'

'Hij kent er wel een miljoen,' zei het jongetje. 'Of nog meer.'

'Wat goed.' Rachel begon zich in de halfopen deur steeds belachelijker te voelen. 'Maar doe je nu alsjeblieft open?'

De jongen dacht na, tilde zelfs zijn hand op alsof hij wilde zeggen: 'Stoor me niet bij het nadenken!' en knikte toen. 'Goed dan.'

Om open te doen moest hij de deur eerst weer dichtduwen en te oor-delen naar het gerammel en gerinkel aan de andere kant van de deur had hij moeite om de ketting los te krijgen. Maar ten slotte lukte het; Rachel kon eindelijk haar bezoek afleggen. Toen ze de woning binnen-ging, staarden twee nog kleinere kinderen haar nieuwsgierig aan.

'Een papegaai zou ik ook wel willen hebben,' zei de jongen en hij liep, naakt als hij was, voor haar uit. 'Als hij zijn drinken laat staan, neem ik het wel.'

Grüns kamer was heel klein. Een bed, een kast, een stoel. Voor een tafel was geen plaats; daarvoor werd de vensterbank gebruikt.

'Meneer Grün?'

Geen antwoord. Alleen een vreemd geluid, zoals wanneer iemand met zijn nagels nerveus op een glas trommelt.

De kamer rook naar ziekte. Je hoefde geen arts te zijn om dat te merken.

Het waren geen nagels. Het waren tanden. Klapperende tanden.

Hij lag in bed. Het was een warme, bijna zomerse dag, maar Grün bibberde. Hij had een jas over de dunne blauwe deken gelegd en was eronder gekropen, met zijn benen opgetrokken als een baby en zijn armen beschermend om zijn lichaam geslagen, maar hij had het nog steeds koud.

'Meneer Grün!'

Toen hij zijn naam hoorde, probeerde hij overeind te komen en iets te zeggen, maar hij had de kracht niet.

Zijn adem kwam fluitend uit zijn keel. Diep binnen in hem stond een deur open, was een ruit ingeslagen. Hij bewoog zijn lippen, maar kon de woorden niet vormen. Hij probeerde het nog eens en nog eens.

Rachel boog zich over hem heen. Hij rook onaangenaam, zoals zieke mensen altijd ruiken.

Een getal. Hij probeerde een getal over zijn lippen te krijgen.

'Achtenveertighonderdtweeënnegentig,' fluisterde Grün.

Er liep een sliertje speeksel uit zijn mond. Hoewel Rachel walgde, veegde ze het met een punt van het laken af.

Een versleten, haveloos armeluislaken. Veel te dun voor een zieke man.

Toen ze het naakte jongetje naar een telefoon vroeg, keek hij haar aan alsof ze iets ongehoords, iets sprookjesachtigs van hem wilde, een klomp goud of een papegaai.

'Hier in huis heeft niemand telefoon,' zei hij.

'En waar gaat je moeder naartoe als ze iemand moet bellen?'

'Wie zou ik moeten bellen?' Mevrouw Posmanik was thuisgekomen, van een reis, leek het wel, want ze had een grote koffer in haar hand, vol met verbleekte stickers van dure hotels, St. Moritz, Karlsbad, Nice. Iemand had haar dat oude geval uit medelijden gegeven en sindsdien zeulde ze daarmee haar collectie nutteloze brokaatonderzetters door de stad.

'Wat een eer, mevrouw Kamionker,' zei ze. Wie voor zijn broodwinning aangewezen is op het medelijden van andere mensen, ontwikkelt een fijn gehoor en dus wist ze dat Rachel niet graag met juffrouw werd aangesproken. 'Ik had geen idee – Aaron, trek onmiddellijk je broek aan! – geen idee dat u hier bij ons ...'

'Mijn broek is nog nat,' protesteerde het jongetje.

'Neemt u me niet kwalijk, mevrouw Kamionker. Ik moest hem wassen en hij heeft geen andere.'

'Dat geeft toch niet. Ik ben hier voor meneer Grün.'

'Hij kan echt niet naar zijn werk komen,' zei mevrouw Posmanik en ze vergat haar koffer neer te zetten, zo spontaan kwam ze voor haar onderhuurder op. 'Hij heeft geprobeerd op te staan, maar het ging gewoon niet.' Gezien de ervaringen uit haar eigen leven kon ze zich alleen maar voorstellen dat Rachel was gekomen om te straffen.

'De man is ernstig ziek!'

'Waarom hebt u geen appelmoes meegebracht?' vroeg het jongetje en hij begon meteen weer te declameren: 'Maak wat appelmoes al van conserven ...'

'Sst!'

'Meneer Grün heeft een dokter nodig.'

'Ik heb gedaan wat ik kon,' verdedigde mevrouw Posmanik zich. 'Ik heb thee voor hem gezet, maar hij wilde niet drinken, en ik kan ook niet de hele dag ...'

'Kan ik hier ergens bellen?'

'Alleen bij Kreuel in de Kanonenstraße. Dat is een café. Maar daar kunt u beter niet naartoe gaan. Dat is niets voor ...'

'Voor ons soort mensen,' had ze willen zeggen, maar ze slikte de woorden in. Ze zou het aanmatigend gevonden hebben om zich met de dochter van fabrikant Kamionker op één lijn te stellen. Hoewel ze bij Kreuel geen verschil tussen hen zouden maken en hen allebei even smerig zouden behandelen. 'Dat is het stamcafé van het Nationaal Front.'

'Kreuel,' herhaalde Rachel. 'Goed. Misschien vindt u intussen nog iets om hem toe te dekken.' En ze was de deur al uit, zo zelfverzekerd en flink als ze in dit huishouden niet gewend waren.

Mevrouw Posmanik hield nog steeds de koffer in haar hand, met al die opgeplakte herinneringen die niet de hare waren.

Toen Rachel die avond eindelijk in de veiligheid van haar eigen woning terugkeerde, stond ze lang voor de spiegel.

Ze kon het maar niet begrijpen. Er was toch niets ongewoons aan haar. Ze zag er toch uit als duizend andere vrouwen in Zürich. Nou ja, niet iedereen had zulk vuurrood haar, maar daar kon het niet aan liggen.

En toch hadden ze het meteen gemerkt. Ze hadden het geroken. Jachthonden die een spoor volgen.

Ze draaide opzij en probeerde vanuit haar ooghoek haar profiel te bekijken. Er was niets opvallends. Niets waardoor je meteen zei: natuurlijk, een jodin. Niets.

Ze droeg geen sjeitel, dat zou ze ook als getrouwde vrouw niet hebben gedaan en ze zou zeker nooit zo'n ouderwetse hooggesloten jurk hebben aangetrokken waaraan je vooral de orthodoxe vrouwen uit het oosten met één oogopslag herkende. Ze kleedde zich modern, altijd uit de nieuwste collectie, dat was ze de firma verschuldigd, en haar lippenstift had de kleur van het seizoen.

En toch …

Ze stak al de vierde sigaret op en kwam nog steeds niet tot rust.

Ze was het café binnengegaan, de Kanonengasse was meteen bij de Posmaniks om de hoek. Drie treetjes leidden van de straat omhoog naar de ingang, de deur had opengestaan, het was een zachte avond, ze had het tochtgordijn opzijgeschoven, zwaar, van sigarenrook doortrokken materiaal, ze was naar binnen gegaan, een vrouw als duizend andere in een heel gewoon café, er had ook niemand op haar gelet, eerst niet, ze was naar de tapkast gelopen, de kastelein was niet anders dan andere kasteleins, zijn mouwen opgestroopt en met een elastiek opgehouden, ze had hem naar de telefoon gevraagd en hij had haar met zijn duim de richting gewezen, zonder de Brissago uit zijn mond te nemen, niet erg beleefd, maar er was niets bijzonders, waarschijnlijk was het gewoon zijn manier van doen.

De telefoon hing aan de muur, vlak naast de doorgang naar de toiletten, ze had Arthurs nummer gedraaid, andere nummers en namen waren met potlood op het behang gekriebeld en er hing een emaillen bordje voor Wädenswiler bier, hoewel ze hier Hürlimann schonken. Ze had niet lang hoeven wachten, Arthur nam meteen op, met volle mond, hij was waarschijnlijk net aan het eten, ze zei hem wat er gezegd moest worden, hij beloofde te komen, het duurde maar een minuut, hooguit twee, maar toen ze ophing en zich weer omdraaide hadden ze aan alle tafeltjes hun hoofd opgetild, ze hadden iets geroken en bekeken haar, verheugd bijna, zoals je een onverwachts cadeau bekijkt, iemand stond op en wilde haar kant uit, iemand anders hield hem tegen, ze voelde het meer dan dat ze het zag, en toen was er de kastelein die geen geld wilde voor het gesprek, 'ik hoef je smerige jodengeld niet', de Brissago nog steeds in zijn mond, de as viel in een half ingeschonken bierglas, ze zag het alsof er niets anders te zien was.

En toen stond er nog iemand op en nog iemand, niemand hield de mannen meer tegen, gezichten die haar bang maakten, en toen was ze weggerend, ze was de drie treetjes af gestruikeld en op straat bijna gevallen. Achter haar hadden ze gelachen, een joelend bulderend gelach. Als ze haar nek had gebroken, waren ze pas echt gelukkig geweest.

Waar hadden ze het aan gemerkt? Rachel kon het niet verklaren.

Misschien hadden ze naar haar gesprek geluisterd, maar ze praatte toch net als iedereen in Zürich, ze was toch niet anders gebekt.

Ze gaf toch niemand een reden, een aanleiding, ze viel toch niet op.

En zelfs als ze wel was opgevallen … Dat gaf hun nog lang niet het recht … Als iemand in boerenkleren door de stad liep, viel hij ook op. Of als iemand groot of klein was of een bochel had. Dat mocht geen reden zijn.

'Als iemand opvalt is het zijn eigen schuld,' had Joni Leibowitz gezegd en Grün had een strijkijzer gepakt en hem op zijn hoofd geslagen.

Grün, die onder zijn deken lag te klappertanden.

Het was gelukkig geen longontsteking, had Arthur gezegd, niet echt. Met rust en verzorging en goede voeding zou hij weer helemaal genezen. Grün had een spuitje gekregen en zijn ademhaling was nu al rustiger en hij probeerde niet meer op te staan. Hij sliep of was in elk geval verdoofd.

Arthur had een recept geschreven voor een medicament dat de volgende ochtend in de apotheek gehaald moest worden, en hij had mevrouw Posmanik het geld ervoor in de hand gestopt. Heel stiekem en verlegen had hij dat gedaan, niet omdat hij zijn gulheid pijnlijk vond maar omdat haar man het niet mocht zien, want die zou die paar franken anders waarschijnlijk in alcohol hebben omgezet. Het jongetje – intussen aangekleed – vroeg om appelmoes en Arthur toverde inderdaad iets zoets voor hem en de twee andere kinderen uit zijn koffertje.

Toen hij Rachel naderhand in zijn Fiatje naar huis bracht, vroeg hij: 'Heeft hij ooit verteld dat hij in zo'n opvoedingskamp heeft gezeten?'

Opvoedingskamp. Sommigen zeiden ook: concentratiekamp.

'Hij vertelt nooit iets. Hoezo?'

'Zijn rug zit vol littekens. Van de mishandelingen, vermoed ik.'

Natuurlijk.

Achtenveertighonderdtweeënnegentig.

Wat speelt je eigen naam nog voor rol als je in zo'n kamp een nummer bent geweest? 'Grünbaum, Grünfeld – kiest u maar uit.'

Zijn pak was voor een dikke man gemaakt en die dikke man was Grün zelf geweest. Voordat hij …

Natuurlijk.

Joni had beweerd dat je alleen door eigen schuld in het kamp kwam en toen had hij hem aangevlogen.

Natuurlijk.

Maar waarom zei hij dat niet?

In een van zijn brieven had Ruben geschreven: 'Degenen die daarvandaan komen, praten er niet over.'

Net als Grün.

Alleen Zalman moest hij erover verteld hebben. Toen hij zo lang op hem had gewacht, moest hij hem verteld hebben wat hij allemaal had meegemaakt en daarom had Zalman besloten hem te helpen. Al kon Grün niet naaien. Hij was door de wol geverfd. Iemand die heeft moeten leren alles aan te kunnen.

Rachel was alleen maar lastiggevallen, verder niets. En ook dat had ze kunnen voorkomen als ze naar de waarschuwing van mevrouw Posmanik had geluisterd. Maar waarom zou ze ergens niet heen gaan als ze erheen wilde? Ze waren hier in Zwitserland en niet in Duitsland.

'Met dat verschil kun je sjabbes vieren,' zei oom Melnitz. Hij stond achter haar en bekeek zichzelf over haar schouder in de spiegel. 'Als ze aangemarcheerd komen met hun laarzen, dan zeg je gewoon: "We zijn hier in Zwitserland, heren." En dan zeggen zij: "O, pardon, dat wisten we niet." En ze marcheren weer weg. Eén, twee, één, twee, ja.'

Hij bekeek zijn profiel en liet zijn neus groeien tot hij er in de spiegel uitzag als de karikaturen in het *Stürmer*-kastje voor Rubens synagoge. 'In Zwitserland is alles heel anders,' zei hij. 'Ja, daar merken ze niet eens dat iemand een jood is. Daar valt het hun helemaal niet op. Niet als je je haar verft en jurken uit de nieuwste collectie aantrekt. Ze merken het niet eens, nietwaar, Rachel?'

'Dit was een uitzondering. Dit waren mannen van het Nationaal Front.'

'Het is altijd een uitzondering,' zei oom Melnitz en hij kwam steeds dichter achter haar staan. 'Het zijn altijd brave burgers. Fatsoenlijke mensen. Hoekstenen van de samenleving. Tot ze de gelegenheid krijgen het niet meer te zijn. Dat is op de hele wereld hetzelfde. Behalve hier in Zwitserland natuurlijk. Behalve in het goede oude Zwitserland. Hier houden ze van ons.' Hij liet zijn gezicht opzwellen tot het een vet, volgevreten uitbuitersgezicht was geworden. 'In Zwitserland kennen ze geen vooroordelen.'

'Natuurlijk heb je ook hier ...'

'Natuurlijk,' herhaalde oom Melnitz. 'We zullen maar niet te veel vragen. Aangezien ze ons zo goed mogelijk helpen. Aangezien ze hun grenzen voor alle vluchtelingen hebben geopend. Aangezien bij elke grensovergang de rode loper wordt uitgelegd als er iemand komt die een nieuw vaderland nodig heeft. Natuurlijk. In Zwitserland is alles anders, ja, daar heb je volkomen gelijk in, Rachel, mijn kind.' En hij liet een wrat op zijn neus en een bochel op zijn rug groeien.

'Het is best te begrijpen. Er zijn ook zo veel vluchtelingen.'

'Precies. En dan zou het ondemocratisch zijn om de een het land binnen te laten en de ander niet. Dan kunnen ze beter allemaal buiten blijven. Goede God, gun me m'n smoes.'

'Ik wil hier niet naar luisteren,' zei Rachel. 'Ik ben zelf Zwitserse.'

'Weet je dat zeker?' vroeg oom Melnitz. 'Weet je dat echt heel zeker?'

63

Zürich, 16 mei 1937

Zeer geachte mevrouw Pollack,

Mijn naam is dr. Arthur Meijer. Ik ben huisarts in Zürich en daarnaast bekommer ik mij een beetje om de kinderen in huize Wartheim in Heiden. Ik ben lid van B'nai B'rith, waar U ook voor hebt gewerkt, en daar heeft men mij gevraagd die taak op me te nemen.

Ik schrijf U omdat ik zojuist een doorslag heb gekregen van de brief waarin de directrice van Wartheim U informeert over de gezondheidstoestand van Uw dochter Irma. Ik ben bang dat ze U daarmee onnodig schrik heeft aangejaagd. Juffrouw Württemberger is niet erg goed in de omgang met mensen. (Maar wie is dat wel?) Maakt U zich alstublieft geen zorgen en vergeet U alles wat juffrouw Württemberger U heeft geschreven. Irma is kerngezond. Voor het eerst in mijn dertigjarige praktijk als arts (als je dat zo opschrijft merk je pas hoe oud je bent geworden) heb ik bewust een verkeerde diagnose gesteld en vreemd genoeg ben ik daar nog trots op ook. Als ik Irma goed heb begrepen (het is een meisje dat zich veel beter weet uit te drukken dan je op die leeftijd zou verwachten), dan is het voor U en Uw kinderen heel belangrijk dat die twee tot nader order in Zwitserland kunnen blijven. De situatie in Duitsland moet heel moeilijk zijn, waarschijnlijk veel moeilijker dan wij ons in het veilige Zwitserland kunnen voorstellen. Mijn neef Ruben woont in Halberstadt en van wat hij in zijn brieven schrijft, kan ik vaak niet slapen.

Ik denk weleens: sinds de wereldoorlog is de wereld ziek en tot op heden heeft niemand een recept gevonden om hem weer gezond te maken. Misschien bestaat er geen.

Maar altijd alleen het ergste verwachten helpt ons ook niet verder.

Ik hoop dat ik met mijn 'verkeerde diagnose' naar Uw wens heb gehandeld en U daarmee heb kunnen helpen. ('Een klein beetje helpen' had ik moeten schrijven, want meer dan een beetje zal het niet zijn.) Als ik verder nog iets voor U kan doen, laat het mij dan alstublieft weten.

Met de meeste hoogachting,

Dr. Arthur Meijer
Brandschenkestraße 34

PS: bij herlezing valt me op dat deze brief volstaat met opmerkingen tussen haakjes. Mijn zus Hinda zou zeggen: je schrijft net zo verward als je denkt.

Kassel, 24-5-'37

Beste meneer Meijer,

Hartelijk dank voor Uw vriendelijke brief. U moet een erg aardige man zijn.
Uw goedbedoelde bezorgdheid was gelukkig onnodig. Ik heb over de gezondheidstoestand van mijn dochter geen moment ingezeten. Nog voor mej. Württemberger iets van zich liet horen, had Irma me in een brief alles verteld. Ze is zelfs stiekem naar het dorp geslopen om hem ongemerkt op de post te doen. Ik heb de indruk dat ze veel schik heeft in die hele samenzwering. Als heel klein meisje was ze al een diva.
Toen ik die domme brief van juffrouw W. kreeg wist ik dus alles al. Die directrice schijnt inderdaad niet veel benul te hebben van psychologie.
Trouwens, ook schriftelijk drukt Irma zich veel beter uit dan bij een meisje van twaalf past. Onder andere omstandigheden zou ik daar trots op zijn, maar nu baart het me zorgen. Het is niet goed als kinderen moeten opgroeien in een tijd die hen zo vroeg volwassen maakt.
Irma schrijft me dat U een Goliath bent en voor haar is dat een groot compliment.
Dat moet ik U uitleggen: ze bedoelt daarmee niet de Bijbelse Goliath, die tegenover Davids steenslinger geen enkele kans maakte, maar de held uit de verhalen die ik mijn kinderen jarenlang voor het slapengaan heb verteld. (En die Moses nog steeds graag hoort.)

U moet me aangestoken hebben: nu begin ik ook al tussen haakjes te schrijven, hoewel men ons op school heeft ingepeperd dat dat een kenmerk is van een chaotisch brein. (Neemt U me niet kwalijk.)

In die verhalen, waarvan mijn kinderen elke avond een nieuwe aflevering wilden horen, raakte de familie steeds in vreselijke moeilijkheden. Als ze een berg beklommen, ontpopte die zich als een vuurspuwende vulkaan. Als ze op een schip voeren, kwam het in een wervelstorm terecht. Enzovoort. De ramp kon niet erg genoeg zijn, want op het allerlaatste moment dook altijd die Goliath op, die alles weer in orde maakte. Als ze bijvoorbeeld bijna overreden werden, stond hij daar opeens om de auto tegen te houden. Zonder enige moeite, met maar één hand. En hij glimlachte nog ook. Een held dus.

U ziet: U hebt diepe indruk op Irma gemaakt.

Het verhaal van de auto heb ik mijn kinderen vaak moeten vertellen. Irma heeft misschien gezegd dat mijn man bij een verkeersongeluk om het leven is gekomen.

Ik ben erg dankbaar dat de kinderen voorlopig nog in Zwitserland kunnen blijven. Het maakt veel dingen makkelijker voor me. Het liefst zou ik willen dat ze nooit meer naar Duitsland terug hoefden. Dit is ons land niet meer. In de klas van Moses leren ze nu lezen aan de hand van een prentenboek, *Vertrouw geen vos en geen jood*, en de versjes daarin zijn zo stuitend dat je je het niet eens kunt voorstellen. Naast een echt *Stürmer*-plaatje staat bijvoorbeeld: 'Dit is de jood, dat zie je gelijk, de grootste schoft in het hele Rijk!'

Ik wil niet dat mijn zoon zoiets uit zijn hoofd moet leren. En misschien voor de hele klas moet opzeggen. Zijn meester was vanaf het begin lid van de partij.

Het ergste is dat de schrijfster van dat boek amper zeventien of achttien schijnt te zijn. Zo'n jong hoofd is snel vergiftigd.

Nee, dit is mijn Duitsland niet meer.

Ik heb me voorgenomen een paar dagen naar Berlijn te gaan en daar bij de verschillende ambassades aan te kloppen. Er moet toch ergens een visum te krijgen zijn, voor welk land dan ook! Al is dat momenteel erg moeilijk, vooral voor iemand die geen geld heeft. Ze zeggen dat je voor de Britse ambassade soms wel twee dagen in de rij moet staan voor je het aanvraagformulier voor de emigratie naar Palestina kunt invullen. Het liefst zou ik naar Amerika gaan. Kent U daar niet iemand die een affidavit voor me zou kunnen opstellen? Neemt U me niet kwalijk dat ik U alweer om iets vraag. Dat is niet mijn gewoonte. Je wordt zo hulpeloos.

Irma schrijft me dat ze nu in Wartheim samen met Moses een eigen kamer heeft. Hebt U dat ook voor elkaar gekregen? Dan bent U echt een Goliath.

Nogmaals: ik ben U echt dankbaar. Het is goed om te weten dat er iemand voor de kinderen zorgt.

Hartelijke groeten,

Rosa Pollack

Zürich, 1 juni 1937

Beste mevrouw Pollack,

Een Goliath ben ik zeker niet. Helden zijn niet bijziend en als ze bij een patiënt een paar trappen op moeten klimmen, raken ze niet buiten adem. (Hoewel: wie weet of niet ook helden weleens uitgeput zijn. Ik ben er nog geen tegengekomen aan wie ik het had kunnen vragen.)

(Terwijl we in een tijd leven dat zo'n Goliath veel te doen zou hebben.)

In Amerika ken ik helaas niemand. Mijn zwager heeft daar ooit een paar jaar gewoond en hij heeft me beloofd dat hij zal informeren of een van zijn oude kennissen iets voor U kan doen. Maar hij geeft me niet veel hoop. Zijn tijd in New York ligt ver terug en hij zegt dat de mensen kort van memorie zijn als je ze om een gunst vraagt. (Ik vrees dat hij gelijk heeft.)

Hij heeft wel een goede relatie in Kenia, die misschien iets zou kunnen doen. Maar wie wil daar nou heen?

Ik heb ook geïnformeerd bij mijn broer, die veel met Franse firma's samenwerkt. Hij zegt dat de Duitse emigranten elkaar in Parijs momenteel verdringen en dat je daar zonder perfecte kennis van de taal absoluut geen kans hebt om geld te verdienen. Als ik U goed begrepen heb, zou dat voor U echter noodzakelijk zijn.

Hebt U er weleens over gedacht om het in Zwitserland te proberen?

Hoogachtend,

Dr. Arthur Meijer

PS: volgende week ga ik weer naar Heiden.

'Tot eind oktober,' zei juffrouw Württemberger trots. Haar intonatie maakte duidelijk dat Irma en Moses dat uitstel van executie aan haar en niemand anders te danken hadden. Ze was een van die mensen die aan de wereld en hun eigen rol daarin steeds een andere draai weten te geven.

'Een verdere verlenging van de onderhavige ontheffing is niet mogelijk,' las ze voor uit de beschikking van de vreemdelingenpolitie, 'en een desbetreffende aanvraag kan hier ten burele niet behandeld worden.' De ambtelijke taal van de brief kwam zo vlot over haar lippen alsof het om een verhandeling van haar geliefde professor Heidegger ging. Ze klapte de ordner dicht en zette hem op de millimeter nauwkeurig terug in de kast. 'Tot oktober dus en dan …' Haar rechterhand viel op het bureau als de valbijl van een guillotine.

'En dan?' vroeg Arthur.

Juffrouw Württemberger gaf geen antwoord.

'Hoe gaat het met Irma?'

Ze keek hem geïrriteerd aan.

'Beter,' zei ze ten slotte.

'De medicijnen die ik haar gestuurd heb werken dus?'

Druivensuiker. In een potje met een indrukwekkend gecompliceerde Latijnse naam op het etiket.

'We zorgen dat ze ze stipt op tijd inneemt.' Ook dat succes eiste juffrouw Württemberger voor zich op. En met het heimelijke plezier waarmee je iemand die je niet mag een fout onder de neus wrijft, voegde ze eraan toe: 'Maar ze heeft nog steeds van die aanvallen dat je zou kunnen denken dat ze doodgaat.'

'Werkelijk?'

'Echte krampen. Ze ligt dan op haar bed te woelen en te gillen.'

Arthur zette zijn bril af en wreef over zijn neusrug. Met dat gebaar kon je ook een glimlach camoufleren.

'Geeft ze nog steeds bloed op?' vroeg hij met zijn ernstige doktersgezicht.

'Soms. Ik heb iets geconstateerd.' Een nerveuze hand ging op jacht naar voortvluchtige haarpieken. 'Ik weet niet of het belangrijk is.' De bescheiden twijfel was maar een holle frase. Uiteraard waren de constateringen van juffrouw Württemberger altijd belangrijk.

'Ja?'

'Ik stond een keer naast haar toen ze bloed opgaf. Het rook zoetig. Net bruispoeder. Zeg eens, dokter: is dat normaal?'

'Ja,' zei dr. Arthur Meijer. 'In dit speciale geval is dat volkomen normaal.'

Hij vond Irma en Moses in het bijgebouw, dat anders alleen gedurende de zomermaanden voor de vakantiekolonies werd gebruikt, maar nu vanwege de buitengewone omstandigheden doorlopend bezet was. Irma was in de grote slaapzaal de bedden aan het opmaken; de vrouwenverenigingskinderen, voor wie niemand meer geld stuurde, werden zo veel mogelijk als arbeidskrachten gebruikt. Zijn patiëntje droeg een grijze, veel te wijde werkschort waarin ze eruitzag als een verpleegstertje. Moses hielp haar of probeerde zich in elk geval nuttig te maken. Om te voorkomen dat hij haar in zijn ijver stoorde, had Irma een speciale taak voor hem bedacht: telkens als ze een bed had opgemaakt, mocht hij met de zijkant van zijn hand op het kussen slaan en op die manier voor een perfecte knik zorgen.

En telkens prees ze hem daarvoor.

Arthur had eeuwig in de deur naar hen kunnen staan kijken. Hij ging graag naar de bioscoop en als daar een verhaal na veel verwikkelingen goed afliep, plengde hij in het donker af en toe een paar weldadige tranen. Precies zo verging het hem nu: hij observeerde een vreemde harmonie en had er graag deel van uitgemaakt.

Ten slotte kuchte hij toch. Irma – ze scheen zich dat aangewend te hebben – deed een greep in de zak van haar schort, haalde er een zakdoek uit en hield hem voor haar mond. Daarna draaide ze zich pas om. Toen ze hem herkende, liet ze de zakdoek vallen en stormde ze op hem af. 'Dokter Goliath!' riep ze enthousiast. 'Dan hoef ik helemaal niet te hoesten.'

Ook Moses kwam aanlopen, verlegener dan zijn zusje. Hij gaf Arthur stijfjes een hand, maakte zijn buiging en vroeg: 'Wordt Irma nu helemaal beter?'

'Vandaag nog niet. Maar dat boksen we wel voor elkaar, nietwaar, Irma?'

'Ja,' zei Irma terwijl ze hem met haar loensende ogen vol vertrouwen aankeek. 'Dat boksen we wel voor elkaar.'

Op het terrein was een kleine heuvel die in de spelletjes van de tehuiskinderen van alles kon zijn: het kraaiennest van een piratenschip, de top van een oerwoudboom, de cockpit van een zeppelin waarmee je rond de wereld en zelfs naar huis kon vliegen. Vandaag was de heuvel de kanteel van een ridderburcht en Moses, met een afgebroken tak als lans over zijn schouder, bewaakte met een ernstig gezicht de enige toegang.

Arthur verzekerde zich ervan dat de kleine jongen hen niet kon horen en zei toen: 'Je overdrijft je ziekte.'

'De heks is erin getrapt.' Onbeleefd, maar geen slechte benaming.

'Je hebt bruispoeder door het bloed gedaan.'

'Nee, dat heb ik niet,' zei Irma. Haar ene oog keek hem trouwhartig aan, terwijl het andere ergens naast zijn gezicht in de verte iets leek te zoeken.

'Wat dan?'

'Het was helemaal geen bloed!' Irma giechelde zoals alleen een klein meisje kan giechelen dat iemand een poets heeft gebakken. 'Ik heb u toch beloofd dat ik me niet meer zal snijden. Het was alleen rood bruispoeder. Als je een lepel vol in je mond neemt en dan de bellen naar buiten laat borrelen …'

Ze kon van enthousiasme niet verder praten en begon te lachen. Ook Arthur werd erdoor aangestoken. Het idee dat de hygiënische juffrouw Württemberger vol weerzin aan een zakdoek snuffelde en daarbij de medische ontdekking deed dat Irma's bloederig slijm naar bruispoeder rook, was gewoon absurd.

'Aardbeiensmaak!' riep Irma tussen twee lachbuien door. Arthur had nog nooit een komischer woord gehoord. Het duurde een hele tijd voor hij weer kon praten.

'Mij heeft ze gevraagd of die zoetige geur bij jouw ziekte normaal is.'

'En wat hebt u gezegd?'

'Ja, juffrouw Württemberger, bij deze zeer zeldzame ziekte is dat volkomen normaal.'

Deze keer lachten ze zo hard dat Irma's ogen elkaar compleet kruisten. Moses kwam opgewonden de heuvel afgerend omdat hij dacht dat zijn zusje een aanval had.

'De dokter heeft me bij het onderzoek gekieteld,' loog Irma en toen vroeg ze met haar strengste riddergezicht: 'Wat hebt u te melden, schildknaap Moses? Geen vijandelijke draken in aantocht?'

'Alle draken verdreven,' meldde de schildknaap en trots op zijn eigen gewichtigheid marcheerde hij terug naar zijn wachtpost.

'Je houdt heel veel van je broertje, hè?'

'Dat is toch normaal.'

'Natuurlijk,' zei Arthur en hij was bijna een beetje jaloers op een leeftijd waarop aan zulke normale dingen niet wordt getwijfeld.

En toen vond op de kanteel van die verzonnen burcht waarschijnlijk de merkwaardigste les plaats die ooit in Wartheim was gegeven. Dr. Meijer, ervaren huisarts van beroep, liet een meisje van twaalf zien hoe je doet of je ziek bent.

'De krampen en dat hele gedoe laten we voortaan achterwege,' begon hij zijn voordracht.

'O,' zei Irma teleurgesteld.

'Ik wil niet dat juffrouw Württemberger in paniek raakt en een dokter uit het dorp laat komen.'

Irma vond het niet makkelijk om van haar dramatische scènes af te zien, maar voor haar dokter Goliath was ze zelfs daartoe bereid.

'Als iemand aan je vraagt hoe het met je gaat, zeg je altijd: "Goed."'

'Hoezo?'

'Maar je zegt het met een heel zwak stemmetje. En als je dan naar buiten gaat, hou je je aan de deurpost vast alsof je duizelig bent.'

Irma's gezicht was een en al bewondering voor zoveel slimheid.

'Als je in de badkamer bent, hou je elke keer je handen een minuut onder het ijskoude water.'

In zijn hele leven had Arthur nog nooit zo'n aandachtige toehoorster gehad.

'En dan zorg je dat iemand je handen aanraakt en bibber je een beetje.'

Zelfs juffrouw Württemberger had in een privatissimum bij Martin Heidegger niet eerbiediger kunnen luisteren.

'En zeep. Als je dat in je ogen smeert, worden ze rood en gaan ze tranen.'

'Dat brandt toch!'

'Alleen als je het kunt verdragen, natuurlijk.'

'Ik kan alles verdragen,' zei Irma trots.

'Durf je ook zeep te slíkken?'

'Dan word ik misselijk.'

'Goed.'

Irma keek hem een moment verbaasd aan. Toen knipoogde ze naar hem, ze huiverde alsof ze de zeep al in haar mond had en vroeg angstig: 'Word je daar erg misselijk van?'

'Behoorlijk,' zei Arthur. 'Vroeger deden de soldaten dat om niet meer naar het front te hoeven. Je kunt er zelfs koorts van krijgen.'

'Koorts?' Ze glimlachte dromerig, alsof hij haar een bijzonder mooi cadeau had beloofd. 'Dan doe ik het.'

Toen ze de heuvel weer afliepen, hield Irma zijn hand vast.

'Geen draken of vijandelijke legers,' meldde Moses.

'Heel goed, schildknaap Moses,' zei Arthur en hij salueerde, hoewel dat bij de ridders waarschijnlijk helemaal niet gebruikelijk was geweest.

Toen hij na het spreekuur voor de vrouwenverenigingskinderen – een brandwond van het corvee, een verstuikte enkel van het sporten – weer in zijn Topolino zat en omlaag naar het dal reed, zong hij zachtjes.

Zürich, 10 juni 1937

Beste mevrouw Pollack,

Gisteren ben ik weer in Heiden geweest en heb een heel plezierig uurtje met Irma gehad. Wat trouwens interessant is: telkens als ze lacht wordt het loensen erger. Is U dat weleens opgevallen? (Wat een domme vraag. Natuurlijk is U dat opgevallen. U bent haar moeder.)

We hebben samen geoefend hoe je op een overtuigende manier doet of je ziek bent, zonder al te veel te overdrijven. Irma was eerst erg teleurgesteld, geloof ik. Ze houdt van dramatiek. Hoe noemde U haar ook weer? Een diva. Als het aan haar lag, zou ze elke dag één keer de slotscène van *La Bohème* spelen. Minstens. Gaat U graag naar de opera? (Neemt U me niet kwalijk, dat was alweer een domme vraag. U hebt nu wel wat anders aan Uw hoofd.)

Moses maakt zich grote zorgen om zijn zusje en ik heb ze niet helemaal kunnen wegnemen, hoewel ik mijn best heb gedaan hem gerust te stellen. Irma en ik durven hem niet in onze samenzwering in te wijden. We zijn bang dat hij vroeg of laat zijn mond voorbij zal praten. (Het gekriebel in het laatste woord komt omdat ik bijna 'voorbijklappen' had geschreven, zoals wij hier zeggen. Ik denk weleens: als alle woorden in alle landen dezelfde betekenis hadden, zou er nooit meer oorlog zijn.)

Moses heeft een tekening voor me gemaakt. Die hangt voor me aan de muur terwijl ik deze brief zit te schrijven. Het is een tekening van Uw gezin, met een heel grote vader die zijn armen om de anderen heeft geslagen en hen beschermt. Het moet heel moeilijk zijn als die bescherming plotseling wegvalt. Maar ergens is het in deze dagen bijna een troost dat het een verkeersongeluk was en dus iets onpersoonlijks.

Schrijft U me alstublieft hoe het met Uw plannen staat.

Hoogachtend,

Dr. Arthur Meijer

PS: (Ik geloof dat ik nog nooit een brief zonder PS heb geschreven.) Ik hoop dat U het niet verkeerd opvat als ik de toevalligheid van een verkeersongeluk een troost noem. Ik heb hier een patiënt wiens rug vol littekens zit en ik kan me voorstellen dat hij de gezichten van de mensen (mensen?) die hem dat hebben aangedaan, nooit zal vergeten.

64

Op de Strickhof sliepen de leerlingen met z'n zessen op een kamer en er werd van hen verwacht dat ze de bedden met militaire precisie opmaakten, de lakens gladstreken en de wollen dekens als met een liniaal dubbelvouwden. De schoenen dienden met gestrikte veters keurig in het gelid onder het bed te staan – alleen de uitgaansschoenen natuurlijk, voor de vuile werklaarzen, waarmee op het land of in de stallen was rondgebanjerd, bevond zich vlak naast de ingang een rooster. Kudi Lampertz, onder wie ook de kamers vielen, was in dienst korporaal geweest en hij was van mening dat er alleen orde in je hoofd kwam als je je spullen in orde hield.

Het enige wanordelijke dat hij niet kon beletten waren de deuren van de kasten. Het was een oude traditie op de Strickhof dat iedereen aan zijn eigen kast mocht ophangen wat hij wilde, al was het nog zo buitenissig of smakeloos. Ook karikaturen van de leraren moesten geduld worden en zelfs nog veel erger dingen. Op een keer deed Lampertz bij de directeur zijn beklag over de foto van een blondine met een schaamteloos decolleté – hij ging nooit naar de bioscoop en zag daarom niet dat het Mae West was – en Gerster antwoordde met een van zijn zeldzame grapjes: 'Gun hem die foto toch. Het zal zijn moeder zijn.'

Bij de speciale fotowedstrijd die Hillel en Böhni hielden en die ten slotte tot de noodlottige weddenschap leidde, ging het niet om filmsterren maar om heel andere idolen. Böhni begon en hing, eigenlijk alleen om Rosenthal te treiteren, een foto van dr. Rolf Henne, de leider van het Nationaal Front, aan de deur van zijn kast, hoe die op een vergadering bij de microfoon stond, met zijn linkerduim tussen zijn riem en zijn rechterhand omhooggestoken; je kon het als een retorische pose zien of als Hitlergroet. Hillel reageerde met een foto van Chaim Weizmann, de voorzitter van de Zionistische Wereldorganisatie, ook gefotografeerd bij een toespraak, maar zonder breed gebaar, met zijn handen rustig op het spreekgestoelte steunend, een wetenschapper tijdens een college. Böhni bekeek het gezicht, het kale hoofd en het kleine baardje en vroeg: 'Wie moet dat voorstellen? Lenin?'

Als volgende bracht hij een plakkaat mee dat hij thuis in Flaach al bijna vier jaar bewaarde omdat hij het als jongen zo grappig had gevonden. Onder de belofte 'Wij ruimen op!' veegde een ijzeren bezem drie soorten ongewenste lieden weg: hoge omes met een cilinderhoed op hun hoofd en een dikke sigaar in hun mond, communisten met hamer en sikkel op hun hoed en joden met een kromme neus.

Hillel zei er niets van, maar hing op zijn beurt een nieuwe foto op: een blonde, bruingebrande sjomeer op de vlakte van Choele, die waakzaam in de verte tuurde. Het geweer over de schouder en de vastberaden mannelijke gelaatstrekken met de tegen de zon samengeknepen ogen maakten duidelijk: 'Wij zionisten laten niets over onze kant gaan en zijn bereid ons te verweren.' De foto droeg op de zespersoonskamer de algemene goedkeuring weg en Kudi Lampertz zei dat hij niet had gedacht dat Hillel zich voor cowboys interesseerde.

Als klap op de vuurpijl wilde Böhni eigenlijk met een foto van Hitler komen, maar daar voelde hij zich toch niet behaaglijk bij. Daarom beperkte hij zich tot stekelige opmerkingen over de sjomeer. Ver weg in Palestina hadden de joden misschien lef en konden ze met een wapen omgaan, zei hij, maar hier in Zwitserland had hij er nog nooit een bij de schuttersvereniging gezien. Hij maakte daar niemand een verwijt van, niet alle mensen waren gelijk, sommigen zat de angst nu eenmaal in het bloed en die zouden zich bij elke knal doodschrikken.

Waarop Hillel – hij was al achttien en dan kun je zulke verwijten niet op je laten zitten – het natuurlijk niet kon laten om te zeggen dat, als het om moed ging, hij het te allen tijde tegen Böhni zou opnemen, tijdens een rit met het tweespan of wat hij maar wilde. En zo kwam het tot de weddenschap die na het uitdoen van de lichten in het bijzijn van getuigen werd afgesloten en die als volgt luidde: Böhni mocht een proeve van moed bepalen, maar om te voorkomen dat hij iets onmogelijks bedacht moest hij bereid zijn die zelf ook te doorstaan. De verliezer, zo werd plechtig bezegeld, moest zich een week lang als persoonlijke bediende ter beschikking stellen van de winnaar en al zijn bevelen opvolgen, zijn bed opmaken, zijn schoenen poetsen en, als hij het verlangde, bij het ontbijt zelfs zijn boterhammen smeren. Böhni schilderde al zelfverzekerd hoe hij voor het schoenen poetsen telkens nog eens extra in de gier zou trappen.

De anderen in de kamer, die het allemaal als een grote grap zagen, verwachtten dat Böhni iets zou uitkiezen wat hem als boerenzoon veel makkelijker zou vallen dan de stadsjongen Rosenthal. De meesten vermoedden dat het iets zou zijn met Napoleon, de bekroonde fokstier van de Strickhof. Dat was een kwaadaardige en valse dondersteen, die ook met de neusring amper in bedwang te houden was en Böhni was een van de weinigen die enigszins met hem konden omgaan.

Maar de eis die Böhni ten slotte stelde was een heel andere en behalve Rosenthal zelf begrepen de getuigen van de weddenschap eerst helemaal niet waar het eigenlijk om ging. Böhni verklaarde namelijk dat het griezeligste en angstaanjagendste wat hijzelf de laatste tijd had moeten meemaken een heel gewoon bezoek was geweest, hij wilde niet zeggen waar. Men had hem daar namelijk dodelijk proberen te vervelen en ze mochten gerust van hem aannemen dat dat een bijzonder pijnlijke manier was om van kant gemaakt te worden. Hillel moest het gespot over zich heen laten gaan, want met elke vorm van protest zou hij zich alleen maar belachelijk hebben gemaakt. Daarom, vervolgde Böhni, had hij bedacht dat Rosenthal als bewijs van zijn moed hem ook op een bezoek moest vergezellen. Ja, alleen op een bezoek, ze hoefden niet zo verbaasd te kijken. Waarheen, dat zei hij echter pas als Rosenthal de uitnodiging had aangenomen. Hij kon natuurlijk ook weigeren, maar dan had hij de weddenschap verloren en begon zijn week als bediende meteen. Hij, Böhni, dacht dat de wc schoonmaken een leuke eerste opdracht was, het beste met blote handen, zodat je er ook iets aan had. Dus, wat werd het, ja of nee?

Wat kon Hillel anders doen dan ja zeggen?

Dat was heel dapper van hem, grijnsde Böhni. Hij had zich namelijk voorgenomen om zaterdagavond naar restaurant Bauschänzli te gaan, naar de vergadering van het Nationaal Front, dat was ook een soort bezoek en daarheen mocht Rosenthal hem vergezellen als hij durfde. Hij kon zich voorstellen dat iemand als Hillel Rosenthal daar bijzonder hartelijk werd begroet.

'Je bent een achterbakse smeerlap,' zei Hillel.

'En jij dacht altijd dat slimheid jullie specialiteit was. Je knijpt 'm natuurlijk, heb ik gelijk of niet?'

'Hoe kom je erbij?' vroeg Hillel, die trots was dat zijn stem niet trilde. 'Natuurlijk ga ik mee.'

Thuis vertelde hij niets. Zijn moeder zou alleen maar geprobeerd hebben het hem uit het hoofd te praten en zijn vader zou gedacht hebben dat hij het hem kon verbieden. Maar sommige dingen moet je gewoon doorstaan als je achttien bent en het om je eer gaat. Ook in Hasjomeer Hatsaïr, waar hij op sjabbesmiddag heen ging, repte hij er met geen woord over. Anders hadden ze hem nooit in z'n eentje laten gaan en was het al bij de ingang tot een knokpartij gekomen.

Hij ging heel bewust in zijn werkkleren. Zoals grootmoeder Chanele gezegd zou hebben: waar staat in de Sjoelchen Orech dat je voor resjoëm ook nog een stropdas moet omdoen? Bovendien hoorden bij zijn werkkleren zware schoenen en als het hard tegen hard ging kon hij daar beter mee schoppen.

Ze hadden om zeven uur afgesproken, een tijdstip waarop het nu in de zomer nog licht was. Toch hadden de leden van het Nationaal Front voor de ingang van het restaurant al brandende fakkels neergezet, die in het daglicht onopgemerkt stonden te flakkeren. Een Beierse muziekkapel in leren broek speelde schetterende meedeiners; de muziek had echter niets te maken met de bijeenkomst in de zaal, maar diende om de gasten op het tuinterras te amuseren. Op de grindpaden tussen de tafeltjes waren kinderen tikkertje aan het spelen. De mannen hadden hun jasje over de leuning van de stoel gehangen en hun hoed in hun nek geschoven; ze praatten door elkaar en wenkten de ober alweer terwijl ze met het laatste restje bier nog hun braadworst of pekelvlees wegspoelden. De vrouwen lachten te hard en voerden de eendjes in de Limmat stukjes brood. Boven het geheel steeg de rook van talloze sigaretten en sigaren op, vermengd met de olieachtig zwarte walm van de fakkels.

De sfeer was vredig, zoals tijdens een uitstapje van een grote familie. En toch begon Hillel aan een avontuur dat roekelozer was dan de rit met het tweespan over de trap.

Hij was met opzet een paar minuten te vroeg gekomen en slenterde nog wat tussen de tafeltjes rond, als iemand die al een vaste plaats heeft en alleen even de benen wil strekken. Zijn oog viel op een paar agenten die vlak bij de ingang van het restaurant aan een tafeltje zaten. Ze hadden hun helm afgezet en probeerden de indruk te wekken dat ze na gedane arbeid van het hoofdbureau waren gekomen om in alle rust en heel privé aan het water een biertje te drinken. Maar hun glazen waren nog steeds vol, hoewel ze – dat zag je aan het opgedroogde schuim – al een tijd geleden voor hen waren neergezet, en ze namen iedereen die langskwam met meer dan persoonlijke belangstelling op.

Hillel wist niet of hij zich door hun aanwezigheid bedreigd of beschermd moest voelen.

Geen spoor van Böhni. Maar de Frauenmünster sloeg zeven uur en Hillel had zich voorgenomen precies op tijd te zijn. Elke minuut te laat had als lafheid uitgelegd kunnen worden.

Van buiten kwam je eerst in een kleine hal en na het late zonlicht op het terras moest hij daar even blijven staan om zijn ogen aan het half-duister te laten wennen. Bijna was hij omvergelopen door een ober die met een vol dienblad uit de keuken kwam. De man mompelde een verwensing, maar slechts zachtjes en intussen angstig over zijn schouder kijkend. Hillel volgde zijn blik en ontdekte nu pas de twee potige kerels die de ingang van de zaal bewaakten. Ze hoorden bij de ordedienst van het Nationaal Front; dat zag je aan hun grijze hemden, de zwarte strop-dassen en de rode mouwbanden met hun partij-insigne: het Zwitserse kruis met de lange balken en in het midden de morgenster.

'Morgenstern is een joodse naam,' schoot Hillel te binnen en bijna – zo opgewonden was hij – was hij in de lach geschoten. In Hasjomeer Hatsaïr zaten twee broers die zo heetten.

Hij liep naar de ingang en de twee zaalwachters hielden hem tegen. Niet dat ze hem de weg versperden of een hand uitstaken, maar de manier waarop ze hem met de armen over elkaar alleen maar aankeken, maakte duidelijk dat geen onbekende hen kon passeren.

Had tante Rachel dan toch gelijk? Zagen ze echt aan je dat je een jood was?

Maar waarschijnlijk hielden ze iedereen tegen die ze niet kenden.

'Is hier de vergadering?' vroeg Hillel en hij probeerde de zaal in te kijken. Ergens moest Böhni toch op hem wachten.

Geen antwoord.

'Ik ben uitgenodigd door een vriend. Hij heet Böhni. Walter Böhni. We zitten samen op de landbouwschool.'

'Aha, iemand van de boerenstand,' zei de oudste van de twee zaalwachters en hij keek goedkeurend naar Hillels werkkleren. 'Zo iemand kunnen we wel gebruiken. Naam?'

Daar was Hillel op voorbereid. 'Rösli,' zei hij terwijl hij bijna in de houding ging staan. 'Heinrich Rösli.'

'In orde,' zei de zaalwachter. Hillel dacht eerst dat hij bedoelde dat het in orde was dat iemand Rösli heette, en hij verroerde zich niet. Pas toen de andere man een hoofdbeweging in de richting van de zaal maakte, begreep hij het en liep vlug – maar niet te vlug, dat zou ook weer opgevallen zijn! – langs hen heen.

Böhni had vlak achter de deur naar het gesprek staan luisteren. 'Rösli,' herhaalde hij. 'Zo zo.'

Dat was het beslissende moment. Waar was Böhni toe in staat? Hij hoefde maar een van de leden van de ordedienst – en in de zaal stonden er een heleboel – te vertellen hoe deze Rösli echt heette en de hel zou losbreken.

Maar hij knikte alleen goedkeurend. 'Jij durft. Dat moet ik je nageven ...' Bijna had hij 'Rosenthal' gezegd, zoals hij hem anders altijd aansprak, maar hij slikte de naam gauw in. 'Dat moet ik je nageven, Heinrich. Hoe ben je op die voornaam gekomen?'

'Die staat in mijn pas.'

'Niet Hillel?'

Dit was niet de plaats om Böhni het verschil tussen een burgerlijke en een joodse voornaam uit te leggen. Hillel leidde hem daarom vlug af en zei: 'Er zijn helemaal niet zoveel mensen.' Böhni vergat zijn vraag inderdaad en legde ijverig uit dat dr. Henne pas om halfacht sprak en dat met dit mooie weer veel mensen vast nog buiten zaten en pas op het laatste moment binnen zouden komen.

De zaal was niet al te groot, maar toch was hij ook om halfacht amper voor de helft bezet. Aan de aanwezigen was niets opvallends te zien, behalve dat ze bijna allemaal grijze hemden droegen. Het scheen gebruikelijk te zijn om tijdens de vergadering je hoed op te houden.

Zonder veel omhaal zochten Böhni en Hillel een plaats helemaal achterin.

De leden van de ordedienst hadden zich bij het podium opgesteld, ze stonden ook aan de zijkanten en achterin bij de deur, de vastberaden gezichten naar het publiek gekeerd alsof hier louter gevangenen bewaakt moesten worden. Ze droegen allemaal dezelfde hemden, stropdassen en mouwbanden, alleen hun broeken waren verschillend. Waarschijnlijk hoorden die niet bij het uniform.

Toen de sprekers door een zijdeur binnenkwamen, commandeerde de leider van de ordedienst: 'Opstaan!', waarop ze allemaal nog veel strammer in de houding gingen staan, hun rechterarm omhoogzwaaiden en 'Houzee!' schreeuwden. Daarna sloeg iemand een roffel op een landsknechttrommel en Hillel vroeg zich af of het een van de mannen uit de Fortunagasse was.

Hij was blij dat de toespraken begonnen. Als Böhni van plan was geweest hem als jood te compromitteren, dan had hij de gelegenheid voorbij laten gaan.

De leider leek – net als in Duitsland minister Goebbels van Propaganda – grote waarde te hechten aan zijn doctorstitel. De man die hem aankondigde, had het de hele tijd alleen maar over 'kameraad dr. Rolf Henne' en ook Henne zelf gebruikte in zijn toespraak steeds weer frasen als 'als afgestudeerd jurist kan ik u zeggen'. Het eerste wat Hillel aan hem opviel was zijn Schaffhausense accent, dat voor iemand uit Zürich altijd een beetje belachelijk klonk. Van de hele man ging duidelijk niets dreigends uit. Hij praatte gejaagd, was trots op zijn eigen argumenten, wist niet hoe gauw hij ze naar voren moest brengen en deed Hillel daarom denken aan zijn eigen vader. Als Henne strijdlustig werd, en dat gebeurde altijd heel onverwachts, alsof die momenten in zijn manuscript waren aangegeven en hij de aanwijzing altijd pas op het laatste moment zag, dan balde hij zijn vuist en sloeg er twee of drie keer mee op de lessenaar, maar heel voorzichtig, als iemand die zich bij lichamelijk geweld niet echt prettig voelt.

Het onderwerp van de vergadering waren de warenhuizen en de bedreiging die ze vormden voor de Zwitserse neringdoenden. Henne had het steeds maar over joodse winkels. Die waren de wortel van al het economische kwaad, verklaarde hij, omdat ze door hun goedkope lokkertjes de kleine middenstander in een niet te winnen prijzenslag verwikkelden. Door hun grote afzet raakte de markt bovendien oververzadigd, wat leidde tot productievermindering en daarmee tot werkloosheid, dalende belastinginkomsten en totale ineenstorting. Bij zijn argumenten sprong hij van de hak op de tak. Zo legde hij bijvoorbeeld uitvoerig en met een hoogst verontwaardigd gezicht uit dat bij borstels uit een eenheidsprijzenwinkel de haren korter en minder dicht geplaatst waren dan bij die uit een speciaalzaak, of dat voor de EPA al het blikwerk van lichter materiaal werd gemaakt dan vroeger het geval was geweest.

Die verzotheid op details maakte de toespraak niet meer, maar juist minder geloofwaardig. Alleen wie niet helemaal zeker is van zijn zaak moet zoveel moeite doen om zijn eigen stellingen te bewijzen.

Hillel had zich aanvankelijk voorgenomen om heel goed op te letten, maar Hennes stijl had iets slaapverwekkends. De andere toehoorders, die in de eerste minuten nog met instemmende interrupties op de uiteenzettingen hadden gereageerd, leek het net zo te vergaan. Böhni naast hem had al glazige ogen.

'En dat is je idool?' fluisterde Hillel tegen hem.

'Het klopt wel, wat Henne zegt,' fluisterde Böhni terug. 'Maar hij is advocaat en die praten allemaal zo ingewikkeld.'

Een van de leden van de ordedienst zag hen de hoofden bij elkaar steken en deed dreigend een stap in hun richting. Praten werd op deze vergadering niet getolereerd.

De spreker merkte dat de zaal hem ontglipte en alleen wakker werd als hij over de joden begon. Dus concentreerde hij zich steeds meer op dat onderwerp en zei hij dat niet alleen de warenhuizen door het joodse cultuurbolsjewisme werden beheerst, maar ook de halve pers – je hoefde maar te denken aan het Galicische *Volksrecht* en de Baselse *Zionalzeitung* – en het donkerrode gemeentebestuur al helemaal. Ze speelden allemaal onder één hoedje en daarom was onlangs ook een door het Nationaal Front geschreven pamflet tegen warenhuizen en eenheidsprijzenwinkels verboden en in beslag genomen. Dat wekte verontwaardiging, de toehoorders werden weer wakker en Hennes slotzin 'Joden kun je niet verbeteren, je kunt je alleen van ze ontdoen' werd ontvangen met de kreet 'Zeer juist!' en oogstte veel applaus.

Tot dusver was voor Hillel alles goed gegaan en eigenlijk had hij de weddenschap al gewonnen. Hoe langer Böhni naast hem zat zonder hem aan te geven als de aartsvijand die hier stiekem was binnengeslopen, des te zekerder voelde hij zich. Hij moest erkennen dat Böhni het fair speelde.

Maar toen ging het toch nog mis.

De mensen stonden al op en begonnen te praten, terwijl een functionaris hen vanaf het spreekgestoelte nog aanspoorde in groten getale deel te nemen aan de propagandamars van volgend weekend. Toen stevenden er plotseling twee medeleerlingen dwars door de zaal op Hillel en Böhni af. Ze waren op de zespersoonskamer getuige geweest van de weddenschap en waren gekomen om de afloop ter plekke gade te slaan.

'Zo, Böhni,' bulderde de een al van verre, 'dan kunnen we je vanaf morgen schoenen zien poetsen.'

'En de plee schoonmaken,' lachte de ander.

'Sst!' zei Böhni.

'Dat had je niet van Rosenthal verwacht, hè?'

'Sst!'

'Maar petje af,' zei de eerste zo hard alsof hij de koeien in de wei bij-een wilde drijven. Hij sloeg Hillel goedkeurend op de schouder. 'Een hele prestatie dat je hier durft te komen, jij als jood.'

Toen was het gebeurd. De mensen hadden zich de hele avond verveeld en nu kregen ze eindelijk de gelegenheid om aan politiek te doen op de manier die ze graag wilden, namelijk met hun vuisten. Vooral de leden van de ordedienst, voor wie een vergadering zonder veldslag in de zaal een verloren avond was, leefden helemaal op.

Böhni zag een kring van mensen op hen afkomen. Hij greep Hillel bij de hand en riep: 'Vooruit, wegwezen!'

Ze kwamen nog tot bij de deur en dat was hun geluk, want voor een echte massale vechtpartij was de hal te klein. De twee medeleerlingen vochten met hen mee, want al mochten ze Rosenthal niet erg graag, hij zat toch bij hen in de klas en bij het vechten gold op de Strickhof het principe 'Eén voor allen, allen voor één'.

De mannen van het Nationaal Front vielen van alle kanten aan. Hillel had niet eens tijd om zich af te vragen waarom Böhni plotseling rug aan rug met hem stond en hem verdedigde. Terwijl ze elkaar toch helemaal niet sympathiek vonden, en vrienden, nee, vrienden waren ze zeker niet.

Het werd geen lange knokpartij. De agenten, die zich buiten op het terras achter hun nog altijd onaangeroerde bierglazen stierlijk begonnen te vervelen, waren opgelucht dat ze eindelijk hun knuppels mochten grijpen en erop los mochten slaan. Als er niets gebeurde, viel er aan het bewaken van het Nationaal Front geen eer te behalen. Ze stormden de hal in en deden hun plicht.

Binnen de kortste keren waren de vechtersbazen uiteengedreven en was ook de eis tot schadevergoeding van de kastelein genoteerd.

Van de deelnemers aan de vechtpartij hadden maar twee mensen niet op tijd weg kunnen komen en die werden gearresteerd. De een had een bloedneus en bij de ander kwam een blauw oog opzetten.

'Naam?'

'Walter Böhni.'

'En jij?'

'Hillel Rosenthal.'

'Hillel? Hoe schrijf je dat?'

'Eigenlijk heet hij Heinrich,' zei Böhni.

'Ik heet Hillel. Dat is een mooie joodse voornaam.'

'Jood? Prima,' zei de politieagent.

'Hoe bedoelt u?'

'Dan hebben we er van ieder soort één. Onze commandant zegt altijd: "Alleen zo kunnen we een voorbeeld stellen, zodat het eindelijk rustig wordt in deze stad."'

'Maar we hebben toch niet tegen elkaar gevochten.' Het valt niet mee om te argumenteren als je tegelijk een bebloede zakdoek tegen je pijnlijke neus moet drukken.

'Dat mogen jullie aan de rechter vertellen,' zei de agent. 'Alleen zal het hem niet interesseren. Wie tegen wie – dat doet er helemaal niet toe. Paragraaf 133. Vechtpartij. Dan ben je al schuldig als je er alleen maar bij bent.'

'Maar dat is toch niet eerlijk!'

'Dat hadden jullie eerder moeten bedenken,' zei de agent. 'Afvoeren!'

Hij had haast. Na gedane arbeid kan niemand je meer verbieden een biertje te drinken.

65

Grüns ziekte duurde voort. Weliswaar was de koorts verdwenen en klonken de longen weer normaal, maar hij kwam er niet bovenop. Hij had zoiets weleens bij andere patiënten gezien, zei Arthur, maar dat waren meestal veel oudere mensen geweest. Rachel moest zich dat ongeveer voorstellen als bij een overstroming, waarbij iemand zich met uiterste krachtsinspanning ergens aan vastklampte om zich drijvende te houden. Als zo iemand eenmaal uitgeput raakte en losliet, dan was het voor hem heel moeilijk om weer iets te pakken te krijgen.

Dat kon best, zei Rachel, hoewel ze van een dokter liever een effectief middeltje had gekregen dan mooie woorden. Maar hoe het ook zij, ze was een drukbezette vrouw en had geen tijd om constant de barmhartige samaritaan te spelen. Ze was verantwoordelijk voor vijftien medewerkers en dan kun je niet bij iedereen afzonderlijk zijn hand vasthouden.

Aan de andere kant ...

Als Grün onder zijn dekbed lag – een nieuw dekbed natuurlijk, met echte donsveren, daar had zij voor gezorgd –, als hij daar gewoon lag, vooral als hij net wakker was geworden en nog geen tijd had gehad om zijn oude nurkse masker weer op te zetten, dan had hij een heel ander gezicht. Zijn glimlach, als hij er tenminste een had, bewaarde hij nog steeds in de kelder maar, om bij het beeld te blijven, de deur stond al op een kier.

Bovendien ...

Nee, dat was het niet. Dat mevrouw Posmanik haar telkens zo onderdanig groette, alsof na een dochter van directeur Kamionker meteen de profeet Elia en dan al de mosjiach persoonlijk kwamen, dat had er niets mee te maken. Van vleierijen was ze niet afhankelijk. Zij niet. Een werkende vrouw heeft geen tijd voor zulke sjmontses. En mevrouw Posmanik was toch maar uit op restjes brokaat. Nee, daarom ging ze niet helemaal naar de Molkenstraße.

Maar ...

Grün interesseerde haar, dat wilde ze helemaal niet ontkennen. Ze had de mensen echt wel door, o ja, ze had de nodige ervaringen opgedaan en dat waren niet altijd de aangenaamste geweest, maar deze man begreep ze niet. Hij had een paar gedragingen die gewoon niet bij elkaar pasten, als een bij elkaar gebedeld pak, hier de broek, daar het jasje.

Als ze gezellig met hem wilde praten, zoals dat nu eenmaal hoort bij een ziekenbezoek, dan deed hij zijn mond niet open, ze moest elk woord uit hem trekken. Maar als de kleine Aaron binnenkwam – hij ging meermaals per dag bij de onderhuurder langs, ondanks Rachels strenge waarschuwing dat meneer Grün op krachten moest komen en rust nodig had –, als hij maar op de deur klopte, altijd twee keer langzaam en drie keer vlug, geen mens wist wat dat te betekenen had, dan kwam de zieke ondanks alle moeite die hem dat aanvankelijk kostte uit zijn kussens overeind en begon hij de jongen te vermaken. Ja, te vermaken. Je had kunnen denken dat het bed een podium was en dat Aaron entree had betaald. Grün kende een heleboel malle gedichten en liedteksten die geen zinnig mens ooit uit zijn hoofd geleerd zou hebben. Het meeste kon Aaron helemaal niet begrijpen, daar was hij veel te klein voor, maar hij hoorde alles met een stralend gezicht aan en krijste soms van plezier. Dan staken de jongere kinderen weleens hun hoofd om de hoek van de deur en wilden in de vreugde delen. Maar Aaron stuurde hen met een streng gezicht weer weg. 'Oom Grün moet op krachten komen en heeft rust nodig.'

Zelfs de sinaasappels die Rachel voor hem meebracht deelde Grün met de jongen, terwijl ze nu in de zomer een vermogen kostten. Rachel had al meer dan eens uit haar eigen portemonnee bij moeten passen als er niet genoeg in de kleine kas op de zaak zat. Niet dat ze dat Grün aan zijn neus hing, wie weet wat hij daarachter had gezocht.

Maar hij had haar heus weleens kunnen bedanken.

'Moet je eigenlijk een kind zijn om door u fatsoenlijk behandeld te worden?' vroeg ze op een keer, waarop Grün heel serieus knikte en antwoordde: 'Het zou een voordeel zijn.'

Nee, Rachel had echt geen tijd om elke dag op ziekenbezoek te gaan, zeker niet als die inzet niet eens werd gewaardeerd. Gelukkig had je voor zoiets andere mensen die 's avonds minder moe waren dan zij en die precies om zeven uur hun kruidenierswinkel konden sluiten en van spoedeisende commissies en overuren nog nooit hadden gehoord. Trouwens, als iemand altijd alleen is en geen echt gezin heeft, is het gewoonweg een mitswe hem iets zinvols te doen te geven.

Zonder veel vragen te stellen nam Désirée de taak op zich. Ze zorgde niet alleen voor de zieke, maar ook voor de familie Posmanik. Als ze op bezoek kwam, had ze geregeld een doos levensmiddelen bij zich waarvoor ze niet eens bedankt wilde worden. Ze was blij als ze er afnemers voor vond, beweerde ze, in haar branche was het moeilijk om precies in te schatten wat je nodig had en als je te veel had ingekocht was het beter dat het werd opgegeten dan dat het bedierf. Voor meneer Posmanik vond ze werk in het magazijn van een noedelfabriek en ze zorgde zelfs dat zijn vrouw daar elke week langs kon gaan om het loonzakje af te halen.

'Ze is een engel,' zei mevrouw Posmanik tegen Rachel en die antwoordde: 'Nou ja, als je de tijd hebt ...'

Als Désirée op bezoek kwam ging ze niet gewoon aan Grüns bed zitten om met hem te babbelen; ze maakte zich liever nuttig. Op een dag, toen ze net de ramen aan het lappen was zodat het beetje zonlicht dat op de binnenplaats kwam ook zijn weg naar de kamer kon vinden, zei hij plotseling: 'U hebt erg veel van hem gehouden.'

'Van wie?'

'Van degene die u hebt verloren.'

'Hoe ...?'

'Dat zie je,' zei Grün.

Désirée wreef over een stuk stopverf dat op de ruit plakte en dat ze maar niet weg kreeg. 'Ja,' zei ze, 'ik heb erg veel van hem gehouden.'

Het was zo stil in de kamer dat ze de snerpende commando's op het exercitieterrein konden horen.

'Ik heb ook zo iemand gehad,' zei Grün na een poosje. 'Mijn beste vriend. Hij heette Blau. Niet echt natuurlijk. Dat zou te toevallig geweest zijn. Maar op de affiches stond het goed.'

Désirée draaide zich niet om en ging door met poetsen. In de jaren dat ze alleen was, was ze net zo'n goede toehoorster geworden als Mina vroeger.

'Eigenlijk heette hij Schlesinger,' zei de stem achter haar rug. 'Siegfried Schlesinger. Maar omdat iedereen mij alleen maar Grün noemde, kwamen we op het idee dat hij Blau moest heten. Grün en Blau. Dat was ons nummer.'

Grün – die niet Grünberg, Grünfeld of Grünbaum heette, maar echt Grün – was in een cabaret opgetreden, nooit in de heel grote Berlijnse gelegenheden zoals Chat Noir of Kadeko, maar toch in de vrijdagstheaters, die zo heetten omdat de kunstenaars hun gage wekelijks uitbetaald kregen en niet zoals bij de tingeltangels elke morgen na de voorstelling. Zijn specialiteit was de twomanshow geweest, met zijn partner Schlesinger dus, die zich Blau noemde omdat dat op de affiches beter stond.

Grün en Blau.

'We hebben zelfs een grammofoonplaat opgenomen,' zei Grün, 'en in de pauze verkocht. We traden altijd voor de pauze op, nooit in het tweede deel met de heel grote nummers. Voor ons zou niemand zijn blijven zitten en nog een keer sekt besteld hebben. Hoewel we goed waren. U zult lachen,' zei Grün, 'ooit hebben de mensen om me gelachen.'

'Dag, meneer Grün.'

'Dag, meneer Blau.'

Zo was hun nummer telkens begonnen, een echt handelsmerk was het geweest. Soms traden ze op met jas en hoed en waren ze voorbijgangers op straat, soms hadden ze een tas in de hand en zaten ze in een café, maar de eerste zinnen waren altijd dezelfde en op een gegeven moment was het zelfs zover dat de toeschouwers al na die begroeting lachten of zelfs applaudisseerden, nog voordat iemand iets grappigs had gezegd. Dat was populariteit.

'Dag, meneer Grün.'

'Dag, meneer Blau.'

Hij imiteerde de beide stemmen, overdreef zijn eigen hese bas en de schrille discant van de ander.

'U mag zich niet inspannen,' zei Désirée.

'Jawel, dat doet me goed.'

Blau was klein en mager, vel over been, en Grün was destijds dik geweest. Ja, echt. 'Mijn pak was goed gevuld en ik liet de botersaus niet staan. Het was een dienstbuik, mijn belangrijkste rekwisiet.'

Grün was de autoriteit, de man die alles wist en alles kon uitleggen. Blau was de nebbech die niets snapte en altijd alleen maar domme vragen stelde. 'Terwijl het in werkelijkheid precies andersom was. Schlesinger zat in de garderobe serieuze boeken te lezen, terwijl ik met de huppelkutjes flirtte. Met de revuemeisjes,' voegde hij er ter verklaring aan toe.

'Dat had ik wel begrepen.' Désirée zat nu toch op de stoel naast het bed, maar ze had de poetsdoek nog in haar hand, alsof ze wilde zeggen: 'Heel even maar.'

'Dag, meneer Blau.'

Als Grün zichzelf imiteerde, sprak hij Bargoens, de bastaardtaal waarvan de Duitsers denken dat het Jiddisj is. Dat was hun rol geweest: twee clichéjoden die de eenvoudigste dingen ingewikkeld maakten en daarbij tot verrassende conclusies kwamen.

'Wij waren niet de enigen in Berlijn die die truc uithaalden. Er waren nog anderen die gemerkt hadden dat je maar het toneel op hoefde te gaan en "misjpooche" hoefde te zeggen, of de mensen lachten al. Maar wij waren de besten.'

Grün deed zijn ogen dicht, alsof het ongewoon lange praten hem had uitgeput, maar waarschijnlijk wilde hij alleen iets pijnlijks verdringen. 'Ze lachen er nog steeds om,' zei hij. 'Maar het is niet grappig meer.'

De dialoog over de appels, dat was hun grote succesnummer geweest, in de jaren voor 1933. Daarin was sprake van de rooie die altijd dacht dat hij nu eindelijk rijp was en helemaal niet merkte dat hij al bruin begon te worden. Van de bruine die je heel vlug moest uitsorteren omdat hij anders alle andere aanstak. En toen Hitler al rijkskanselier was, hadden ze nog de grap bedacht van de rijksappel waar iedereen nu in moest bijten, terwijl die toch helemaal niet was om te eten, maar om te kotsen.

'Toen de mensen daar niet meer om lachten, hadden we er eigenlijk onmiddellijk vandoor moeten gaan,' zei Grün. 'Maar we waren acteurs. Dus dachten we dat het aan ons lag.'

En toen …

Ze werden onderbroken. De kleine Aaron klopte op de deur, twee keer langzaam, drie keer vlug, zoals Grün hem had geleerd. Ze waren geheim agenten, meneer Grün en hij, en die hebben zulke tekens nodig.

'Niet nu,' zei Désirée, maar Grün glimlachte – hij glimlachte echt, hij kon zich opeens weer herinneren hoe dat moest – en zei: 'Laat hem maar.'

'Weet je een nieuw gedicht, oom Grün?'

'Ik weet nog een miljoen miljard gedichten,' zei Grün. 'Maar vandaag heb ik iets veel beters voor je. Een toverspreuk. Let op, die gaat zo: "De knecht snijdt recht en de meid snijdt scheef."'

De kleine jongen wachtte en toen er niets meer kwam keek hij zijn idool zo teleurgesteld aan alsof Grün hem een heerlijk snoepje had beloofd en vervolgens alleen een leeg zilverpapiertje had gegeven. 'En?'

'Dat is de toverspreuk. Je moet hem vijf keer achter elkaar hard opzeggen, zo vlug als je kunt, dan merk je het wel.'

Aaron keek een beetje sceptisch, maar meneer Grün had hem nog nooit teleurgesteld en dus begon hij aan zijn snelspreekoefening. 'De knecht snijdt recht en de meid snijdt scheef. De knecht snijdt recht en de meid snijdt scheef. De knecht snijdt …' Toen hij snapte welk onfatsoenlijk woord in die zin schuilging, straalde hij zo gelukkig alsof hij vandaag jarig was.

'Maar probeer de truc in geen geval uit op je broertje en zusje!'

'Natuurlijk niet,' zei Aaron en hij rende de deur uit om hem meteen uit te proberen op zijn broertje en zusje. En op alle andere kinderen in het huis.

'Nu hebben we rust,' zei Grün, die voor het eerst sinds lang weer rechtop in zijn bed zat.

'U bent heel anders dan ik dacht.'

Grün schudde zijn hoofd. 'Nee, juffrouw Pomeranz,' zei hij. 'Ik heb alleen geleerd niet iedereen in mijn hart te laten kijken.'

Hij wilde niet converseren, dat merkte je, hij wilde alleen vertellen. Hoe het was geweest en hoe het was geëindigd.

Eerst leek alles gewoon door te gaan. Ze waren weliswaar geen lid van de Rijkscultuurkamer, maar mochten toch blijven optreden. Bij het cabaret leek het allemaal niet zo serieus genomen te worden. Dat de nazi's de voorstelling met interrupties verstoorden, dat waren ze gewend. Het hoorde bij hun beroep en was niet erger dan de dronkaards die na de tweede fles wijn dachten dat ze leuker waren dan de mensen op het toneel. Na de machtsovername was het niet veel anders. Ze werden misschien minder direct in de formuleringen, verpakten hun steken onder water discreter, maar de mensen letten ook veel beter op en hoorden de dingen tussen de regels door. 'Zo'n dictatuur scherpt het gehoor enorm,' zei Grün.

En toen, in 1934 was dat, werden ze na de voorstelling opgewacht door twee mannen. Ze stonden heel geduldig bij de uitgang. Alsof ze een handtekening wilden. 'Ze hadden toen nog niet van die leren jassen die ze tegenwoordig dragen, alleen allebei een mouwband, en ze maakten ook nog een onzekere indruk, twee komieken die de tekst van een nieuwe sketch nog niet goed kennen. Nog niet ingespeeld. Een van hen sloeg me in mijn gezicht, maar het ging niet van harte. Ik heb dat intussen leren onderscheiden. Amateurs.'

En toen ...

Maar Grün had te veel van zichzelf gevergd, iemand die herstellende is en tijdens zijn eerste wandeling meteen de hele stad door wil, maar daar de kracht nog niet voor heeft. 'Ik moet eerst een beetje slapen,' zei hij.

Misschien verbeeldde Désirée het zich, maar toen ze voor het weggaan nog een keer de kamer in keek, had ze de indruk dat zijn gezicht iets meer kleur had gekregen.

Ze vertelde het aan Rachel en die reageerde opvallend beledigd. 'Nou, als er in mij geen vertrouwen wordt gesteld. Ik dring me aan niemand op. Ik ben een drukbezette vrouw.'

Ze was vastbesloten Grün nooit meer op te zoeken.

Maar toen was er die levering van herfstmodellen voor warenhuis Ober en de oude mevrouw Ober was altijd heel pietluttig en had op elke naad iets aan te merken, daarom was het beter als Rachel meeging om mooi weer te spelen. Tenslotte kon niemand in het bedrijf zo goed met mensen omgaan als zij. Warenhuis Ober was niet ver van de kazerne en van de kazerne was het maar een paar passen naar de Molkenstraße, dus kon Rachel ook wel even bij mevrouw Posmanik langsgaan om haar het zakje met de brokaatrestjes te brengen die ze toch al voor haar opzij had gelegd. Dat ze dan ook nog even keek hoe het met meneer Grün ging, was de normaalste zaak van de wereld, tenslotte moet je weten wanneer je weer op een werknemer kunt rekenen.

Grün lag niet in bed, zoals dat hoorde voor iemand die zich ziek had gemeld. 'Hij is er niet,' zei Aaron door de kier van de deur. Het was gewoonweg schandalig hoe vaak die mevrouw Posmanik haar kinderen alleen liet. Pas na een paar keer vragen verwaardigde de kleine jongen zich Rachel te verklappen dat meneer Grün niet de deur uit was, maar zich op het dak bevond.

Ongehoord!

Met een stok moest je naar een haak vissen en een schuifladder omlaagtrekken. Dwars over een stoffige zolder moest je je een weg banen, naderhand had je waarschijnlijk spinnenwebben in je haar, maar wat een mens niet allemaal doet. En als je dan ook nog door een veel te lage deur was gekropen, stond je op een zinken dak waar je constant over een felsrand struikelde, geen erg geschikte plaats voor een zaken-vrouw die voor een gesprek met een belangrijke klant haar op één na beste schoenen heeft aangetrokken.

Eerst zag ze Grün helemaal niet. Iemand had op het dak de was te drogen gehangen, die armzalige intimiteiten van een kinderrijk gezin. Ze moest onder lijnen met onderboeken en hemden door duiken en ontdekte toen eindelijk, in een nis tussen twee schoorstenen, een rieten stoel waarin iemand zat van wie alleen een paar pantoffels en een avon-tuurlijk bonte ochtendjas te zien waren. De rest van de man ging schuil achter een opengeslagen krant.

'Meneer Grün?'

Hij liet de krant niet meteen zakken. Alsof hij nog een artikel uit wilde lezen voor hij minzaam bereid was notitie van haar te nemen. Maar toen was hij buitengewoon beleefd, wat op Rachel echter provocerend over-kwam.

'Juffrouw Kamionker! Wat een aangename verrassing! Ik kan u helaas geen stoel aanbieden. Er is hier alleen deze ene en die is niet goed genoeg voor u.' Hij tilde even zijn achterwerk op om haar te laten zien dat de rieten stoel helemaal doorgezeten was en allang naar de blindenwerk-plaats aan de Stauffacherquai had gemoeten om gerepareerd te worden.

Désirée had gelijk gehad: Grün was veranderd. Maar of het in zijn voordeel was – daar was Rachel niet zo zeker van. Eerst was hij een zwijgzame stijfkop geweest, nu leek hij spraakzamer, maar ze had dur-ven zweren dat hij niet minder koppig was.

'Ik dacht dat u ziek was.'

'Herstellende. Dokter Meijer zegt dat de zon me goed zal doen. Maar al die trappen af naar de straat en dan naderhand weer naar boven, dat red ik nog niet. Dan klim ik liever op het dak.' Hij had zijn krant opge-rold en wees er als een reisgids mee naar het panorama van de omlig-gende huizen. 'Het uitzicht is de moeite waard.'

'Niets bijzonders.' Je zag dakterrassen, schoorstenen, waslijnen. Een achterbuurt is geen plaats voor monumenten.

'Precies,' zei Grün. 'Niets bijzonders. Dat is het mooie van dit land: het wil niets bijzonders zijn. U kunt zich niet voorstellen hoezeer ik u om die alledaagsheid benijd.'

Rachel wist niet zeker of dat een compliment of verkapte kritiek was en veranderde daarom liever van onderwerp. 'Ik hoor interessante dingen over u.'

'Ook daar benijd ik u om,' zei Grün.

'Wat?'

'Om uw nieuwsgierigheid.'

'Ik ben niet nieuwsgierig!'

'Wel waar,' zei Grün. 'Geloof me, ik heb moeten leren andere mensen goed in te schatten.'

'Wat een verbeelding!' Rachel deed verontwaardigd een stap achteruit en kwam daarbij op een onaangename manier in aanraking met een nat laken. 'Als u denkt dat ik ook maar een minuut ...'

'Nieuwsgierigheid is een mooie eigenschap. Wie nieuwsgierig is heeft hoop dat er ook ooit iets goeds kan gebeuren. Ik ben nergens meer nieuwsgierig naar.'

'Helemaal nergens?'

'Ziet u,' zei Grün, 'destijds bij het cabaret ... Heeft juffrouw Pomeranz u dat ook ...? Wat dom van me. Natuurlijk heeft ze dat. U zult haar wel uitgehoord hebben.'

'Ik heb haar helemaal niet ...'

Maar Grün was weer aan het vertellen geslagen en hoorde geen tegenwerpingen. Arthur had gezegd dat het met zo'n woordenstroom was als met een etterbuil, als die eenmaal opengeprikt was moest ook alles eruit, pas dan kon de genezing duurzaam zijn.

'Destijds bij het cabaret,' zei Grün, 'was Blau altijd de populairste, niet ik. Terwijl ik de grappen vertelde en hij alleen de trefwoorden zei. Weet u waarom dat zo was? Omdat hij de vragen stelde en ik de antwoorden gaf. Wie vraagt, is nieuwsgierig en wie nieuwsgierig is, is sympathiek.'

Als Rachel zich ook maar enigszins voor meneer Grün had geïnteresseerd, had dat het aanknopingspunt kunnen zijn voor een leuke kibbelpartij. Maar nu sloeg ze alleen haar armen over elkaar en probeerde ze op het gladde zink van het dak een iets ontspannener houding aan te nemen. Haar schoenen waren weliswaar elegant, maar ook ongemakkelijk.

'Wat is er eigenlijk van die meneer Blau van u geworden?' vroeg ze.

'Blau is dood. Siegfried Schlesinger heette hij. Uitgerekend Siegfried. Ik heb hem altijd gepest, vanwege zijn manchetknopen. Daar had hij zijn monogram in laten graveren en ik zei: "Het is een schandaal dat ik hier met de SS moet samenwerken." Dat was toen al geen goede grap.

We hebben in een kamp gezeten. Dat was een scène die we nog niet hadden gespeeld. Grün en Blau bij de draverijen, dat hadden we gespeeld. Grün en Blau in de dierentuin. Enzovoort. Maar nu: Grün en Blau in het kamp. Een waardeloze sketch.

Weet u wat slechte komieken doen als hun grappen niet overkomen? Ze delen klappen uit. Geven elkaar een trap onder de kont. Zodat de toeschouwers iets te lachen hebben. Slapstick. De stok waarmee je iemand slaat. Klappen komen altijd over, dat is een oude regel op het toneel. Een doorslaand succes.

Het grootste lachsucces van zijn leven had Blau toen ze zijn neus braken. Ze hebben zich een bult gelachen. En er meteen nog een keer op los getimmerd. Da capo.

Ja, Blau is dood.' Zijn stem was heel zacht geworden. 'En Grün zou het eigenlijk ook moeten zijn. Hij heeft alleen het trefwoord gemist.'

Zijn gevoelens waren in inmaakpotten gestopt, dichtgeschroefd en verzegeld. Maar nu was een van die potten opengegaan. De pot waarin Grün zijn tranen bewaarde.

66

Kassel, 28-6-'37

Beste meneer Meijer,

Uw laatste brief heb ik steeds weer herlezen. U hebt daarin iets
geschreven wat me diep heeft geraakt. Het zou echt een grote troost
voor me zijn als de dood van mijn man iets onpersoonlijks was
geweest. Maar de auto waardoor hij is overreden, kwam niet toevallig
aanrijden en mijn man is niet ongelukkig voor de motorkap ten val
gekomen. Ik heb dat de kinderen alleen verteld om het makkelijker
voor ze te maken.
Het was zo'n open vrachtwagen waarmee ze toen door de straten
reden om herrie te schoppen en de mensen te intimideren. Twintig
man in de laadbak, altijd klaar om zich op iemand te storten en
hem af te ranselen.
Mijn man was advocaat en had enkele processen tegen ze gevoerd.
Een paar heeft hij er zelfs gewonnen. In 1932 was zoiets nog weleens
mogelijk.
Het was in de Königsstraße hier in Kassel, een heel centraal gelegen
straat vlak bij het stadhuis. Mijn man en ik liepen gearmd op het
trottoir. Ze reden langs en herkenden hem. De chauffeur gaf een
ruk aan het stuur, ik kon zijn gezicht zien terwijl hij het deed. Zijn
ogen wijd opengesperd, alsof hij in een achtbaan zat, in panische
vreugde of vreugdevolle paniek. De auto schoot het trottoir op, de
mannen in uniform achter in de laadbak wipten allemaal tegelijk
één keer omhoog en op hetzelfde moment had hij ons bereikt; ik
kon de benzine, het hete metaal en de rubberbanden ruiken.
Ik ruik het nog.
Mijn man liet mijn arm los. Het ging allemaal heel vlug, maar ik
weet zeker dat hij dat met opzet heeft gedaan, om mij niet mee te
sleuren. Zorgzaam tot de laatste minuut. En toen was er die klap,

niet eens erg hard, zoals wanneer er een grote koffer van een bagagewagen valt. Daarna reed de vrachtwagen weer met een sprongetje de straat op.

Eerst leek het of er niets ergs was gebeurd. Mijn man lag op zijn rug, met zijn ogen open. Er was geen letsel te zien.

Tot ik onder zijn hoofd het bloed tevoorschijn zag komen. Zoveel bloed.

De kinderen heb ik het op een andere manier verteld. Anders hadden ze het niet kunnen verdragen.

We hebben de daders aangeklaagd, zo naïef was je toen nog, maar voordat de zaak voor de rechter kwam, was het 1933 en hadden ze de macht. Er is me aangeraden de aanklacht in te trekken, maar dat zou mijn man niet gewild hebben. Het resultaat was dat hij tot een boete werd veroordeeld. Hij. Postuum. Wegens het veroorzaken van materiële schade. Omdat een vrachtauto van de SA door zijn toedoen een deuk in het spatbord had.

Ik heb de rekening voor de reparatie betaald. Inclusief rente wegens te late betaling.

U hebt gelijk: het zou makkelijker zijn als het echt een ongeluk was geweest.

Het is al vijf jaar geleden, maar sinds de rechtszitting heb ik het nog nooit zo uitvoerig aan iemand verteld. De herinnering doet pijn, maar ik merk dat het ook goeddoet het met iemand te delen.

Ik vertrouw U omdat ik U niet ken. Nee, dat is verkeerd. Ik bedoel: hoewel ik U niet ken.

Ik ben intussen in Berlijn geweest. Aan mijn situatie is niets veranderd, behalve dat ik nu op een paar wachtlijsten sta. Naar de Zwitserse ambassade ben ik niet eens gegaan. Iedereen zegt dat dat geen zin heeft. Jammer dat Goliath niet echt bestaat.

Hartelijke groeten,

Rosa Pollack

Zürich, 2 juli 1937

Beste mevrouw Pollack,

Ik zou U zo graag iets troostrijks zeggen, maar ik weet niet wat. Het is vreselijk, wat mensen elkaar aandoen.

Arthur Meijer

Zürich, 3 juli 1937

Beste mevrouw Pollack,

Neemt U me niet kwalijk dat ik U gisteren zo'n domme brief heb gestuurd. Ik kon de juiste woorden niet vinden en had toch de behoefte om meteen te reageren.
In de brieven die mijn neef Ruben uit Halberstadt schrijft staat veel over pesterijen, over duizend perfide speldenprikken, maar over willekeurig geweld heeft hij nooit iets verteld. Ik had uit zijn verhalen de indruk dat er in Duitsland weliswaar veel kwalijke dingen gebeuren, maar dat voor elke gemeenheid altijd eerst een wet of een verordening wordt uitgevaardigd. Wat U is overkomen, leek me tot nu toe ondenkbaar. (Dat kan naïviteit geweest zijn, of ook gewoon lafheid.)
(Waarschijnlijk was het lafheid. Ik ben geen moedig mens.)
Het kan natuurlijk niet dat U daar ook maar een dag langer aan blootgesteld bent.
Ik heb de hele nacht nagedacht en zou U een voorstel willen doen, dat U alstublieft niet als liefdadigheid moet opvatten. Ik zou er ook mee geholpen zijn. Echt.
Ik heb weliswaar al een assistente, maar mijn juffrouw Salvisberg is een wat oudere dame die het werk vaak niet aankan en wat hulp goed zou kunnen gebruiken. (Zo kan ik het in elk geval formuleren zonder de trouwe ziel al te zeer te kwetsen.)
Irma heeft me verteld dat U als bejaardenverzorgster hebt gewerkt, dan zou de stap naar de wachtkamer van een huisarts toch niet al te groot zijn. Als U het goedvindt – (Een domme frase. Na alles wat ik over Uw situatie weet, zult U het meer dan goedvinden. Dus anders gezegd:) als U mij toestaat zal ik contact opnemen met de vreemdelingenpolitie om te kijken of ik een werkvergunning voor U kan krijgen. Zo moeilijk moet dat toch niet zijn.
Daarom zou het nuttig zijn als U mij een apart vel met Uw persoonlijke gegevens zou sturen; leeftijd, geboorteplaats en dat soort dingen. Daar zullen ze hier op het bureau zeker naar vragen.

Hartelijke groeten,

Arthur Meijer

PS: ik vraag me af of Irma niet allang op de hoogte is en alleen nog

steeds van een ongeluk spreekt omdat ze denkt dat ze U dat
verschuldigd is. Tot zoveel consideratie acht ik haar beslist in staat.

Personalia
Naam: Pollack, meisjesnaam Bernstein
Voornaam: Rosa Recha (Mijn vader was gek op Lessing.)
Geboortedatum: 30 september 1900 (Ik schijn in de nacht van de
eeuwwisseling verwekt te zijn.)
Geboorteplaats: Melsungen, district Melsungen, Hessen (Misschien
hebt U weleens een foto van die prachtige vakwerkhuizen gezien.
Mijn vader had daar een kleine weverij.)
Beroep dat ik heb geleerd: onderwijzeres (Ik heb dat beroep echter
nooit uitgeoefend omdat ik al tijdens de opleiding mijn man heb
leren kennen en meteen na het eindexamen met hem ben
getrouwd. Weggegooid schoolgeld.)
Huidig beroep: werkloos
Godsdienst (Driemaal raden.)
(En, zijn dat genoeg opmerkingen tussen haakjes naar Uw zin?)

Kassel, 10-7-'37

Beste Goliath,

De personalia die ik bij deze brief insluit zijn niet erg serieus
uitgevallen. Uw brief heeft me zo veel hoop gegeven dat ik
helemaal uitgelaten ben.
Natuurlijk kan ik me niets beters voorstellen dan bij U als
assistente te werken. Of als wat dan ook. Hebt u niet iemand
nodig die voor u kookt? Mijn kinderen zeggen dat ik de lekkerste
taarten van de wereld bak. O, wat zou het fijn zijn als het lukte!
Hier wordt de situatie met de dag afschuwelijker.
De indruk die U uit de brieven van Uw neef hebt gekregen is niet
verkeerd. De meeste dingen die ze ons aandoen vallen binnen de
wet. Alleen zijn de wetten zelf crimineel. Het is als wanneer
straatrovers bij hun overvallen een stropdas zouden dragen en
zich strikt aan de sluitingstijden van de winkels zouden houden.
Om een voorbeeld te geven: ze pakken de mensen niet gewoon
hun huizen af. Ze vaardigen alleen een besluit uit volgens welk
iedere huiseigenaar lid moet zijn van de vereniging van huis-
eigenaren. Dat klinkt ongevaarlijk en onschuldig, nietwaar? Maar
de vereniging accepteert geen joden en dus moeten de huizen
helaas, helaas worden verkocht. Voor een prijs die de koper bepaalt.

Zo gaat het overal.

Zelf heb ik in een bejaardentehuis gewerkt dat geleid werd door B'nai B'rith. Ze hebben de vereniging gerechtelijk ontbonden en haar vermogen in beslag genomen. Allemaal heel ordelijk. Eerst verzinnen ze een paragraaf en vervolgens passen ze hem toe. Voor ze al het beddengoed uit de kasten graaiden en meenamen, moest ik een nauwkeurige lijst opstellen, laken voor laken, sloop voor sloop. Ze hebben zelfs gewacht tot het vuile wasgoed was gewassen, gestreken en weer gesorteerd. Om er zeker van te zijn dat er niets ontbrak. Toen pas hebben ze alles opgehaald. Mij hebben ze salaris uitbetaald voor die ene dag. Met aftrek van de verplichte sociale lasten. Allemaal heel correct.

Toen de oude mensen allang uit hun kamer waren gezet, heeft een lid van de partij nog wekenlang in het kantoor van onze directeur de boeken bij zitten werken. Leden van B'nai B'brith met achterstallige bijdragen kregen een aanmaning thuis gestuurd en moesten alsnog betalen. U ziet het goed: wij zijn een ordelijk land, waar alleen tegen kwitantie wordt gestolen.

Ik zal zo blij zijn als ik hier niet meer hoef te leven.

Trouwens, ik had als vanzelfsprekend aangenomen dat U en Uw familie Zwitsers waren. Als dat zo is – wat doet uw neef dan nog in dat vervloekte Duitsland?

Een werkvergunning voor Zwitserland zou fantastisch zijn. Als het lukt, zal ik U mijn leven lang alleen nog maar Goliath noemen.

Heel hartelijke groeten,

Rosa Pollack

'Hoe had u zich dat voorgesteld?'

Meneer Bisang vertrok zijn gezicht alsof hij kiespijn had. Hij had zijn zakhorloge voor zich op het bureau gelegd en trok nu de horlogeketting nog een beetje rechter, precies parallel aan het donkerbruine kartonnen mapje met Arthurs verzoek.

'Heus, meneer Meijer, hoe had u zich dat voorgesteld?'

De ambtenaar had de samengeknepen lippen van iemand die een vieze smaak in zijn mond heeft, maar voor zijn fatsoen niet kan spugen.

Maagproblemen, dacht Arthur automatisch.

'Juist nu het zionistencongres in Zürich gehouden zal worden. Met gedelegeerden uit de hele wereld. Ik heb met mijn collega's in Basel gesproken, die ervaring hebben met zoiets. Die zeggen allemaal dat we onze borst wel nat mogen maken. U hebt geen idee hoeveel werk we daar nu al aan hebben.' Met een verwijtend en vermoeid gebaar wees hij naar een kast vol ordners. 'Inreisvisa. Speciale vergunningen. Aanvragen, aanvragen en nog eens aanvragen.'

'Ik zie het verband niet helemaal.'

'Maar meneer Meijer!' Bisang drukte beide duimen tegen zijn slapen en vertrok zijn gezicht. 'U bent toch een intelligent man. Dat is u aan te zien. Nee, nee, spreekt u me niet tegen. Een intelligent man. Ik heb daar oog voor. Je moet ook mensenkennis hebben in een functie als deze. U begrijpt me toch wel?'

'Eerlijk gezegd niet. Ik vraag om een werkvergunning voor een doktersassistente en u ...'

'Ho,' zei Bisang terwijl hij zijn hand opstak als een verkeersagent. 'Laten we de dingen niet door elkaar halen. U hebt een aanvraag ingediend; ik moet een aanvraag behandelen. Met een persoonlijk verzoek heeft dat niets te maken. Als ik het voor het zeggen had ...'

'Ja?'

'Maar ik heb het niet voor het zeggen,' zei Bisang. 'Wij hebben onze instructies. Voorschriften. Richtlijnen.'

'Mevrouw Pollack zou echt de ideale assistente voor me zijn.'

'Ach, weet u, meneer Meijer ...' Bisang leek een van zijn stokpaardjes te berijden. 'Wat is ideaal? Ideaal zou zijn als ik morgen met behoud van mijn volle salaris met pensioen kon. Maar instanties zijn er niet voor het ideale, ze zijn er voor het haalbare. En deze werkvergunning is niet haalbaar.'

'Mag ik vragen waarom niet?'

Bisang kuchte en hield een hand tegen zijn hals, alsof hij wilde nagaan of er niet een nieuwe ziekte in aantocht was.

'Visumaanvragen ten behoeve van een werkvergunning mogen alleen worden ingewilligd als in de betreffende beroepssector aantoonbaar onvoldoende aanbod is van sollicitanten uit eigen land.' De zin klonk uit het hoofd geleerd en was dat waarschijnlijk ook.

'In dit speciale geval ...'

'Er zijn alleen maar speciale gevallen.' Bisang legde zijn vingertoppen zo zorgvuldig tegen elkaar alsof het een hele kunst was. 'Vooral bij jullie joden.'

'Pardon?'

'Begrijpt u me alstublieft niet verkeerd, beste meneer Meijer. Ik heb geen vooroordelen. Zoiets ken ik niet. Voor mij tellen alleen feiten. Getallen. Statistieken. En het is nu eenmaal een onweerlegbaar feit dat het aantal aanvragen van Duitse staatsburgers met het Mozaïsche geloof de laatste jaren zeer sterk is toegenomen.'

Arthur had zich voorgenomen heel rustig te blijven, maar nu voelde hij iets opkomen wat hij niet binnen kon houden, zoals ook misselijkheid vaak op de meest ongelegen momenten een weg naar buiten zoekt.

'Het is ook een onweerlegbaar feit,' zei hij sarcastisch, 'dat nog iets anders de laatste jaren zeer sterk is toegenomen. Namelijk de vervolging van de joden in Duitsland.'

'Ongetwijfeld, ongetwijfeld.' Bisang knikte alsof Arthur hem zojuist gelijk had gegeven. 'Dat wordt ook in veel van die aanvragen als reden opgegeven. Terecht, vermoed ik. Maar …' Hij vond dat de horlogeketting nog niet recht genoeg lag en had daar al zijn concentratie voor nodig.

'Maar wat?'

'Het is niet aan een Zwitserse instantie om Duitse problemen op te lossen.'

'Maar het gaat om mensen!'

'Ja,' zei Bisang en hij knikte alweer. 'U slaat de spijker op de kop, beste meneer Meijer. Ziet u, dat is het eerste en het moeilijkste wat je in een functie als deze moet leren. Bijna iedereen die hier een aanvraag indient, heeft gelijk. Als mens. Als eenling. Als individu. En toch moeten we de meeste aanvragen afwijzen. Omdat we aan het geheel moeten denken.'

'Dat zijn toch holle woorden! Het antisemitisme in Duitsland is een realiteit!'

'Juist omdat het een realiteit is.' Bisang had een gevoelige plek in zijn hals ontdekt en betastte die heel zorgvuldig. 'Juist omdat we elke dag zien wat voor verschrikkelijke gevolgen zo'n verwerpelijke wereldbeschouwing kan hebben. Vervolgingen. Pesterijen. Molestaties midden op straat. Het is middeleeuws.'

'Juist daarom …'

'Juist daarom, beste meneer Meijer, mogen we het in Zwitserland niet zover laten komen. Smoor het kwaad in de kiem! Als ik eraan denk dat er sinds twee jaar een aanhanger van het Nationaal Front voor Zürich in het parlement zit – dat is toch een veeg teken!'

'En het Nationaal Front kunnen we het beste bestrijden door de grenzen te sluiten?' Arthur was nu echt woedend, een emotie die hij zich maar zelden toestond.

'Dat heb ik niet gezegd. Maar we mogen ze ook niet wagenwijd openzetten. We moeten de immigratie zorgvuldig reguleren, met de druppelteller zeg maar. U als medicus zou dat toch moeten begrijpen.'

'Waarschijnlijk ben ik daar te dom voor,' zei Arthur. 'Maar ik weet zeker dat u het me kunt uitleggen.'

'Met genoegen. Hoewel …' Bisang haalde zijn zakhorloge naar zich toe, keek op de wijzerplaat en schudde berustend zijn hoofd. 'Goed, dat moet nog kunnen. Waar waren we gebleven?'

'U wilde me uitleggen waarom ik voor het afwijzen van mijn eigen verzoek zou moeten zijn.' Arthurs stem beefde, zo erg moest hij zijn best doen om niet tegen de stoffige rust van de ambtenaar te schreeuwen.

'Natuurlijk, natuurlijk. In de geneeskunde geldt toch de regel dat iedere in de juiste dosering gebruikte stof heilzaam kan zijn. Of in elk geval onschadelijk. Is het niet zo? Maar als je het organisme een overdosis van iets toedient ...'

'Een overdosis waarvan?'

'Een staatsbestel, beste meneer Meijer, is ook een soort organisme. Waar alle delen moeten samenwerken. Elk op zijn eigen plaats en elk in zijn door God gegeven grootte. Zolang daar niets aan verandert, blijft het geheel gezond. Maar als het evenwicht wordt verstoord ... We zien in ons buurland waar dat toe kan leiden. Irritaties. Reacties. Convulsies.' Het medisch jargon scheen hem ergens aan te herinneren. Hij haalde een zilveren pillendoosje uit de la van zijn bureau en peuterde er met duim en wijsvinger in.

'Wilt u daarmee zeggen ...?'

'Ik wilde alleen een voorbeeld geven. Op uw eigen vakgebied. Ons land is nog gezond. In hoge mate gezond. Van de ziekte van het antisemitisme zijn we gelukkig verschoond gebleven. In hoge mate verschoond. Maar als er nu plotseling op iedere hoek van de straat een jood zou staan, een buitenlandse jood nog wel – hoe lang zou Zwitserland dan immuun blijven? En als zo'n infectie er eenmaal is ...' Bisang knikte veelzeggend, over infecties kon hij meepraten, betekende dat, en hij stak uit voorzorg een roze pilletje in zijn mond. 'Juist de Zwitserse joden moeten er toch het grootste belang bij hebben alles te vermijden wat het antisemitisme hier zou kunnen bevorderen.'

'Begrijp ik u goed, meneer Bisang? Wijst u de aanvraag van mevrouw Pollack af omdat één jodin meer het antisemitisme in Zwitserland zou kunnen bevorderen?' Nu sprak Arthur echt met stemverheffing.

'Mijn beste meneer Meijer! Hoe kunt u me zoiets in de mond leggen? Ik bedoel toch niet de enkeling. Niet het individu. Niet de mens, zoals u daarnet zo treffend hebt gezegd. Maar als ambtenaar ben ik verplicht het grote verband in het oog te houden. Verder te denken dan de dag van vandaag. Ook in uw belang.'

Alsof alles was opgehelderd en afgehandeld, schoof hij het mapje met de akte opzij en stond op. 'Als ik nog eens iets voor u kan doen ... Het is altijd een genoegen om met een intelligent man te praten.'

Zürich, 1 augustus 1937

Beste mevrouw Pollack,

Ik had U zo graag een positieve uitslag willen geven en heb deze
brief daarom steeds weer uitgesteld.
Maar alles blijkt veel moeilijker te zijn dan ik had gedacht. Ik vrees
dat ik heb gefaald.
Buiten op straat komt net een fanfarekorps voorbij. Vandaag is het in
Zwitserland nationale feestdag en er worden veel mooie toespraken
gehouden. Was het eigenlijk altijd al zo dat er tussen woorden en
daden nauwelijks verband bestaat? Of is me dat alleen nooit zo duidelijk opgevallen als in deze dagen? (Spelen fanfarekorpsen alleen
maar zo hard omdat er zoveel gehuichel overstemd moet worden?)
Men heeft mij heel vriendelijk en correct te kennen gegeven dat aan een
werkvergunning niet te denken valt. Als er al zo'n papier wordt afgegeven, dan alleen voor betrekkingen waarvoor aantoonbaar geen Zwitserse arbeidskrachten te vinden zijn. (Dus feitelijk voor geen enkele.)
Op het moment ben ik ten einde raad. Je zou werkelijk een Goliath
moeten zijn en die ambtenaren zo lang door elkaar moeten
rammelen tot de beleefde glimlach van hun gezicht valt. Ze
verwachten echt dat je ze nog dankbaar bent ook.
Ik wil U geen valse hoop geven, maar ik heb me vast voorgenomen
het er niet bij te laten zitten. We hebben nog een beetje tijd voor
Irma en Moses definitief het land uit moeten.
Ze maken het goed. Ik heb juffrouw Württemberger schaamteloos
voorgehuicheld dat de verbluffende verbetering in de toestand van
mijn patiënte alleen te danken is aan haar goede verpleging en
begeleiding en dat, als ze zo goed voor haar blijft zorgen, er
misschien zelfs volledige genezing te bereiken valt. (Ik heb vaak
vastgesteld dat mensen die anderen verachten, bijzonder gevoelig
zijn voor vleierijen.)
Ik neem aan dat het bij U in Kassel net zulk heerlijk weer is als hier
bij ons. Onder andere omstandigheden zou ik schrijven: geniet van
de mooie dagen!

Met vriendelijke groeten,

Arthur Meijer

PS: ik had me vast voorgenomen vandaag eens een brief zonder PS
te schrijven.

67

François betaalde de hoofdzuster van het bejaardentehuis, een zekere mevrouw Olchev, elke maand een paar franken zodat ze bijzonder goed voor Chanele zorgde en hem, zo nodig ook midden in de nacht, meteen waarschuwde als er met zijn moeder iets niet in orde was. Vanmorgen had ze hem tegen halfvier gebeld en gezegd dat mevrouw Meijer nog slechts moeizaam ademde en wartaal uitsloeg, het leek wel Frans. Zij, mevrouw Olchev, had weliswaar niet alles kunnen verstaan, maar ze wist zeker dat het over een trommelaar en over raven ging, misschien dat meneer Meijer wist wat dat te betekenen had. Ze wilde hem, God beware, niet bang maken, maar aan de andere kant, als er toch iets was en ze hem niet op tijd op de hoogte had gebracht, zou ze zich verwijten moeten maken, terwijl meneer Meijer altijd zo genereus was geweest. Het was nu eenmaal haar ervaring, meer dan eens was het zo gegaan, dat zulke verwarde toestanden vaak voorafgingen aan de dood, het verstand verliet de mens eerder dan de ziel. Ze had meteen, dat was vast overeenkomstig de wens van meneer Meijer, de dokter laten komen, misschien was het iets heel onschuldigs, maar mocht zich het ergste van het ergste voordoen, dan wilde ze zich geen verwijten hoeven maken ...

Enzovoort enzovoort. Mevrouw Olchev, misschien hing dat samen met haar beroep, was ook op dit vroege uur niet te stuiten.

François belde zijn broer en zus – ze hadden dat voor een situatie als deze al maanden geleden met elkaar afgesproken – en haalde de auto uit de garage. Sinds een paar jaar reed hij weer in een wagen van Franse makelij, een Citroën 11 CV, waar zijn zakenvriend in Parijs hem tegen bijzonder gunstige condities aan had geholpen. Op andere dagen kon hij over de voordelen van het model – voorwielaandrijving! stalen monocoque! – net zo uitweiden als zijn vader ooit over een eettafel van tropisch hout, maar vandaag werd er in de auto geen woord gezegd terwijl ze in de zomerse ochtendschemering naar Lengnau reden. Slechts één keer zei François: 'Wat zijn de straten leeg om deze tijd.'

Hinda en Arthur zaten naast elkaar op de achterbank en hielden elkaars hand vast.

Even voor zessen arriveerden ze in het bejaardentehuis en gedrieën renden ze de trap op, alsof elke seconde telde. Toen ze de kamer van hun moeder binnenstormden – de beste kamer in het tehuis, daar had François voor gezorgd –, was de dokter uit het dorp al geweest. Hij had Chanele een injectie gegeven; ze sliep en zou de komende uren niet wakker worden. Ze lag met haar duim in haar mond, een klein meisje dat zich als oude vrouw heeft verkleed en onder het spelen in slaap is gevallen. Haar ademhaling was heel rustig en vredig.

Het was loos alarm geweest.

Mevrouw Olchev, schuldbewust vanwege de opwinding die ze had veroorzaakt en tegelijk trots op de gewichtigheid die ze door het voorval kreeg, was nog spraakzamer dan anders en maakte van de nietszeggende frasen van de door haar geroepen dokter uitspraken van diepgaande betekenis. Hij had niet echt iets beangstigends kunnen vaststellen, gaf ze zijn diagnose weer, aan de andere kant moest je gezien de hoge leeftijd van de patiënte en haar verzwakte algemene toestand elk moment rekening houden met dramatische veranderingen en daarom was het juist geweest – mevrouw Olchev herhaalde die woorden als het ware met rood onderstreept –, volkomen juist geweest dat ze hem meteen had laten komen, want als ze begonnen te ijlen was dat altijd een veeg teken. Zij, mevrouw Olchev, hoopte overeenkomstig de wens van meneer Meijer gehandeld te hebben, ze wist hoe bezorgd hij om zijn moeder was – de andere meneer en mevrouw natuurlijk ook – en hij zou het haar beslist kwalijk hebben genomen als ze met het oog op zijn nachtrust het telefoontje achterwege had gelaten en als zich dan, God verhoede, toch het ergste van het ergste had voorgedaan.

Ze gebruikte de frase 'het ergste van het ergste' als een algemeen gangbare vakterm. Arthur kon zich voorstellen dat ze, als ze een sterfgeval in het register van het tehuis noteerde, ook die formulering gebruikte: 'Bij mevrouw die en die heeft zich vandaag om zo en zo laat het ergste van het ergste voorgedaan.'

In feite, dacht Arthur, is het de eerlijkste diagnose die je kunt stellen.

Na de opwinding van het nachtelijk alarm had de plotselinge opluchting ook een bijsmaak van teleurstelling, alsof er op het laatste moment een hindernis opzij was geschoven waarvoor ze al een aanloop hadden genomen. Eigenlijk hadden ze meteen weer naar Zürich terug kunnen rijden, maar zonder iets te zeggen werden ze het er snel over eens dat ze, nu ze eenmaal hier waren, Chanele later als ze wakker was toch nog wilden bezoeken. In het bejaardentehuis was geen plek waar ze enigszins comfortabel hadden kunnen wachten; de schoonmaaksters waren net gekomen en zetten de eetzaal en de recreatieruimtes onder water. Dus stapten ze nog een keer in de Citroën en reden Lengnau in. Een ontbijtje of ten minste een kop koffie zouden ze nu best lusten.

Die wens bleek echter niet makkelijk te vervullen. De cafés – koffiehuizen kenden ze hier op het platteland niet – waren allemaal nog dicht en zodoende belandden ze ten slotte in de verlaten tuin van restaurant Zur Sonne, waar onder een reusachtige kastanjeboom een tafel met twee banken stond. Rondom waren in de grond de fundamenten voor nog meer zitplaatsen aangebracht, kleine stenen voor de banken, grote voor de tafels, maar omdat de bijbehorende planken ontbraken leek het of het drietal midden op een keurig aangelegd kerkhof plaats had genomen.

Het gebeurde niet vaak meer dat ze met z'n drieën bij elkaar zaten. De tijd dat ze echt intiem waren lag ver achter hen; ze waren geen kinderen meer en met elke grijze haar die je krijgt verwijder je je verder van je broers en zussen. Ze worden vreemden voor je, of misschien lijkt dat maar zo omdat je met de vreemden steeds intiemer wordt. Hoe dan ook, er ontstond tussen hen die speciale verlegenheid die vaak volgt op het openbaren van persoonlijke gevoelens, een toestand waarin mensen de eendrachtige zwijgzaamheid niet goed kunnen verdragen en liever met een paar vanzelfsprekendheden over en weer opnieuw een zekere distantie scheppen.

'Eigenlijk moeten we mevrouw Olchev dankbaar zijn,' zei Hinda. 'Zo houden we toch weer eens een reünie.'

'De eerste waarbij we aan een lege tafel zitten.'

'Dat is waar,' zei Arthur. 'Op koffie zullen we hier lang moeten wachten, op dit onchristelijke uur. – O, pardon, François.' Zijn broer en zus keken hem verrast aan. Behalve hij had niemand in die zin een toespeling gehoord.

De banken hadden geen rugleuning en ze zaten niet echt comfortabel.

Arthur begon te vertellen over de stemming in de joodse gemeente, waar zojuist met tweehonderdzesendertig stemmen voor en honderdachtenzeventig stemmen tegen besloten was het harmonium in de synagoge weer af te schaffen, maar hij kon niet eens zichzelf wijsmaken dat het hem interesseerde.

Het zwijgen tussen hen werd steeds luider.

Ter afleiding maakte Hinda haar handtas open, haalde er een envelop uit en wreef daarmee over de sporen die een spijsverterende vogel op de tafel had achtergelaten.

François zag de postzegel met de afbeelding van Hitler en vroeg: 'Nog nieuws van Ruben?'

Hinda knikte. Dankbaar voor een gespreksonderwerp vertelde ze dat juist gisteren zijn laatste brief in de Rotwandstraße was gearriveerd en die was zo vreemd dat Zalman noch zij er een touw aan vast kon knopen. De brief zelf lag thuis, maar ze kende hem bijna uit haar hoofd. Tot nog toe had Ruben telkens over nieuwe onaangenaamheden en pesterijen verteld, je had van zijn brieven volgens Hinda een zwartboek kunnen maken, en nu schreef hij opeens dat ze zich om hem geen zorgen hoefden te maken en de gruwelpropaganda, die helaas ook in de Zwitserse kranten werd bedreven, alsjeblieft niet moesten geloven. Duitsland was een land waar recht en orde heersten, schreef hij, waar niemand iets werd aangedaan tenzij hij de wetten had overtreden. Hier ontstond een nieuw rijk, zo voorbeeldig dat het bijna overeenstemde met de ideale staat die de geleerde Rabba bar bar Chana in de Talmoed had beschreven, en hij, Ruben, was dankbaar dat het hem vergund was in zijn Halberstadt een bescheiden bijdrage aan die opbouw te leveren.

'Begrijpen jullie dat?' vroeg Hinda. 'Dat kan hij toch niet echt menen?'

François wreef met beide wijsvingers van zijn bovenlip naar zijn wangen, zijn oude gebaar als hij zich superieur aan anderen voelde. 'Moet ik als goj jullie dat uitleggen? Zijn jullie de verhalen vergeten die oom Pinchas ons altijd vertelde? Van het vuurtje op de rug van een vis, of van de krokodil die zo groot was als een stad met zestig huizen? Dat waren allemaal verhalen van Rabba bar bar Chana.'

'En?'

'Leugenverhalen. Avonturen van de baron van Münchhausen.'

'Bedoel je ...?'

'Waarschijnlijk zijn ze de brieven naar het buitenland gaan censureren. Dus schrijft hij het tegenovergestelde van wat hij bedoelt en heeft hij het over Rabba bar bar Chana, zodat we weten hoe we het moeten lezen. Misschien is hij zelfs bedreigd. Naar alles wat je hoort kun je in Duitsland al voor minder dan een brief in een opvoedingskamp terechtkomen.'

Hinda, die gewend was aan de ordelijke toestanden in Zwitserland, had aan zoiets niet eens gedacht, maar nu François het zei, was ze ervan overtuigd dat hij gelijk had. Over die opvoedingskampen en wat zich daar afspeelde deden de ergste geruchten de ronde. Niemand wist wat er precies gebeurde, maar het moest vreselijk zijn. En nu zou haar zoon Ruben ...? Geschrokken slaakte ze een diepe zucht, zoals iemand die van een brug valt nog een keer naar lucht hapt voordat het water zich boven hem sluit.

Ook Arthur was geschrokken, maar bij hem had dat gevoel weinig met Ruben te maken. Hij dacht aan alle brieven die Rosa Pollack hem uit Kassel had geschreven. Als ze daardoor in moeilijkheden raakte, gearresteerd of zelfs opgesloten werd, dan was het zijn schuld.

Enkel en alleen zijn schuld.

Omdat hij in alles wat hij voor haar wilde doen gefaald had.

'Ik snap trouwens toch niet waarom Ruben niet allang naar Zwitserland is teruggekeerd,' zei François.

'Hij wil niet.'

'Mesjoege,' zei François en uit zijn mond klonk dat woord vreemd.

'Het is vanwege zijn gemeente. Maar nu,' zei Hinda vastberaden, 'nu moet hij ook aan zijn kinderen denken. Ik schrijf hem vandaag nog dat hij moet komen.'

'En als hij het niet doet?'

'Dan moet Zalman hem gaan halen.'

Ik zou ook iemand moeten gaan halen, dacht Arthur. Maar ze zullen haar de grens niet over laten. Hij zette zijn bril af en wreef over zijn neusrug.

'Het spijt me dat jullie moesten wachten.'

Er kwam een ober uit het restaurant. Zijn schort hing tot op de grond; je kon zijn voeten niet zien bewegen, zodat het leek of hij zweefde. Hij balanceerde met een dienblad waarop alles stond wat bij een uitgebreid ontbijt hoort: een dampende kruik, verse broodjes, eieren, kaas, jam. Hij zette het blad op de tafel waar het, geruisloos en zonder een spoor achter te laten, als een steen in donker water zakte. Toen schoof hij naast François op de bank, waarbij hij zorgvuldig zijn schort rechttrok zoals een welopgevoede dame de zoom van haar rok. 'Jullie hebben er toch niets op tegen dat ik jullie een beetje gezelschap hou?'

'Je bent dood!' zei François. 'Wanneer zul je dat eindelijk eens inzien?'

'Als het niet meer nodig is dat ik leef.'

Oom Melnitz maakte een vrolijke, bijna uitgelaten indruk. Zelfs de geur die van hem uitging was veranderd, zoals stof van geur verandert als er regen op valt. 'Het begint weer,' zei hij terwijl hij in zijn handen wreef als voor een interessant karwei of een goed maal. 'Ik voel het in al mijn botten: het begint weer, ja.'

'Ik wil er niets over horen,' zei Hinda.

'Natuurlijk niet, schoonheid, natuurlijk niet.' Oom Melnitz' arm was opeens zo lang dat hij over de tafel heen Hinda's wang kon aaien. 'Stop je vingers maar in je oren. Doe je ogen maar dicht. Dan kan je zoon niets overkomen. Wat je niet ziet, gebeurt ook niet.'

'Wat wil je?' vroeg Arthur, die heel goed wist wat oom Melnitz wilde.

'Jullie een verhaal vertellen,' zei de oude man. Ze hadden hem nog nooit zo vitaal gezien. 'Jullie willen vast weten hoe ik aan mijn naam kom.'

Ze wilden het niet weten. Ze wilden helemaal niets van hem weten. Maar als oom Melnitz wilde vertellen, dan deed hij het gewoon.

'1648,' zei hij. Hij liet de lettergrepen op zijn tong smelten. 'Een prachtig jaar. Er kwam een eind aan dertig jaar oorlog en in heel Europa was het vrede. Alleen niet voor de joden. Misschien omdat wij een andere jaartelling hebben. Voor ons was het toen niet 1648, maar 5408. 5409. Vreselijke jaren.'

'We willen die oude verhalen van jou niet horen,' zei François. Hij probeerde op te staan, maar oom Melnitz duwde hem moeiteloos terug op zijn plaats. Hoe vaker hij stierf, hoe meer kracht hij kreeg.

'Het verhaal zal je bevallen,' zei hij. 'Jou het allermeest, Sjmoeël. Er komen joden in voor die zich laten dopen. Een grappig verhaal.'

Zo jong was oom Melnitz al lang niet meer geweest.

'Het was in Oekraïne,' zei hij, 'dat toen nog niet Oekraïne heette. Landen veranderen van naam. Ze krijgen ook andere vrienden. Alleen hun vijanden blijven altijd dezelfde. Wij blijven altijd dezelfde, ja.

Ik wil jullie het verhaal van hetman Chmielnicki vertellen. Kennen jullie die naam? Natuurlijk kennen jullie hem. Voor onze zonden heeft God ons joden met een goed geheugen gestraft. Als iemand ons iets bijzonder ergs heeft aangedaan, dan zeggen we: "Zijn naam zal uitgewist worden." En we onthouden hem dan in alle eeuwigheid.' Oom Melnitz lachte. Hij gooide zijn lach op tafel, een handvol scherpe kiezelstenen.

'Bohdan Chmielnicki, ja. Met zijn kozakken wilde hij oorlog voeren tegen de Poolse rijksgroten die in Oekraïne regeerden en omdat het naar Polen zo ver was, stortte hij zich eerst op de joden. Dat is een oud spelletje. De kruisvaarders speelden het in hun tijd al. Jeruzalem was zo ver en de joden waren dichtbij. Chmielnicki is nooit tot Warschau gekomen. Hij kwam maar tot Perejaslav. Tot Pirjatin. Tot Lochwica. Tot Lubuy.'

'Je bent dood,' zei Hinda. 'Je bestaat niet meer.'

'Prima!' zei oom Melnitz en hij rekte de i zo lang alsof hij een kind moest prijzen. 'Priiiima! Je hebt het begrepen. Ze bestaan niet meer. Ze zijn allemaal dood. In Pogrebisje. In Sjiwatov. In Nemirov. In Tulczyn. In Polonnoje.'

'Ik weet niet eens waar die plaatsen liggen!' Arthur hoorde zichzelf schreeuwen, hoewel hij helemaal niet geschreeuwd had.

'Natuurlijk weet je dat niet,' zei oom Melnitz. 'Daarom vertel ik het je ook. Zodat je het je herinnert als het daar weer begint. In Saslov. In Ostrog. In Konstantinov. In Bar.'

Hinda sloeg haar handen voor haar gezicht zoals die keer dat Zalmans trein naar Galicië het station uit reed en over de zich vertakkende rails verdween. 'Alsjeblieft, alsjeblieft, alsjeblieft ...'

'Smeken helpt niet,' zei Melnitz en hij gooide een tweede handvol kiezelstenen op tafel. 'Het heeft ook toen niet geholpen. Niet in Kremenets. Niet in Tsjernigov. Niet in Starodoeb. Niet in Narol.'

'Alsjeblieft ...'

'Niet in Tomaszów. Niet in Szczebrzeszyn. Niet in Hrubieszów. Niet in Biłgoraj. Niet in Homel.'

'Dat gaat ons nu niets meer aan,' zei François.

'Natuurlijk niet,' antwoordde oom Melnitz. 'Nu toch niet meer. Het is zo lang geleden. De mensen zijn nu veel verstandiger dan toen. Weten jullie hoe die domkoppen in Oekraïne hun tijd noemden? De barens- weeën van de Messias. Omdat ze dachten dat na zoveel leed de verlos- sing moest komen, ja. Maar de bevalling is vertraagd. Het zal wel een schijnzwangerschap geweest zijn.' Hij lachte mekkerend en maakte zon- der op te staan – ei! ei! ei! – een klein dansje.

'Het waren vrolijke mensen, die Bohdan Chmielnicki en zijn hai- damaks. Mensen met fantasie. Als ze een vrouw een riem om de hals bon- den en haar achter hun paarden aan sleepten, dan noemden ze dat: haar een rood lint schenken. Dat is toch geestig! Als ze iemand de keel door- sneden, dan noemden ze dat: sjechtertje spelen. Dat is toch grappig! Als ze bij een zwangere vrouw de buik opensneden en er in de plaats van het ongeboren kind een levende kat in naaiden ...'

'Dat was toen,' zei Hinda vlug.

'In duistere tijden,' zei Arthur.

'Nu gebeurt zoiets niet meer,' zei François.

'Jullie hebben gelijk. Ik ben een domme oude man en bovendien ben ik dood. Nu zou dat niet meer mogelijk zijn. De dierenbescherming zou ingrijpen en de kat beschermen.'

De kiezelstenen kletterden op het tafelblad en vlogen alle kanten op.

'Ook toen waren ze niet altijd zo fantasievol,' zei oom Melnitz. 'Meest- al deden ze alleen hun plicht. Wat zou er van de wereld terechtkomen als men de bevelen niet uitvoerde zoals ze worden gegeven? In Homel bij- voorbeeld, daar kwamen geen wreedheden voor. Daar ging alles zijn gewone gangetje, ja. Je had daar een houten synagoge, maar men dreef er de joden niet naar binnen om vervolgens de deuren te barricaderen en hem aan te steken. Terwijl synagogen toch zo goed branden. Vanwe- ge de vele boeken.

Nee, de kozakken van Chmielnicki waren daar veel te verstandig voor. Een synagoge is een gebouw en gebouwen kun je altijd weer gebruiken. Als paardenstal. Als graansilo.

Als ze weggevoerd hadden kunnen worden, waren ook de joden zelf nog bruikbaar geweest. De Turken betaalden per hoofd en haalden hun investering als losgeld bij de gemeenten in Italië en Holland terug. Maar de kozakken hadden geen wagens bij de hand.

Het waren geen wrede mensen, maar ze hadden hun bevelen. Als ze 's avonds rond hun vuur zaten, zongen ze met donker ruisende bassen prachtige liederen, maar ze hadden hun bevelen. Als ze wodka dronken, werden ze zo weekhartig en zwaarmoedig dat de tranen in hun baard liepen. Maar ze hadden hun bevelen.

Ze lieten het hele dorp aantreden. In het gelid. De mannen, de vrouwen, de ouden, de jongen. Ook de kinderen. Hun kleren moesten ze uittrekken, want die waren nog te gebruiken. Wie een oorlog wil winnen, mag niets verspillen.

De grijze rabbijn stond daar, zijn huid zo dun en grijs alsof hij gemaakt was van vergeelde folianten. Het jonge meisje om wie twee mannen ruziemaakten; ze hield heimelijk van een derde die er ook stond, heel dicht bij haar en toch te ver weg om hem een hand te kunnen geven. Twee mannen die hun leven lang hadden gevochten om eer en waardigheid. Nu hadden ze elkaar graag voor laten gaan, maar er werd hun niets meer gevraagd. De dorpsgek stond er, die bij het waterdragen en houthakken altijd had gelachen en nu bang was omdat iedereen zo ernstig keek en hij niet wist of het om hem was. De knappe stond naast de lelijke, voor het eerst waren ze naakt en hadden ze zich met elkaar kunnen vergelijken. Maar er was geen verschil meer tussen hen, allebei waren ze dood, hoewel ze nog leefden. De dikke stond naast de dunne, de rijke naast de arme, degene met veel plannen naast degene zonder hoop, en ook tussen hen was geen verschil meer.

De kozakken deden hun werk zoals het hun was opgedragen, zonder wreedheid en boze opzet. Ze lieten een rij naar voren komen, de sabels sloegen toe, de volgende rij kwam naar voren, de daaropvolgende en nog een en nog een. Als laatste sloegen ze de oude Basjeve dood, van wie vijf kinderen jong waren gestorven en die daarom vroedvrouw was geworden. De helft van de dorpsbewoners had ze op de wereld geholpen en nu moest ze toezien hoe ze weer uit de wereld werden verdreven.

Zo ging dat toen in Homel, tijdens de barensweeën van de Messias, ja. Nu zou zoiets niet meer kunnen gebeuren. We leven in de twintigste eeuw, dan gebruik je geen sabels meer.'

De lucht was zacht en hoewel het nog niet eens zeven uur had geslagen, kon je al voelen dat het een warme dag zou worden. In de kastanjeboom boven hun hoofden ontwaakten de vogels en de stenen rondom hen waren geen grafstenen, maar de fundamenten voor banken en tafels om te kunnen gaan zitten, een biertje te bestellen en het ervan te nemen.

'Jullie vragen helemaal niets,' zei Melnitz. 'Terwijl ik nog niet eens heb verteld hoe ik aan mijn naam ben gekomen.'

Ze vroegen niets en hij vertelde toch.

'De knapste meisjes,' zei Melnitz, 'die sloegen de kozakken niet dood. Ze sleepten ze naar de kerk en lieten ze dopen, namen ze tot vrouw en maakten ze zwanger van hun kinderen.

Toen de nachtmerrie voorbij was – hij gaat altijd voorbij en het is altijd te laat –, toen Chmielnicki was verslagen en iedereen hem verafschuwde, ook degenen die hem hadden bewonderd – vooral degenen die hem hadden bewonderd, dat is ook altijd zo –, toen de speciale gebeden al werden geschreven waarin men Chmielnicki – zijn naam zal uitgewist worden! – voorgoed zou gedenken, werd er in Lublin een grote waäd bijeengeroepen, een synode van alle geleerden die de boze tijden hadden overleefd. Er kwamen er nog maar weinig en die hadden een hoop te bespreken en te beslissen. Het valt niet mee om weer een dagelijks leven tot stand te brengen als er een paar jaar lang niets meer alledaags en gewoon is geweest.

En nu,' zei Melnitz, 'nu komt er iets om te lachen. Ze namen ook een beslissing over alle vrouwen die zich hadden laten dopen, of die zonder doopsel kozakkenkinderen ter wereld hadden gebracht. Er werd besloten ze weer op te nemen in de gemeente Israël. Elke ziel was nodig, want veel waren er niet in leven gebleven in die jaren dat de rest van Europa van de hervonden vrede genoot. Ze moesten er weer bij horen, werd er besloten, zij en hun kinderen.

Wat niet werd besloten en toch gebeurde: de kinderen van wie men de vaders niet kende, kregen een bijnaam. Ze werden Chmielnicki's genoemd. Omdat ze hun bestaan aan de boze vijand te danken hadden.

Misschien,' zei oom Melnitz en hij mekkerde zijn kiezelsteenlach, 'misschien bestaan wij joden alleen nog omdat we zoveel vijanden hebben. Ze zorgen dat we niet vergeten wie ze zijn, ja.

Chmielnicki heet ik,' zei hij. 'Melnitz. Een naam die niet uitgewist kan worden.'

Toen ze terugkwamen in het bejaardentehuis, was Chanele weer wakker en herkende ze hen zelfs. In elk geval lachte ze en zei: 'Fijn dat jullie gekomen zijn.' Met hulp van mevrouw Olchev had ze haar zwarte jurk met het witte garneersel aangetrokken en ze zat kaarsrecht in een stoel.

'Waarom heb je je kinderen niet meegebracht, Arthur?' vroeg ze.

68

Ze liepen alles mis. De plechtigheden, de discussies, de molestaties. Echt alles.

Het zionistencongres vond eindelijk een keer in zijn eigen stad plaats en Hillel was er niet bij. Chaim Weizmann, van wie hij een foto aan zijn kast had gehangen, ging elke dag te voet naar de vergaderingen in de stadsschouwburg en Hillel kreeg hem niet te zien. De geleerde Nachoem Goldmann kwam speciaal uit Honduras, waar hij in ballingschap leefde sinds hem het Duitse staatsburgerschap was ontnomen, en Hillel kon hem niet om een handtekening vragen. David Ben-Goerion was er, de vakbondsman, en vele anderen van wie je de namen anders alleen in de krant las. Allemaal, allemaal waren ze er. Alleen Hillel niet, hoewel hij ingedeeld had zullen worden bij de wachtdienst van Hasjomeer Hatsaïr, hoewel hij in zijn blauwe hemd trots voor de ingang van de schouwburg had kunnen staan, met zijn handen in zijn zij en waakzaam in de verte turend, zoals de wachter van Choele op die foto.

Böhni verging het niet beter. Niet dat het congres hem interesseerde, natuurlijk niet, maar op straat was iets aan de hand. Daar werden demonstraties gehouden en pamfletten uitgedeeld tegen de invasie van ruige baarden, tegen die buitenlandse figuren die in de tram over de prijs van de kaartjes wilden onderhandelen en niet eens wisten dat je in het koffiehuis een fooi diende te geven. Ze gedroegen zich alsof de stad van hen was, opdringerig en luidruchtig, terwijl ze niet eens goed Duits spraken. Geen wonder dat er dan woorden vielen, maar Böhni was er niet bij, hij kon alleen in *Die Front* de oproep lezen dat Zürich geen Zürizalem mocht worden en de Bahnhofstraße geen Zionallee.

En wat het ergste was: ze moesten elkaar verdragen, drieëntwintig uur per dag, of zelfs vierentwintig als je het uur luchten meerekende. Dan bleven ze namelijk ook bij elkaar en zonderden ze zich af van de anderen, want dat waren allemaal echte misdadigers en daar hadden ze enorm veel respect voor.

De rechter had korte metten met hen gemaakt: vechtpartij volgens artikel 133, voor ieder driehonderd frank boete, subsidiair dertig dagen hechtenis, punt uit. Hier moest eindelijk eens een voorbeeld worden gesteld, had hij getierd, in Zwitserland werden politieke discussies niet met straatgevechten en knokpartijen gevoerd en wie dat niet wilde inzien, moest de oren gewassen worden tot hij het begreep. Wie begonnen was, wie wie had geprovoceerd, interesseerde hem niet en ook de wet wilde daar wijselijk niets mee te maken hebben. 'Wie deelneemt aan een vechtpartij ...' stond daar alleen maar; geen van de beide verdachten had deelname ontkend en politieke overtuigingen waren geen verzachtende omstandigheden. De wetgever, en dat was uiteindelijk het volk, kon het geen zier schelen of het rooien, zwarten, bruinen of voor zijn part grasgroenen of citroengelen waren die met elkaar op de vuist gingen, knokpartijen waren hoe dan ook verboden en deelname werd bestraft met hechtenis of een boete.

Walter Böhni en Heinrich Rosenthal: driehonderd frank, betalen of zitten, de volgende zaak alstublieft.

Driehonderd frank, dat was een vermogen voor een leerling van de landbouwschool. Böhni hoefde er niet eens aan te denken zijn ouders daarom te vragen, zoveel geld hadden ze in Flaach al lang niet meer bij elkaar gezien en zelfs als ze het gehad hadden, dan zeker niet voor een zoon die hen te schande maakte, voor een veroordeelde vanwege wie het hele dorp hen al met de vinger nawees. Böhni's ouders waren niet in de rechtszaal geweest, ze hadden in de oogsttijd wel wat beters te doen, nu ze toch al een paar handen misten waar ze in de schoolvakantie vast op hadden gerekend.

Hillels vader had er de hele tijd bij gezeten, met zo'n beledigde uitdrukking op zijn gezicht alsof de hele vechtpartij alleen uit protest tegen hem had plaatsgevonden. Hij was altijd al tegen Hillels zionisme geweest en nu zag je waar het toe leidde als een opgeschoten knaap zich in een ideologie vastbeet en niet naar zijn vader of, wat volgens Adolf Rosenthal hetzelfde was, naar rede wilde luisteren: slecht gezelschap en knokpartijen. Een joodse jongen die in het openbaar vocht – zoiets veroorzaakte alleen maar risjes. Hillel wist dat zijn vader, als hij het hem maar onderdanig genoeg vroeg, de driehonderd frank ergens zou opscharrelen, af te lossen met berouw en gehoorzaamheid. Maar geen haar op zijn hoofd die eraan dacht die prijs te betalen. Dan liet hij zich liever opsluiten. En ook Adolf Rosenthal hield zijn poot stijf, hoe Lea ook jammerde. Zonder schuldbekentenis geen hulp. Wie niet horen wil, moet zitten.

'Geen slecht dagloon,' zei Hillel nog in de rechtszaal tegen Böhni. 'Tien frank per dag, en dat zeven dagen in de week. Menig arbeider verdient nog niet de helft.'

Waar hij niet op had gerekend en Böhni evenmin, was dat de directeur van de districtsgevangenis een man met humor was en daarom op het idee kwam hen samen in een cel te zetten. 'Dan hebben jullie tijd voor je wereldbeschouwelijke discussies,' zei hij. 'En als jullie elkaar de hersens willen inslaan, heeft niemand daar hier last van. Zorg alleen dat je geen bloedvlekken op de wollen dekens maakt.'

Drieëntwintig uur per dag. Vierentwintig met het luchten erbij. In een cel, vergeleken waarmee de kamer op de Strickhof een luxehotel was.

Er was maar één kruk. Een van hen moest altijd op zijn matras liggen of op de rand van het stapelbed gaan zitten, boven, waar je voeten in de lucht bengelden, of beneden, waar je je rug moest krommen. Helemaal in het begin, toen hij nog dacht dat ze geen echte gevangenen waren, had Hillel om een tweede kruk gevraagd. De bewaker zei alleen dat Zijne Majesteit maar zo goed moest zijn om op de troon te gaan zitten, waarmee hij de wc-pot bedoelde. En hij lachte om zijn eigen grap alsof hij hem voor het eerst had gemaakt.

Voor het werk werden ze niet ingedeeld. Voor die vier weken vond men het niet de moeite waard hen in te werken. Maar gevangeniskleren kregen ze wel, een bruin pak dat niet zoveel verschilde van wat ze op de Strickhof aantrokken voor het werk in de stal.

Het ergste was de verveling. Om halfzes werden ze gewekt, wat ze van school gewend waren. Om zes uur was er ontbijt: het dagrantsoen brood, een klodder jam en koffie die zo dun was dat ze zelfs als hun mok vol was het in de bodem gestanste wapen van Zürich konden zien. Om acht uur werd er gecontroleerd of de cel schoon was, waarmee ze, gedrild door Kudi Lampertz, nooit problemen hadden.

En daarna: niets meer.

Behalve luchten de hele dag niets meer.

Boeken waren pas vanaf de tweede maand toegestaan. In het begin alleen een krant per man, wat betekende dat ze als enige intellectuele stimulans *Die Front* en *Das Volksrecht* hadden. Eerst weigerden ze elkaars krant te lezen en maakten ze er alleen grappen over: het was aardig van Böhni dat hij elke dag nieuw pleepapier liet bezorgen, of: Rosenthal moest niet vergeten na het lezen zijn handen te wassen, *Das Volksrecht* was zo rood dat het vast afgaf.

Maar algauw werd de verveling sterker dan hun overtuiging. Vooral Böhni kon slecht tegen het opgesloten zijn, hij was iemand die moest bewegen en hij kon Hillel gek maken door steeds weer die paar passen van muur naar muur heen en weer te marcheren of zich op de grond op te drukken om zijn overtollige kracht kwijt te raken. Op de een of andere manier moesten ze zich afleiden en zo kwam het dat Hillel voor het eerst van zijn leven *Die Front* van de eerste tot de laatste pagina bestudeerde, van het hoofdartikel met de kop O WEE! tot en met de advertenties, waar restaurant Kreuel in de Kanonengasse 33 het geacht publiek Hürlimann-bier aanbeval.

Böhni las *Das Volksrecht*, waar hij in de berichten uit Spanje de burgeroorlog, zoals hij die begrepen had, niet herkende. Eerst dacht hij serieus dat daar in het zuiden twee oorlogen werden gevoerd: de rechtvaardige strijd van een door het communisme geknecht volk tegen zijn onderdrukkers en de bommenterreur van vreemde luchteskaders tegen Baskische steden. Ook wat de gemeentepolitiek betrof leek *Das Volksrecht* in een andere wereld te leven; hier steunden ze de rode meerderheid van de gemeenteraad, terwijl iedereen toch wist dat de heren kameraden met het internationale jodendom onder één hoedje ...

'Je bent een klootzak,' zei Hillel.

'Niemand kan ontkennen dat de joden ...'.

'Geef me één voorbeeld!'

'Er zijn er honderden!'

'Noem er één!'

'Eh ...' zei Böhni.

'Aha!' zei Hillel.

Maar toen schoot Böhni toch nog een onweerlegbaar argument te binnen. 'De warenhuizen,' zei hij. 'Die maken de kleine winkeliers kapot. De EPA bijvoorbeeld. Of de Jelmoli.'

'Dat zijn Italianen.'

'Als jij je door namen laat misleiden! Meier bijvoorbeeld met zijn warenhuis, die heet helemaal geen Meier. Die schrijft zijn naam met vette letters op elke etalage en heet niet eens zo. Maar wij hebben ... Ze hebben dat grondig gecorrigeerd. Wist jij dat dat een jood was?'

Hillel dacht aan zijn gedoopte oom François en knikte. 'Ja, dat wist ik.'

'Daar heb je het nou!' zei Böhni.

Zo ging het de hele dag. Niemand wist de ander te overtuigen, dat was ook niet te verwachten, maar de uren verstreken.

Niet dat ze de hele tijd alleen maar over politiek praatten. Hun belangrijkste onderwerp was de Strickhof en hoe directeur Gerster op hun veroordeling zou reageren. In het schoolreglement stond iets van 'jongemannen van onbesproken gedrag'. Dat kon je zus en zo uitleggen, maar dat hun gedrag nu besproken was – kon je dat eigenlijk zo zeggen? –, dat stond als een paal boven water en als Gerstli op zijn strepen ging staan, werden ze van school gestuurd.

Een ramp.

Böhni, die anders nooit veel zei, kon maar niet ophouden in de somberste kleuren te schilderen wat voor gevolgen zo'n verwijdering voor hem persoonlijk zou hebben. Hij zou naar huis moeten sluipen als iemand die meer had willen zijn dan anderen en die had gefaald; de rijke boerenzoons zouden hem uitlachen en de meisjes in het dorp zouden hem niet meer zien staan. En zijn ouders ... Böhni wist heel goed wat zijn schooltijd voor hen betekende: twee jaar lang een arbeidskracht te weinig op de boerderij en geen geld om een knecht in dienst te nemen.

Ook Hillel dacht hardop na over hoe zijn ouders zouden reageren. Zijn vader zou gelijk gekregen hebben – 'Wat moet je op een landbouwschool? Dat zijn gojemnaches,' had hij altijd gezegd – en Adolf Rosenthal was er de man niet naar om je zo'n nederlaag ooit te doen vergeten. Bij elke gelegenheid zou hij Hillel het verhaal onder de neus wrijven en Hillel zou geen enkel argument hebben om hem de mond te snoeren. Mama zou medelijden hebben en hem proberen te troosten en als je bijna achttien bent en zelf je weg in het leven wilt vinden, is dat bijna nog ondraaglijker. Maar het meest – alleen vertelde hij dat niet aan Böhni – was Hillel bang voor wat Malka Sofer zou zeggen. Terwijl hij toch maar één keer echt met haar had gepraat. Vanwege het avontuur met het tweespan had ze hem toen kinderachtig genoemd, maar er in elk geval haar waardering voor uitgesproken dat hij naar een landbouwschool ging om later in een joodse staat een nuttig lid van de maatschappij te worden. Als hij nu van school werd gestuurd ...

Later bleek dat tenminste die zorg overbodig was geweest. Malka had haar visum voor Palestina gekregen en was zonder afscheid vertrokken.

'Misschien moeten we Gerstli een brief schrijven,' zei Hillel peinzend.

Böhni schudde met een volle mond zijn hoofd. Ze zaten aan het middageten, Böhni vandaag op de kruk en Hillel in kleermakerszit op het onderste bed. Ze aten runderrollade, zo taai als zadelriemen, en in een zoetige saus dreef te lang gekookte rodekool. Hillel had zijn rollade aan Böhni gegeven – aan treife eten kon hij maar niet wennen, was zijn smoes – en at liever van het halve brood dat ze allebei per dag kregen.

Böhni werkte een hap naar binnen, zo groot dat zijn adamsappel bijna uit zijn keel sprong, en hij zei: 'Ben je gek, Rosenthal? Wat wil je schrijven?'

'Dat de school belangrijk voor ons is, blabla, dat we er graag naartoe gaan, dat het proces een heilzame les voor ons is geweest, dat we voortaan voorbeeldige leerlingen zullen zijn. Alles wat mijn vader graag hoort.'

'Wat heeft je vader ermee te maken?'

'Leraren zijn allemaal hetzelfde.'

Böhni zag het niet zitten. Zoals veel mensen wie de omgang met taal niet makkelijk valt, had hij een veel te hoge dunk van alles wat op papier staat. 'Daarom geloof je *Die Front* ook,' zei Hillel spottend. Böhni was ervoor om helemaal niets te doen, zich koest te houden en te hopen dat de zaak, althans wat de school betrof, met een sisser zou aflopen. In de kranten had tenslotte maar een heel klein berichtje gestaan, zonder namen. En bovendien: als ze de driehonderd frank uitgezeten hadden, was de zomervakantie nog maar net afgelopen; ze zouden dus geen enkele schooldag missen. En wie weet was Gerstli wel op reis of met iets anders bezig en had hij van het hele geval niets gehoord. Nee, dat van die brief was een heel slecht idee.

Ze werden het niet eens, maar de ruzie over Hillels voorstel vulde in elk geval een hele middag en met mooi weer, als je door het tralieraam moest zien hoe buiten de zon scheen, duurden de middagen altijd bijzonder lang.

De volgende dag moest Böhni naar de bezoekersruimte komen. Er werd gezegd dat er een meneer voor hem was.

'Mijn vader?' vroeg hij geschrokken en hij greep onwillekeurig naar zijn hals, alsof daar een strop zat die zo dichtgetrokken zou worden.

'Ik geloof het niet,' zei de bewaker. Dat was vandaag een gemoedelijke, al wat oudere beambte die in zijn lange dienstjaren alles al had meegemaakt en zich liet voorstaan op zijn mensenkennis. 'Een boekhouder of een leraar, zou ik zeggen. Hij draagt zo'n raar gespikkeld vlinderdasje.' Hij keek op het werkbriefje dat bij elk gevangenisbezoek ingevuld moest worden. 'Gerster heet hij.'

Directeur Gerster.

Böhni sjokte achter de bewaker aan alsof hij naar zijn eigen executie ging.

Voor het eerst sinds meer dan drie weken zat Hillel alleen in de cel. Hij had de kruk en de bedden en de wc voor zichzelf en toch had hij het gevoel dat het vertrek kleiner was geworden, gekrompen als de huid over een wond die langzaam dichtgaat.

Wat wilde directeur Gerster van Böhni? Waarom bezocht hij alleen hem?

Hij probeerde zichzelf wijs te maken dat het hem absoluut niet interesseerde, bladerde in *Die Front* en begreep geen woord van wat hij las. 'Een jood als theaterdirecteur maakt het Zwitserse kunstenaars onmogelijk om carrière te maken; een jood als hoogleraar beïnvloedt jonge academici tegen de noodzakelijke vernieuwing van ons volk.'

Wat voor vernieuwing?

Gerstli was in feite geen ongeschikte vent, maar hij had overduidelijk gezegd: als hem nog één keer ook maar iets ter ore kwam, dan zou er wat zwaaien. Verwijdering van school, zonder pardon.

Waarom bezocht hij alleen Böhni?

Van het broodrantsoen was nog een stukje over. Hillel plukte er iets van de kleffe massa uit en draaide daar tussen zijn handen een grauw balletje van. Tekende er met zijn nagel een mond en twee ogen in. Sloeg het hoofd met zijn vuist plat.

Hoe lang was Böhni al weg? Je mocht in de cel geen horloge hebben; dat moest je samen met je andere spullen afgeven.

Waarom was Gerster eigenlijk gekomen?

En hoezo bezocht hij alleen Böhni?

Als hij van school werd gestuurd ...

'De rotte appels worden verwijderd,' stond er in *Die Front.* 'Omdat we niet willen dat de epidemie zich uitbreidt.'

Toen er op de gang weer sleutels rammelden, lag Hillel op het bovenste bed te lezen. 'Een jood in een redactiekamer houdt elke mening achter die hem niet zint. Een jood als filmverhuurder zoekt voor zijn bioscopen zedenbedervende films uit.' Hij liet de krant niet zakken toen Böhni binnenkwam.

'Vooruit, Rosenthal!' zei de stem van de bewaker. 'Opstaan, meekomen. Bezoek voor je.'

'Hij wil ook met jou praten,' zei Böhni.

'Waarover?'

'Hij heeft gevraagd wie er eigenlijk met die onzin begonnen is. De aanstichter vliegt van school, bij de ander wil hij nog één keer genade voor recht laten gelden.'

'En? Wat heb je gezegd?'

'De waarheid,' zei Böhni zonder hem aan te kijken.

De oude bewaker deed de deur vanbuiten op slot en hield de sleutels in zijn hand. Bij elke stap rinkelden ze als de belletjes aan een paardentuig.

In de gang rook het naar een goedkoop schuurmiddel.

De bezoekersruimte was niet veel groter dan hun cel. Een tafel, een stoel voor de bezoeker, een kruk voor de gevangene.

Directeur Gerster stond bij het raam en keek door de tralies naar de binnenplaats.

'Tien minuten,' zei de bewaker.

Tien minuten? Böhni was veel langer weg geweest.

Of leek dat maar zo?

'Dag, meneer Gerster.'

De directeur keerde zich heel langzaam naar hem om, keek hem aan zoals een arts een ernstig zieke die is opgegeven en zei toen, meer gekwetst dan woedend: 'Waarom doen jullie zulke dingen?'

'Het spijt me, meneer Gerster.'

'Achteraf heeft iedereen spijt. Dat is niet genoeg. Je hebt toch hersens, Rosenthal! Wat heb je te zoeken op een vergadering van het Nationaal Front?'

'Ik weet dat het een stommiteit was.'

'"Een stommiteit", zegt hij.' Directeur Gerster verhief niet eens zijn stem en dat maakte Hillel bang. Toen Gerstli hen na de rit met het tweespan flink op hun nummer had gezet, had hij zich meer op zijn gemak gevoeld. 'Dat gedraagt zich als de grootste hufter ter wereld en zegt dan: een stommiteit. Klopt het dat het om een weddenschap ging?'

Hillel knikte.

'Geef behoorlijk antwoord als ik je iets vraag! Ging het om een weddenschap?'

'Ja, meneer Gerster.'

'En wie is er met wedden begonnen?'

'Die wordt van school gestuurd, hè?'

Gerster gaf geen antwoord. Hij stond met zijn armen op zijn rug en klapte met zijn handrug ongeduldig in zijn handpalm.

'Wie?'

'Böhni gaat eraan als u hem wegstuurt,' zei Hillel.

'Dat is geen antwoord op mijn vraag.'

'Ze maken hem af in zijn dorp.'

Handrug op handpalm.

'Zijn hele leven stort in.'

'Ik wil weten wie dat op zijn geweten heeft.'

Aan de muur hing een bordje: HET OVERHANDIGEN VAN VOORWERPEN IS STRENG VERBODEN.

'Wie?'

Een houten klep, zoals thuis het doorgeefluik tussen de keuken en de eetkamer, maar dan verder naar boven. Waarschijnlijk konden ze van daaruit toezicht houden op het bezoek.

'Ik wacht.'

De zoetige smaak van het middageten kwam omhoog in Hillels keel. Hij slikte.

Handrug op handpalm.

'Ik,' zei Hillel. 'Ik heb het op mijn geweten.'

Gerster draaide zich om alsof hij hem niet had gehoord en liep weer naar het tralieraam alsof hij een toespraak tot de binnenplaats wilde houden.

'Hebben jullie dat afgesproken?'

'Ik weet niet wat u bedoelt, meneer Gerster.'

'Dat jullie allebei de schuld op je nemen.'

Ook in de bezoekersruimte rook het naar schoonmaakmiddel, maar minder scherp. Waarschijnlijk gebruikten ze hier een beter product.

'Heeft Böhni gezegd ...?'

Gerster keerde zich weer naar hem om. Als Hillel niet had geweten dat het onmogelijk was, had hij gezworen dat zijn directeur glimlachte.

'Dan zal ik grote moeite hebben om de echte schuldige te vinden. Zeg maar tegen Böhni: "In dubio pro reo." Hij verstaat wel geen Latijn, maar jij kunt het voor hem vertalen.'

Toen de bewaker naar buiten was gegaan en de deur van de cel op slot had gedaan, zei Hillel: 'Je wilde mijn kop redden, hè, Böhni?'

Böhni was druk bezig met de steel van zijn lepel een mannetje in de muur te krassen en kon niet opkijken. 'Weet je, Rosenthal?' zei hij. 'Je bent gek.'

'En jij bent een klootzak,' zei Hillel.

'In elk geval geen joodse.'

'Ik moet van Gerster tegen je zeggen: "In dubio pro reo."'

'Wat betekent dat?'

'Dat ik nog een heel schooljaar tegen dat stomme gezicht van jou moet aankijken.'

'En ik tegen het jouwe,' zei Böhni. 'Dat is nog veel erger.'

69

Toen Grün weer beter was, ging hij naar de koosjere kledingfabriek om zijn ontslag in te dienen.

Hij bedankte Zalman, aan wie hij toen, op de eerste dag, over de gebeurtenissen in het kamp had verteld en die had begrepen dat je zo iemand moet helpen.

'Als u nog iets nodig hebt ...' zei Zalman.

'Ik heb niets meer nodig.'

Grün schudde Rachel de hand en zei: 'Zonder u was ik waarschijnlijk niet meer beter geworden.'

'Onzin,' zei Rachel.

'Ik vraag me nog steeds af of ik u daar dankbaar voor moet zijn.'

Altijd zei hij van zulke dingen.

'Was u liever gestorven?'

'Misschien was dat beter geweest,' zei Grün. 'Maar het is zoals het is.'

'Waar gaat u nu werken?'

'Ik stuur u vrijkaartjes,' zei Grün. 'U en juffrouw Pomeranz.'

Hij hield zijn woord.

In de foyer van theater Corso gaf Rachel haar jas af bij de garderobe en ze merkte algauw dat ze een te elegante jurk had uitgekozen. Weliswaar was het vandaag première, maar in een revuetheater als dat van directeur Wladimir Rosenbaum betekende dat woord niet meer dan al het 'Sensationeel!', 'Uniek!' en 'U zult tranen met tuiten lachen!' waarvan hij zijn affiches zo royaal voorzag. Première was het hier om de paar weken en Rachel was de enige die voor de gelegenheid een echt avondkostuum droeg, in de moderne, gewaagde kleurencombinatie die juffrouw Bodmer, de cheffin, van Patou in Parijs had afgekeken: rok en jasje van rood duvetine, de corsage van groen satijn. In elk geval keken de vrouwen jaloers en de mannen zoals je graag door mannen bekeken wilt worden om vervolgens een gezicht te kunnen trekken alsof je hun blikken helemaal niet merkt.

Ze was te vroeg en moest op Désirée wachten. De mensen, zo leek het, kwamen met verbeten vrolijke gezichten naar Corso; ze hadden besloten voor een genoeglijke avond geld uit te geven en de investering moest vanaf het begin lonen. De vrouwen lachten schril en hielden daarbij hun vingertoppen met de roodgelakte nagels voor hun mond; de mannen veerden bij het lopen van overtollige kracht door hun knieën en als ze zich lieten overhalen om van de verkoopsters in pagekostuum en met een plateau voor de buik sigaretten of een pluchen beest te kopen, probeerden ze de indruk te wekken dat ze dat altijd al van plan waren geweest.

Eindelijk kwam Désirée, precies op de afgesproken tijd, maar veel te laat voor Rachels ongeduld. Ze droeg als altijd een strakke scheiding in het midden en had een heel eenvoudige bruine jurk aan met geborduurde bloemen op kraag en zoom. Een jongemeisjesjurk, dacht Rachel, en een jong meisje is ze – me nesjoeme! – niet meer. Maar ze moest toegeven dat Désirée met haar slanke figuur zoiets nog altijd kon dragen.

Ook de ouvreuses waren als page gekleed, met een strak wambuis dat hun boezem goed deed uitkomen, en een vleeskleurige tricot aan hun lange benen. De geblondeerde ouvreuse die Rachel en Désirée naar hun plaatsen bracht, had een zus van Blandine Flückiger kunnen zijn: maatje 38 en een glimlach voor elke man binnen een straal van tien meter.

Ze zaten in het dure gedeelte waar beklede stoelen en kleine tweepersoonstafeltjes stonden. Er waren ook vier- en zespersoonstafels, daar waren de gesprekken en het gelach bijzonder hard. Rachel zag op alle tafeltjes alleen maar flessen staan en ze vroeg zich af of je de wijn hier ook per glas kon bestellen. Maar op dat moment bracht de ober – een echte ober, geen valse page – al een koeler met een fles champagne. 'Een kleine attentie van de heer Grün,' zei hij. 'Met de beste wensen voor een genoeglijke avond.' Hij liet de kurk knallen en schonk twee glazen zo zorgvuldig in dat de schuimkraag boven de rand uitkwam en toen weer inzakte zonder dat er ook maar een druppel verloren ging.

Ze klonken – 'Op meneer Grün!' – en toen zei Rachel: 'Als we het doen, dan doen we het goed' en ze wenkte een van de pagemeisjes met een plateau voor haar buik en kocht een programmaboekje. Eén frank vijftig, volkomen mesjoege. Daarvoor moest een naaister drie uur lang aan de machine zitten.

Grün was in het programmaoverzicht niet te vinden. Ze kwamen er niet meer toe zich af te vragen achter welke van de vele andere namen hij schuil kon gaan, want op dat moment kwam op een hefbrug het orkest uit de bak. Twaalf man in glitterjasjes, drie saxofoons en achter het drumstel een neger met een brede witte grijns. De leider van de band had geen dirigeerstok, maar gebruikte zijn klarinet om aan te geven wanneer de musici moesten inzetten.

'Dat is nog eens wat anders dan Fleur-Vallée.' Rachel had het tegen Désireé willen fluisteren, maar ze moest de zin hardop herhalen om het orkest en de gesprekken rondom te overstemmen. Ze moesten allebei lachen. In hun jeugd was de oude concertmeester met de gepoederde neus van geen enkel joods evenement weg te denken geweest. Telkens moest hij overgehaald worden om iets ten beste te geven en telkens had hij heel toevallig zijn viool bij zich.

Het orkest zakte weer weg, het rode doek ging ruisend open en tien girls zwaaiden met de beentjes. Ze waren gekleed als matrozen, want de titel van de revue luidde *Reis om de wereld*. In de slotpose keerden ze het publiek de rug toe, bukten diep en lachten de toeschouwers door hun gespreide benen met roodgeverfde lippen toe. Op hun kanten broekjes stonden letters die samen de tekst GOEDE REIS! vormden. Voor dat effect werd luid geapplaudisseerd.

Elk nummer van het programma was gekoppeld aan een ander land, wat soms echter alleen met slimme toneeltrucjes te bewerkstelligen was. Zo moest Miss Mabel met haar gedresseerde poedels heel Afrika vertegenwoordigen. Daarvoor trad ze op in een wit tropenpak met helm en had ze de arme dieren leeuwenmanen van crêpepapier omgedaan. Bij de apachendans (Parijs) jankte er een Franse accordeon in de bak en tijdens het jongleren met borden (China) probeerde het orkest uit alle macht klanken uit het Verre Oosten te imiteren. De messenwerper en zijn koelbloedige vrouwelijke partner droegen wildwestkostuums, maar Rachel en Désirée zaten dicht genoeg bij het toneel om te horen hoe zij hem, na een worp die wel heel dichtbij kwam, een keer in krachtig Zwitsers dialect uitschold. De girls dansten de Spaanse flamenco en de Russische kazatsjok; in beide landen schenen ze bij nationale kostuums heel zuinig te zijn met stof.

Tot aan de pauze was Grün nog niet op het toneel verschenen.

'Waarschijnlijk komt hij pas in het tweede deel,' zei Désirée. 'Hij heeft me een keer verteld dat de grote nummers dan pas optreden.'

'Zo?' zei Rachel. 'Heeft hij je dat verteld?' Ze bladerde in het programmaboekje en zei toen: 'Dat moet hem zijn. Hier: "Herbert Horowitz, de beroemde conferencier uit Berlijn."'

'Horowitz?'

'Hij zal een nieuw pseudoniem bedacht hebben. Dat is bij die variétémensen gebruikelijk.'

Het gebaar waarmee ze de ober wenkte paste qua elegantie bij de dure plaatsen. Ze liet zich champagne bijschenken en toen Désirée afwerend haar hand boven haar eigen glas hield, zei ze: 'Het is zonde om dat dure spul te laten bederven.'

In het tweede deel van de revue sloot de grote Karnak, een goochelaar met een tulband en een Weens accent, zijn assistente op in een kist en doorboorde haar met zwaarden. Miss Mabel trad nog een keer op, deze keer zonder poedels, en zong een vlot chanson met het refrein 'Maar zo is 't leven'. Drie met goudbrons beschilderde krachtpatsers wrongen zich in bochten die in strijd waren met alle wetten van de zwaartekracht. De halfnaakte girls voerden als gesluierde Arabische vrouwen een buikdans uit en draaiden op de Amerikaanse Black Bottom met hun achterste. Toen was het eindelijk zover. Directeur Wladimir Rosenbaum, die in het best zittende rokkostuum dat Rachel ooit had gezien het programma aan elkaar praatte, kondigde Herbert Horowitz aan, 'de lieveling van het Berlijnse publiek en ster van het "Cabaret der komieken"!'

Horowitz was niet meneer Grün.

Het was een kleine, dikke, groezelige man in een slecht zittend avondkostuum. Zijn specialiteit waren met een Jiddisj accent voorgedragen dubbelzinnige moppen, die hij telkens aankondigde met de zin: 'Nog een grap van Horowitz!' Zijn optreden werd met schaterend gelach ontvangen, vooral aan de tafels waar in de loop van de avond meer dan één fles was geleegd. Hij vertelde de mop van de man die om hulp roept omdat zijn schoonmoeder uit het raam wil springen en het alleen niet open krijgt, en de grap van de joodse vertegenwoordiger die in een restaurant om een verbrande schnitzel en te lang gekookte aardappelen vraagt omdat hij weer eens zo wil eten als thuis.

Het was vreselijk.

Maar het sloeg aan.

Toen de girls in de afsluitende cancan nog een keer gegild en hun rokken opgetild hadden, volgde er een enthousiast slotapplaus. Directeur Rosenbaum, die te midden van zijn ensemble onder een confettiregen een buiging maakte, was duidelijk tevreden.

'Hoe zit het nou met meneer Grün?' vroeg Rachel verbaasd. 'Als hij hier helemaal niet meedoet, hoe komt hij dan aan de vrijkaartjes?'

Désirée haalde haar schouders op.

Grün had hun laten weten dat ze na de voorstelling gewoon moesten blijven zitten, hij zou hen aan hun tafeltje ophalen, maar hij liet hen lang wachten.

'Die man is zo onbeleefd!' klaagde Rachel.

'Hij interesseert je, hè?'

'Helemaal niet,' zei Rachel. 'Hoe kom je erbij?'

De toeschouwers waren vertrokken en de eerst zo feestelijke zaal zag er binnen de kortste keren weer alledaags uit. De elegante pages waren gewoon vrouwen met zere voeten; de permanente glimlach was van hun gezicht gegleden en het verleidelijke gekwinkeleer uit hun stem verdwenen. De obers hadden allemaal platvoeten gekregen en liepen in hemdsmouwen tussen de rijen door om de lege flessen en glazen op te halen.

Het doek was weer open, maar het toneel was een grote lege ruimte zonder enige betovering. Twee toneelknechts veegden confetti op.

Eindelijk kwam Grün vanuit de opening in de coulissen over het toneel aanlopen en klom haastig de paar treetjes naar de zaal af. Hij droeg zijn oude driedelige pak. Had hij echt niets anders? Zijn jas had hij over zijn arm gelegd en zijn hoed hield hij in zijn hand.

'Het spijt me,' zei hij. 'Er was een probleem met Wurmsers cape.'

'Wie is Wurmser?'

'De grote Karnak. Hij is achter het toneel aan een spijker blijven hangen.'

'Wat kan mij die goochelaar van u schelen?' Twintig jaar geleden was Rachels gespeelde onbeleefdheid grappig geweest. Nu was ze vaak alleen nog onbeleefd. 'En wat kan u zijn cape schelen?'

'Het hoort bij mijn vak,' zei Grün. 'Ik ben hier de costumier. Dat is toch een beetje dichter bij huis dan de Kamionker Kleding.'

'Costumier?'

'Er zijn slechtere beroepen. Naaien heb ik bij u geleerd.'

'Gefeliciteerd met uw nieuwe baan,' zei Désirée. 'Maar – als u mij de vraag niet kwalijk neemt, meneer Grün – zou u niet liever op het toneel staan?'

'Natuurlijk,' zei hij. 'Ik zou ook graag miljonair zijn. Of koning van Engeland.'

'U bent toch vast tien keer beter dan die Horowitz?'

'Horowitz!' Grün lachte. 'In Zürich is hij de sensatie van Berlijn. In Berlijn kende niemand hem.'

'En u …?'

'Kom,' onderbrak Grün haar. 'We moeten uw jassen nog halen.'

De vermoeide meisjes in de pagekostuums, de obers, de oude dame bij de garderobe – allemaal waren ze heel beleefd tegen meneer Grün, zoals de mensen waarschijnlijk ook een verlopen edelman hypercorrect behandelen, juist als hij erop staat incognito te blijven.

Op straat stelde Rachel haar vraag nog een keer: 'Als u zoveel beter bent dan die Horowitz en ook beroemder, waarom engageren ze u dan niet?'

'Wladimir heeft het me natuurlijk aangeboden.' Hij noemde de theaterdirecteur bij zijn voornaam, zonder dat dat bij hem opdringerig klonk. 'Maar ik kan niet meer optreden. Nooit meer.'

'Omdat u geen partner meer hebt?'

'Integendeel,' zei Grün. 'Omdat ik altijd mijn partner zal hebben.'

Hij stond erop hun nog een glas wijn aan te bieden. 'Ik moet u voor veel dingen bedanken.'

'Ik ben nu al angesjikkert,' wierp Rachel tegen.

'Wat u heel goed staat.'

Het was de eerste keer dat ze zoiets als een compliment van hem hoorde.

Ze liepen naast elkaar, Grün in het midden, Rachel en Désirée links en rechts aan zijn arm. Twintig jaar geleden had Rachel vaak zo door de nachtelijke stad gewandeld, met aan elke kant een aanbidder en een heel leven voor zich.

Grün nam hen mee naar Das Weiße Kreuz, een café waar 'men' niet heen ging omdat daar alleen maar mensen kwamen die geen verschil maakten tussen drinken en zich bedrinken. De twee vrouwen gingen mee zonder te protesteren, Rachel omdat ze niet kleinburgerlijk wilde lijken en Désirée omdat ze de slechte reputatie van de kroeg niet kende.

Van het theater naar de Rössligasse was het niet ver. Grün opende de deur en ze stonden voor een muur van lawaai, rook en glasgerinkel.

Het café was klein en nergens was een lege stoel te zien. Maar ze schenen Grün hier te kennen en maakten een tafeltje voor hen vrij. Eén gast stond vrijwillig op, zijn bierglas beschermend met beide handen tegen zijn borst gedrukt. Een tweede, die boven zijn glas in slaap was gevallen, werd opgetild en naast twee anderen op een bank gezet, waar hij zijn hoofd meteen weer op tafel legde en verder sliep.

De waardin veegde persoonlijk de tafel met een doek schoon, of althans ze verdeelde de bier- en wijnplassen gelijkmatiger. 'Hetzelfde als altijd?' vroeg ze aan Grün en toen hij knikte: 'En de dames?' Haar toon maakte duidelijk dat ze hier niet op dames ingesteld waren. Nog nooit had Rachel zich in een elegante jurk zo misplaatst gevoeld.

'Een halve liter witte wijn.' Grün zei er niet bij welk soort. Zulke finesses waren in Das Weiße Kreuz niet gepast.

Hij keek om zich heen, alsof hij zich ervan wilde overtuigen dat alles op zijn plaats stond, en hij zei: 'Ik kom hier graag. Een plek waar mensen elkaar ontmoeten die iets willen vergeten. Dat past bij mij.'

Rachel trok haar neus op. Het was een gelaatsuitdrukking die ze zich had aangewend in de tijd dat ze veel aanbidders had. Toen had het schattig gestaan. 'Erg chic is het hier niet.'

Met een bierviltje schoof Grün wat sigarettenas bij elkaar. 'Het hangt ervan af waar je het mee vergelijkt,' zei hij.

De waardin bracht de karaf wijn. Voor Grün zette ze een groot glas met een heldere vloeistof neer.

'Brandewijn?' vroeg Désirée zonder verwijt.

'Water,' zei Grün. 'Ik gun mezelf graag iets goeds.'

Rachel bekeek haar eigen glas wantrouwig en veegde de rand met haar zakdoek af. Grün glimlachte.

'Waarom kijkt u me zo aan?' vroeg ze.

'Weet u, juffrouw Kamionker? U moet toch geen koffie door uw henna roeren. Als je er eenmaal aan gewend bent, staat die kleur u echt goed.'

Ze begreep die man niet.

Een paar tafeltjes verder stond een dronkenman op, hij greep wankelend naar de leuning van zijn stoel en sleepte hem – als steun of als wapen – naar hun tafeltje. Een grote, stevige man met een papperig gezicht, een sporter die zich had laten gaan of een arbeider die te veel dronk. Hij zette de stoel bij hen neer, ging zitten en boog zich naar Rachel toe.

'Prinses,' zei de man. 'Je bent een prinses.'

In zijn stem hoorde je de alcohol.

'Ik ben de koning,' zei de zatte man. 'Prinses en koning. Voel je hem?'

'Laat ons alstublieft met rust.' Later zou Rachel beweren dat ze heel kalm was gebleven.

'Kom mee naar mijn huis,' zei de man. 'Dan zal ik je mijn scepter laten zien.' Hij lachte en toen niemand aan tafel meelachte, herhaalde hij harder: 'Mijn scepter. Snap je? Scepter!'

'Zo is het genoeg.' Grün zei het heel rustig, maar het hoofd van de man draaide met een ruk om, alsof iemand met de zweep had geknald.

'Jij hebt me niet te bevelen.'

'Wilt u het uitproberen?' vroeg Grün. Hij had het niet met stemverheffing gezegd, maar in Das Weiße Kreuz verstomden de gesprekken en iemand schudde de slaper aan het tafeltje ernaast wakker om hem te zeggen: 'Dat mag je niet missen!'

De dronkenman keek Grün aan.

Grün boog zijn hoofd een beetje opzij, niet dreigend, alleen vriendelijk vragend.

'Hoe had u het gehad willen hebben?'

De zatte man begon niet erg overtuigend te lachen en zei: 'Wij zijn vrolijke mensen hier. Vrolijke mensen. U kunt toch wel tegen een grapje?' En toen, tegen Grün en niet tegen Rachel: 'Neem me niet kwalijk. Het spijt me. Het was niet kwaad bedoeld.' Hij stond op, slofte met zijn stoel terug naar zijn tafeltje, ging met zijn rug naar hen toe zitten en draaide zich niet meer om.

Rondom begonnen de gesprekken weer, maar minder hard dan eerst.

'Dank u,' zei Rachel.

'Graag gedaan,' zei Grün.

Désirée streek met haar nagel over de rand van haar wijnglas. 'Hij is sterker dan u,' zei ze zonder Grün aan te kijken. 'Hij had u een pak slaag kunnen geven.'

'Een pak slaag is geen kwestie van kracht. Het gaat erom hoever je bereid bent te gaan.'

'Hoever zou u voor mij gaan?' De schrik was voorbij en Rachels stem klonk alweer flirtend.

'Mij slaat niemand meer,' zei Grün. 'Nooit meer.' Hij nam een grote slok uit zijn waterglas. 'Ik ben door de wol geverfd.'

'Wat wil dat eigenlijk zeggen?'

'U leeft hier in Zwitserland,' zei hij. 'U kunt dat niet begrijpen. Op een eiland weet je niet wat het betekent om te verdrinken. Ik heb moeten leren zwemmen. Als iemand het niet redde ...' Hij stak zijn handen boven zijn hoofd en liet ze toen op het tafelblad vallen.

'U hebt het over uw vriend Blau,' zei Désirée zacht. Het was geen vraag.

'Hij heette Schlesinger. Siegfried Schlesinger. Hij had Duitse taal- en letterkunde gestudeerd. Hij kende de Merseburger Toverspreuken uit zijn hoofd en als hij vrolijk was, zei hij Middelhoogduitse gedichten op. "Du bist beslozzen in minem herzen. Verlorn ist daz slüzzelin, du muost immer drinne sin." Opgesloten in mijn hart,' vertaalde Grün en hij dronk van zijn water alsof het brandewijn was.

'Het liefst was hij leraar geworden, maar om de een of andere reden wilden ze hem niet hebben. Als meneer Blau wilden ze hem wel.'

Dag, meneer Blau.

Dag, meneer Grün.

'Hij bracht elke dag een ander boek mee naar de garderobe. Als je van boeken lezen dik werd, hadden we de rollen moeten omkeren.' Grün lachte, het was weer die ingezouten lach uit de kelder.

'Hij had een vrolijk gezicht. Flaporen. Op het toneel was dat zijn geluk en in het kamp zijn ongeluk. Hij viel op en wie opvalt, is kansloos.'

Hij wenkte de waardin, ongeduldig als een zuiplap die op een droog-je zit; ze bracht hem nog een glas water en hij dronk gulzig.

'Kansloos,' zei hij. 'Als je iemand met een stok slaat, klinkt het anders dan wanneer je de zweep gebruikt. Wist u dat? En met een handschoen klinkt het anders dan met de blote hand. Sommigen sloegen ook hele-maal niet. Die schopten liever. Ze lieten je in de houding staan en ram-den hun knie in je weke delen. Ieder heeft zo zijn eigen stijl. Net als komieken op het toneel. Er waren ook duo's. Zoals Grün en Blau een duo waren. De een sloeg, de ander schopte. Met de juiste partner kun je perfect samenwerken.

U kunt dat niet begrijpen, hier in Zwitserland. In de zaal begrijp je nooit precies wat er op het toneel gebeurt.

'Opgesloten in mijn hart,' zei Grün. 'Verloren is het sleuteltje.'

'Meneer Blau ...' begon Désirée een vraag.

'Hij heette Schlesinger.'

'Meneer Schlesinger – is hij in het kamp gestorven?'

'Nee,' zei Grün. 'Het was veel erger. Ze hebben ons vrijgelaten.'

70

Hij stond zo abrupt op dat zijn stoel omviel, liet hem gewoon liggen en zei midden in de plotselinge stilte in het café: 'We gaan.' Hij gooide een handvol munten op tafel – hij droeg zijn geld los in zijn zak, iets wat anders alleen mensen doen die niet op een cent kijken –, praatte in het gat tussen Rachel en Désirée, alsof daar nog een onzichtbaar iemand zat of alsof hij hun niet recht in de ogen kon kijken, en herhaalde ongeduldig: 'We gaan.' Hij hielp hen niet in hun jas, hield weliswaar de deur voor hen open, maar als een uitsmijter in plaats van een gentleman, en buiten op straat liep hij zo vlug in de richting van de Limmatquai en de Münsterbrücke dat ze moesten rennen om hem bij te houden.

Midden op de brug bleef hij staan. Hij had opeens een heel oud, verdrietig gezicht en zei: 'Het spijt me. Je denkt dat je eraan gewend bent, maar … je went er niet aan. Je went er gewoon niet aan.'

'U hoeft er niet over te praten als u niet wilt.'

'Jawel,' zei Grün. 'Het moet. Anders gaat het nooit over.'

Gedrieën en toch ieder voor zich liepen ze van de Münsterhof naar de St. Peterhofstatt en vervolgens de smalle, donkere weg op naar de Lindenhof. Daar gingen ze op een van de banken zitten waar anders verliefden of dronkaards zitten, ze keken over de Limmat naar de vleeshal, naar de donkere gevels van de gildehuizen, naar de lege ramen van de museumstichting en wachtten tot Grün de woorden vond die hij nodig had om te genezen.

Het was een warme nacht. De maan verlichtte het plein zoals het kille neonlicht de naaizaal van Zalmans bedrijf. Op een fontein stond een vrouw in een harnas, die de onbedreigde stad bewaakte. Het was heel stil. Slechts af en toe bromde er boven hen een zware kever, alsof hij een spoedbericht moest overbrengen of een bom ging afwerpen.

'In de zomer van 1936 hebben ze ons vrijgelaten,' zei Grün ten slotte. 'Vanwege de Olympische Spelen.'

Die weken van de zomerspelen, zo vertelde hij, waren in Duitsland een uitzonderingsperiode. De dictatuur hield vakantie, althans naar buiten toe. De toeristen wilden een internationaal georiënteerd Berlijn zien, dus vaardigde het ministerie van Propaganda het bevel uit hun een internationaal georiënteerd Berlijn te tonen. Zoals je het decor van een allang van het repertoire afgevoerd stuk nog een keer uit het rekwisietenmagazijn haalt, de in de mottenballen gelegde kostuums nog een keer opstrijkt, de muziek nog een allerlaatste keer laat spelen.

'Van de showbusiness hadden ze altijd al veel verstand,' zei Grün met de halfhartige waardering die je toont voor de professionaliteit van een niet geliefde branche. Hun eigenlijke specialiteit waren grote massa's en partijdagen, maar een goede regisseur kan alles ensceneren wat de intendant op het repertoire plaatst. Olympische tolerantie is dan een makkie. Vooral als je voldoende figuranten tot je beschikking hebt. Een heel land vol figuranten. Er moest alleen op gelet worden dat het mooie totaalbeeld niet werd verstoord door pijnlijke details.

Dus waren op de Kurfürstendamm de stickers met JODEN ONGEWENST op de winkeldeuren plotseling niet meer gewenst. In de *Stürmer*-kastjes rond het Olympiastadion hingen geen beledigende karikaturen meer, maar alleen nog foto's van fier kijkende atleten. Op het strand bij de Wannsee werden de bordjes weggehaald die HET ZWEMMEN VOOR LIJDERS AAN HUIDZIEKTES EN JODEN verboden. Berlijn maakte zich mooi. Het trok een wit vest aan over het bruine hemd.

Het was maar voor een paar weken.

Van de deuren van de allang gesloten cabarets en nichtenbars werden de zegels en hangsloten verwijderd. De internationale gasten wilden zich amuseren, ze verwachtten grootsteedse verdorvenheid en aan hun verwachtingen moest worden voldaan. De spelers had men bij de hand. Ze zaten allemaal in het kamp. Ze hoefden alleen hun gestreepte pak maar uit te doen en hun oude kostuums weer aan te trekken. Alles was er nog. De veren boa's van de travestieten en de rokkostuums van de conferenciers.

Het was maar voor een paar weken.

'We moesten weer optreden,' zei Grün. '"Wie niet meedoet, blijft in het kamp", werd er gezegd. Wat hetzelfde was als: "Wilt u leven of liever doodgeslagen worden?" We mochten kiezen.

Zelfs onze namen kregen we terug. In bruikleen. Ik was opeens weer Felix Grün en niet meer gevangene achtenveertighonderdtweeënnegentig. Dat was mijn nummer in het kamp.'

'Dat weet ik,' zei Rachel zachtjes.

'We moesten de oude sketches spelen. Ook de dialoog over de appels. Juist die.'

De tekst werd voor hen op tafel gelegd. Iemand had in een voorstelling mee zitten schrijven. Woord voor woord. Precies zo moesten ze hem weer spelen. Met de grap over de bruine die uitgesorteerd moet worden en de mop over de rijksappel die niet is om te eten, maar om te kotsen. 'En als jullie nog een echt scherpe kwinkslag over ons te binnen schiet,' zei de man in het bruine uniform, 'heb dan vooral geen remmingen. Wij hebben gevoel voor humor.'

'En na de Olympische Spelen?' waagde iemand te vragen.

'Dat zien we dan wel weer.'

Als je iemands voeten in een blok cement giet en hem in het water gooit – verdrinkt hij dan?

Dat zien we dan wel weer.

Het was maar voor een paar weken.

'We hadden dezelfde garderobe.' Grün zei het alsof nog nooit iets hem zo had verbaasd. Dezelfde garderobe. Hetzelfde toneel. Dezelfde sketches. 'Alleen mijn pak paste niet meer. Je blijft niet dik in een concentratiekamp.'

In het parket bestelden de sporttoeristen uit de hele wereld dure wijn, ze lieten de grappen vertalen en waren verrast over zoveel vrijheid van denken in dit Duitsland dat de naam had een dictatuur te zijn. Zo zag je maar weer dat niet alles klopte wat er in de kranten stond.

Dag, meneer Grün.

Dag, meneer Blau.

Allemaal net als vroeger.

Niet helemaal. Voor het eerst in hun carrière traden Grün en Blau na de pauze op. De heel grote namen waren er niet meer. Eén was er naar Nederland geëmigreerd. Eén naar Amerika. Eén was in de steengroeve door een lorrie overreden.

Er was ook geen welkomstapplaus meer als ze optraden. Ze waren vergeten. 'Zo'n jaar in het kamp is slecht voor je populariteit,' zei Grün zonder enige ironie in zijn stem.

Ook achter het toneel was het een en ander veranderd. Schlesinger las tussen de optredens geen serieuze boeken meer en Grün flirtte niet meer met de huppelkutjes. Ze zaten in hun garderobe, keken naar hun eigen vreemde gezicht in de spiegel en af en toe zei een van beiden: 'Wat vind je?'

'Het is niet waar,' zei Grün, 'dat je vlugger denkt als het om leven en dood gaat. Integendeel. Je gedachten blijven steken als autowielen in het zand. Wielen in het zand.'

Hij zweeg en keek naar de vredige Zürichse nacht zonder iets te zien.

Aan de Limmatquai ging in een badkamer het licht aan. Achter de melkglazen ruit bewoog een schaduw. Pas toen het raam weer donker was, praatte Grün verder.

'We speelden elke avond twee keer. Maar het was alsof we niet echt op het toneel stonden. Alsof we onszelf alleen als grote poppen heen en weer schoven. Ik weet niet of u dat kunt begrijpen.'

'Ik begrijp het heel goed,' zei Désirée.

's Nachts om twee uur, als de toeschouwers vertrokken waren, ontmoetten ze hun collega's. Ze zaten in de koude rook van een lege zaal en stelden steeds dezelfde vragen. Ze noemden zichzelf 'de tijdelijken'. Niemand wist wie het woord had bedacht, maar iedereen gebruikte het. En had daarmee zelf het antwoord gegeven.

Ze waren hier slechts tijdelijk, al diegenen die nog een keer vrijgelaten waren omdat de gasten van de Olympische Spelen geamuseerd moesten worden. De beroepsdansers die hun schoenen met houten zolen weer verruild hadden voor lakschoenen: tijdelijk. De mannelijke vrouwen met hun monocles en de gesteven plastrons: tijdelijk. De cabaretiers met de vrolijke teksten en de droevige ogen: tijdelijk.

Doden met vakantie.

Het was maar voor een paar weken. Na de Olympische Spelen zouden ze weer opgehaald worden.

Moesten ze van tevoren proberen te vluchten? Dat was de vraag.

En hoe konden ze dat het beste doen? Dat was het probleem.

Er waren een paar optimisten onder hen en Schlesinger was er een van. 'We hebben een afspraak met ze,' zei hij. 'Ons deel zijn we nagekomen. We treden nog één keer op en in ruil daarvoor laten ze ons naderhand met rust. Natuurlijk, onze zalen zullen ze weer sluiten. Ik ben niet naïef. We zullen voortaan iets anders moeten doen. Wat dan ook. Stenen sjouwen in de bouw. Voor mijn part. Maar opsluiten zullen ze ons niet meer. Wat hebben ze eraan? We zijn toch niet meer gevaarlijk voor ze.'

Grün kon het hem niet uit het hoofd praten. Er is altijd weer iemand die denkt dat er met de duivel te onderhandelen valt.

Drie weken lang traden ze op. Drie weken lang lachten de mensen.

'Blau had nog nooit zoveel succes gehad. Nu had hij niet alleen flaporen, maar ook een scheve neus. Ze waren gek op hem.'

Dag, meneer Grün.

Dag, meneer Blau.

En op de allerlaatste dag, toen Siegfried Schlesinger zijn blinde hoop nog steeds niet wilde opgeven, zich eraan vastklampte als een kind aan zijn overreden lievelingspoes – nee, het is niet waar, hij is niet dood, ik wil het gewoon niet geloven! –, op de allerlaatste dag trad Grün niet meer op.

'Ik ben door de wol geverfd,' zei hij in de stille nacht. 'Ik wist dat zou gebeuren wat er gebeurde. Ik ben naar Wenen gegaan, waar ik vrienden had, gewoon met de nachttrein. Het was niet eens moeilijk. Ik had valse papieren en de douaniers waren slaperig. Daar heb ik gehoord dat ze allemaal weer in het kamp zijn gekomen. Allemaal zijn ze weer opgehaald.

Schlesinger moest hun vertellen waar ik gebleven was. Hij wist het niet, maar ze hebben het toch uit hem proberen te slaan. Die keer hebben ze niet alleen zijn neus gebroken.'

Er vloog weer een kever over hun hoofd, brommend als een vliegtuig.

'Ja,' zei Grün, 'ze hebben ons vrijgelaten. Dat was het ergste wat ze ons hebben aangedaan.'

Hij stond abrupt op en liep naar de rand van de heuvel die achter een laag muurtje afhelt naar de Limmat. Hij spreidde zijn armen uit, in het maanlicht leek het of hij wilde bidden of argumenteren of wegvliegen, en toen fluisterde Grün iets. 'Jij bent opgesloten in mijn hart,' fluisterde hij. 'Verloren is het sleuteltje. Je moet altijd binnenblijven.'

Daarna liep hij terug naar de twee vrouwen, hij bleef heel ongeduldig voor hen staan en vertelde het verhaal vlug ten einde, zoals je een te vaak verteld verhaaltje voor het slapengaan vlug afmaakt, als je niet kunt wachten om eindelijk het boek dicht te klappen en het licht uit te doen.

Ik ben toen te voet de Zwitserse grens overgestoken. Wladimir Rosenbaum heeft me aan een werkvergunning geholpen. Hij kent een ambtenaar die graag met balletmeisjes afspreekt. Zullen we gaan?'

Hun voetstappen klonken hard in de slapende stad. En er was geen gesprek dat ze had kunnen overstemmen.

Ze brachten eerst Rachel naar huis en toen stond Grün erop ook Désirée nog naar de Morgartenstraße te vergezellen. Voor de voordeur – ze had hem al van het slot gedaan – bleef hij staan en nam zijn hoed af.

'Ik heb mijn gedachten eens laten gaan,' zei Grün. 'Hoewel je dat eigenlijk niet zo kunt zeggen. Je láát je gedachten niet gaan. Ze gaan hun eigen gang. Ze vreten zich door je hoofd als houtwormen door het hout.'

'En waar zijn uw houtwormen naartoe gekropen?' Misschien glimlachte Désirée, maar in het donker was dat niet te zien.

'U hebt iemand verloren van wie u heel veel hebt gehouden,' zei Grün. 'Dat zie je. Sindsdien bent u alleen. Dat zie je ook. En ik ...'

'Nee,' zei ze.

'Wij passen bij elkaar.'

'Nee, meneer Grün.' Ze had zijn vraag verwacht en het antwoord allang geformuleerd. 'Wij lijken te veel op elkaar. Twee linkerschoenen, in dezelfde richting kromgetrokken. Maar twee linkerschoenen vormen geen paar.'

'Ik ben helemaal niet zoveel ouder dan u.'

Nu glimlachte Désirée echt, dat was ook zonder licht te zien. 'U bent ook niet zoveel ouder dan Rachel,' zei ze.

'Juffrouw Kamionker?'

'Ja,' zei Désirée. 'U hebt iemand nodig met wie u kunt kissebissen.'

Haar lippen gleden zacht over de zijne, zonder ze echt aan te raken, en toen ging de voordeur achter haar dicht en de sleutel draaide om in het slot.

Grün bracht geen bloemen voor Rachel mee en zij zette geen foto van hem op haar bureau. Toch werd hun verhouding opgemerkt en gingen ze in de koosjere kledingfabriek over de tong. Niet alleen omdat Rachel de dochter van de baas was, hoewel dat de zaak natuurlijk nog interessanter maakte, maar ook omdat Joni Leibowitz een loterij organiseerde. Je zette een frank in op een willekeurige datum en wie met zijn gok het dichtst bij de officiële aankondiging van een verloving kwam, zou de hele pot krijgen. Je kon ook meer dan eens inzetten en sommigen deden dat ook, vooral als door een nieuw gerucht de kansen leken te keren. Zo waren bijvoorbeeld opeens de vroege data in trek omdat er gezegd werd dat Rachel en Grün samen in de bioscoop waren gesignaleerd, *Du bist mein Glück*, met Benjamino Gigli en Isa Miranda, en dat ze zelfs tijdens de grote aria niet één keer naar het doek hadden gekeken, zo druk hadden ze het met elkaar gehad. Dan werd er weer gezegd dat die twee in Old India op de Bahnhofplatz bij een kop koffie luidkeels ruzie hadden gemaakt en dat het dus wel uit zou zijn. Joni hoorde dat tevreden in zijn handen wrijvend aan, want als bankhouder had hij de nul voor zichzelf gereserveerd; dat betekende: als er binnen zes maanden helemaal geen sjidoech tot stand kwam, was de hele pot voor hem. Hij was zo zeker van die winst dat hij van de ingezette bedragen die hij moest beheren al het een en ander had uitgegeven, als voorschot zeg maar. 'Rachel zal nooit trouwen', daar was hij vast van overtuigd, want tenslotte had ze bijna twintig jaar geleden zijn opdringerigheid afgeweerd en dat kon alleen maar betekenen dat die vrouw frigide was.

Beide geruchten waren trouwens wel en niet waar. Grün had van Benjamino Gigli inderdaad niets gezien, maar niet omdat hij het duister in de bioscoop had benut voor liefkozingen, maar omdat hij al tijdens het eerste deel in slaap was gevallen. En dat had weer te maken met politiek. De leden van het Nationaal Front hadden beslist dat de schaars geklede danseressen in Wladimir Rosenbaums revues op typisch joodse wijze de openbare eerbaarheid schonden, en om geklad en ingeslagen ruiten te voorkomen hadden ze rond Corso een wachtdienst moeten instellen. Na een slapeloze nacht kun je zelfs bij de meest muzikale liefdesgeschiedenis niet wakker blijven.

Ook de ruzie in Old India had echt plaatsgevonden, maar wie daarom gokte op het stuklopen van de relatie vergiste zich deerlijk. Rachel en Grün genoten ervan om te kibbelen, zoals twee jazzmusici ervan genieten om op een bestaande melodie te improviseren. Waarbij Rachel moest toegeven dat Grün haar in woordentwisten duidelijk de baas was, of liever gezegd: ze zou het toegegeven hebben als het bekennen van een of andere zwakte niet in strijd was geweest met haar karakter.

Grün maakte haar complimenten en zij schold hem daarom uit. Of ze schold hem uit en hij maakte haar daarom complimenten. Désirée had gelijk gehad: die twee hadden elkaar nodig.

In het begin zagen ze elkaar niet zo vaak. Overdag zat Rachel op kantoor en 's avonds was Grün in Corso. Gaandeweg maakten ze steeds meer tijd voor elkaar vrij. Hij had nog altijd zijn kamer bij de familie Posmanik, maar hij sliep daar niet meer elke nacht. 'Hij heeft het zo druk dat hij in het theater overnacht,' legde mevrouw Posmanik de kleine Aaron uit.

De gebeurtenis die de gokkoersen het meest beïnvloed zou hebben, kreeg in de koosjere kledingfabriek niemand te horen. Ter gelegenheid van Rosj Hasjana, het nieuwjaarsfeest, was Grün bij Zalman en Hinda uitgenodigd voor een officiële lunch. Ook Désirée, Arthur en de Rosenthals kwamen naar de Rotwandstraße; op zulke dagen hoort de familie bij elkaar te zijn. Je zou denken dat zo'n uitnodiging voor volwassen mensen niets bijzonders is, maar Rachel gedroeg zich van tevoren zo preuts als een bakvis die haar eerste vriendje thuis moet voorstellen. Toch weigerde Grün iets anders aan te trekken dan het pak dat hij altijd droeg. Wel bond hij het nieuwe vlinderdasje om dat ze voor hem had gekocht, en hij bracht zelfs bloemen mee, hoewel dat op Rosj Hasjana niet echt gepast is.

Zoals bij elke familiebijeenkomst had Hinda zich met het koken uitgesloofd en ze was teleurgesteld dat haar gast zo weinig at. Tot hij haar uitlegde dat iemand die lang honger heeft moeten lijden maar twee mogelijkheden heeft: aan de waarschijnlijk nooit meer ophoudende gulzigheid toegeven en zich op een gegeven moment doodeten of zich, niet alleen bij het eten, heel sterk beheersen, zijn gevoelens als het ware altijd aan de lijn houden. 'Het is geen erg mooi leven,' zei Grün, 'maar leven op zich is al meer dan ik mocht verwachten.'

Natuurlijk kwam het gesprek ook op de situatie in Duitsland. Adolf Rosenthal, die geen gelegenheid voorbij liet gaan om een toespraak te houden, wilde tijdens de soep zijn favoriete stelling toelichten, namelijk dat het nationaalsocialisme vanzelf aan zijn innerlijke tegenstrijdigheden te gronde zou gaan, maar Grün keek hem alleen maar aan, van opzij, zonder een kwaad woord te zeggen, waarop de wiskundige, die zich anders door niets liet onderbreken, begon te stotteren en vlug van onderwerp veranderde.

Precies zo had op die avond de dronkenman in Das Weiße Kreuz op Grüns rustige stem gereageerd, dacht Rachel trots.

Ook Hillel was vol bewondering voor de man uit Duitsland en hij zei vleiend: 'Ik heb ook in de gevangenis gezeten.'

'Nee,' zei Grün, 'jij hebt vakantie gehouden.'

De lunch was niet echt gezellig; ze leefden ook niet in een gezellige tijd. Zoals gebruikelijk hadden ze aan het begin van de maaltijd een stukje appel in honing gedoopt, maar niemand geloofde dat het daarom een zoet jaar zou worden.

Toen het gesprek op Ruben kwam, zei Grün: 'Haal hem daar weg. Als u nog iemand in dat land hebt die iets voor u betekent, haal hem dan weg!'

Arthur zette zijn bril af en wreef over zijn neusrug.

'Hij wil zijn gemeente niet in de steek laten,' zei Hinda. Grün reageerde met zo'n ongeduldig gebaar dat hij het jontefdike zoutvaatje omgooide. 'Ga erheen en neem hem mee,' zei hij tegen Zalman. 'Rachel heeft me verteld dat u hem al eens eerder hebt gehaald. Uit Galicië.'

Waarop natuurlijk alle oude verhalen verteld moesten worden, van de soldaten die zeep slikten om ziek verklaard te worden, van de rokers die op de latrine papier zochten om sigaretten te draaien, 'dit is schoon, dit niet'. Al was het vandaag Nieuwjaar en geen seideravond: verhalen over oude reddingsacties doen het altijd goed.

Zalman verzocht Grün het tafelgebed te zeggen, maar hij weigerde met de motivering dat hij niet in staat was in zijn leven ooit nog komedie te spelen. Niemand vroeg wat hij daarmee bedoelde.

Naderhand schraapte hij grondig zijn keel; waarschijnlijk had hij zich dat achter het toneel aangewend om meteen bij de eerste zin van een optreden bij stem te zijn.

Dag, meneer Blau.

'Dan nog iets, meneer Kamionker,' zei hij. 'U hebt me destijds werk gegeven en ik ben u daar dankbaar voor.'

Zalman, die met dankbaarheid nog nooit goed had kunnen omgaan, maakte afwerende gebaren, alsof hij de rook van een sigaar wilde wegwuiven.

'U hebt daar alleen maar last van gehad,' zei Grün. 'Eerst heb ik die Joni Leibowitz bijna vermoord ...'

'Wat?' Niemand had Adolf Rosenthal het verhaal verteld.

'... en nu pak ik u ook nog uw beste medewerkster af.'

'Wil dat zeggen ...?' vroeg Hinda.

'Hij heeft me gevraagd.' Geheel tegen haar gewoonte was Rachel een beetje verlegen. 'En ik heb ja gezegd. Maar het was Felix' idee.'

'Felix' zei ze, niet 'meneer Grün'.

'Wat fijn!' Hinda omhelsde haar dochter en Lea keek haar tweelingzus stralend aan en riep: 'Mazzel tov!'

Rachel bloosde, niet zoals je dat verwacht van een jonge bruid – een bruid is altijd jong, ook al loopt ze tegen de veertig –, maar als iemand die het slachtoffer is geworden van een pijnlijk misverstand. 'Nee, het is niet … Jullie hebben het mis … Felix heeft alleen …'

'Wladimir Rosenbaum zoekt iemand voor de artistieke administratie,' zei Grün. 'Ik heb Rachel voorgesteld.'

'O.' Van pure teleurstelling moest Lea haar dikke bril schoonmaken. 'En ik dacht al …'

'Wat jij ook altijd denkt!'

'Dan hebben we meer tijd voor elkaar,' legde Grün uit. 'Als je op dezelfde plek werkt …'

'Wat dacht jij al, Lea?' vroeg Adolf Rosenthal, die geen scherp gehoor had voor onuitgesproken dingen. Hij kreeg geen antwoord.

De pauze was lang en pijnlijk. Het was zo stil in de kamer dat iedereen de fijne zingende toon kon horen toen Désirée met haar vingertop over de rand van haar glas streek. Ze liet het geluid wegsterven en zei toen zacht: 'Een linker- en een rechterschoen. Waarom eigenlijk niet?'

Ze keek Grün bij die woorden niet aan, maar hij tilde eerst zijn hoofd op en schudde er toen heftig mee, als iemand die wakker wil worden. Daarna haalde hij zijn schouders op en spreidde hij zijn armen uit. Het was een overduidelijk gebaar, zoals je dat waarschijnlijk op het toneel maakt om ook op de laatste rij gezien te worden. 'U hebt gelijk: waarom eigenlijk niet?' herhaalde hij. 'Wat vind je, Rachel? Daar zal ik ook wel aan wennen. Ik ben door de wol geverfd.'

De glazen met de mazzel-tov-bronfen waren al ingeschonken toen Rachel Grün nog steeds uitlegde dat dit toch echt geen manier was om iemand ten huwelijk te vragen.

71

De drie treiterden hem zonder luidruchtig te worden, met een joviale gemoedelijkheid die veel te maken had met hun Zuid-Duitse dialect. Het was verkeerd geweest om de bevestiging van de joodse gemeente uitgerekend in zijn pas te bewaren; een van hen vouwde het papier open, las de paar zinnen en liet het toen hoopvol glimlachend aan de anderen zien, een kind dat een nieuw speeltje onder de boom heeft gevonden en zich al voorstelt wat daar allemaal mee te doen valt. En de anderen knikten en glimlachten ook.

De trein stopte in het open veld, ver van alle stations. Er stond alleen een barak waar een vlaggenmast boven uitstak. Beleefd als hotelportiers verzochten ze hem uit te stappen en alsjeblieft ook zijn koffertje mee te nemen, nee, zijn papieren waren in orde, als Zwitsers staatsburger had hij ook geen visum nodig, dat was volkomen juist, maar er dienden toch bepaalde controles uitgevoerd te worden, niets persoonlijks, van zuiver douanetechnische en hygiënische aard. Ja, ze hadden begrepen dat hij haast had, en echt, het speet hun dat de trein nu zonder hem was weggereden, maar ze moesten nu eenmaal hun plicht doen, net als de machinist, en hen oproepen tot incorrect handelen, dat zouden ze hem niet aanraden, dat was strafbaar, en als ze daarom ook nog een aangifteformulier moesten invullen, zou het allemaal nog langer duren.

'Meijer?' vroegen ze, 'zo zo, Meijer?' en ze hielden zijn pas tegen het licht, en hoe hij dan oorspronkelijk had geheten, Meierowitz of Meierssohn of Meier-Rosen-Blumen-Lilienfeld?

Zijn onderbroek mocht hij aanhouden, ze wierpen er alleen om de beurt even een blik in en glimlachten. Daarna mocht hij erbij staan terwijl ze zijn spullen op smokkelwaar doorzochten. Ze deden het grondig en met zorg. Toen ze de hakken van zijn schoenen sneden, want je wist nooit of er geen diamanten in verborgen waren, legden ze aansluitend de afgesneden delen weer zorgvuldig terug, elke hak keurig bij zijn schoen, 'zodat de boel niet door elkaar wordt gehaald'.

De ringen zagen ze over het hoofd. Om ze niet te verliezen had hij ze aan zijn sleutelbos bevestigd en ze dachten zeker dat het waardeloze hangertjes waren.

Hij had niet veel ingepakt, de volgende dag wilde hij, wilden ze immers alweer terug, en dus vonden de beambten niets wat als smokkelwaar bestempeld had kunnen worden. Maar toen hij al dacht dat het achter de rug was, kwam het besmettingsonderzoek. In Duitsland was men bezig zich van ongedierte te bevrijden en dan moest je oppassen dat er geen nieuw ongedierte werd binnengesmokkeld. De zoom van zijn colbertje sneden ze met een scheermesje open, maar ze vonden er geen luizen of vlooien in, en de nieuwe stropdas die hij voor de plechtigheid had ingepakt, doopten ze in de inktpot, om hem te desinfecteren, zoals ze zeiden.

Toen, volkomen onverwacht, was hun onderzoek voltooid; er stond zeker een pauze in hun dienstrooster, of de grap begon hen te vervelen. Hij mocht zich aankleden, in zijn schoenen zonder hakken glippen en zijn spullen weer inpakken. Ze gaven hem zelfs een touwtje om zijn koffer dicht te binden; om hun dienstvoorschriften op te volgen hadden ze daar namelijk de bodem uit moeten scheuren om er zeker van te zijn dat het geen dubbele was.

De volgende trein ging over drie uur, deelden ze hem zorgzaam mee, over twee uur en drieënveertig minuten om precies te zijn, en nee, hier konden ze hem niet laten instappen, dit was alleen een diensthalte die niet gebruikt mocht worden door privépersonen. Maar hij kon met alle plezier teruglopen tot aan het grensstation, het was maar een paar kilometer, steeds de rails volgen, dat zou hij beslist op tijd halen, al was lopen zonder hakken een beetje moeizaam. Ze zwaaiden hem nog na en een van de douaniers, die tijdens de hele procedure bijzonder humoristisch was gebleken, riep hem achterna: 'Het ga je goed, Charlie!' – 'Hij sloft als Charlie Chaplin,' legde hij de anderen uit, maar die gingen nooit naar de bioscoop en moesten niet lachen.

Bezweet en buiten adem bereikte Arthur de volgende trein. De woede, die hij op niemand mocht afreageren, zat vast in zijn keel, een brok die hij niet kon inslikken en niet kon uitspugen. Op elke andere dag en op elke andere reis zou hij omgekeerd zijn, onmiddellijk, hij zou naar Zürich teruggereden zijn en zich in zijn woning verschanst hebben.

Maar het was niet zomaar een dag en niet zomaar een reis.

De wagons van de tweede klas waren allemaal drukbezet; ten slotte vond hij een plaats in een coupé vol vertegenwoordigers, die met tegenzin voor hem opschoven. Met zijn kapotte schoenen en de gebrekkig dichtgebonden koffer zagen ze hem waarschijnlijk aan voor een landloper. Toen hij ging zitten schoof hij zijn colbertje in zijn rug bijeen zodat je de gerafelde zoom niet zag.

Dezelfde drie beambten controleerden hem ook deze keer, maar ze lieten hem met rust en wensten hem nog een goede reis. Ze verwachtten zeker niet dat hij hun vandaag nog afwisseling kon bezorgen.

Heel vroeg in de ochtend was hij uit Zürich vertrokken, hij had in Kassel nog voldoende tijd willen hebben om zich in een hotelkamer een beetje op te knappen. Nu zou hij daar pas op het allerlaatste moment arriveren. Als hij al op tijd kwam.

Nee, de trein had geen vertraging, verzekerde de conducteur hem, hij wist niet hoe het in Zwitserland was, maar in Duitsland reden de treinen op tijd.

Dat moest je toegeven, zei een vertegenwoordiger in kunsthoning, er was veel verbeterd. In zijn branche in elk geval wel, beaamde een reiziger in lederwaren, vooral laarzen liepen als een tierelier. Met alles kon je het natuurlijk niet eens zijn, begon een derde, er waren dingen die eigenlijk niet door de beugel konden. Maar de anderen wilden niet over politiek praten en liever een potje klaverjassen.

Boven de zitplaatsen in de coupé hingen foto's: feestelijk versierde gebouwen met vakwerkgevels en bergtoppen die zich in romantische meren weerspiegelden. 'Duitsers, houd vakantie in Duitsland!' stond eronder. Op één foto hield een meisje in klederdracht een bos bloemen in haar arm en glimlachte verlegen vanonder haar met linten versierde kapje.

Ik weet niet eens hoe ze eruitziet, dacht Arthur.

Hij had het haar moeten vragen, natuurlijk, hij had om foto's moeten vragen, maar in het begin had hij aan zoiets helemaal niet gedacht en nu was er de censuur en je wist niet wie de brieven las. Het moest allemaal heel vanzelfsprekend en afgesproken lijken. Niets mocht erop wijzen dat het bij dit huwelijk alleen maar om een Zwitserse pas ging.

Daarom had hij haar niet eens een officieel aanzoek gedaan, hij had in zijn brief gedaan alsof alles allang duidelijk was tussen hen. Volkomen onaangekondigd had hij haar geschreven dat hij van zijn kant de noodzakelijke papieren voor hun huwelijkssluiting bij elkaar had en hoopte dat zij van haar kant ook spoedig zover zou zijn, en dat men hem overigens nog eens had bevestigd dat het voor de echtgenote van een Zwitsers staatsburger geen probleem was om het land binnen te komen.

Ze moest de groeten hebben van Irma en Moses, die zich er al op verheugden haar Zwitserland te laten zien.

'Vooral de stad Zürich,' had hij er tussen haakjes aan toegevoegd.

Zij had net zo zakelijk geantwoord, in een korte brief zonder verrassing en zonder protest. Ze herinnerde hem er alleen aan – ze schreef echt 'herinneren' – dat hij in geen geval mocht vergeten het bewijs van zijn niet-arische afstamming mee te brengen, anders zouden ze bij de burgerlijke stand aannemen dat hij een Zwitser van Duitsen of aanverwanten bloede was, en dan was een huwelijk met een jodin niet toegestaan.

Hij had zijn lidmaatschap dus door de Israëlitische Geloofsgemeenschap laten bevestigen en het notarieel gewaarmerkte papier dom genoeg in zijn pas bewaard, waarin het kerkgenootschap niet eens vermeld stond. Als hij het gewoon in zijn zak had gestopt ... 'Meijer' klonk goed Zwitsers, waarschijnlijk hadden ze hem dan met rust gelaten.

François of Hinda zou hem voor zo'n onachtzaamheid hebben gewaarschuwd, maar hij had zijn broer en zus niets over deze reis, over deze huwelijksreis, verteld. Ze zouden het hem toch maar hebben afgeraden. François zou hem punt voor punt voorgerekend hebben waarom het niet zou lukken, nooit ofte nimmer, en Hinda zou haar hoofd geschud en gezegd hebben: 'Echt, Arthur je kunt je pogingen om de wereld te verbeteren ook overdrijven.'

Voor de tweede keer in zijn leven had hij om de hand van een vrouw gevraagd en weer was het een vrouw die hij helemaal niet kende.

Nog minder dan Chaje Sore Wasserstein. Haar had hij tenminste een keer gezien, op die avond in de loofhut. En hij had zich meteen verplicht gevoeld ...

Hij wist niet eens hoe ze eruitzag.

Misschien was ze lelijk. Niet dat dat belangrijk was, natuurlijk niet, maar je zou toch elke dag aan tafel tegenover elkaar zitten, misschien moest je zelfs in dezelfde kamer ...

Hij had bij dr. Strauss geïnformeerd, de advocaat, het betrof niet hem persoonlijk, had hij gezegd, maar een van zijn patiënten, maar uit pure nieuwsgierigheid interesseerde het hem toch wat in zulke gevallen het gebruik was. Dat werd door de instanties gecontroleerd, zei dr. Strauss, ze kwamen ook na een jaar of zelfs na twee nog langs om na te gaan of het huwelijk echt bestond. Ze belden onaangekondigd aan en lieten zich de badkamer tonen, of er inderdaad twee tandenborstels in de glazen stonden. Ze bekeken de slaapkamer.

De slaapkamer.

Arthur kon het zich allemaal niet voorstellen.

Hij wist niet eens welke kleur haar ze had.

Misschien zou hij voor de burgerlijke stand staan en haar niet herkennen.

En zij hem niet.

Hij had eens over een vrouw gehoord, bij de streng orthodoxen, die haar man had gekregen via een sjadchen, en toen men onder de choepe haar sluier optilde en ze hem voor het eerst zag, had ze moeten overgeven, zo lelijk vond ze hem.

Maar de mensen zeiden dat het toch nog een gelukkig huwelijk was geworden.

Zou ze verwachten dat hij haar kuste?

Zevenenvijftig jaar was hij en bang dat hij daarbij onhandig zou doen. Belachelijk.

Zevenenvijftig jaar.

Twintig jaar verschil.

Je kunt je pogingen om de wereld te verbeteren ook overdrijven.

Maar Irma zou met haar schele ogen naar hem glimlachen. En Moses zou in alle kussens in huis met de zijkant van zijn hand een perfecte knik slaan.

Hij moest een paar kussens kopen. De oude leren stoelen wegdoen en een bank aanschaffen. Zodat ze 's avonds als een echt gezin bij elkaar konden zitten.

In het weekend zouden ze naar de dierentuin gaan. Eén keer per jaar naar de lenteoptocht. En ze zouden op vakantie gaan.

Duitsers, houd vakantie in Duitsland! Duitsers, houd vakantie in Duitsland!

Waarom ratelde die reclamekreet in zijn hoofd, op het ritme van de wielen? Hoezo zat hij plotseling alleen in de coupé?

Hij moest in slaap gevallen zijn, hij wist niet hoe kort of hoe lang.

Buiten voor de ramen gleed als in een propagandafilm een gelukkig landschap voorbij.

Duitsers, houd vakantie in Duitsland!

Op de akkers haalden boeren onder een wolkeloze hemel de laatste oogst binnen. In de dorpen deden tevreden burgers hun werk. Voor de slagbomen stonden de mensen met een geduldig gezicht te wachten.

Het was allemaal heel normaal.

Normaal?

Arthur was op weg om met een wildvreemde vrouw te trouwen.

Misschien kwam hij niet op tijd. Misschien zou het dan onmogelijk zijn om een andere datum af te spreken. Misschien was alles al afgezegd als hij arriveerde.

Hoe laat was het eigenlijk?

Ooit zou hij een polshorloge moeten kopen. Elke keer eerst een dekseltje openklappen om de tijd af te lezen, dat was veel te omslachtig. Tegenwoordig droeg niemand zijn horloge meer aan een zware ketting in zijn vestzakje. Hij moest zich aanpassen, flexibeler worden. Nu, met al die nieuwe verplichtingen.

Maar misschien liep hij alles mis. Zonder dat hij er iets aan kon doen. Hij had in de goede trein gezeten, in de vroegste die er was, maar ze hadden hem eruit gehaald en de volgende ging pas drie uur later. Als het stadhuis niet vlak bij het station was ...

Nee, zei de conducteur, de internationale treinen stopten in Kassel-Wilhelmshöhe. Om in de stad te komen moest hij daar nog overstappen in de lokale trein naar het centraal station, of een taxi nemen als hij erg veel haast had.

Had hij haast?

Als kleine jongen voor het panopticum had hij bijna niet kunnen wachten om alle geheimen te leren kennen. 'Een jongeling, wiens hete dorst naar kennis hem naar Saïs in Egypte dreef.' En toen hij Joni voor het eerst had gezien ...

Wat had Joni bij het afscheid gezegd? 'Een gezin zou ook voor jou het beste zijn. Je zou een fantastische vader zijn.'

Tussendoor, als ze een grotere plaats naderden, reed de trein heel langzaam, vaak bleef hij bijna staan, en elke keer wist Arthur niet of hij daar blij om moest zijn. Maar op het eerstvolgende station vertrokken ze dan weer precies op tijd. Zoals het hoorde in een land waar ze zoveel waarde hechtten aan orde.

Het traject liep nu door een bos en aan weerszijden stonden de bomen keurig opgesteld, in het gelid aangetreden voor de houthakker.

Door dorpen die neergezet waren alsof ze uit een bouwdoos kwamen. Steeds weer door hetzelfde dorp.

Langs een kazerne die eruitzag als een fabriek en langs een heleboel fabrieken die eruitzagen als kazernes.

En toen, veel te laat, veel te vroeg, stopte de trein.

Voor het met krullen versierde station stond maar één taxi en die wilde hem eerst niet meenemen. Kapotte koffers boezemen geen vertrouwen in, net zomin als schoenen zonder hakken. Pas de bankbiljetten in zijn portefeuille maakten de chauffeur vriendelijker. Arthur betaalde vooruit en werd waarschijnlijk afgezet. Dat maakte nu ook niet meer uit.

Hij had niet kunnen zeggen wat hij had verwacht, maar de stad waar ze doorheen reden zag er tot zijn verbazing heel gewoon uit. Een dagelijks leven had hier voor zijn gevoel helemaal niet meer mogen bestaan. Maar er was niets opvallends te zien. Mensen, auto's, winkels. Net als overal. Het had ook Zürich kunnen zijn. Als niet overal die vlaggen met dat verdraaide kruis hadden gehangen.

Toen Arthur hem uitlegde dat hij haast had, leek dat de chauffeur plezier te doen. Hij schoof zijn pet in zijn nek en maakte al toeterend de weg vrij.

'Bent u Zwitser?' vroeg hij.

'Ja.'

'Hoort ook bij ons,' zei de chauffeur en hij knikte als iemand die geheime informatie heeft. 'Net als Oostenrijk. U zult nog eens zien.'

In de loop van de rit werd hij steeds spraakzamer. Hij behandelde Arthur zoals een rijke oom een arm familielid en noemde trots de bezienswaardigheden waar ze langskwamen, het Landesmuseum en de Torwache.

Toen sloegen ze de Königsstraße in.

De straat waar de man van Rosa Pollack was overreden.

'Hier is het stadhuis,' zei de chauffeur. 'Wilt u de burgemeester bezoeken?' Hij lachte en toen hij wegreed zwaaide hij nog een keer naar Arthur, die met zijn dichtgebonden koffer op het trottoir stond als iemand die gestrand was.

Op de grote klok boven de ingang – geflankeerd door twee stenen leeuwen, ook dat had in Zürich kunnen zijn – zag hij dat hij op tijd was. Tien minuten te vroeg zelfs. Nu moest hij alleen de goede kamer nog zien te vinden.

Zou hier een portier zijn bij wie hij zijn koffer kon neerzetten?

En toen kwam er een vrouw uit het stadhuis, een opgewonden dikke vrouw met een klein boeket in haar hand, ze keek zoekend om zich heen en rende op Arthur af. Hoe dichter ze bij hem kwam, hoe langzamer ze liep, ze begon steeds meer te aarzelen en keek naar hem zoals je naar een cadeau kijkt dat je al vanuit de verte niet aanstaat, maar waar je uit pure beleefdheid toch een beetje blij om moet doen.

Ze keek naar zijn koffer, de kapotte schoenen, het colbertje waar de voering uit hing. Hij had zijn jas toch beter aan kunnen houden in plaats van hem over zijn arm te dragen.

'Arthur Meijer?' vroeg ze. Het was duidelijk aan haar te merken dat ze zich graag had vergist. 'Bent u Arthur Meijer?'

Ze was zo lelijk.

Een pafferige vrouw die haar gezicht met poeder een betere teint had proberen te geven. Een bonte jurk die overal om haar lichaam spande. Het opgezette, verkleurde litteken van een ondeskundige inenting op haar linkerbovenarm.

'Ja,' zei Arthur, 'ik ben …' Hij moest zijn koffer, dat samengebonden, onooglijke overblijfsel van een koffer, eerst op de grond zetten om zijn hoed te kunnen lichten. 'Arthur Meijer,' stelde hij zich voor en hij maakte zonder het te willen een buiging zoals hij dat de kleine Moses had zien doen.

Ze schudde ongelovig haar hoofd.

Haren op de bovenlip, korte stekelige haren. Dat was iets wat hij bij vrouwen altijd al verschrikkelijk had gevonden.

'Ik had me u anders voorgesteld,' zei ze.

'En ik …' Maar hij was er nu eenmaal aan begonnen, hij had het plechtig beloofd zonder dat iemand hem erom had gevraagd, hij had niemand de kans gegeven het hem uit het hoofd te praten en daarom hoorde hij nu in te slikken wat hem voor op de tong lag. In plaats daarvan zei hij: 'Die lui hebben mijn schoenen kapotgemaakt.'

In haar verbazing stak ze haar tong uit, waardoor haar gezicht een babyachtig onnozele uitdrukking kreeg.

'De douaniers,' probeerde hij uit te leggen. 'Ze hebben me uit de trein gehaald en …'

'We moeten opschieten.' Ze zuchtte een keer diep, zoals je doet voor onaangename, maar onvermijdelijke beslissingen, en pakte toen, voor hij het zelf kon doen, zijn koffer. Hoewel het toch helemaal niet zo warm was, had ze zweetvlekken onder haar oksels.

Zwijgend en zonder zich er ook maar één keer van te vergewissen dat hij haar volgde, kloste ze voor hem uit de trap op. Benen als de dikke Christine, dacht hij. Pas op de derde verdieping bleef ze voor een deur staan, zonder te hijgen, hoewel dat gezien haar gewicht toch te verwachten was geweest, en ze legde hem uit: 'Eigenlijk is de mooie trouwkamer beneden, allemaal eiken houtsnijwerk, maar die is alleen voor arische huwelijken.'

'Ja,' zei hij gelaten, 'dan moet het maar,' en hij wilde haar een arm geven.

Ze keek hem aan zoals ze hem al de hele tijd had aangekeken, ongelovig en teleurgesteld, en deed een stap opzij. 'We zullen er het beste maar van hopen,' zei ze. 'Geef uw jas en uw hoed maar aan mij. Het is beter als u de handen vrij hebt. En schiet op! Rosa wacht binnen al.'

72

De volgende ochtend waren ze al voor het eerste zonlicht op het station. Als er een nog vroegere trein was geweest, zouden ze die ook genomen hebben. Arthur had haast om terug naar Zwitserland te gaan en Rosa wist niet hoe gauw ze Duitsland moest verlaten.

Ze zaten tegenover elkaar en waren getrouwd.

Het was nog donker geweest toen ze vertrokken. Nu werd het buiten langzaam licht, maar ze hadden geen van beiden zin om uit het raam te kijken.

Ook in deze coupé hing boven elke zitting een schilderijlijst, alleen waren de lijsten leeg. Op de reclamefoto's had waarschijnlijk iets gestaan wat niet gewenst was en men had nog geen tijd gehad om ze te vervangen.

Er zou veel te bespreken geweest zijn, maar ze zaten zwijgend tegenover elkaar, zeiden alleen af en toe onbelangrijke zinnen zoals je die ook tegen vreemden zegt. 'Nee, ik vind het niet erg om achteruit te rijden' of 'Het gaat vast regenen vandaag'.

Ze stelden geen van de vragen die hen echt interesseerden, omdat ze niet wisten waar ze moesten beginnen. Zoals destijds in het eerste semester, dacht Arthur, toen ik met de grote anatomie-atlas thuiskwam en hem twee dagen niet open durfde te slaan. Ik zag ertegen op dat allemaal te moeten onthouden.

De werkelijkheid rende achter de trein aan en slaagde er niet in hem in te halen.

Ze zaten tegenover elkaar.

Haar gezicht – hij kon het niet anders formuleren – was precies, met heldere, duidelijke lijnen, als van een tekenaar die niet aarzelt als hij zijn strepen zet. Een zelfbewuste neus en een vastberaden kin. Korter haar dan in Zwitserland mode was, bijna jongensachtig geknipt. In haar oorlelletjes hadden gaatjes gezeten, die alweer dichtgroeiden. Misschien had ze haar oorbellen moeten verkopen.

'Je kijkt me aan alsof je me uit je hoofd wilt leren,' zei Rosa.

Maar zover was hij nog helemaal niet. Hij begon haar pas te spellen.

Ze was niet mooi, dat zou niemand op het eerste gezicht van haar gezegd hebben, maar niet elke vrouw is een vrouw voor het eerste gezicht. Hij kon zich goed voorstellen dat hij steeds opnieuw naar haar zou kijken, over een tafel heen.

Of van bed naar bed.

Nee, dat kon hij zich niet voorstellen.

'Het zal wel gaan,' zei ze, alsof ze zijn gedachten had gelezen. 'Gisteren is het ook gelukt.'

En opeens begon ze te lachen.

Net mijn zus, dacht hij. Toen Hinda nog een meisje was, schoot ze ook altijd zonder de minste aanleiding in de lach.

Rosa had een heel jonge lach. En toch was ze moeder van twee kinderen, met een lot en met herinneringen die pijn moesten doen.

Een jonge lach.

'Neem me niet kwalijk,' zei ze. 'Maar dat je echt dacht dat mijn vriendin Trude de bruid was ... Geef maar toe dat zij beter bij je in de smaak valt dan ik! Geef maar toe dat je het jammer vindt dat je met mij genoegen hebt moeten nemen.'

Nee, hij vond het niet jammer.

Het was een merkwaardige bruiloft geweest. Alleen al hoe hij voor dat stadhuis had gestaan, in een pak als een dakloze, iemand die op afgetrapte schoenen bij vreemde mensen aan de deur om een bord soep bedelt. Zo moest hij eruitgezien hebben. Of hoe ze de ringen moesten wisselen en hij ze niet van zijn sleutelbos kreeg. Eraan zat te rukken en zich tegelijk verontschuldigde. Tot zij de sleutelbos pakte en de ringen losmaakte.

Vaardige handen.

De ambtenaar van de burgerlijke stand had hun, zoals dat bij alle pasgehuwden voorschrift was, een exemplaar van *Mein Kampf* willen overhandigen en hij was al automatisch aan de officiële toespraak begonnen, maar midden in een zin gestopt omdat dit geen arische huwelijksplechtigheid was en het voorschrift niet gold. Veel andere voorschriften wel, maar dit niet. Uit pure verlegenheid had hij hen toen heel gauw de huwelijksakte laten tekenen, eerst de bruidegom, dr. Arthur Meijer, toen de bruid, Rosa Recha Meijer, Bernstein van haar meisjesnaam, weduwe van de heer Pollack, en ten slotte de getuigen, Trude Speyer en dr. Saul Merzbach. Met Trude had Rosa op de kweekschool gezeten; dr. Merzbach had haar kinderen op de wereld geholpen en was, nu hij niet meer in het ziekenhuis mocht werken, hun huisarts. Arthur kon zich de naam herinneren; hij had hem gelezen onder de gezondheidsverklaring die Irma en Moses nodig hadden gehad voor hun reis naar Heiden.

Bij Merzbach was ook het feest geweest. Vier mensen die bij een fles sekt belegde broodjes eten. Kun je dat een feest noemen? Eén fles sekt en toch had Arthur het klaargespeeld om daarvan boven zijn theewater te raken, nou ja, de opwinding, en hij had de hele dag niets gegeten.

Na zijn ontslag uit het ziekenhuis had dr. Merzbach zijn praktijk naar zijn eigen huis moeten verplaatsen; niemand wilde iets aan hem verhuren. De vertrouwde geur van carbol en netheid maakte Arthur onvoorzichtig, en natuurlijk de alcohol en de opwinding. Toen Trude in de kamer ernaast een grammofoon ontdekte en erop stond dat de bruid en de bruidegom met elkaar dansten, nu meteen, een mitswetentsl, protesteerde hij niet eens. Hij was natuurlijk gestruikeld en bijna samen met Rosa gevallen. Waarop dr. Merzbach hem een paar schoenen van zichzelf wilde geven, met hakken. Jawel, jawel, dat kon Arthur gerust aannemen, vroeg of laat zou hij toch het meeste moeten weggeven, hij had geïnformeerd: in Zuid-Amerika hadden ze artsen nodig.

Maar de schoenen hadden niet gepast.

Trude, die goed was in zulke dingen, repareerde de zoom van zijn colbertje.

Hun koffers hadden al die tijd naast elkaar gestaan, dat beeld had Arthur in zijn geheugen geprent, die van hem, kapot en bij elkaar gebonden, en de twee van haar met de lichte vlekken waar ze de stickers had weggekrabd, de laatste overblijfselen van mooie belevenissen waar ze niet meer aan herinnerd wilde worden. Twee koffers, meer nam ze niet mee uit haar oude leven. Ze had de bagage 's middags al naar dr. Merzbach gebracht. Naar het kamertje bij de oom met de hartkwaal wilde ze niet meer terug.

Ze hadden daar ook geslapen, die paar uur tot ze weer op moesten. Rosa sliep op de canapé en Arthur in een stoel. Hun kleren hielden ze aan en dat vond hij wel zo prettig.

Hij kon het zich niet voorstellen.

Rosa had gezegd dat niemand hen naar het station hoefde te brengen, maar Trude was toch meegegaan en had een beetje gehuild.

Buiten begon het te regenen. Eerst heel licht, zodat je het spoor van elke afzonderlijke druppel op de ruit kon volgen, en toen steeds harder, tot het landschap als achter een melkglazen ruit vervaagde.

'In een van je brieven,' zei ze zachtjes, 'heb je geschreven dat ik van de mooie dagen moet genieten. Denk je dat ze nu beginnen?'

'Ik zal mijn best doen.'

Ze schudde haar hoofd. 'Die Goliaths! Zelfs voor het weer willen ze verantwoordelijk zijn.'

Als ze lachte loenste ze een heel klein beetje, niet zo erg als Irma, maar het was goed te zien. Hij was blij met die observatie. Waardevolle dingen horen veel meer bij je als je ook de verborgen foutjes kent.

Hij had zich vergist: ze was toch een mooie vrouw.

Terwijl hij …

Zou ze liefkozingen van hem verwachten? Of ze alleen maar dulden? Arthur voelde zich alweer schuldig.

Bij de huwelijksplechtigheid had hij haar gekust, natuurlijk, maar dat had niets met hen beiden te maken gehad, het was slechts een formaliteit geweest. 'Gaat u zitten, geeft u mij uw papieren, kust u de bruid!' Een ritueel. Als zijn patiënten zich voor hem uitkleedden waren ze ook niet echt naakt, maar hadden ze alleen hun lichaam meegebracht, zoals je een horloge dat niet meer gelijkloopt, naar de horlogemaker brengt.

Maar ze was geen patiënte. Ze was …

Een smalle taille onder de gebloemde jurk.

Ze was nu zijn vrouw.

Rosa Meijer.

'Rosa Recha Meijer.'

Hij moest de naam hardop gezegd hebben, want ze knikte en herhaalde hem een paar keer, zoals iemand die een woord in een nieuwe taal in zijn geheugen wil prenten.

Rosa Recha Meijer.

'Denk je dat je eraan zult wennen?'

Ze pakte zijn hand en streek heel langzaam langs de omtrek van zijn vingers. Haar hoofd hield ze daarbij schuin en er viel een haarlok in haar gezicht.

'Je hebt goede handen,' zei ze ten slotte en hoewel ze zijn vraag niet had beantwoord, was hij tevreden.

Op het volgende station kwamen er twee luidruchtige vrouwen in de coupé. Ze praatten over hun mannen en hun buurvrouwen en lieten zich door het paar bij het raam niet storen.

'Ze zijn allemaal even lastig,' zei de een en de ander gaf haar gelijk en beaamde: 'Ja, dat is zo, maar je moet ze nemen zoals ze zijn, er zijn geen anderen.'

Als iemand zich illusies maakte over de mensen, was dat zijn eigen schuld, zei de eerste en de andere knikte en zei: 'Maar zo dom zijn wij tweeën allang niet meer, wij niet.'

Toen haalden ze dik met worst belegde boterhammen uit hun manden en slikten daarmee hun ergernis over de mensheid weg.

Rosa en Arthur keken elkaar aan en Rosa loenste een klein beetje. Niets verbindt sterker dan wanneer je om dezelfde dingen kunt lachen.

Bij de Zwitserse grens waren er geen problemen. De douanier bekeek de huwelijksakte, bestudeerde de datum, keek verrast op, bracht toen zijn hand naar zijn pet en zei: 'Hartelijk gefeliciteerd.'

In Basel stapten ze over en weldra zaten ze in de trein naar huis. 'Naar huis,' herhaalde Rosa en ook dat was een nieuw woord.

'Wat heb je eigenlijk voor woning?'

'Te klein voor vier personen,' zei hij heel vlug. 'Maar misschien wil Désirée met ons ruilen.' Toen moest hij natuurlijk uitleggen wie Désirée was en waarom ze Déchirée werd genoemd, hoe dat met Alfred was geweest en waarom zijn broer François een goj was. Hij werd spraakzaam zonder het te merken.

'Ik denk dat ik goed met Désirée zal kunnen opschieten,' zei Rosa.

Toen stopten ze al in Baden, waar ook weer veel te vertellen was, vervolgens reden ze door Dietikon en Schlieren, de trein minderde vaart, het was nog niet eens middag, en ze waren in Zürich.

Ze stapten uit, hij droeg haar twee grote koffers en zij zijn kleine. Opeens bleef hij staan en zei: 'We zouden ze naar het bagagedepot moeten brengen.'

'Waarom niet naar huis?'

'We zouden een omweg via Rorschach kunnen maken.' En vanwege de vraag op haar gezicht: 'Dat is de plaats waar de trein naar Heiden vertrekt.'

Als ze gelukkig was, was haar gezicht heel wat minder precies.

In Heiden rende ze het grindpad naar het kindertehuis af, op volkomen ongeschikte schoenen, ze bleef in het spoor van een wagenwiel steken en viel. Toen ze gehavend en lachend overeind krabbelde, was de hak van haar schoen afgebroken.

'We passen bij elkaar,' zei Arthur.

Haar kousen waren kapot en haar ene knie was geschaafd. 'Dan trouw je met een dokter,' zei ze, 'en als je hem een keer nodig hebt, bindt hij alleen een zakdoek om je knie.'

Juffrouw Württemberger was niet blij hen te zien. Met uurroosters, dagroosters, weekroosters probeerde ze uit Wartheim de chaos te verdrijven die overal op de loer ligt waar mensen en vooral kinderen zijn, en nu dook opeens die dokter Meijer op, op een dag die helemaal niet bestemd was voor het onderzoeken van vrouwenverenigingskinderen, hij stond gewoon in haar kantoor en had ook nog zijn vrouw meegebracht, terwijl er altijd was gezegd dat hij een verstokte vrijgezel was. Een vrouw met kapotte kousen en schoenen. Als een landloopster. En vervolgens, alsof het de normaalste zaak van de wereld was, wilde hij dat Irma en Moses werden geroepen, op staande voet, terwijl die twee keukendienst hadden en als daar vier handen ontbraken liep alles in het honderd en zou het avondeten nooit op tijd op tafel staan. En vanwege de speciale behandeling die Irma nodig had in verband met haar ziekte, had ze met die twee al genoeg te stellen.

'Ze is niet ziek meer,' zei Arthur.

Nou ja, zei juffrouw Württemberger terwijl ze naar vluchtelingen uit haar knotje speurde, nou ja, ze had de laatste tijd soms ook de indruk gehad dat het aanzienlijk beter ging met het meisje, maar aan de andere kant ...

'Ze is weer helemaal gezond.'

Hoe hij dat dacht te weten, zonder het kind gezien te hebben.

'Met die goede verzorging van u kan het niet anders,' zei Arthur.

En toen speelden zich taferelen af – in juffrouw Württembergers privékantoor! – taferelen speelden zich af, met kreten en omhelzingen en kussen en tranen, taferelen waarvoor in een volgens wetenschappelijke principes geleid kindertehuis gewoon geen plaats was. En die dr. Meijer, die op de een of andere manier overal de schuld van was, ze zou er nog wel achter komen wat voor spelletje hij speelde, die dr. Meijer stond er met zijn armen over elkaar bij en trok een gezicht alsof hij een prijs had gewonnen. Hij liet zich ook zelf door de kinderen aflebberen, zelfs door het meisje, een volwassen man. Primitief was dat, ja, dat was het woord: primitief.

En toen ook nog de spullen van de kinderen gepakt moesten worden, nu meteen, omdat ze hen zouden meenemen, gewoon meenemen, gewoon zomaar, toen elke verwijzing naar regels en ambtelijke wegen gewoon van de tafel werd geveegd, gaf juffrouw Württemberger verrassend snel toe. Ze stond er alleen op dat dr. Meijer schriftelijk bevestigde dat hij de volledige verantwoording voor de beide kinderen op zich had genomen. Je moest je voor alle zekerheid indekken. Wat hier ook achter zat, ze was blij dat ze er niets meer mee te maken had. Jawel, blij was ze. Opgeruimd stond netjes!

Ze stuurde zelfs, om er zeker van te zijn dat ze ook echt vertrokken, Köbeli met de handkar mee naar het station.

In de trein maakten Irma en Moses ruzie wie bij Rosa op schoot mocht zitten. Als de wijze Salomo besloot ze dat er bij elke halte gewisseld zou worden; wie niet aan de beurt was, moest genoegen nemen met Arthurs schoot. Toen Irma zich voor het eerst tegen hem aanvlijde en haar magere armpjes om zijn hals sloeg, moest hij zijn bril afzetten en over zijn neusrug wrijven. Zijn ogen waren van het lange reizen ontstoken, legde hij uit.

Sinds haar moeder er was, leek Irma jonger. Dat kwam waarschijnlijk omdat ze de verantwoordelijkheid weer terug mocht geven.

'Het is allemaal dankzij mij,' fluisterde ze Arthur in het oor. 'Omdat ik zo goed ziek ben geweest.'

Bij het overstappen in Rorschach kocht Arthur in de kiosk vier zakjes bruispoeder, natuurlijk met aardbeiensmaak, en Irma leerde iedereen hoe je bloed spuugt. Moses was eerst bang voor het spelletje, tot Arthur hem uitlegde dat bruispoeder het beste geneesmiddel was dat er bestond. Toen deed hij enthousiast mee en van plezier kwijlde hij zijn hele trui vol.

Een heer op leeftijd vouwde geërgerd zijn krant op en beklaagde zich erover dat Arthurs kinderen in een treincoupé, waar ze tenslotte niet alleen waren, zoveel lawaai maakten. 'Terwijl we helemaal niet zijn kinderen zijn,' zei Moses.

Toen ze eindelijk arriveerden, was het al avond. Ze moesten een taxi nemen, zo veel koffers waren er uit Kassel en Heiden gekomen. Moses wilde weten waarom er in Arthurs koffer zo'n grote spleet zat en Rosa antwoordde: 'Dan kan er frisse lucht bij zijn spullen komen.'

In Arthurs woning waren niet genoeg bedden. Hij was een onpraktische vrijgezel en had aan zoiets niet gedacht. Maar ze legden matrassen op de grond en zochten dekens bij elkaar. Arthur trok zich terug in zijn slaapkamer en Rosa en de kinderen sliepen naast elkaar op de grond, als in een vakantiekamp. Het was waarschijnlijk de beste oplossing; Irma en Moses zouden hun moeder toch niet hebben losgelaten.

Om de volgende dag te kunnen ontbijten, moesten ze eerst met z'n allen boodschappen gaan doen. Irma was apetrots dat ze haar moeder het Zwitserse geld kon uitleggen.

Arthur dekte de tafel met het mooie servies van sarguemine en ze aten alles door elkaar: brood en honing en perziken en chocola. Omdat ze vergeten waren cacao te kopen, kregen de kinderen in plaats daarvan een slok koffie in hun melk en ze voelden zich heel volwassen.

Tijdens dit ontbijt ontdekte Arthur een kleine eigenaardigheid bij zijn vrouw: na elke hap likte ze met het puntje van haar tong haar mondhoek schoon. Steeds de rechter. Hij staarde haar daarom zo gefascineerd aan dat ze vroeg: 'Wat ben je nu weer uit je hoofd aan het leren?'

Naderhand verkenden de kinderen de woning. Moses ontdekte de tekening die hij voor Arthur had gemaakt. Daarna wilde hij de boeken in de kast tellen, maar het waren er te veel. 'Staan daar allemaal verhalen in?' vroeg hij. Met de superioriteit van een twaalfjarige legde zijn zus hem uit dat Arthur dokter was en daarom natuurlijk alleen maar boeken had waar je iets uit kon leren.

'Ook uit romans kun je iets leren,' zei Arthur terwijl hij tegen haar knipoogde. Irma had haar kunstje graag nog een keer opgevoerd, maar er was geen bruispoeder meer.

De bronzen krans van eikenloof met het verschoten blauw-witte lint vonden de kinderen bijzonder interessant. Toen Arthur beweerde dat hij die ooit als worstelaar had gewonnen, loenste Irma sceptisch naar hem, maar Moses vond het begrijpelijk dat een Goliath elke wedstrijd wint.

Ze probeerden ook vergeefs uit de Tantalus de opgesloten fles te bevrijden, waar nog altijd een donker geworden restje van de goudkleurige vloeistof in zat. Irma wilde niet geloven dat het al bijna honderd jaar niemand gelukt was er een slok van te nemen. 'Ik zou het slot gewoon opengebroken hebben,' zei ze.

'En als het spul dan niet lekker is?'

'Dat zou me niet kunnen schelen,' zei Irma. 'Dan wist ik het tenminste.'

Arthur had zich voorgenomen er deze dag nog niet echt te zijn en zich bij niemand te laten zien. Morgen of overmorgen zou het nog vroeg genoeg zijn om de familie op de hoogte te brengen van alle verrassende veranderingen in zijn leven. Hij had zich proberen wijs te maken dat hij vóór morgen of overmorgen wel de juiste vorm voor die mededeling gevonden zou hebben.

Maar even later werd er aangebeld en toen hij opendeed, stond Hinda met een grote bos bloemen voor de deur.

'Waar is je vrouw?' vroeg ze.

Hij moest er wel erg dom uitgezien hebben met zijn verbaasde gezicht, want ze zei heel meewarig 'Arthur!', zoals ze als oudere zus altijd al 'Arthur!' had gezegd als haar kleine broertje de wereld niet begreep. 'Wanneer iemand uit Zürich trouwt, of hij dat nu hier doet of ergens anders, dan hangt de huwelijksafkondiging vier weken lang aan het stadhuis. Heb je daar niet aan gedacht?'

Nee, daar had hij niet aan gedacht.

'De hele gemeenschap heeft het erover. Zalman zegt: "Als hij er een geheim van wil maken, laat hem dan toch." Maar nu het gebeurd is ... Ik ben gewoon te nieuwsgierig. Waar is ze?'

Ze wisten alles al.

Ze wisten nog helemaal niets, want over de twee kinderen had niets in de afkondiging gestaan.

'Anders had ik toch cadeautjes voor ze meegebracht!' Hinda was heel teleurgesteld.

'Dat geeft niet,' zei Irma. 'Dat mag later ook nog.' Toen praatten ze allemaal door elkaar, ze konden niet de juiste woorden vinden en hadden er daarom bijzonder veel nodig, ze moesten elkaar aankijken en omhelzen en weer aankijken, en Arthur stond er voor één keer niet naast maar er middenin, op een verlegen manier trots en op een trotse manier verlegen.

'Je bent een bofkont,' fluisterde Hinda hem in het oor. 'Waar heb je haar eigenlijk leren kennen?'

'Op het stadhuis natuurlijk,' zei Arthur. 'Waar leer je je vrouw anders kennen?'

73

Chanele stierf zo ordelijk als ze had geleefd.

Ze legde – wat ze ondanks haar verwardheid ook in het tehuis nooit vergat – 's avonds nog de spullen voor de volgende dag klaar; ze had dat altijd gedaan om zich 's morgens zonder tijdverlies te kunnen aankleden en naar de zaak te gaan. Maar ze stond niet meer op, ze bleef gewoon liggen en had geen haast meer. Haar lichaam vertoonde geen onaangename uiterlijke sporen van de dood, alsof ze ook op dat punt praktisch had gedacht en de chevre het werk had willen verlichten. Alleen haar dunne witte haar lag verward op het kussen, een wanordelijke aanblik die ze haar leven lang niemand had gegund. De donkere sjeitel waarmee iedereen haar kende, hing op zijn standaard te wachten en was niet meer nodig.

De witte lijn van haar wenkbrauwen trok een streep door haar gezicht, een rekening die opgeteld en voldaan is.

In een bejaardentehuis is sterven niets bijzonders, niet meer dan een laatste hindernis die iedereen nog moet nemen. Men hield er rekening mee en was voorbereid. Routine. Meer toestanden dan al het andere gaf meestal de strijd om wie de kamer zou krijgen, bij deze kamer helemaal omdat Chanele immers de beste van het hele huis had gehad, die met uitzicht op de straat waar je van verre kon zien dat er bezoekers aankwamen, ook al herkende je ze niet meer.

In het telefoongesprek met François zei mevrouw Olchev wat ze altijd tegen de nabestaanden zei: het ergste van het ergste had zich nu echt voorgedaan, maar ze had alle noodzakelijke maatregelen al getroffen. Meneer Meijer kon volkomen op haar vertrouwen, zei ze, hij hoefde zich nergens druk over te maken. Hoewel ze wist dat dat geen echte troost voor hem kon zijn, natuurlijk niet, deed het hem misschien toch goed om te horen dat zijn moeder – zo'n sympathieke vrouw! – heel vredig was ingeslapen, in zekere zin, als ze dat beeld mocht gebruiken, door de hemelpoort was geglipt zonder er lang voor te hoeven wachten. En, zoals gezegd, alles was geregeld. Zij, mevrouw Olchev, had aangenomen dat meneer Meijer het goedvond dat ze de chevre liet komen, zodat alles volgens de oude traditie verliep, hoewel hijzelf ...

Enzovoort enzovoort, ook toen François allang niet meer luisterde.

Twee dagen later was de begrafenis. De kantonnale voorschriften stonden niet toe dat die nog op de sterfdag plaatsvond, zoals het joodse gebruik het gewild zou hebben, maar ook zo ging alles heel vlug. Er waren geen rouwbrieven verstuurd, maar er verschenen toch verrassend veel begrafenisgangers. Zulke geruchten doen ook zonder post de ronde. Uit Zürich konden echter maar weinigen het zo schikken, want Chanele werd natuurlijk naast Janki begraven, op de oude begraafplaats van de Aargause joden, en als je daar met de auto heen moet en naderhand weer terug, ben je algauw een halve dag kwijt. Al zou je de familie graag de koved bewijzen, zoveel moeite doe je ook weer niet.

De koosjere kledingfabriek had een delegatie gestuurd en ook Sally Steigrad was er. Hij ging naar de begrafenis van al zijn klanten. Er werd spottend gezegd dat je aan zijn gezicht bij het graf kon zien hoe hoog de levensverzekering was die net was vrijgekomen. In dit geval was er nog een bijkomende, in zekere zin officiële reden voor zijn aanwezigheid: hij was intussen erevoorzitter van de Joodse Turnvereniging geworden en Janki was destijds na zijn royale gift vaandelpeter geweest en Chanele dus als het ware de meter.

Uit Endingen, dat het dichtstbij lag, kwamen niet veel mensen; sinds ze overal mochten wonen, waren de oude joodse gemeenschappen geslonken. Uit Baden daarentegen kwam een hele bus, vooral oude vrouwen die de nakomelingen van de sjmattes-Meijers eens in alle rust wilden bekijken. Veelbetekenend knikkend verzekerden ze elkaar hoe goed ze in Chaneles tijd in het Moderne Warenhuis waren bediend, veel beter dan tegenwoordig, nu de rijke Schneggs daar de scepter zwaaiden, maar die hadden het ook niet nodig om hun personeel tot beleefdheid aan te sporen.

Van mevrouw Olchev en de andere vertegenwoordigers van het bejaardentehuis hielden de mensen afstand. Hun aanwezigheid herinnerde er te zeer aan dat er in Lengnau steeds weer kamers vrijkwamen.

Volkomen onverwachts verscheen op het allerlaatste moment ook Siegfried Kahn, Mina's broer, die tante Mimi jaren geleden aan Hinda had willen koppelen. Hij hield zich afzijdig en groette niemand, om te demonstreren dat hij hier enkel en alleen was om Chanele eer te bewijzen, en in geen geval de rest van de familie. Tijdens de korte plechtigheid draaide hij zijn grijs geworden uilenkop telkens weer heel boos naar de plek waar François met zijn broer en zus stond. 'Een goj heeft op een joodse begrafenis niets te zoeken,' betekende zijn blik, 'zoon of geen zoon.' In elk geval was François zo tactvol geweest om niet net als

Arthur ten teken van rouw een scheur in zijn colbertje te laten maken. Dat had hier echt geen pas gegeven. François droeg een zwarte jas met een beverkraag en zag er daarin volgens de oude inwoners van Baden heel onjoods uit.

Van de familieleden ontbraken alleen de mensen uit Halberstadt. Ruben wist misschien nog niet eens dat zijn grootmoeder dood was: het onmiddellijk aangevraagde telefoongesprek was om de een of andere reden nog niet doorgekomen. Ze hadden hem nu een telegram gestuurd, maar hij had nog niet gereageerd.

Ze rouwden, wat op een begrafenis niet vanzelfsprekend is, allemaal echt om Chanele, zij het niet om de Chanele van de laatste jaren. Met haar dood was ze in alle hoofden weer geworden zoals ze ooit geweest was.

Als iemand niet gewend is om te huilen, wordt zijn gezicht er algauw door misvormd. Hinda was geboren om te lachen en kon niet met tranen omgaan. Ze droeg haar verdriet als een vermomming, alsof ze het net als de hoed met de kleine zwarte sluier nog snel had gekocht, zonder lang over haar keuze na te denken.

Zalman luisterde met een kritisch gezicht naar de hespeed van de rabbijn. Soms, als de spreker al te zeer in clichés verviel – 'eisjes chajil, liefhebbende echtgenote, voorbeeldige moeder' –, schudde hij zonder het zelf te merken misprijzend zijn hoofd en leek hij argumenten te bedenken voor een weerwoord. Hij had het altijd heel goed met zijn schoonmoeder kunnen vinden. Chanele was vanaf het begin zijn bondgenote geweest, al op die eerste avond toen ze hem – 'Als het toch onbespreekbaar is!' – gedwongen had Hinda formeel ten huwelijk te vragen.

Lea, die naast haar vader stond, plukte steeds weer nerveus aan haar jas of schoof haar hoed recht. Er scheen iets niet in orde te zijn, want de mensen, vooral die uit Baden, staarden haar aan en fluisterden. Zelfs in haar rug voelde ze hun ogen prikken. Ze had zich over haar kleding geen zorgen hoeven maken; de oude inwoners van Baden, van wie de meesten de tweeling van Kamionker tot nog toe alleen van naam hadden gekend, verzekerden elkaar alleen maar hoezeer Lea met haar aan elkaar gegroeide wenkbrauwen op haar grootmoeder leek, haar nagedachtenis zij tot zegen. Je moest de bril wegdenken – Chanele had er nooit een gedragen, ook op hoge leeftijd niet – en dan was het echt sprekend hetzelfde ponem.

Lea's man had de fluisteraars het liefst een standje gegeven zoals op zijn school. Maar hier had Adolf Rosenthal niets te vertellen. Wie slechts bij de aangetrouwde misjpooche hoort is op lewajes onvermijdelijk een randfiguur, een rol die hem totaal niet zinde. Stijf en bijna beledigd stond hij tussen de anderen en moest zijn autoriteit bevestigen door zijn zoon meer dan eens met een por in zijn ribben tot een waardiger houding te manen.

Hillel had zijn oude sjabbespak aan en voelde zich daarin niet op zijn gemak. In de tijd op de Strickhof had hij nieuwe spieren gekregen, zodat de stof nu aan alle kanten spande. Hij had het idee dat hij met deze vermomming weer in een rol werd gedwongen die hij definitief was ontgroeid. Hij voelde zich net als Böhni. In elk geval had hij zich tegen de pet die zijn vader hem had willen opzetten, met succes verzet en in plaats daarvan vastgehouden aan het kleine gehaakte keppeltje, waaraan je zag dat hij zionist was.

Rachel droeg een donkergrijs kostuum uit de wintercollectie van Kamionker Kleding. Haar hoed was te elegant voor een begrafenis, maar moet je soms een lelijke kopen alleen maar om te voorkomen dat de mensen roddelen? Op haar kleding werd trouwens minder commentaar geleverd dan op haar rode haar: men was het erover eens dat die kleur voor een treurige gelegenheid volkomen ongepast was. Terwijl haar kapsel toch geen sjeitel was die ze al naar de omstandigheden had kunnen op- of afzetten.

Ze had haar verloofde meegebracht, een artiest of een circusman, naar verluidt. ('Een verloofde? Op haar leeftijd?' – 'Nou ja, een vette bruidsschat maakt elke bruid jonger. Zalman Kamionkers kledingfabriek schijnt te lopen als een tierelier.') Tijdens de hele plechtigheid stond Grün er even onbeweeglijk bij als hij op zijn allereerste dag voor Rachels bureau had gestaan: iemand die heeft leren wachten zoals andere mensen een beroep leren.

Telkens als Arthur zijn moeder in het bejaardentehuis bezocht, had ze gevraagd: 'Waarom heb je je kinderen niet meegebracht?' Vandaag, op de dag van haar begrafenis, kon hij die wens eindelijk vervullen.

Zijn nieuwe gezin maakte de tongen los. De archiefkast waar de openbare mening haar objecten in onderbrengt, heeft vele laden en op de zijne had altijd met koeienletters VRIJGEZEL gestaan. Hoewel hij arts was en van goeden huize, had men allang de poging opgegeven om een sjidoech voor hem te maken en nu kwam hij ineens met deze vrouw uit Duitsland aanzetten. Alsof de moeders hier geen mooie dochters hadden. Bovendien was ze te jong voor hem, veel te jong. Zoiets ging zelden goed, daar waren tal van voorbeelden van. Toegegeven: ze zag er heel aardig uit, helemaal niet opgedirkt, maar toch wilde men eerst eens afwachten hoe ze zich hier aanpaste. De kinderen leken goed opgevoed te zijn, het meisje keek alleen scheel en de kleine jongen was angstig. Moses hield namelijk de hele tijd Arthurs hand vast; volgens plaatselijk gebruik gingen hier alleen de mannen mee tot aan het graf en hij wilde zo graag een man zijn.

Désirée was de enige op wie niemand iets aan te merken had. Begrafenissen pasten bij haar en zij paste bij begrafenissen.

Op een gegeven moment was er gezegd wat er gezegd moest worden, al de gebeden en de lofredes. Niets maakt van een mens zo vlug een tsadiek als het feit dat hij dood is.

Ze gingen op weg naar de laatste mitswe die ze voor Chanele konden doen. De bladeren vielen al dagen van de bomen en onder het tapijt dat ze vormden was moeilijk te zien waar de paden ophielden en de graven begonnen. Arthur probeerde te denken aan de betrouwbare, beschermende, nijvere moeder die hij had gekend, en niet aan het in het wit gehulde lichaam dat daar met aardewerken scherven op de ogen in de houten kist lag, met een zakje aarde uit het Heilige Land als hoofdkussen.

François had hem destijds op de begrafenis van oom Salomon toegefluisterd dat er gaten in de kist werden geboord zodat de wormen vlugger bij het lijk konden komen.

Iemand – later bleek het de overijverige mevrouw Olchev geweest te zijn – had ervoor gezorgd dat de dubbele grafsteen was schoongemaakt en ontdaan van mos. De vrije helft zag er nu onfatsoenlijk leeg uit, alsof er ongeduldig was gewacht tot die als een nog niet verwerkt formulier eindelijk volgens de voorschriften kon worden ingevuld.

Janki en Chanele.

Jean Meijer en Hanna Meijer.

Geen meisjesnaam, zoals anders bij echtgenotes gebruikelijk was. Chanele had haar ouders immers niet gekend.

Hoewel de tranen als een te strak gestrikte das zijn keel dichtsnoerden, zei Arthur het Kaddisj voor zijn moeder met vaste stem. Net als destijds bij zijn bar mitswe maakte hij van het eerste tot het laatste woord niet één fout.

Chanele kon trots op hem zijn.

Eén voor één gooiden ze een handvol aarde op de kist, maar ze slaagden er niet in het deksel helemaal te bedekken. De aangestelde doodgravers stonden met hun schoppen op de achtergrond te wachten en probeerden uit beleefdheid te kijken alsof juist dit sterfgeval hen diep had getroffen.

De nabestaanden liepen door de haag van begrafenisgangers en lieten het gemompel van de voorgeschreven woorden over zich heen gaan. 'Moge God je troosten onder de rouwenden van Sion en Jeruzalem.' Even deed het hun goed, maar het was geen echte troost, zoals ook een korte motregen op een hete dag niet echt verkoeling brengt.

Toen was het achter de rug en konden ze allemaal in hun auto's stappen en weer naar Zürich rijden. Waarom zouden ze de sjivve in Lengnau houden, waar hun moeder in het bejaardentehuis al die jaren slechts op bezoek was geweest? Ze zouden bij Zalman en Hinda gaan zitten, onder de sjabbeslamp die Chanele als jong meisje in Endingen zo vaak had gepoetst.

Hoe lang was dat nu al geleden? Oom Salomon was nog slechts een herinnering en tante Golde zelfs dat niet eens.

François en ik zijn de laatste Meijers, dacht Arthur. Na ons komt er niemand meer.

Voor Arthurs nieuwe gezin was zijn kleine Topolino precies goed. Irma en Moses waren er vast van overtuigd dat de voor volwassenen veel te kleine achterbank altijd al voor hen bestemd was geweest.

Hij moest zijn ogen op de weg houden en kon niet naar Rosa kijken. Maar juist dat gaf hem de moed haar de vraag te stellen die hem bezighield sinds hij bericht had gekregen dat zijn moeder dood was. Veel dingen kon je makkelijker zeggen als je de ander niet in de ogen hoefde te kijken. Dat was altijd al zijn ervaring geweest.

'Zou jij je voor kunnen stellen ...' begon hij.

'Ja?'

'Zou jij je voor kunnen stellen dat Irma en Moses ... Ik bedoel, nu we ... Het hoeft niet meteen. Zou jij je dat voor kunnen stellen?'

Later, toen het allang vanzelfsprekend was dat ze bij elkaar hoorden, zei hij vaak tegen haar: 'Dat je me destijds begreep, toen ik zo zat te stotteren – op dat moment wist ik dat ons huwelijk niet zomaar een pragmatische verbintenis was.'

'Ja,' zei Rosa, 'ik ben het ermee eens dat de kinderen jouw naam aannemen. Er moeten toch ook in de toekomst nog Meijers zijn.'

Zonder dat het uitdrukkelijk was besproken of besloten, was Zalmans woning in de Rotwandstraße de plaats geworden waar de familie bijeenkwam als er iets te vieren of te treuren viel. De laatste aanleiding was de verloving van Rachel en meneer Grün geweest, maar in dezelfde kamer had destijds ook de seider plaatsgevonden waarop de dronken Alfred weer bij de familie was binnengestruikeld, en aan dezelfde tafel was de fatale beslissing genomen om het liefdespaar te scheiden en Alfred naar Parijs en daarmee uiteindelijk de dood in te sturen.

Toen ze aankwamen, stond oom Melnitz hen al ongeduldig op te wachten. Hij was als altijd in het zwart en maakte toch op onverklaarbare wijze een minder ouderwetse indruk dan anders. Soms wordt een model uit lang vervlogen dagen zo ongemerkt weer mode dat je niet kunt zeggen of de oude tijden teruggekomen zijn of dat de nieuwe er altijd al waren.

Hij schoof iedereen die binnenkwam meteen de lage rouwstoel toe, een overijverige kelner die zijn gasten de specialiteiten van het huis al aanprijst als ze nog niet eens hun jas hebben uitgedaan. 'Ga zitten, ga zitten,' zei hij. 'Laten we beginnen met rouwen.'

Ze probeerden hem niet te zien, ze wilden zich al helemaal niets door hem laten zeggen en bleven staan.

Een bijzonder diepe kelnerbuiging maakte oom Melnitz voor François, hij neuriede zelfs speciaal voor hem de melodie van psalm 133: 'Hinee ma tov oema naïm …' – 'Ziet, hoe goed en hoe lieflijk het is, als broeders ook tezamen wonen.'

'Ga toch zitten, ga toch zitten!'

Ze waren het er allemaal over eens geweest dat François bij de sjivve aanwezig moest zijn. Hij had besloten geen jood meer te zijn, maar hij hoorde nog altijd bij de familie. Om hem elke pijnlijkheid te besparen, hadden ze zelfs de dagelijkse minjan afgezegd die bij een sjivve gewoonlijk op de voorgeschreven gebedsuren plaatsvindt.

'De gebeden kan Ruben zeggen,' had Hinda gezegd, maar ze hadden hem nog steeds niet kunnen bereiken. Meteen na de begrafenis probeerden ze het nog een keer en de behulpzame juffrouw van de telefooncentrale informeerde zelfs speciaal bij haar collega's in Halberstadt. Ja, het nummer was correct, zeiden ze daar, het stond ook zo in de gids, maar het was tijdelijk uitgeschakeld.

Tijdelijk uitgeschakeld.

Grün trok zijn meest uitdrukkingsloze gezicht en zei dat dat niet goed klonk.

Rachel stootte haar verloofde met haar elleboog in zijn zij. 'Als je niets anders kunt dan onheil voorspellen, Felix!' Zij was de enige die zijn voornaam gebruikte. Alle anderen noemden hem 'meneer Grün', hoewel ze hem tutoyeerden.

Ruben was tijdelijk uitgeschakeld.

De juffrouw van de centrale had gezegd dat het een uitdrukking was die ze nog nooit had gehoord. Het was in elk geval niet internationaal gebruikelijk.

Grün knikte somber. In Duitsland was er volgens hem op dit moment veel gebruikelijk dat ze in andere landen niet kenden.

'Mis,' zei oom Melnitz. 'Ze kennen het overal. Het is ook overal gebruikelijk. Omdat ze het overal al gedaan hebben. Het raakt alleen af en toe uit de mode, voor een eeuw of twee. Maar dan schiet het hun weer te binnen en hebben ze er ook weer plezier in, ja.'

Ze hoefden niet naar hem te luisteren, want hij was dood. Dood en al vele malen begraven. Niemand hoefde naar hem te luisteren.

'Ga toch zitten! Ga toch zitten!'

Niemand hoefde, alleen omdat hij hen daartoe aanspoorde, met de sjivve te beginnen.

Ruben was uitgeschakeld.

Wat kon dat betekenen?

Adolf Rosenthal probeerde te vertellen dat het telefoonnet in Duitsland bijzonder uitgebreid was. Hij had daar pas nog een artikel over gelezen in de *Neue Zürcher Zeitung.*

'Ach, hou toch je mond!' viel Lea hem in de rede. Zo had ze nog nooit tegen haar man gepraat.

Iedereen wilde veel liever de mening van Rosa horen. Zij was immers pas uit Duitsland gekomen en moest weten wat daar aan de hand was. Wat kon dat betekenen: 'Tijdelijk uitgeschakeld'?

Rosa wilde niemand bang maken, beslist niet, maar sinds de nazi's daar aan de macht waren, was het nooit een goed teken als iets opeens anders was dan anders.

'Het is niet anders dan anders,' zei oom Melnitz. 'Het is als altijd, ja.' Hij wreef in zijn handen, niet als iemand die het koud heeft, maar als iemand die gelijk heeft gekregen. 'Het is als altijd,' herhaalde hij. 'Omdat het altijd zo geweest is. We vergeten het alleen af en toe. Ga toch zitten, ga toch zitten!'

Ook zijn geur was veranderd, zoals de geur in een kelder verandert als je hem opruimt om plaats te maken voor nieuwe spullen.

Maar hij was toch dood en begraven, hij bestond niet meer, hij bestond definitief niet meer.

Hij mocht niet meer bestaan.

Bij een sjivve sluit je de deur niet af. Wie de rouwenden wil troosten belt niet aan, maar komt gewoon binnen en gaat erbij zitten.

Maar nu belde er wel iemand aan. Twee keer.

'Het antwoord van Ruben!' riep Hinda en ze rende de kamer uit.

Het was geen telegram, in ieder geval geen echt telegram. Het was alleen het antwoord van de post dat haar bericht, geadresseerd aan Ruben Kamionker, Lichtwerstraße 16, Halberstadt, onbestelbaar was.

Geadresseerde onbekend.

Wat natuurlijk onzin was. Klinkklare onzin. Ruben woonde daar, hij had daar gewoond sinds hij de functie in de Klaus had aanvaard, hij woonde daar met zijn vrouw Lieschen en de vier kinderen.

Drie jongens en een meisje.

Hij woonde daar toch.

Er moest iets gebeurd zijn.

'Ga zitten, ga zitten!' drong oom Melnitz aan. 'Laten we eindelijk beginnen met rouwen.'

1945

74

Altijd als hij gestorven was, kwam hij weer terug.

Zijn schoenen waren bedekt met stof, als na een lange, moeizame tocht, maar hij liep lichtvoetig, gewichtloos, als een danser die de muziek al hoort wanneer de instrumenten nog niet eens gestemd zijn. Op zijn tenen kwam hij binnen, als iemand die niet wil storen, en hij trok de deur zo zorgvuldig achter zich dicht als iemand die besloten heeft lang te blijven. Zijn ogen hield hij nog gesloten, niet als iemand die slaapt, maar als iemand die genoeg beelden in zich heeft opgenomen. Hij hoefde de weg niet te zien om zijn plaats te vinden. Zijn stoel stond klaar. Hij werd verwacht. Hij werd al verwacht toen er nog werd gedacht dat hij nooit terug zou komen.

Toen dat nog werd gehoopt.

Hij ging zitten en was er weer.

Hij was er al die tijd geweest.

Altijd als hij gestorven was, kwam hij weer terug.

Hij ademde de nieuwe lucht in, eerst onderzoekend, als iets vreemds, als iets wat je bent vergeten en je je eerst weer moet herinneren, daarna begerig, met snelle, ongeduldige halen. Zijn longen reutelden, als een lang niet meer gebruikte machine. Hij zei 'Ah!', zoals na de eerste koele slok water op een hete dag, opende zijn ogen, keek om zich heen en herkende hen allemaal. Hij was hen nooit vergeten. Ze ontweken zijn blikken, hij merkte het en glimlachte. 'Dit is mijn sjivve,' betekende die glimlach. 'Om mij wordt hier gerouwd. Mijn eigen sjivve waar niemand me weg kan jagen. Ik ben oom Melnitz, die zijn naam heeft van Chmielnicki.'

Oom Melnitz.

Hij kuchte en hoestte, snoot zwarte vlekken in een zakdoek zo groot als een landkaart, groot genoeg voor een lijst van alle landen waar hij het sterven ook al een keer had meegemaakt. Een witte vlag waarmee iemand zwaait die zich overgeeft.

Hij rook naar vocht, naar verrotting, naar herinneringen. Hij liet de geur van verre landen ontwaken, zoals Janki's eerste winkel de geur van kardemom en nootmuskaat had bewaard. Maar het waren geen kruiden die hij voor hen meebracht; hij kwam uit koude landen en sleepte alleen geuren mee die als een krop in de keel zaten.

Als iemand zich van hem verwijderde, ging hij niet achter hem aan, maar bleef zitten en zwaaide hem alleen maar na. In de volgende plaats zat hij al op hem te wachten, hij had het zich aan zijn tafel of in zijn favoriete stoel onder de lamp gemakkelijk gemaakt. Hij lag ook wel in zijn bed, in een lang wit hemd dat geen nachthemd was.

Hij zat tegenover hen wanneer ze aan de ontbijttafel hun krant lazen, en als ze bij het lezen schrokken en zeiden: 'Dat wisten we niet' – ze zeiden het elke dag en schrokken elke dag opnieuw –, als ze niet verder lazen en de krant weglegden en nergens meer van wilden weten omdat ze het weten niet verdroegen, dan streelde hij troostend hun handen en zei: 'Jullie hadden het aan mij moeten vragen. Jullie hadden het aan mij moeten vragen.'

Ze hadden het niet aan hem gevraagd omdat ze bang waren voor zijn antwoorden.

Hij was nooit weg geweest en was nu overal.

Aan de oever van het meer zat hij op alle banken, hij staarde met wijd opengesperde ogen in de zon, dagenlang, en toch bleef zijn huid bleek, alsof hij nooit uit de schaduw van zijn schuilplaats was gekomen. Hij liep achter alle kinderwagens aan, boog telkens diep om erin te kijken en was elke keer teleurgesteld. Hij bedelde om brood aan alle deuren, alleen om het dan hard te laten worden en te zeggen: 'Ze hebben de tanden uit mijn mond geslagen.' Waar iemand hard lachte, stond hij in de kamer en legde hij een vinger op zijn lippen, een knokige vinger waarmee hij ook op de tafel kon trommelen zodat het klonk als het gerichte salvo van een vuurpeloton. Uit alle stambomen plukte hij willekeurig namen, bewaarde ze in grote manden, onrijpe vruchten waar hij sterkedrank van wist te brouwen die niemand kon drinken zonder dat zijn ogen begonnen te tranen. In alle bibliotheken maakte hij aantekeningen in de marge van de boeken. Hij schreef met rode inkt, doopte de ouderwetse pennenschacht in zijn eigen aderen en werd bleker en bleker. Als twee mensen elkaar kusten stond hij achter hen, als ze de liefde bedreven ging hij erbij liggen en fluisterde hij hun tedere woorden in het oor die niet van hen waren, hij wist altijd nog een verhaal voor het jonge paar en nog een en nog een, en in geen van die verhalen leefden ze lang en gelukkig. Hij gaf de kinderen namen en wist telkens duizend andere kinderen te noemen die net zo hadden geheten en wie het ook slecht was vergaan. Hij krabde de stopverf uit de ramen zodat de ruiten los gingen zitten en de wind door de kamer floot. De stopverf at hij op, hij stak het begerig in zijn mond en kauwde erop zonder tanden. In zijn zak had hij een grof gesneden fluit, die haalde hij tevoorschijn, speelde eindeloos treurige melodieën en eiste dat ze allemaal meeneurieden. Hij vertelde over verre landen waar het koud was geweest, o zo koud. Hij ging dicht achter de mensen staan en sloeg zijn knokige armen om hen heen om te laten zien hoe men zich daar vergeefs had proberen te warmen. Hij zat aan alle tafels; zijn bord bleef leeg, hoeveel men hem ook opschepte. Hij stak zijn vork door zijn eigen hand en in zijn lepel kerfde hij krassen, elke dag een nieuwe. Vanuit alle spiegels glimlachte hij, bleek en geduldig, hij liet zijn gezicht als onuitwisbare verf in dat van de toeschouwer sijpelen, stak hem aan met zijn ongeneeslijke ziekte, werd een onafscheidelijk deel van hem. Algauw wist niemand meer wie hij zelf was en wie die ander.

Altijd als hij gestorven was, kwam hij weer terug.

Hij hoorde bij de familie.

Hij hoorde bij alle families.

Als ze het over Ruben hadden – en wanneer hadden ze het niet over hem? –, herhaalde hij de naam als een bezwering, 'Ruben, Ruben, Ruben.' Hinda en Zalman waren oud geworden, oud voor hun jaren, en teerden alleen nog op wat er ooit geweest was. Ze zaten onder de sjabbeslamp die niemand meer aanstak omdat de zorgen er toch niet door verdreven konden worden, ze zaten daar en bekeken steeds dezelfde foto's, telkens weer, tot hij ze uit hun handen nam en als speelkaarten waaiervormig op tafel legde. Hij telde hun de slagen voor zoals ze gevallen waren, twaalf jaar lang. Het ene spelletje na het andere en niet eentje hadden ze gewonnen. Hij wist te vertellen waar Ruben was opgehaald en waar hij naartoe was gebracht, op welke dag en op welk uur, waar hij eerst had gezeten en waar hij daarna terecht was gekomen, langs welke weg en met welk transport. Hij vertelde waar hij nog was gezien en waar niet meer, vertelde wat er met hem was gebeurd voor zijn spoor doodliep, zich onscheidbaar vermengde met de miljoenen andere sporen, die oom Melnitz ook allemaal kende en waar hij ook alles over wist te vertellen, op lange donkere dagen en in lange slapeloze nachten. Hij sprak rustig en zonder haast, als iemand die weet dat zijn verhalen nooit uitgeput raken.

Zo veel verhalen.

Hij wist te vertellen over Rubens vrouw, die van haar meisjesnaam Sternberg heette en uit Berlijn kwam en door iedereen alleen maar Lieschen was genoemd. Die twee namen waren het enige wat er van haar overgebleven was, Lieschen en Sternberg, de rest had een koude wind weggevoerd, grijs stof en vlokken as. 'Waar die wind heen waait, daar groeien de bloemen beter,' zei hij. Ze konden zich hun schoondochter niet goed herinneren, ze waren altijd alleen maar bij haar op bezoek geweest of hadden bezoek van haar gekregen en dan leer je elkaar niet kennen. Niet zoals je elkaar zou willen kennen. Ze hadden niet eens kunnen zeggen welke kleur haar ze had, de foto's waren zwart met wit, zwart met ivoor, zwart met bruin. Telkens als ze het album tevoorschijn haalden, werd het gezicht vreemder voor hen. Maar één detail vergaten ze nooit, die ene ongewone kleinigheid die van ieder mens overblijft als hij geluk heeft, dat ene detail dat als een spijker is waaraan je iets kunt ophangen, een foto of een herinnering. Lieschen hadden ze haar genoemd, ook toen ze allang een volwassen vrouw was, gewoon alleen maar Lieschen. Zelfs haar eigen kinderen hadden zich dat aangewend; dat herinnerden ze zich nog toen ze verder niets meer van haar wisten. Vier kinderen waren het geweest, drie jongens en een meisje; er was een foto waarop ze niet meer ouder werden. Oom Melnitz was de enige die hen uit elkaar wist te houden, die hun namen nog kende. De enige die nog met hen had gespeeld, en nu wilde hij ook alle anderen het spel bijbrengen, je telt af en klapt in je handen en zingt: 'Ei! ei! ei!'

Altijd als hij gestorven was, kwam hij weer terug.

Hij was een vreemdeling hier in Zürich en toch was hij er thuis, zoals hij overal thuis was waar hij ooit was verdreven. Bij het lentefeest liep hij mee in de optocht, in een klederdracht die ouder was dan die van alle anderen, hij stampte met zijn stoffige schoenen op de maat van de blaasmuziek. De boeketten die naar de anderen werden gegooid verdroogden in zijn handen, en hij groette en lachte en zwaaide en was de eregast. Op het schuttersfeest ging hij voor de schietschijven staan en knoopte zijn zwarte jas los, gebaarde naar de schutters dat ze hem niet moesten laten wachten. Hij nam ook graag de zwarte stok ter hand en wees daarmee de treffers aan, op zijn borst, op zijn buik, op zijn voorhoofd. Met luilak ging hij in de ochtendschemering van huis tot huis en trommelde hij de mensen uit hun bed. 'Om deze tijd zijn ze vaak gekomen,' zei hij.

Als Adolf Rosenthal langs de middelbare school liep – hij was nu met pensioen en had zijn autoriteit tegelijk met de sleutel van de lerarenkamer moeten afgeven –, als hij er heel toevallig langsliep, wat hij elke dag heel toevallig deed, en als hij dan omhoogkeek naar zijn oude lokaal waar niemand hem had mogen onderbreken, dan stond oom Melnitz daar bij het raam, zwaaide ongeduldig naar hem en riep: 'Je bent te laat! Mijn les is al begonnen.'

Ze konden veel van hem leren en deze keer moesten ze naar hem luisteren.

Hij had gelijk gehad.

Zoals hij elke keer gelijk had.

Hij kwam terug en vertelde.

Het vertellen bracht hem tot leven. Hij had nieuwe verhalen meegebracht, veel nieuwe verhalen, elk verhaal zo dodelijk levendig dat de oude erbij verbleekten. In de moderne tijd wordt alles groter en beter en efficiënter. Zes miljoen nieuwe verhalen, een dik boek waaruit je een generatie lang zou kunnen voorlezen zonder één keer in herhaling te vervallen. Verhalen die niet te geloven waren, zeker niet hier in Zwitserland waar ze al die jaren op een eiland hadden geleefd, op het droge midden in de overstroming. Verhalen die er bij de mensen niet in wilden, niet hier, waar de voorraden nooit opgeraakt waren. Om te koken hadden ze hun vuur aangemaakt en niet gemerkt dat ze het deden op de rug van een reusachtige vis, die maar één keer in het water hoefde te spartelen of met zijn vinnen hoefde te slaan, of ze waren al platgedrukt en gestikt en verdronken. Ze wisten het niet, hier in Zwitserland. Ze hoorden het nu pas en hadden het liever nooit gehoord.

Hij vertelde en vertelde en vertelde en was al zo vaak begraven dat het hem bijna verveelde om eraan te denken.

Het waren geen heldenverhalen die hij had meegebracht. Niet zulke als ze in dit land kenden.

Hillel bijvoorbeeld had aan de grens gestaan, vijf jaar lang. Hij had zijn vaderland verdedigd met het geweer in de hand en zou spoedig een ander vaderland verdedigen. Alleen had nog niemand het mes gevonden om dat uit de landkaart te snijden. Een held in actieve dienst was Hillel geweest, in elk geval had hij toestemming van de staat gekregen om zich een heldendom te herinneren, om het ingelijst aan de muur te hangen: een donkergroene soldaat die in de verte tuurde, zo vastberaden en waakzaam als vroeger de sjomeer op een andere foto. Oom Melnitz stond er graag voor, verdraaide zijn hoofd om de handtekening van generaal Guisan te bestuderen en zei tegen Hillel: 'Vergeet niet je geweer te poetsen.'

Melnitz hield van Zwitserland. Ook wie de oorlog vreest, speelt graag met tinnen soldaatjes. Hij hield van dit land waar ze al over honger klaagden als de chocola schaars werd. Het was interessant om de ark van Noach te bezoeken, na zijn duizendjarige reis.

In de horlogewinkels in de Bahnhofstraße liet hij de wijzers stilstaan. 'Hier verandert niets,' zei hij, 'waarom zou de tijd veranderen?' Op de Bürkliplatz liep hij van het ene markstalletje naar het andere en vroeg de boeren om rot fruit en aardappelschillen. 'Daar ben ik aan gewend,' zei hij, 'waarom zou ik aan iets anders wennen?' In het warenhuis van François ging hij in alle etalages staan, steeds achter het handelsmerk dat elke ruit sierde, hij ging zo staan dat de zon de schaduw van het merk op zijn borst wiep, waar de kring met de elkaar kruisende letters MEIER dan boven zijn hart zat als het middelpunt van een schietschijf. 'Staat het me niet goed?' vroeg hij.

Meijer met of zonder de j van jood.

Hij hield François op zijn kantoor gezelschap, schoof de foto's van Mina en Alfred opzij en ging op het bureau zitten, met een klein, bescheiden gebaar dat betekende: 'Laat je niet van je werk houden!' Hij keek hoe François de afrekeningen controleerde en kolommen optelde, knikte alleen af en toe goedkeurend en zei: 'Een mooi resultaat. Je hebt echt iets bereikt.'

Hij hield van het gerinkel van de kassa's en van de kille waardigheid van de kluizen. In de goudstaven kraste hij geheime tekens, hij kende de herkomst ervan en maakte die kenbaar. Als 's avonds de rolluiken voor de rijkdommen neerratelden, liet hij zich opsluiten, bestudeerde de keurige kolommen in de boeken en bleef maar lachen.

In het donker ging hij vaak arm in arm met meneer Grün wandelen. Die twee konden goed met elkaar overweg. Ze zeiden zwijgend oude teksten op – 'Dag, meneer Grün!', 'Dag, meneer Blau!' – of ze marcheerden in soldatenlaarzen door de smalle straatjes van de oude binnenstad en maakten de mensen aan het schrikken met de liederen in hun hoofd.

Hij woonde op de begraafplaatsen, op Steinkluppe, op Binz, op Friesenberg, en krabde daar met zijn nagels de jaartallen uit de stenen. 'Gisteren is voorbij,' zei hij. 'Gisteren, gisteren, gisteren.'

Altijd als hij gestorven was, kwam hij weer terug.

Op elke begrafenis zei hij het Kaddisj en op elke bruiloft trapte hij het glas kapot, hij hield bij elke bries het kind op schoot en vulde bij elke bar mitswe als eerste de beker. 'Lechajim,' riep hij, 'op het leven!' Waar er drie het tafelgebed zeiden, was hij de vierde, waar er tien voor de minjan bijeenkwamen, stond hij er als elfde bij. Als er één keer per jaar met de Torarol werd gedanst, was hij de eerste en de laatste danser, en als er werd gevast, streek hij over zijn buik en zei: 'Noemen jullie dat honger lijden? Dat stelt niets voor.'

Altijd als hij gestorven was, kwam hij weer terug.

Hij bezocht ook Désirée in haar winkel, waar de mensen koosjere boter kwamen halen en koosjere koekjes en koosjere roddels. Hij bracht snoepjes voor haar mee, ouderwetse snoepjes die naar amandelen en rozenwater roken; daarmee speelden ze geduldspelletjes op de toonbank en wie won hoefde zich een nacht lang niets meer te herinneren.

Hij kende alle geheimen en verklapte ze ook aan wie ze niet wilde weten.

Hij ging bij Arthur en Rosa langs, die een gelukkig echtpaar waren geworden, zonder dat ooit echt geweest te zijn. Ze woonden nu in de Morgartenstraße, in de grote woning die eens van Pinchas en Mimi en daarna van Désirée was geweest, en als ze 's avonds op de bank zaten, zoals echtparen dat doen, dan ging oom Melnitz tussen hen in zitten, sloeg zijn ene arm om Arthur en zijn andere om Rosa en hoorde erbij.

De kinderen waren geen kinderen meer, zeker Irma niet, die met haar aparte loensen alle jongemannen in de gemeenschap het hoofd op hol bracht, maar oom Melnitz knielde toch voor hun bedden en fluisterde hun nachtenlang sprookjes in het oor, verhalen waarin erge dingen gebeurden, tot ze allemaal om Goliath riepen. Maar Goliath kwam niet. Als ze gillend wakker werden, ging hij verder, sterkte zich nog met een grote slok uit de gesloten kristallen fles in de Tantalus. Hij kon eruit drinken zonder hem open te maken. Hij had zo veel geleerd in zijn levens.

Altijd als hij gestorven was, kwam hij weer terug.

Hij kwam niet alleen. Deze keer had hij versterking meegebracht. In zijn eentje kan iemand nooit zoveel verhalen vertellen.

De hele stad was er vol mee.

Het hele land.

De hele wereld.

Ze huisden op de zolders, in hutkoffers die niet op tijd waren vertrokken. Ze verstopten zich in de kelders onder stapels vodden die ooit feestgewaden waren geweest. Je trof ze aan op elke hoek van de straat. Ze zaten in de lege koets voor het Landesmuseum en reden zonder paarden tot aan het eind van de wereld. Op het station schreven ze met krijt getallen op de goederenwagons. In de winkel van Brockenhaus in de Neugasse zochten ze naar voorwerpen die ooit van hen waren geweest en als ze ze vonden wilden ze ze niet hebben. Bij Sprüngli schraapten ze slagroomtaart van blikken borden. Op het terras van de vleeshal stonden ze in de rij als voor het appèl, slechts af en toe sprong er een in de Limmat die mocht verdrinken.

Ze waren overal.

Als een zwerm zwarte vogels zaten ze in alle bomen met elkaar te schaken. De stukken had Melnitz uit botten gesneden; van elke geslagen pion wist hij de herkomst, het land en de familie te noemen. Hij wist alles en stond niemand toe het te vergeten.

'Geniet van jullie leven,' zei hij. 'Jullie hebben geluk gehad, hier in Zwitserland.'

Altijd als hij gestorven was, kwam hij weer terug.

Dank

De auteur dankt de historica Ursuline Wyss en de behulpzame dames in de bibliotheek van de ICZ voor hun hulp bij de research. Zijn dochter Tamar Lewinsky heeft de Hebreeuwse en Jiddisje woorden gecorrigeerd en de verklarende woordenlijst gemaakt.
De vertaalster dankt Hilde Pach voor de transcriptie van de woordenlijst en voor haar adviezen.

Verklarende woordenlijst

De meeste Jiddisje woorden stammen uit het Hebreeuws.
De uitspraak varieert al naargelang de herkomst van de spreker.

adir hoe lett. 'machtig is Hij'; begin van een lied uit de *Pesach-hagada
alia de, lett. 'opgang'; emigratie naar Palestina/Israël
almemmor het, platform voor het voorlezen uit de Tora
amod noach! rust! (militair bevel)
angesjikkert aangeschoten
arbe kanfes het, lett. 'vier hoeken'; hemd met schouwdraden
Asjkenazisch benaming voor riten, gebruiken, teksten en uitspraak van het
    Hebreeuws bij de joden uit West-, Midden- en Oost-Europa
aveire de, zonde
badchen de, entertainer op bruiloften
balebos de, heer des huizes, eigenaar
bar mitswa, bar mitswe de, lett. 'zoon van het gebod'; plechtig gevierde volwas-
    senwording van jongens aan het eind van hun dertiende levensjaar
beheime het, vee, koe
beheimesoucher de, veehandelaar
bekovedik eervol
bensjen, gebenjst zegenen, het tafelgebed zeggen
berches de, gevlochten sabbatbrood, gewoonlijk bestrooid met maanzaad
bisjge de, dienstmaagd, dienstmeisje
B'nai B'rith lett. 'zonen van het verbond'; naam van een internationale joodse
    liefdadigheidsorganisatie
boendel de, gevulde ossenmaag
boocher de, mv. *boochrem* Talmoedstudent, leerling
boroech Hasjem lett. 'gezegend de naam'; godzijdank
Bovo Basro lett. 'de laatste poort'; naam van een Talmoedtraktaat
bries de, besnijdenis
broiges boos, nijdig
bronfen de, sterkedrank
chai de, leven; getal achttien
chaloets de, mv. *chaloetsiem* pionier
chaloumes mit bakfisj dromen, onzin

Chanoeka acht dagen durend feest ter herinnering aan de herinwijding van de tempel na de opstand van de Maccabeeën

charoset het, mengsel van appels, noten, wijn en kaneel; een van de symbolische spijzen die met *Pesach worden gegeten

chassene de, bruiloft

chassied de, mv. *chassidiem* lett. 'vrome'; aanhanger van het chassidisme

chaveer de, mv. *chaveriem* collega, vriend, kameraad

chazzertreife volgens de spijswetten 'zo onrein als een varken'

cheider het, lett. 'kamer'; joodse school waar alleen religieuze vakken worden onderwezen

chevre de, genootschap, vereniging

chevre kadiesje de, begrafenisgenootschap

chochme de, mv. *chochmes* wijsheid (ook ironisch)

Choemasj de, Pentateuch

choepe de, baldakijn; huwelijksplechtigheid

chol hamoëed de dagen tussen de eerste en de laatste dag van *Pesach en van het Loofhuttenfeest, waarop het werkverbod nauwelijks meer geldt

choochem de, een schrandere kop (ook ironisch)

chosen de, bruidegom

droosje de, preek

echod mi joudea lett. 'wie weet er een'; begin van een aftelversje uit de Pesach-*hagada

eisjes chajil lett. 'degelijke vrouw'; aanduiding voor een flinke en vrome vrouw; begin van een gebed dat op vrijdagavond door de echtgenoot wordt uitgesproken

Erets land; Palestina/ Israël

erev de, vooravond van een feestdag of van de sabbat

esreg de, mv. *esrogem* citrusvrucht die bij het ritueel van het Loofhuttenfeest hoort

gabbe de, bestuurder; secretaris van een chassidische rabbijn

gallech de, priester

ganavcha je dief

Gan Eden Hof van Eden, paradijs

gannef de, dief

gematria de, getalsymboliek

Gemore de, hier: benaming voor de Talmoed

get de, scheidingsakte

gezoenderheit in gezonde toestand

goj de, *goje* de, mv. *gojem, gojes* niet-jood

gojemnaches lett. 'niet-joods vermaak'; onjoodse dingen

gojs niet-joods

goumel bensjen na doorstane gevaren het dankgebed zeggen

gremseliesj pesachgebak, gemaakt van *matses met rozijnen, eieren en kaneel

Hachnosas Kallo liefdadige vereniging die bruiden zonder bruidsschat van een uitzet voorziet

haftara, haftore de, lezing uit de Profeten, volgend op de lezing uit de Tora

hagada de, bundel gebeden en gezangen voor de *seideravond
halevai was het maar zo, het zou mooi zijn
halleel het, lofzang; Psalm 113-118
hanoë de, vreugde, plezier
Hasjomeer Hatsaïr lett. 'de jonge wachter'; zionistisch-socialistische jeugdorganisatie
Hativka lett. 'de hoop'; zionistisch, later Israëlisch volkslied
havdole de, lett. 'onderscheiding'; ceremonie aan het eind van de sabbat
Hersj Ostropoler legendarische grappenmaker, vergelijkbaar met Tijl Uilenspiegel
hespeed de, lijkrede
holekraasj tegenwoordig niet meer gebruikelijke ceremonie bij de naamgeving van een meisje
Ivriet (Modern-)Hebreeuws
jesjieve de, Talmoedschool
jischadesj lett. 'hij zal nieuw worden'; gelukwens bij een nieuw kledingstuk
jisgadal wejisjkadasj sjemei rabo lett. 'verheven en geheiligd worde Zijn grote naam'; begin van het *Kaddisj
jisjoev de, lett. 'nederzetting'; benaming voor de joodse bevolking in Palestina
Jom Kipoer Grote Verzoendag
jontef de, feestdag
jontefdik feestelijk, behorend bij een feestdag
jortsaitlicht het, kaars die op de sterfdag van een overleden familielid wordt aangestoken
Josl Pendrik spotnaam voor Jezus aan het kruis
Kaddisj de/het, gebed dat bij dodenherdenking en begrafenissen door de zoon wordt gezegd
kalle de, bruid
kidoesj de, heiliging; zegenspreuk over de wijn op sabbat en op feestdagen
klafte de, lett. 'teef'; scheldnaam voor een vrouw
klezmer de, muzikant
koegel de, traditionele ovenschotel van deeg of aardappelen voor de sabbat
kof, sjien, reesj Hebreeuwse letters
Kol Nidrei lett. 'alle geloften'; gebed waarmee de dienst van *Jom Kipoer begint; naam van het begin van de avond van *Jom Kipoer
koosjer, ritueel geoorloofd, volgens joodse spijswetten bereid
kouhen de, mv. *kouhanem* priester, nakomeling van Aäron
koved de, eer
krechtsen steunen, klagen
kwitl het, briefje; verzoekschrift aan een rabbijn
lechajim lett. 'op het leven'; proost!
lekoved ter ere van
lev durf
lewaje de, begrafenis
loelav de, palmtak die hoort bij het ritueel van het Loofhuttenfeest
mamme de, moeder

mannensjoel de, deel van de synagoge dat voor de mannen bestemd is

mase de, mv. *mases* verhaal

matse de, ongezuurd brood dat met *Pesach wordt gegeten

mazzel tov veel geluk!

mechoele failliet

mediene de, staat, land; *Goldene Mediene* Amerika

mejoesjev gezellig, comfortabel

me nesjoeme och ziel, bij mijn ziel

menoeche de, rust

mesjoegaas het, dwaasheid

mesjoege gek

metsieë de, koopje

mezoeze de, kokertje met Bijbelteksten, dat aan de deurpost wordt bevestigd

mifkad de, appèl

mikwe het, ritueel bad

mincha het, middaggebed

minhag de, (religieus) gebruik

minjan de, quorum van tien mannen, dat nodig is voor bepaalde gebeden

minjeman de, betaalde deelnemer aan het gebed om de *minjan vol te maken

Misjna de, mondelinge Tora, deel van de Talmoed

misjpooche de, familie

misjpochologie de, joodse genealogie

mitswe de, mv. *mitswes* gebod; goede daad; erefunctie in de synagoge

mitswetentsl het, traditionele dans van bruid en bruidegom na de huwelijksin-
zegening

mizrach oosten; gebedsrichting

moesar de, moraal

moheel de, besnijder

moichel zain vergeven, niet kwalijk nemen

moire angst

mosjiach messias, verlosser

moutsie afk. van *hamoutsie* voor de maaltijd uitgesproken broodzegen

nafke de, prostituee

narrisjkeit de, dwaasheid

nebbech och! helaas! jammer! (uitroep van medelijden of spijt)

nebbech de, *nebbisjl* het, stakker, pechvogel

nedinje, nadn de, bruidsschat

nes het, wonder

nes mien hasjomajim hemels wonder

nigoen de, mv. *nigoenem* melodie

noe nou; kom op!

omein amen

opperbalmeragges de, belangrijk persoon

parnose de, verdienste, inkomen

peies slaaplokken

Pesach joods paasfeest

pilpoel de, Talmoedisch debat; haarkloverij

pitem de, stengel van de *esreg

Poeriem Lotenfeest

ponem het, gezicht

poosjet gewoon

rachmones medelijden

Rasji beroemde commentator van de Talmoed uit de elfde eeuw

rav de, mv. *rabonem* rabbijn

reb beleefde aanspreekvorm voor vooraanstaande jood, heer

rebbe de, chassidische rabbijn

rejwech de, winst

Riboine sjel Oilem lett. 'heer van de wereld'; God

risjes antisemitisme, anti-joodse daad

roedeln roddelen

roosje de, mv. *resjoëm* booswicht; antisemiet

Rosj Hasjana joods nieuwjaarsfeest

sargenes het, doodshemd

Sefardiem de joden die oorspronkelijk uit Spanje afkomstig zijn

seichel verstand

seider de, lett. 'orde'; joodse paasviering ter herdenking van de uittocht uit Egypte, met maaltijd

seiderschotel de, schotel waarop de traditionele, symbolische spijzen van de *seider worden opgediend

seifer het, religieus boek

sidoer de, gebedenboek

sidre de, wekelijks wisselend hoofdstuk uit de Tora

simche de, mv. *simches* vreugde, feest

Simches Toure lett. 'vreugde van de Tora'; feestdag aan het eind van het Loof-huttenfeest, waarop de jaarlijkse cyclus van Toralezingen wordt afgesloten en opnieuw begonnen

sioem de, feestelijke afsluiting van de bestudering van een Talmoedtraktaat

sjabbes de, sabbat

sjabbesdik behorend bij de sabbat

sjachres ochtendgebed

sjadchen de, mv. *sjadchonem* huwelijksbemiddelaar, koppelaar

sjadchenen een huwelijk bemiddelen

sjammes de, synagogedienaar

sjaskenen zich bedrinken

sjaskener de, dronkenlap

Sjavoeot Wekenfeest, feestdagen ter herinnering aan het verkrijgen van de Tien Geboden bij de berg Sinaï

Sjechina de, goddelijke aanwezigheid

sjechita de, rituele slachtwijze

sjechten ritueel slachten

sjechter de, ritueel slachter

sjeitel de, pruik van gehuwde vrouwen

Sjema beni! lett. 'Hoor, mijn zoon'; uitroep van verrassing

Sjema Jisroël Adounoi Elouhenoe lett. 'Hoor Israël, de Eeuwige, onze God ...; begin van het belangrijkste gebed

sjidoech de, mv. *sjidoechem* het arrangeren van een huwelijk; de relatie die daardoor tot stand komt

sjiepe malke schoppenvrouw

sjiepe ziebele schoppenzeven; armoedzaaier

Sjier hamalous lett. 'trappenlied'; lied voor het tafelgebed

sjikker dronken

sjikse de, niet-joods meisje

sjioer de, leervoordracht

sjirajem resten van de tafel van de rabbijn, door de *chassidiem beschouwd als heelmiddel

sjivve de, mv. *sjivves* traditionele rouwweek na de begrafenis van een familielid

sjlachmones geschenken die traditiegetrouw met *Poerim verstuurd worden

sjlattensjammes de, hulpkracht, manusje van alles

sjmadden gedoopt worden (van een jood)

sjmattes textiel, lompen

sjmone-esre dagelijks hoofdgebed, oorspronkelijk bestaand uit achttien lofzeggingen

sjmontses onbelangrijke, waardeloze dingen

sjnodern schenken

sjnorrer de, bedelaar

sjocheet de, ritueel slachter

sjoel de, synagoge

Sjoelchen Orech de, lett. 'gedekte tafel'; verzameling religieuze voorschriften voor het dagelijks leven

sjofar de, ramshoorn die op *Rosj Hasjana en *Jom Kipoer wordt geblazen

sjokkeln heen en weer bewegen bij het gebed

sjomeer de, wachter

sjtiebel het, klein (chassidisch) gebedshuis

sjtraiml de, bonthoed van de *chassidiem

soede de, feestelijke maaltijd

soeka de, loofhut

Soekes, Soekot Loofhuttenfeest

talles het, gebedsmantel

talmied choochem de, Talmoedgeleerde

talmoed-Toravereniging vereniging voor de religieuze vorming van leken

Tanach de, Oude Testament

tatte de, vader

techieës hameisem opstanding van de doden

tefilien gebedsriemen

tefilien leggen aanbinden van de gebedsriemen

Tehiliem Psalmen (Bijbelboek)

tekio blazen van de *sjofar; een van de sjofartonen

tep de, idioot

tooches de, achterwerk
Toure Tora
treife volgens de spijswetten verboden
tsadiek de, vroom man
tsedoke de, gift
tseilem het, kruis
tsiebeles specialiteit van gehakte uien
tsore de, mv. *tsores* zorg, ergernis
vrouwensjoel de, deel van de synagoge dat voor de vrouwen bestemd is
waäd de, synode; comité
widoei de, zondebelijdenis
woch weekdag in tegenstelling tot de sabbat
woile jidn vooraanstaande joden
zich ansjikkern zich bedrinken